海洋无脊椎动物学

（修订版）

主　编　杨德渐　孙世春

编著者　杨德渐　孙世春　宋微波

胡维兴　胡景杰　朱丽岩

张丽霞

中国海洋大学出版社

·青岛·

图书在版编目(CIP)数据

海洋无脊椎动物学 / 杨德渐,孙世春主编. —2 版(修订版). —青岛:中国海洋大学出版社,2005.12(2016.8 重印)

ISBN 978-7-81067-765-3

Ⅰ.海… Ⅱ.①杨…②孙… Ⅲ.海洋生物—无脊椎动物 Ⅳ.Q959.1

中国版本图书馆 CIP 数据核字(2005)第 129435 号

出版发行	中国海洋大学出版社		
社　址	青岛市香港东路 23 号	**邮政编码**	266071
出 版 人	杨立敏		
网　址	http://www.ouc-press.com		
电子信箱	wjg60@126.com		
订购电话	0532—82032573(传真)		
责任编辑	魏建功	**电　话**	0532—85902121
印　制	淄博恒业印务有限公司		
版　次	2006 年 1 月第 2 版		
印　次	2016 年 8 月第 4 次印刷		
成品尺寸	170 mm×230 mm		
印　张	38		
字　数	682 千		
定　价	65.00 元		

前　言

本书是为海洋生物、海洋水产各专业学生学习海洋无脊椎动物学而编著。

书中所含原生动物篇(章)，当生物五界系统被广泛接受、原生生物学完善时，该部分可独立成书。由于生物多样性(遗传、物种、生态系统)的客观存在，种上分类的主观性，故本书各章的顺序和内容也不会一成不变。

近50年来，在中国海洋大学(原山东大学青岛部分、山东海洋学院、青岛海洋大学)，张玺、高哲生、尹左芬、张凤瀛、李嘉泳、李冠国、齐钟彦、刘瑞玉、吴宝铃、黄世玫、陈宽智等先生，都先后讲授过无脊椎动物学或其专题，本书在一定意义上也是他们治学、研究工作的继续。

本书由胡维兴编写软体动物门，宋微波编写原生动物，孙世春编写颚咽、腹毛、线虫、线形、轮虫、棘头、动吻、铠甲、微轮、五口等动物门和节肢动物门的三叶虫亚门、有螯亚门、单肢亚门及节肢动物门的系统发生，朱丽岩、张丽霞编写棘皮动物门，胡景杰编写节肢动物门甲壳亚门，杨德渐编写总论和多孔、扁盘、中生、腔肠、栉水母、扁形、纽形、曳鳃、环节、须腕、星虫、螠、缓步、苔藓、内肛、帚形、腕足、毛颚、半索等动物门并统改全稿。

书中插图未注出处者，皆为各章编写者设计或绘制。

编著者特别向尹左芬教授、谭智源研究员、陈清潮研究员、萧贻昌研究员、李锦和研究员、邹仁林研究员、陈万青教授、黄宗国研究员、蔡如星教授等致谢，感谢他们对本书编著的关怀、期望和支持。

编著者深信，任何学科的健康成长都有赖于连续的工作和积累。在编著本书的过程中，虽查阅了古今中外文献，但仍存在着海洋动物学知识的空白，故引用了部分淡水动物内容，这都属于今后该努力替代之处。

因编著者能力和学术水平的限制，本书失误和不足之处，恳请批评指正。

本书由中国(青岛)海洋大学教材建设委员会资助出版。

杨德渐　孙世春

2004年12月31日

目 录

总　论

我国是海洋大国，拥有18 000多千米的大陆海岸线、6 500多个面积在500 m^2 以上的大小岛屿、近14 000 km的岛屿岸线和约300万平方千米的可管辖海域。据中国渔业年鉴统计，2003年我国水产品总量已达4 706.1万吨，其中海洋捕捞和养殖的水产品产量分别为1 432.3万吨和1 253.3万吨，居世界之首。

海洋是交通的要道、资源的宝库、风雨的故乡、生命的摇篮，这里生活的无脊椎动物英文名 marine invertebrates，意为 marine animals without a backbone，即生活于海洋中无脊柱(脊椎骨)的动物。

据估算，全球海洋无脊椎动物约14万种。由于海洋的浩瀚、深邃和海水自身不时发生的混合、扩散、流动等活动给研究带来的困难，今天海洋生物多样性的丰富程度究竟何如，人们仍知之甚少。

我国海洋动物学发展简史

在我国古今类书中，常把水生动物(含海洋动物)归类为鱼、虫、鳞物、水物怪错、水产或水族等。本书拟将我国海洋动物学发展史分为先秦、秦汉魏晋、隋唐至明清、20世纪至今等4个时期。

先秦海洋动物知识的萌芽和积累

人类最早认识的水生动物应该是贝和鱼。5.7亿～5.1亿年前的寒武纪是贝类等水生无脊椎动物的繁盛期，鱼类崛起于4亿年前的泥盆纪。对只有300余万年(新生代第四纪)发展史的人类来说，贝和鱼的历程渊源流长。鱼先于人

图 0-1　古器物上之动物图(A,B 仿甄朔南;C 仿芶萃华)

A. 鱼蛙纹彩陶盆;B. 人面鱼纹陶盆;C. 鹳鱼图

类,又几乎所有的水域都有鱼且大都可食。

先民依水而居捕食野物,进而捡拾贝类,徒手捉鱼,故常把水生动物统称作鱼,且出现于图画文字及书卷中。考古发现,距今 1.8 万年前,山顶洞人遗址中出土有穿孔的兽牙 120 个、穿孔的海蚶壳 3 个、钻孔的草鱼眼上眶骨 1 个。距今七八千年前的陶器物件上,有陕西临潼仰韶文化的鱼蛙纹彩陶盆、西安半坡文化的人面鱼纹彩陶盆,庙底沟文化的蟾蜍纹,浙江余姚河姆渡文化的鱼藻纹、鹳鱼图等(图 0-1)。1977 年又在河姆渡遗址中出土了木桨。

贝丘,是原始人类食用贝类的遗弃堆。其遗址主要分布于:黄渤海区的辽宁大连市郊小磨盘山、山东小长山岛大庆山北麓和大长山岛之马石,东海的福建闽江晋江滨海地区和金门富国墩、台湾台北市北端的园山,南海的广东潮州西北部的陈桥、广西东兴等处。据测定,广东的贝丘距今已达 5 000 年,福建金门富国墩贝丘^{14}C 测定的数据距今6 310年±307 年,台北园山淡水贝丘也达3 500～4 500年。贝丘出土物中,除贝壳、鱼骨和鱼鳞外,尚杂有陶器、石器、骨器以及渔猎用的网坠、鱼叉和鱼钩等物。大连市小磨盘山贝丘中的蝾螺壳顶被击掉、东兴贝丘中的蚶壳被击出圆孔成串缚於渔网上,均是贝类被食用或加工的结果。上述实例均说明,当时人类活动的范围已从陆地扩大到了淡水江湖,而且走向了海洋,并在近岸水域乘舟渔猎。

象形文字是华夏走向文明的记载。在殷虚出土的商代甲骨文中,被认读的有虫、鱼、鸟等动物的类名和以竿钓鱼、以网捕鱼的文字。据统计,其卜辞1 169条中,涉及渔猎的有 197 条,有关捕鱼的 5 条,如“癸未卜丁亥渔”(说癸未那日卜问,丁亥时捕鱼吉凶何如),“贞其雨,在圃渔”,“在圃渔,十一月”等。春秋时流传的《夏小正》记有:“正月启蛰,鱼陟负冰”(陟,升也;负冰云者,言解蛰也),“二月祭鲔”(鲔至有时,美物也),“五月,浮游有殷”(殷,众也),“十有二月,虞人入梁”（虞人，官者渔师也；梁者，主设罔罟者也）。

动植物之名始见于西周。《周礼·天官·𩞄人》：“𩞄人，掌以时𩞄为梁，春献王鲔，辨鱼物，为鱻薧以共王膳羞……凡𩞄者，掌其政令，凡𩞄征，入于王府”（𩞄本作渔）。此时，动物又有毛、鳞、羽、介、赢物之分，《周礼·地官·大司徒》：“大司徒之职……辨其山林、川泽、丘陵、坟衍、原隰之名物……辨五地之物生。一曰山林，其动物宜毛物，其植物宜皁（皂）物，其民毛而方；二曰川泽，其动物宜鳞物，其植物宜膏物，其民黑而津；三曰丘陵，其动物宜羽物，其植物宜覈物，其民专而长；四曰坟衍，其动物宜介物，其植物宜荚物，其民晳而瘠；五曰原隰，其动物宜羸物，其植物宜丛物，其民丰肉而庳。”《礼记·月令》还有“东风解冻，蛰虫始振，鱼上冰，獭癸鱼，鸿雁来”等物候方面的记述。

在识别动植物的同时，对捕鱼期也有了初步的认识。《周礼》、《礼记》中允许捕鱼的季节是“孟春之月冰上封”的初春，“季春荐鲔于寝庙”的春季，“秋献鳖鱼”的秋季，“木落叶、獭癸鱼，是十月得取鱼”的 10 月，“冬季渔人始鱼”的冬季。故不得捕鱼的季节只有“夏三月，川泽不入网罟，以成鱼鳖之长”，“夏三月”相当于现在的 4～6 月，此时正是鱼类繁殖生长的季节。

人类在捕鱼时又有了养鱼的意识。《诗·大雅·灵台》篇记有“王在灵沼，於牣鱼跃”，大概指周文王在灵沼养鱼、鱼在跳跃的事。《诗经》中出现的鱼名已达 10 种，如“其钓维何，维鲂及鲔”（《诗·小雅·采绿》），“岂其食鱼，必河之鲂……岂其食鱼，必河之鲤”（《诗·陈风·衡门》）等。

鱼可食，亦做贡品或祭品。《尚书》记，青州的贡品是“厥贡盐絺，海物惟错”，徐州淮夷的贡品是“蠙珠暨鱼”（《书·禹贡》）。《礼记·曲礼下》曰：“凡祭宗庙之礼……槁鱼曰商祭，鲜鱼曰脡祭”（槁鱼即乾鱼）。

贝类除可食外，宝贝科的贝壳，商代已做货币使用（《汉书·食货志》）。据报道，安阳殷墟的一个中等墓葬中，曾出土 6 000 多枚海贝，而云南晋宁战国末至东汉期间滇王及王族墓地，竟出土海贝几十万枚。

被称作荒诞怪异的《山海经》也记鱼数十种，甚至还知道有毒的鱼，“𩷰𩷰之鱼，食之杀人”（《山海经·北山经》）。𩷰即河鲀。

秦汉魏晋对海洋动物的辨识

在汉字中，鱼贝二字的演化直观而象形，以燕尾记鱼，以两尾垂（实为两触角）记贝（图 0-2）。

在辨生物之同异、揭生物之指归的古籍中，首推《尔雅》和《说文解字》。《尔雅》成书于公元前 5 世纪至公元 2 世纪，生物被分为草、木、虫、鱼、鸟、兽、畜。

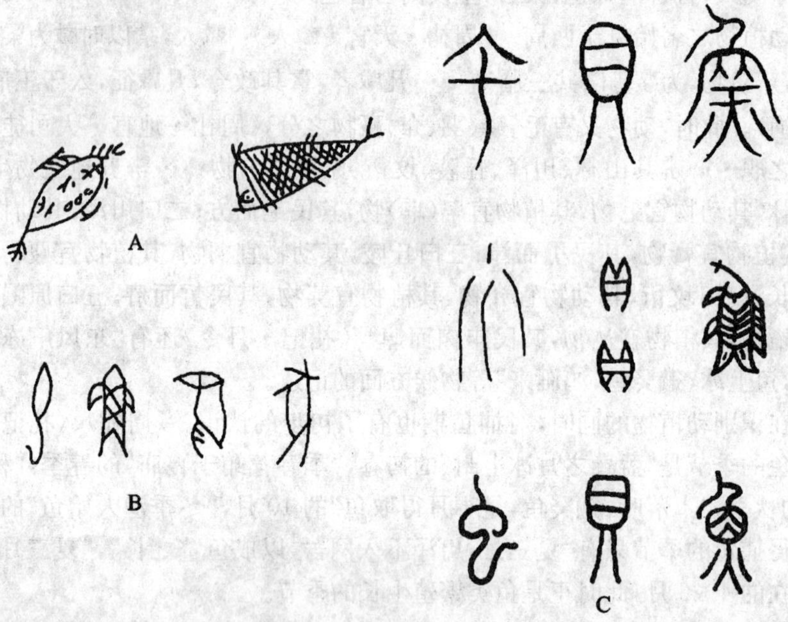

图 0-2　古文字符号和甲骨文(仿各作者)

A. 陶器文字符号之鱼(左:河姆度,右:半坡);B. 甲骨文之虫鱼鸟豕;
C. 汗简、铭文、篆字之虫贝鱼

其《释鱼》篇,今人考证计鱼 5 目 11 科 22 种,记水生脊椎动物的活东、鲵、鳖、龟、蝾螈等,水生无脊椎动物的虾、蚌、蛤、贝、蛭、鲎等。在《释器》篇中记载了古人用于渔猎的多种网具,“緵罟谓之九罭,九罭渔网也。嫠妇之笱谓之罶,罺谓之汕,篧谓之罩,槮谓之涔……鱼罟谓之罛”。这里,緵罟为网,罶为捕鱼的竹篓,罺为撩网,篧为捕鱼笼。槮如郭璞注,“今人作槮者,聚积柴木于水中,鱼得寒入其里藏隐,因以簿围捕取之。”这类似今人聚鱼的人工鱼礁,古人称之谓罧业。汉・许慎(公元 100 年)的《说文解字》,是中国文字学中的一部巨著,创部首收字。其中,虫部 163 字、鱼部 102 字、鸟部 104 字。对先秦至汉,有关动植物的归类有着继往开来的规范化作用。

古时,造字归类对有鳞鱼无疑应录入鱼部,但对非鳞之水生动物,却常有鱼虫部首之混淆,或大抵稍后以水族统称之。

在我国古籍中,虫字的含义颇广。《大戴礼记・曾子天圆》曰:“毛虫之精者曰麟,羽虫之精者曰凤,介虫之精者曰龟,鳞虫之精者曰龙,倮虫之精者曰圣人。”该书是把动物统称为虫。如上所述,汉字非鳞水生动物常鱼虫部首通用,此见:蛇-鮀(海蜇)、蚱-鲊(海蜇)、蚢-魧(大贝)、蚌-鲜(蚌)、蟹-鳉(蟹)、蝦-鰕(虾)等。无独有偶,以拉丁文演化来的英文字,也常以 fish(鱼)、worm(蠕虫)作为水生动物造字的基础。如 jelly-fish(水母)、nettle-fish(荨麻鱼、水母)、cuttle-fish(乌贼)、star-fish(星鱼、海星)等,flat-worm(扁虫)、ribbon-worm(纽虫)、ring-worm(环虫)等。

水族之名,始见于《吕氏春秋·季秋纪·精通》篇:"月也者,群阴之本也。月望,则蚌蛤实,群阴盈;月晦,则蚌蛤虚,群阴亏。"即"水族群阴为主"。汉·张衡《西京赋》曰:"擿漻澥,搜川渎,布九罭,设罜䍡,摷鲲鲕,殄水族。"晋·崔豹《古今注》虽误鲸为海鱼,但亦记水族之名:"鲸,海鱼也……鼓浪成雷,喷沫成雨,水族惊畏之,皆逃匿莫敢当。"

水族及其产物称为水产,有时亦等同于水族,其地位随着我国文化中心由黄土高原南迁,在东南沿海迅速发展。晋·张华《博物志》卷三曰:"东南人食水产,西北人食陆畜。食水产者,龟蛤螺蚌,不觉其腥臊也。食陆畜者,狸兔鼠雀,不觉其膻焦也。"

可以说,当时对水族辨识贡献最大者,首推沈莹和郭璞。吴·沈莹(? —286)的《临海水土异物志》,系后人从《隋书·经籍志》、《初学记》、《北户录》、《旧唐书·经籍志》、《文选》和《太平御览》中辑佚。该书记鱼 50 多种(1/2 以上为海鱼),记乌贼、䲗鱼(章鱼)、蚶、石华(鲍)等软体动物 10 余种,还记录了土肉(海参)、阳遂足等棘皮动物。除记其名,且记形态、习性乃至食用价值,应被誉为我国最早的一部地方志(浙南至闽北沿海)。晋·郭璞(276—324),著有《江赋》、《尔雅音图》、《尔雅图赞》、《玄中记》、《方言注》、《山海经注》等,最著名的是《尔雅注》。西晋末年,郭璞避乱江南,重实地考察,熟知江南物产、方言及民俗,其《江赋》记鱼,记贝、虾、水母、海藻等海物怪错和海鸟,记动物之回游亦记共栖生活的动物。"魚則江豚、海狶、叔鮪、王鱣,鯼鮆順時而往還……爾其水物怪錯,則有玉珧、海月、土肉、石華……璅蛣腹蟹、水母目蝦……其羽族也則有晨鵠、天鷄、鴢、鶩、鷗鴂。"是水族研究中最有价值、弥足珍贵的古文献。值得注意的是,郭璞所称之"水物怪错",不仅包括动物,而且包含植物。

隋唐至明清对海洋动物的发展—停滞

此期所谓发展主要表现在:集前人成就的类书和笔记大量出版,水生动物养殖业发展,多种水生动物专著问世。

类书或笔记的辑录工程浩大,对水族录述较多的有:唐·欧阳询《艺文类聚》,计宝玉、鸟兽、鳞介、虫豸、瑞祥、灾异等 44 部,所记颇详,然水族之珠贝归宝玉部，龙凤鼎归瑞祥，灾异含旱、蝗和贼（食苗节之虫），故有分合不当之处；唐·段成式的笔记《酉阳杂俎》，广动植含羽篇、毛篇、鳞介篇、虫篇，该书包罗万象，但以传闻为多；宋·李昉等《太平广记》、《太平御览》，前者分禽鸟、水族、昆虫、蛮夷等，后者用兽部、羽族、鳞介、虫豸等分卷，由此可见，古书的分类体系，对同一作者亦常观点不一；明·彭大翼《山堂肆考》240卷，分宫、商、角、徵、羽5集，羽集含羽虫、毛虫、鳞虫、甲虫、昆虫、无疑延续了《大戴礼记》虫的概念；清·张英等《渊鉴类函》，计540卷，含鸟、兽、鳞介、虫豸等45部；清·陈元龙《格致镜原》，含100卷30类，卷90～95为水族类；清·蒋廷锡等《古今图书集成》，计6汇编32典1万卷，被誉为中国古代之大百科全书，其博物汇编之禽虫典汇集了水生动物的古文献，并附精细的图（图0-3）。总之，类书从不同角度记录了祖国大量典籍中的水族，但是考定名物、统一名称之任务尚难完成。

图0-3　蜃图（仿《古今图书集成》）

据传，我国最早的养鱼书为春秋战国时期的《陶朱公养鱼经》，该书写静水池塘养鲤，书虽佚，但魏·贾思勰《齐民要术》中有辑录，故流传至今。其后，较详的记载包括唐·段公路《北户录·鱼种》：“南海诸郡，郡人至八九月，於池塘间採鱼子著草上者，悬于灶烟上。至二月，春雷发时，卻收草浸于池塘间，旬日内如虾蟆子状，悉成细鱼，其大如发，土人乃编织藤竹笼子，涂以余粮或遍泥蛎灰，收水以贮鱼儿，鬻于市者，号为鱼种。鱼即鲶鲤之属，育池塘间，一年内可供口腹也。”最完整且流行最广的养鱼书见于明代黄省曾《鱼经》，包括一之种、二之法、三之江海诸品，即鱼秧和鱼苗的培育、饲养养殖技术、鱼种品系及习性三部分。该书除淡水鱼的养殖，对海水鱼的养殖亦有记述：“鲻鱼，松之人于潮泥地凿池，仲春潮水中捕盈寸者养之，秋而盈尺，腹背皆腴，为池鱼之最。”此外，明·胡世安《异鱼图赞补》和《异鱼赞闰集》中，对鱼苗的选择以及鲻鲈不可混养，所记皆详。

除淡水鱼的养殖史早于海鱼外。海洋贝类包括蚶、牡蛎、缢蛏、珍珠贝等的养殖，此期也取得很大的成绩。

我国养蚶始见于三国吴，最迟不晚于明。此见三国吴·沈莹《临海水土异物志》余辑载：“蚶之大者，径四寸，肉味佳。今浙东以近，海田种之，谓之蚶田。”

（经今人考证，浙江东西二道，始置于唐肃宗以后，“今浙东”句，非“沈志”原文，元明以后的引文列入余辑，故养蚶最早的年代尚待考）。明·屠本畯《闽中海错疏》卷下：“四明蚶有二种，一种人家水田中种而生者。一种，海涂中不种而生者，曰野蚶。”

插竹养牡蛎，可上溯至宋代。宋·梅尧臣《食蠔》诗：“薄臣游海乡，雅闲静康蠔……亦復有细民，并海施竹牢，採掇种其间，冲激恣风涛。”

缢蛏的养殖，见于明代闽粤沿海。明·李时珍《本草纲目·介二·蛏》曰：“蛏乃海中小蚌也。其形长短大小不一，与江湖中马刀、蝛、蚬相似，其类甚多。闽粤人以田种之，候潮泥壅沃，谓之蛏田。呼其肉为蛏肠。”《古今图书集成·禽虫典·蛏部》引《闽书》：“耘海泥若田亩，然浃杂咸淡水，乃湿生如苗，移种之他处乃大。长二三寸，壳苍白，头有两巾出壳外。所种者之亩，名蛏田或曰蛏埕或曰蛏荡。福州、连江、福宁州最大。”

对珍珠之培育，宋·庞元英《文昌杂录》记：“礼部侍郎谢公，言有一养珠法，以今所作假珠，择光润圆润者，取稍大蚌蛤以清水浸之，伺开口急以珠投之。频换清水，夜置月中，蚌蛤採玩月华，此经两秋，即成真珍。”此录“夜置月中”等句虽玄虚之辞，但终言明我国古代就知淡水蚌之育珠法。此外，海上採珠也获得进展。

对海兔，清·李调元《南越笔记》卷十二：“海兔，状如蛞蝓……海人冬养於家，春种之。”此记说明清代已养殖。

宋·傅肱《蟹谱》，是我国古籍中不可多得的蟹类专著。该书含总论及上下篇。“蟹，水虫也。其字从虫，亦曰鱼属，故古文从鱼作蟹。以其外骨，则曰介士。取其横行，目为螃蟹焉。”

宋·毛胜《水族加恩簿》，是我国古书中首部以水族命名、首次对水生经济动物进行质量评估的书。该书评价了鲈鱼“销酲引兴、鲜鬛之鄉”，鲥鱼“铛材本美、妙位无高”，鳜鱼“骨疏肉紧、体具文章”，鲤“三十六鳞、大烹允尚”等 12 种鱼，另有江豘“渔工得隽、亦号甘美”等 13 种其他脊椎动物，此外尚记乌贼、江珧、鲎等无脊椎动物 19 种，总计 42 种食用的水族。毛胜为感水族对人类奉献美食佳肴之恩，又分别封以“官”职。

明·胡世安《异鱼图赞补》和《异鱼赞闰集》，为 230 余种水生动物作赞百余首。四字一韵，诗文俱佳，录述皆详。

明·屠本畯的《闽中海错疏》，被誉为我国第一部水产动物志（图 0-4），书成于 1596 年，包括序、卷上、卷中、卷下和附录几部分。卷上为鳞部上含鲤、鲫、鲂、鲨、鲥等习见鱼类和海鰌（鲸），卷中为鳞部下含乌鲗、鳟鱼、水母、虾等运动能力较强的“鳞”类和带鱼、鯸（河豚）、魟、弹涂等体形特殊之鱼类以及虾蟆（泽蛙)、水鸡(虎纹蛙)、蟾蜍等两栖动物,卷下为介部含龟、鳖等爬行动物和蟹、蚶、海胆等无脊椎动物。全书共记述 200 余种海洋动物和少数淡水种,详述了真鲷的食性和回游规律、泥螺的生殖发育过程,总结了草鲢两种鱼的饲养方法,纠正了对海粉(海兔之生殖产物)、寄生(寄居蟹)等的误传。

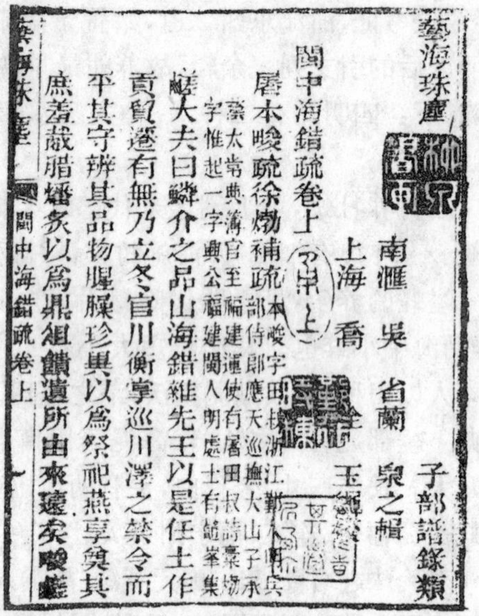
藝海珠塵　子部譜錄類
南滙　吳省蘭　泉之輯
上海　喬　王
閩中海錯疏卷上
屠本畯疏　徐𤊹補疏　本畯字田叔浙江鄞人明兵部侍郎應天巡撫大山子承蔭太常典簿官至福建運使有屠田叔詩藁𤊹字惟起一字興公福建閩人明處士有鼇峯集
嵯大夫曰鱗介之品山海錯雜先王以是任土作
貢貿遷有無乃立冬官川衡掌巡川澤之禁令而
平其守辨其品物腥臊珍異以爲祭祀燕享與其
庶羞胾腊燔炙以爲鼎俎饋遺所由來遠矣
藝海珠塵　閩中海錯疏卷上

图 0-4 《闽中海错疏》影印件(仿芶萃华等)

从地域上看,我国东南沿海对海洋动物贡献较大。这不仅说明我国文化中心由发端的黄河中游黄土谷地向东移南迁的过程,而且也得益于海上"丝绸之路"以及闽粤人或在其任职者。此见汉·杨孚《交州异物志》(交州,汉置,今广东、广西和越南境)、吴·沈莹《临海水土异物志》、唐·刘恂《岭表录异》(刘曾出任广州司马)、宋·郑樵《通志》(郑为莆田人)。此外,尚有在闽或任职于沿海的明·谢肇淛《五杂俎》、明·杨慎《异鱼图赞》、明·黄省曾《鱼经》、明·屠本畯《闽中海错疏》、清·周亮工《闽小记》、清·郭柏苍《海错百一录》、清·李调元《南越笔记》《然犀志》等。

清·李元《蠕范》,在中国古文献中极为独特。其书出恰在中国跌入闭关自守而日本放宽禁令向东西方学习之时(1816)。该书依动物之理(阳阴)、匹(雌雄)、生(生殖)、化(化生?)、体(内构)、声、食、居、性、制、材、知、偏、候、名、寿等分为 16 部分。其分类备检的有:禽属、兽属、鳞属、介属、虫属等。承前启后,立意新颖。

明末清初,我国科技之辉煌,有我国古代科学遗产的成就,也有西方传教士的科学输入。具较高科学素养的传教士如利玛窦(Matteo Ricci,1552—1610)、邓玉函(Johann Terrentius,1570—1630)、汤若望(Johann Adam Schall von Bell,1591—1666)、南怀仁(Ferdinand Verbiest,1623—1688)等相继来到中国,促进了中西方科技文化的交流,亦得益于明末清初统治者较为开明地接受了西学的输入。

历史告诉人们,发展不谓无低谷。对水生动物来说小至名称大到其繁衍,亦无不受达官贵人的干涉或蒙有伦理或迷信的色彩。如明《枕谭》记:"佩鱼始于唐永徽二年,以鲤为李也。武后天授元年改佩龟,以玄武为龟也。"除因鲤与皇姓李音同犯忌改鲤为佩龟或赤鲩公外,还严令不食不卖鲤,谁捕到须放生,谁卖就要受罚，结果使当时的养鲤业倍受摧残。又如唐·陆龟蒙《蟹志》称："蟹始窟穴于沮洳中，秋冬交必大出。江东人云稻之登也，率执一穗以朝其魁，然后从其所之。"或曰："持稻以输海神。"此类传言，经宋·罗愿《尔雅翼》至清《格致镜原》，凡千年皆录不疑。再如从《陶朱公养鱼经》至明·黄省曾《鱼经》称养鲤时"至四月纳(内)一神守，六月纳(内)二神守，八月纳(内)三神守。神守者，鳖也。内之，则鱼不飞去。"靠鳖守鱼之说流传千余年，实属附会谬误。

在此不妨与我邻国日本比较。日本最早的博物记录是《古事比》(712)和《本草和名》(918)等。很可能由隋唐时代出使中国的日人传入，也许中国派赴日本的使节(607～894)亦有所推动。据载，李时珍《本草纲目》(1590)的复本是1607年传入日本的，日本的《本草食鉴》(1697)、《大和本草》，是在《本草纲目》传入后一个世纪写就的。日本1630年的"禁书令"和1633年发布的"锁国令"，只允许同中国、荷兰有限的贸易，从而极大地限制了其发展。但是，1720年以后，当日本放宽禁书、锁国政策时，我国统治者却走向了反面。清雍正(1723年)始行闭关自守，拒绝引进西方科学技术，驱赶西方学者，不派留学生，加之政治腐败，外患频仍，使日本反超过中国。日人学习接受了西方的科学技术又融会了中国古文化的成就，其反输入中国的结果，常被落后了的中国人误为由日本"舶"来的。

以动物分类学为例，西方学者在工业革命的推动下，发明和应用显微镜的同时奠定了细胞学说，确立了进化论，建立了物种的概念和双名法，在正确的方法和理论的指导下脱离了萌芽状态。而古老的中国虽有过辉煌，但仍坚守古制，类书中缺少层次、主题并列，动植物常概括为兽畜、水族、虫豸、花卉、果蔬，的确是落后了。

20世纪以来的恢复—振兴

我国闭关自守的打破，是1840年后的事。丰富的文化遗产，知识分子的"科学救国"，洋务运动的技术引进，传教士的科学输入，等等，在近代我国科学技术中的确起着一定的作用。

民国时期，一批青年学者先后由欧美日留学归来，投身于开拓中国的科学事业。中国科学社(1915)、中国科学社生物研究所(1922)、静生生物调查所(1928)、北平研究院动物学研究所(1929)、北平博物学会(1925)、中国生理学会(1926)、中国古生物学会(1929)、中华水产生物学会(1930)、中国动物学会(1934)等相继成立。在其带领下，开始清查我国动植物的种类。我国最早之一的近海调查，是1935～1936年，由北平研究院动物学研究所与青岛市政府联合组成的"胶州湾海产动物采集团"实施。

1930年秋，中国科学社由蔡元培、李石曾、杨杏佛等在青岛发起组织中国海洋研究所，第一次会议公推胡若愚、蒋丙然、宋春舫为常委并决议筹设水族馆。青岛水族馆于1932年5月8日正式开馆。水族馆初建的宗旨：一为公开展览、提倡海洋科学、辅助学校教育、引起民众对海洋的兴趣与注意；二为从事科学研究、协助海洋生物学的进步并促进海洋渔业的改进与发展。

1926年河北省水产专科学校、1927年江苏省水产学校、1946年厦门大学海洋系、中央水产实验所和山东大学水产系的成立，对推动海洋和水产科学的研究和人才的培养，皆具开创性的历史作用。

中华人民共和国成立后，1950年北平研究院动物学研究所和静生生物调查所调整组建成中国科学院动物标本整理委员会，1953年为动物研究室、1957年正式成立中国科学院动物研究所并在1962年与昆虫所合并；中国科学院水生生物研究所，是1950年由原中央研究院动物研究所的一部分和植物所藻类学部分在上海合并，1954年迁往武汉，主要研究淡水生物；同年，中国科学院海洋研究室脱离水生生物研究所独立，此前(1950)为海洋生物研究室，1957年更名为中国科学院海洋生物研究所，1959年扩建为综合性的中国科学院海洋研究所；1959年南海海洋研究所在广州成立；1964年国家海洋局组建，其三个研究所(青岛一所、杭州二所、厦门三所)亦相继建制。此外，国家有关部委也都成立了若干研究所或院校，其中包括黄海水产研究所、山东海洋学院(中国海洋大学)、上海水产学院(上海水产大学)、大连水产学院、厦门水产学院(集美大学水产学院)、湛江水产学院(湛江海洋大学)、浙江水产学院(浙江海洋学院)，此外尚有台湾海洋大学等。

中国海洋生物分类学研究虽始于20世纪30年代，但大规模的标本采集则是1954年以后进行的，尤其是1958年在国家科委海洋组的领导下，历时3年(1958～1960)的全国海洋普查(亦称全国海洋综合调查)；我国首次全面系统的海洋渔业资源调查是1953～1957年历时5年的烟威外海鲐鱼渔场综合调查；贻贝养殖形成稳定的产业是始于1958年；1965年我国第一艘自行设计的教学科研海洋调查船“东方红”号下水。

始于1966年的“文化大革命”，是生物学(含水产)研究跌入低谷的年代。

其后，进行了“四省市海洋污染调查”(1972～1973，辽宁、河北、天津、山东)、“南黄海北部石油污染调查”(1975～1976)、“南海北部大陆斜坡海域渔业资源综合调查”(1979～1980)、“中国海岸带和海涂资源综合调查”(1980～1985)、“全国海岛调查”(1988～1992)、“南沙群岛海区综合科学考查”(1984～2000)，此外尚有“中美长江口及邻近陆架海洋沉积作用过程联合研究”(1980～1983)、“中美渤海中南部和黄河口沉积动力学调查”(1985～1987)等。在以经济建设为中心的指导下，水产动物养殖方面，20世纪80年代取得对虾人工养殖的辉煌成就，1986年养殖对虾产量达 8.28 万吨，其后逐年增加达到 19.8 万吨(1988)；海湾扇贝的引种始于 1983 年底，1985 年推广，1988 年鲜品产量达 5 万吨，并开拓了海底、浮筏、封闭水体等养殖技术，1991 年墨西哥扇贝的引种又获成功。

随着政治稳定、经济发展、人民生活水平的提高，观赏水族业包括海水鱼、淡水热带鱼、其他海洋无脊椎动物(缨鳃虫、珊瑚和海葵等)和水草等的水族箱内的养殖均应运而蓬勃发展起来。动物志的编写，截至 2004 年 7 月份统计，《中国动物志》已按期完成 95 卷，含脊椎动物 24 卷、无脊椎动物 37 卷、昆虫 34 卷，国家自然科学基金作为“十五”重大项目之一，仍将支持完成《中国动物志》30 卷。另外，由国家海洋局主持的“我国近海海洋综合调查与评价”，也在 2005 年全面启动。

“龙”(图 0-5A)曾被誉为水族之首，王权之尊，其传说历史久远，家喻户晓，妇孺皆知。《山海经·海外南经》曰：“南方祝融，兽身人面，乘两龙。”汉·许慎《说文解字》：“龙，鳞虫之长，春分而登天，秋分而潜渊。”《文选》卷十四引《颜延年赭白马赋》：“骥不称力，马以龙名。”李善注引《周礼》曰：“凡马八尺已(以)上为龙。”清·李元《蠕范》卷一记为：“龙，宛虹也、云螭也、雨师也、水物也、怪物也。鳞虫木之精，满三百六十一，龙为之长。介鳞生蛟龙，蛟龙生鲲鲠，鲲鲠生建邪，建邪生庶鱼。凡鳞者生於庶鱼……(龙)口旁有虬髯、颔下有明珠、喉下有逆鳞、头上有博山……有鳞曰蛟龙，有翼曰应龙，有角曰虬龙，无角曰螭龙，未升天曰蟠龙。龙有九似，角似鹿、头似驼、眼似鬼(兔)、项似蛇、腹似蜃、鳞似鱼、爪似鹰、掌似虎、耳似牛。”按生物学知识，一种既适于水中生活又能上天飞行，既具食肉动物的捕食构造又具食草动物性状的生物，不仅古无化石，今亦无现生物种。龙之“九似”，实际上是想像的数种动物的集合体，或许也是图腾崇拜的产物。但是，鱼作为古人识别水生动物的基础，类似的例子亦见于何罗鱼(乌贼)、鲎等(图 0-5 B,C)。

A　　B　　C

图 0-5　前人绘之动物图

A. 龙；B. 何罗鱼；C. 鲎

(A 仿《康熙字典》扉页；B 仿《山海经广注》；C 仿《三才图会》)

国外海洋动物学研究简况

同中国古代一样，国外考古学家也找到了石器时代人类吃后留下的贝壳堆积物，发现了用骨和贝壳制成的鱼叉及简单的鱼钩。在古埃及法老的墓中绘制有告诫人们不可食用的有毒河豚图(图 0-6 A)。公元前 4 世纪，古希腊的 Aristotle(384—322 B. C.)在他的《动物史》(L'Historie des Animaux)中，把动物分为有血动物和无血动物并描述 454 种动物，其中有海洋动物 170 多种，包括海绵、腔肠、蠕虫、软体、节肢、棘皮、鱼、爬行、海鸟和海兽。书中使用种、属的术语，而且知道鳃是鱼用以呼吸的结构。但是，宗教的桎梏，直到 15 世纪文艺复兴时期以后，在新兴的资本主义扩张制度的刺激下，才开阔了人们对海洋动物的认识。

显微镜的发明和使用，使生物学脱离了萌芽状态。1674 年，荷兰的列文虎克(A. Leeuwenhock，1632—1723)最先利用显微镜，发现了海洋原生动物。1685 年英国利斯特(M. Lister)的《贝类学大纲》(Historiae Conchyliorum)问世。1777 年丹麦 O. F. 米勒用显微镜观察了北海的浮游生物。

18～19 世纪，杰出的生物学家瑞典人林奈(Carolus Linnaeus，Carl von Linné，1707—1778)，在《自然系统》(Systema naturae，1758)一书中将生物分为纲(class)、目(order)、属(genus)、种(species)4 个等级，把动物分为哺乳、鸟、两栖、鱼、昆虫和蠕虫 6 个纲，首创了物种命名的双名法(binomial nomenclature)，使动物分类学走上正确方法的轨道，但是林奈的分类仍沿用了亚里士多德的分类系统，如在软体动物分类中，把无壳或内壳的归为软体动物，把具外壳者甚至把甲壳类的茗荷儿也列入有壳类，此外，还把珊瑚称为植形动物；法国人拉马克(J. B. Lamarck，1744—1829)的《动物哲学》(Philosophie Zoologique)和《无脊椎动物自然史》(Historie naturella des Animaux sans Vertèbres)论述了物种的变化，扩大了动物比较解剖学知识，修改了对昆虫和蠕虫的分类，拉马克不仅是进化论的先驱而且也是无脊椎动物学的创始人；德国的施莱登(M. Schleiden，1804—1881)和施旺(T. Schwann，1810—1882)发现细胞是动植物结构的基本单元，首创了细胞学说(cell theory)；英国人达尔文(C. Darwin，1809—1882)，在长达 5 年(1831—1836)"贝格尔"号(H. M. S. *Beagle*)的环球考查航行中，确立了火山岛和珊瑚礁有价值的研究，提出了沉降说(subsidence theory)(见第五章)，1859 年达尔文著名的《物种起源》(Origin of Species)，一举奠定了进化论，使生物学研究获得正确理论的指导。上述生物学方法和理论也极大地推动了海洋动物学的研究。

A

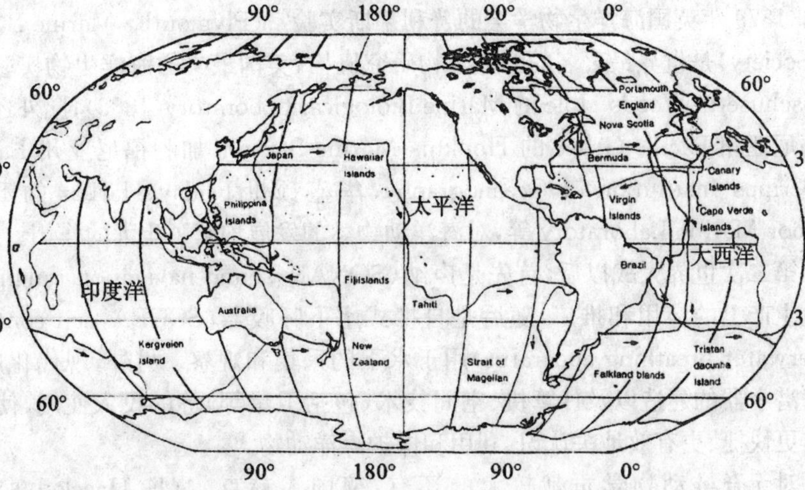

B

图 0-6　古埃及动物图和近代最著名的海洋调查(从各作者)

A. 古埃及法老墓中河豚图；B. "挑战者"号航行路线

1834～1837 年法国人米尔恩·艾德华兹(H. Milne-Edwards)的《甲壳类自然史》(Histoire Naturelle des Crustaces)问世；1845 年德国人米勒(J. Müller)用细网目的网采到海水中生活的浮游生物；1852 年 J. D. Dana 根据 1838～1842 年的考查发表了专著《甲壳动物》(Crustacea)；被称为"海洋生物学之父"的英国人福布斯(E. Forbes，1815—1854)提出海洋生物垂直分布的现象，而且发表了《英国海产生物分布图》和《欧洲海的自然历史》首部海洋生态学论著，福布斯还是著名海洋考察船"挑战者"(H. M. S. *Challenger*)号领导人汤姆森(C. W. Thomson)的老师。

在汤姆森的领导下，"挑战者"号考察船历时三年半(1872. 12～1876. 5)，遍历世界各大洋进行了海洋多学科的综合调查(图 0-6 B)，仅生物部分就陆续发表了"Challenger Report"50 卷专著，鉴定了 4 717 个新物种和 715 个新属，迄今仍是海洋动物分类学研究的重要参考文献。同时，1887 年德国学者亨森(V. Hensen)提出浮游生物概念，开展了浮游生物的定量工作；1889 年，德国北大西洋浮游生物调查队(Plankton Expedition)的调查报告，为海洋浮游生物的分类、生态研究奠定了基础；1891 年德国人 E. H. 哈克尔提出游泳生物和底栖生物的术语；1908～1913年丹麦人C. G. J.彼得松的工作被认为是海洋底栖生物定量研究的基础。

1872年由德国生物学家设在意大利那不勒斯(Naples)的Stazione Zoologica和1879年英国海洋生物学会的普利茅斯实验室(Plymouth，Marine Biological Society)是世界最著名的海洋生物研究机构，美国最早的海洋生物实验室是Masschusetts Woods Hole的Marine Biological Laboratory(1888)，此外还有加利福尼亚州Pacific Grove的Hopkins Marine Station、加利福尼亚州La Jolla的Scripps Institution of Oceanography、华盛顿州Friday Harbor的Friday Harbor Marine Laboratory等，对海洋动物学的发展均起了重大的作用。

第二次世界大战以后，首先是声纳(SONAR，sound navigation ranging)在渔业生产上的应用和推广，随后是自携式水下呼吸器(SCUBA，self-contained underwater breathing apparatus)用于水下的采集和观察。另外，现代化船舶、深海潜水器的建造以及计算机、空间技术(包括卫星等)等的投入使用，使人们得以更快捷、更有效地去认识、利用和保护海洋动物。

对无脊椎动物学贡献较大的还有：德国人赫克尔(E. Haeckel，1834—1919)，提出了动物系统发生的重演律(recapitulation theory)或生物发生律(biogenetic law)，澄清了许多无脊椎动物的亲缘关系；美国人海曼(L. Hyman，1888—1969)的无脊椎动物五卷专著和美国人巴恩斯(R. D. Barnes，1927—1993)的《无脊椎动物学》(Invertebrate Zoology)等，至今仍是无脊椎动物学中的主要参考书。

海洋动物的生活环境

根据海洋生物的生活方式可将海洋环境分为海底区(底层区)和海水区(水层区)(图0-7)。

海水区(水层区)(pelagic division)

海水区是指海洋的整个水体。主要特征在于流动性，其边界无固定位置。是浮游动物和游泳动物活动的场所。可分为近海区和远洋区。

1. 近海区(neritic province)：为大陆架以上的水域，由于潮汐、波浪和海流等动力作用以及热力作用产生很强的湍流混合，使底层的营养盐上升，加上大陆径流带来的营养物质，使这里水质肥沃，海洋生物丰富。是海洋生态系统中最主要的生产力区。

2. 远洋区(oceanic province)：为大陆架以外的水域，其理化环境条件较稳定。根据深度和光线透入情况，又分为表水层(epipelagic zone)(150～200 m)、中水层(mesopelagic zone)(200～1 000 m)、渐深水层(bathypelagic zone)(1 000～4 000 m)、深水层(abyssopelagic zone)和超深水层(hadalpelagic zone)(>4 000 m)。亦有作者主张把1 000 m以深的水层统称为深水层。

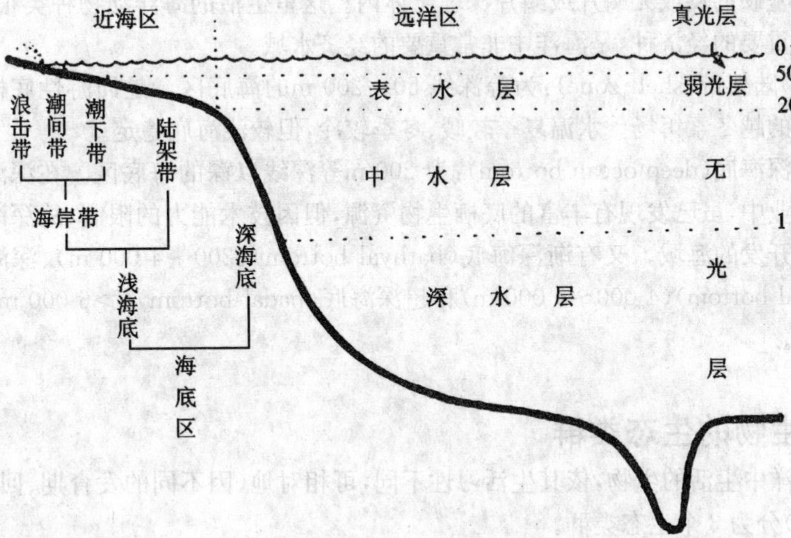

图 0-7 海洋生物生活环境的划分

海底区(ocean bottom division)(底层区 benthic division)

海底区是指海洋的整个海底，为底栖生物栖息之所。可分为浅海底和深海底。

1. 浅海底(shallow bottom)：为等深线200 m左右往上的海底区，又分为海岸带和陆架带。

(1)海岸带(coastal zone)：包括以下 3 个带。

浪击带(splash zone)：年最大高潮溅起的浪花达之高程，有盐碱植物和某些昆虫。

潮间带(intertidal zone)：历史上最大高潮水位和最大低潮水位(有人主张理论基准面)间的范围，即潮汐活动、海洋和陆地交接的地区。这里环境特殊，变化很大。又有高、中、低潮带之分。是海洋生物学研究的一个重要场所，与人类经济关系密切。

潮下带(subintertidal zone):从潮间带的下限到 50 m左右的深处。这里潮汐的影响较小,是海浪所及的下限。

总之,海岸带受潮汐、海浪的影响较大,这里的海洋生物常呈流线型,如石鳖、笠贝、鳞沙蚕,或扁平如皮的海绵,海藻亦多柔软而富弹性且固着器发达,鱼也多具坚硬的皮或无鳞片或鳞片深埋于体内。这里生活的海洋动物种类很多,有的是重要的经济种,是海洋中非常重要的经济水域。

(2)陆架带(shelf zone):为等深线 50～200 m的海底区。是回游性底栖经济鱼类的越冬索饵场。水温夏季较暖、冬季较冷,但较浅海底稳定。

2. 深海底(deep ocean bottom):为 200 m等深线以深的海底区。在深海底拖网作业中,虽已发现有丰富的底栖生物资源,但因技术能力的限制,故深海仍是尚待开发的海域。又有渐深海底(bathyal bottom)(200～4 000 m)、深海底(abyssal bottom)(4 000～6 000 m)和超深海底(hadal bottom)(>6 000 m)的再划分。

海洋生物的生态类群

海洋中生活的生物,依其生活习性不同,可相对地(因不同的发育期、回游、索饵等)分为 3 个生态类群。

浮游生物(plankton)

生活于水层区,游泳能力很弱不足以抗衡水流运动甚至毫无游泳能力随波逐流的生物。以扩大身体的表面积、结成群体、多油滴、分泌气体、增多水分、外壳或骨骼退化、分泌黏液或胶质、降低离子浓度、产生刺毛等方式增加浮力。

1. 按营养方式分:具光合作用能力、自养的浮游植物(phytoplankton)和无光合作用能力、异养的浮游动物(zooplankton)。

2. 按大小(保留于不同孔径的筛网上)分:巨型浮游生物(megloplankton)(>1 cm)、大型浮游生物(macroplankton)(1 cm～5 mm)、中型浮游生物(mesoplankton)(5～1 mm)、小型浮游生物(microplankton)(1 mm～5 μm)、微型浮游生物(nanoplankton)(50～5 μm)、超微型浮游生物(ultraplankton)(<5 μm)。

3. 按水平分布分:近海浮游生物(neritic plankton)和远洋浮游生物(oceanic plankton)。

4. 按垂直分布分:上层浮游生物(epiplankton)(<100 m)、中层浮游生物

(mesoplankton)(100～400 m)、下层浮游生物(hypoplankton)(＞400 m)。

5.按浮游期的长短分：永久性浮游生物(终生浮游生物)(holoplankton)、阶段性浮游生物(meroplankton)(生活史的某一时期，常为幼虫和幼体)、暂时性浮游生物(tychoplankton)(非浮游种，因生殖或特殊的环境变化)。

此外，生活于海水最表层和表面膜上的生物称为漂浮生物(neuston)(海洋水表生物)，包括：水漂生物(pleuston)、表上水漂生物(epineuston)和表下水漂生物(hyponeuston)。

游泳(自游)动物(nekton,necton)

生活于水层中，体大游泳力强的动物。包括鱼、鲸、头足类、大型虾类等。除具发达的游泳器官(鳍、喷水装置、附肢)外，还具流线型的体型(这种趋同现象是动物进化适应的结果)。

游泳动物的运动方式，多数鱼类以身体或尾部的弯曲摆动为前进的动力，对虾游泳肢的划动具桨的作用，乌贼则以喷水的反射作用推动身体前进。

底栖生物(benthos)

栖于海底区的底内或底面，或不能长期在海水层中做较长距离游泳的动物。

1.按营养方式分：底栖植物(benthic flora)和底栖动物(benthic fauna)。

2.按大小分：大型底栖生物(macrobenthos)(＞1 mm)、小型底栖生物(meiobenthos)(0.1～1 mm)、微型底栖生物(microbenthos)(＜0.1 mm)。

3.按生物习性分：生活于海底泥沙或岩礁、珊瑚礁中的底内动物(infauna)(或穴居、管栖、自由潜入底埋或钻蚀)，生活于底表上的底上动物(epifauna)固着的(sessile)或附着的(attaching)，固着动物终生不离开栖地，附着者有时可离栖地而去和生活于海底又稍做活动的游泳底栖动物(nektobenthos)。

第 *1* 篇

单细胞动物——原生动物

单细胞动物统称原生动物，是 8 万余种（现生约 3.9 万种）有核单细胞动物的集合。因在许多方面，如运动、应激性、异养等类似动物，故长期以来一直作为动物界的 1 个亚界（或门）——原生动物亚界（门）而加以描述。

如今，在原核生物界（单物界）Monera，原生生物界（原物界）Protista（Protoctista），植物界 Plantae，真菌界（菌物界）Fungi，动物界 Animalia 的生命 5 界系统中，原生动物已和单细胞的藻类合成原生生物界并下辖若干个门。但为适于教学需要，本书仍将原生动物作为单一的集合体，安排为动物学中的第 1 章。

第1章　原生动物

Protozoa(Gr., *protos*, first; *zoon*, animal)

1.1 概述

原生动物包含了几大类同源或异源发生的单细胞动物或由其形成的简单群体的集合(图1-1)。与高等动物体内的单细胞不同,它们自身就是一完整的有机体,以其各种细胞器(organells)完成诸生命活动。自由生种类具有运动胞器,通常为纤毛、鞭毛或伪足。营养方式主要有全植、全动和混合式3种。原生动物的呼吸与排泄主要通过体表进行,若伸缩泡存在,则参与排泄作用。生殖分无性与有性两类。无性生殖包括二分裂、复分裂、质裂与出芽生殖4种,有性生殖主要为配合生殖和接合生殖。许多原生动物在不良的环境条件下会形成包囊以保护自己。

原生动物分布广泛,绝大多数为世界性的,除寄生种类外,遍布于淡水、海水(含极地冰层内)或潮湿土壤等各类生境中。

对原生动物的分类,按照多数原生动物学家所接受的观点主要包括6个门,其中以鞭毛动物、肉足动物、顶复门动物、粘孢子虫和纤毛虫最为重要。在这些动物中,其可能的进化顺序是:肉足虫类最原始,鞭毛虫类次之,其余类群可能直接或间接起源于这两类。粘孢子虫类具有"多细胞发生"的特征,因此应是一独立起源和进化的门类。从结构上讲,纤毛虫为最复杂最高等的类群。

原生动物种类繁多。已定名者超过65 000种(1980),其中现存种约39 000种(1985)。随着超微结构以及分子生物学水平的揭示,其分类系统已发生了较大的变动。国际性集体参与修订的有Levine等(1980)以及Lee等(1985)。

根据国际原生动物学会的规定,原生动物亚界中各分类阶元的拉丁学名除按照动物分类学法规所制订的科及亚科具固定词尾外(-idae,-mae),亚目以上也分别给予固定词尾。门、亚门和超纲(-a)、纲(-ea)、目(-ida)、亚目(-ina)。

原生动物在传统的教科书中曾分为 4 纲:鞭毛虫纲、肉足虫纲、纤毛虫纲、孢子虫纲。现主要分为 6 个门(表 1-1),其主要检索性状为:

1. 细胞核:a. 单型(单一核型并通常仅具 1 个核),b. 双型(即具有两种功能与形态均不相同的核);

2. 运动胞器:a. 鞭毛,b. 纤毛,c. 伪足,d. 无;

3. 顶复合器:a. 具,b. 无;

4. 粘网通路:a. 具,b. 无;

5. 孢子:a. 具(a^1 发生上来自单个细胞,a^2 来自多个细胞),b. 无。

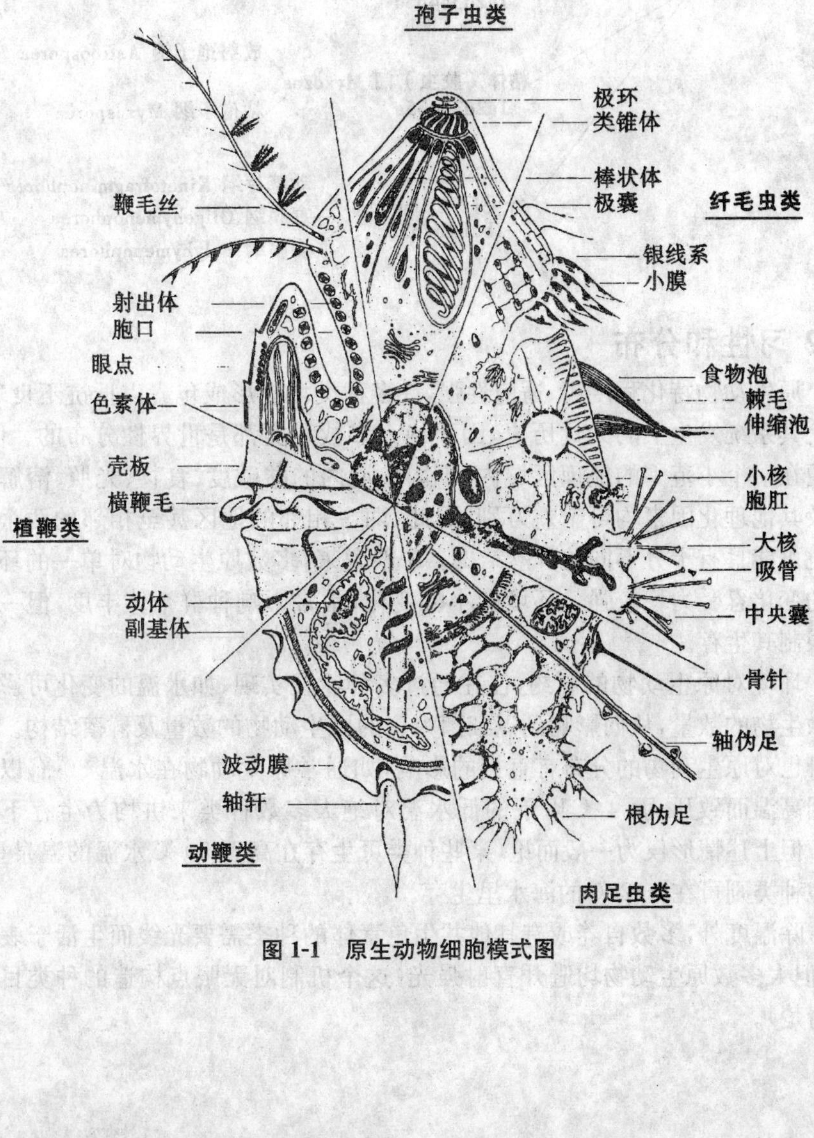

图 1-1　原生动物细胞模式图

表 1-1　原生动物亚界的分类

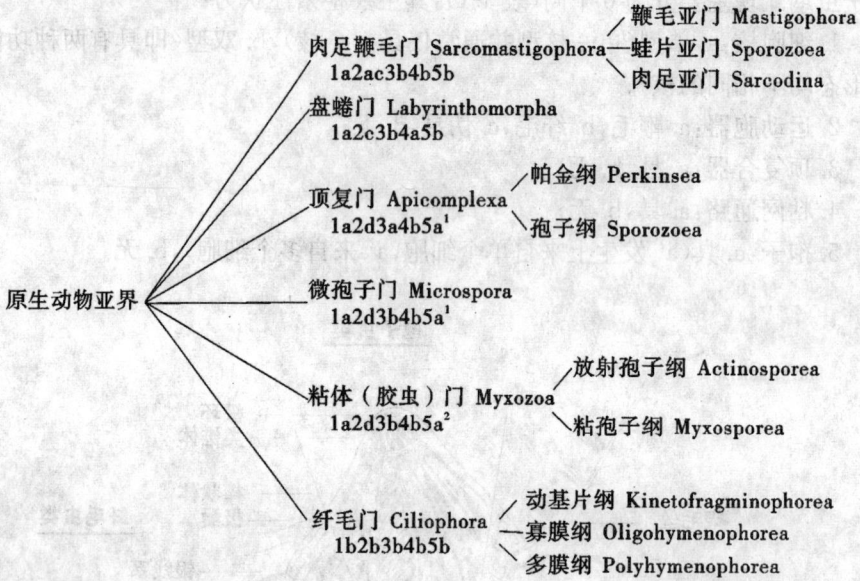

- 原生动物亚界
  - 肉足鞭毛门 Sarcomastigophora 1a2ac3b4b5b
    - 鞭毛亚门 Mastigophora
    - 蛙片亚门 Sporozoea
    - 肉足亚门 Sarcodina
  - 盘蜷门 Labyrinthomorpha 1a2c3b4a5b
  - 顶复门 Apicomplexa 1a2d3a4b5a^1
    - 帕金纲 Perkinsea
    - 孢子纲 Sporozoea
  - 微孢子门 Microspora 1a2d3b4b5a^1
  - 粘体（胶虫）门 Myxozoa 1a2d3b4b5a^2
    - 放射孢子纲 Actinosporea
    - 粘孢子纲 Myxosporea
  - 纤毛门 Ciliophora 1b2b3b4b5b
    - 动基片纲 Kinetofragminophorea
    - 寡膜纲 Oligohymenophorea
    - 多膜纲 Polyhymenophorea

1.2 习性和分布

原生动物特化程度高、适应性强，许多种类均能形成包囊以抵抗不良环境，加上其系统发生上的久远历史，因而绝大多数种类都是世界性分布的。但是，即便在一个小范围的地理区域内，不同生境内的酸碱度、食物、光照、溶解氧含量及其他理化因素均可千差万别，因此，两个相邻的地区甚至相邻的两个水体内也可能具有十分不同的群落结构。一般说来，多数原生动物对单一的环境因子的变化忍受力均较强。环境的小幅变化，常常影响种群个体丰度，但一般不会限制其生存。

环境对原生动物的制约，往往通过多种途径实现，如水温的变化可影响水中微生物的数量，从而影响到以细菌为食的原生动物的数量及群落结构。水温本身也对原生动物的分布有直接的影响，如通常原生动物在水温 30 ℃以上时会因高温而致死；而 4 ℃以下的低水温对绝大多数种类来讲均为生存下限水温。但上述情形仅为一般而论，某些种类可生存在高于 50 ℃水温的温泉里，而极地种类则可在 −2 ℃的海水里生存。

除温度外，多数自养或有其他共生色素体的种类需要光线而生活于表层水内，但大多数原生动物均避开直射强光（这个机制对无眼点构造的种类目前尚不清楚）。

绝大多数原生动物均可在 pH 值为7.0～8.6之间的环境中生存，但不同种类常有其最适范围。如生活在清洁水中的种类对 pH 值的大幅偏离表现敏感；多数污水中的种类更偏爱酸性环境；而大多数海水中自由生种类都更适应于 pH 值为7.5～8.0之间的水体。

渗透压对原生动物也是一个限制因子。如将一典型的海水种直接转入淡水中，虫体一般在数秒种内即会因细胞胀破而死亡。反之也如此。但如果有一个过渡环境，如河水的入海口，则两个生境内的部分种类则有可能借此而进入到另一水体中。许多生活于海水中的缘毛类纤毛虫在因雨水进入而盐度很低的水体中仍能生存，极少数种类，如钩头波豆虫 *Bodo uncinatus* 竟可直接由淡水转入 100%的海水中。

对原生动物影响最大的因素之一是溶解氧，大多数嗜污种类通常也能在清洁水体内出现（但分裂速率极低）；但清水中的种类一般不能在溶解氧含量很低的多污水体中生存。许多外栖或附生于宿主体表的种类不会在体内出现（或反之），正是囿于内外环境具截然不同的溶氧量。

1.3 形态、结构和功能

1.3.1 形态结构

原生动物形态各异，个体相差悬殊，大小可从 1～2 μm到大于50 mm。但绝大多数种类通常均在 5～300 μm之间，故需借助显微镜才能进行观察。小型种类如鞭毛亚门中的利什曼虫 *Leishmania* 仅 2～3 μm，在一个寄主细胞内可容数百个虫体。某些大型纤毛虫充分伸展时可至 2～3 mm；而一种细胞外寄生的簇虫 *Porospora gigantea* 体长约15 mm。目前已知的最大的单体原生动物是热带海中的一种有孔虫 *Cyclocypeus carpenteri*，外壳直径超过50 mm。

原生动物除单细胞个体外，也以群体方式存在，相当于个体因分裂不彻底而使许多子个体相互聚连在一起。与多细胞动物不同，这类群体无细胞分化或分化程度极低，至多有营养与生殖细胞之分，通常群体内每一个体形态相同且均保持着高度的独立性。

同多细胞动物的细胞一样，原生动物自身也可分为核与质两部分。大多数原生动物只有一个核，少数为多核种类。在有孔虫和纤毛虫具核双态现象（nucleus dualism），后者具两种类型的核——多倍体的大核（macronucleus）和双倍体的小核（micronucleus），二者执行不同的生理功能，前者主要司营养，而后者司生殖。细胞核通常呈卵或球形，在纤毛虫类，大核可为各种形态（图 1-2）。原生动物的细胞核在营养期可因有丝分裂的类型不同而为单或双倍体，核可因含染色质数量上的差异而分成泡状核与致密核。前者染色质少而分布不匀，后者则密布核内。

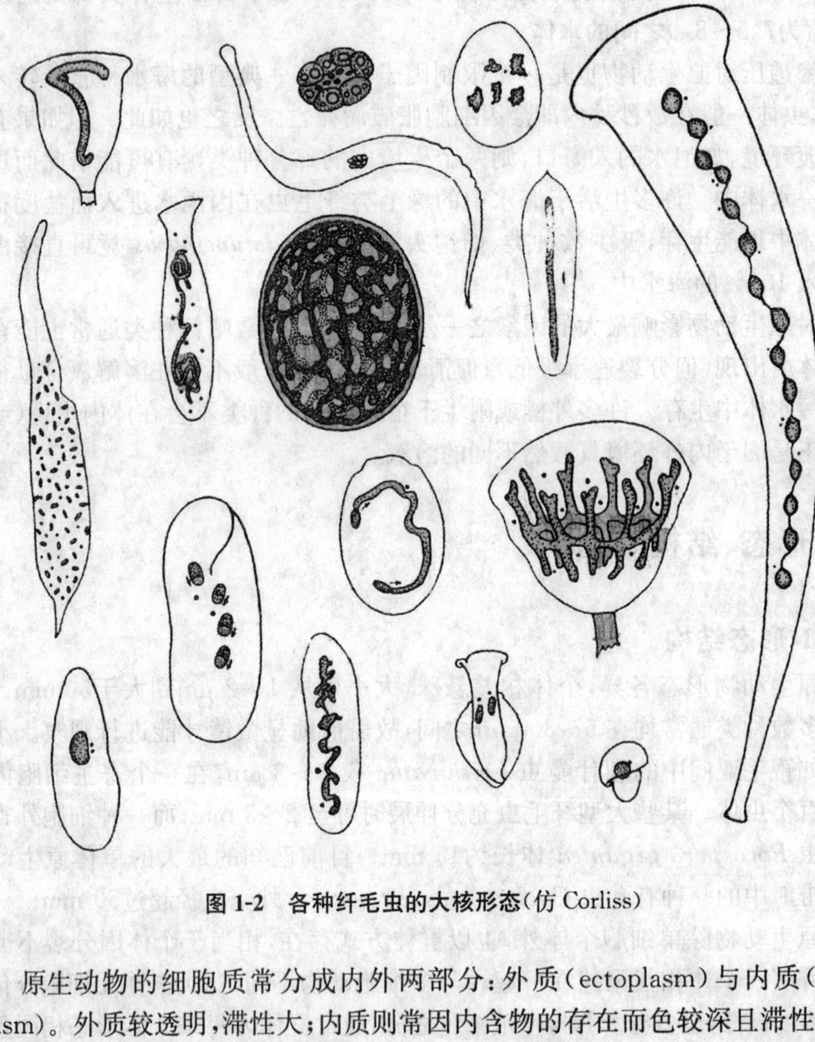

图 1-2　各种纤毛虫的大核形态（仿 Corliss）

原生动物的细胞质常分成内外两部分：外质（ectoplasm）与内质（endoplasm）。外质较透明，滞性大；内质则常因内含物的存在而色较深且滞性小，核在其内。某些原生动物具有颜色，通常是由于细胞质中存在溶解态色素（如天蓝喇叭虫 *Stentor coeruleus*）或因共生的“动物色素体”所致。

原生动物体表和细胞一样具有质膜。除肉足虫及“孢子虫类”外，许多类群质膜均发生了结构上的特化，形成可使动物保持一定形态的坚韧而有弹性的表膜（pellicle）。这种特化可表现为细胞膜的折叠和局部增厚（如眼虫的表膜）。纤毛虫的表膜下通常有起支持作用的微管束、膜下纤维和表膜泡（alveolus）等结构。许多原生动物具有成分不同的非生命质的外壳或包被。

1.3.2 运动、摄食和营养

大多数原生动物都有专门的运动胞器。在肉足动物为伪足(pseudopodium),它是由虫体表面的临时性细胞质突起所形成,除作为临时运动胞器外,也兼作摄食工具,当虫体遇到食物时,即伸出伪足进行包围,并借助吞噬作用(phagocytosis)将食物吞入。

鞭毛虫与纤毛虫的运动胞器是细胞质的一种永久性的杆状突起,称为鞭毛(flagellum)或纤毛(cilium)。鞭毛与纤毛的亚显微结构几乎完全相同,其断面呈圆形,外为细胞膜,内部包含 9 组双联体的周围微管和位于中心的两条中央微管(图 1-3),构成"9+2"的微管结构。目前人们普遍接受的假说认为,鞭毛或纤毛是借助于双联体微管间的相对滑动而摆动的。鞭毛或纤毛在表膜内的延伸部分称为基体(basal body),基体在结构上略有变化,即中央微管消失,周围微管成为三联体(图 1-3)。某些于粘滞性介质中生活的鞭毛虫还借助于波动膜进行运动。这是一种与鞭毛相联的原生质的膜状结构,因其摆动形态如波浪状而得名。波动膜与细胞本体常借一种特殊的细胞连接(如桥粒结构)联系在一起。

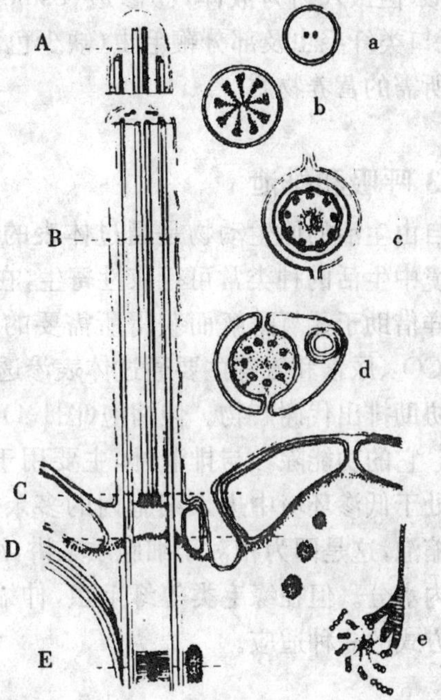

图 1-3 纤毛的亚显微构造(仿 Corliss)
A~E,a~e 示不同位置的横断面结构

许多纤毛虫体内有由微丝构成的肌丝(myoneme)存在,虫体通过肌丝伸缩而改变形态或伸缩,从而达到避敌、运动或捕食的目的,如某些群体缘毛类柄内的肌丝(图 1-32 A)。

大多数植鞭类鞭毛虫体内具有色素体(叶绿体等),可像植物那样通过光合作用而合成自身所需的营养物质。但大部分原生动物行异养生活,即直接从外界获得有机物。此外,许多鞭毛虫还可行混合营养,即在自养的同时也可行异养。根据原生动物的摄食方式可分成 3 种:①吞噬(phagocytosis),如变形虫和有胞口的纤毛虫类,可将固体食物颗粒吞入细胞内;②胞饮(pinocytosis),与吞噬类似，但摄入物为液体；③渗透（osmotrophy）或称腐养，如在孢子虫的营养期，无口类纤毛虫及部分鞭毛虫（缺少色素体或寄生种类）可通过体表渗透作用获得所需的营养物质。

1.3.3 呼吸和排泄

自由生活的原生动物是通过体表的渗透作用完成气体交换的。某些在乏氧环境中生活的种类常可行兼性寄生，在此情况下即和真正的寄生（内寄生）种类一样借助于无氧酵解而获得所需要的能量。由呼吸和代谢作用所产生的废物如 CO_2、尿素和氨等主要通过体表渗透排出体外。有伸缩泡的种类也可由伸缩泡协助排出代谢产物。伸缩泡（图1-4）由一层质膜所包围并因可收缩排空而得名。它的功能除参与排泄外，主要用于维持渗透压（这尤其是对淡水种类），将因处于低渗环境中进入细胞内的多余水分排出体外。海水中的种类大多没有伸缩泡，这是因为相对于细胞质来讲，海水是高渗环境，虫体需要的是如何保持体内水分。但在缘毛类等纤毛虫，伸缩泡不仅存在而且十分发达，这是对其摄食方式的一种适应。

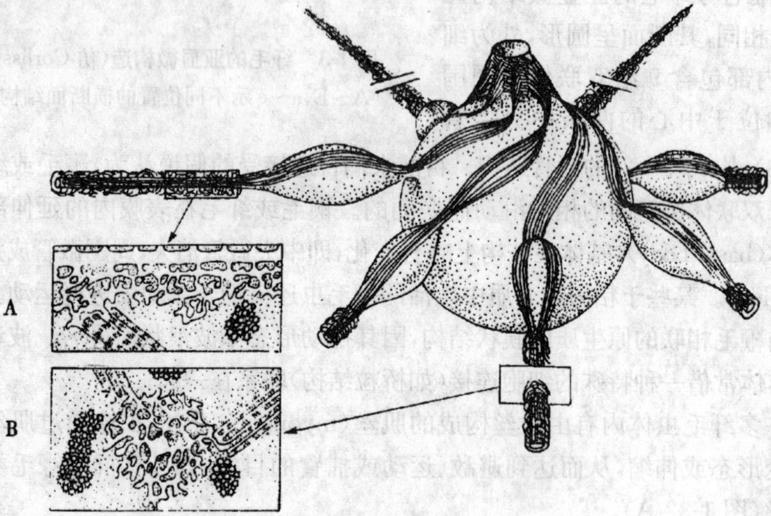

图 1-4 草履虫伸缩泡结构（仿 Grell）

A. 收集管纵切局部放大；B. 横切面放大

伸缩泡结构因种而异，有时其周围还可有收集泡或管存在。除肉足亚门动物外，绝大多数原生动物的伸缩泡均有固定的排出孔。原生动物的代谢产物主要包括CO_2、尿素、尿酸以及氨等含氮化合物，这些物质均以溶解状态经体表渗透或借助伸缩泡而排出体外。除上述的几种代谢产物外，较常见的还有以非溶解态存在的结晶体和颗粒状物质，如纤毛虫体内的磷酸钙结晶等(图1-5)，在某些血孢子虫类代谢产物可为血红蛋白的分解疟色素。

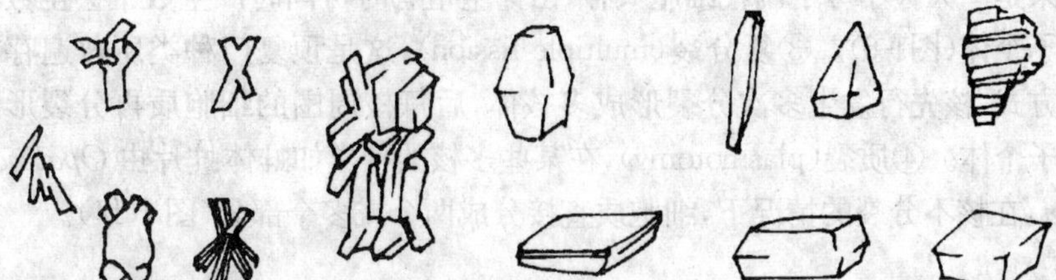

图1-5 原生动物体内的代谢结晶物(仿Kudo从Schewiakoff等)

1.3.4 包囊和卵囊

许多原生动物在食物缺乏、干燥或温度不适等情况下会自身缩成球形，脱落运动胞器，同时分泌一层包被将自体包裹起来，即形成包囊(cyst)。虫体形成包囊后大部分的表面胞器随之消失，代谢率也变得很低。一般虫体在此期属于生命的“休止期”，但少数种类仍可发生包囊内分裂或核改组。包囊形成对原生动物度过不良环境是一种很好的适应，当环境适合时，虫体重新破囊而出。由于在包囊内虫体受外界环境的影响极小，因此，此期成为原生动物传播的重要时期。除在环境不良时形成包囊外，某些种类(如太阳虫在自配期)形成包囊是其生活史中的一个环节。

许多孢子虫类(主要为顶复门)在配子生殖后，合子外面也包一被壳，称为卵囊(oocyst)，虫体在卵囊内还可发生多次的分裂(孢子生殖)。卵囊虽然也像包囊一样很少受外界环境的影响，但对氧气缺乏却十分敏感，因此期是感染期，虫体须在进入宿主体内后及时地进入营养期状态。

1.3.5 生殖

原生动物生殖可分成无性生殖(asexual reproduction)和有性生殖(sexual reproduction)两大类。

无性生殖包括：①二分裂(binary fission)，即细胞核经有丝分裂一分为二，后细胞质也分裂而产生两个相同的子个体。值得一提的是，许多原生动物行核膜内有丝分裂，即分裂过程中核膜除两极处外始终保留着，故染色体不散布于细胞质中。此外，原生动物的纺锤体在形成及构造上亦与高等动物有很大不同，有些种类不形成星芒体。在腰鞭目，没有典型的染色体间期消失过程。纤毛虫无性分裂前大核要重组(reorgnization)以复制 DNA，分裂为无丝分裂，对于多数大核种类，所有大核通常要先行汇合为一。②出芽生殖(budding)，与二分裂不同，出芽生殖的结果是一大一小母子两代细胞共存，出芽生殖有时可同时产生数个甚至数量极大的子个体(图1-6)。③复分裂(multiple fission)，这是顶复门种类所普遍存在的生殖方式，核先行发生多次分裂形成多核体，后每核周围的细胞质再分裂形成众多的子个体。④质裂(plasmotomy)，在某些多核的种类如蛙体蛙片虫 *Opalina ranarum*，在核不分裂的情况下，细胞质直接分成两个或多个部分(图 1-14)。

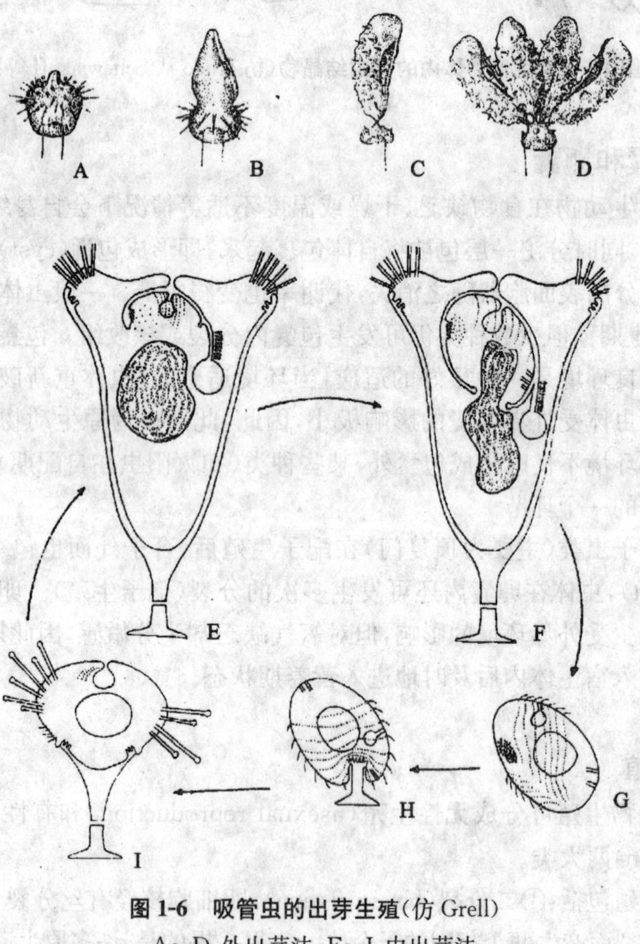

图 1-6 吸管虫的出芽生殖(仿 Grell)

A～D. 外出芽法；E～I. 内出芽法

有性生殖基本可分成两大类:配合生殖(syngamy)和接合生殖(conjugation)。①配合生殖,即两个单倍体的配子愈合成合子(zygote),与高等动物的精卵结合相似。根据配子的形态又可分为同配生殖(isogamy)和异配生殖(anisogamy),前者两配子形态大小相同,生理等价;后者两配子形态大小不同,大的称为大配子(macrogamete),其极端类型为不可动的卵子,小的则称为小配子(microgamete)或精子。在一些太阳虫、有孔虫及少数纤毛虫另存在一种现象称为自配或自体受精(autogamy),在此情况下,同一个体之核先行减数分裂,后再二者结合。②接合生殖仅见于纤毛门动物,与配合生殖不同,接合生殖没有两个体合二为一的现象,二者在互相交换动核后即彼此分开,每一接合后个体经过复杂的核与质的分裂而产生出 4 个(通常)具营养期核的子个体来。这个过程在不同类群甚至同属内不同种间亦不尽相同。

1.4 肉足鞭毛门 Sarcomastigophora

1.4.1 鞭毛亚门 Mastigophora

1.4.1.1 概述

本类动物具鞭毛,一般 1～6 根,少数种类可具很多根。鞭毛通常作为运动胞器,有时可做捕食或附着用。鞭毛着生部位和方式有各种不同(图1-7)。从基本结构上鞭毛与纤毛相同,但在外形上,鞭毛常较长,许多种类除鞭毛主体的轴丝(axoneme)外,一侧、双侧或周围另有构造各异的散毛结构(mastigoneme)(图1-8)。此外,少数种类兼具鞭毛动物和肉足动物二者的特点,其虫体无固定的形状,可像阿米巴那样做变形运动。许多动鞭类(主要为寄生种类)具有由鞭毛特化而成的波动膜构造,借此虫体在滞性大的介质中运动(图1-1)。鞭毛基部某些结构如基粒、副基体、根丝体(rhizoplast)等构成所谓的鞭毛根系统(mastigont system),这个系统可因不同种类而形态各异(图1-1)。动体目动物的(单一)线粒体高度发达,其内有一含 DNA 的类核体,可自我复制,过去认为与运动有关,故称为动体(kinetoplast)。许多动鞭类的高尔基体发生了结构上的特化,这些领状、孤状、杆状或螺旋状的高尔基体(功能不详)由于靠近毛基体而被称为副基体(parabasal apparatus),它们通过微管束的根丝体与毛基粒和核相连。大多数鞭毛虫体表均裸露,但在涡(腰)鞭毛虫等自养类群体表常被有纤维素质的板壳。通常浮游生活种类都有空泡结构。而行植养的除具色素体外,普遍有感光胞器如眼点和光感受器(图1-1),在 *Erythropsis* 甚至有复杂的透镜状结构。

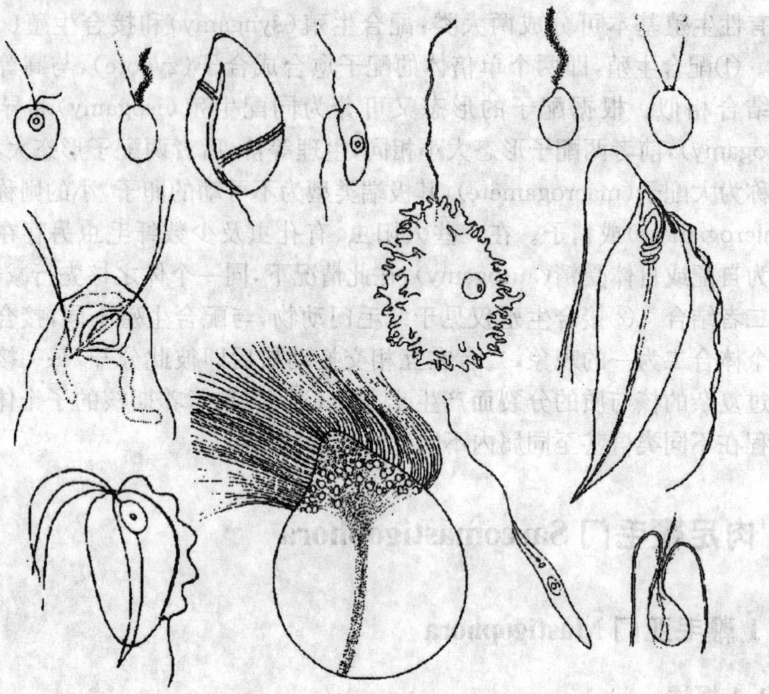

图 1-7　各种鞭毛类型(仿 Grell)

原生动物的 3 种营养类型在本纲都存在。体内有色素体的种类可自己制造食物,行动物性营养的种类可通过体表渗透或吞噬周围的营养物质,而有胞口的种类则可利用胞口摄取食物。

鞭毛虫无性分裂通常为纵二分裂,但在涡(腰)鞭毛虫则为斜分裂。鞭毛虫有性生殖为配合生殖,大多是在环境不良情况下发生。在某些种类如夜光虫 *Noctiluca*,还可行出芽生殖,由此产生小配子。

1.4.1.2 绿眼虫 *Euglena viridis* Ehrenberg

绿眼虫(图 1-9)生存于淡水水体中,甚至在雨后的积水中也可找出。当其大量繁殖时,可使它们所栖息的水域呈绿色。

绿眼虫呈梭形,前端钝圆,后端尖削。虫体表膜因褶绉特化而形成许多螺旋状排列的环纹。内质含有大量椭球形叶绿体而呈亮绿色,细胞核于体中部。虫体前端内陷成胞口,胞口向内膨大成储蓄泡。围绕储蓄泡壁有一杯状红色色素体(stigma),旧称为眼点,其功能为遮光用。由储蓄泡底部发出一长一短两根鞭毛,但仅长鞭毛经胞口伸出体外,其基部靠近色素体处略膨大,功能上类似于后生动物的感光细胞的神经末梢，虫体借此可感受光线刺激，从而调整运动方向（图1-10）。靠近储蓄泡基部另有一伸缩泡，主司水分调节功能。

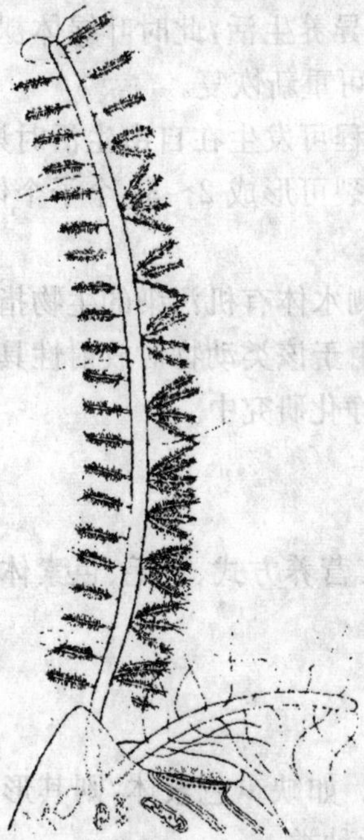

图 1-8　鞭毛的散毛结构

（仿 Grell 从 Brouck）

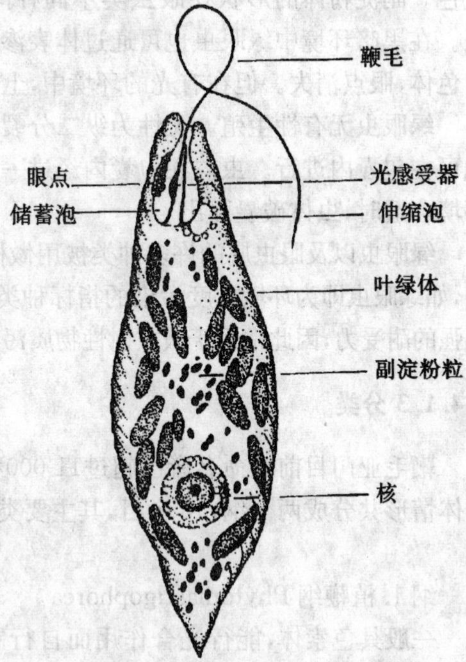

图 1-9　绿眼虫 *Euglena viridis*（仿 Grell）

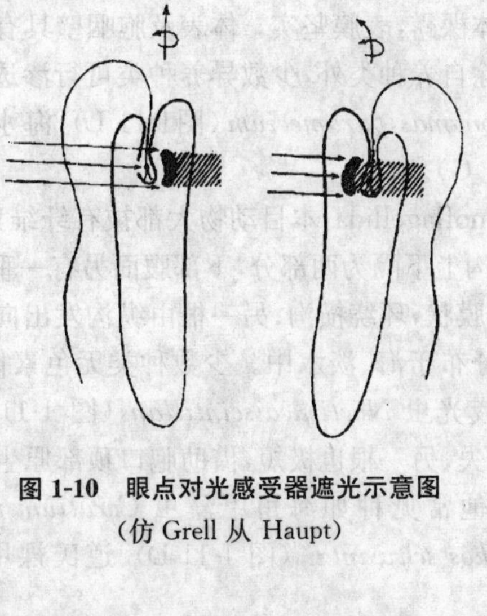

图 1-10　眼点对光感受器遮光示意图

（仿 Grell 从 Haupt）

绿眼虫通常为自养生活，借助体内的叶绿体行光合作用，但光合反应的最终产物以副淀粉体(paramylon)形式储存。副淀粉也是多糖的一种，遇碘不呈蓝色。副淀粉体的形状在眼虫类不同种间各不相同，故是重要的种间分类特征。在黑暗环境中绿眼虫也可通过体表渗透作用行异养生活，此时叶绿体褪成白色体，眼点消失。但在有光的环境中，上述二者均可重新恢复。

绿眼虫无有性生殖。无性为纵二分裂。这个过程可发生在自由生活时期，也可在包囊内进行。虫体在包囊内经过一到多次分裂可形成2～32个子个体，环境合适时，虫体破囊而出。

绿眼虫以及眼虫属的许多种类被用做标定和监测水体有机污染的生物指示种，如绿眼虫即为环境重度污染的指标种类。此外，由于该类动物对放射性具有很强的耐受力，因此常用于被放射性物质污染的水体净化研究中。

1.4.1.3 分类

鞭毛亚门目前被命名者已超过11 000种，根据其营养方式、鞭毛、色素体及群体情形共分成两个纲，18个目，其主要类群如下。

纲1. 植鞭纲 Phytomastigophorea

一般具色素体，能行光合作用而自行制造营养。如缺少色素体，则其形态结构与具色素体者相同或相似，绝大多数为自由生活种类。

目1. 隐鞭目 Cryptomonadida：两条近等长鞭毛起自亚顶端前庭沟(胞咽)内，其中一条鞭毛常具篱毛。色素体呈多种颜色，可为棕、红、黄、蓝或绿色，内储物为淀粉和油脂。虫体裸露，表膜坚实。体表及胞咽壁具有弹射泡(ejectosome)。大多数为淡水生。除自养种类外，少数异养种类可行渗透或吞噬营养。如淡水种草履唇滴虫 *Chilomonas paramecium*(图1-11 L)，海水种类隐滴虫 *Cryptomonas acura*(图1-11 G)。

目2. 腰鞭目 Dinoflagellida：本目动物大都被有纤维素质板块状的壁，又称壳(theca)。壳被横沟上下隔为两部分，下部腹面另有一垂直于横沟的纵沟。鞭毛两根，一根呈波动膜状，环绕横沟；另一根由纵沟发出向后拖曳。色素体多为棕黄或绿色。广泛分布于海、淡水中。少数种类无色素体而行异养，如海洋中可引起赤潮的闪光夜光虫 *Noctiluca scintillans*(图 1-11 E)，该种结构高度特化：一根鞭毛退化消失，另一根也极短，借助胞口顶部原生质突起形成的触指而行动物性营养。其他常见种如海角甲藻虫 *Ceratium tripos*(图1-13 B)、施氏多沟鞭虫 *Polykrikos schwantzi* (图 1-11 D)、道氏裸甲藻虫 *Gym-nodinium dogieli*（图1-11 B）、蓝色裸甲藻虫 *G. coeruleum*（图1-11 J）、*Phalacroma vastum*（图1-11 C）、海洋尖鼻虫 *Oxyrrhis marina*（图1-12 L）。

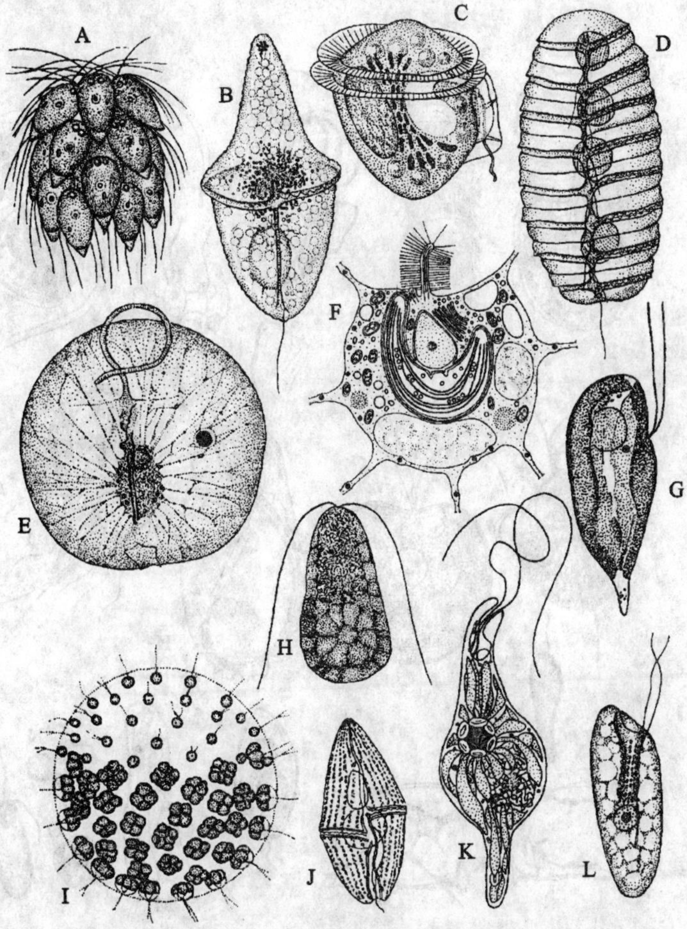

图 1-11　鞭毛虫代表动物

A. *Spondylomorum quaterarum*；B. 道氏裸甲藻虫；C. *Phalacroma vastum*；D. 施氏多沟鞭虫；E. 闪光夜光虫；F. 辐射金变形虫；G，尖隐滴虫；H. 盐生杜氏藻虫；I. 金团藻虫；J. 蓝色裸甲藻虫；K. 帕堤双鞭虫；L. 草履隐滴虫

（A～E，H，I，L 仿 Grell；F 仿 Hausmann；G，J，K 仿郑重）

目 3. 眼虫目 Euglenida：个体较大，通常为纺缍形，鞭毛两根（少数为多根），但其中一条常限于胞咽内，长鞭毛生有单列的散毛，虫体具胞口、胞咽和伸缩泡。体表通常裸露，表膜因局部折叠加厚而形成螺旋走向的体表环纹。色素体绿色，

内含物为副淀粉粒和油脂。本目动物几乎全为淡水生，海水中如帕堤双鞭虫 *Eutreptia pertyi*（图1-11 K），淡水中有壳室的具棘管壳虫 *Trachelomonas hispida*（图1-12 A）。

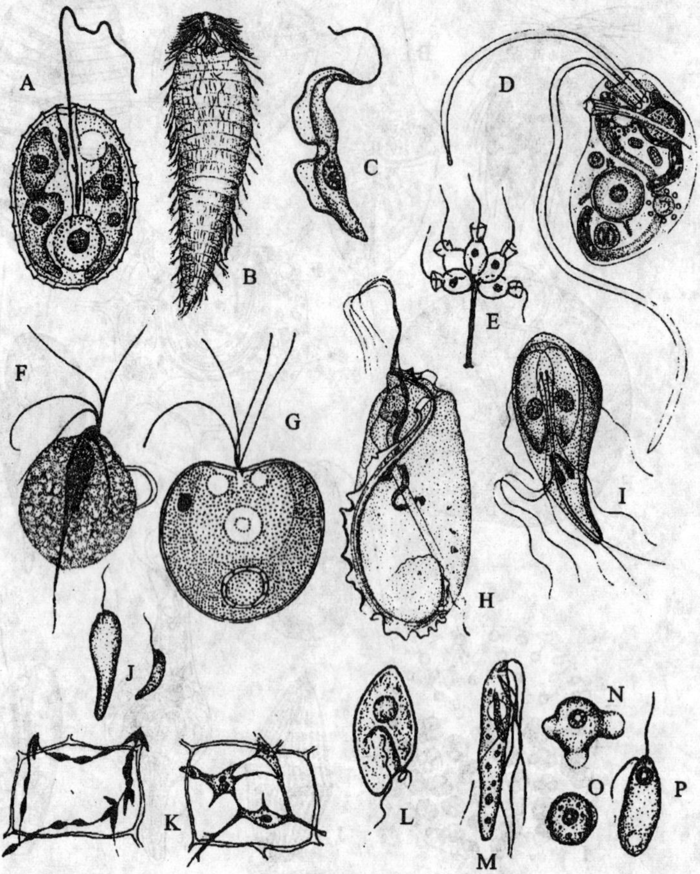

图 1-12　鞭毛虫、盘蜷虫和肉足虫代表动物

A. 具棘壳管虫；B. *Teratonympha mirabilis*；C. 青鱼锥体虫；D. 尾波豆虫；E. 袋形哑铃虫；F. 阴道毛滴虫；G. 心形扁藻虫；H. 特姆毛滴虫；I. 肠道贾弟虫；J, K. 粘盘蜷虫；L. 海洋尖鼻虫；M. *Karotomorpha bufonis*；N, O, P. 双相纳归虫

（A, E, J, K, L～P 仿 Kudo；B, F, H, I 仿 Grell；D 仿 Hausmann；C 仿陈启鎏等；G 仿郑重等）

目 4. 金滴虫目 Chrysomonadida：两条不等长鞭毛，前行鞭毛具两侧对生的复杂的散毛（图1-8），后行鞭毛光滑如尾状拖曳。虫体裸露无胞咽，但外常有硅质的壳板或壳室。色素体多为黄或棕黄色，内含物为麦清蛋白与油脂。无色素

者行吞噬营养。单或群体，海淡水中均有分布，为重要的浮游类群。如淡水中簇状钟罩虫 *Dinobryon sertularia*（图1-13 A）、辐射金变形虫 *Chrysamoeba radians*（图1-11 F）。

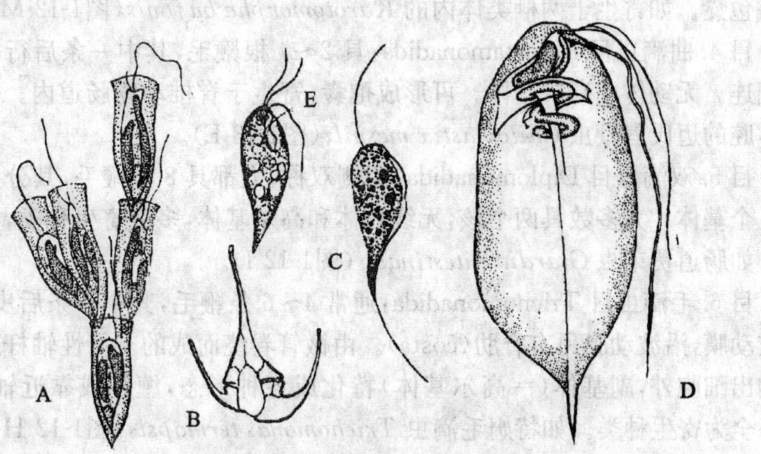

图 1-13　鞭毛虫代表动物

A. 簇状钟罩虫；B. 海角甲藻虫；C. 鳃隐鞭虫；D. *Metadevescovina debilis*；E. 迈氏唇鞭虫

（A，D 仿 Grell；B 仿 Kudo；C，E 仿陈启鎏等）

目 5. 团藻虫目 Volvocida：2～4 条顶端生等长光滑鞭毛，其表面普遍覆有精细的鳞片。色素体绿色，内含物为淀粉。除少数种类外，大都形成群体。如 *Spondylomorum quaternahum*（图1-11 A）、盐生杜氏藻虫 *Dualina salina*（图1-11 H）、金团藻虫 *Volvox aureus*（图1-11 I）、心形扁藻虫 *Platymonas subcordiformis*（图 1-12 G）。

纲 2. 动鞭纲 Zoomastigophorea

本纲动物具 1～多条鞭毛，无色素体，营全动营养。

目 1. 领鞭虫目 Choanoflagellida：虫体顶部有一圈由原生质突起形成的领，鞭毛一根由此领内发出。细胞外通常被有膜状或硅质兜甲。单或群体，自由生或借柄固着生。如袋形哑铃虫 *Codosiga utriculus*（图 1-12 E）。

目 2. 动体目 Kinetoplastida：具 1～2 根鞭毛，除轴丝体（axoneme）外，普遍存在同样由微管组成的起支持作用的侧轴杆（paraxial rod）。单一的线粒体延伸至近体长，其内含一浮尔根正染色的 DNA-团，特称为动体（kinetoplast），位于基体附近。大多为寄生种类，少数自由生。如寄生于淡水鱼血液中的青鱼锥体虫 *Trypanosoma mylopharyngodoni*（图1-12 C）、尾波豆虫 *Bodo caudatus*

(图1-12 D)、鳃隐鞭虫 *Cryptobia branchialis*(图1-13 C)。

目 3. 原滴虫目 Proteromonadida:具 2～4 条异动鞭毛,无侧轴杆。线粒体小,明显与基粒分离,无动体。高尔基体领状,环绕根丝体。全为寄生种类,可形成包囊。如寄生于两栖类体内的 *Karotomorpha bufonis*(图1-12 M)。

目 4. 曲滴虫目 Retortamonadida:具 2～4 根鞭毛,其中一条后行与腹面胞口相连。无动体或高尔基体。可形成孢囊,寄生于脊椎动物肠道内。如寄生于人体腔的迈氏唇鞭虫 *Chilomastix mesnili*(图1-13 E)。

目 5. 双滴虫目 Diplomonadida:两侧双称,大都具 8 根鞭毛,其分成 4 组发自 4 个基体。大多数具两个核,无线粒体和高尔基体,多数寄生种类,少数自由生。如肠道贾弟虫 *Giardia intestinalis*(图1-12 I)。

目 6. 毛滴虫目 Trichomonadida:通常 4～6 条鞭毛,其中一条后曳,常特化成波动膜,沿波动膜另有脊肋(costa)。由微管卷绕而成的支持性轴杆通常发达并伸出细胞外,副基体(＝高尔基体)特化成各种形态,缠绕或靠近轴杆基部。几乎全为寄生种类。如特姆毛滴虫 *Trichomonas termopsis*(图1-12 H)、阴道毛滴虫 *Trichomonas vaginalis*(图1-12 F)、*Metadevescovina desilis*(图1-13 D)。

目 7. 超鞭毛目 Hypomastigida:鞭毛数量很多,与之相对应的基粒通常排成环状、带状、螺旋状或成片分布。副基体多个,环绕轴杆,全部栖生于昆虫(如白蚁)肠道内。如 *Teratonympha mirabilis*(图1-12 B)。

1.4.2 蛙片亚门 Opalinata

本亚门动物(前人有译为蛋白亚门)是一类个体较大、几乎全部寄生于蛙等两栖类肠道内的动物,过去曾被安排在纤毛门中。蛙片虫无胞口,靠体表渗透获得食物。虫体表面遍被有斜向排列的短鞭毛(或称纤毛)。核多个至数量极大,但无大小核之分。有性生殖为配合生殖。无性生殖为不规则的纵裂(与体纵轴平行),属于质裂,即在核分裂完成的情况下,由细胞质直接一分为二而成为多核的两部分。春季由于连续分裂,故通常不形成多核的大个体(仅含 3～12 个核),这些小个体可形成包囊而随宿主粪便排出。包囊被蝌蚪所吞后虫体脱囊而出,在蝌蚪肠内形成单核的配子,经配合后合子形成卵囊,复又排入水中。卵囊再被其他蝌蚪所食后即破裂而发育成新个体(图1-14)。

本亚门只有 1 纲 1 目 Opalinida。如蛙栖蛙片虫 *Opalina ranarum* (图1-14)。

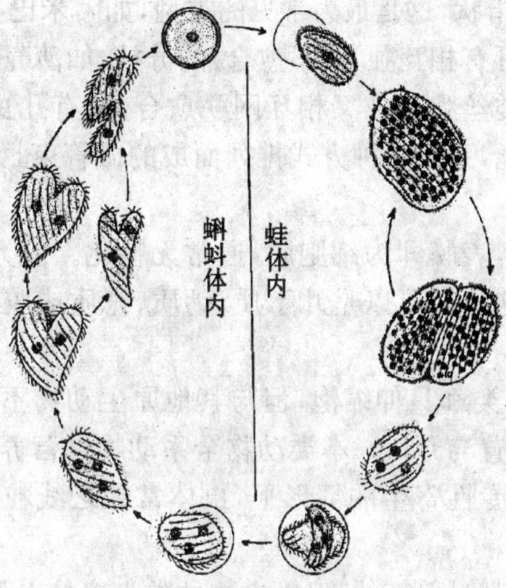

图 1-14 蛙栖蛙片虫 *Opalina ranarum* 的生活史(仿 Wessenberg)

1.4.3 肉足亚门 Sarcodina

1.4.3.1 概述

肉足动物又称根足动物 Rhizopoda,以细胞质突起形成的伪足作运动与捕食胞器。本亚门动物结构简单,无固定的体形和胞口,吞噬与胞饮作用可于体表的任何部位执行。内部细胞质可分为两层:外层厚重而透明(凝胶层),内层富含颗粒而稀薄,因而具较大的流动性(溶胶层)。变形虫运动时,通过溶质的定向流动而作翻滚状或匍匐状爬行(图1-15)。伪足有各种形态,但基本可分成

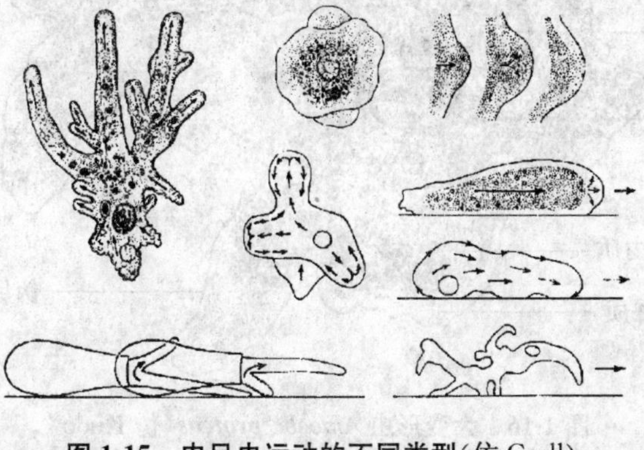

图 1-15 肉足虫运动的不同类型(仿 Grell)

4 类:①叶状、片状或指状,这是最为常见的类型,如阿米巴类(图1-15);②丝状,伪足纤细如丝,有时可有相互独立(不愈合)的分枝,如薄壳虫(图1-16);③根状,与丝状伪足不同,本类丝状分枝又相互网联愈合,如有孔虫类;④轴伪足,细长而直,内有刚性的轴丝,系以多种方式排列而成的微管束,如太阳虫和放射虫类(图 1-17 H)。

肉足虫构造简单,表膜即为细胞膜,通常无特化。但大多数肉足类都具虫体分泌而成的外壳,这些壳可以是几丁质、钙质、锶质或胶质,因此很多种类可形成化石。

淡水中的许多种类都具伸缩泡,但与其他原生动物不同,其伸缩泡结构较简单且没有固定的位置与开口。本类动物全系动物性营养,某些种类体内可有共生的自养生物。在专性寄生的情形下,虫体常缺乏线粒体,故呼吸作用通过无氧酵解作用来完成。

绝大多数肉足虫都是单核的,仅极少数种类为多核。除放射虫与有孔虫类外,肉足虫一般无有性生殖,无性生殖为二分裂法,有性生殖常为世代交替。通常在不良环境中,肉足类可形成包囊,虫体在包囊内仍可进一步分裂繁殖,并借此避开不适的外界环境的影响。

1.4.3.2 大变形虫 *Amoeba proteus* Leidy

大变形虫(图 1-16)为淡水种类,生活于富含有机质的静水或缓慢流动的水体中。

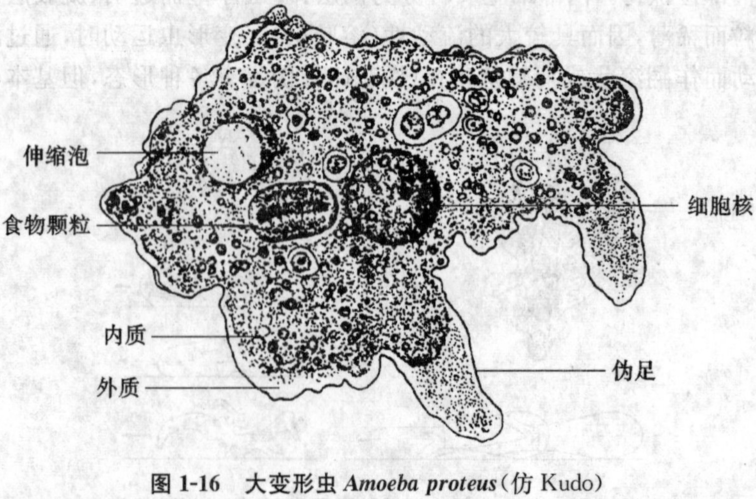

图 1-16　大变形虫 *Amoeba proteus*(仿 Kudo)

大变虫形个体较大，通常 200～600 μm。其外形无固定形状，体表为一层质膜。运动时，由体表任何部位伸出的伪足向前伸展，当碰到食物时，即用伪足将其包围吞噬。所形成的食物泡在细胞内与溶酶体融合并行消化作用。不能被吸收的残渣通过体表排出体外。

大变形虫身体明显分内外质两部分。伸缩泡 1 个，于内质中，主司水分调节。变形虫呼吸和排泄均通过体表进行。

大变形虫仅有无性繁殖，分裂为有丝分裂的二分裂。核为致密核，核仁数众多。据报道大变形虫染色体(2n)多达 500 余条。至分裂后期之前核膜一直不消失，纺锤体呈多极状态与核膜相联。而仅在末期核膜才消失，纺锤体也变为双极形而牵拉染色体分开并迅速形成两个子核。虽然有报道提出大变形虫有包囊形成和脱包囊现象，但通常认为该种无此生理阶段。即便在结冰的水体内，大变形虫仍能正常生活。

大变形虫结构简单，易于培养，是研究生命科学的好材料。如通过核移植来研究细胞质间的关系，或用放射自显影技术标记核物质，从而去了解细胞内基因表达途径。

1.4.3.3 分类

肉足亚门动物现存约 12 000 种，其中约 4 600 种为海洋有孔虫类。根据伪足结构、壳的形态构造、生殖方式分成两个超纲，12 个纲，40 个目。其主要类群如下：

超纲 1. 根足超纲 Rhizopoda

本类动物伪足分布不规则，内部无高度分化的骨骼系统，伪足通常丝状、叶状或网状。

纲 1. 叶足纲 Lobosea

伪足指或叶状，1 到数个，有或无壳室。有些具包囊期，极少数种类在特定条件下可具有鞭毛。核 1 至多个。

目 1. 变形目 Arnoebida：生活史简单，单核，无壳，无鞭毛期。大多数为淡水或土壤生。如大变形虫(图 1-16)，肠道内变形虫 *Entamoeba coli*(图 1-17 I～K)。

目 2. 裂核目 Schizopyrenida：本目虫体外观仅有单一的柱状伪足，可形成临时性鞭毛，有包囊期，无壳。生于土壤中，少数寄生。如双相纳归虫 *Naegleria bistadialis*(图 1-12 N～P)。

目 3. 表壳虫目 Arcellinida：虫体具有机质的壳室，外常附有无机碎屑。叶状伪足由壳室的惟一开口伸出。多于潮湿土壤中。如普通表壳虫 *Arcella vulgaris*(图 1-17 A)。

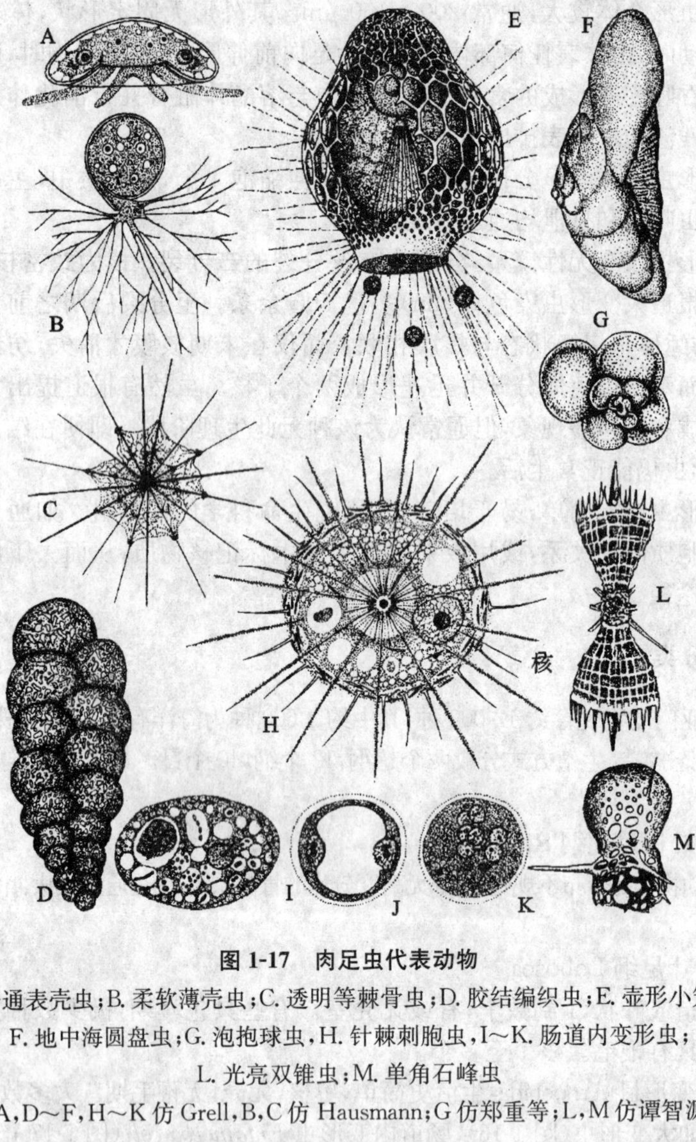

图 1-17　肉足虫代表动物

A. 普通表壳虫;B. 柔软薄壳虫;C. 透明等棘骨虫;D. 胶结编织虫;E. 壶形小笼虫;
F. 地中海圆盘虫;G. 泡抱球虫,H. 针棘刺胞虫,I～K. 肠道内变形虫;
L. 光亮双锥虫;M. 单角石峰虫
(A,D～F,H～K 仿 Grell,B,C 仿 Hausmann;G 仿郑重等;L,M 仿谭智源)

纲 2. 粒网纲 Granuloreticulosea

丝状伪足上常有粒状结节,伪足内有不规则排列的微管。有或无壳宝,无包囊或鞭毛期。分布于海、淡水中。

目 1. 单室目 Monothalamida:壳为单室型,仅具单一开口,壳为有机质但常有钙化。无世代交替现象。淡、海水生。如柔软薄壳虫 *Lieberkuehnia wagneri*

(图 1-17 B)。

目 2. 有孔目 Foraminiferida：壳通常为多室，其上除一总的开口外另常具众多细孔，伪足呈根须状由口和细孔伸出并常以分枝互联成网。生活史中有世代交替现象。所有有孔虫类都具有双态趋势(dimorphism)：有性世代的单核的大球型，初级胚室(proloculum)较大；无性世代的具较小初级胚室的小球型，此时具多个核(通常 3 个生殖核和一个营养核)且个体常较大球型为大。大球型个体为单倍体，经分裂产生具鞭毛的或变形虫样的配子，经结合(少数为自配)而产生合子，由合子长成小球型个体(双倍体)，后者通过减数分裂重新进入到有性的大球型时期(图1-18)。本目动物全部海产，由于其壳室大多为钙质(少数为有机质的)，故除现存的4 000余种外，化石种类超过30 000种，是构成海底软泥的重要成分。如泡抱球虫 *Globigerina bulliides bulloides*(图1-19 G)、胶结编织虫 *Textularia agglutinans*(图1-17 D)、地中海圆盘虫 *Discorbis mediterranensis*(图1-17 G)。

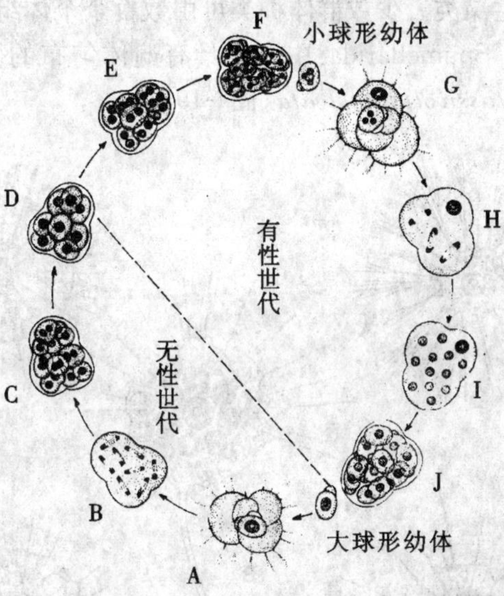

图 1-18　异核小玫瑰虫 *Rotaliella heterokaryotica* 的生活史(仿 Grell)

A. 成熟的配子母细胞；B. 配子生殖前的有丝分裂；C. 自配生殖中的配子分裂；D. 形成合子；E. 双核期的无性个体；F. 4 核期；G. 由小球形幼体长成的无性个体；H. 第一次减数分裂；I. 第二次成熟分裂后期；J. 新形成的配子母细胞(大球形幼体)

超纲 2. 辐足超纲 Actinopoda

伪足内具高度发达且规则排布的微管束，故称轴伪足。这些轴伪足通常为辐射状排列，用作浮游或捕食功能。骨骼如存在则为硅质或硫酸锶质。

纲 1. 等幅骨纲 Acantharea

虫体多为球或近球形，内有一格笼状的中央囊，将细胞质分为内外两部分，内、外部分可通过囊上微孔相沟通。10～20 条硫酸锶质的棘针，棘针一般相汇于细胞中心，贯通中央囊并作辐射状排列。棘针间有辐射发出的辐伪足。通常有包囊期和有性生殖阶段。多为浮游生。传统分类中归入放射虫目 Radiolaria，现作为 1 个纲而分成 5 个形态相近的目。

节棘目 Arthracanthida：通常 20 条放射棘汇集于细胞中心，无包囊期。无外壳。如透明等棘骨虫 *Acanthometra pellucida*（图 1-17 C）。

纲 2. 多孔纲 Polycystinea

大多数种类均具有硅质骨骼，而形成单或多格状的壳，外有或无放射棘、或生有 1 至多条孤立的骨针。中央囊呈笼状，上具众多、多角形的孔格。外质空泡状，常充盈有共生藻类。少数群体种类可由数百个个体组成。

目 1. 泡沫虫目 Spumellarida：中央囊具有遍体匀布的微孔。骨骼有或无。如核形无骨虫 *Thalassicolla nucleata*（图1-19 E）。

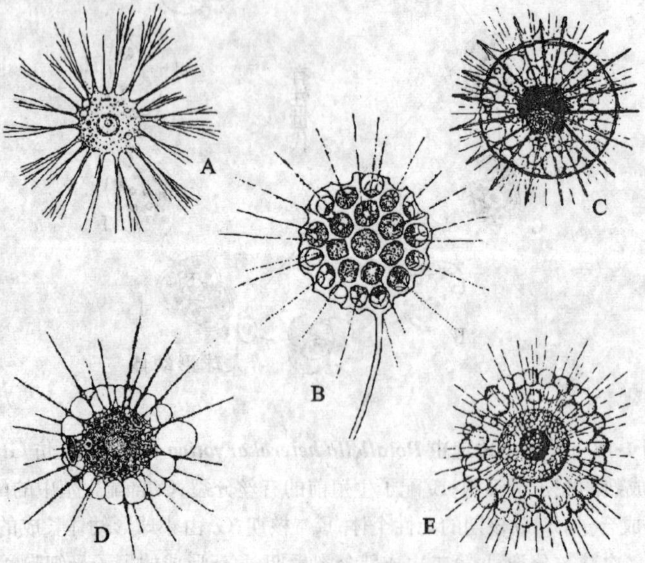

图 1-19　肉足纲各目代表

A. 分枝同辐虫；B. 多孔锤虫；C. *Aulacantha scolymantha*；D. 太阳虫；E. 核形无骨虫

（A，C～E 仿 Kudo；B 仿 Hausmann）

目 2. 罩笼虫目 Naddelarida：中央囊上开孔集中于一极，骨骼常为篮笼状。外骨骼仅具一个开口。如壶状小笼虫 *Cyrtocalpis urceolus*（图1-17 E）、单角石蜂虫 *Lithomelissa monoceras*（图1-17 M）。

纲 3. 稀孔纲 Phaeodarea

骨骼由硅质与有机质混合构成，通常具中空的棘刺或壳，中央囊厚，一极有一充作胞口的星芒状主孔，另有两个副孔，故又称三孔类（Tripylea）。根据骨骼的有或无以及其形态，共分成 6 个目。主要类群有：

目 1. 暗囊目 Phaeocystida：骨骼不存在或呈针状，后者作放射状或自由排列。如 *Aulacantha scolymantha*（图 1-19 C）。

目 2. 暗天目 Phaeogromida：骨骼呈壳室状，具一大的孔。内常含硅藻或泡沫状结构。如维氏筛壳虫 *Challengeron wyvillei*。

纲 4. 太阳纲 Helizoea

无中央囊，骨骼如存在则为硅质或有机质。轴伪足辐射状遍体排列。绝大多数为淡水生，少量海水生。

目 1. 结球目 Desinothoracida：细胞外被有具微孔的囊，大多数有柄而固着生活。有性生殖期的配子具 1～2 根鞭毛。如多孔锤虫 *Clathrulina elegans*（图1-19 B）。

目 2. 太阳虫目 Actinophryida：无骨骼，轴伪足内微管呈双排交互卷缠排列，其内部由核膜处向四周辐射发出。生活史中可有鞭毛期，有性生殖具自配现象。如太阳虫 *Actinophrys sol*（图 1-19 D）、分枝同辐虫 *Actinocoma ramosa*（图 1-19 A）。

目 3. 中阳目 Centrohelida：通常有硅质鳞片状外骨骼或刺针。细胞常分成中心质与轴质两部分，轴伪足交汇于中心质处。如中心质缺失，则具有大的明显偏心存在的细胞核。如针棘刺胞虫 *Acanthocystis aculeata*（图 1-17 H）。

1.5 盘蜷门 Labyrinthomorpha

本门 1980 年始建立，迄今仅含 35 种。盘蜷动物的特征为群体，营养期个员间外质彼此借分枝互联成网状。个员为类阿米巴状，具变形性，但通常纺锤或椭球形。运动时变形细胞可沿管状网络或粘路（sagenetosome）“爬动”。普遍具包囊期和有鞭毛的游动孢子。主要生存于海水或半咸水的河口水域中。仅 Labyrinthula 纲 Labyrinthulida 目。如粘盘蜷虫 *Labyrinthomyxa sauvageaui*（图1-12 j，k）。

1.6 顶复门 Apicomplexa

1.6.1 概述

在旧的分类系统中，本门动物归入孢子纲，现根据对其超微结构的了解而将本类动物独立成门。其主要特征除具广义的“孢子虫”的共同特点外，如营寄生生活、细胞器简单、生活史中有孢子形成过程等，顶复动物在其感染期、子孢子或裂殖子顶端有顶复合体结构。这个结构包括极环(polar ring)、微丝(microneme)，棒状体(rhoptry)，类锥体(conoid)以及由极环处发出的(纵行的)膜下微管(图1-20)。其中类锥体和棒状体等结构为与酶相关的细胞器，参与侵入宿主细胞作用。而体表的微孔据认为系汲取宿主营养的入口，但新近有工作证明，其也可能是虫体发育过程中代谢产物的排出孔道。

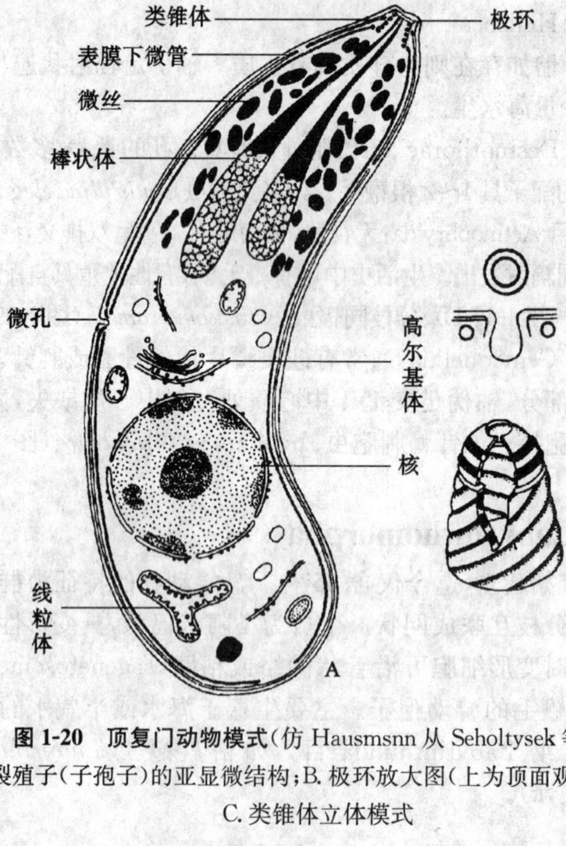

图 1-20　顶复门动物模式(仿 Hausmsnn 从 Seholtysek 等)

A. 一个裂殖子(子孢子)的亚显微结构；B. 极环放大图(上为顶面观，下为侧面观)；C. 类锥体立体模式

大部分的顶复门动物生活史复杂,一般均具有性和无性两种生殖方式并表现为世代交替现象。如尖头簇虫生活史(图1-21)图解。即整个生活史表现为严格的有性世代(配子生殖)和无性世代(孢子生殖)的相互交替。但在有些种类配子体(配子母细胞)形态相似,无大小之分(图1-22)。在高等类群则在孢子生殖后另有一裂殖生殖期,因此其典型的生活史如图1-23所示。子孢子与裂殖子在结构上无差异,仅仅是所处的发育阶段不同且子孢子期无重复分裂现象。在上述的基本形式中,不同种类差异往往较大。如疟原虫,由于一直寄生在动物体内,用作保护的孢子壳就不存在(图1-23)。原始种类无有性生殖。

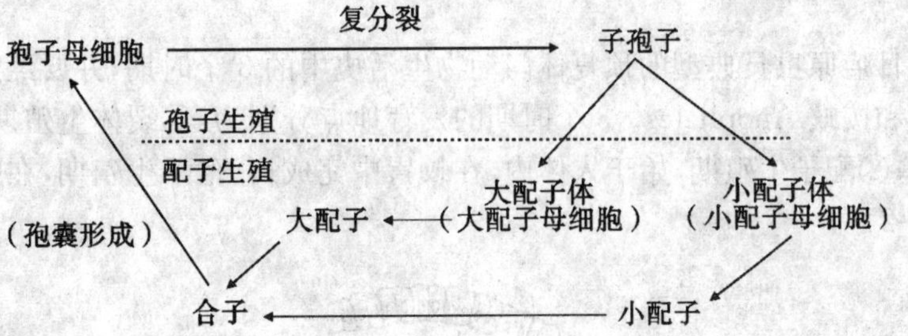

图 1-21　尖头簇虫生活史图解

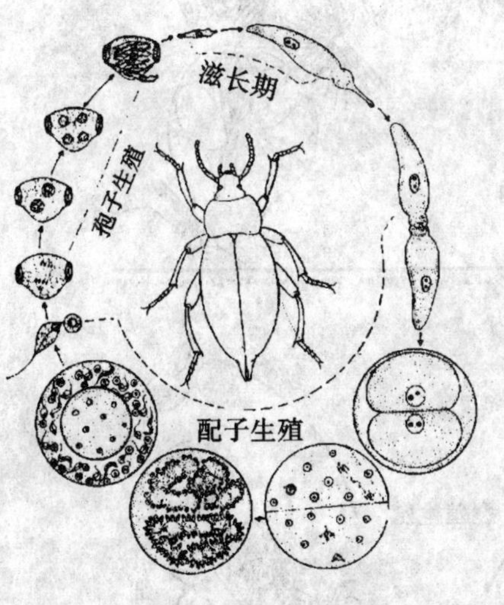

图 1-22　长杆棘头虫 *Sthlocephalus longicollis* 的生活史(仿 Grell)

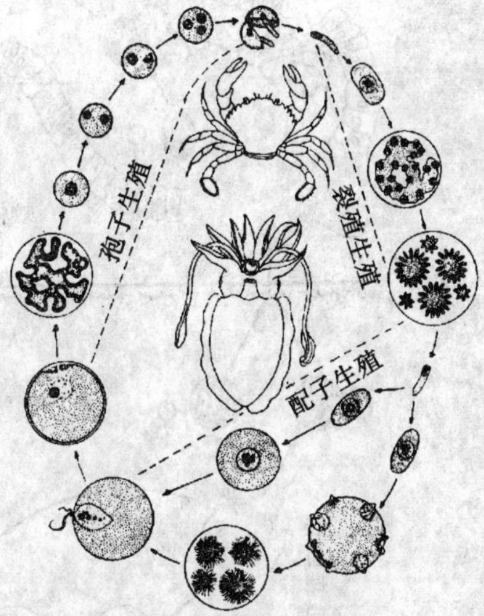

图 1-23　埃伯聚簇虫 *Aggregata eberthi* 的生活史(仿 Grell 从 Dobell)

由于本门动物全部为寄生种类，因此几乎所有营养和运动胞器均不存在。其运动系通过虫体扭动爬行或体表纵向皱褶的波动驱使。鞭毛期仅存在于小配子时期。摄食主要通过体表渗透，在有伪足的种类则可借助伪足摄食。细胞内寄生的种类结构通常较为简单，细胞外寄生的类群往往有复杂的固着器，如簇虫的头节（epimerite）常特化以适应其固附性生活。

1.6.2 间日疟原虫 *Plasmodium vivax* Grassi et Febetti

间日疟原虫寄生在人类的红血细胞和肝脏的实质细胞中，并由此引起人类疟疾病。

间日疟原虫具典型的顶复体门动物生活史中的3个时期，并要经过两个宿主即人和按蚊 Anopheles。3个时期的发育地点分别为：①裂体生殖期，在人体内进行；②配子生殖期，始于人体内，在蚊胃中完成；③孢子生殖期，在蚊体内进行（图1-24）。

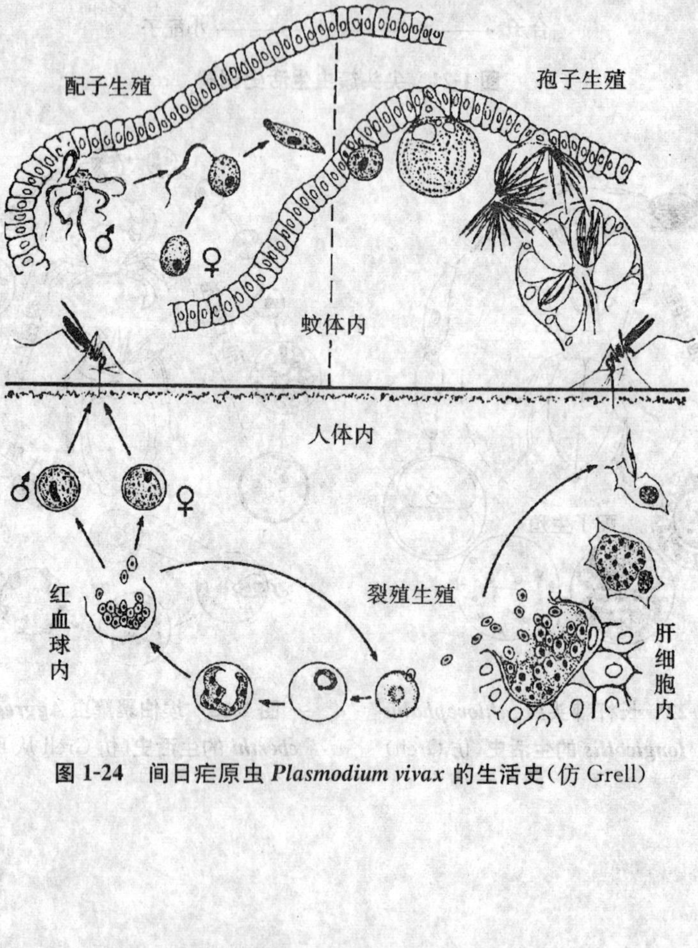

图 1-24 间日疟原虫 *Plasmodium vivax* 的生活史（仿 Grell）

(1)裂体生殖期：本期是由滋养体→裂殖体→裂殖子的无性生殖时期。感染有疟原虫的按蚊在叮咬人时，其唾液腺中的子孢子即会进入人的血液中。子孢子经血流进入人肝脏的实质细胞，在其内吸取营养长成滋养体、裂殖体并开始裂体生殖。因此时不在血细胞内，故又称红外期（exoery-throcytic stage）。裂殖子由肝细胞内逸生，侵入血液的红血细胞并继续进行裂殖生殖，直至红细胞破裂，裂殖子放散出。放散出的裂殖子可进一步又去感染一新的红细胞，这样不断地重复，造成大批红细胞破坏，同时裂殖子的代谢产物进入血液，从而造成病人的疟疾症状。整个这一阶段因裂体生殖是在红细胞内进行的，故又称红内期（erythrocytic stage）。

(2)配子生殖：在人体内。在经过若干次裂体生殖周期后，一部分裂殖子进入红细胞，它们不再进行裂体生殖，而是形成配子母细胞。配子母细胞可分为雌雄配子母体两种。当此时蚊子吸人血时，它们即可随血液进入蚊胃内。在蚊胃内雄配子体的核分裂成4～8个，后孢质也向外伸出相应的4～8条丝状体各包围一核，这些丝状体脱离母体而自由活动，这便是雄配子。雌配子母细胞则不经分裂而完成成熟过程，成为雌配子并与雄配子在胃内形成合子。

(3)孢子生殖：合子经延长变形成为能运动的卵动子（ookinate），穿过胃壁并由弹性纤维膜形成圆形的卵囊，在卵囊中核开始分裂，卵囊也逐渐增大。后孢质也进行分裂并各包围一核，从而形成新月形的子孢子。每个卵囊内子孢子数目可达数千至10 000余个。子孢子由卵囊壁的微孔逸生而进入蚊的血腔中，并随血液进入蚊的唾液腺，从而完成整个发育周期。

1.6.3 分类

本门动物约有4 800种，根据有性生殖的有无以及类锥体的构造而分成2纲7目。其重要类群如下。

纲1. 帕金纲 Perkinsea

本纲动物种类极少，为1978年新建立。仅含1目1科1属。特征为类锥体不完整，无有性生殖。目前所知仅存于海洋贝类体内。

纲2. 孢子纲 Sporozoa

类锥体通常存在，且为完整的锥形。具有本门动物的典型特征。分为3亚纲3目。

目1. 簇虫目 Eugregarinida：本目属簇虫亚纲。成熟的配子体（滋养体）大，细胞外寄生，无裂殖生殖。虫体通常分成头节、前节和后节，其头节系由类锥体部分特化而来(图1-25 E～L)。配子体可形成併体子(或称连体子 syzygy)(图1-25 A，B)，有性生殖为同配或近乎同配，配子体产生数量相同的两性配子。本目共有约500余种，大多寄生于头足类、节肢与环节动物消化道内，为细胞外寄生。如集合线簇虫 *Nematopsis legeri*(图1-25 C)、长杆棘头虫 *Sthlocephalus longicollis*(图1-21)、武装蛹体虫 *Corycella armata*(图1-24 D)，对虾体内的对虾线簇虫 *Nematopsis penaeus*(图1-25 B)、对虾头叶簇虫 *Cephalolobus penaeus*(图1-25 A)。

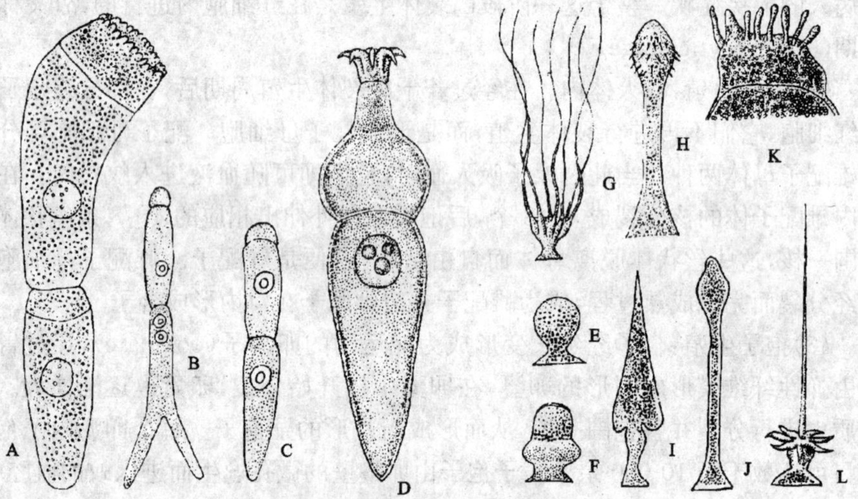

图 1-25 簇虫目代表动物(A～D)及簇虫头节构造(E～L)

A. 对虾头叶簇虫；B. 对虾线簇虫；C. 集合线簇虫；D. 武装蛹体虫

(A，B 仿 Kruse；C 仿 Kudose；E～L 仿 Grell 从 Leger)

目 2. 真球虫目 Eucoccidiida：本目属球虫亚纲。成熟的滋养体小，细胞内寄生，不分节，也不形成併体子，配合生殖为异配。生活史分为孢子生殖、裂体生殖和配子生殖 3 个阶段。本目动物种类繁多，几乎全部寄生于脊椎动物体内。如海水中的埃伯聚簇虫 *Aggregata eberthi*(图 1-23)、间日疟原虫 *Plasmodium vivax*(图1-24)。

目 3. 焦虫目 Piroplasmida：本目动物个体均极小，常可做变形运动，寄生于哺乳动物的血中。特点为滋养体无类锥体，无孢子期。生活周期中通常需两个宿主：裂殖和配子生殖期在脊椎动物体内，孢子生殖在无脊椎动物(如蜱螨类)体内。如寄生于牛血中的双芽巴贝斯虫 *Babesia bigemina*(图1-29 A)，可导致病牛高烧及50%以上的死亡率。

1.7 微孢子门 Microspora

1.7.1 概述

本类动物为细胞内寄生，个体极小，主要存在于节肢动物宿主内，少数在鱼类等脊椎动物体内。与粘孢子虫不同的是微孢子虫为单细胞起源的。成熟的孢子壳不分瓣，电镜下壳壁可分为 3 层，外层片层状，内层膜质，中间夹有透明匀质的几丁质层，通常认为壳质为宿主细胞内物质参与生成。孢壳最前方有一极孔，平时由极帽(polar cap)所盖住，是极丝翻出的通道。极孔下方在少数种类有极囊构造，其随后有一大的片层状孢质(polaroplast)，是为侵入宿主的主要物质，孢质内部与管状的极丝(filament)相连。极丝盘绕于孢质外，长度可达数百微米以上。在遇到宿主细胞时，管状极丝可经极孔翻出。除上述结构外，孢子后方常有一后囊泡(posterior vacuole)。

微孢子虫有糙面内质网和高尔基体，但无线粒体，这与其营寄生生活有关。

极丝排放与孢子所处的内外环境有关。宿主酶的活动可作用于与极帽相联的多糖上面，这种作用也可通过膜传给孢子内的酶从而将其激活。总之，上述作用的结果均导致极帽处膜通透性增加，进而水分进入孢子内并导致孢质的膨胀，这种膨胀压迫极丝翻出。

对于孢质如何侵入宿主目前尚有不同看法。一种观点认为是管状的极丝提供了孢质迁入的通道。另有人认为，进入宿主的仅是某些可称为“胚质”(germ)的遗传物质，这些物质于孢质后方，与微丝相联，可经微丝内通道而进入宿主细胞。

孢质在宿主细胞内通过二分裂或复分裂而形成多核的孢子母细胞，而后进一步形成多个孢子并继续感染其他细胞。

1.7.2 大眼鲷匹里虫 *Pleistophora priacanthusis* He

大眼鲷匹里虫(图 1-26)主要存在于海水鱼大眼鲷腹腔内，因其大量繁殖并形成大型孢囊而损害寄主组织器官。

该种孢子长卵形，有大小两种，长度为5～8 μm，孢壁 3 层，厚25～120 nm，极丝缠绕于极外质，沿孢子纵轴伸向前端，经极囊向极孔渐膨大。此处结构极丝、极质与极囊关系密切，均源自高尔基体，故特称极丝-极囊-极质复合体(polar-filament-polar sac-po-laroplast complex)。极囊为片层状，覆于极丝基部。极质在未成熟的孢子常分成两部分，前部为囊泡状，后部为片层状，随着孢子的成熟，前者向后者转化。细胞核为椭球形，其后部为一双层单位膜所包围的后囊泡。

图 1-26 大眼鲷匹里虫

Pleistophora priacanthusis

（仿华鼎可等电镜照片修改）

成熟孢子在由寄主增生的纤维性外膜包裹的囊中完成营养期发育，经过裂殖生殖而在宿主体内形成达 20 mm 直径的瘤状孢囊，并进一步通过孢子生殖产生出数量众多的孢子来。

1.7.3 分类

本门动物 800 余种，分为 3 个目。绝大多数种类集中于微孢子纲微孢子目中。

目 1. 微孢子目 Microsporida，具本门动物的典型特征，其极丝为起源于高尔基体，具孢质和后端的囊泡，单或双核。如存在孢囊时，则囊壁由宿主物质所构成。如寄生在鱼体内的大眼鲷匹里虫 *Pleistophora priacanthusis*（图 1-26）。

1.8 粘体门 Myxozoa（＝Myxospora）

1.8.1 概述

本门动物又称粘孢子虫，在传统分类中作为一个目隶属于“孢子纲”。粘体动物绝大多数寄生于鱼类体内。突出特征为孢子系多细胞起源，具有1～7个极囊(绝大多数为2个)，各极囊内均盘曲有一条可弹出的极丝，借此附于宿主上。孢子壳2～7瓣(通常为2瓣)，壳瓣一般认为系几丁质的。壳内极囊后有一可变形的孢质，此为侵入宿主物质，内含两个胞核(感染前期，未成熟时)或1个合子核。除此核外，孢质后方另有2个壳核(瓣核，后将消失)，每个极囊也各有一极囊核。因此，本类动物是含有多核的形态统一体(合胞体)，这种情形和某些具多小核的纤毛虫相类似，但两者的起源与发展去向却迥然不同。在粘孢子虫的多个核内，仅合子核为生殖核，其余只与某些结构的形成和代谢有关。

有些种类的变形孢质内另有嗜碘的空泡存在，遇碘时呈棕褐色，这是由于其内有糖原类物质(glycogen)存在的缘故。

粘孢子虫孢子外形多变，除通常的椭球形外，也可为水滴状，后部拖一单或分叉的“长尾”，或新月形、梭形、不规则的多角形甚至锚状。其极囊位置也可集于一极或两极分布(图1-29 C,I)。

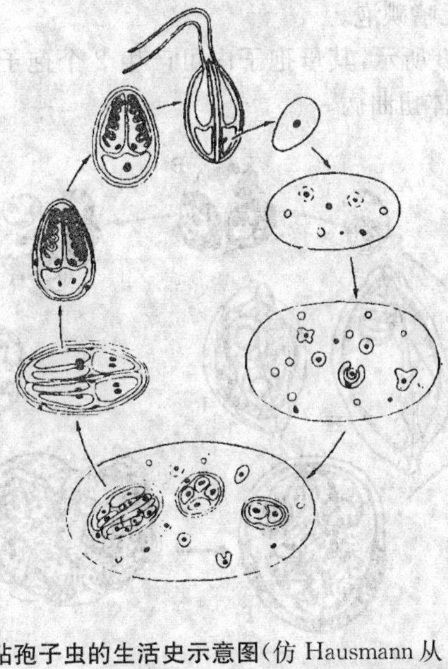

图 1-27　粘孢子虫的生活史示意图(仿 Hausmann 从 Mitchell)

本类动物的生活史迄今了解仍较少，其基本过程可能如图1-27所示。成熟孢子被宿主吞下后，受消化液刺激极丝射出，粘附在肠壁上。这时孢质可由裂开的孢壳逸出，侵入消化道表皮或经微血管进入特定组织里，吸取宿主组织里的养料长成滋养体，同时核经多次分裂形成多核体(syncytium)，多核体在宿主组织中以大型包囊或肿瘤形式出现。多核体内某些核(生殖核)被细胞质包围而形成母孢子(sporont),母孢子继续吸取营养物质成长,核也进行多次分裂,这时形成的子核各带有一部分细胞质。至于子核的数目可因不同种类而变化,如母孢子仅产生一个孢子,则至少有 6 个核及相应 6 个细胞,其分别形成 2 个极囊、两个合并成孢质和胞核,其余两个形成壳瓣。这种情形称为单母孢子(monosporont),如形成多个(2 个或以上)则分别称为双母孢子(di-或 panmonosporont)和多母孢子(polysooront)。成熟的孢子可由宿主体表或宿主死亡后散布出侵袭新的宿主。

1.8.2 猫口粘体虫 *Myxosoma catostomi* Kudo

猫口粘体虫(图1-28)寄生于胭脂鱼(火烧鳊)体内肌肉或结缔组织间。其基本形态如图所示,孢子壳面观为椭圆形,壳缝观稍扁,长度为10～15 μm。顶部具两个梨形极囊,排列于壳缝面上。本属动物与常见的碘泡虫(属)很相似,不同之处在于孢质中无嗜碘泡。

生活史如图 1-28 所示,其母孢子内可产生 2 个孢子。这类虫体大量存在时,可导致病鱼的躯体扭曲病。

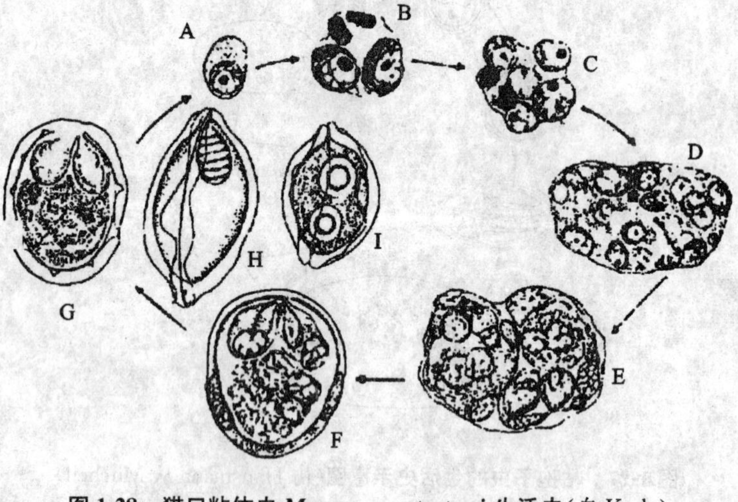

图 1-28　猫口粘体虫 *Myxosoma catostomi* 生活史(自 Kudo)

A. 一个泛孢子母细胞;B～E. 示两个孢子母细胞的发育过程;F. 接近成熟的孢子;

G～I. 成熟孢子的腹、背面及壳缝面观和顶面观

1.8.3 分类

本门动物种类较少，约 1 000 种，根据孢子内孢质和极囊的数目而分成 2 纲 3 目。

纲 1. 粘孢子纲 Myxosporea

孢质 1～2 个，极囊 1～6 个(通常 2 个)，壳瓣大多为 2 片，少数可多至 6 片，主要于鱼类体内寄生。

双壳目 Bivalvulida：大多具两个壳瓣，极囊 2～4 个，分布于壳面或壳缝上，同极或两极排布。如萨白弧形虫 *Sphaeromyxa sabrazesi*(图1-29 G)、鲮单极虫 *Thelohanellus rohite*(图 1-29 J,K)、鲢四极虫 *Chloromyxum hypophthalmichthys*(图1-29 B,C)、中华尾孢虫 *Henneguya sinensis*(图1-29 L,M)、双极戴维虫 *Davisia diplocreis*(图1-29 F)。

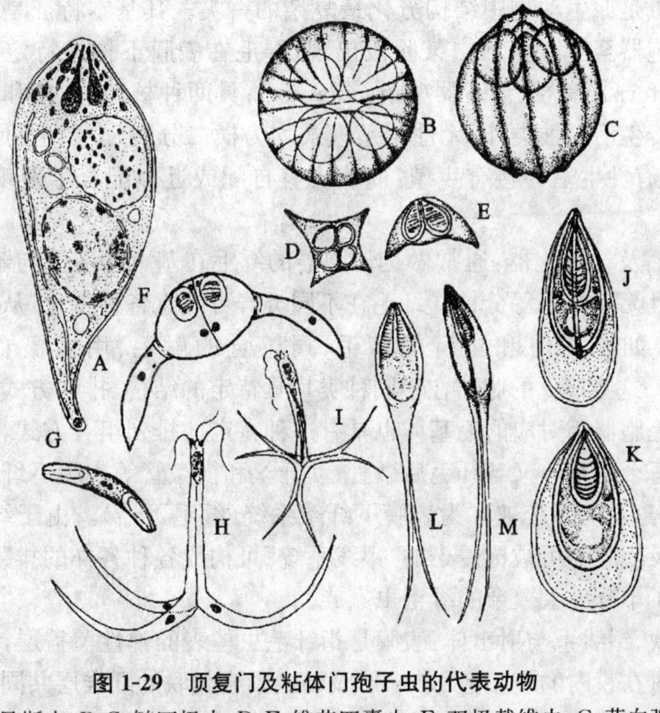

图 1-29 顶复门及粘体门孢子虫的代表动物

A. 双芽巴贝斯虫；B,C. 鲢四极虫；D,E. 锥花四囊虫；F. 双极戴维虫；G. 萨白弧形虫；
H. 未名三枪粘孢虫；I. 掘沙六枪粘孢虫；J,K. 鲮单极虫；L,M. 中华尾胞虫
(A 仿 Hausmann；B,C 仿牛鲁祺；D～I 仿 Kudo；J～M 仿上海水产学院)

多壳目 Multivalvulida：旧的系统归入放射孢子目（Actinomyida），孢子壳为3至多瓣，如锥花四囊虫 *Kudoa thyrsites*（图1-29 D,E）

纲2. 放射孢子纲 Actinosporea

孢子具3个极囊，3个壳瓣，3个以上的孢质，营养期退化，主要存在于环节动物等无椎动物体内。

放射粘孢目 Actionomyxida 特征与纲相同，如掘沙六枪粘孢虫 *Hexactinomyxon psammoryetis*（图1-29 I）、未名三枪粘孢虫 *Triactinomyxon ignotum*（图1-29 H）。

1.9 纤毛门 Ciliophora

1.9.1 概述

纤毛虫是原生动物中结构分化最复杂的一类。其基本特征是纤毛或由纤毛形成的胞器至少在生活史某阶段出现，纤毛在表膜下构成特定的纤毛图式（ciliarypattern）或称纤毛下器（iniraciliature）；具两种核型（大核和小核）；除少数有柄固着生活的种类外，无性生殖模式均为横二分裂，少数也可行出芽或复分裂生殖；有性生殖为接合生殖，偶然也有自配或近似配合生殖现象（如缘毛类）。

1. 纤毛及纤毛胞器：通常做运动胞器的纤毛在基本构造上与鞭毛相同，仅数量较多且无长鬣毛等分枝。纤毛在不同类群可发生各种特化，从而形成各种纤毛胞器，如起支持和爬行的棘毛、司感觉的触毛、用做摄食的小膜等（图1-30）。这些特化的胞器在不同种类均具特定的结构、排列方式和部位。与此外部纤毛胞器相对应的毛基体也具有这种特定的排列组合方式，称为纤毛图式。由于每个毛基体又与纤毛后微管、动纤丝和横微管等表膜下纤维系统相联（图1-31），这总的系统被称为表膜下纤维系统（纤毛下器）。由于纤毛图式、纤毛下器以及表膜上可被银浸染的“银线系统”可构成各种各样的排列组合方式，从而组成了十分庞大繁杂的纤毛虫家族。

2. 表膜、银线系与射出体：表膜是指纤毛虫体表的弹性覆盖层，是由典型的细胞膜和衬在膜内的表膜泡（alveoli）及与之紧密相联的纤维层共同组成。人们有时使用皮层这一概念（cortex），系指广义的表膜、纤毛下器及外表的纤毛等整个外层覆盖物。银线系统为本门动物所特有的表膜层内的一个网络系统，可以被银（如硝酸银）所染色，这个系统在不同类群、不同种属均具稳定的构形各异

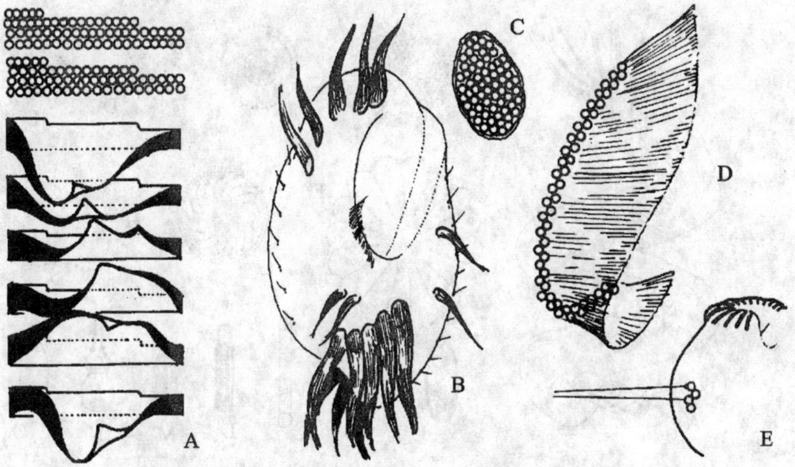

图 1-30　几种纤毛的特化形式(图中空心圆圈示毛基粒)

A. 围口小膜；B. 示棘毛和触毛；C. 一根棘毛的毛基粒排列状况；D. 口侧膜(波动膜)；E. 弹跳毛

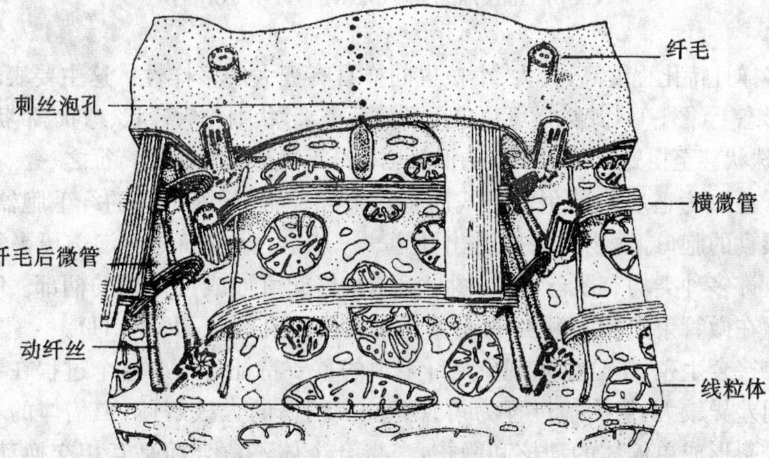

图 1-31　纤毛虫皮膜结构及纤毛下器(仿 Corliss 从 Allen)

的"图案"。绝大多数纤毛虫体表均有射出体(extrusome)，其通常排列在毛基粒间。根据功能和结构，射出体可分成十几种(图1-32 I～O)。最常见的如刺丝泡(trichocyst)(图1-34 B)、粘丝泡(mucocyst)、笼形泡(clathrocyst)、毒丝泡(toxicyst)、丝状泡(fibrocyst)、固附泡(haptocyst)等，在受到刺激、捕食或形成包囊时排放出。

3. 核器及内部胞器：纤毛虫作为原生动物中最复杂的一类，不仅由于其胞器

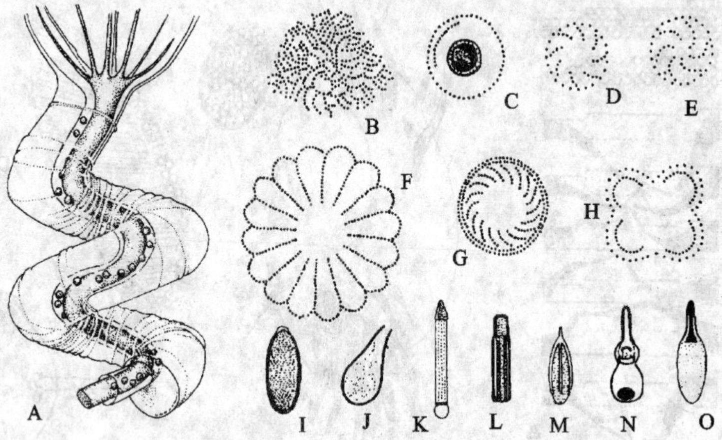

图 1-32　纤毛虫胞器结构图

A. 示缘毛类柄内肌丝；B～H. 吸管虫类吸管断面，示其不同的微管束排列方式；I～O. 各种射出体

（A 仿 Hausmann 从 Amos；B～O 仿 Corliss）

种类多样且特化程度高，其大、小核也同样具有极大的多样性。这主要表现在大核的形态上(图1-1)，其数量可由单个到数百个，形状则可为棒状、球状、带状、分叶状、念珠状甚至格笼状等。大核的形状也是纤毛虫分类的重要特征之一。

纤毛虫为适应不同生活方式而特化出各种胞器，除上述的纤毛胞器外，有专司摄食的胞口，食物残渣的排出孔道——胞肛，保持细胞内渗透压平衡的伸缩泡。许多种类均有肌丝构造(图1-32 A)，借此可形成可伸缩的柄部。吸管虫类还存在微管束支持的触手(吸管)，是捕食的工具(图1-32 B～H)。

4. 接合生殖：接合生殖现象是纤毛虫的重要特征之一。这个过程在各种或类群间差异较大，但一般过程为司营养的多倍体的大核解体，二倍体的小核经减数分裂形成单倍体的动核和静核，二接合个体不愈合而是互相交换动核，动核与对方个体的静核结合为合子核(类似于多细胞动物的受精作用)，合子核再经一系列的结合后分裂，分化出新的大、小核，同时个体也经(通常 2 次)分裂产生 1～4 个子个体，这个过程因类群不同而表现有明显的差异(图1-33 A～E)。

1.9.2 尾草履虫 *Paramecium caudatum* Ehrengberg

尾草履虫(图 1-34)又称大草履虫，大小为150～300 μm，外形略似倒置的鞋底，前端钝圆，后部稍尖削，生存于富有机质的各类淡水水体中。

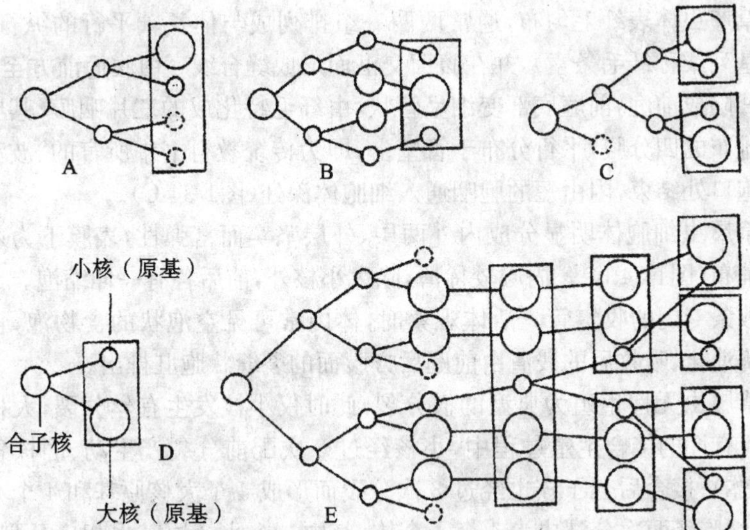

图 1-33　几种纤毛虫的接合生殖方式，示其接合后的核及细胞质分裂类型（自 Grell）

A. 盘状游仆虫；B. 双环栉毛虫；C. 绿草履虫；D. 钩刺斜管虫；E. 尾草履虫

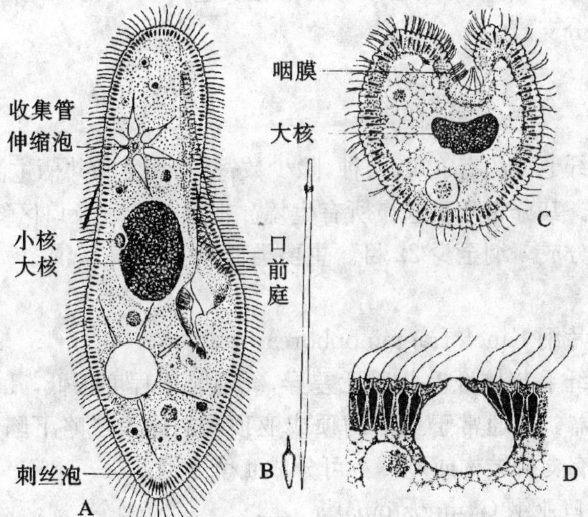

图 1-34　尾草履虫 *Paramecium caudatum* 及内部结构（自 Gelei）

A. 侧面观；B. 静息与发射太的刺丝泡；C. 过口前庭的横断面图；
D. 示伸缩泡与皮膜的局部断面图

尾草履虫体表纤毛匀布，通常两两一组排列成与体长轴平行的纵行(每行称作动基列或称纤毛条索)，并在腹面交汇而形成缝合线。由腹面前方至约1/2处体表凹陷成前庭，前庭底部变细呈管状，由纤毛特化成的三片咽膜(其中一片为疏松排布的四分膜)平行分布于管壁上，即为传统教科书中所言的“波动膜”，前庭至胞口处结束，内由短的胞咽通入细胞体深处(图1-34 C)。

尾草履虫细胞体明显分成内外两层，外层坚实而富弹性，表膜下为刺丝泡所充盈铺布(图1-34 D)。内层较稀薄，除大小核外，前后各有一伸缩泡。此伸缩泡各有数条专门的收集管。活体观察时，体内常可见空泡状的食物泡，食物在泡内被酶消化、吸收后的残渣由前庭后方腹面的裂缝状胞肛排出。

尾草履虫无性生殖为典型的横分裂，此时仅小核发生有丝分裂，大核为无丝分裂。有性的接合生殖过程中，小核经过3次配前分裂产生动、静核各一个(其余解体)；接合后合子核也经过3次分裂而形成4个大核原基和4个小核原基，此时细胞经两次分裂成为4个子个体，其中一个小核原基也相应分裂两次，分配到每个子体中(图1-33 E)。

尾草履虫由于个体大，易于培养且仅有大、小核各一枚，故被广泛用于细胞学和遗传学研究上，尤其是用它来研究细胞质遗传及核、质关系，成为纤毛虫研究的一个重要分支。

1.9.3 分类

现报道的纤毛虫约有9 000余种，除少数寄生、共生和共栖生活种类外，大多数营自由生活。其分布几乎遍布所有生境。根据其体表及口区纤毛分化程度，银线系结构等分成3纲至少22目。主要类群如下。

纲1 动基片纲 Kinetofragminophorea

虫体口区纤毛与体纤毛几乎无差异，纤毛分化程度很低，几乎不构成任何特殊的纤毛胞器。口通常于虫体的顶或亚顶端的体表或略下陷的前庭内。围绕胞咽壁大多有支持结构或刺杆。可分成4个亚纲。

亚纲1. 裸口亚纲 Gymnostomatia

虫体体纤毛匀布，口区纤毛无特化，至多形成触毛或两、两排列的围口系统，口于前或亚前端，银线系大多为细碎格状或方格形。

目1. 前口目 Prostomatida：胞口于前或亚前端，围口纤毛下器往往与体纤毛相联，个体通常较大。如科氏尾毛虫 *Urotricha corlissiana*(图1-35 C)、贪食佛伊虫 *Foisserides heliophagus*(图1-35 A)、微小长颈虫 *Lacrymaria nana*(图

1-35 B)。

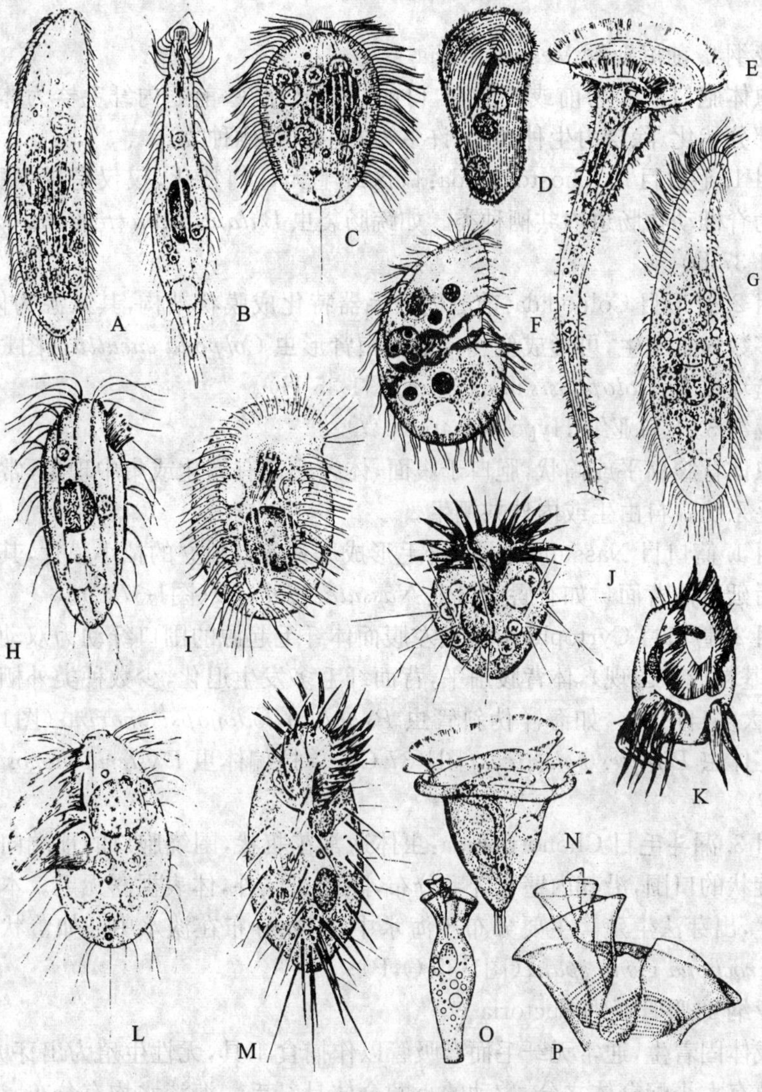

图 1-35　纤毛虫各目代表动物

A. 佛伊贪食虫；B. 微小长颈虫；C. 科氏尾毛虫；D. 德氏小蓬虫；E. 火红喇叭虫；F. 僧帽肾形虫；G. 尹氏漫游虫；H. 黏液篮环虫；I. 海洋伪斜管虫；J. 大弹跳虫；K. 胖尾刺虫；L. 海洋尾丝虫；M. 鬃尖毛虫；N. 似钟虫；O,P. 蕾状旋漏斗虫

(A～E,G～N. 自作者；F 仿 Foissner；O,P 仿 Grell)

目 2. 侧口目 Pleurostomatida：胞口裂缝状位于腹面，虫体左右侧扁，围口纤毛下器仅与少数体纤毛条索相联。如尹氏漫游虫 *Litonotus yinae*（图1-35 G）。

亚纲 2. 前庭亚纲 Vestibuliferia

虫体胞口大多为前或亚前端，口前庭明显存在，前庭内纤毛器为体纤毛的延伸部分特化，除自由生种类外，许多为寄生或共栖种类。

目 1. 毛口目 Trichostomatida：口区纤毛无任何特化，仅仅是排列更密集。大多为脊椎动物肠道内共栖种类。如鲩肠袋虫 *Balantidium ctenopharyngodoni*（图1-37 D）。

目 2. 肾形目 Colpodida：前庭内纤毛器特化成膜状结构，其来源为体纤毛。绝大多数为土壤生，可形成孢囊。如僧帽肾形虫 *Colpoda cucullus*（图1-35 F）、黏液篮环虫 *Cyrtolophosis mucicolan*（图1-35 H）。

亚纲 3. 下口亚纲 Hypostomatia

虫体背腹扁平或筒状，胞口于腹面，体纤毛常有退化或集中现象，常形成围口纤毛系统。自由生或内外共栖生。

目 1. 篮口目 Nassulida：围口纤毛形成 1 列各自独立的拟小膜片，其由虫体左侧后延至体背面。如有唇篮口虫 *Nassulael labiata*（图1-37 E）。

目 2. 管口目 Cyrtophorida：由左腹面体纤毛起源的围口纤动为双动基系结构（毛基粒成双出现），体背腹扁平，背面纤毛多发生退化，少数种类外栖于鱼类鳃表，大多自由生。如海洋伪斜管虫 *Pseudochilodonopsis marina*（图1-35 I）、漫游匹体虫 *Pithites pelagicus*（图1-37 G）、单柱偏体虫 *Dysteria monostyla*（图1-37 P）。

目 3. 漏斗毛目 Chonotrichida：虫体通常花瓶状，围绕胞口的顶端向外延伸成螺旋状的口围，沿其内壁有纤毛分布，除此口区外，体表裸露无毛。本类均为固着生，出芽法生殖。主要分布于海水中，少数分布在淡水中。如蕾状旋漏斗虫 *Spirochona gemmipara*（图1-35 O，P）。

亚纲 4. 吸管亚纲 Suctoria

成体固着生，通常无纤毛而有吸管以作捕食工具，无性生殖为出芽方式，接合生殖有大小配合体之分，游动的小配合体具纤毛。海淡水均有分布。少数种类可内共栖生活。

吸管目 Suctorida：特征如亚纲。如海水中的结节壳吸管虫 *Acineta tuberosa*（图1-36 I），栖于淡水鱼鳃表的中华毛管虫 *Trichophrya sinensis*（图1-37 C），附于海水钩虾体表的奇异枝吸管虫 *Dendrocometes paradoxus*（图1-36 J）。

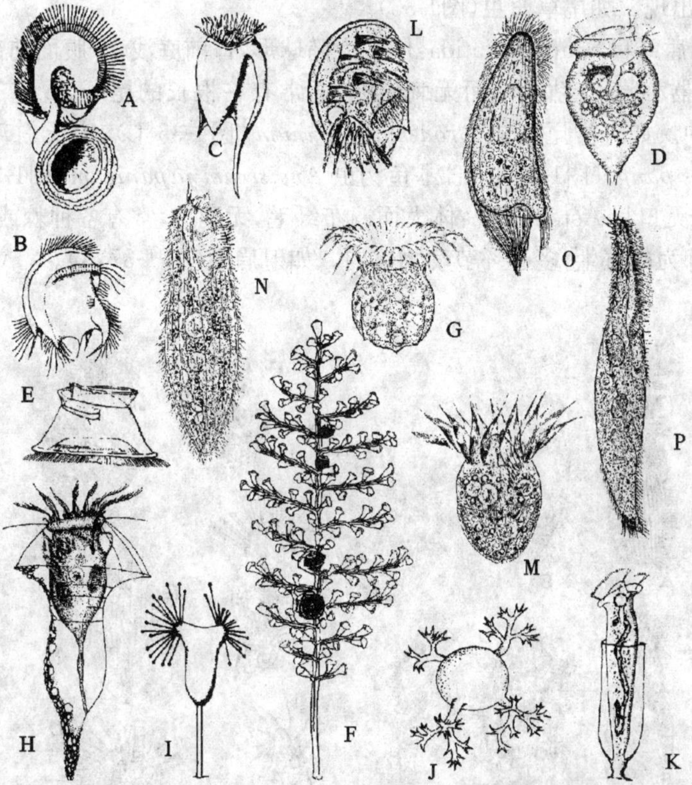

图 1-36　纤毛虫各目代表动物

A. 海马丽克虫；B. 具齿朽纤虫；C. 内毛虫；D. 条纹钟虫；E. 虱性车轮虫；F. 交替聚缩虫；G. 相似海游虫；H. 钟形似铃壳虫；I. 结节壳吸管虫；J. 奇异枝吸管虫；K. 杯形靴纤虫 L. 坚盾楯纤虫；M. 具沟急游虫；N. 颗粒突口虫；O. 日本鱼钩虫；P. 谭氏尖颈虫
（A 仿孟庆显等；B,C,E 仿 Corliss；F 仿 Grell，H 仿 Faure-Fremiet；I,J 仿 Kudo）

纲 2. 寡膜纲 Oligohymenophorea

虫体口前庭内纤毛明显与体纤毛相区分，通常形成左侧的小膜（大多为 3 片）和右侧的口侧膜，胞口多在腹或前腹面，有些种类可形成群体。

亚纲 1. 膜口亚纲 Hymenostomatia

虫体口前庭明显存在，其内小膜或咽膜是由 3～4 列（少数可多列）毛基粒构成，大多数为自由生，少数借柄固着。

目 1. 膜口目 Hymenostomatida：特征如亚纲所述，口器发生时无“盾片”

(scutica)出现。如尾草履虫(图1-33)。

目 2. 盾纤目 Scuticociliatida：体多为椭球形，口前庭浅，于腹面前部，普遍具有 3 片口器小膜，有粘丝泡而无刺丝泡，通常有一根长的尾纤毛。广泛分布于海、淡水中。如海洋尾丝虫 *Uronema marinum*(图1-35 L)、庞氏右毛虫 *Dexiotrichides pangi*(图1-37 I)、日本鱼钩虫 *Ancistrum japanicum*(图1-36 O)。

目 3. 无口目 Astomatida：体大而遍布纤毛，无胞口，常有各种棘或刺作附着工具，全部为内寄生，多于环节动物体内。如射眉虫(图 1-37 A)。

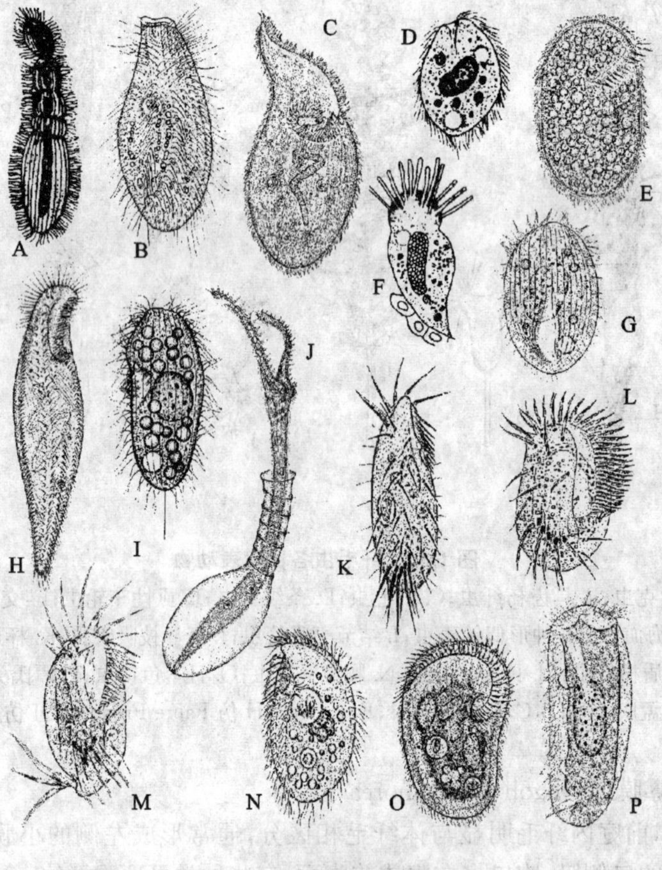

图 1-37　纤毛虫各目代表

A. 射眉虫；B. 无须冠须虫；C. 盐蚕豆虫；D. 鲩肠袋虫；E. 有唇蓝管虫；F. 中华毛管虫；G. 漫游匹体虫；H. 玻氏全列虫；I. 庞氏右毛虫；J. 突出囊室虫；K. 盐尖毛虫；L. 扇形游仆虫；M. 寡毛双眉虫；N. 缩原克鲁虫；O. 佛氏环须虫；P. 单柱偏体虫

(A 仿 Corliss；D 仿 Kudao；F 仿陈启鎏等)

亚纲 2. 缘毛亚纲 Peritrichia

虫体大多为倒钟形，无体纤毛，顶部有可缩入的口围盘和口围。围口纤毛在口围盘形成单和复动基列，以反时针方向旋入漏斗状口前庭内。大多数种类固着或附着生，有些可形成树状群体。无性繁殖为纵分裂，有性繁殖时两接合个体有大小之分，且结合后形成单一的接合体。本类动物肌丝极发达，故有很强的伸缩性。除少数于土壤中外，海、淡水广泛分布，尤其在污水环境中，为常见的水生动物外栖生危害种类。

缘毛目 Peritrichida：特征如亚纲。如在淡水水螅体上常见的虱性车轮虫 *Trichodina pediculus*（图1-36 E），淡水中的似钟虫 *Vorticella similis*（图1-35 N），海洋中的交替聚缩虫 *Zoothamnium alternans*（图1-36 F）、条纹钟虫 *V. striata*（图1-36 D）、杯形靴纤虫 *Cothurnia calix*（图1-36 K）。

纲 3. 多膜纲 Polyhymenophora

体形多样，体纤毛常发生各种特化或退化，围绕口区均形成数量众多的围口小膜，其典型结构为每片小膜由 3～4 列动基列构成（图 1-30 A）。口右侧的口侧膜可为 1～2 片，少数种类有自身分泌而成的壳室。绝大多数为自由生，广泛分布于各种生境。

目 1. 异毛目 Heterotrichida：通常均为大型种类，具强的伸缩性，体纤毛除少数种类外均遍体分布且无特化。如火红喇叭虫 *Stentor igneus*（图1-35 E）、突出囊室虫 *Folliculina producta*（图1-37 J）、海马丽克虫 *Licnophora hippocampi*（图1-36 A）、盐蚕豆虫 *Fabrea salina*（图1-37 C）、缩原克鲁虫 *Protocruzia contrax*（图1-37 N）、佛氏环须虫 *Peritromus faurei*（图1-37 G）、颗粒突口虫 *Condylostoma granulosoum*（图1-36 N）。

目 2. 齿口目 Odontostomatida：虫体左右侧扁，体部纤毛稀少，围口小膜趋于退化（通常有 8～9 片），体表盔甲化，后部常有棘突，大多于富营养的淡水水体中。如具齿朽纤虫 *Saprodinium dentatum*（图1-36 B）。

目 3. 寡毛目 Oligotrichida：虫体常为圆或椭球形，围口小膜集于虫体顶部，体纤毛退化或形成特别的弹跳毛，是海、淡水中常见的浮游生种类。如大弹跳虫 *Halteria grandinella*（图1-35 J）、相似海游虫 *Pelagostrobilidium simile*（图1-36 G）、钟形似铃壳虫 *Tintinnopsis campanula*（图1-36 H）、具沟急游虫 *Strombidium sulcatum*（图1-36 M）。

目 4. 内毛目 Entodiniomorphida：虫体围口小膜带十分显著，此外常另有一列背区小膜带形成绶带状缠绕于体部。许多种类体表盔甲化并形成各种棘突、沟回或隆起，全部为内共生种类，主要于草食性哺乳动物的消化道内。如生存于牛瘤胃中的内毛虫 *Entodinium*(图1-36 C)。

目 5. 腹毛目 Hypotrichida:虫体通常背腹扁平,体纤毛在腹面特化成起爬行或支持作用的棘毛,背部纤毛退化成短的背触毛。发达的口围带绕于胞口左侧,右侧常具两片"波动膜"。自由生,少数可形成临时性的粘性外室从而构成假群体,广泛分布于海、淡水及土壤中。如鬃尖毛虫 *Oxytricha setigera*(图1-35 M)、扇形游仆虫 *Euplotes vannus*(图1-37 L)、胖尾刺虫 *Uronychia transfuga*(图1-35 K)、盐尖毛虫 *Oxytricha saltans*(图1-37 K)、玻氏全列虫 *Holostricha bradburyae*(图1-37 H)、谭氏尖颈虫 *Trachelostyla tani*(图1-36 P)、寡毛双眉虫 *Diophrys oligotrix*(图1-37 M)。

1.10 系统发生

按照生物进化的观点,多细胞生物来自单细胞的祖先,即来自原生生物。但对原生动物各门类间的亲缘关系以及起源顺序问题,则迄今仍无普遍可接受的假说。

人们模拟地球早期的条件,用无机物可直接生成简单的低分子有机物。这个过程证明,在地球形成的初期,地面和大气中的无机物在紫外线、热和放电的作用下,可形成简单有机物。按照人们的猜想,这些有机物逐渐积累在海洋中,不断地聚合、演变,逐渐形成包括氨基酸、嘧啶、嘌呤、核糖、脂肪酸等较为复杂的有机物,这些物质进一步又可形成高分子的多肽、聚核苷酸、多糖和脂肪等。多肽可能通过随机地缩合而形成具催化作用的类酶,聚核苷酸在其催化下开始可自我复制,这样逐步地具有复制乃至代谢能力的原始生命即产生了。这类原始生命逐渐完善并可进一步产生原始的细胞。

至于哪一类原生动物是最原始的,过去有人认为肉足类虽然结构最简单,但其是异养的,以有机物为食而不可能最原始,因此假定鞭毛虫才是最原始的。这种假设忽视了这样一个事实,即生命在地球上发展至细胞阶段以前,周围环境早已"积满"了由低等到高等的各类有机物以及原始低等的生命形式(例如原核生物)。而地球早期的历史中,除真核生物外,原核生物(如类似细菌的生物)也已存在并已先行进入繁盛期,肉足类祖先完全可能以此为食物源并作为最原始的真核生物而出现。现存的一些肉足类在生活史的某阶段可出现临时性的鞭毛,而某些鞭毛动物也具有可变形运动的细胞体则可能提示,鞭毛虫来自肉足虫。这在最初可能也是异养,后来"俘获"一些周围环境中具光合功能的亚细胞体—色素体而共同构成自养鞭毛虫,后者又进一步成为原生植物及高等植物的祖先。纤毛门动物的纤毛与鞭毛非常接近,故这个进化途径比较明朗。各类

“孢子虫”起源极可能不同源，有一些可能来自肉足虫，因其生活史中并无鞭毛期，但能作变形运动(如微孢子门动物)；而另一些则可能来自鞭毛虫，因它们的有性配子也有鞭毛(如顶复体门动物)。由于粘体门系多细胞起源的，故其直接祖先则仍在争议中。

第 2 篇

多细胞动物

多细胞动物的共同特征——多细胞动物的起源假说——多细胞动物的“祖先”——多细胞动物的门及其物种数——多细胞动物的个体发生——多细胞动物的系统发生

多细胞动物的共同特征

相对于单细胞动物(unicellular animal)(原生动物 Protozoa),多细胞动物(multicellular animal)(后生动物 Metazoa)有以下特征:

1. 生物体为多细胞且细胞高度分化:单细胞动物群体只有体细胞和生殖细胞的分化,而多细胞动物,不仅由许多细胞组成,而且还有上皮细胞、肌细胞、营养细胞、腺细胞、神经细胞、感觉细胞等的分化,并由此为主组成组织(tissue)、器官(organ)或器官系统(organ system)。从某种意义上说,多细胞动物的细胞功能是单细胞动物全能细胞的特化(专门化),从而彼此相互依存、合作、密不可分地完成生命机体的各种功能。

2. 具上皮层:多细胞动物具密集的上皮细胞层,并以此把内环境(或内部结构)与外环境(体外环境)相隔离。

3. 生殖细胞(配子):是在体细胞的包围中产生,或在多细胞的生殖腺中得以保护形成。

4. 精子具鞭毛:多细胞动物除节肢动物、线虫的精子无头尾的分化或具头无尾外,典型的精子是单鞭毛的。

5. 具胚的:即经胚胎发育期,从发生上看,任何多细胞动物的有性生殖都历经精、卵、受精卵(合子)的单细胞阶段,其后在离开卵膜或母体之前,要经过卵裂→囊胚→原肠胚等特定的阶段。

6. 异养的:即多细胞动物全都是异养生物(heterotrophic organism),必须靠其他生物或有机物为生。只有某些原生动物(如大多数植鞭类鞭毛虫)兼具叶绿体,能利用光能把 H_2O 和 CO_2 合成有机物。

7. 能动的:任何多细胞动物在生活史的一定时期(幼虫、幼体或成体期)是能动的。

8. 特有的生化成分:乙酰胆碱-胆碱酯酶系统(acetylcholine-cholinesterase system)和胶原纤维(collagen fiber)是多细胞动物特有的产物。

多细胞动物的起源假说

有人认为,研究多细胞动物的起源,如同探讨银河系是怎样形成的一样困难。尽管如此,人们还是从化石、从比较形态、从比较发生、从生化成分的信息中找到或悟出些道理。目前,许多动物学家似乎都同意,多细胞动物有一个来自单细胞动物的共同祖先(common ancestry)。但由何种单细胞生物而来,则有不同的意见和假说。

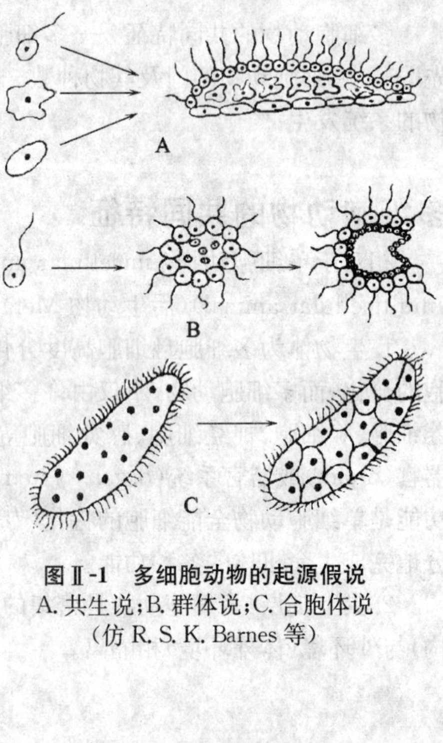

图Ⅱ-1 多细胞动物的起源假说
A. 共生说;B. 群体说;C. 合胞体说
(仿 R. S. K. Barnes 等)

1. 共生说(symbiotic hypothesis):多细胞动物是由两个或多个单细胞生物长期共生在一起,而后组合成的(图Ⅱ-1 A)。目前,为 Grasshoff 理论的支柱(1992)。

2. 群体说(colonial hypothesis):由 Haeckel(1874)等提出,后为 Hyman(1940)推崇。多细胞动物来自群体鞭毛原生动物,即单个原生动物细胞分裂后仍聚在一起不分开，从而形成群体，再由群体演化为多细胞动物。换言之，多细胞动物要经群体阶段（图Ⅱ-1 B）。

3. 合胞体说（syncytial hypothesis）：多细胞动物来自多核的纤毛原生动物（multinucleate ciliates）。以后，细胞内逐渐形成包围各个核的内膜，把核限制在一定的区域内（细胞化 cellularization），从而形成多细胞动物（图Ⅱ-1 C）。Hadzi（1953）和 Hanson（1977）是合胞体理论的主要支持者。

但是，任何假说都不是无懈可击的。如遗传性质上不同的单细胞动物何以能铸造成单个的、具有生殖力又有新遗传功能的多细胞动物，没有胚胎发育过程的单细胞生物怎么“合起来”就有了胚胎发育过程，现存的单细胞动物有分室现象存在吗，等等诸如此类的问题，迄今仍困扰着致力于生物学及其相邻学科研究的人们。何况，人们的认识和研究的时间，相对于多细胞动物演化的历史长河来说，还为时太短。因此，假说毕竟不等于结论，有价值的理论必将在人类不断探索中完善。

多细胞动物的“祖先”

在动物学研究史上，多细胞动物祖先是什么样的，曾有过赫克尔（E. Haeckel）的原肠虫说和梅契尼柯夫（Metschnikoff）的吞噬虫说之争。

赫克尔认为，多细胞动物的祖先，应该是由类似团藻的球形群体，即单层中空的多细胞囊胚样的囊胚祖体（blastaea）经一端内陷，形成有原口和两胚层的多细胞动物。因该祖先与原肠胚很相似，故名原肠祖体（gastraea）（图Ⅱ-2 A）。

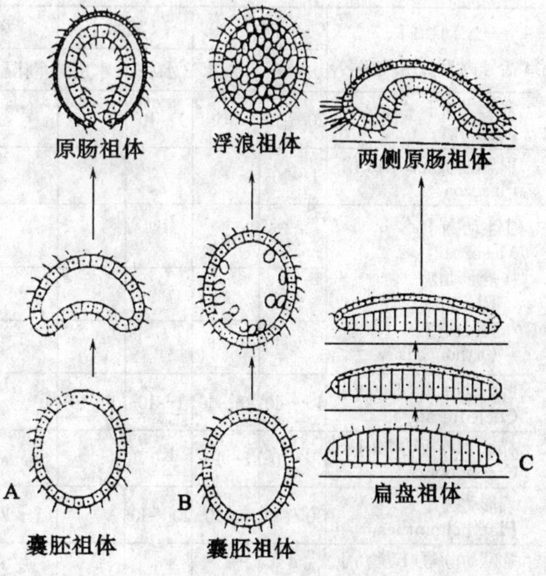

图Ⅱ-2 多细胞动物的“祖先”

A. 原肠虫；B. 吞噬虫；C. 两侧原肠虫

（仿 Barnes 从 Grell 修改）

梅契尼柯夫则主张，囊胚祖体不内陷而由外胚层细胞摄食后移入腔内形成内胚层，结果发育成两胚层实心的原始多细胞动物——吞噬虫(phagocytella)样的浮浪祖体(planuloid ancestor)(图Ⅱ-2 B)。

在争议中,原肠虫说和吞噬虫说虽也得到许多低等多细胞动物发育事实的支持,但前者却常受到批判。原因是从结构和功能统一的立场上看,不可能动物先形成口(原肠口)以后再吃东西,而应该是口在动物摄食过程中形成。再说,许多腔肠动物多是以细胞移入形成两个胚层的。

但是,近年来扁盘动物的发现和深入研究,似在探寻多细胞动物祖先的研究中获得重新认识。

1981 年,Grell 提出了扁盘-两侧原肠虫说(plakula-bilaterogastraea)。学说的要点是,无腔多细胞的扁盘动物在演化过程中,逐渐分化出似扁盘动物具外胚层功能的背细胞层和具内胚层吞噬功能的腹细胞层和其间的腔隙,而后靠内陷形成原口和肠腔(图Ⅱ-2 C)。可见,新学说对上述两种学说的优点起了兼容并蓄的作用。

多细胞动物的门及其物种数

多细胞动物门及其在各生境中的物种数见表Ⅱ-1。

表Ⅱ-1 多细胞动物门及其在各生境中的物种数

动物门	海洋		淡水		陆地		寄生		现生动物种数
(括号内为日用汉字名)	水底	水层	水底	水层	潮湿	干旱	外	内	(Brusca 等,2003)
多孔动物门 Porifera	10^3～10^4		1～10^2				1～10^2		5 500
扁盘动物(板形动物)门 Placozoa	1～10^2								1
中生动物门 Mesozoa								10^2	90
菱形动物 Rhombozoa							1～10^2		70
直游动物 Orthonecda							1～10^2		20
腔肠动物(刺胞动物)门 Coelenterata	10^3～10^4	10^2～10^3	1～10^2	1～10^2			1～10^2		10 000
栉水母(栉板动物)门 Ctenophora	1～10^2	1～10^2						1	100
扁形动物门 Platyhelminthes	10^3～10^4	1～10^2	10^3～10^4		10^2～10^3		1～10^2	10^4～10^5	20 000
颚咽动物(颚口动物)门 Gnathostomulida	10^2～10^3								80
纽形动物门 Nemertea	10^2～10^3	1～10^2	1～10^2		1～10^2		1～10^2		900
腹毛动物门 Gastrotricha	10^2～10^3		10^2～10^3						450

续表Ⅱ-1

动物门 (括号内为日用汉字名)	海洋		淡水		陆地		寄生		现生动物种数 (Brusca 等,2003)
	水底	水层	水底	水层	潮湿	干旱	外	内	
线虫(线形动物)门 Nematoda(Nemata)	$10^3 \sim 10^4$	$1 \sim 10^2$	$10^3 \sim 10^4$		$10^3 \sim 10^4$	$1 \sim 10^2$	$10^3 \sim 10^4$		25 000
线形动物(针金动物)门 Nematomorpha	$10^2 \sim 10^3$	$1 \sim 10^2$	$1 \sim 10^2$	$1 \sim 10^2$	$1 \sim 10^2$		$1 \sim 10^2$		320
轮虫(轮毛动物)门 Rotifera	$1 \sim 10^2$	$1 \sim 10^2$	$10^2 \sim 10^3$	$10^2 \sim 10^3$	$1 \sim 10^2$		$1 \sim 10^2$	$1 \sim 10^2$	1 800
棘头动物门 Acanthocephala								$10^2 \sim 10^3$	1 100
动吻(棘颈)动物门 Kinorhyncha	$10^2 \sim 10^3$								150
铠甲动物(胴甲动物)门 Loricifera	$1 \sim 10^2$								10
曳鳃动物(鳃曳动物)门 Priapula	$1 \sim 10^2$								16
环节动物(环形动物)门 Annelida	$10^4 \sim 10^5$	$1 \sim 10^2$	$10^2 \sim 10^3$		$10^3 \sim 10^4$		$10^2 \sim 10^3$		16 500
须腕动物(管毛动物)门 Pogonophora	$10^2 \sim 10^3$								135
星虫(星口动物)门 Sipuncula	$10^2 \sim 10^3$				$1 \sim 10^2$				320
螠(长吻动物)门 Echiura	$10^2 \sim 10^3$								135
软体动物门 Mollusca	$<10^5$	$1 \sim 10^2$	$10^3 \sim 10^4$		$10^3 \sim 10^4$	$1 \sim 10^2$	$1 \sim 10^2$	$1 \sim 10^2$	93 195
节肢动物门 Arthropoda									1 097 298
甲壳动物 Crustacea	$10^4 \sim 10^5$	$10^3 \sim 10^4$	$10^3 \sim 10^4$	$10^2 \sim 10^3$	$10^2 \sim 10^3$		$10^2 \sim 10^3$	$10^2 \sim 10^3$	65 000
有螯动物(铗角动物) Chelicerata	$10^2 \sim 10^3$	$1 \sim 10^2$	$10^2 \sim 10^3$	$10^2 \sim 10^3$	$10^4 \sim 10^5$	$10^3 \sim 10^4$	$10^2 \sim 10^3$	$1 \sim 10^2$	32 000
单肢动物 Uniramia	$1 \sim 10^2$	$1 \sim 10^2$	$10^2 \sim 10^3$	$10^2 \sim 10^3$	$<10^6$	$10^3 \sim 10^4$	$10^2 \sim 10^3$	$10^2 \sim 10^3$	860 000
缓步动物门 Tardigrada	$1 \sim 10^2$		$10^2 \sim 10^3$		$1 \sim 10^2$				800
有爪动物(爪足动物)门* Onychophora					$1 \sim 10^2$				80
五口动物门 Pentastomida								10^2	95
苔藓动物(苔虫)门 Bryozoa	$10^3 \sim 10^4$		$1 \sim 10^2$						4 500
内肛动物(曲形动物)门 Entoprocta	$1 \sim 10^2$		$1 \sim 10^2$						150
微轮动物门 Cycliophora	1								1
帚虫(帚形动物)门 Phoronida	$1 \sim 10^2$								20
腕足动物门 Brachiopoda	$10^2 \sim 10^3$								335

续表Ⅱ-1

动物门（括号内为日用汉字名）	海洋		淡水		陆地		寄生		现生动物种数（Brusca 等，2003）
	水底	水层	水底	水层	潮湿	干旱	外	内	
毛颚动物门 Chaetognatha	$1\sim10^2$	$1\sim10^2$							100
棘皮动物门 Echinodermata	$10^3\sim10^4$	$1\sim10^2$							7 000
半索动物门 Hemichordata	$1\sim10^2$								85
尾索动物门 Urochordata	$10^3\sim10^4$	$1\sim10^2$							3 000
头索动物门 Cephalochordata	$1\sim10^2$								23
脊椎动物门 Vertebrata	$10^3\sim10^4$	$10^3\sim10^4$	$10^2\sim10^3$	$10^3\sim10^4$	$10^3\sim10^4$	$10^3\sim10^4$	$1\sim10^2$	$1\sim10^2$	46 670

上表据高桥(1993)并补充　＊非海生或隶于节肢动物门

多细胞动物的个体发生

物种(Species)：是客观存在的生命实体(种上分类阶元属 Genus、科 Family、目 Order、纲 Class、门 Phylum 的划分常具主观性)。物种又简称“种”，任何一个物种都具自己特有的形态结构和生理特性，占据一定的生活空间或分布区，种内可育，种间生殖隔离，皆由不同的(老、少、雌、雄等)若干个体(individual)组成种群(population)。

个体发生(育)(ontogeny，ontogenesis)：多细胞动物本质上是双倍体生物，常靠单倍体的生殖细胞行有性生殖，其有性生殖个体，自受精卵始，经卵裂、囊胚、原肠胚、胚层分化、体腔和器官形成、幼虫或幼体，直到性成熟成体(adult)的一系列发生发展过程。个体发育即个体从受精卵至性成熟的整个历程。

常把受精卵在卵膜内或母体内的发育期称为胚胎期(embryonic stage)，出卵膜或离开母体孵化(hatching)后的发育期称为胚后期(post e. s.)。研究胚胎发育的学科称为胚胎学(Embryology)。胚胎学亦常把生殖细胞(精子 sperm 和卵 egg，ovum)的发生过程，即精子发生(spermatogenesis)和卵子发生(oogenesis)(称胚前期)作为研究内容。

生活史(life history)或生命周期(life cycle)：个体从受精卵到子(下)一代受精卵形成的过程或周期，或从出生到子代出生的周期。

寿命(life span)：生命的跨度，即从生到死的时间长度。不同物种寿命不同，即使同物种的不同个体也因其遗传性、生活质量等的影响，其寿命亦有差异。有人认为，物种的正常生理寿命应是其胚胎期的 140 倍左右。

1. 卵(egg，ovum)：雌性生殖细胞，多为球形，无活动能力。卵不仅含有发育的信息，同时含有一定量的营养物质的卵黄(yolk)。卵黄是支撑胚胎期正常发育的物质基础，也决定胚胎发育的格局。卵黄少且均匀分布者称均（少）黄卵（isolecithal egg），如海胆、文昌鱼卵等；含卵黄较多且分布于卵的一端者称端黄卵（telolecithal egg），如乌贼、鸟卵等；卵黄集中分布于卵中央者称中黄卵（centrolecithal egg），如昆虫和多数甲壳动物。卵又具极性，具原生质多的一端称为动物极（animal pole），含卵黄多的一端称为植物极（vegetative pole）。均黄卵的动-植物极轴常是第一次卵裂的分裂面，又称纵裂或径裂，与纵裂垂直相交的分裂面称横裂或纬裂。

2. 卵裂（cleavage）：卵受精后的细胞分裂。分裂后的细胞称分裂球（blastomere）。卵裂的特征在于分裂球尚未生长就又分裂，故卵裂的结果是分裂球数量成倍增多，但分裂球的体积越分越小。均黄卵者常全裂（holoblastic c.），多黄卵者常为不全裂（meroblastic c.）的盘状卵裂（discoidal c.），中黄卵者常为不全裂的表面卵裂（superficial c.）

多数海洋无脊椎动物的卵裂，如软体动物、海洋多毛动物、扁形动物等为螺旋、定型、镶嵌型卵裂（spiral c., determinate c., mosaic c.），即第三次横裂成 8 细胞期时，从动物极观，4 个小分裂球与 4 个大分裂球旋转相交成 45°角（图Ⅱ-3 A），而且在 4 细胞期时，人为地将 4 个细胞分开，4 个细胞都不能发育成为正常的幼虫（图Ⅱ-4 A），这说明卵内的物质将形成幼虫的哪一部分已在卵内定位而无调整能力；但对棘皮、半索等动物

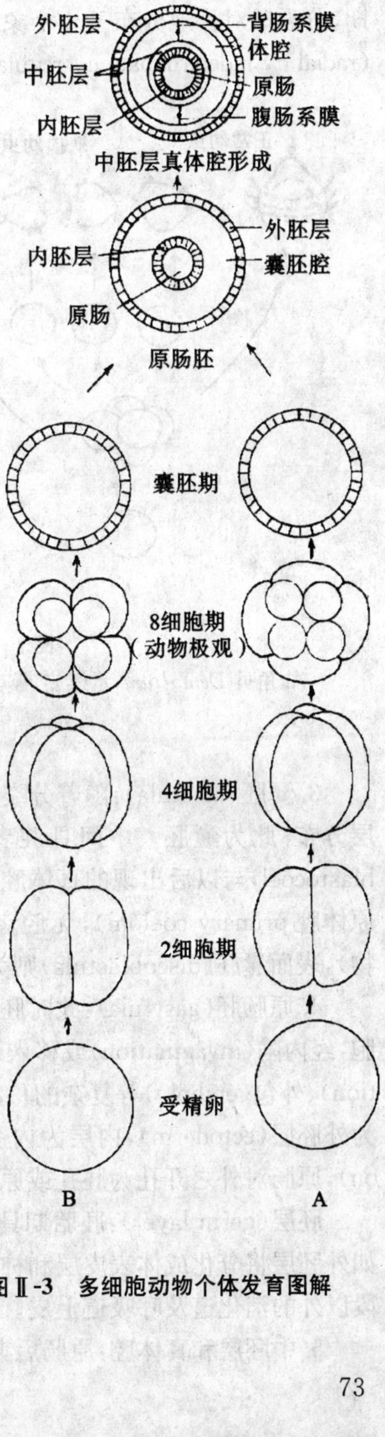

图Ⅱ-3　多细胞动物个体发育图解

则具调整能力，能形成4个但体积较小的正常幼虫（图Ⅱ-4 B），此外，在8细胞期，分裂球对称地分布于4个象限中（图Ⅱ-3 B），此为辐射、不定型、调整型卵裂（radial c., indeterminate c., regulatire c.）。

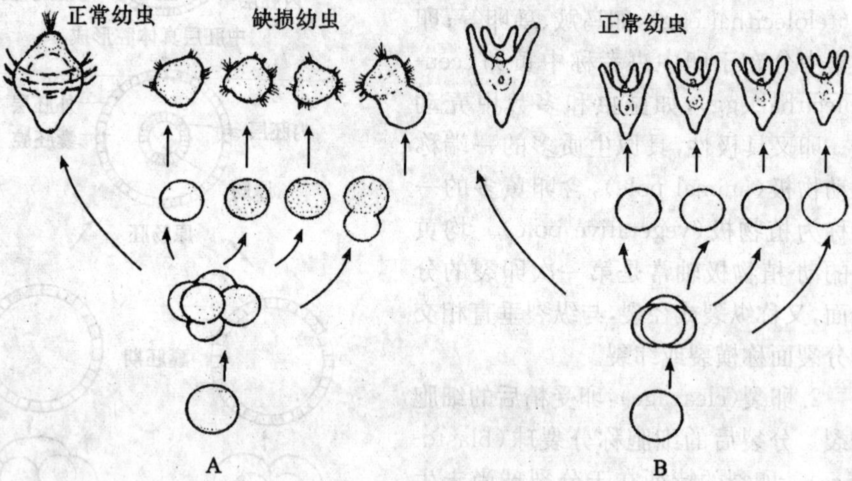

图Ⅱ-4 多细胞动物的卵裂

A. 角贝 *Dentalium*，示螺旋、镶嵌、定型卵裂；B. 海胆，示辐射，调整、不定型卵裂

（仿 Hickman 改绘）

3. 囊胚（blastula）：随着分裂次数增加，分裂球越来越多和越裂越小且成单层分布，此为囊胚。中间具腔者为腔囊胚（coeloblastula）（其腔称为囊胚腔 blastocoel，与以后出现的真体腔相对应又称为假体腔 pseudocoel 或初生体腔、原体腔 primary coelom），无腔者为实囊胚（stereoblastula）（见于某些腔肠动物），表面囊胚（discoblastula）则为端黄卵者所特有。

4. 原肠胚（gastrula）：此时胚胎发生质的变化，即由单胚层囊胚的一部分细胞，经内陷（invagination）或移入（migration）、分层（delamination）、内卷（involution）、外包（epiboly）等复杂的移动移入内部形成两个细胞层的胚胎。其外层称为外胚层（ectoderm），内层为内胚层（endoderm），内陷之腔为原肠（archenteron），原肠对外之开孔为胚孔或原口（blastopore）。

胚层（germ layer）：胚胎期具共同来源、相同形态、相同演化方向的细胞层。如外胚层将分化成体表皮层和神经组织，内胚层将分化为除食道上段和直肠下段以外的消化道及呼吸道上皮。

5. 中胚层和真体腔：原肠后期，在内外胚层间产生的第三个细胞层，此为中胚层(mesoderm),中胚层将分化成结缔组织、肌肉、骨骼等。真体腔(true coelom)为中胚层包围的腔,其来源与中胚层有密切关系,产生方式有二:①端细胞法(teloblastic method)(图Ⅱ-5 A),位于胚孔处的两个原始中胚层细胞(端细胞teloblast)不断分裂成若干细胞,而后细胞间裂开具腔,又名裂体腔法(schizocoelic m.),见于螺旋卵裂的环节多毛、软体等动物;②肠体腔法(enterocoelic m.)(图Ⅱ-5 C),即原肠顶端或两侧的内胚层细胞加速分裂外突成囊(原肠囊 archenteric pouch),然后与原肠分离形成体腔。肠体腔法常具3对体腔(三部体腔)即前(原)体腔(protocoel)、中体腔(mesocoel)和后体腔(metacoel),此见于触手冠动物(图Ⅱ-5 B)、棘皮、半索(图Ⅱ-5 C)等动物门。

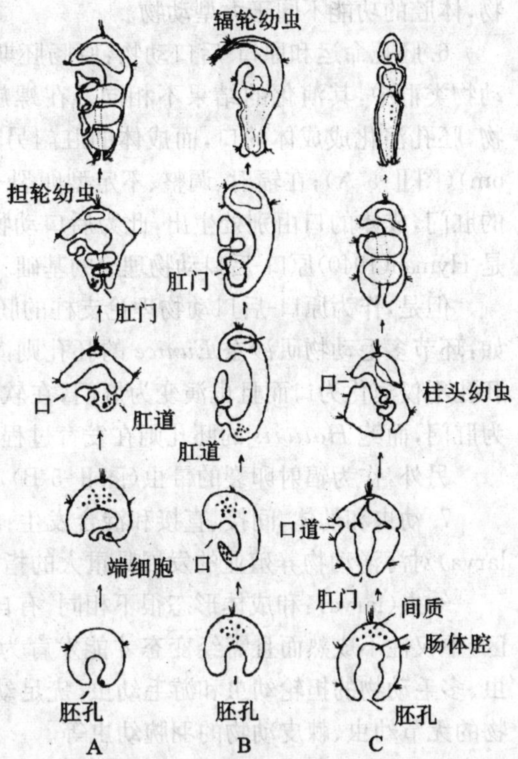

图Ⅱ-5 个体发育中胚孔、中胚层和体腔的演化

A. 多毛动物(螺旋卵裂—原口动物);

B. 帚虫(辐射卵裂—原口动物);

C. 肠鳃动物(辐射卵裂—后口动物)

(仿 Ruppert 等改绘)

真体腔又简称体腔(coelom),与假体腔(初生体腔)相对应亦称真体腔为次生体腔(secondary coelom)。真体腔的出现,为内部器官的发展提供了空间和物质基础,其功能表现为运送气体、运送营养物质、处理代谢产物、提供液体、液压骨骼、生殖场所等。

体腔的有无、来源和组成,始终在近代动物学后生动物演化的讨论中占重要地位。Hyman(1951)曾定义,“真体腔是外为壁体腔膜(parietal peritoneum)和内为脏体腔膜(visceral p.)所包围着的有体腔液和体腔细胞的腔”。但是,随着研究手段的现代化,直径小于250 μm的小型多毛动物的超微结构,至少违背了上述传统的体腔结构模式,有的虽有空腔但衬膜的成分不同(完全有膜或部分有膜或根本没有,或是肌肉的),有的根本无体腔的存在。这说明在小型动物，体腔的功能不同于大型动物。

6. 胚孔命运和原口-后口动物：原肠胚期对外的开口称为原口或胚孔，在各动物类群中，其演化的结果不相同。在螺旋、镶嵌、定型卵裂——裂生体腔动物，胚孔演化成成体的口，而成体的肛门另外开口，此为原口动物（protostomium）（图Ⅱ-5 A）；在辐射、调整、不定型卵裂——肠体腔动物，胚孔则演变为成体的肛门，成体的口由别处生出，此为后口动物（deuterostomium）（图Ⅱ-5 C）。这也是 Hyman(1940)原口-后口动物理论的基础。

但是，作为原口-后口动物理论支柱的胚孔，在原口动物中也不都那么稳定。如：环节多毛动物矶沙蚕 *Eunice* 的胚孔则演变为肛门，角端虫 *Polygordius* 的胚孔不仅演化为口而且也演变为肛门，在软体动物的田螺 *Viviparus* 胚孔演化为肛门，而鲍 *Haliotis* 的胚孔则在发育过程中消失了。

另外，作为辐射卵裂的帚虫（图Ⅱ-5 B），胚孔全都演化为成体之口。

7. 幼虫和幼体，间接、直接和混合发生：海洋幼虫生物学（biology of marine larva）对海洋动物养殖业的发展具重大的指导作用。

幼虫（larva）：和成体形态很不相同，有自己的幼虫结构，特有的食性和分布区，不仅性不成熟而且需经变态才能发育为幼体或成体，如腔肠动物的浮浪幼虫、多毛动物的担轮幼虫和游毛幼虫（疣足幼虫）、软体动物的面盘幼虫、甲壳动物的无节幼虫、棘皮动物的羽腕幼虫等。

幼体（juvenile，young adult）：在形态和结构上基本与成体相似，只是性不成熟，而食性和分布等也与成体近同，无需形态上的重大变革就可发育为成体。

变态（metamorphosis）：指幼虫组织器官的溶解或重组，成体形态结构的初步形成，食性和分布等一系列形态上和生理上的剧烈变化，完不成变态是幼虫大量死亡的原因之一。

间接发生（indirect development）：即具幼虫期的个体发育或称变态发生（metamorphic d.），见于靠摄食存活的浮游营养幼虫（planktotrophic larva）和靠卵黄存活的卵黄营养幼虫（lecithotrophic l.）。

直接发生（direct d.）：即无幼虫期的个体发生，胚胎靠双亲的一方或另一方看护，通常为孵育的（brooding）或被囊的（encapsulation）。

混合发生（mixed d.）：即早期在母体或被囊中发生，随后释放出幼虫（浮游营养或卵黄营养的），再经幼体发育为成体的个体发生，常归于间接发生。

多细胞动物的系统发生

多细胞动物的系统发生（育）（phylogeny，phylogenesis），又称种系发生或译为进化谱系，指动物各类群演化的血统关系及其发生发展的历史过程（路线）。德国科学家赫克尔（E. Haecker，1834—1919）根据动物早期胚胎的相似性，认为个体发生按顺序重演着种族发生的历史，即“生物个体发生过程中会重演祖先的主要发生阶段”，或者说“个体发生是系统发生迅速而简短的重演”，从而创立重演律（recapitulation theory）或生物发生律（biogenetic law）。重演律使得人们从变化万千的多细胞动物物种之趋同演化（convergence evolution）（两个或更多个性状向相似的状态演化，常见于亲缘关系很远的类群）、趋异演化（divergence e.）（两个或多个同源性状，独自演化并变得不相似）、辐射演化（radiation e.）（从共同祖先来的性状，向多个方向演化）、平行演化（parallelism e.）（两个或多个性状，在整个演化过程中平行发展）等中，寻找亲缘关系。重演律过分强调个体发生重演系统发生，曾忽视个体发生的变化对系统发生的影响。

动物系统发生模型（animal phylogenetic model）是依据形态、分子生物性状或诸如泡等建立的，最早曾称为动物系统发生树（animal phylogenetic tree）。像树那样，古老而原始的类群位于树的主干或基部，新生或后起的类群位于树的支条或树端，从而直观地反映动物各类群的演化关系。

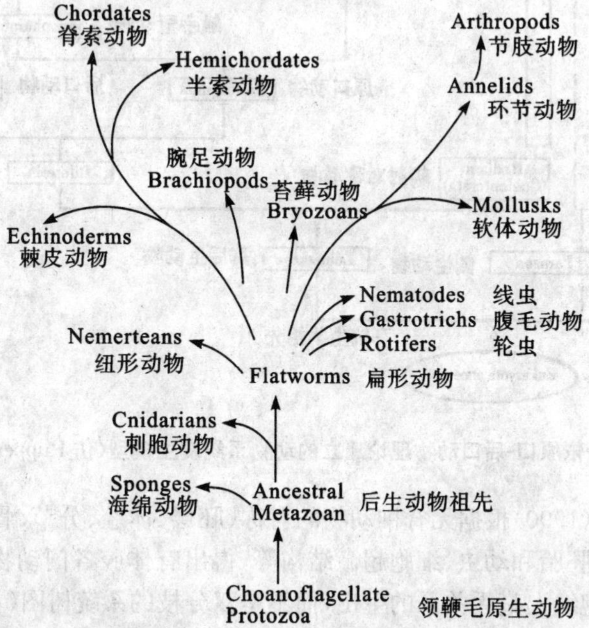

图Ⅱ-6　Hyman-Barnes 的动物界系统发生模型（仿 Barnes，1968）

图Ⅱ-6 和图Ⅱ-7 是依据原口-后口动物理论（protostomia-deuterostomia

theory)先后建立的两个动物系统发生的模型(Barnes,1968;Ruppert 等,1994)。图Ⅱ-8是依细胞色素C获得的生物系统发生模型(Bergström,1986)。图Ⅱ-9是依轮毛祖体理论(trochaea theory)(Nielsen 和 Nørrevang,1985)建立的模型。

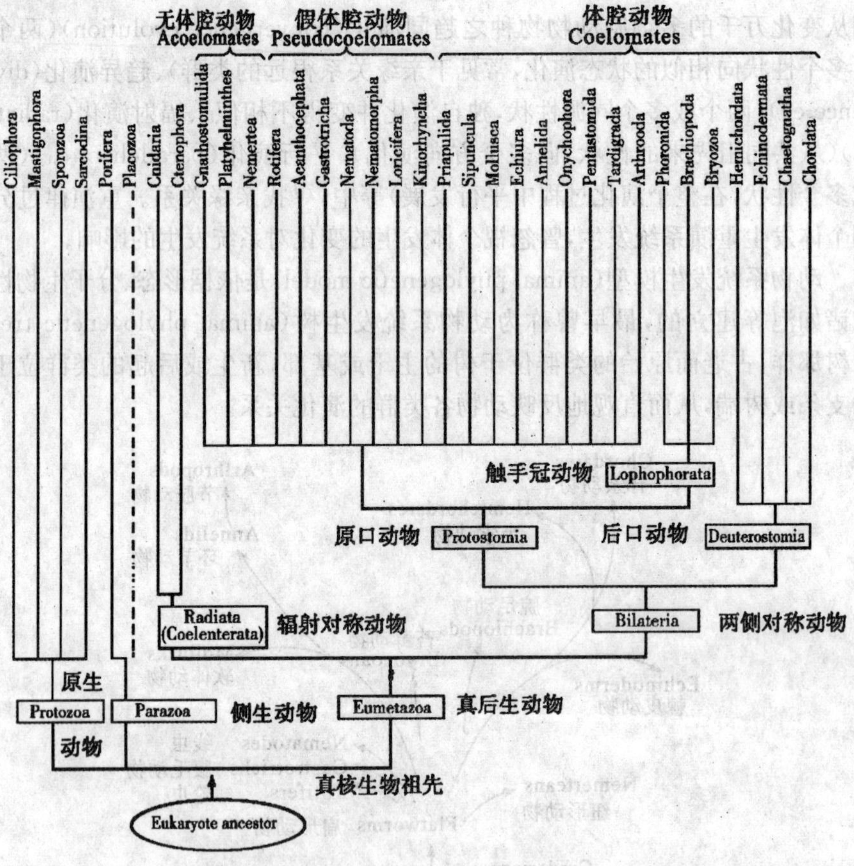

图Ⅱ-7　依原口-后口动物理论建立的动物系统发生模型(仿 Ruppert 等,1994)

Willmer(1990)根据无脊椎动物的对称、胚层、体腔、分节、骨骼系统、化石、生化和遗传、胚胎和幼虫、细胞超微结构等,得出有体腔各门动物是在无体腔扁形动物的起跑线上毫无关系的生出,而不是双分枝的系统树图(Ⅱ-10)。

图Ⅱ-11是德国 Grasshoff(1993)根据结构形态学(constructional morphology)建立的模型。他认为,百年来有关分类和演化的研究,实质是靠特征的排列得出不同的系统发生图,当纯形态学研究遇到无法解决的困难时,求助于分

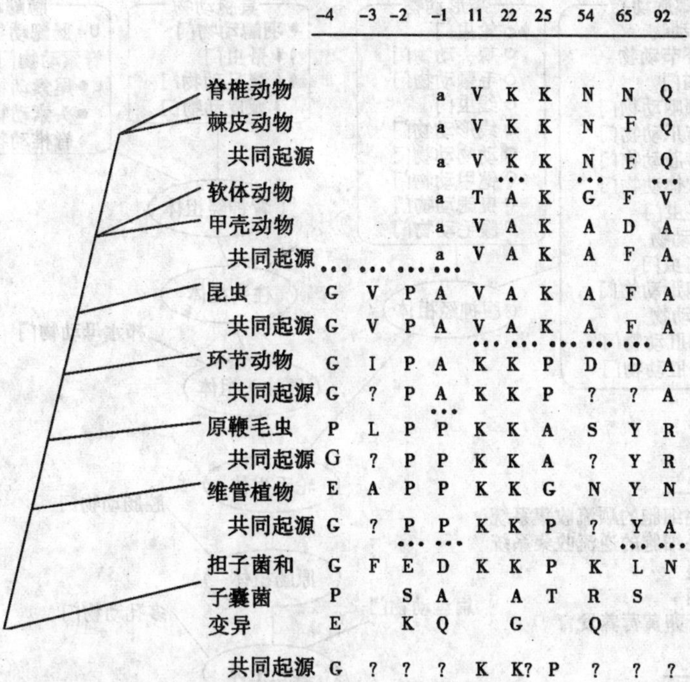
-4 -3 -2 -1 11 22 25 54 65 92
脊椎动物 a V K K N N Q
棘皮动物 a V K K N F Q
共同起源 a V K K N F Q
软体动物 a T A K G F V
甲壳动物 a V A K A D A
共同起源 a V A K A F A
昆虫 G V P A V A K A F A
共同起源 G V P A V A K A F A
环节动物 G I P A K K P D D A
共同起源 G ? P A K K P ? ? A
原鞭毛虫 P L P P K K A S Y R
共同起源 G ? P P K K A ? Y R
维管植物 E A P P K K G N Y N
共同起源 G ? P P K K P ? Y A
担子菌和 G F E D K K P K L N
子囊菌 P S A A T R S
变异 E K Q G Q
共同起源 G ? ? ? K K? P ? ? ?

图Ⅱ-8 依细胞色素C的生物系统发生模型

A. 丙氨酸；D. 天冬氨酸；F. 苯丙氨酸；G. 甘氨酸；I. 异亮氨酸；K. 赖氨酸；

L. 亮氨酸；N. 天冬酰胺；P. 脯氨酸；Q. 谷氨酰胺；R. 精氨酸；S. 丝氨酸；

T. 苏氨酸；V. 缬氨酸；Y. 酪氨酸；a. 甲基团

(仿 Bergström，1986)

子生物学提供的证据仍然是特征的排列。结构形态学还认为，特征的排列可以进行分类、检索和鉴定，但无法说明进化，说明进化的生物是个软膜包着液体的水力学系统，其基本结构是个球形的泡(pneu)。

近年来，支序(分支)分类学(Hennig，1950)的理论和应用，使动物系统发育模型得到很快发展。图Ⅱ-12和图Ⅱ-13是依支序(分支)分类学(cladistics)建立的支序(分支)图(cladogram)(Nielsen，1995；Brusca 等，2003)，呈现了不完全相同的结果。因此有人(Jenner，2004)认为，从编辑性状的矩阵，到评估全部可能的支序图，最后依个人的经验评出最佳的系统树的后生动物支序分类学的研究现状，仍是值得研讨的。

总之，可以说，有多少研究者就会有多少个模型。这也说明，探索动物系统发生的任务仍任重而道远。

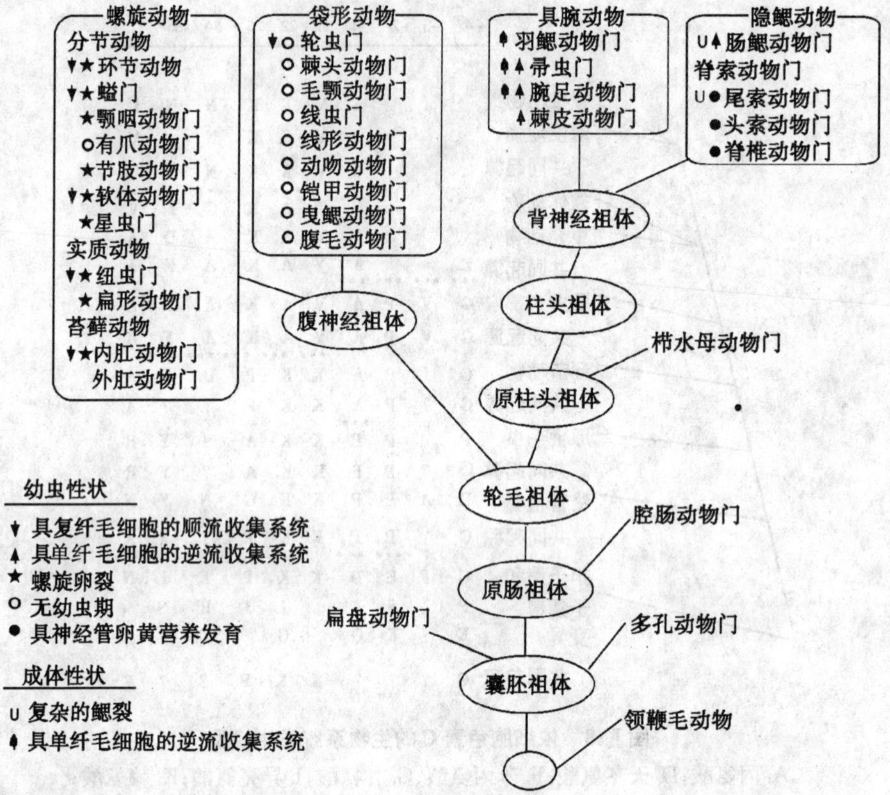

图Ⅱ-9 依轮毛祖体理论建立的动物系统发生模型(仿 Nielsen 和 Nørrevang,1985)

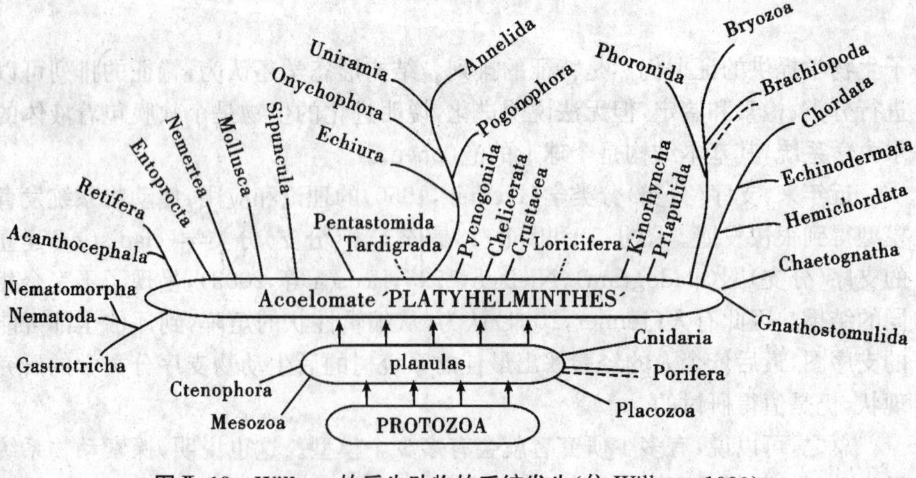

图Ⅱ-10 Willmer 的后生动物的系统发生(仿 Willmer,1990)

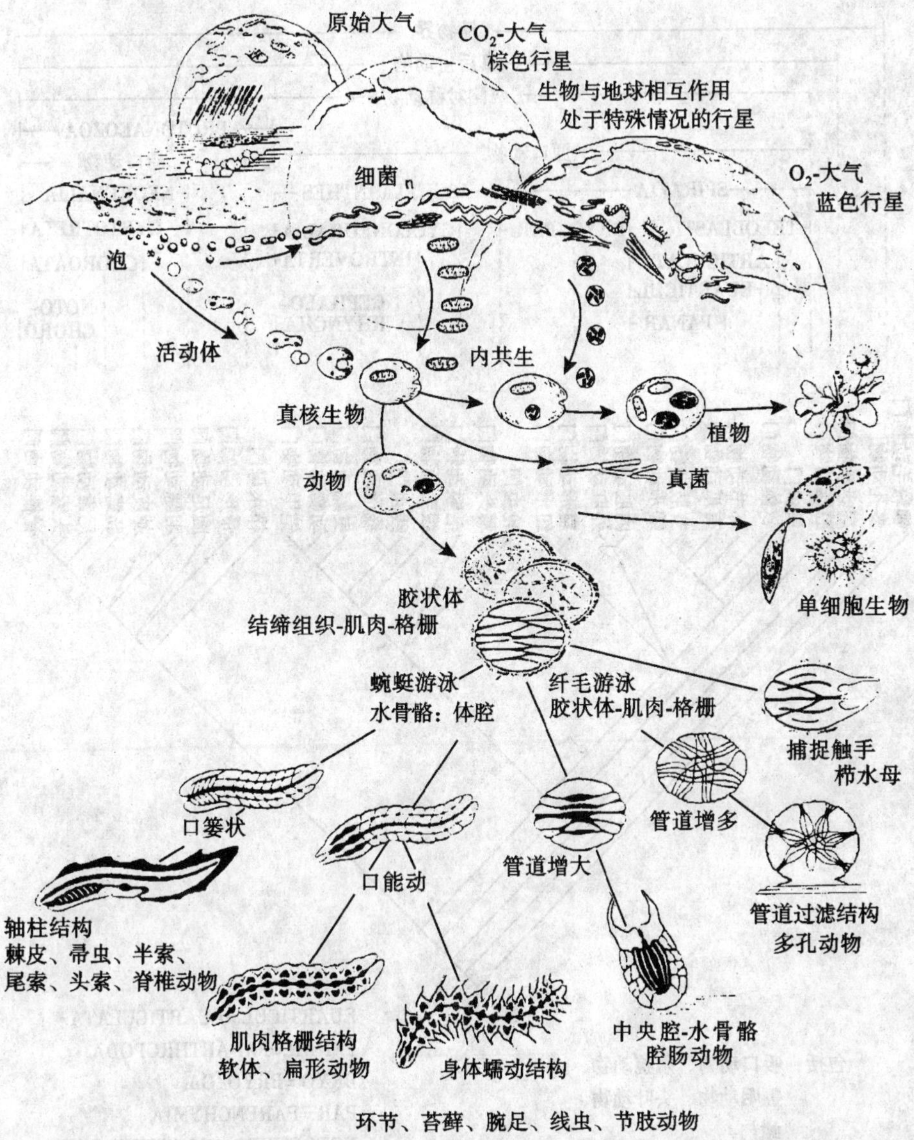

图Ⅱ-11　依结构形态学理论建立的生物系统发生模型(仿 Grasshoff,1993)

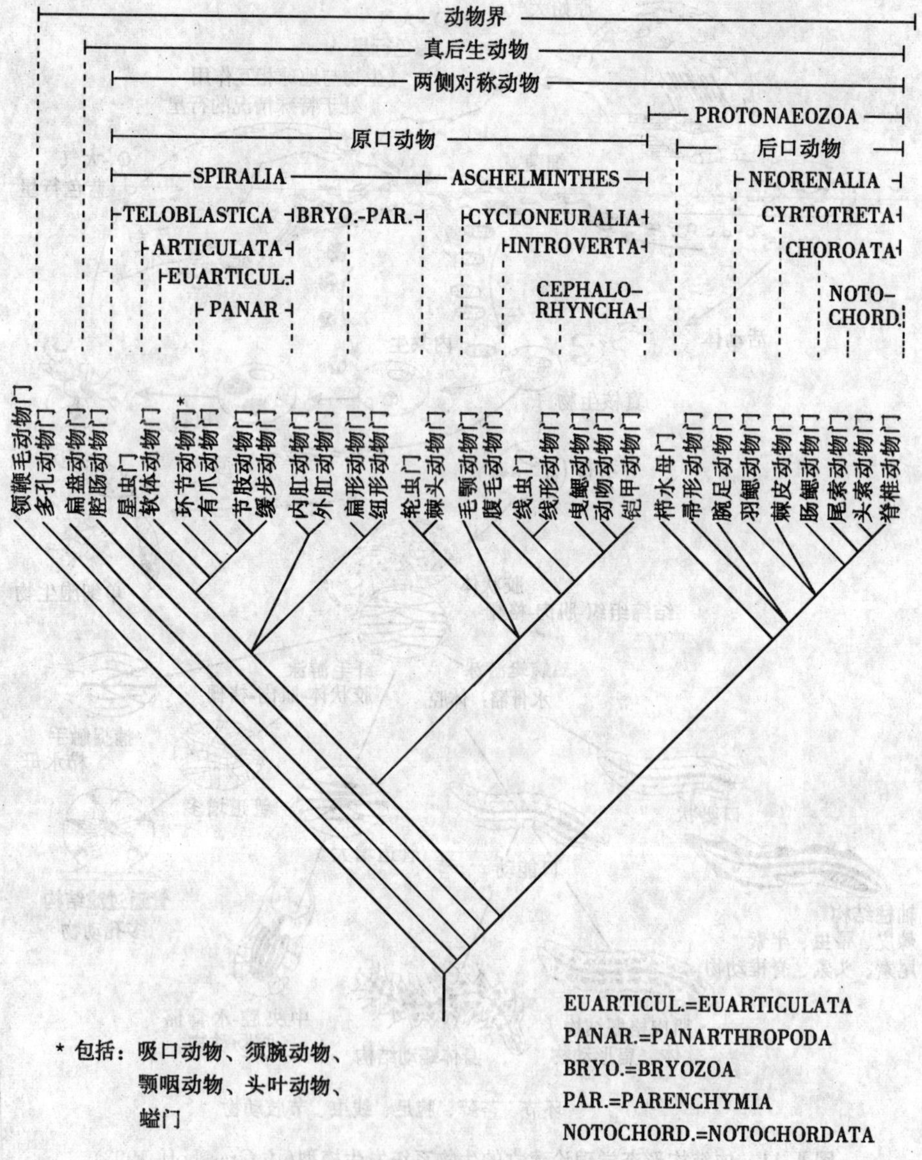
动物界
真后生动物
两侧对称动物
PROTONAEOZOA
原口动物
后口动物
SPIRALIA
ASCHELMINTHES
NEORENALIA
TELOBLASTICA
BRYO.-PAR.
CYCLONEURALIA
CYRTOTRETA
ARTICULATA
INTROVERTA
CHOROATA
EUARTICUL.
CEPHALO-
RHYNCHA
NOTO-
CHORD.
PANAR
领鞭毛动物门
多孔动物门
扁盘动物门
腔肠动物门
星虫门
软体动物门
环节动物门*
有爪动物门
节肢动物门
缓步动物门
内肛动物门
外肛动物门
扁形动物门
纽形动物门
轮虫门
棘头动物门
毛颚动物门
腹毛动物门
线虫门
线形动物门
曳鳃动物门
动吻动物门
铠甲动物门
栉水母门
帚形动物门
腕足动物门
羽鳃动物门
棘皮动物门
肠鳃动物门
尾索动物门
头索动物门
脊椎动物门
* 包括：吸口动物、须腕动物、
颚咽动物、头叶动物、
螠门
EUARTICUL.=EUARTICULATA
PANAR.=PANARTHROPODA
BRYO.=BRYOZOA
PAR.=PARENCHYMIA
NOTOCHORD.=NOTOCHORDATA

图Ⅱ-12　Nielsen 的后生动物的动物系统发生分支图(仿 Nielsen,1995)

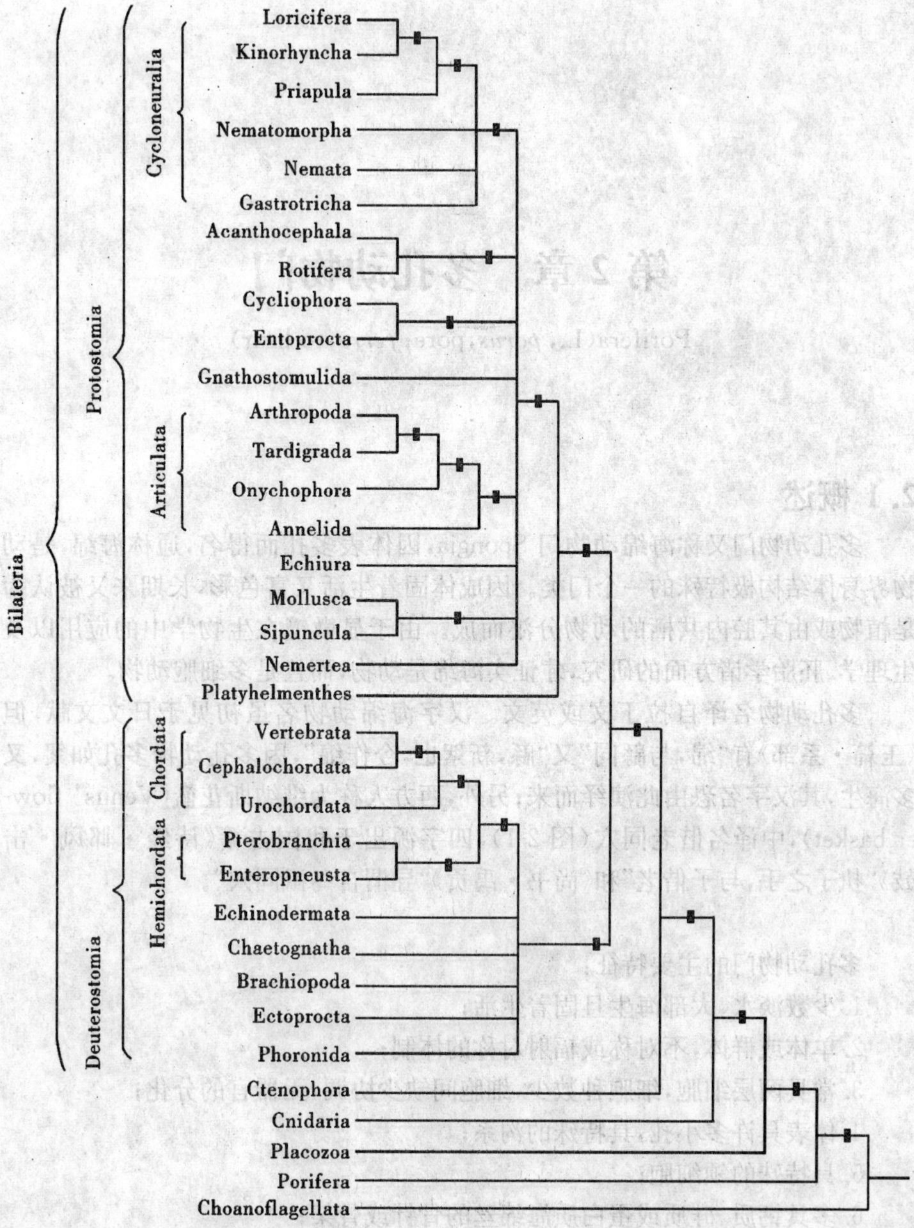

图Ⅱ-13　Brusca 等的后生动物系统发生支序图(仿 Brusca 等,2003)

第 2 章　多孔动物门

Porifera(L., *porus*, pore; *ferre*, to bear)

2.1 概述

多孔动物门又称海绵动物门 Spongia，因体表多孔而得名，通称海绵，是动物界身体结构极特殊的一个门类。因成体固着生活又富色彩，长期来又被认为是植物或由其腔内共栖的动物分泌而成。由于显微镜在生物学中的应用以及生理学、胚胎学诸方面的研究，才证实海绵是动物，而且是多细胞动物。

多孔动物名译自拉丁文或英文。汉字海绵动物名虽初见于日文文献，但《玉篇·系部》有“绵，与緜同”又“緜，新絮也，今作绵”，因多孔动物多孔如絮，又多海生，其汉字名恐由此演绎而来；另外，西方人称为维纳斯花篮(Venus' flower basket)，中译名偕老同穴(图 2-1)，四字源出于我国古籍《诗经·邶风·击鼓》“执子之手，与子偕老”和《尚书·禹贡》“导渭自鸟鼠同穴”。

多孔动物门的主要特征：

1. 少数淡水、大部海生且固着生活；
2. 单体或群体，不对称或辐射对称的体制；
3. 常具两层细胞，细胞种数少，细胞间缺少协调，无器官的分化；
4. 体表具许多小孔，具特殊的沟系；
5. 具特殊的领细胞；
6. 多具钙质、硅质或蛋白质海绵丝的骨针或骨架；
7. 滤食性，靠扩散行气体交换；
8. 多雌雄同体，具无性和有性生殖，具浮游的两囊幼虫或中实幼虫，成体具很强的再生力。

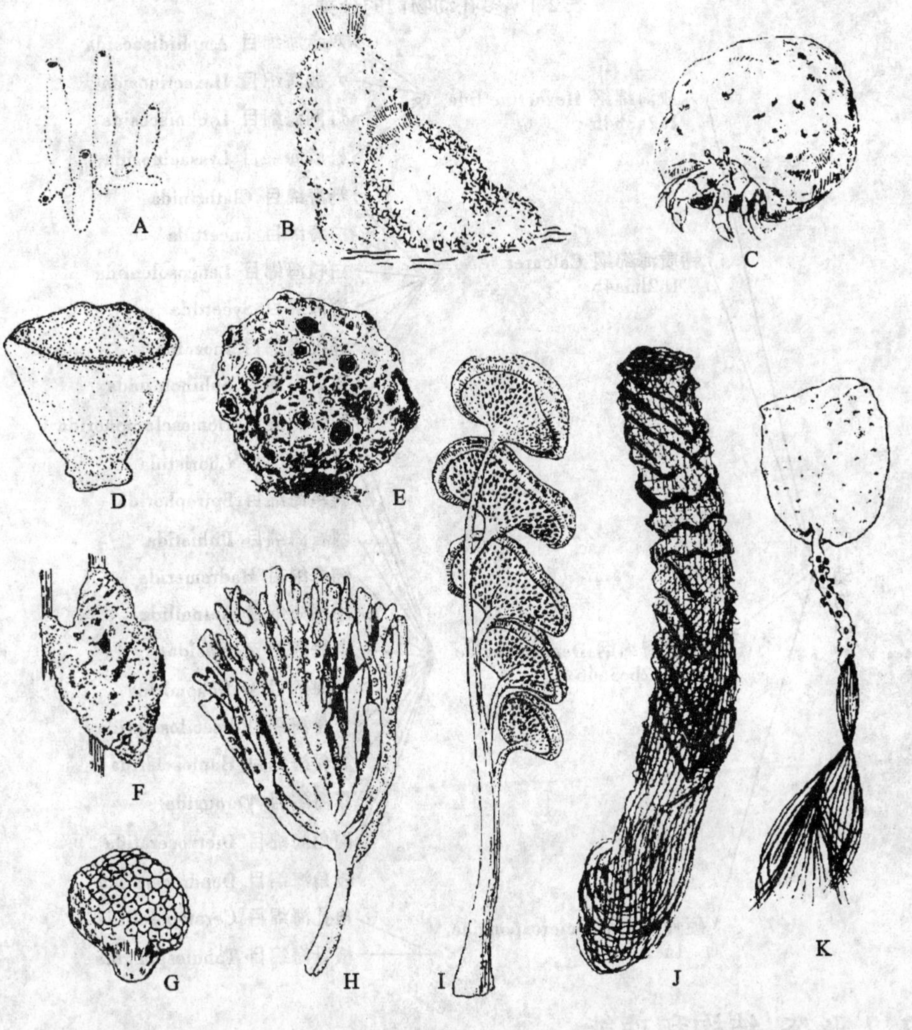

图 2-1　多孔动物（仿各作者）

A. 白枝海绵；B. 碗海绵；C. 寄居蟹海绵；D. 水杯海绵；E. 真海绵；F. 针海绵；G. 枇杷海绵；H. 蜂海绵；I. 矮柏海绵；J. 偕老同穴；K. 拂子介

现生的 5 000 余种海绵，属于 4 纲 25 目（见表 2-1）。其主要检索性状为：

1. 骨针成分：a. 硅质，b. 钙质，c. 蛋白质；

2. 骨针形态：a. 三轴六放，b. 非六放，c. 海绵丝；

3. 皮层：a. 具，b. 无；

4. 钙质团块：a. 具，b. 无。

表 2-1　多孔动物门的分类

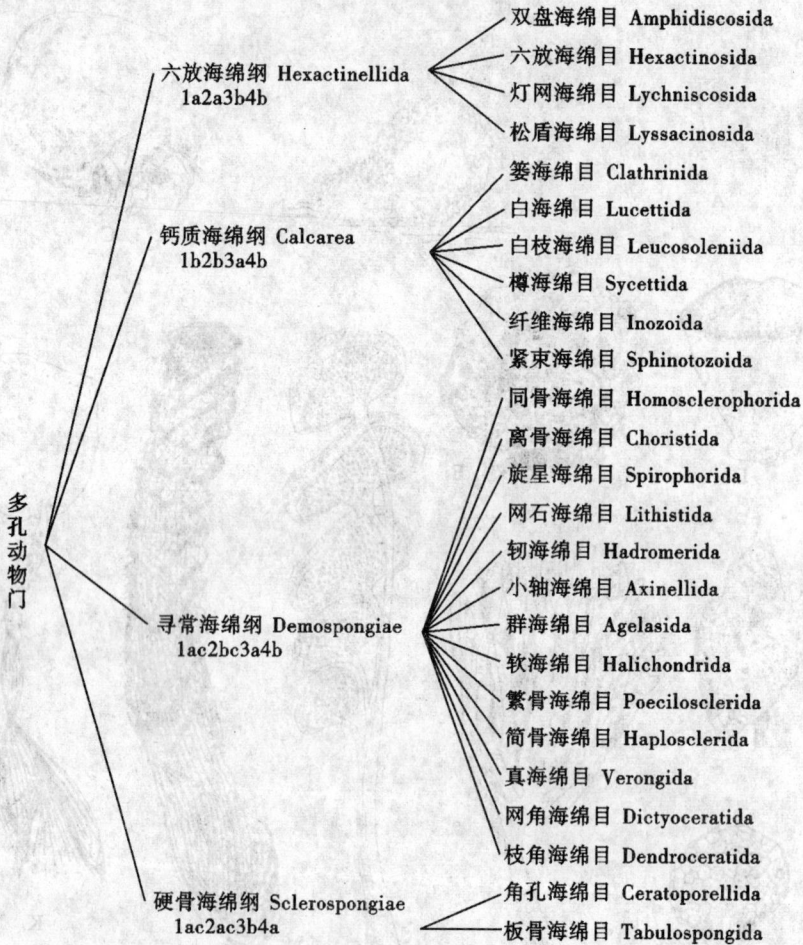

门	纲	目
多孔动物门	六放海绵纲 Hexactinellida 1a2a3b4b	双盘海绵目 Amphidiscosida
		六放海绵目 Hexactinosida
		灯网海绵目 Lychniscosida
		松盾海绵目 Lyssacinosida
	钙质海绵纲 Calcarea 1b2b3a4b	篓海绵目 Clathrinida
		白海绵目 Lucettida
		白枝海绵目 Leucosoleniida
		樽海绵目 Sycettida
		纤维海绵目 Inozoida
		紧束海绵目 Sphinotozoida
	寻常海绵纲 Demospongiae 1ac2bc3a4b	同骨海绵目 Homosclerophorida
		离骨海绵目 Choristida
		旋星海绵目 Spirophorida
		网石海绵目 Lithistida
		韧海绵目 Hadromerida
		小轴海绵目 Axinellida
		群海绵目 Agelasida
		软海绵目 Halichondrida
		繁骨海绵目 Poecilosclerida
		简骨海绵目 Haplosclerida
		真海绵目 Verongida
		网角海绵目 Dictyoceratida
		枝角海绵目 Dendroceratida
	硬骨海绵纲 Sclerospongiae 1ac2ac3b4a	角孔海绵目 Ceratoporellida
		板骨海绵目 Tabulospongida

2.2 形态、结构和功能

1.体壁和细胞(图 2-2):体壁多由两层细胞和两层细胞间的中胶层组成。其外层称皮层(epidermis),内层称胃层(gastrodermis)。中胶层(mesoglea)为皮层细胞分泌的胶状物质,内具若干游离细胞。

海绵的细胞分化较少,也较简单,除领细胞外,其他细胞多近似于变形细胞。主要的细胞是:

(1)扁平细胞(pinacocyte):扁平鳞状多边形,中部稍膨大,内具细胞核。扁平细胞之间靠薄的边缘相连。分布于海绵的体表,衬于出、入水管和除单沟系海绵以外的海绵腔内表面。具保护功能并有收缩力,能改变海绵的表面积。

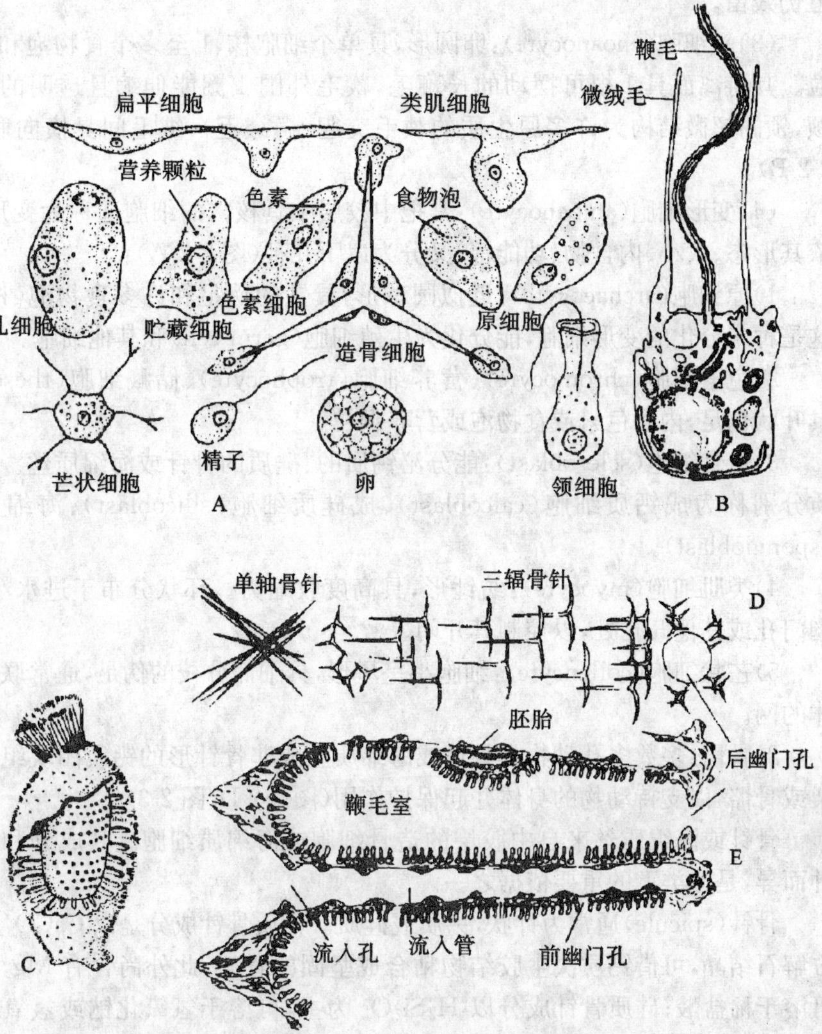

图 2-2 多孔动物的结构

A. 碗海绵 *Scypha* 的各种细胞；B. 轮海绵 *Ephydatia* 领细胞的超微结构；
C. 樽海绵 *Sycon* 外形；D. 樽海绵鞭毛室骨针的排列；E. 樽海绵两个鞭毛室的横切面
（A 仿 Kotpal；B 仿 Alexander 从 Brill；C 仿 Meglitsch 从 Brown；D 仿 Hyman）

(2)孔细胞(porocyte)：圆柱形，两端开孔，细胞质内具大的颗粒，细胞核位于细胞的一侧。具收缩力。在单沟系海绵，分布于内外皮层间，构成进水小孔。在其他沟系海绵中构成前幽门孔。在海绵成体，孔细胞常消失，但所构成的孔道仍残留。

(3)领细胞(choanocyte):卵圆形,具单个细胞核、1至多个食物泡和营养颗粒。其游离面具1根可摆动的长鞭毛,鞭毛外围1圈能伸缩且透明的原生质领,领的超微结构为许多原生质的绒毛突起(微绒毛)、绒毛间具横向联系(图2-2 B)。

(4)变形细胞(amoebocyte):常把中胶层中具核仁的细胞通称为变形细胞。依其形态、大小、内含物、功能等,又分为以下几种(图2-2 A):

1)原细胞(archaeocyte):近似圆球形,具钝的伪足和许多食物泡,核仁大。这是种未分化的变形细胞,能分化为生殖细胞(germ cell)和其他细胞。

2)色素细胞(chromocyte)、营养细胞(trophocyte)、储藏细胞(thesocyte):具叶状伪足,内含色素或食物泡或营养颗粒。

3)造骨细胞(scleroblast):能分泌钙质的、硅质的骨针或海绵质丝。依其性质分别称为成钙质细胞(calcoblast)、成硅质细胞(silicoblast)、海绵丝细胞(spongioblast)。

4)类肌细胞(myocyte):纺锤形,具高度收缩力。环状分布于进水小孔、前幽门孔或其他开孔处,以控制其开闭。

5)芒状细胞(collencyte):细胞小呈星形,具细而分枝的伪足,通常联成合胞体的网。

2. 骨骼:多数多孔动物具骨针或海绵质丝或非骨针形的钙质团块组成的骨架或骨骼,以支持动物的身体并起保护作用(图2-2 D,图2-3)。

骨针或海绵质丝来自中胶层的造骨细胞或海绵质细胞。其成分和形状因种而异,是分类上的重要依据之一。

骨针(spicule)通常为针状,钙质或硅质。钙质骨针成分是以$CaCO_3$为主的方解石结晶,可借钙质次生胶结物粘合成坚固的骨架,此外尚含有Mg,Na等,可溶于稀盐酸;硅质骨针成分以$H_2Si_2O_7$为主,可溶于氢氧化钠或氢氧化钾溶液。仅硅质骨针有大骨针(megasclere)和小骨针(microsclere)之分。从形态上又可根据各辐的平面夹角分为单轴的(monaxon)(一端尖或两端尖)、四轴的(tetraxon)(各辐平面夹角呈120°,又分为等辐的、三辐的等)、三轴的(triaxon)(各辐平面夹角呈90°,又分为六辐的、五辐的、四辐的、三辐的、二辐的等)。此外还有多轴的(polyaxon)和小骨片(针)等。

海绵质丝(spongin)由角蛋白组成,有弹性,常分枝联成网,吸水力强。由海绵质细胞分泌而成。见于种数最多的寻常海绵纲的海绵中。

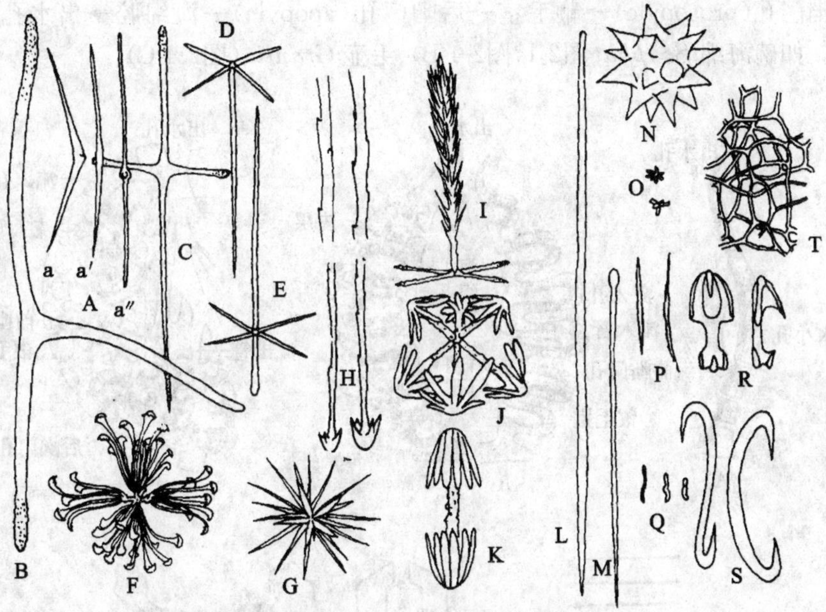

图 2-3　多孔动物的骨针和海绵质丝

A～K. 六放海绵的骨针：A. 二辐骨针，B. 三辐骨针，C. 四辐骨针，D. 五辐骨针，E. 六辐骨针，F. 花丝骨针，G. 针六星骨针，H. 根束骨针，I. 羽辐骨针，J. 六盘骨针，K. 双盘骨针（A～E 为大骨针，F～K 为小骨针）；L～S. 寻常海绵的骨针：L. 亚头骨针，M. 大头骨针，N. 球星骨针，O. 叉星骨针，P. 二尖骨针，Q. 旋星骨针，R. 爪状骨针，S. 卷轴骨针（L、M、P 为大骨针，余为小骨针）；T. 海绵质丝

（A～S 仿李锦和；T 仿 Hyman）

3. 沟系（canal system）：把石墨粉或几滴墨水滴在海绵周围，可以看到它们被海绵出水孔过滤出去的墨迹，这就是海绵特殊的沟系。海绵的沟系可使水流沿一定路线流动，从而滤取食物、完成呼吸、排泄、生殖等一系列生理活动。根据沟系的简繁程度，分为 3 类：

（1）单沟型（ascon type）（图 2-4 A）：水流经体表的进水小孔（ostium）（孔细胞）进入衬有领细胞的海绵腔（spongocoel）后，由出水孔（osculum）排出体外。见于白枝海绵和某些钙质海绵幼体期。

（2）双沟型（sycon type）（图 2-4 B，C）：由单沟系体壁皱褶演化而成，具与体外相通的流入管（incurrent canal）和与海绵腔相通的、水平辐射状排列的、领细胞衬里的鞭毛室（flagellated chamber）或辐射管（radial canal），而中央的海绵腔则以扁平细胞相衬。其水流路径是：水流→流入孔（incurrent pore）→流入管→

前幽门孔(prosopyle)→鞭毛室→后幽门孔(apopyle)→海绵腔→出水孔→体外。如碗海绵 *Scypha*(图2-1,图2-4 B)、毛壶 *Grantia*(图2-4 C)。

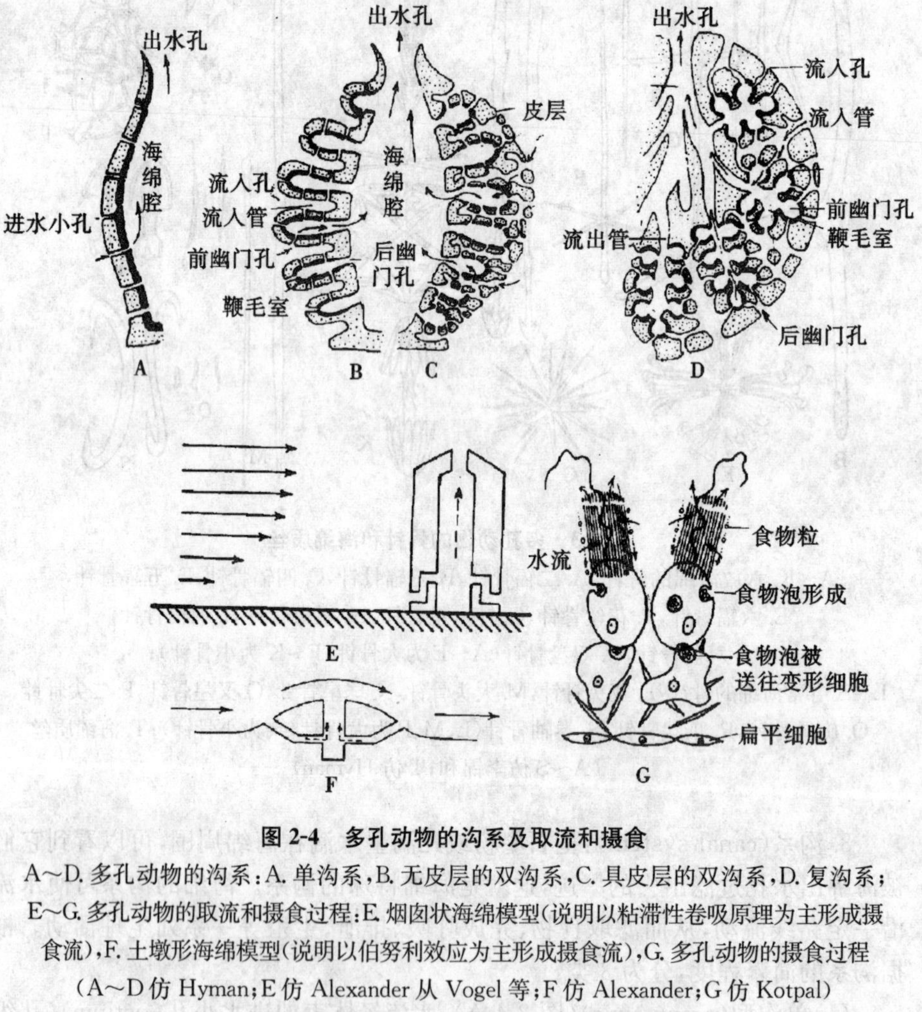

图 2-4　多孔动物的沟系及取流和摄食

A～D. 多孔动物的沟系:A. 单沟系,B. 无皮层的双沟系,C. 具皮层的双沟系,D. 复沟系;E～G. 多孔动物的取流和摄食过程:E. 烟囱状海绵模型(说明以粘滞性卷吸原理为主形成摄食流),F. 土墩形海绵模型(说明以伯努利效应为主形成摄食流),G. 多孔动物的摄食过程

(A～D 仿 Hyman;E 仿 Alexander 从 Vogel 等;F 仿 Alexander;G 仿 Kotpal)

(3)复沟型(leucon type)(图2-4 D):是海绵中沟系最复杂者。许多小而圆球形的鞭毛室深深埋入中胶层里,鞭毛室联合成以扁平细胞为衬里的出水管(excurrent canal)与海绵腔相通,通常海绵腔缩小。其水流路径是:水流→流入孔→流入管→前幽门孔→鞭毛室→后幽门孔→出水管(流出管)→海绵腔→流出孔→体外。复沟系习见于寻常海绵纲海绵。

4. 特殊的生理特性:固着生活的多孔动物,除孔细胞或类肌细胞能开闭、变形细胞的变形或领细胞和扁平细胞能伸缩外，整个身体是不移动的，即使能收缩但也难以被观察到。海绵无感觉细胞，也没有神经细胞。

海绵除领细胞鞭毛的摆动以激动水流外，还具利用天然水流能的本领。烟囱状海绵靠水的粘滞性卷吸(viscous entrainment)为主形成水流(摄食流)，而流线型的海绵则以伯努利(Bernoulli)效应为主获得。为证实这些原理，研究者设计了烟囱状的模型(图2-4 E)，当流动的液体流过多孔表面时，总是能把所有孔中的水抽吸出来，也由于粘滞性，孔内的液体随之流动，但流动的强弱与外界流速大小成正比，烟囱状底部的流体因与底质的阻力和本身的粘滞性，水流速度小，而且具一层水流速小的界面层(不等长的箭头所示)，界面上层水流速大而不变(等长的箭头所示)，因而把孔内的水往上抽出。对土墩流线型(块状)海绵(图2-4 F)来说，上层被流线型分流的液体流速，显然大于底部流速，据伯努利原理($E=P\cdot V$)(E：常数，V：流速，P：压力)，流体速度较高的地方压力较小，流速较低的地方压力较大，结果流体自然按虚线箭头所示的方向被抽出来。这种利用自然能量而节省从食物中获得的化学能的本领，对难以获得食物的固着的海绵来说，是种极可贵的适应。

海绵行异养生活。一个高 10 cm 的海绵，每天能抽滤海水 22.5 L，出水孔处的流速可达 5 m/s，水中的细菌、硅藻、原生生物、有机碎屑，被进水小孔或流入孔所选择，所以多孔动物是食悬浮物的动物。只有进入海绵腔或鞭毛室的营养颗粒才能被领细胞的微绒毛所捕获。食物泡先在领细胞体中形成，然后被传送到中胶层的变形细胞中行细胞内消化(图2-4 G)，未被消化的颗粒则经变形细胞、领细胞排入海绵腔，随水流经出水孔排出体外。

海绵靠扩散进行气体交换。

5. 生殖：多孔动物的生殖包括无性生殖和有性生殖两种。

(1)无性生殖：包括出芽和芽球。如白枝海绵，水平的匍匐枝上变形细胞迁移聚集成团，成长为芽体(外出芽 external budding)，假如芽体不脱落则形成群体，若脱落则新个体形成。芽球(gemmule)又称内出芽(internal budding)，见于全部淡水海绵和部分海洋海绵，如枇杷海绵、蜂海绵(图2-1 G,H)。当环境不良或温度下降或营养供应不足时，富含营养的原细胞的细胞团被几丁质或两层薄膜包围则形成芽球。芽球通常具一小孔，淡水的轮海绵 *Ephydatia* 原细胞团外围一层造骨细胞，可分泌双盘骨针(amphidisc)使之更能抵抗恶劣环境(图2-5 A)，而针海绵 *Spongilla* 则不具双盘骨针，海生海绵的芽球还常缺少硬壳，但外面常包有海绵质丝或单轴骨针。当母体死亡后，芽球便沉入水底或被水流携走。待春天或条件适宜时，芽球内的细胞团则从小孔中逸出，淡水海绵可直接孵化为幼海绵，而海生海绵则先形成自由游动的鞭毛幼虫，再靠细胞的重组和分化成幼海绵。上述芽球形成广泛见于寻常纲的海绵，而在钙质海绵尚不清楚。

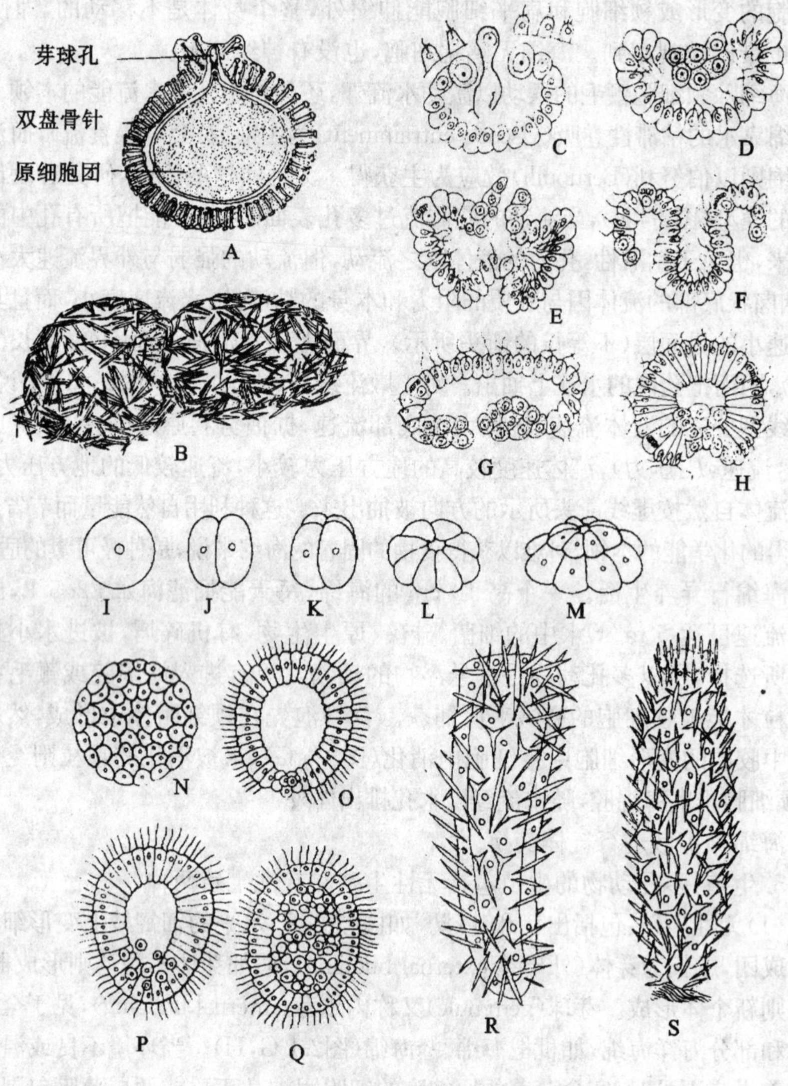

图 2-5　多孔动物的生殖和发育

A～B. 芽球：A. 轮海绵 *Ephydatia* 的芽球，B. 卢氏蜂海绵 *Haliclona loosanoffi* 的芽球；

C～H. 樽海绵 *Sycon* 的发育：C. 口道囊胚期，D. 内面具鞭毛的囊胚期；

E～G. 口道囊胚的外翻过程：H. 两囊幼虫的纵切面示外表具鞭毛；

I～S. 白枝海绵 *Leucosolenia* 的发育：I. 受精卵，J. 二细胞期，K. 四细胞期，L. 八细胞期，

M. 16 细胞期，N. 早期囊胚，O、P. 有腔囊胚，Q. 中实幼虫，R. 幼海绵，S. 成体海绵

（A 仿 Bergquist 从 Evans；B 仿 Bergquist 从 Hartman；C～H 仿 Tuzet；I～S 仿 Kotpal）

另外,海绵具很强的再生能力,部分碎块或研磨后的细胞群,能重聚发育成完整的新个体,这也是养殖沐浴海绵所采取的方法。

(2)有性生殖:海绵虽具雌雄异体者,但多数海绵为雌雄同体、异体受精,这与海绵固着生活密切相关。海绵无特殊的生殖腺和生殖管,生殖细胞来自中胶层的变形细胞或原细胞,位于领细胞层下方中胶层中(也有人认为生殖细胞由领细胞演化而来)。成熟的精子随水流由一个体流出进入另一个体,当被领细胞俘获后便被携至中胶层与卵受精。受精卵等或不等全裂,在 16 细胞期时分为上下两层,每层 8 个分裂球,其中与母体领细胞靠近的 8 细胞将来分化为成体的皮层,而另 8 个细胞将形成领细胞。胚体在有鞭毛的腔囊胚时被排出体外为幼虫,幼虫经短暂地游动后沉落变态为原(幼)海绵(olynthus)。

不同的海绵,幼虫的类型不同,主要分为两囊幼虫和中实幼虫两类。

1)两囊幼虫(amphiblastula):见于钙质海绵纲的碗海绵(樽海绵)。在樽海绵(图2-5 C~H),全裂形成的口道囊胚(stomoblastula),鞭毛细胞的鞭毛指向内面,而无鞭毛的大细胞位于口道处,以吞食领细胞为营养,口道关闭后又开放;口道囊胚经特殊的逆转(外翻)运动(inversion),即内表面翻成外表面,形成上半球鞭毛朝外的小细胞和下半球含颗粒大细胞的两囊幼虫。两囊幼虫经短暂游动后,大细胞外包或鞭毛小细胞端内陷,并以胚孔端附着,变态为单沟系的幼海绵(期),随后演变为双沟系海绵。

2)中实幼虫(parenchymula,sterogastrula):见于钙质海绵纲的白枝海绵、六放海绵纲和多数寻常海绵纲海绵。以白枝海绵为例(图 2-1 A,2-5 I~S),在腔囊胚期,无鞭毛端的几个大细胞不断分裂,移入并填满囊胚腔,此为中实幼虫。中实幼虫经短暂浮游后附着变态,变态时仍然要经过内外细胞的转换(逆转),即外表面的有鞭毛细胞移入形成内层直接或间接(淡水海绵)形成领细胞,而内部大细胞则移至表面形成外层细胞。

2.3 习性和分布

现代海绵除寻常海绵纲的淡水海绵(针海绵)科的百余种外,皆为海生。钙质海绵多分布于较浅的海域,从潮间带的潮塘到 100 m 深处,是浅水种而且在硬底质上固着(个别报道见于2 195 m)。寻常海绵纲的海绵在任何深度都能找到,从淡水到咸水,从潮间带到8 600 m的深海,能利用岩石、贝壳、沙和泥等基质,有的能钻入含钙的物质中去,适应力很强。六放海绵则多生活于软底质上。

海绵体形千变万化。在破波带生活的海绵,通常包在岩石上似薄的茄皮,但在流急的环境里外形大多像土墩,呈现良好的流线型。生活于缓流或风平浪静的海绵,体形呈直立的烟囱。由于水流速度的大小,波浪活动的强弱,致使生活于不同环境里的同种海绵有不同的外形。海绵具许多色彩,绿色是因其体内共生有绿色的虫绿藻Zoochlorellae,红色、黄色、桔黄色等是因为细胞内色素(胡萝卜素)系脂溶性色素,其的存在可产生种种颜色。

很早,人们就知道用沐浴海绵的干制品沐浴和擦洗器物,因此地中海沿岸的海绵养殖业曾得到很好地发展,只是近年来人造海绵业的成就才使之日趋衰落。

海绵的敌害较少,他们的味道和气味以及坚硬的骨针都不是其他动物所欢迎的。当然,有的动物如鱼偶尔也吃点海绵。软体动物裸鳃类是吃海绵的,甚至其体色和外表都模仿海绵。

固着生活的海绵又是其他水生动物良好的居住处,有些甲壳动物、蠕虫、软体动物和小鱼都可栖居于海绵动物内腔中。最有趣的例子是偕老同穴,俪虾 *Spongicola* 幼体常成对进入海绵腔中,当虾体长大难以由出水孔出来便被永远留在偕老同穴中"白头到老",因此,偕老同穴的干制品(维纳斯花篮)常作为日本人婚庆喜事的最佳信物。

皮海绵科 Suberitidae 的皮海绵 *Suberites* 和无花果海绵 *Ficulina* 常栖居于寄居蟹居住的空螺壳上,后因螺壳被海绵腐蚀吸收,终使寄居蟹寄居在海绵围成的空腔中。这是生物学中种间共栖的极好的实例,海绵不受欢迎的气味和骨针保护着寄居蟹防止被鱼或头足类食去,而寄居蟹则携带着海绵由一地到另一地,使之获得新鲜的饵料和氧气。

有些海绵是有害的,如穿贝海绵 *Cliona* 等常凿孔穴居于牡蛎、珍珠贝等贝壳中,影响贝类的养殖。

此外,海绵的色素、类固醇(甾类化合物)以及抗生物质,也都引起了化学家和药物学家的极大兴趣。

2.4 分类

即使同种海绵其形态也常随生境而变化,这都给多孔动物的分类带来困难。目前现生海绵常分为 4 个纲 25 目 5 500余种(图 1-1)。

纲 1. 六放(射)海绵纲 Hexactinellida

六放(射)海绵纲,又称三轴海绵纲 Triaxonida 及玻璃海绵纲 Hyalospongiae。具硅质骨针,三轴且多为三轴六辐,分散或联结成网。无海绵质丝。体外无皮层,靠变形细胞的伪足联成合胞体覆于体表。鞭毛室简单、指状或分枝。全部海生。多分布于500～8 500 m 的深海。计 600 余种,如偕老同穴 *Euplectella*(图 2-1 J)、拂子介 *Hyalonema*(图 2-1 K)等。

纲 2. 钙质海绵纲 Calcarea

本纲海绵具钙质骨针，游离或次生性愈合，骨针多样但不分为大小骨针。无海绵质丝。皮层具扁平细胞。全部海生，多分布于近岸浅水。单体或群体，个体常小于 15 cm，圆柱形或杯状。计400余种，习见种有白枝海绵 *Leucosolenia*（图 2-1 A）、毛壶 *Grantia*、碗海绵 *Scypha*（樽海绵 *Sycon*）（图2-1 B）等。

纲 3. 寻常（普通）海绵纲 Demospongiae

本纲海绵骨骼为海绵质丝或兼具非六放的硅质骨针（其中，欧斯海绵科 Oscarellidae 无任何骨质成分）。皮层具扁平上皮。鞭毛室小而圆。复沟系。该纲是多孔动物门中最大的一个纲，计 4 000 余种，除淡水海绵科 Spongillidae 外，全部海生。习见种有枇杷海绵 *Tethya*（*Donatia*）（图2-1 G）、穿贝海绵 *Cliona*、真海绵（沐浴海绵）*Euspongia*（图 2-1 E）、蜂海绵 *Haliclona*（图2-1 H）、矮柏海绵 *Esperiopsis*（图 2-1 I）、水杯海绵 *Poterion*（图2-1 D）、淡水的针海绵 *Spongilla*（图2-1 F）等。

纲 4. 硬骨海绵纲 Sclerospongiae

与寻常海绵纲相似，除海绵质丝和硅质骨针覆于表面外，基部具蜂巢状的钙质团块。许多出水孔位于钙质团块上方且出水管汇集呈星状。种数少，计 15 种。见于热带浅海具珊瑚的洞穴和隧道中。如角孔海绵 *Ceratoporella*。

2.5 系统发生

最古老的海绵化石虽出现于古生代的前寒武纪，但真正鉴定出来很困难。因此最早确认的是泥盆纪的钙质海绵纲的化石，此时六放海绵也特别多，到了白垩纪则是海绵最繁盛的时期。

海绵和原生动物有密切的关系：都不具器官和消化管，细胞内消化，由单细胞或单细胞群产生骨骼，具领细胞和变形细胞等特征，都极相似于原生动物的领鞭毛虫 Choanoflagellata。此外，钙质海绵中的两囊幼虫和原生动物团藻 *Volvox* 的发育都经类似的翻转运动。但海绵结构中的多细胞和水沟系、发育中具个体发育期、细胞分化较原生动物复杂等特征又不同于原生动物。

海绵同其他后生动物，特别与腔肠动物也有许多相似之处：大多固着生活，两层细胞无体腔，具中胶层，海绵的中实幼虫相似于腔肠动物的浮浪幼虫。但海绵毕竟在以下几个方面不同于腔肠动物，海绵细胞的低水平分化，个体细胞分散后能聚合，扁平上皮细胞缺少基膜，若具组织也仅限于皮层，无器官，虽被称为胚层但又不同于其他动物门真正的胚层，海绵无真正的口，海绵动物的胚孔端是成体的反口端（在原口动物门类则是成体的口端），体表具孔，具领细胞，没有起协调作用的神经，发育中具逆转现象等，又都说明海绵与其他后生动物有严格的不同。

因此，许多人主张，海绵是单细胞动物向多细胞动物演化进程中分化较早的一个盲枝或侧枝，称其为侧生动物 Parazoa。也有人认为，海绵不是多细胞生物，而是单细胞的原生生物的群体。为细胞级的动物，不同于组织级的腔肠动物和器官系统级的扁形动物。

第3章　扁盘动物门

Placozoa(Gr., *plakos*, flat; *zoon*, animal)

3.1 概述

扁盘动物海生。无任何对称中心或轴，以变形方式改变形状。体扁平，可向身体各个方向运动。单层的纤毛细胞封闭充满液体的、星状纤维细胞网的间质。无明确的组织和器官。

3.2 形态、结构和功能

粘丝盘虫 *Trichoplax adhaerens*(图 3-1)，偶见于海洋水族馆水族箱壁上。用席藻 *Phormidium inundaum* 做饵料，可进行单种培养(Okshtein, 1988)。

虫体灰白色，扁盘状，背面稍凸、腹面稍平。长径可达 3 mm，无前后左右之分，亦无组织器官的分化，但由四种 1 000 余个细胞组成。背上皮为单纤毛扁平细胞(squamous cell)，细胞间具球形的脂肪颗粒。腹上皮具两种细胞：单纤(鞭)毛柱状上皮细胞(flagellated columnar cell)和无纤(鞭)毛的腺细胞(non-flagellated glandular cell)。背腹细胞间为充满液体的腔，内具游离的、可收缩的星状纤维细胞(stellate fibre cell)(有人认为来自腹上皮细胞)和成分不明的块状小体。

似变形虫，外形可变，靠纤毛滑行。腹面腺细胞可分泌消化酶，消化被其分解的物质作营养。靠分裂和出芽行无性生殖。在间质中见到可能来自腹上皮的卵，报道过 2,4,8 细胞期到囊胚的个体发育阶段。

3.3 系统发生

丝盘虫最早为 Schulze(1883)发现于奥地利动物学院的水族馆中。长期被认为是个腔肠动物的浮浪幼虫。直到 1971 年，Grell 首次观察到丝盘虫的有性生殖而建立新门 Placozoa，称其为两胚层动物，背上皮可能与外胚层同源，而腹上皮因具营养功能可能与内胚层同源。另外，不对称的体型、单纤毛细胞无基膜、无肌肉、无神经以及和钙质海绵相似的胚胎学特征如两囊幼虫、在原肠作用时胚孔朝向基底等，与多孔动物有关。伊万诺夫(1973)因其纤毛上皮细胞具吞噬作用，建立吞噬动物，吞噬动物亚界 Phagocytellozoa 被作为动物界的第四个亚界。由于被认为是最简单最原始的多细胞动物，Grell(1981)提出多细胞动物起源的扁盘-两侧原肠虫说(plakula-bilaterogastraea)(图Ⅱ-2 C)。

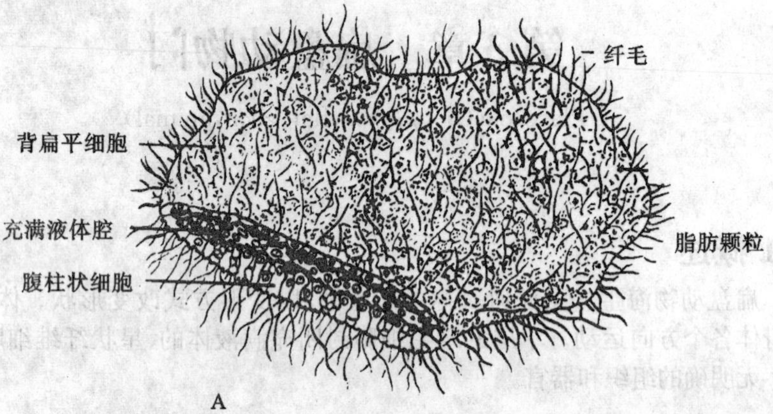

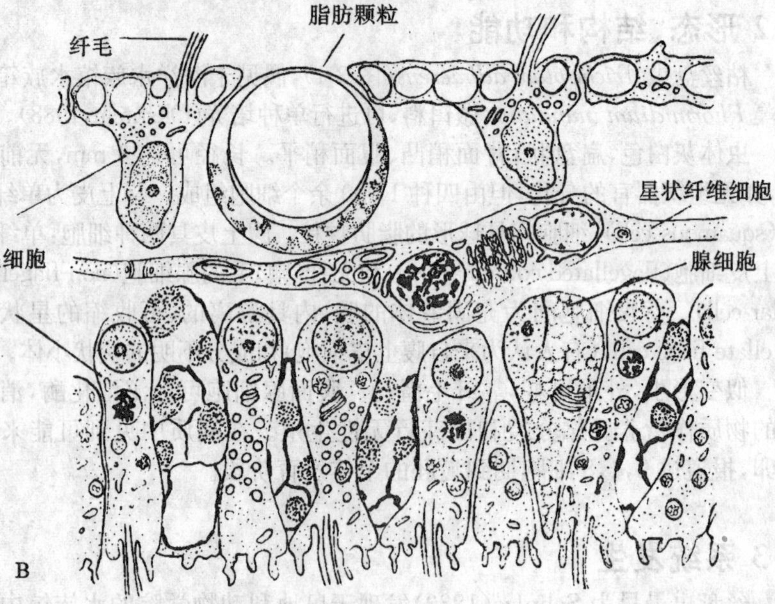

图 3-1　扁盘动物

A. 粘丝盘虫 *Trichoplax adhaerens*；B. 粘丝盘虫切面(示背腹细胞层)

(A 仿 Margulis 和 Schwartz；B 仿 Barnes 从 Grell)

第 4 章　中生动物门

Mesozoa(Gr., *mesos*, middle *zoon*, animal)

4.1 概述

中生动物蠕虫状无器官，外层体细胞多具纤毛，内层由轴细胞或生殖细胞组成。生活史复杂。因长期认为这是介于原生动物和后生动物之间的类群，故得名。

中生动物门的主要特征：

1. 全部海生；
2. 两侧对称蠕虫状；
3. 细胞数少，外层多为纤毛细胞，内层为轴细胞且能分化产生生殖细胞；
4. 无任何器官，亦无任何体腔或消化腔；
5. 生活史复杂，包括有性和无性生殖期，生活史的一定阶段寄生于其他无脊椎动物中。

中生动物门约 90 种，属于 2 个纲(表 4-1)，其主要检索性状为：

表 4-1　中生动物门的分类

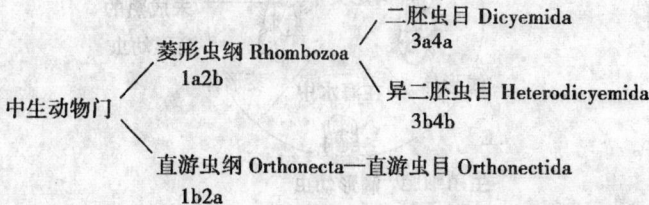

- 中生动物门
  - 菱形虫纲 Rhombozoa 1a2b
    - 二胚虫目 Dicyemida 3a4a
    - 异二胚虫目 Heterodicyemida 3b4b
  - 直游虫纲 Orthonecta—直游虫目 Orthonectida 1b2a

1. 成虫生活方式：a. 寄生于头足类肾脏，b. 自由生活；
2. 幼虫生活方式：a. 寄生于其他无脊椎动物，b. 自由生活；
3. 体细胞：a. 具纤毛，b. 无纤毛；
4. 头区：a. 具，b. 无。

4.2 形态、结构和功能

中生动物结构简单,生活史复杂。虫体蠕虫状,长 0.5～7 mm。由 2 层细胞组成,外层常为具纤毛的体细胞(somatic cell)或套细胞(ciliated jacket cell),内层为 1 至多个轴生殖细胞(axial germinative cell)且可产生或容纳有生殖细胞或轴胚细胞(axoblast cell)。在复杂的生活史中,具有性和无性生殖交替。

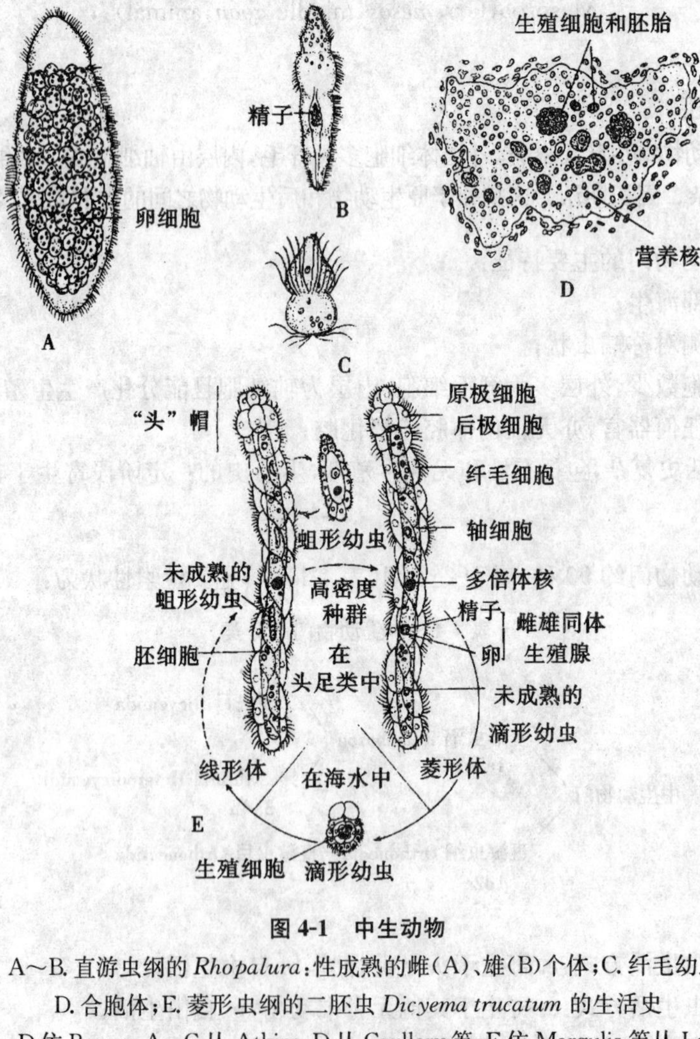

图 4-1 中生动物

A～B. 直游虫纲的 *Rhopalura*:性成熟的雌(A)、雄(B)个体;C. 纤毛幼虫;

D. 合胞体;E. 菱形虫纲的二胚虫 *Dicyema trucatum* 的生活史

(A～D 仿 Barnes,A～C 从 Atkins,D 从 Caullery 等;E 仿 Margulis 等从 Lapan)

菱形虫纲 Rhombozoa(Plamuloides,Moruloida)(图 4-1 E):成虫寄生于软体头足动物(乌贼、蛸等)肾中。其生活史仅部分了解,包括两个成虫期(线形体 nematogen 和菱形体 rhombogen,这两个成虫期形态相似,但生殖功能不同,线形体行无性生殖而菱形体行有性生殖)和两个幼虫期(蛆形幼虫 vermiform larva 和滴形幼虫 infusoriform larva)。当寄主尚处幼体时,寄生的线形体的胚细胞行无性生殖产生蛆形幼虫,幼虫长大后为线形体。当随寄主成熟而拥有高密度的线形体时,线形体则发育为具生殖腺的菱形体(雌雄同体或异体)。受精卵在菱形体内发育成未成熟的滴形幼虫,可随寄主尿液被排入海水中(其命运尚不清楚,有人认为具中间寄主)。排入海水的滴形幼虫可再感染另外的寄主。

直游虫纲 Orthonecta(图 4-1 A～D):无性期寄生于海洋无脊椎动物蛇尾类、双壳类、多毛类、纽形和扁形动物组织中。有性期自由生活,雌雄同体或异体,蠕虫状无器官,外为纤毛细胞层,内为生殖细胞团,成熟的雌雄个体同步地从寄主中排出。精子穿入雌体与卵受精,受精卵发育成纤毛幼虫,纤毛幼虫从雌体排出后经新寄主之生殖管孔感染新的寄主。在新寄主中纤毛消失变成合胞体(变形体 plasmodium),可多次无性生殖,扩散至寄主其他部位组织中并产生有性世代。

4.3 系统发生

中生动物在动物界中的位置,至今仍是个谜。许多动物学家主张,中生动物是次生简化的扁形动物,为扁形动物门中的一个纲(Stunkard,1954,1972)。另一些学者(Hyman,1940;McConnaughey,1963;Lapan 和 Morowitz,1972)认为是较早分化的多细胞动物的后裔,并具长期的寄生历史。

中生动物的两个纲,可能有不同的来源。直游虫纲与扁形动物的关系似乎比菱形纲密切得更多。

第5章 腔肠动物门(刺胞动物门)

Coelenterata(Gr., *koilos*, cavity; *enteron*, intestine)

Cnidaria(Gr., *knide*, nettle)

5.1 概述

腔肠动物(coelenterate),管状或伞形,为一端开口另端封闭的囊袋样动物。辐射对称或近似辐射对称,口端具许多触手,体壁由2细胞层(外胚层和内胚层)组成,体壁所包围的囊袋为腔肠。组织分化简单,以上皮组织为主。因具特殊的刺细胞,又名刺胞动物。有性生殖常经浮浪幼虫期。

习见的腔肠动物有:水螅(hydra)、水母(jellyfish, nettlefish)、海葵(sea anemone, sea flower)和珊瑚(coral)等(图5-1)。

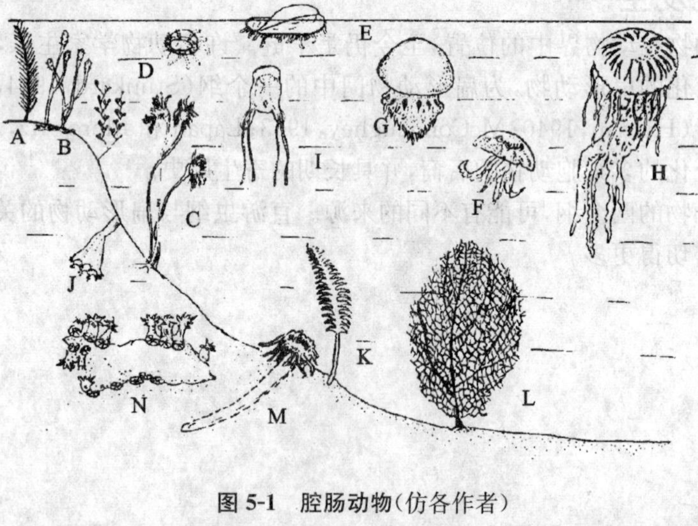

图5-1 腔肠动物(仿各作者)

A~E 水螅纲:A. 羽螅,B. 棍螅,C. 筒螅 D. 薮枝螅及其水母体,E. 帆水母;

F~H 钵水母纲:P. 海月水母,G. 海蜇,H. 霞水母;I. 立方水母纲:灯水母;

J~N 珊瑚纲:J. 喇叭水母,K. 海笔,L. 海扇,M. 海葵,N. 珊瑚

因其蜇刺引起荨麻疹似的鞭伤，亚里士多德(Aristotle，384—322 B.C.)称其为 Acalephae 或 Cnidae，又误为植物样的动物(植形动物 Zoophyta)。而真正的动物性质为 Peyssonel(1723)、Trembley(1744)等所确认。因与棘皮动物共有的辐射对称性，曾被置于辐射动物(Radiata)(Cuvier，Linnaeus 和 Lamarck)中。腔肠动物门最早为 Leuckart(1847)建立，但包括海绵动物和栉水母，后经 Hatschek(1888)分为性质有别的动物门。

春秋时期，我国先人已识水母。汉·袁康《绝越书》："水母虾为目，南人好食之。"《绝越书》系春秋吴越人活动之记载，故推测我国东南沿海居民在春秋时已食用水母了。古时水母和海蜇混称，其名亦多，计：蚱鱼、樗蒲鱼、海鉏、海舌、江蜇、虾助、虾鲊、借眼公等，省称蛇、鲊、蟦、鲊等。蛇也，为虾之宅。蜇与蛇同音，其名更接近蜇人的习性。晋·张华《博物志》记载了海蜇和其共栖的水母虾的关系："东海有物，状如凝血，从广数尺，方圆，名曰鲊鱼。无头目处所，内无藏。众虾附之，随其东西，人煮食之。"宋·沈与求《钱塘赋水母》曰："疾风吹雨回江城……眼中水怪状莫明，出没沙觜如浮罂，复如缁笠绝两缨，混沌七窍俱未形，块然背负群虾行。"大意说，海蜇似小口大肚的瓶(罂=甖)，出没于泥沙河口海面，又似缨穗飘带的斗笠令人称绝，这五官尚未成形的动物，还能和许多小虾(水母虾)戏游呢。

水螅之"螅"，《尔雅·释虫》记："毛蠹"郭璞注："即蛓"，《直音》记："螅，同蛓"，故水螅意为水中蜇人之毛虫(毛蠹=蛓=螅)。

对珊瑚，秦汉时有记载，《史记·司马相如列传》："玫瑰碧琳，珊瑚丛生。"不过，由汉至明代，常把珊瑚视为植物珊瑚树、烽火树，同时常把红珊瑚、造礁珊瑚和柳珊瑚相混淆；晋·葛洪《抱朴子》记石芝："石芝者，石象芝也。生于海隅名山岛屿之崖，有积石处。其状如肉，有头尾四足如生物，附于大石，赤者如珊瑚。"又，唐·刘恂《岭表录异》卷中记沙箸(今称海笔，古有沙筋、涂钗之名)："沙箸生于海岸沙中，春吐苗。其心若骨，白而且劲，可为酒筹。凡欲采者，轻步而前，及手急掇之，不然，闻行者声，急缩入沙中。"

腔肠动物门的主要特征：

1. 水生，多海生；

2，单体或群体，触手位于口或口端，辐射对称(radial symmetry)、二辐对称(biradial s，)或四辐对称(tetraradial s)；

3. 体壁由两细胞层(外胚层 ectoderm 和内胚层 endoderm)组成。组织分化简单，以上皮组织为主。两细胞层间为厚薄不一，具含或不含细胞的中胶层(mesoglea)；

4. 内部空腔为消化循环（胃血管）腔（gastrovascular cavity）或称原肠（coelenteron），具消化兼循环之功能。仅具一个对外的开口（口兼肛门）；

5. 水螅体（hydranth，polyp）和水母体（medusa），是生活史中两个主要的发育期（阶段），常是适于水底附着或水层浮游的两种基本体型，又称水螅型（hydroid，polypoid）和水母型（medusoid）。有的群体物种尚具二态（型）现象（dimorphism）或多态（型）现象（polymorphism）；

6. 具特有的刺细胞（nematocyte，cnidocyte，nematoblsat，cnidoblast），可放射刺丝泡（刺丝囊 nematocyst，cnidocyst）；

7. 有的具几丁质、角质或钙质骨骼；

8. 多为肉食性，靠扩散行气体交换；

9. 网状或扩散式神经系统，无神经中枢；

10. 有性生殖多经一个两侧对称、有纤毛、前端钝的浮浪幼虫（planula）期。

近代腔肠动物分类学家（Peterson，1979 和 Bouillon，1981）多主张把近万种的腔肠动物分为 2 个亚门 4 纲（表 5-1）。其主要检索性状为：

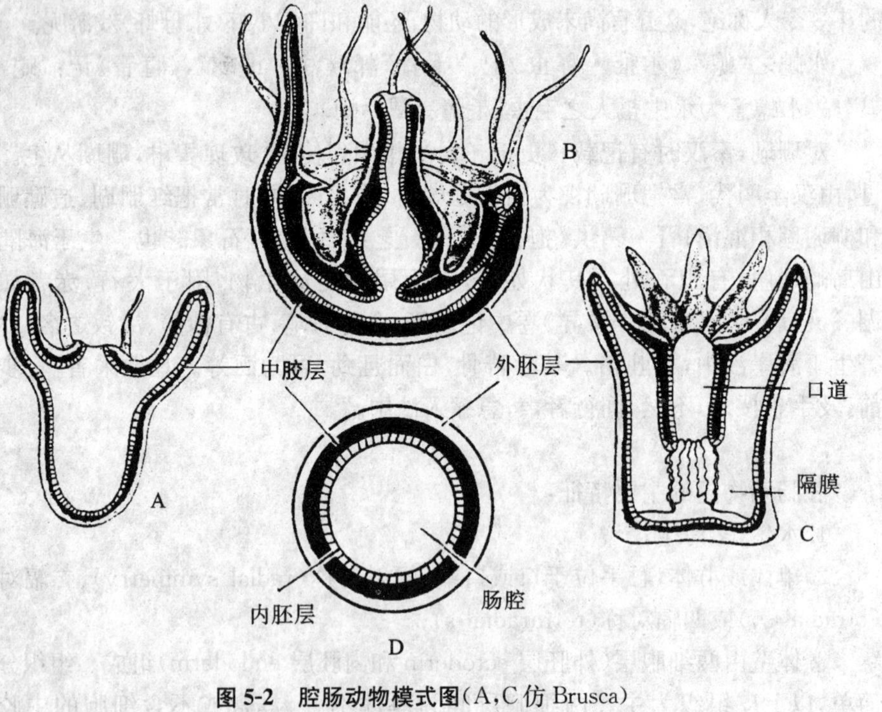

图 5-2　腔肠动物模式图（A，C 仿 Brusca）

A. 水螅纲；B. 水母纲；C. 珊瑚纲；D. 横切面

表 5-1　腔肠动物门的分类

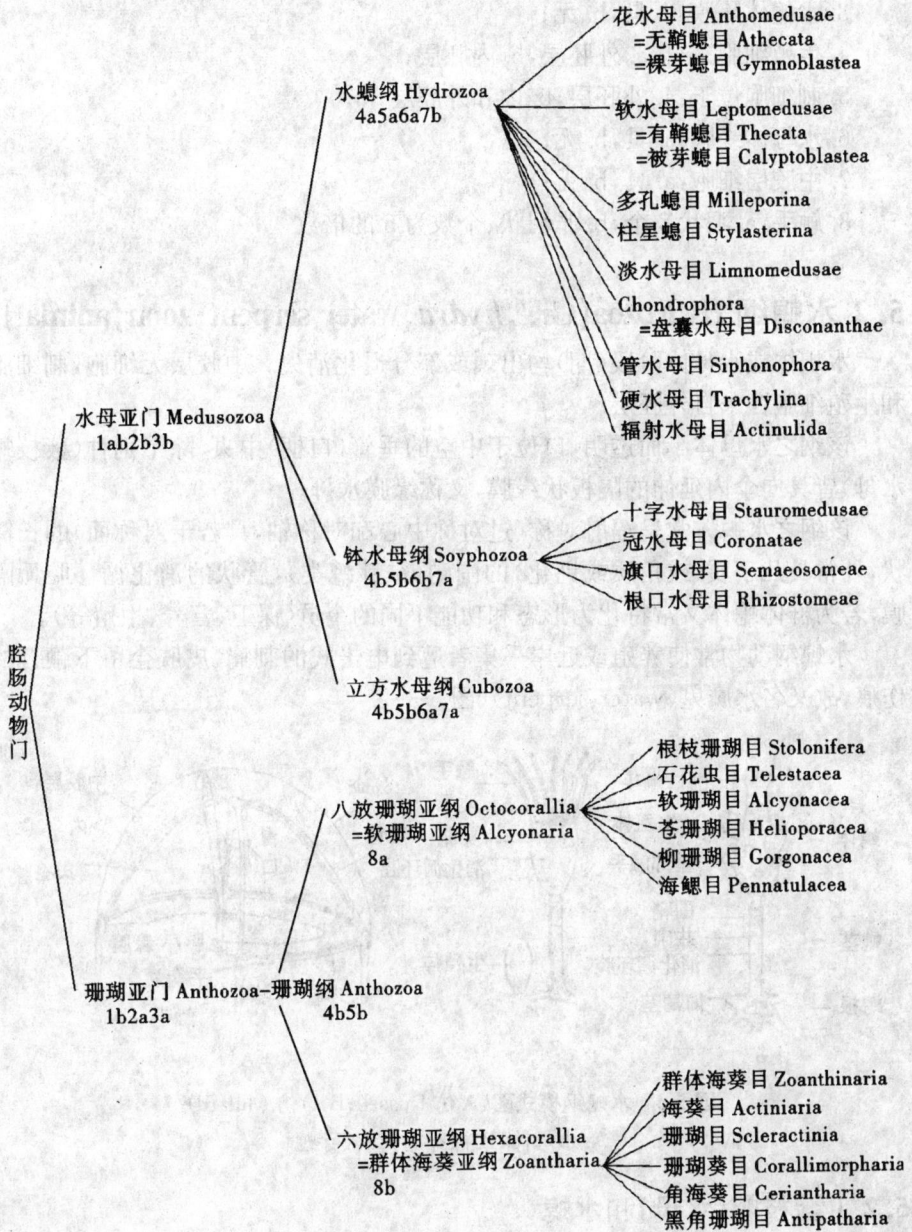

- 腔肠动物门
  - 水母亚门 Medusozoa 1ab2b3b
    - 水螅纲 Hydrozoa 4a5a6a7b
      - 花水母目 Anthomedusae =无鞘螅目 Athecata =裸芽螅目 Gymnoblastea
      - 软水母目 Leptomedusae =有鞘螅目 Thecata =被芽螅目 Calyptoblastea
      - 多孔螅目 Milleporina
      - 柱星螅目 Stylasterina
      - 淡水母目 Limnomedusae
      - Chondrophora =盘囊水母目 Disconanthae
      - 管水母目 Siphonophora
      - 硬水母目 Trachylina
      - 辐射水母目 Actinulida
    - 钵水母纲 Soyphozoa 4b5b6b7a
      - 十字水母目 Stauromedusae
      - 冠水母目 Coronatae
      - 旗口水母目 Semaeosomeae
      - 根口水母目 Rhizostomeae
    - 立方水母纲 Cubozoa 4b5b6a7a
  - 珊瑚亚门 Anthozoa–珊瑚纲 Anthozoa 1b2a3a 4b5b
    - 八放珊瑚亚纲 Octocorallia =软珊瑚亚纲 Alcyonaria 8a
      - 根枝珊瑚目 Stolonifera
      - 石花虫目 Telestacea
      - 软珊瑚目 Alcyonacea
      - 苍珊瑚目 Helioporacea
      - 柳珊瑚目 Gorgonacea
      - 海鳃目 Pennatulacea
    - 六放珊瑚亚纲 Hexacorallia =群体海葵亚纲 Zoantharia 8b
      - 群体海葵目 Zoanthinaria
      - 海葵目 Actiniaria
      - 珊瑚目 Scleractinia
      - 珊瑚葵目 Corallimorpharia
      - 角海葵目 Ceriantharia
      - 黑角珊瑚目 Antipatharia

1. 水母体：a. 具，b. 无；
2. 水螅体口道：a. 具，b. 无；
3. 水螅体隔膜：a. 具，b. 无；
4. 生殖细胞来自：a. 外胚层，b. 内胚层；
5. 刺细胞位于：a. 外胚层，b. 内和外胚层；
6. 水母体缘膜：a. 具，b. 无；
7. 中胶层细胞：a. 具，b. 无；
8. 触手：a. 羽状 8 个，b. 非羽状、个数为 6 的倍数。

5.2 水螅纲 Hydrozoa(Gr. ,*hydra*, water serpent; zoon, animal)

水螅体或水母体阶段(期)均出现或部分退化消失。中胶层无细胞，刺细胞和生殖细胞皆来自外胚层。

该纲之水母体小而透明，口位于中空的垂管(口柄)中央，除个别种(薮枝螅水母)皆具向伞内延伸的隔板状缘膜，又称缘膜水母。

该纲之水螅体常呈辐射对称(过对称中心和对称轴，具若干对称面)的长筒状，外常具几丁质(或角质或钙化)的围鞘(被芽螅类)，管状的消化循环腔无隔膜，若为群体螅体又常特化为形态和功能不同的个员(保卫、营养、生殖等)。

水螅纲动物常使养殖或近岸采集者遭到电击式的刺痛、皮肤会留下鞭打的伤痕，故又名水魔鬼(water serpent)(图 5-3)。

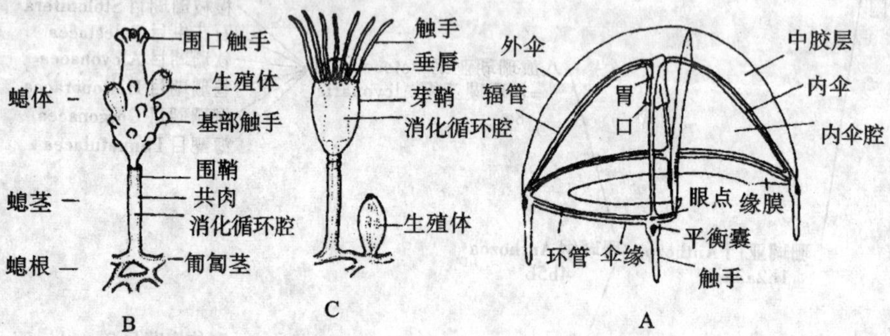

图 5-3 水螅纲模式图(A 仿 Russell；B，C 仿 Millard)
A. 水母体；B. 裸芽螅；C. 被芽螅

5.2.1 薮枝螅(水母)和水螅

薮枝螅(水母)(图 5-4)是典型的海洋动物，依其可了解腔肠动物门的基本结构和多态现象；水螅是典型的淡水生物，其组织学研究颇详。

5.2.1.1 薮枝螅 *Obelia* sp.

1.习性和分布：水母体（期）仅短暂的几天或几周浮游于水中；而水螅体（期）则习见于 80 m 以内的浅海岩石、海藻或其他动物体壳上，靠出芽繁殖，芽体不脱离母体，从而形成 5～50 cm 大小不等的树枝状合轴群体（图 5-4 A，图 5-7 B），俗称海毛（sea fur）。

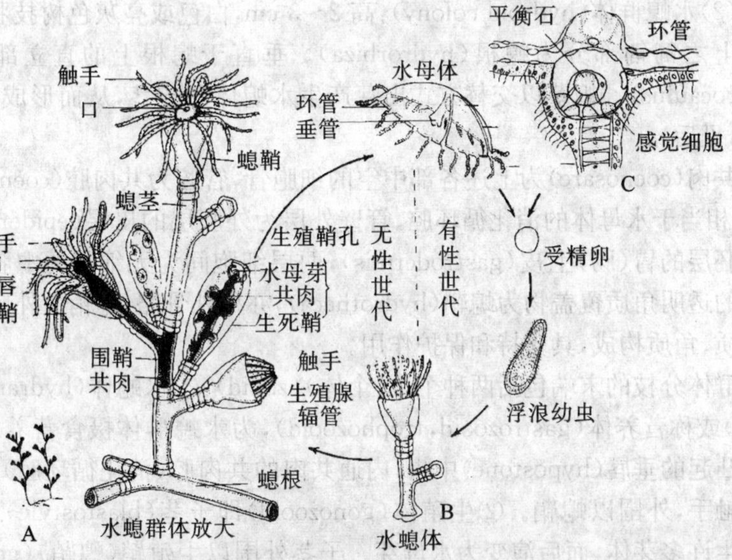

图 5-4　薮枝螅（水母）（B 仿 Barnes；C 仿 Bullock 等从 Hertwig 等）

A. 水螅群体；B. 生活史；C. 平衡囊

在我国沿海，曲膝薮枝螅 *Obelia geniculata*（螅鞘口缘光滑无齿）、双齿薮枝螅 *O. bidentata*（螅鞘口缘每齿上又具 2 小尖齿）、双叉薮枝螅 *O. dichotoma*（螅鞘口缘齿波纹状或钝圆）等极习见。

2.形态、结构和功能：

（1）水母体（medusa）：直径 6～7 mm，浅碟或伞状。伞外（凸）部和内（凹）部分别称为外伞（ex-umbrella）和内伞（sub-umbrella）。垂唇（管）（manubrium）为从伞凹面正中突出的方形管，管端具口。触手（tentacle）是位于伞缘的短突起，具高度的收缩力，初生个体具16个触手且随个体长大而逐渐增多，触手实心内为内胚层细胞，外围外胚层细胞。平衡囊（statocyst）为触手基部之圆球状突起，内具平衡石（statolith）（图 5-4 C）。缘膜（velum，craspedon）为伞缘向伞内突入的窄褶，在薮枝螅水母缘膜退化（具缘膜之水母名缘膜水母 craspedote，无缘膜者称无缘膜水母 acraspedote）。

水母体的胃管系统（gastrovascular system）：执行消化循环的功能，其循环路径为口⇌垂管⇌肠腔或胃腔⇌辐管⇌环管。胃腔（gastrovascular cavity）为由垂管通入体中部之腔，辐管（radial canal）为由胃向四方分出的 4 根窄管，而环管（circular canal）则环行于伞边缘且与辐管相通。生殖腺（gonad）4 个，位于辐管下面，为外胚层突起，卵圆形，可产生精子或卵（雌雄异体）。

（2）水螅群体（hydroid colony）：高 2～3 cm，白色或亮灰色树技状。固着于他物上之匐匍部分为螅根（hydrorhiza）。垂直于螅根上的直立部分为螅茎（hydrocaulus）。螅茎以交替方式出芽产生水螅体和子茎，从而形成群体（合轴群体，见后）。

共肉（coenosarc）为上述各部中空的细胞管，管腔为共肉腔（coenosarcal canal），相当于水母体的消化循环腔，管壁外层为外胚层的皮层（epidermis）、内层为内胚层的胃（肠）上皮（gastrodermis），两层细胞间为无细胞的中胶层。群体外围的透明角质覆盖物为螅鞘（hydrotheca），亦称外骨骼，螅鞘由外胚层分泌的几丁质、角质构成，具支持和保护作用。

群体分枝的末端包括两种个员（个体）（zooid）：①水螅体（hydranth，hydrozooid）或称营养体（gastrozooid，trophozooid），为水螅群体摄食营养的个体，口位于凸起的垂唇（hypostone）中央，内通共肉的共肉腔（消化循环腔），前端具中实的触手，外围以螅鞘。②生殖体（gonozooid）即子茎（blastostyle），行无性生殖产生许多芽体，而后演变为水母芽。子茎外围以生殖鞘（螅鞘）（gonotheca），上具生殖鞘孔（gonopore），当水母芽脱离了子茎，即由此孔逸入水中发育成水母体。

3. 生活史（life cycle）（图 5-4 B）：严格说，薮枝螅应译名为薮枝螅水母，其有性生殖为水母体。

薮枝螅水母体，雌雄异体，生殖腺 4 个，位于辐管上。性成熟后，精子或卵经口排出。发育过程为：受精卵→全裂→有腔囊胚→单极移入实心原肠胚→浮浪幼虫→幼水螅体→水螅群体（出芽且芽体不离开母体）→水母芽→水母体。

薮枝螅包括以下 3 个明显的个员：①水母体（medusa）是有性的生殖个员，产生卵和精子；②水螅体（polyp，hydranth）为群体中摄食的营养个员；③子茎（blastostyle）是群体中无性生殖的个员，靠无性出芽成水母芽入水中。

由此可知，一个物种中至少有 1 种以上形态和功能不同的个体（员），此为多态现象（polymorphism）。

在薮枝螅生活史中，浮游的单体有性世代的水母体和固着生活的无性世代的水螅(群)体交替出现的现象,称为动物的世代交替(metagenesis)。

浮浪幼虫(planula)是腔肠动物生活史中的一个重要阶段。在薮枝螅,其结构为外被均匀纤毛的外胚层细胞(单纤毛细胞),内为一团内胚层细胞,代表着原肠胚幼虫期,具明显的极性,前端宽后端窄,孵出后可借纤毛自由游动。

5.2.1.2 水螅 *Hydra* sp.

1. 习性和分布:在清洁、稳定不流动、水草丰盛的淡水池塘或水沟中,水螅常吸附于光线和氧气丰富近水面的物体上。采到后在 15～20 ℃的水槽中养育,每周喂水蚤一次,注意越冬时不吸弃沉积物以保留具受精卵的包囊,待来年春暖花开时孵化。此外,每年应从野外采些水螅放入以复壮。

据报道,全球水螅 4 属 50 余种。原水螅 *Protohydra* 不具触手;其余各属皆具触手,惟绿水螅 *Chlorohydra* 体内胚层共生有绿藻而色绿,柄水螅 *Pelmatohydra* 具较细的柄部,而水螅 *Hydra* 则无柄部。

2. 形态、结构和功能:伸展的水螅为长约 1 cm、直径约 1 mm 的圆柱体,收缩的水螅为仅几毫米的小球。

基盘(basal disc)为水螅吸附端,又称足盘(pedal disc),可吸附于他物或用以运动(分泌黏液滑行或分泌气体起浮漂走)。口(mouth)星形,位于基盘相对的自由端的垂唇中央,垂唇又称口锥(oral cone)或口盘(oral disc)。触手细长丝状,环生于垂唇基部,5～10 个,其数目因种而异且随个体大小、年龄而变化,是水螅捕食和运动器官。口盘与足盘间为柱体部。芽体(bud)为柱体中部以下产生的许多侧突起。在生殖期,在柱体体侧靠近口端可见圆锥状的精巢或近基盘处圆形的卵巢(大多数水螅为雌雄异体)。

显微镜下观察水螅组织学切片(图 5-5 B)。对柱状辐射对称的水螅,平行于长轴之切片为纵切面,垂直于长轴之切片为横切面。

腔肠(enteron),即消化循环腔(gastrovascular cavity),直译为胃血管腔,为位于体中部的空腔。腔外的壁为体壁(body wall),体壁由两细胞层(外胚层和内胚层细胞)和非细胞的中胶层组成,故腔肠动物为二胚层动物(图 5-6)。

外胚层的细胞依其形态和功能分为以下 7 种:①上(外)皮肌细胞(epithelio-muscular cell):圆柱形或梨形,外端(游离端)宽,内端具多个收缩突起平行于螅体长轴,故收缩时可使螅体变粗短。细胞核内具 1～2 个核仁。具保护、支持、分泌、收缩运动的功能。②间细胞(interstitial cell):位于上皮肌细胞基部之间,小而圆,细胞核圆形,内具核仁 1～2 个。是未分化的胚性细胞,担当生长、再生、出芽、有性生殖等重要功能。③刺细胞(nematocyte, cnidocyte, cnidoblast, nematoblast):主要分布于体表,触手处最多(基盘处无),为腔肠动物重要

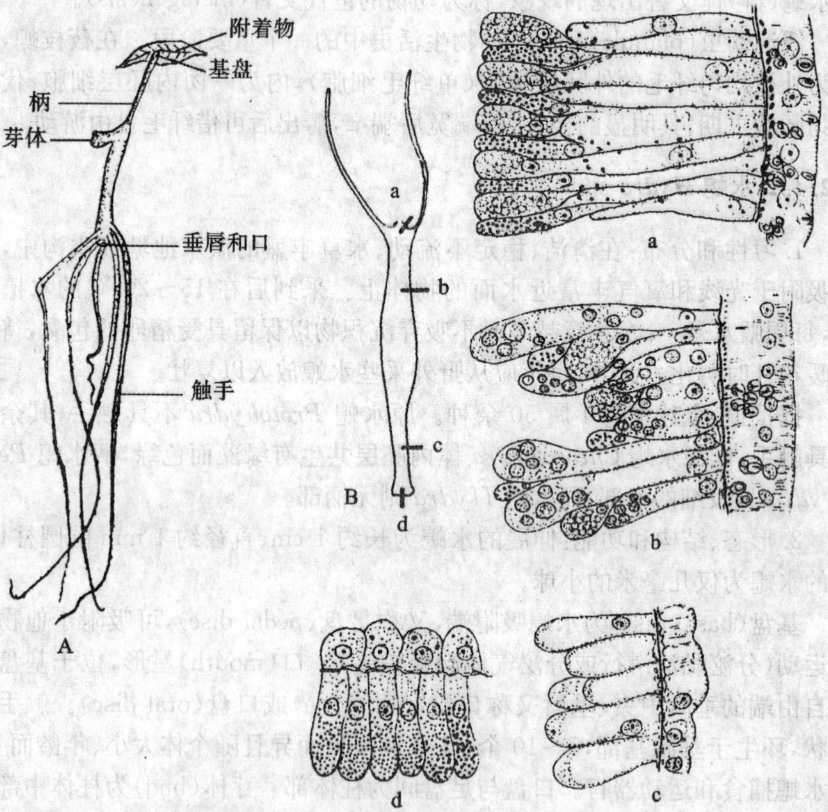

图 5-5 水螅(仿各作者)

A. 柄水螅;B. 水螅各部体壁组织学(a～d 示各部之切面)

结构特征。梨形或卵圆形,细胞核位于一侧,具刺针或具壳盖,细胞中部为充满液体(水螅毒素 hypotoxin)的细胞器——刺丝囊(泡)(cnidocyst,nematocyst),不同物种具不同形态和性质的刺丝泡,大致可分为穿刺丝泡(penetrant)、卷刺丝泡(volvent)、粘(胶)刺丝泡(glutinant)等。具防御、保卫或用于捕食、运动和锚定等功能。④感觉细胞(sensory cell):分散于上皮肌细胞之间,以触手、垂唇和基盘处最多。长柱形,外端顶部具毛状突起,基部以纤细的根瘤状结节突起与神经细胞相联系。可感知触、温、光、化学等的刺激。⑤神经细胞(nerve cell):位于上皮细胞近中胶层处,神经细胞小,具核,具 2 至多个分枝的突起,但无树突和轴突之分化,神经细胞靠突起彼此联系从而构成网状神经系统(net nervous system)或漫(扩)散式神经系统(diffuse nervous system)。无神经中枢,不定向传导,是其原始性。⑥腺细胞(gland cell):主要分布于基盘和垂唇。基盘处的腺细胞较长,分泌颗粒以吸附于水中物体上。此外,还能产生气体(球)使水螅漂浮于水面或外伸以缓慢滑行。与上皮肌细胞相似具收缩突起。⑦生殖细胞(germ cell):生殖季节(主要在夏季),体表一定部位的间细胞分化增殖,演化为精巢或卵巢。

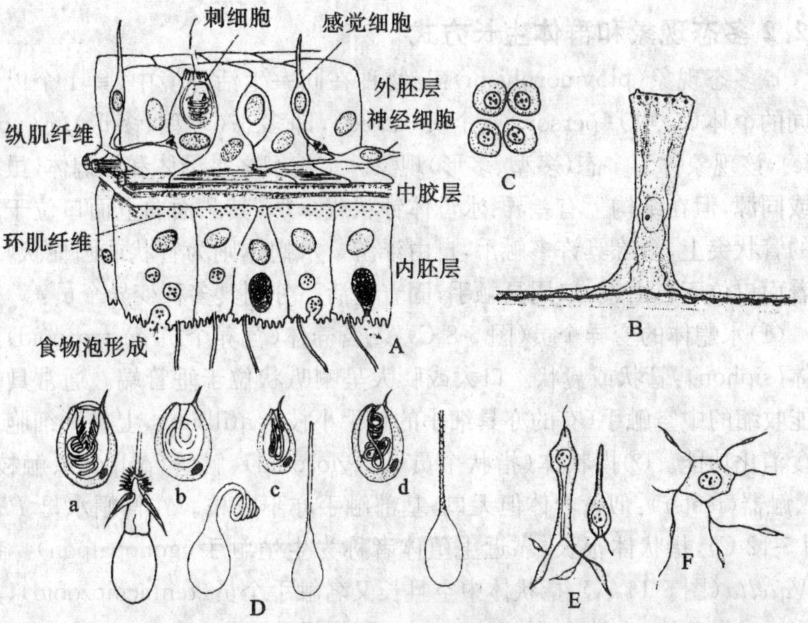

图 5-6 水螅的结构和细胞(仿各作者)

A. 体壁结构示意图;B. 皮肌细胞;C. 间细胞;D. 刺细胞和刺丝泡:
a. 穿刺细胞,b. 卷刺细胞,c 和 d 粘刺细胞;E. 感觉细胞;F. 神经细胞

内胚层的细胞主要包括:①内皮肌细胞(endothelio-muscular)或营养细胞(nutritive cell):长球形,其基部亦具收缩突起但横向排列,故收缩时可使螅体变细长。其游离端具突入肠腔的长鞭毛和伪足以捕捉食物行细胞内消化。营养丰富时细胞内充满食物泡或颗粒,饥饿时则具许多空泡。细胞核位于细胞中部或基部,具核仁。另外,口周围的内皮肌细胞的肌原纤维还具括约肌的作用,以控制口的开闭。②内皮腺细胞或分泌细胞(endothelio-gland,secretory cell):比内皮肌细胞小,多位于垂唇处的内皮肌细胞之间,无收缩突起但具鞭毛。包括酶腺细胞(enzymatic cell)(分泌消化酶入腔肠行细胞外消化,能消化蛋白质、脂肪和除淀粉外的碳水化合物,营养物则以糖元颗粒或油滴贮存于上皮细胞

内，未消化的食物如甲壳动物之外骨胳则仍由口中排遗出体外）和黏液腺细胞（mucous gland cell）（位于垂唇处分泌黏液）。此外，尚有间细胞、感觉细胞、神经细胞，但无刺细胞。

水螅的中胶层极薄，仅 0.1 μm。难以观察（足盘处无）。系上述两胚层细胞分泌形成的非细胞板。具支持身体的作用。

5.2.2 多态现象和群体生长方式

1. 多态现象（ploymorphism）：一物种在同一生活环境中，具 1 个以上形态不同的个体（个虫）（person）或个员（zooid），即多态（多型、多形）的（polymorphic），该现象称为多态（多型、多形）现象。水螅纲之水母体和水螅体，虽基本相似或同源，但在结构上有差异：水母体钟状或伞形，其凸面向上而口位于凹面中央的管状突上，伞缘具许多触手，自由浮游。水螅体则为管状或圆柱状，反口端固着而口位于自由端，口周具触手，固着生活。分别具多种变异个员：

（1）水螅体的变异个员（图 5-8 C）：①营养体（营养个员 gastrozooid）又称管状体（siphon）：管状或囊状。口大或膨大呈喇叭状位于垂管端。通常具一条长且能收缩的中空触手（有的亦具细小的触手小枝 tentillum），上具刺细胞。主司摄食消化功能。②指状体（指状个员 dactylozooid）、触管（palpon）、触枝（taster）、触器（feeler）：似营养体但无口，基部触手亦不分枝。在僧帽水母 *Physalia*（图 5-12 C），指状体很长，靠近生殖体者称为生殖触手（gonopalpon）。在帆水母 *Valella*（图 5-11 A），指状体中空且长又名触手个员（tentaculozooid），具感觉功能。③生殖体（生殖个员 gonozooid）、子茎（胚柄 blastostyle）：形似营养体，常无口（有口者如帆水母），具分枝的柄者又名生殖枝（gonodendron）产生葡萄状的生殖体丛（gonophore）。以无性出芽产生水母芽，主司生殖。

（2）水母体的变异个员：①浮囊体（pneumatophore）：除钟泳类外，所有管水母皆在群体一端具泡状的囊，囊壁具气腺，似浮器具漂浮功能。僧帽水母浮囊体很大呈泡囊状，前端稍尖，后端钝圆，顶端具一背峰和几个横膈。帆水母浮囊体则很簿呈圆盘状，上具直立的斜位于长轴的帆。②泳钟体（nectocalyce，nectophore，nectozooid）：为无口、垂管、触手和感觉器而保留缘膜、钟、四条辐管和环管特征的水母体。形态多样，肌肉发达，故具很强的游泳能力。③叶状体（bract，hydrophyllum，phyllozooid）：为盾形、叶状或头盔样、较厚的胶质个体，仅具一直的或分枝的消化管。似盾保护其他个员。

2. 群体生长方式（图 5-7）：群体系芽体不脱离母体形成。水螅纲物种的群体因出芽部位和方式不同，可归为以下几类：

(1)螅根式(hydrorhizal type):芽体由螅根共肉上不规则地垂直生出。见于原始的种类如筒螅 *Tubularia*、棍螅 *Coryne*(图 5-8 A,B)。

(2)螅茎式(hydrocaulus type):芽体由螅茎主轴侧或顶端生出。又分三类:单轴群体(monopodial colony),新螅体由螅体顶端以下的生长带生出,随螅茎伸长可不断由下及上长出侧枝,故年长的螅体位于螅茎的顶端,见于裸芽螅类的真枝螅 *Eudendrium*(图5-7 A);合轴群体(sympodial colony),新螅体由螅茎顶端生出,即螅茎基部无生长带,不能延伸,而是靠螅茎顶端出芽,故年轻的螅体位于分枝的顶端,见于低等被芽类如薮枝螅等(图5-7 B);复合群体(compound colony),螅茎顶端不具螅体而是生长点,故可不断延伸,同时其芽枝和螅体均可由螅茎一侧生出,见于海榧螅 *Plumularia*(图5-7 C)。

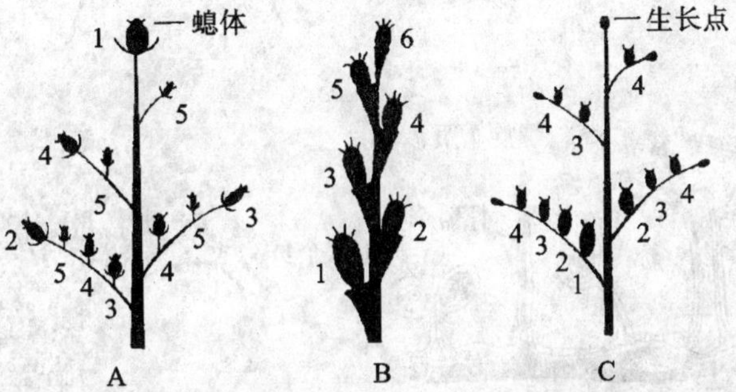

图 5-7　螅茎式群体水螅生长方式(数字示生长顺序)(仿 Meglitsh)

A. 顶端为螅体之单轴群体;B. 合轴群体;C. 顶端为生长点之复合群体

5.2.3 分类

长期以来,水螅纲具依水螅体或水母体分类的双重系统。现今 25%的水母体已知其生活史,为该纲3 000物种分类的统一打下基础。现分以下 9 目。

目 1. 花水母目 Anthomedusae(无鞘螅目 Athecata、裸芽螅目 Gymnoblastea)(图 5-8):水螅体(期)单体或群体,附着生活,其营养个员和生殖个员都不具围鞘,触手分散于螅体上,或膨大如锤(棍螅 *Coryne* 图5-8 A)、或丝状(水螅 *Hydra*,贝螅 *Hydractinia* 图5-8 C)、或分为口触手和基部触手(筒螅 *Tubularia* 图 5-8 B)。水母体(期)多退化或高钟状,伞缘无缺刻仅具几个外围触手,具眼点,无平衡囊,生殖腺位于垂管(枝手水母 *Cladonema*)或胃壁上(长管水母 *Sarsia*)。

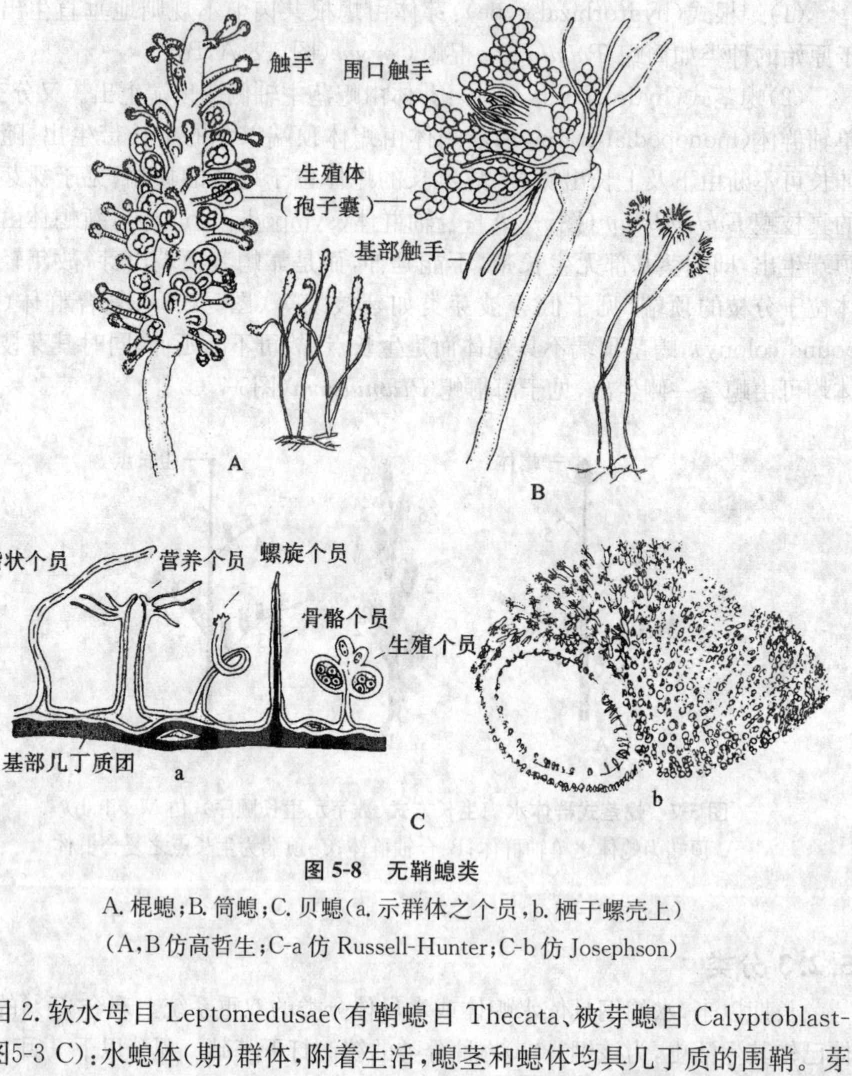

图 5-8　无鞘螅类

A. 棍螅；B. 筒螅；C. 贝螅（a. 示群体之个员，b. 栖于螺壳上）
（A，B 仿高哲生；C-a 仿 Russell-Hunter；C-b 仿 Josephson）

目 2. 软水母目 Leptomedusae（有鞘螅目 Thecata、被芽螅目 Calyptoblastea）（图5-3 C）：水螅体（期）群体，附着生活，螅茎和螅体均具几丁质的围鞘。芽鞘无柄两行对生（叉状桧叶螅 *Sertularia furcta*，图5-9 A）或单行（毛状海榧螅 *Plumularia setacea*，图5-9 B），芽鞘有柄而生殖个员为孢子囊（钟螅 *Campanularia* 或薮枝螅）或芽鞘管状（柄杯螅 *Hebella* 芽鞘无底部，连荚螅 *Synthecium* 芽鞘具底部，图5-9 D，E）。水母体（期）盘状无缺刻，生殖腺多位于内伞辐管的突起上，通常具平衡囊（薮枝螅水母 *Obelia*，图5-4 C）。

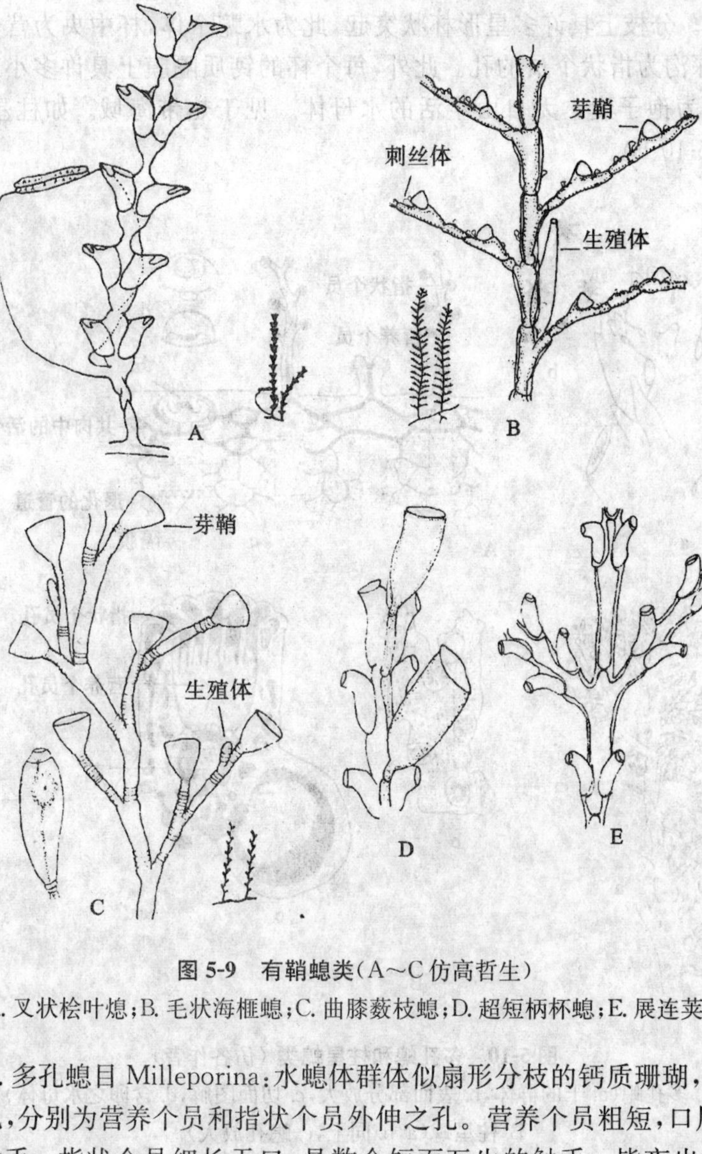

图 5-9　有鞘螅类(A～C 仿高哲生)

A. 叉状桧叶熄;B. 毛状海榧螅;C. 曲膝薮枝螅;D. 超短柄杯螅;E. 展连荚螅

目 3. 多孔螅目 Milleporina:水螅体群体似扇形分枝的钙质珊瑚,表面具大小两种孔,分别为营养个员和指状个员外伸之孔。营养个员粗短,口周具 4～6 个疣状触手。指状个员细长无口,具数个短而互生的触手。皆夜出昼缩入共肉。此外,坛状体(ampulla)产生水母芽,发育成游离的水母体。水母体无缘膜、口和辐管,具 4～5 个退化的疣状触手,生殖腺位于口管上。如多孔螅 *Millepora*(图5-10 A)习见于热带浅海 30 m 深以内,高 30～60 cm,具强有力的刺伤性,又名火珊瑚(fire coral)或蜇珊瑚(stinging coral)。

目 4. 柱星螅目 Stylasterina:似多孔螅,但在同一水平面上具许多粉红色的树状分枝。分枝上具许多星形杯状突起，此为水螅个体，杯中央为营养个员的孔，四周深沟为指状个员的孔。此外，每个杯的钙质隔膜上具许多小刺。生殖个员退化为孢子囊。无自由生活的水母体。见于热带海域。如柱星螅 *Stylaster*（图5-10 B）。

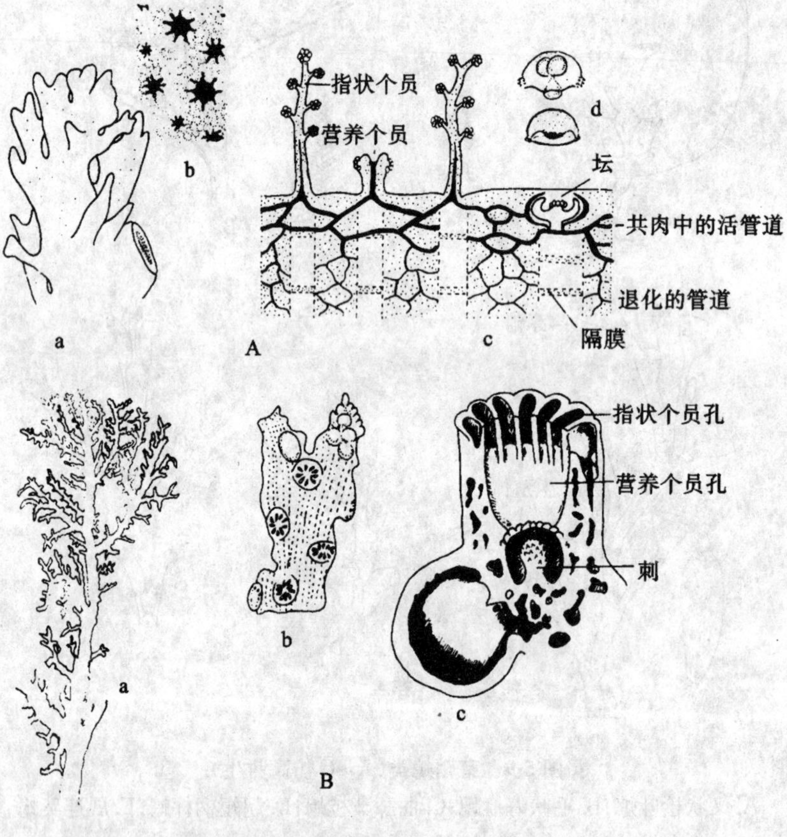

图 5-10　多孔螅和柱星螅类（仿各作者）

A. 多孔螅（a. 干的群体，b. 表面部分放大，c. 切面图解，d. 含卵之水母体）；

B. 柱星螅（a，b. 同上，c. 螅孔放大）

目 5. 淡水水母目 Limnomedusae：水螅体无或仅具几根触手，围鞘薄或无。水母体触手中空，内具平衡囊。淡水者如桃花水母 *Craspedacusta*（图5-27 B），海生者如钩手水母 *Gonionemus*。

目 6. 盘囊水母目 Disconanthae (Chondrophora)：似浮于水面之盘。帆具或无，盘缘具许多棒状触手，盘中央具口，生殖腺位于触手和口之间。为水螅体或群体,无水母体。习见的有银币水母 *Porpita*(图5-11 B)、帆水母 *Velella*(图5-11 A)。

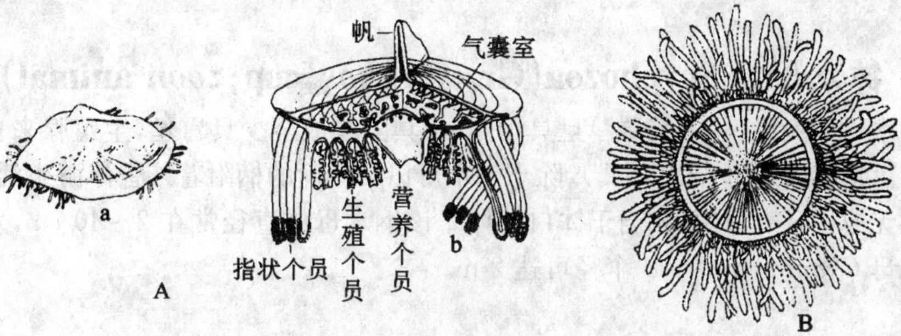

图 5-11　盘囊水母类(仿各作者)

A. 帆水母(a. 整体,b. 解剖示意图);B. 银币水母

目 7. 管水母目 Siphonophora:群体且多态。螅状体有时具营养、指状和生殖个员。水母体或具游钟体、浮囊及叶状个员。含以下 3 亚目:

亚目 1. 钟游亚目 Calycophorae:具游钟体无浮囊。如双生水母 *Diphyes*(图5-12 B)。

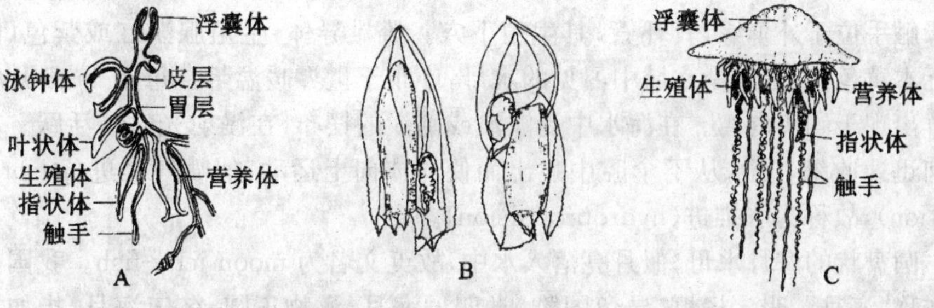

图 5-12　管水母类(A 仿 Laverack 等从 Claus;B 仿丘书院)

A. 管水母模式图;B. 双生水母;C. 僧帽水母

亚目 2. 囊泳亚目 Cystonectae (Rhizophysaliae):无游钟体具浮囊。如僧帽水母 *Physalia*(图5-12 C),又称葡萄牙战舰(Portuguese Man-of-war)。

亚目 3,胞游亚目 Physonectae(Physophorae):具游钟体和浮囊。如盛装水母 *Agalma*。

目 8. 硬水母目 Trachylina:无水螅体(期),水母体直接由辐射幼虫演变而来。该目可能是本纲最原始者。如壮丽水母 *Aglaura*(图5-27 A)。

目 9. 辐射水母目 Actinulida:单体,水螅体和水母体具幼虫特征,体表具纤

毛。小于 1.5 mm，为间隙生物。如海沙螅 *Halammohydra*、耳螅 *Otohydra*（国内尚未见报道）。

5.3 钵水母纲 Scyphozoa（Gr. *skyphos*，cup；*zoon* animal）

水母体无缘膜，中胶层厚且具细胞，胃具隔膜或至少具胃丝，生殖腺来自内胚层。俗称胶水母（jelly-fish），除十字水母以反口面的柄附着外皆浮游生活，水螅体无或小且寿命短，相当于钵口幼体。该纲水母体直径常在 2～40 cm，发形霞水母 *Cyanea capillata* 伞径可达 2 m。

5.3.1 海月水母和海蜇

海月水母具清晰的消化循环系统和水流路径、结构典型的感觉器官，标本易采获，是钵水母纲传统的代表动物，但经济价值不大。海蜇是我国久负盛名的食用大型浮游动物，近年来养殖界又攻克了人工育苗、螅状幼体的越冬和幼蜇的放流等技术难关。

5.3.1.1 海月水母 *Aurelia aurita*（Linnaeus）

海月水母（图 5-13），浅盘状，盘径 10～20 cm，最大可达 60 cm。浅蓝白色。伞缘触手位于外伞缘，具环管，具生殖下穴。雌雄异体，生殖腺淡红或紫色（固定标本黄色）。是近岸水域中习见的水母，广布于世界暖温带。每年 4～5 月常成群出现于码头内湾。在海水中受波浪或潮汐的摆布，在漫射光时最活跃。靠肌肉迅速收缩，使水从下伞腔中喷出而使身体向上运动，似喷气推进（jet-propulsion），故称为水推进（hydropropulsion）。

圆盘状的海月水母，似月亮落入水中，故英文名为 moon jelly-fish。我国古代亦称"海月"，明·杨慎《异鱼图赞》卷四："海月，海物正圆，名曰海月，指如搔头，有缘无骨。"

1. 海月水母与薮枝螅之比较：①水母体之异同：见表 5-2。②水螅体之异同：薮枝螅以水螅群体占主导地位，多态具围鞘，群体子茎出芽产生水母芽后发育为水母体，不经碟状幼体期；海月水母之水螅体阶段或钵口幼虫（幼体?）小或退化，单体无围鞘，以横裂产生碟状幼体后变态为成体。

2. 消化循环系统和循环：口位于内伞中央 4 个口腕（oral arm）交汇处。口腕长不超过体盘，中线具纤毛沟，边缘具许多短的触手，触手上有刺细胞。圆盘状海月水母可被分为 4 个象限，具口腕者称主辐部，具胃囊和生殖下穴者为间辐部，主间辐部之间为从辐部。

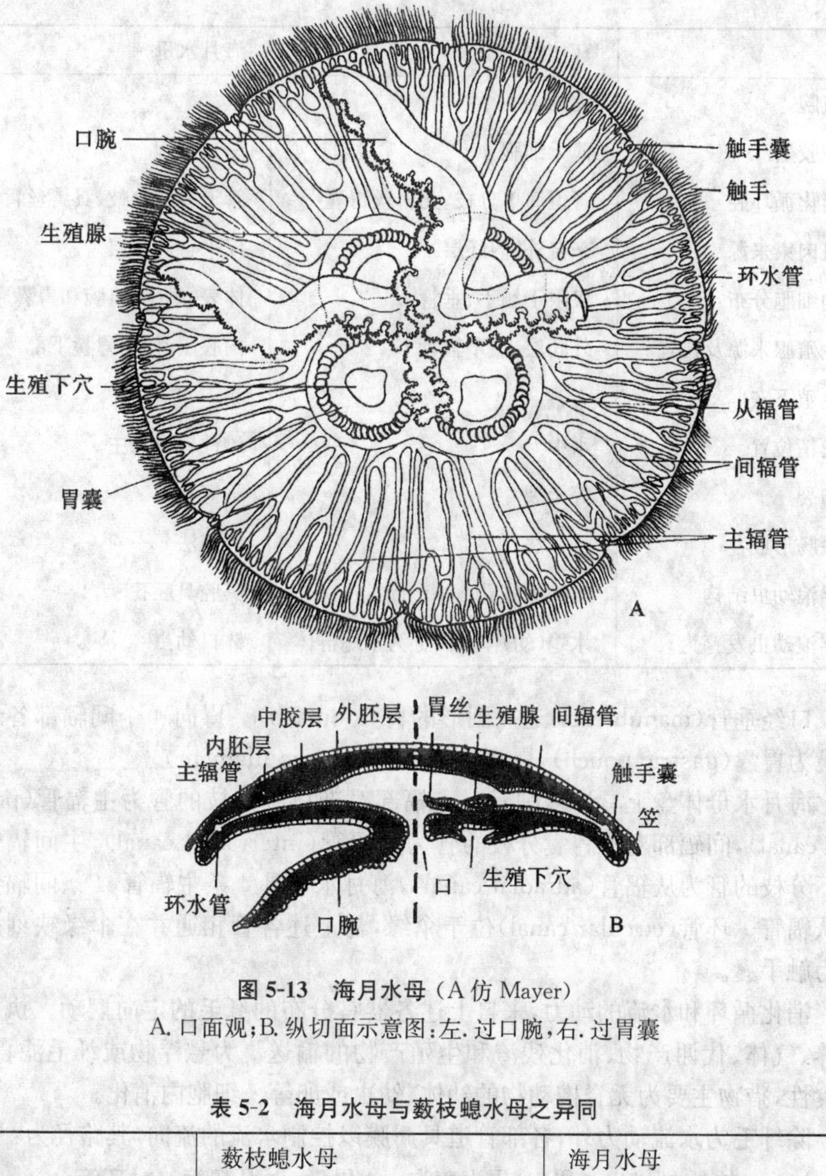

图 5-13 海月水母（A 仿 Mayer）

A. 口面观；B. 纵切面示意图：左. 过口腕，右. 过胃囊

表 5-2 海月水母与薮枝螅水母之异同

	薮枝螅水母	海月水母
水母期	退化	占优势
来源	水螅子茎—水母芽	钵口幼虫横裂—碟状幼体
伞缘缺刻	无	具
触手	实心	中空

(续表)

	薮枝螅水母	海月水母
口腕	无	具
中胶层	薄无细胞	厚具细胞
消化循环腔	管道简单分枝、无胃丝胃囊	管道复杂分枝、具胃丝胃囊
肌肉束来源	来自外、内胚层	仅来自外胚层
刺细胞分布	仅限于触手、垂管	体表、触手、口腕和胃囊
生殖腺来源及位置	外胚层，位于辐管下	内胚层，位于胃囊下部
生殖下穴	无	具
受精位置	水中	雌性胃囊腔中
卵裂	等全裂	不等全裂
原肠形成	移入法	内陷法
浮浪幼虫结构	无腔无胚孔	具腔具胚孔
浮浪幼虫发育为	水螅(幼)体—出芽为水螅群体	钵口幼虫

口经垂管(manubrium)通入圆形的胃(stomach)。胃向 4 个间辐部各通出的囊为胃囊(gastric pouch)，胃囊内具胃丝(gastric filament)。

海月水母体盘上具许多细管。主辐部对准口腕分枝的管为主辐管(perradial canal)，间辐部对准胃囊分枝的管为间辐管(interradial canal)，主间辐管之间不分枝的管为从辐管(adradial canal)，海月水母具 4 条主辐管、4 条间辐管、8 条从辐管。环管(circular canal)位于伞缘，与上述各管相通并在伞缘缺刻处延伸为触手囊。

消化循环和水流的动力，来自上述各器官分布的纤毛的定向摆动。执行着营养、气体、代谢产物、消化残渣和生殖产物的输送。为悬浮物或纤毛滤食者，肉食性，猎物主要为无脊椎动物的幼体、幼虫或卵等。细胞内消化。

除纤毛为水流动力外，各部管道具瓣膜以控制水流的流向，其路径为：

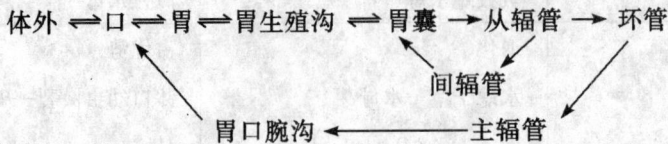

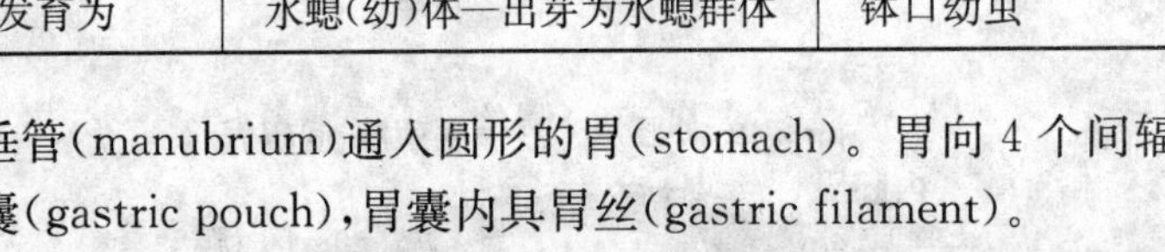

据统计，完成一次循环约 20 分钟。

3. 感觉器官(sense organ)(图 5-14)：位于伞缘主、间辐部缺刻处，共计 8

个。每个感觉器由3部分组成，触手囊（平衡棒）、眼点、嗅（觉）窝，并为笠和两侧的缘瓣保护。

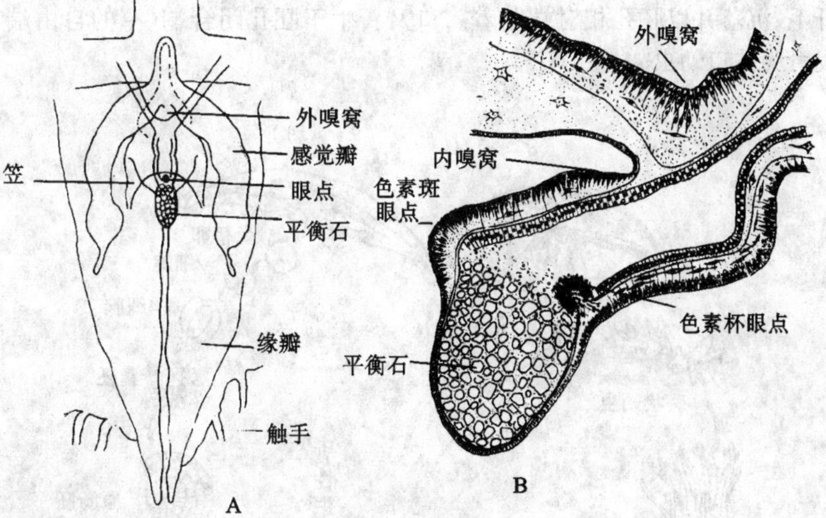

图5-14 海月水母的触手囊

A. 位置；B. 切面示各部结构

（A仿Hyman；B仿Hyman从Schewiakoff）

（1）触手囊（tentaculocyst）（平衡棒 rhopalia）：为一特殊的棒状触手，触手腔为主间辐管或环管的延伸部。背面具笠（hood），两侧为缘瓣（marginal lappet）。内具由内胚层分泌的钙质颗粒（结核）的平衡石（statolith），成分为 $CaSO_4$ 和 $Ca_3(PO_4)_2$。若除去触手囊，则平衡失控。

（2）眼点（ocellus）：2个。上眼点或色素斑眼点（pigment spot ocellus）为斑状眼点，位于触手囊上表面，来自外胚层，具感光功能。下眼点或色素杯眼点（pigment cup ocellus）位于触手囊内部，与平衡石相接触，呈杯状，系内胚层的感觉细胞丛。

（3）嗅窝（olfactory pit）：2个。外嗅窝（outer or aboral olfactory pit），位于外伞笠的基部。内嗅窝（inner or oral olfactory pit），位于内伞笠的相对部。能感知水化学成分的变化。

4. 生活史（图5-15）：海月水母雌雄异体。4个生殖腺位于胃囊内，来自内胚层，淡红或紫色（固定标本黄色）。相对于胃囊下伞外胚层处具4个功能不详的生殖下穴（subgenital pit）。无特殊的生殖管，成熟的生殖细胞排入胃腔中。雄性生殖细胞经水流进入雌个体胃腔与卵结合受精。受精卵在口腕沟内暂留，故口腕沟是为孵化室(brood chamber)。经不等全裂、有腔囊胚、内陷原肠胚发育成具纤毛的浮浪幼虫，后离母体于水中短暂浮游。随后其原肠口(胚孔)闭合失去纤毛、沉落并以胚孔相对端附着。口又新生于胚孔闭合端(窄的自由端)，变态发育为钵口幼虫。

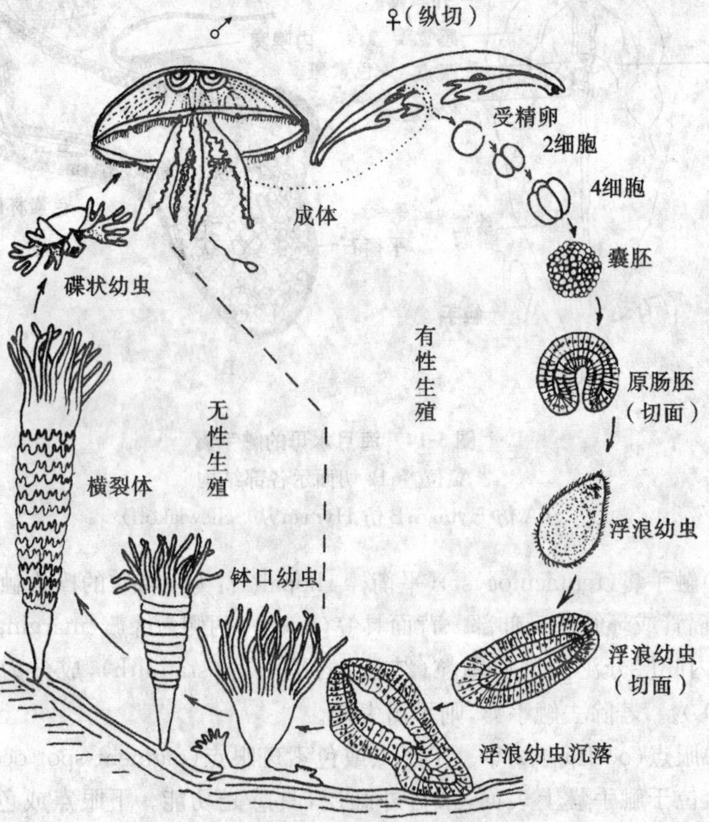

图 5-15 海月水母生活史(仿各作者)

钵口幼虫(scyphistoma)为失去纤毛、生出新口和触手的水螅状幼虫，或称螅状幼虫(hydratuba)。钵口幼虫能出芽再次形成新的钵口幼虫。至秋冬季，钵口幼虫又能横裂，表现了一定的“分节性”，此为横裂体(strobile)。横裂体具12余个裂体(节)，每一个裂体将发育为碟状幼虫(ephyra)。在来年春季，碟状幼体浮游于水面发育成水母成体。故海月水母的幼虫能靠出芽或横裂产生更多的子个体。

5.3.1.2 食用海蜇 *Rhopilema esculentum* Kishinouye

夏末秋初，食用海蜇常成群绵延数海里出现于近岸海域，被其蜇伤者常皮肤红肿、痒痛交加，故为渔民和游泳者所忌恨。在北戴河浴场夏末秋初，每天多达近百人受蜇，甚至危及生命。我国医务工作者指出，被蜇后应尽快用干纱布擦尽皮肤上的粘着物。用水或各种溶液冲洗，反而会加速其释放刺丝泡及其毒液。在澳大利亚，给被蜇者注射绵羊球蛋白，可缓解症状以提高抵抗力。

我国早在春秋时代已食用海蜇，英文名亦为 edible medusa。在我国其年产量变动较大，干品在 1～6 万吨。海蜇伞部的加工制品名曰海蜇皮，其腕部的加工制品名海蜇头。生活时常与共栖虾共栖，古人以为其借虾为目，故曰借眼公、虾助等。古有李时珍《本草纲目》图（图5-16 A）。

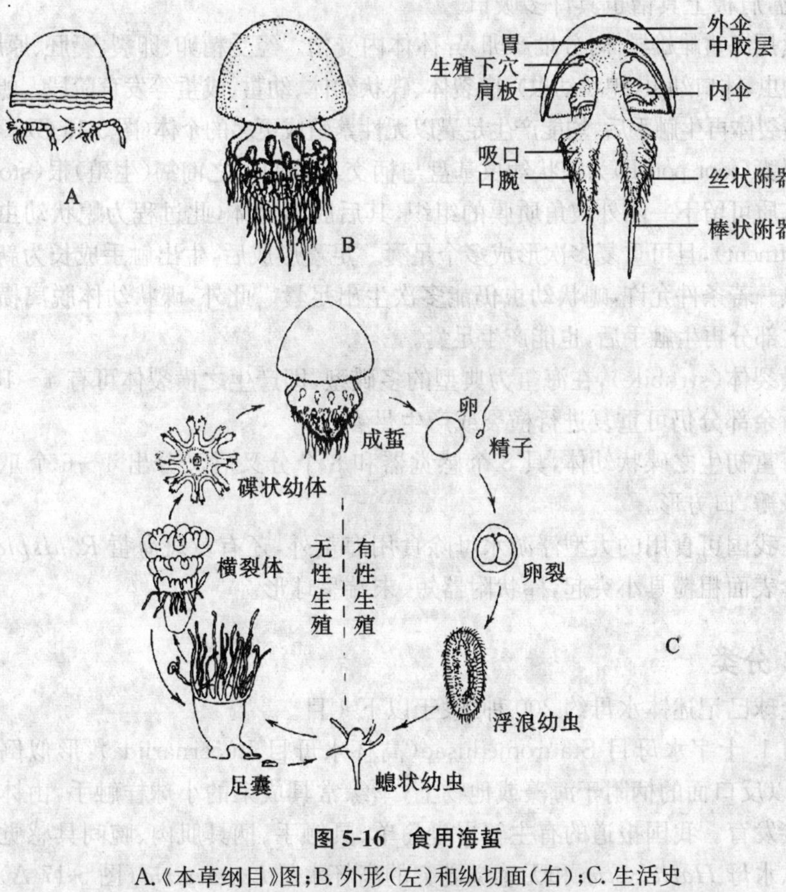

图 5-16 食用海蜇

A.《本草纲目》图；B. 外形（左）和纵切面（右）；C. 生活史

（B 仿洪惠馨等；C 仿丁耕芜等重绘）

伞部:半球形,其伞径超过 45 cm,伞高超过 33 cm,大者伞径可达 1 m。伞缘具 8 个感觉器官,相邻感觉器官间的伞缘具 14～20 个舌小瓣(缘瓣),无缘触手。内伞部环肌发达,常呈褐色或金黄色,加工时应刮去此层"血衣"。间辐部具 4 个肾形凹陷,此为生殖下穴(腔),穴外有膜不与外界相通。生殖下穴外侧具一表面粗糙的瘤状突起,为生殖乳突。

口腕部:为伞中央下垂的 4 个口腕,口腕基部彼此愈合将口封闭,下端游离又各自纵分为二共 8 个。口腕端呈三翼状,其边缘褶皱处有许多小孔与外界相通为吸口(suctorial mouth)(根口水母以此得名)。吸口经腕管与胃(腔)相通,胃大且向伞缘分出 16 条辐管并与退化的环管相通。口腕周围具许多丝状附器(150～180 条)和棒状附器(30～ 40 条)。棒状附器(terminal club)中空与腕管相通。肩板(scapulet)为各口腕基部在主间辐位向伞腔生出的一对左右侧扁的翼状物,肩板上具褶也具许多吸口。

食用海蜇雌雄异体,分批产卵,异体体内受精。经受精卵、卵裂、囊胚、原肠胚、浮浪幼虫、钵口幼虫(螅状幼虫)、横裂体、碟状幼体、幼蜇、成蜇等发育阶段。螅状幼虫和横裂体再生触手后,均能产生足囊以无性繁殖成更多的个体(图 5-16 C)。

足囊(foot pouch)为螅状幼虫基盘与柄交界处伸出之匍匐(生殖)根(stolon),附于基质可留下一团外被角质膜的组织,其后脱离母体,此过程为螅状幼虫脱囊(excystment),且可重复多次形成多个足囊。足囊形成后,生出触手成长为新的螅状幼虫。若条件允许,螅状幼虫仍能多次生出足囊。此外,碟状幼体脱离横裂体所余之部分再生触手后,也能产生足囊。

横裂体(strobile),在海蜇为典型的多碟型,即产生之横裂体可有 4～16 个,而且所余部分仍可重复进行横裂或产生足囊。

海蜇初生之碟状幼体,具 8 个感觉器和 8 个分叉后又分出 4～6 个爪状突起的缘瓣,口方形。

在我国可食用的大型浮游水母除食用海蜇外,还有黄斑海蜇 *R. hispidum*,其外伞表面粗糙具小突起,棒状附器短、末端呈球形。

5.3.2 分类

全球已记述钵水母约 200 种,隶于以下 4 目。

目 1. 十字水母目 Stauromedusae(高杯水母目 Lucernariida):形似倒置的喇叭,以反口面的柄附于海藻或他物上,伞缘常具成束的小球样触手,由钵状幼体直接发育。我国报道的有主辐胃囊简单、具触手、柄具肌肉、腕间具感觉乳突的喇叭水母 *Haliclystus* 和无感觉乳突的高杯水母 *Lucernaria*(图 5-17 A)以及具触手、柄无肌肉且分 4 室、具感觉触手的佐氏水母 *Sasakiella*。

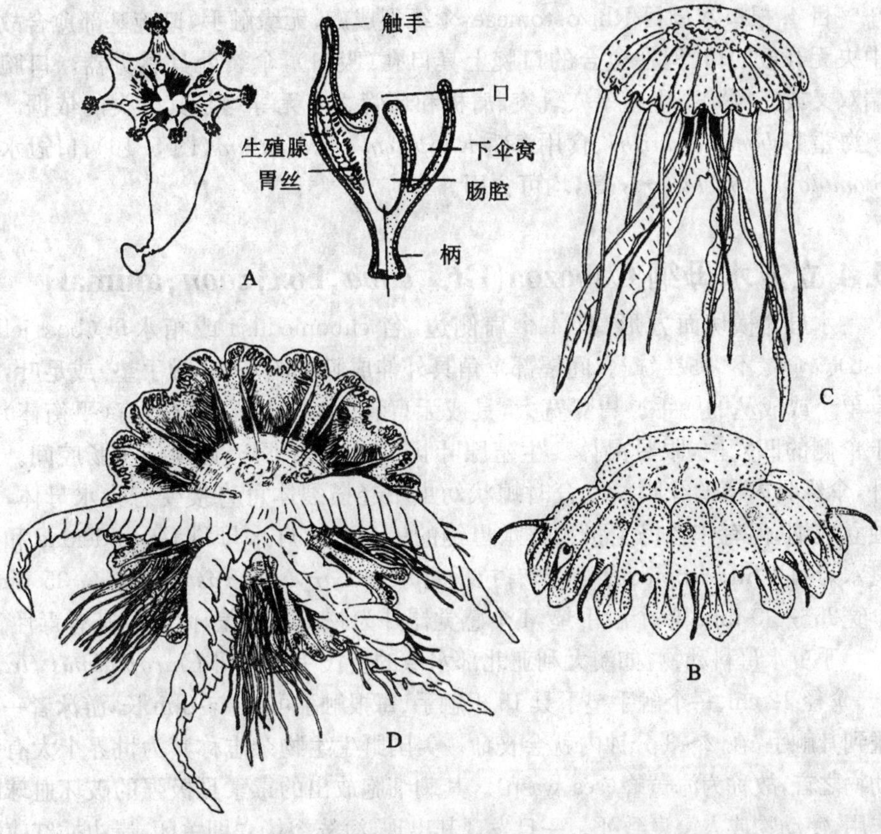

图 5-17　钵水母类

A. 高杯水母(左. 外形,右. 纵切示意图);B. 红斑游船水母;

C. 游水母;D. 霞水母(口面观)

(A 仿 Kotpal;B 仿 Mayer;C 仿 Hyman 从 Okada;D 仿 Hyman)

目 2. 冠水母目 Coronatae:伞被深沟分为上下两部分,伞缘锄状具 16 叶,触手长,具4～32个触手囊,消化循环腔具隔膜。如红斑游船水母 *Nausithoe puncta*(图 5-17 B)。

目 3. 旗口水母目 Semaeostomeae:伞缘裂成缘瓣,无或具中空的边缘触手,具触手囊,无冠状沟和足叶,伞中央具方形口,口腕(唇瓣)自口角上伸出、4 条、胶质门帘状,生殖腺位于下伞内胚层的囊状褶中,胃分枝或简单。环管、下伞环肌的有无等均是其分科的依据。游水母科 Pelagiidae 的游水母 *Pelagia*(图 5-17 C)、霞水母科 Cyaneidae 的霞水母 *Cyanea*(图 5-17 D)和洋须水母科 Ulmaridae 的海月水母 *Aurelia* 等,均为习见种。

目4. 根口水母目 Rhizostomeae：伞缘裂成瓣，无缘触手，口腕基部愈合故伞中央无开放的口，但在愈合的口腕上具口孔（吸口），伞裂处具感觉器。口腕下端双叉或三翼状。生殖下穴乳突、肩板和环管之有无等均是其分类的依据。叶腕海蜇 *Lobonema smithi*、食用海蜇 *Rhopilema esculentum*（图 5-16）、口冠水母 *Stomolophus meleagris* 等，均可食用。

5.4 立方水母纲 Cubozoa（Gr.，*cuba*，box；*zoon*，animal）

水母体横切面方形，具 4 个扁侧边，名 cubomedusa 或箱水母（box jellyfish）。伞缘不裂成缘瓣。间辐部伞角具外伸成膜状的基垫（触手垫）或足叶，上具单个或成丛的触手。胃囊宽大，具或无盲囊。4 个主辐感觉器官（平衡棒）位于伞侧的凹穴内，眼具晶体。生殖腺叶状 4 对，位于间辐且延伸至肠腔间。此外，伞缘具内褶的缘膜。发育时螅状幼虫不经横裂体可直接变态为水母体，故独立成纲，但有作者仍主张为钵水母纲的一目。含灯水母科 Carybdeidae 和手曳水母科 Chirodropidae。我国有拉氏灯水母 *Carybdea rastoni*，伞高 35 mm，伞宽25～ 30 mm，单个触手垫，4 个感觉器外为胶质膜覆盖，尚未见其有毒性。

手曳水母科动物，如澳大利亚北部水域的费氏手曳水母 *Chiropsalmus fleckeri*，伞径 12 cm、每个触手垫下具 15 根触手、每根触手可达 7～8 m 长，游泳者一旦碰到其触手，在 2～3 分钟内就会丧命。美国野生生物杂志称其为世界十大有毒动物之首，故称为海黄蜂（sea wasp）。其刺细胞放出的毒素具极强的破坏血球的作用，使动物或人窒息致死。一旦发现其出现，海滨浴场立即关闭，岸边插红旗警告并示以禁泳标志。类似的物种有战车手曳水母 *Ch. quadrigatus*（图 5-18）。

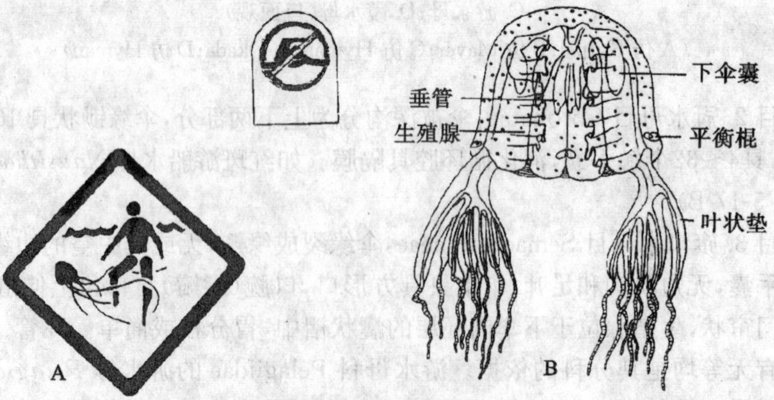

图 5-18　立方水母（仿各作者）

A. 禁泳标志；B. 战车手曳水母

5.5 珊瑚纲 Anthozoa(Gr. ,*anthos*,flower;*zoon*,animal)

为结构复杂的水螅体,具口道、隔膜、隔膜丝,或具口道沟、骨胳等。触手中空,体壁中共生有共生藻,使之色彩艳丽,又名 sea flower。单体或群体。全部海生。包括笙珊瑚(music coral,organ-pipe c.)、软珊瑚(soft c.)、苍珊瑚(blue c.)、柳珊瑚(gorgonian c.)、红珊瑚(red c.)、海鞭(sea whip)、海扇(sea fan)、海仙人掌(sea renilla)、海笔(sea pen)等八放珊瑚和海葵(sea anemone)、石珊瑚(hard c.,stone c.)、黑角珊瑚(black c.)等六放珊瑚。上述的珊瑚又称为真珊瑚(true coral)(注意,俗称的珊瑚包括水螅纲多孔螅类的物种)。

5.5.1 形态、结构和功能

珊瑚纲的单体,结构似水螅纲水螅体,但有许多不同及复杂之处。常分为口盘(oral disc)、柱体(column)和基(足)盘(pedal disc)几部分。

口位于扁平圆盘状的口盘(oral disc,distal end,peristome)表面(无口锥或口垂)。触手位于口盘缘或口盘上。触手中空,八放珊瑚类为 8 个羽状(图 5-19),六放珊瑚类为非羽状 12 个或为 6 的倍数(图 5-20)(有的种可多达数百个布满口盘,初生者在内且大,次生者在外且小,顺序为 6、6、12、24、48 等)。

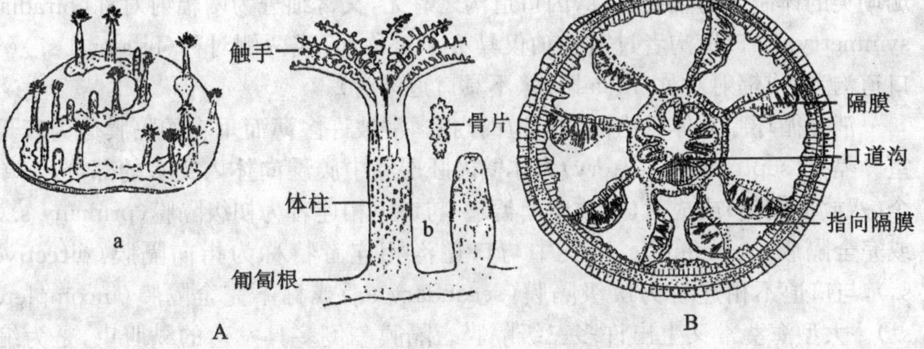

图 5-19 八放珊瑚示意图(仿 Hyman 从各作者)
A. 棒珊瑚 *Clavularia*:a. 匍匐根上之群体,b. 部分放大;
D. 海鸡冠 *Alcyonium* 过口道之横切面

体壁较厚,由外胚层、内胚层和较厚的中胶层组成。中胶层内具来自内外胚层的细胞,或具造骨细胞,或具发达的肌纤维。体表或具疣突或粘以沙粒,有的物种(如纵条肌海葵)体壁具壁孔,隔膜丝的游离部分可由此射出为枪丝或毒丝(acontium)。

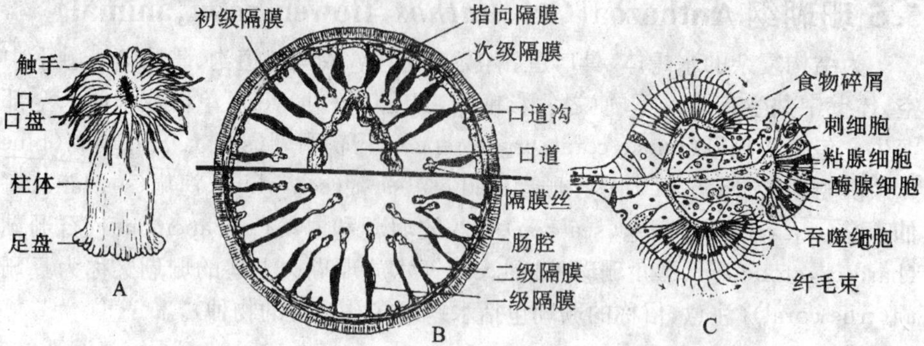

图 5-20　六放珊瑚(海葵)示意图

A. 整体;B. 横切面:上部. 过口道,下部. 过口道以下部位;C. 隔膜丝横切

(A,B 仿 Hyman 从各作者;C 仿 Ruppert 等从 Van-Praet)

口道(stomodaeum)为口部外胚层下陷之袖筒状结构,又称为咽(pharynx)。口道沟(siphonoglyph)为沿口道侧纵走的纤毛沟,口可闭合但口道沟不闭合,其纤毛摆动,故仍能使水流进出以携入营养物质或排出他物。八放珊瑚类和群体海葵具 1 个口道沟,海葵具 2 个口道沟,石珊瑚类口道短无口道沟。珊瑚类的体制虽为辐射对称,因口道沟之有无,又常细分为两辐射对称(biradial symmetry)(2 口道沟者过对称轴仅具 2 个对称面)或两侧对称(bilateral s.)(1 口道沟者)或辐射对称(radial s.)(不具口道沟者)。

消化循环腔为体壁内围绕口道的内腔,常被许多薄而垂直的隔膜分为若干室。隔膜(septum,mesentery)为体壁内胚层和中胶层向体内突入的部分,常单个(八放珊瑚类)或成对(六放珊瑚类)。与口道相连者为初级隔膜(primany s.)或完全隔膜(complete s.),其中与口道沟相连者特称为指向隔膜(directive s.),与口道不相连者为次级隔膜(secondary s.)或称不完全隔膜(incomplete s.)。大型海葵常又生出许多三级隔膜。隔膜一侧多具发达的纵肌束,是为缩肌(retractor muscle)或称肌旗(muscle flat)。不完全隔膜先端具生殖细胞和隔膜丝。隔膜上部之隔膜丝(septal filament)常为三叶形(图 5-20 C),外叶具纤毛以推动水流和食物粒,中叶具刺细胞、粘腺细胞(mucous gland cell)、酶腺细胞(enzymatic g. c.)和吞噬细胞(phagocytic c.),而隔膜下部常为单叶。枪丝(acontium)为隔膜下部游离于肠腔中富含上述细胞的长丝状物,当螅体收缩时,常由口或壁孔处放射出来。隔膜增加和强化了珊瑚纲动物的消化和吸收功能。

刺细胞广泛分布于触手和隔膜丝,故珊瑚纲动物内外胚层皆具刺细胞,但刺细胞无壳盖和刺针。

骨骼(skeleton)是珊瑚纲动物重要的结构特征。除海葵等少数种无骨骼外,八放珊瑚的体内具角质的骨针或骨片相愈合成的中轴骨,红珊瑚还具坚实的红色的高镁碳酸钙的中轴骨,而六放石珊瑚骨骼则发生于体表和体内为钙质的珊瑚杯、骨隔板等结构。

珊瑚类多雌雄异体。但多数雌雄同体的海葵在生殖期只产生一种性质的配子。生殖细胞来自隔膜处的内胚层细胞。于胃腔中或体外受精,发育经浮浪幼虫期。

5.5.2 石珊瑚和珊瑚礁

1. 石珊瑚(stone coral):又称 scleractinian coral, madreporarian coral,是珊瑚纲中种数最多的一目。与海葵不同,石珊瑚水螅体口道短,不具口道沟,具碳酸钙的骨骼。除直径可达 25 cm 的石芝 *Fungia*(图 5-25 A)为单体珊瑚外,群体的螅体直径1~3 mm,但整个群体却能长得很大。

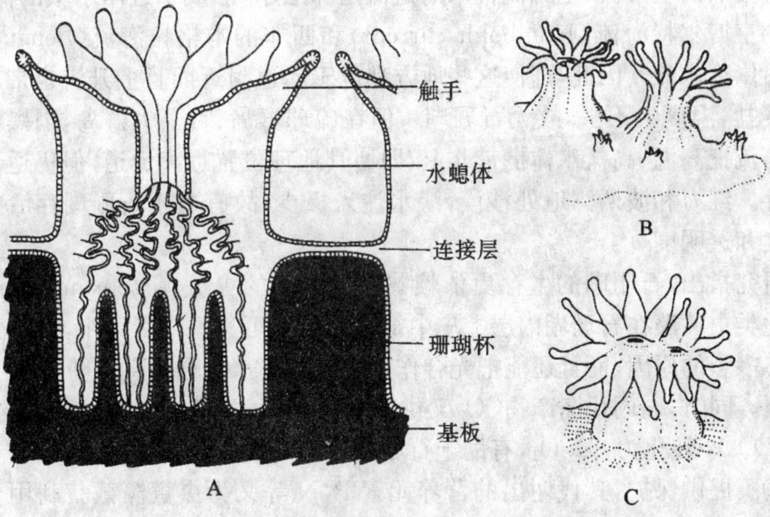

图 5-21 造礁珊瑚结构和出芽生殖(仿 Barnes 从 Hyman)

A. 水熄体及其骨骼纵切示意图;B. 触手外出芽;C. 触手内出芽

石珊瑚骨骼由柱体下部和基盘的外胚层细胞分泌,其过程是先形成骨骼杯(corallite),杯的底部具簿而辐射状的钙质骨隔板(scleroseptum),后各骨隔板突入水螅体基部，嵌于成对的隔膜之间，故水螅体似奖杯坐落在自身分泌的钙质杯状托架上。当螅体遇敌害时，可有效地缩入骨胳杯，免被食去。此外，珊瑚水螅体之间彼此亦靠柱体侧部的水平组织连接层相联系，此为消化循环腔的侧向伸展（图 5-21 A）。一个石珊瑚群体，就是无数这样的珊瑚个体老少云集在一起而形成的定形结构。每年的繁殖高度可达数厘米。

把活珊瑚采来，不暴晒，在淡水中不换水浸泡两天，待其肉体部分（水螅体）腐烂，再用水彻底冲净，而后晒干，可得到洁白挺拔的珊瑚骨骼标本，其上的小孔或沟回，正是珊瑚杯。不同种珊瑚杯有的完整、有的弯弯曲曲，这与他们的出芽生殖有关。石珊瑚群体的形成与扩大是通过出芽生殖进行的，分两种：一种是触手外出芽（extratentacular budding），即芽体由珊瑚水螅体基部出芽，如鹿角珊瑚和蜂巢珊瑚（图 5-25 B）。另一种是触手内出芽（intratentacular b.），即芽体由珊瑚水螅体口盘部纵裂而成，如脑珊瑚（图 5-25 C）。

石珊瑚是热带典型的海洋动物，需要高温（13～36 ℃）、高盐（盐度为 27～40）、高透明度、硬底质的生活环境。但在澳大利亚西海岸、南美秘鲁沿岸和非洲西海岸却没有或很少有石珊瑚，这是因为，近岸风平行吹离大陆，引起深层海水垂直上涌的上升流，上升流带来的是低温深层水，形成了近岸水域的低温区。南美的亨博尔特海流（Humboldt current）和西非的本格拉海流（Benguela c.）都是沿岸冷水流。因此，即使这些地方都位于赤道附近而且上升流也带来丰富的营养盐，温度上不去，故无石珊瑚。但在硫球群岛、百慕大群岛，因黑潮和墨西哥湾流把高温、高盐水体携带北上，即使其地理位置远离赤道，但仍适于石珊瑚生存。红海和波斯湾地处沙漠，淡水注入极少，故有适于石珊瑚存活的稳定的盐度和透明度。

研究指出，石珊瑚的生存更依赖共生于体内的虫黄藻 Zooxanthellae 的存活。此类虫黄藻在石珊瑚内层上皮中每平方厘米可达一二百万个，这不仅是珊瑚多姿多彩的原因，而且还能把光合作用生成的碳水化合物供作珊瑚 60%的营养来源。同时，珊瑚代谢产物CO_2又供虫黄藻利用，降低了体内碳酸的含量，使 $Ca(HCO_3)_2$ 转化为 $CaCO_3$，有助于石珊瑚骨骼的形成。作为回报，石珊瑚不仅为虫黄藻提供保护，其代谢出的营养元素 P，N 等又为虫黄藻截获利用。假若海水浑浊，沉积物不仅能堵塞珊瑚而更影响了虫黄藻光合作用的正常进行，这也是在沉积物过多的河口区和水深超过 50 m 光线透入较少的深处，缺少石珊瑚的原因。

2. 珊瑚礁（coral reef）：是热带浅水水域含钙结构支持的海洋动植物的多样性集合。珊瑚礁独具的特征是靠生活其间的某些动植物形成的，即以珊瑚骨骼为主骨架，辅以其他造礁生物和粘结生物，构成能抵御风浪的生物堆积体。在分泌碳酸钙的生物中，对现代珊瑚礁形成尤以造礁珊瑚(hermatypic coral)(图5-21)最为重要。造礁珊瑚是石珊瑚的群体类群，不仅能沉积碳酸钙，而且也要求严格的生存环境(见上)，多分布于等温线 20 ℃的赤道附近(图 5-22)。

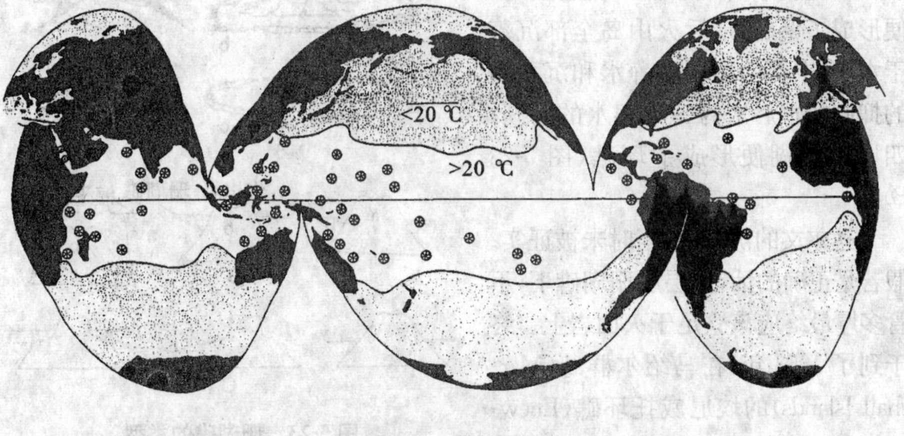

图 5-22　珊瑚礁区在全球的分布(仿 Hedgpeth 等)

珊瑚礁是其他动植物的庇护所，也是渔业生产和旅游之地，有防波、消浪、护岸的作用，也有避风港的功能。依其形态和形成，可把珊瑚礁分为 3 种类型。

裙礁(边礁 fringing reef)(图 5-23 Aa)，离海岸最近，紧靠大陆或岛屿岸边向海延伸，退潮时露出，涨潮时淹没。最著名者见于红海和波斯湾，是由于两岸沙漠终年少雨或无雨的缘故。亦见于我国海南省的南海岸。

堡礁(barrier r.)(图 5-23 Ab)，离岸较远，十几米到千米不等，由不同深度的泻湖或水道使之与陆地隔开。最著名的是澳大利亚昆士兰州沿海，南北延绵约 2 000 km、东西宽2～150 km、覆盖面积超过 20.7 万平方千米的大堡礁(Great Barrier Reef)。此外，还有太平洋裴济西北部的大海礁(Great Sea Reef)。

环礁(atoll)(图 5-23 Ac)，孤立于大洋之中，是几乎把泻湖封闭起来的一串环形礁。印度-太平洋多达 300 个，而大西洋西部仅有 10 个，其中最著名的是百慕大环礁(Bermuda a.)。

但是，裙礁和堡礁常邻近大陆，又常受到波浪和人为的影响或破坏，故常难以区分，有时合称为近岸礁(coastal reef)。在大洋中，环礁是壮观的，其起因曾引起人们极大的兴趣，最著名的是达尔文的沉降说(Darwin's subsidence theory)。

1881～1886 年贝格尔(*Beagle*)号的环世界考察航行，奠定了达尔文对珊瑚礁和火山岛的研究工作。1842 年达尔文有关地质学的论著中提出环礁是因火山下沉、珊瑚向上堆生形成的著名论断。具体说，裙礁最初是沿高于海面的火山岛边缘生长，随后火山岛下沉，当裙礁向上生长跟得上火山下沉速度时，便形成了堡礁，最后火山岛全部沉落于水中，中部的珊瑚受静水和沉积物的抑制死亡后成为一潭碧水的泻湖，四周的珊瑚便形成了环礁(图 5-23 B)。

达尔文的沉降说，当时未被证实。假若是正确的话，那层层珊瑚礁下，不管多厚最终应该立足于火山岩上。终于到了 1953 年，在马绍尔群岛(Marshall Islands)的埃尼威托环礁(Enewetal atoll)钻孔 1 000 m(3 280 英尺)的珊瑚石灰岩下钻到了火山岩，这说明这里的珊瑚缓慢上升、火山缓慢同步下沉已有 300 万年的历史了。

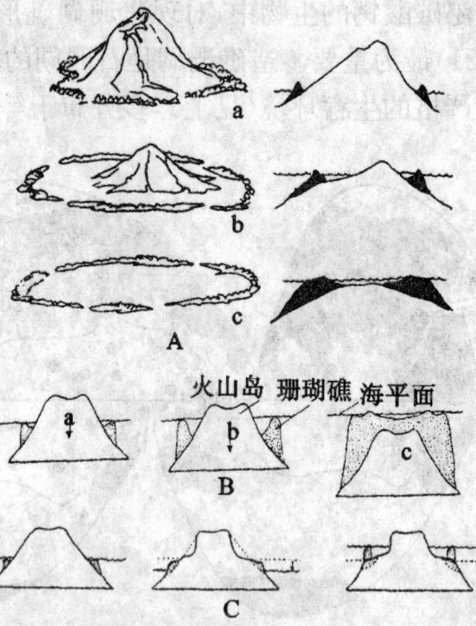

图 5-23　珊瑚礁的类型

A. 发展过程示意图；B. 沉降说；C. 冰川控制说，a. 裙礁，b. 堡礁，c. 环礁

(A 仿 Sumich；B 仿 Lerman)

但是，任何学说不都是十全十美的，都有待补充和发展。1919 年 Daly 的冰川控制说(Glacial contral theory)主要解释裙礁是如何演化为堡礁的。在冰川期由于海平面下降和低温珊瑚死亡，使陆块和珊瑚礁受到波浪等因素的侵蚀。冰川后期海平面上升，新珊瑚又在老珊瑚的基础上长了出来(图 5-23 C)，从而形成了今天的堡礁。

5.5.3 分类

珊瑚纲动物现生 2 000 余种、化石近 5 000 种。现分为 2 亚纲 12 目。

亚纲 1. 八放珊瑚亚纲 Octocorallia(软珊瑚亚纲 Alcyonaria)：螅体具 8 个羽状触手和 8 个隔膜，1 个口道沟，每个隔膜在向口道沟处具(缩)肌旗。骨骼无或有、角质或钙质，分散、愈合或具坚韧之中轴。螅体常靠共肉联系。

目 1. 根枝珊瑚目 Stolonifera：螅体无共肉(团)，发生于匍匐根上。骨骼为分散的骨针如棒珊瑚 *Clavularia*(图 5-19 A)，或骨针愈合成长而平行的管且为横向板结合如笙珊瑚 *Tubipora*(图 5-24 A)。

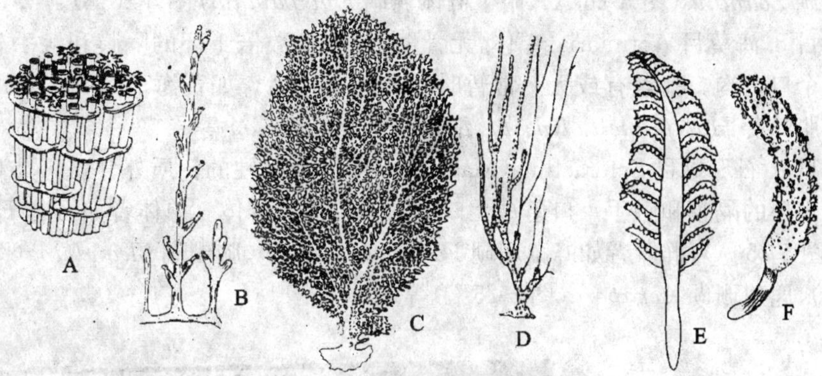

图 5-24　八放珊瑚类(仿各作者)

A. 笙珊瑚;B. 石花虫;C. 扇柳珊瑚;D. 疣柳珊瑚;E. 海鳃;F. 海仙人掌

目 2. 石花虫目 Telestacea:在单一或分枝的茎上具侧生的螅体,具钙质骨针骨骼。如石花虫 *Telesto*(图 5-24 B)。

目 3. 软珊瑚目 Alcyonacea:又称海鸡头。共肉似橡胶样的团块,螅体多陷入其中。群体形状多种树样或蘑菇状。芽体生于群体的顶端。具钙质骨针。如海鸡冠 *Alcyonium*。

目 4. 苍珊瑚目 Helioporacea:具一团天蓝色的钙质骨骼,初由霰石愈合成片状,后堆积成块。见于印度—太平洋的苍珊瑚 *Heliopora*。

目 5. 柳珊瑚目 Gorgonacea:又称角珊瑚(horny coral)。直立的植物样,具角质的中轴骨骼。向平面发展的群体,其分枝彼此连成扇状。如扇柳珊瑚 *Gorgonia flabellum*、疣柳珊瑚 *G. verrucosa*(图 5-24 C,D)、海鞭 *Leptogorgia*,或具坚硬呈红色的钙质中轴骨的红珊瑚 *Corallium*。

目 6. 海鳃目 Pennatulacea:均为肉质的群体。由轴状螅体和辐射排列其上的次级螅体组成。轴状螅体以其柄固于软底质中。如内无中轴角质骨骼的海仙人掌 *Cavernularia*(图 5-24 F)、具角质中轴骨的海鳃 *Pennatula*(图 5-24 E)和白色钙质中轴骨的沙著 *Virgularia*。

亚纲 2. 六放珊瑚亚纲 Hexacorallia(群体海葵亚纲 Zoantharia):触手和隔膜数量超过 8 个,典型者为 12 个 1 环。触手罕见羽状。隔膜常对生且其肌旗亦相对。骨骼无或有。群体或单体。

目 7. 群体海葵目 Zoanthinaria:螅体小无基盘,无骨骼,仅具 1 个口道沟。分布颇广,见于近岸至深海,由热带到寒带,但暖海中特多。单体或群体,单体者以下端插入泥沙中,群体则多附于其他无脊椎动物体表、虫管或壳上。如群

体珊瑚 *Zoanthus*(图 5-26 A)、附生群体珊瑚 *Epizoanthus*(图 5-26 B)。

目 8. 海葵目 Actiniaria：单体，无骨骼，具 6 基数倍 1 环的隔膜和触手。常具两个口道沟。基盘有或无。常暂时性地固着生活。如黄海葵 *Anthopleura*、纵条肌海葵 *Haliplanella lineata*、细指海葵 *Metridium* 等。

目 9. 石珊瑚目 Scleractinia(Magreporaria)：具坚硬的钙质外骨骼。具 6 基数倍 1 环的隔膜和触手。口道短无口道沟。单体或群体。单体者如石芝 *Fungia*(图 5-25 A)，群体者如蜂巢珊瑚 *Favia*(图 5-25 B)、脑珊瑚 *Meandrina*(图 5-25 C)、鹿角珊瑚 *Acropora*(图 5-25 D)等。

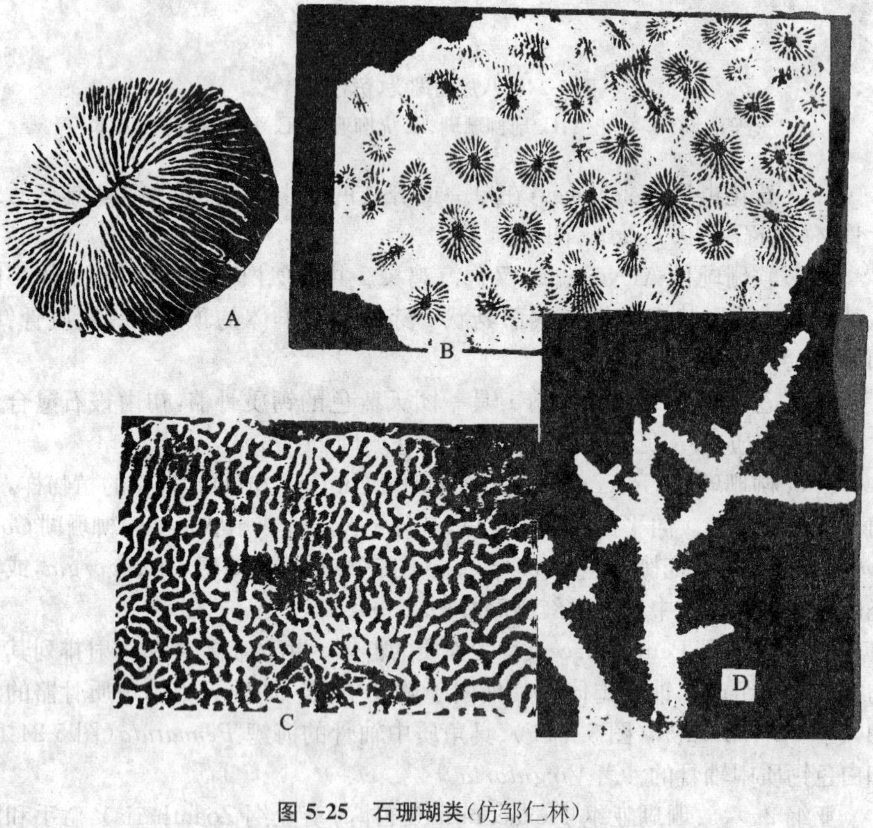

图 5-25　石珊瑚类(仿邹仁林)

A. 石芝 *Fungia*；B. 蜂巢珊瑚 *Favia*；C. 脑珊瑚 *Meandrina*；D. 鹿角珊瑚 *Acropora*

目 10. 珊海葵目 Corallimorpharia：似真珊瑚但无骨骼。触手呈辐射状排列。如 *Corynactis* 等。国内尚未见报道。

目 11. 角海葵目 Ceriantharia：海葵样但体细长适于栖居于泥沙中，无基盘，仅具 1 口道沟，隔膜不成对排成 1 环且都与口道沟相连。如角海葵 *Cerianthus*（图 5-26 D）。

目 12. 黑角珊瑚目 Antipatharia：直立的植物样似柳珊瑚，骨骼黑色角质并具刺。具 6 个不收缩的触手。见于热带深海。如黑角珊瑚 *Antipathes*（图 5-26 C）。

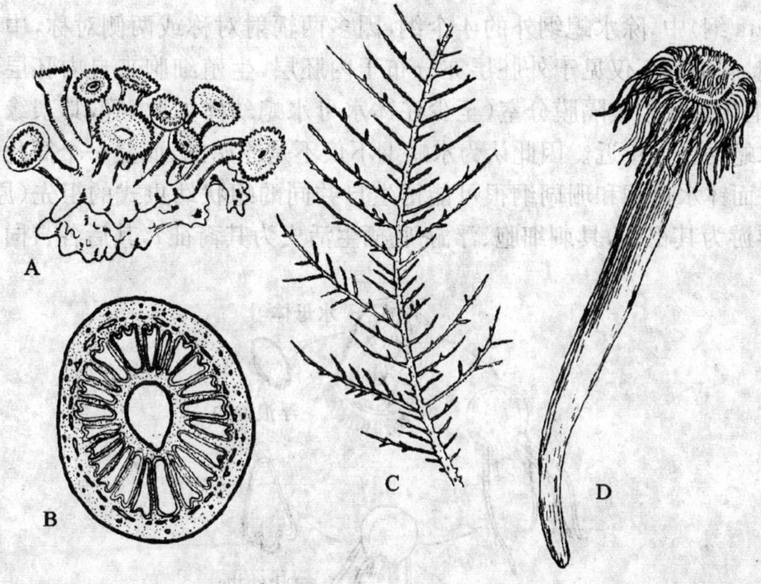

图 5-26　群体珊瑚、角海葵和黑角珊瑚

A. 群体珊瑚；B. 附生群体珊瑚（横切面）；C. 黑角珊瑚；D. 角海葵

（A，B 仿 Hyman 从 Lwowsky；C 从 Carlgreni；D 从 Beneden）

5.6 系统发生

1. 腔肠动物的起源：腔肠动物以其不同于多孔动物的二胚层结构、独具刺细胞、生活史中或具附着生活的水螅体或具浮游生活的水母体，个体发育多经原肠/浮浪幼虫（gastrula/planula）等特征，使之在动物界真后生动物演化发展中占重要位置。

动物学家虽对腔肠动物起源于二胚层浮浪祖体（planuloid ancestor）的说法持怀疑的不多，但对该祖体是移入中实的，还是内陷中空的，则有吞噬虫（Phagocytella）和原肠虫（Gastraea）说长达百年之争（见“多细胞动物祖先”节）。

2. 腔肠动物门各纲的演化：最早认为，水螅纲是该门内最原始的纲。因其水螅体或水母体都比其他各纲简单，辐射对称的体制、中胶层中无细胞、刺细胞仅限于外胚层、生殖细胞来自外胚层、无隔膜或胃丝等。钵水母纲（含立方水母，曾为其一目）和珊瑚纲，则是水螅纲水螅体和水母体各自向水底附着和向水层浮游方向演化的结果。

但是，近年研究指出，在腔肠动物的 5 个纲（包括在寒武纪—三叠纪灭绝的 Conulata 纲）中，除水螅纲外的 4 个纲，因多两辐射对称或两侧对称，中胶层中具细胞，刺细胞不仅见于外胚层亦分布于内胚层，生殖细胞来自内胚层而非外胚层，消化循环腔被隔膜分室（至少在钵水母水螅幼体如此）等，其亲缘关系较之与水螅纲更为接近。因此认为水螅纲不仅不是原始的，而是一个简化的次生类群。而钵水母纲和珊瑚纲很可能衍生自共同的螅状幼虫式的祖先（原肠胚、终生浮游为其祖征，具刺细胞、浮游-底栖生活史为其裔征），其后各自向浮游水

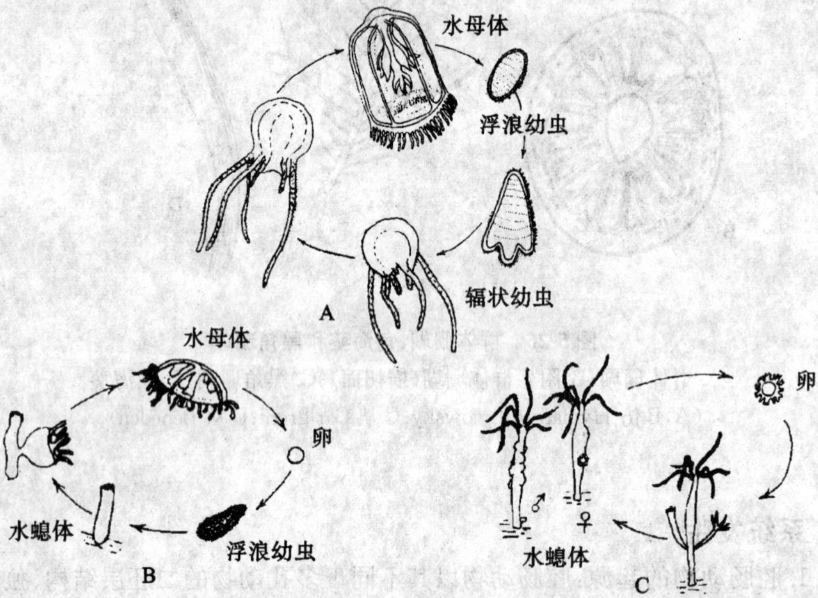

图 5-27　水螅纲动物生活史，示水母体被抑制(B)和消失(C)

A. 壮丽水母；B. 桃花水母；C. 水螅

（仿 Barnes 从 Bayer 等）

母体或向底栖珊瑚水螅体的不同方向演化。

水螅纲和钵水母纲何以衔接，即水螅纲中水母体和水螅体哪个原始。在水螅纲生活史中（图 5-27），壮丽水母 *Aglaura* 经浮游的辐状幼虫直接发育为水母体，淡水的桃花水母 *Craspedacusta* 和海生钩手水母 *Gonionemus* 浮浪幼虫经水螅体（相当于辐状幼虫）附着期出芽发育为水母体，水螅 *Hydra* 则失去浮游的浮浪幼虫和水母体（期）。以上说明，在水螅纲中，水母体原始，后来受到抑制，而来自水母体的辐状幼虫可能是适于附着生活的第一个水螅体。

第 6 章　栉水母门

Ctenophora(Gr., *ktenos*, comb; *photos*, bearing)

6.1 概述

栉水母胶状透明，近球形、袋状或叶片形，两侧辐射对称，发达的中胶层中含有肌纤维和变形细胞，多具特殊的粘细胞和 8 条纵行的栉带。通常称为 comb jelly，海胡桃(sea walnut)或海醋栗(sea gooseberry)。

栉水母门(图 6-1)的主要特征：

1. 多海生、少数生活于半咸水，多浮游、少数底栖爬行、个别种寄生；
2. 沿口—反口轴呈两辐对称；
3. 体壁细胞 2 层，具胶状透明的中胶层；
4. 体表具 8 条纵行的栉带；
5. 具口和肛门，多具复杂的胃循环管；
6. 若具触手则具特殊的粘细胞；
7. 无骨骼、循环、排泄和呼吸系统；
8. 扩散式的神经网，具特殊的反口面平衡器；
9. 多雌雄同体，生殖腺来自内胚层；
10. 体外受精，定型卵裂，经栉水母(栉板)幼体期。

栉水母门动物约 110 种，现分 2 纲 7 目(表 6-1)，其检索性状主要为：

1. 触手：a. 具，b. 无；
2. 触手鞘：a. 具，b. 无，c. 成体时重建；
3. 栉带：a. 具 8 条，b. 无或退化，c. 4 条；
4. 口瓣：a. 具，b. 无。

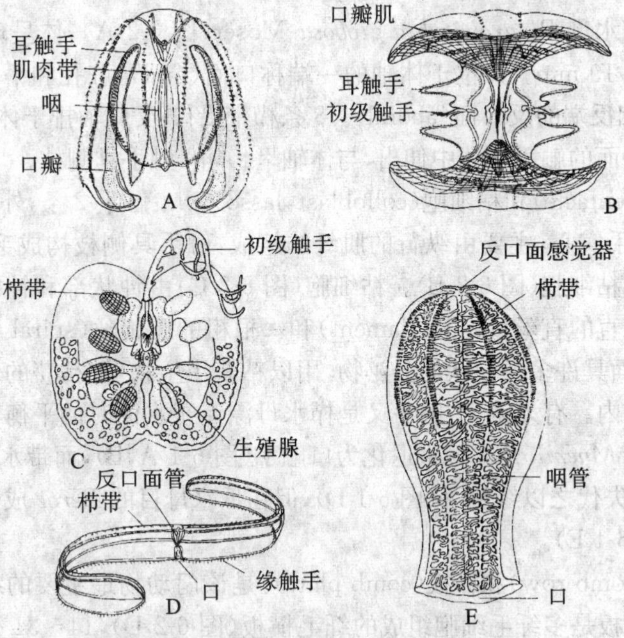

图 6-1　栉水母

A. 瓣水母 *Mnemiopsis* 幼体侧面观；B. 瓣水母 *Mnemiopsis* 幼体口面观；C. 栉扁水母 *Ctenoplana*；D. *Velamen*；E. 瓜水母 *Beroë*

（C 仿 Meglitsch 从 Komia；余仿 Hyman）

表 6-1　栉水母门的分类

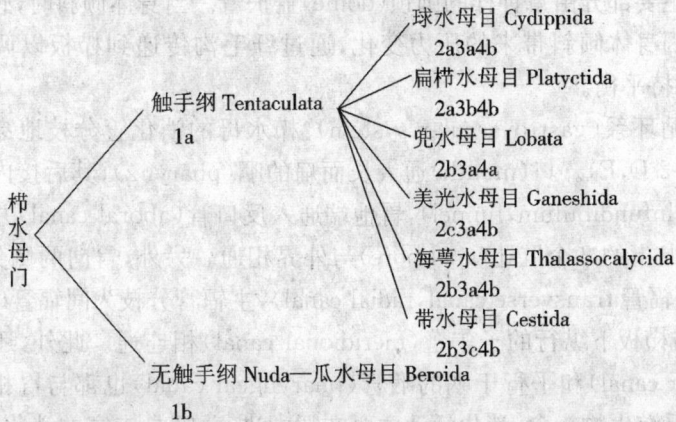

- 栉水母门
  - 触手纲 Tentaculata 1a
    - 球水母目 Cydippida 2a3a4b
    - 扁栉水母目 Platyctida 2a3b4b
    - 兜水母目 Lobata 2b3a4a
    - 美光水母目 Ganeshida 2c3a4b
    - 海萼水母目 Thalassocalycida 2b3a4b
    - 带水母目 Cestida 2b3c4b
  - 无触手纲 Nuda—瓜水母目 Beroida 1b

6.2 形态、结构和功能

球形侧腕水母 *Pleurobrachia globosa* Moser(图 6-2 A),体呈球形,高 7～11 mm,宽 6～10 mm。口位于体轴的一端称口面(oral),肛孔和平衡囊(statocyst)位于口相反端的反口面(aboral)。8 条栉带沿口-反口轴排于体表。2 条触手由低于胃平面的触手鞘孔中伸出,与体轴呈45°角,触手具侧枝。

1. 触手(tentacle)和粘细胞(colloblast,lasso cell):触手 2 条,外伸可达体长的 12 倍。触手实心,主要由纵行的肌纤维组成,触手具侧枝构成毛饰状结构,侧枝上具许多粘细胞(图 6-2 B)。粘细胞(图 6-2 C)由钟状部和钟状部凹面伸出的一根细而直的直丝(strait filament)和一根粗的螺旋丝(spiral filament)组成,钟状部凸面具许多颗粒状的分泌物,用以粘获小生物,被粘获的饵料可随同触手被甩入口内。有人认为,触手又是栉水母漂浮于水面时的平衡器。在兜水母目的瓣水母 *Mnemiopsis* 触手退化为口触手(图 6-1 A,B),而带水母目的 *Velamen* 触手消失代之以缘触手(图 6-1 D),但在瓜水母目的 *Beroë* 成体或幼体期皆无触手(图 6-1 E)。

2. 栉带(comb row)和栉板(comb plate):是该门动物最主要的结构特征和运动器官。栉板是多纤毛细胞组成的纤毛横板(图 6-2 D),14～31 列这样的栉板沿口-反口轴排列于体表组成一条栉带,共 8 条,其中 4 条位于咽的两侧,4 条位于触手两侧。在扁栉水母 *Platyctenea* 栉带退化。

3. 平衡囊(statocyst)(图 6-2 F):位于反口面,司感觉和平衡。包括一个平衡石(statolith),4 条具纤毛的平衡棒(balancer)。每条平衡棒分别与两条纤毛沟相连且通向栉带,此外还有功能不详的位于咽平面的两块极板(polar field)。触手囊的主要部分由罩钟样的圆顶(dome)盖护着。当身体倾斜时,感觉棒接受到平衡石因身体倾斜带来的压力变化,通过纤毛沟传递到栉板以调节栉板运动,从而保持平衡。

4. 胃循环系(gastrovascular system):栉水母的消化管分枝地穿过厚的中胶层(图 6-2 D,E)。口(mouth)通入长而扁的咽(pharynx),其后接内胚层的胃(stomach,infundibulum,funnel),胃他端通入反口管(aboral canal)并通过肛管(anal canal)上的 2 个肛孔(anal pore)与外界相通。另外,胃向两侧分枝分出 2 个横管(主辐管 transverse canal,radial canal),主辐管分枝为间辐管(interradial canal)并与栉板下纵行的子午管(meridional canal)相连通。此外,还有触手管(tentacular canal)和平行于咽的咽管(pharyngeal canal)也都与胃相通。栉水母主要以浮游生物为食,消化活动主要在咽中进行,咽具丰富的消化酶,被消化的物质为分枝的消化管运往身体各处。消化管兼具循环功能，故称胃循环系。

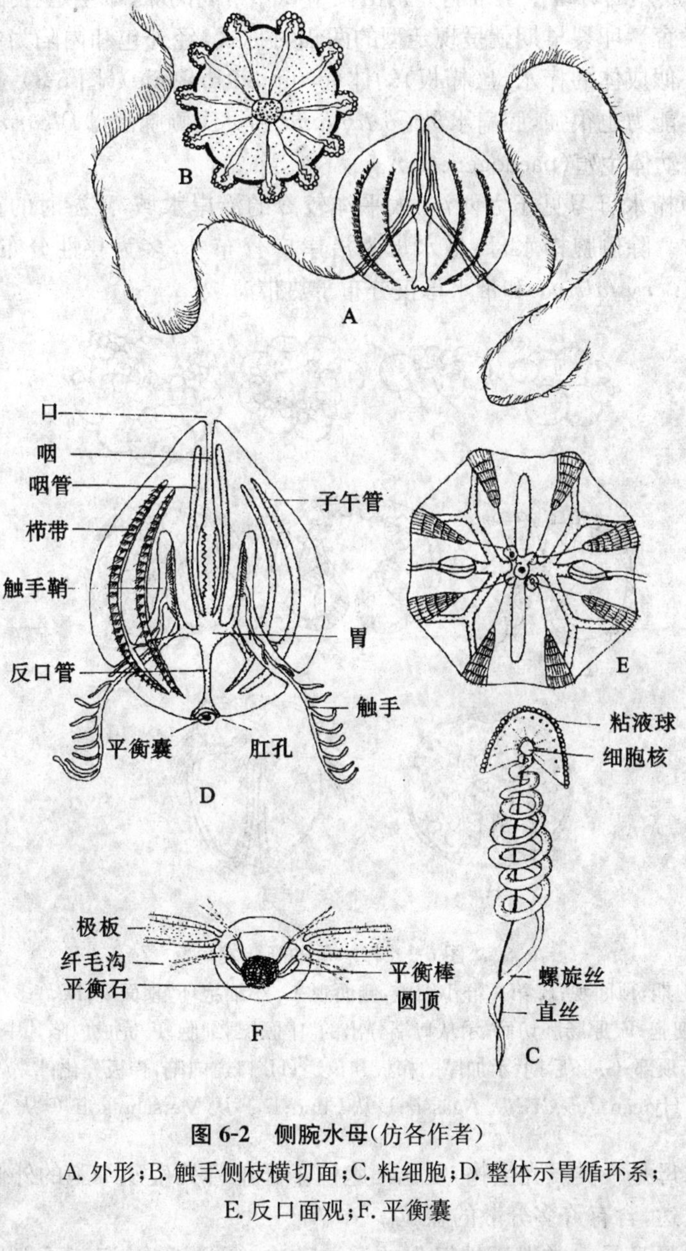

图 6-2　侧腕水母(仿各作者)

A. 外形；B. 触手侧枝横切面；C. 粘细胞；D. 整体示胃循环系；

E. 反口面观；F. 平衡囊

5. 生殖腺和发育(gonad and development):雌雄同体,雌雄生殖腺分别由子午管壁加厚的两条内胚层细胞带分化形成。厦门港产者主要生殖季节在 4～7 月份。成熟的雌雄生殖细胞分别由位于 2 栉带间的雌、雄生殖孔排出,在体外受精和发育。卵裂早期就呈现定型的两辐对称式,经外包和内陷为主的原肠作用形成一似成体的栉水母(栉板)幼体(cydippid juvenile)(图 6-3)。此外,栉水母的再生能力也很强,腔扁水母 *Coeloplana* 和贝氏侧腕水母 *Pleurobrachia bachei* 还具幼体生殖(paedogenesis)。

侧腕栉水母习见于大西洋、太平洋较冷的沿岸水域,浮游时的正常体位是口在上方。除侧腕栉水母、瓜水母为沿岸广分布外,多为狭性分布,如碟水母 *Ocyropsis crystallina* 和带水母仅分布于热带海域。

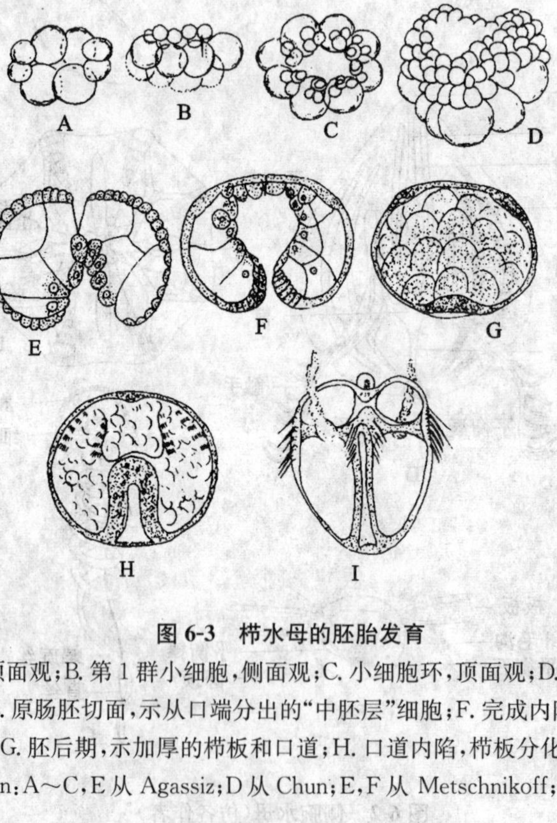

图 6-3　栉水母的胚胎发育

A. 8 细胞期,顶面观;B. 第 1 群小细胞,侧面观;C. 小细胞环,顶面观;D. 许多小细胞开始覆盖大细胞;E. 原肠胚切面,示从口端分出的"中胚层"细胞;F. 完成内陷,"中胚层"位于原肠顶部;G. 胚后期,示加厚的栉板和口道;H. 口道内陷,栉板分化;I. 栉板幼体

(仿 Hyman:A～C,E 从 Agassiz;D 从 Chun;E,F 从 Metschnikoff;O 从 Mayer)

栉水母是一类发光生物,发光细胞位于子午管处生殖细胞的外侧。发光细胞液泡发达,含有许多分散的颗粒。

栉水母又是一类毁灭性极强的浮游动物,通过潮汐、海流可聚积成巨大的集群。浩劫虾、蟹、贝苗以及鱼卵和稚鱼，对渔业危害很大。此外，有些狭性分布的热带种，可作为暖流的指示性生物。

6.3 系统发生

1. 与腔肠动物：相同处是，均呈两侧辐射对称，沿口-反口轴的排列，两细胞层的体壁，具胶状的中胶层，无体腔，具简单的分枝的胃循环腔，扩散式的神经丛，具平衡囊，生殖腺来自内胚层（高等腔肠动物），无特殊的排泄、循环、呼吸器官或系统；但不同是，触手位置相反，无刺细胞仅具粘细胞，具8个栉带，具间质肌和口道，定型卵裂的发育。

2. 与扁形动物：腔扁水母 *Coeloplana*、栉扁水母 *Ctenoplana* 和涡虫纲的多肠目 Polyclada 相似。体背腹扁平，爬行生活，具纤毛的外胚层，分裂的胃循环腔（特别是胚胎期），卵裂和原肠作用的相似性，具肌纤维和变形细胞的胶状间质，故认为腔扁水母和栉扁水母是栉水母动物和扁形动物演化的纽带。但是，这种观点未得到近代动物学家的支持，因为他们都是适于爬行而特化的栉水母类。何况，更原始的扁形动物，是无肠目 Acoela 而不是多肠目。

3. 原始的背神经动物，近年来 Nielsen 等（1985，1987）指出，栉板是多纤毛细胞组成的横纤毛带，向下的收集系统，特殊的粘细胞，具肛门和口，中胚层来自植物极小细胞，被认为是原始的背神经动物 Notoneuralia（图Ⅱ-9）。

第7章　扁形动物门

Platyhelminthes(Gr., *platys*, flat; *helminthes*, worm)

7.1 概述

扁形动物为两侧对称、背腹扁平、三胚层、无体腔、不分节、多无肛门、体长大于体宽的蠕虫状动物。又称扁虫(flatworm)。包括自由生活为主的涡虫(turbellarian),寄生具消化道的吸虫(fluke)和无消化道的绦虫(tapeworm)。

我国是最早记载涡虫类动物的国家。唐·段成式《酉阳杂俎》广动植二·虫篇:“度古,似书带,色类蚓,长二尺余,首如铲,背上有黑黄襕,稍触则断。常趁蚓,蚓下腹动,乃上蚓掩之,良久蚓化,惟腹泥如涎。有毒,鸡吃辄死,俗呼土虫。”此系涡虫纲笄蛭 *Bipalium* 习性,类似笄蛭的取食方法,亦见于海洋中之海片蛭。又,涡虫之汉字名,可能来自《尔雅·释水》“涡(过),辨回川”,郭璞注“旋流”,《广韵》“涡,水坳”,恐指水坳(涡)中之虫。

扁形动物门的主要特征:

1. 自由生活或寄生生活,自由生活者多海生;

2. 两侧对称(bilateral symmetry)且背腹扁平,具结构简单的前端(头部形成cephalization);

3. 三胚层,具中胚层的间质(mesenchyma),为无体腔动物(acoelomata);

4. 若具消化道则常有口无肛门,常以动物组织为食;

5. 无特殊的呼吸器官和循环系统;

6. 多具排泄和调渗功能的原肾(protonephridium);

7. 梯形神经系统(ladder-like nervous system);

8. 多雌雄同体(monoecism, hermaphrodite),生殖系统发达,具变化较大的螺旋卵裂,自由生活者常具浮游的 Gotte's 幼虫或 Müller's 幼虫期,寄生者也常经数个虫期。

扁形动物如同其他动物门一样，其分类方案在许多权威之间亦尚有争论。20 000 个现生种常被属于 4 纲 34 目（表 7-1）。其主要检索性状为：

1. 口或肠：a. 具，b. 无；
2. 棒状体（rhabdite）：a. 具，b. 无；
3. 合胞体的皮层（syncytial tegument）：a. 具，b. 无；
4. 吸盘（sucker）：a. 具，b. 无；
5. 排泄孔：a. 成对位于体前背侧，b. 一个位于体后端。

表 7-1　扁形动物门的分类

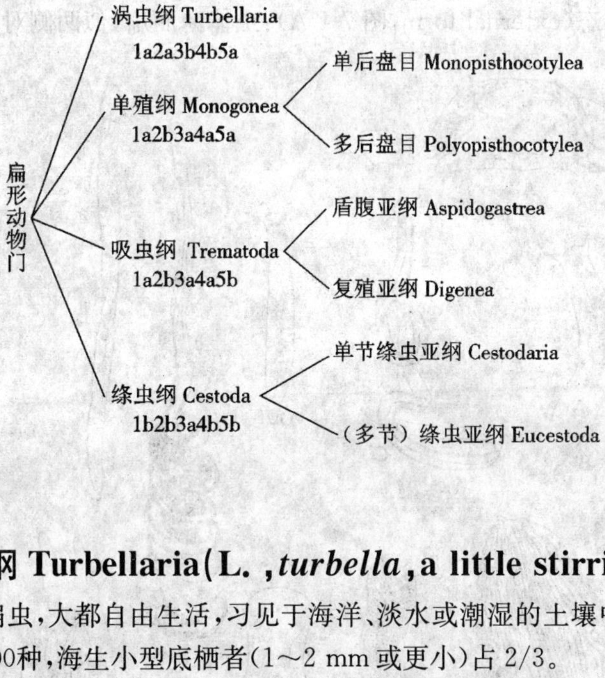

7.2 涡虫纲 Turbellaria（L.，*turbella*，a little stirring）

涡虫纲扁虫，大都自由生活，习见于海洋、淡水或潮湿的土壤中。本纲动物已记述达3 000种，海生小型底栖者（1～2 mm 或更小）占 2/3。

虫体前端常具简单的感官（眼点或触手）和腺区，体表多具纤毛（腹纤毛上皮 compound cilia）、腺细胞和棒状体，口多腹位具咽，具肠者常单枝或分枝，除单咽涡虫目 Haplopharyngida 具肛孔外皆无肛孔，间接发生者具 Gotter's 或 Müller's 幼虫期（图 7-4 F，G）。因生殖系统的结构是鉴定物种的主要特征，故需在不同季节采集而且要观察活标本。

淡水涡虫是动物学教学和实验的主要对象。近年，海洋涡虫数量、密度、生物量之大，均引起动物学家极大的关注，在沙滩其密度占整个小型动物的 7%～25%，平均干重为线虫的 4 倍，其生物量甚至等于或超过线虫（Martens，1986）。

7.2.1 杜氏涡虫 *Dugesia* sp.

1. 习性和分布(habit and distribution):见于淡水池塘、河沟以及小溪的石块、落叶下表面。用细线拴一小片肝或蚌肉,置于少许污浊而隐蔽的水下或砖石砌成多年的井中,便可诱集前来取食的涡虫。涡虫肉食性,若处于饥饿状态虫体会变小,若食物丰富则可产生卵茧并孵出幼体。

据报道,我国习见的是日本杜氏涡虫 *D. japonica*,欧洲是三角头杜氏涡虫 *D. gonocephala*。两者仅在染色体组型,阴茎乳突是否对称,射精管开口的位置上稍有不同。

2. 外部形态(external form,图 7-1 A):虫体薄而扁,似两侧对称(即通过一

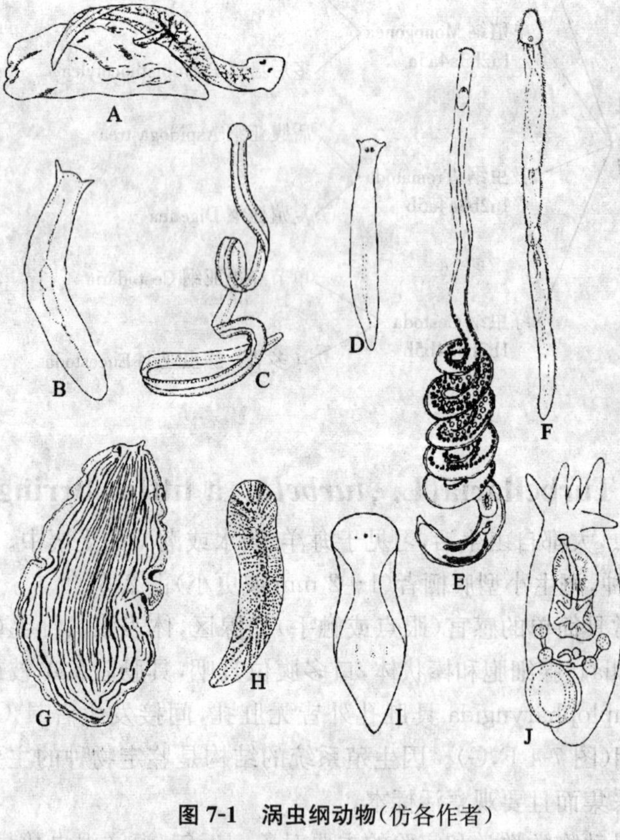

图 7-1 涡虫纲动物(仿各作者)

A. 杜氏涡虫 *Dugesia* 在摄食;B. 多眼涡虫 *Polycelis*;C. 土笄蛭涡虫 *Bipalium*;D. 吞噬涡虫 *Phagocata*;E. 线涡虫 *Nematoplana*;F. 链涡虫 *Catenula*;G. *Prostheceraeus*;H. 薄背涡虫 *Notoplana*;I. 旋涡虫 *Convolula*;J. 刻头虫 *Temnocephala*

个对称面，一侧是另一侧的影像）的柳叶，长约 15 mm，宽 2～3 mm，厚 0.5～1.5 mm。可明显地分为前、后、背、腹。前端（anterior end）近三角形两侧具耳突（auricle）和黑色的眼点（eye-port），后端（posterior end）稍尖；背部（dorsal）稍隆起、色深常灰黄色，两侧具许多排泄孔或原肾孔（excretory pore，nephridiopore）；腹部（ventral）稍平而色浅，腹中线近体后 2/5 处具口（翻咽或吻有时可由口中伸出），口后具生殖孔。

3. 体壁（body wall）：由上皮、基膜、皮下腺体、肌肉层组成（图 7-2 A，B）。因围于内部间质或内部器官外，故称其为皮肤肌肉囊（dermo-muscular sac）。

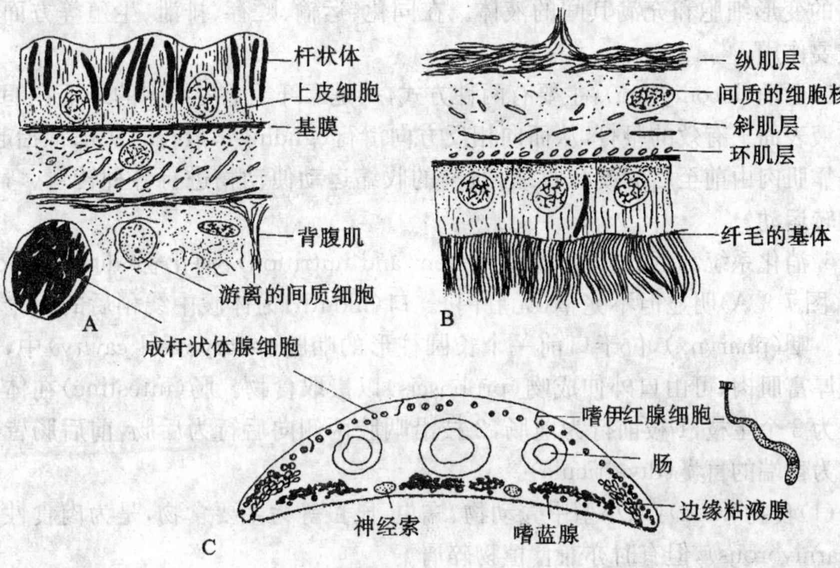

图 7-2　杜氏涡虫的体壁（仿 Hyman）

A. 背体壁纵切面；B. 腹体壁纵切面；C. 横切面模式图、示主要腺细胞或腺体的位置

（1）上皮（epidermis）：由单层柱状上皮细胞组成，具卵圆形或圆形核。腹部上皮除腹侧黏液带外皆为复纤毛上皮细胞，且具微绒毛（microvilli）。上皮细胞间具杆状体，由上皮间或间质中的成杆状体腺细胞（rhabdite-forming gland cell）分泌，在体背表较多。当杆状体排入水中，便膨胀形成围绕虫体的胶状粘鞘，起保护和捕食作用。

（2）基膜（basement membrane）：为上皮下的一非细胞层，以此与肌肉层隔开。

(3)肌肉层(muscle layer):位于基膜下。外为薄的环肌(circular muscle),中为宽而分散的斜肌(diagenal m.),内为纵肌(longitudinal m.)。此外,在背腹之间还有背腹肌(dorsal-ventral m.)。

涡虫体壁的另一特征是具许多腺细胞(图 7-2 C),腺细胞可在上皮之间,但多沉入肌肉层或间质中,仅靠其颈部穿过上皮(皮下腺体 sub-epidermal gland),其分泌的黏液可粘附他物或用以润滑体表,有助于虫体保护、运动或捕食。

4. 间质或实质(mesenchyma,parenchyma):为体壁和肠壁间的中胚层网状结缔组织,并填充于内部各器官之间,内具网状相连的细胞、未分化的胚细胞、游离的变形细胞和充满其间的液体。在同化、运输、贮存、排泄、生殖等方面都起重要作用。

5. 运动(locomotion):主要有两种方式,一是靠纤毛上皮细胞的纤毛在润滑的黏液表面上有效的鞭打,从而向相反方向滑行(gliding),滑行时头部常抬起。二是靠肌肉由前至后的波状收缩,肌肉的收缩运动使动物进行各种转弯、弯曲或扭转运动。

6. 消化系统和营养(digestive system and nutrition):消化管(digestive canal)(图 7-3 A)明显但不完整(无肛门)。口(mouth)为体腹中线稍后的一个圆形孔。咽(pharynx),位于口前一个长圆柱形的咽腔(pharyngeal cavity)中,管状壁厚富肌肉,可由口外伸成吻(proboscis)以摄取食物。肠(intestine)在体中部分为 3 个主枝,1 枝前行为前肠,2 枝沿咽腔两侧向后行为后肠,前后肠皆再分枝为盲端的盲囊(diverticula)。

(1)食物(food):以小型甲壳动物、蠕虫、昆虫等为主要食物,是为肉食性动物(carnivorous),但有时亦兼食植物碎屑。

(2)摄食(feeding):以黏液将猎获物包围后,管状吻(图 7-1 A)包绕或插入吸吮,并分泌蛋白水解酶。但食物常被整个吞入或被分为小块入肠。

(3)消化(digestion):先行细胞外消化,后行细胞内消化,被消化的食物为肠壁吸收(ingestion)入间质达身体各部,未被消化的食物仍由口中排出体外(排遗或排粪 egestion)。涡虫能耐饥饿,一个 25 mm 长的涡虫停食 6 个月后可缩到 3 mm 长,能消耗除神经以外的组织,一旦有食物供应,即恢复为一正常大小的个体。

7. 呼吸和气体扩散(respiration and diffusion of gases):涡虫无任何呼吸器官,间质之间液体的流动可输送气体。若虫体某部离体表太远,氧就不可能足够快地扩散以供需求。据估算,扁虫的最大厚度为 0.5 mm 左右,若腹面也同样扩散氧的话,则厚为 1 mm。同样圆筒形涡虫其最大直径为 1.5 mm,超过了此厚度大概氧就不能足够快地扩散,这可能是扁虫何以扁的原因之一。

8. 排泄和渗压调节系统(excretory and osmoregulation system,图 7-3 B,C):淡水涡虫的原肾(protonephridium)由纵行的排泄管和许多排泄孔、细长的焰细胞组成。排泄管(ex. tubule)为位于身体两侧的纵行管,具许多小分枝(排泄小管 ex. duct),在眼前端由横管相连,而在体后端则彼此分离。排泄孔(ex. pore)或原肾孔(nephridiopore)为纵行排泄管在体背侧通向体外的许多小孔。焰细胞(flamecell,cystocyte)是纵排泄管分枝末端的细胞,核大,细胞质具许多

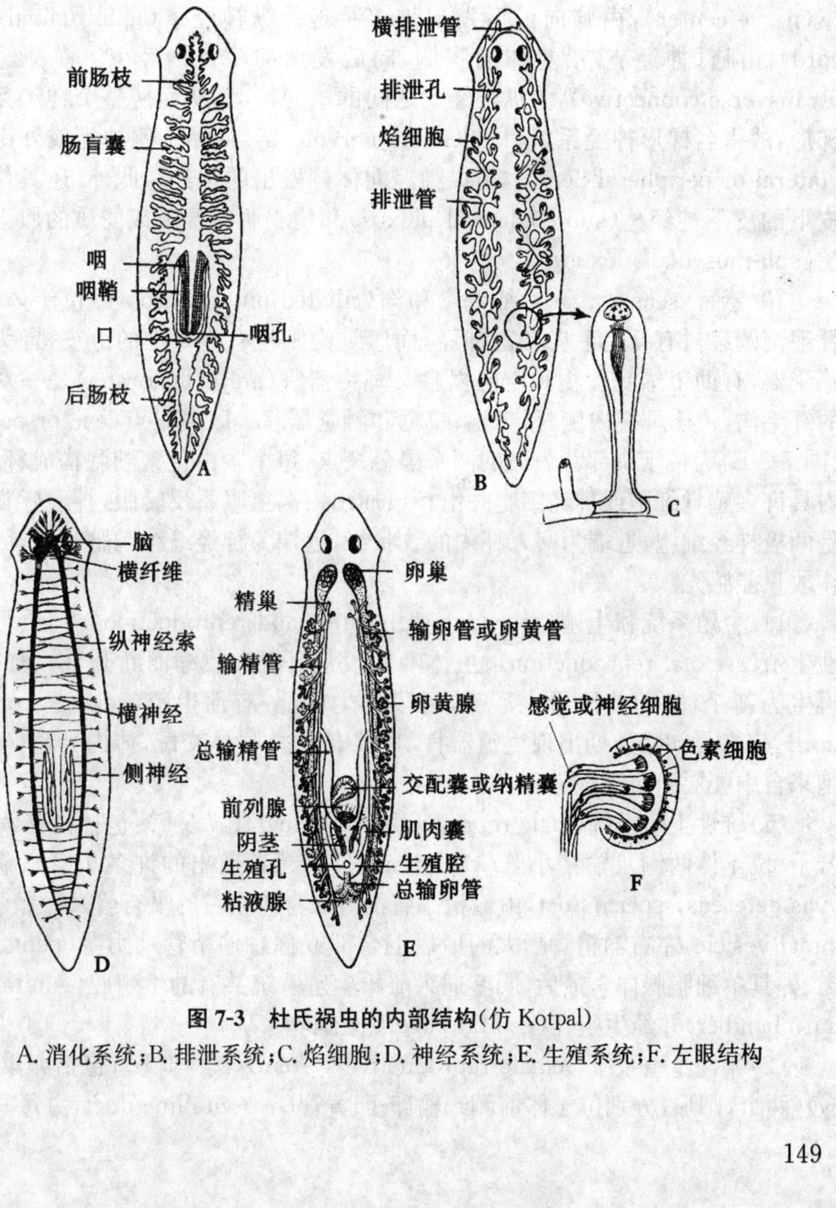

图 7-3 杜氏涡虫的内部结构(仿 Kotpal)

A. 消化系统;B. 排泄系统;C. 焰细胞;D. 神经系统;E. 生殖系统;F. 左眼结构

分泌颗粒，其细胞空腔具成束摆动的鞭毛，并以此腔与排泄小管相复合。原肾常被称为排泄器官，但排泄不是其主要的功能，除可将间质中的代谢产物（主要是氨和组织中的水分）随焰细胞鞭毛的摆动渗透入焰细胞、经排泄小管、纵排泄管、排泄孔排出体外，还能排出组织中过多的水分，故对水在体内的平衡有着明显的调渗作用。

9. 神经系统（nervous system，图 7-3 D）：由脑、纵神经索、横神经等构成。脑（brain）位于两眼后的上皮下，两叶呈倒 V 形，为调节身体各部活动的神经中枢（nerve center），由脑向前后发出许多神经。纵神经索（longitudinal nerve cord），由脑（神经节）沿身体的腹侧，向后发出的两条神经束。横神经连索（transverse connective），为纵神经索之间的横向神经，从而使整个神经系统呈梯形，故得名梯形神经系统（ladder-like nervous system）。侧神经或外围神经（lateral or peripheral nerve），由纵神经向体侧发出的神经。此外，还具位于上皮下的皮下神经丛（sub-epidermal plexus）和位于肌肉层下或间质的肌下神经丛（sub-muscular plexus）。

10. 感官（sense organ）：纤毛窝和沟（ciliated pit and groove）位于体前端，纤毛窝圆扁衬有纤毛上皮且富神经，而感觉沟则衬有无纤毛的上皮，皆为化学感受器，有助于感受食物和定向摄食。耳突器官（auricular organ）是一对白色的纤毛沟，位于耳突内侧，系味觉、嗅觉和触觉器官。眼或眼点（eye or ocellus）（图 7-3 E）为位于头部背表面的两个黑色斑点，每个眼由色素细胞构成杯状，杯内具许多感觉细胞或神经细胞并由杯口通出。涡虫眼系反转眼，神经感觉细胞是两极神经细胞，近端为突入杯内的纹状缘，远端为神经纤维与脑相连，因无晶体故只能感光。

11. 生殖系统和生殖（reproductive system and reproduction）：涡虫可行无性生殖（asexual reproduction），虫体咽后段常可横向收缩而断开，横裂的部分再生为新个体，即前段再生后部，后段再生前部；有性生殖（sexual reproduction），仅在夏初繁殖期出现生殖器官，为雌雄同体，异体交配，体内受精，生殖细胞来自中胚层间质细胞。

（1）雄性生殖系统（male reproductive system）（图 7-3 F）：包括精巢（testis，若干、位于体两侧）、输精小管（vas efferens，由精巢通出的许多小管）、输精管（vas deferens，sperm duct，由输精小管汇合入身体左右的纵行管）、贮精囊（seminal vesicle，左右输精管膨大的最后汇合部或称总输精管）、阴茎（penis，富肌肉、外具单细胞腺体），最后，阴茎通入雌雄生殖系统共有的生殖腔（genital atrium，chamber）并经生殖孔（genital pore）通出体外。

（2）雌性生殖系统（female reproductive system）（图 7-3 F）；包括卵巢（ovary）（两个，圆形，分别位于体前侧）、输卵-卵黄管（ovo-vitelline duct，由每一卵巢

向后发出的纵行管)、卵黄腺(vitelline gland)(为位于输卵-卵黄管外侧并通入的许多无滤泡状腺体)、总输卵-卵黄管(common ovo-vitelline duct)(由左右输卵-卵黄管汇合),最后亦通入雌雄生殖系统共有的生殖腔和生殖孔。

此外,还有交配囊(copulatory sac)(为短期贮存异体精子处)、肌肉囊(muscular sac)(功能不详亦通入生殖腔)等附属器官。

(3)交配(copulation)(图 7-4 A~C):涡虫为雌雄同体,但生殖时仍需交配交换精子。交配时,2 个个体腹面紧靠在一起,头尾向相或头对头,一方阴茎插入对方生殖孔,使精子暂存于交配囊中。

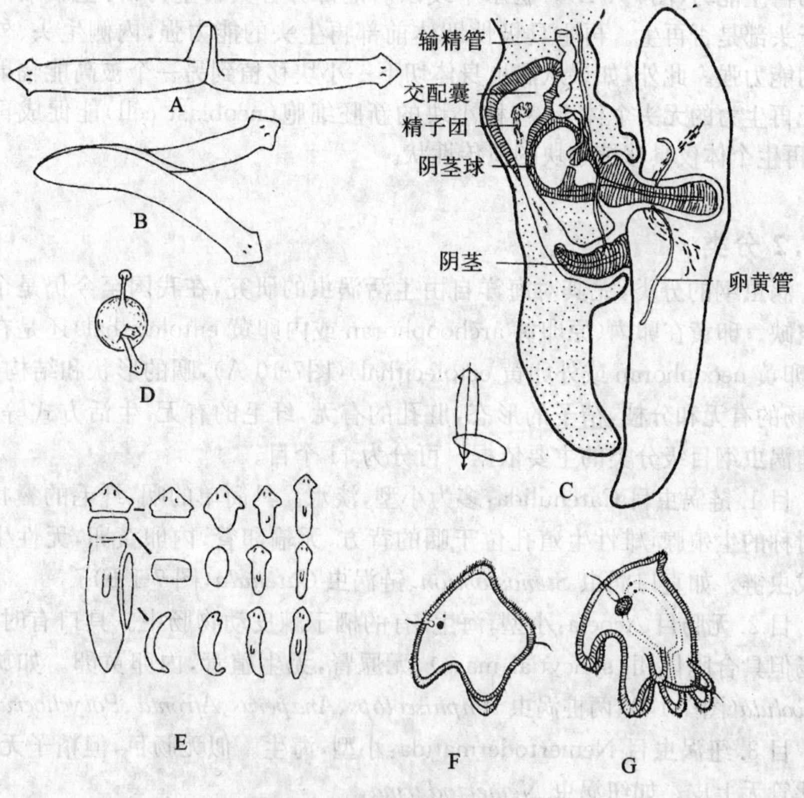

图 7-4　涡虫纲动物的生殖

A~E. 涡虫的生殖:A、B. 交配,C. 交配的切面示意图,
D. 卵茧,E. 再生;F. Gotte's 幼虫;G. Müller's 幼虫
(A~D 仿 Hyman;E~G 仿 Kato)

(4)受精(fertilization):交配后 2 个个体分开,暂存的精子由交配囊中逸出沿输卵-卵黄管上行,与卵巢排出的卵受精,故为体内受精。

(5)卵茧形成(cocoon-formation):受精卵沿输卵-卵黄管下行的同时,卵黄腺排出卵黄细胞进入输卵-卵黄管并包围受精卵,该卵被称为外卵黄卵(ectolecithal egg),约 10 个这样的卵在生殖腔中被更多的卵黄细胞包围形成一个蛋白质外壳的卵茧。卵茧卵圆形具短柄以粘于它物上(图 7-4 D)。

(6)发育(development):在卵茧中的受精卵由卵黄细胞提供营养,卵裂系螺旋定型卵裂(spiral determinate cleavage),无幼虫期直接发育,经 2~3 周后幼体(juvenile)破卵茧而出。

12. 再生和移植(regeneration and transplantation):涡虫有很强的丧失部分的再生能力(图 7-4 E)。脑水平线以后的部分皆具再生力,再生成败的关键在于头部是否再生。再生具极性即体前部再生头的能力强,内侧生头、外侧生尾的能力强。此外,如果从涡虫身体切下一小块移植到另一个被高能辐射处理后无再生力的无头个体上,移植小块的新胚细胞(neoblast cell)能促成再生新头,再生个体仅具移植小块的遗传性状。

7.2.2 分类

涡虫纲的分类,尤其对海洋自由生活涡虫的研究,在我国至今仍是个很大的空缺。卵黄在卵内(原卵黄 archoophoran 或内卵黄 entolecithal)还是在卵外(新卵黄 neoophoran 或外卵黄 ectolecithal)(图7-10 A),咽的形状和结构(图 7-5),肠的有无和分枝,精子的形态,肛孔的有无,纤毛的有无,生活方式等,都是当前涡虫纲目级分类的主要依据。可分为 11 个目。

目 1. 链涡虫目 Catenulida:多为小型,淡水。具简单的咽、纤毛的囊状肠和不对称的生殖腺,雄性生殖孔位于咽的背方,无输卵管,内卵黄卵,无性生殖常形成虫链。如直口涡虫 *Stenostomum*、链涡虫 *Catenula*(图 7-1 F)。

目 2. 无肠目 Acoela:小型,海生,有的栖于棘皮动物肠中。具口有时具咽,无肠但具合胞体团(syncytial mass),无原肾,无生殖管,内卵黄卵。如旋涡虫 *Convolula*(图 7-1 I)、两桩涡虫 *Amphiscolops*、*Anaperus*、*Afronta*、*Polychoerus* 等。

目 3. 纽涡虫目 Nemertodermatida:小型,海生。似无肠目,但精子无鞭毛,消化管无上皮。如纽涡虫 *Nemertoderma*。

目 4. 大口涡虫目 Macrostomida:小型,海生或淡水。具简单的咽和纤毛的囊状肠(sac-like gut)。如大口涡虫 *Macrostomum*(图 7-5 A)和微口涡虫 *Microstomum*。

目 5. 单咽涡虫目 Haplopharyngida:小型,海生。似大口涡虫,但具吻和临时的肛孔。如单咽涡虫 *Haplopharynx*。

目 6. 多肠目 Polycladida,长 3~20 mm,海生。有时具前缘或前背触手,中央肠管分出许多肠侧枝或再分枝，褶状咽(folded or plicate pharynx)极富肌肉(图 7-5 D)，内卵黄卵。如薄背涡虫 *Notoplana*(图 7-1 H)、瘦涡虫 *Leptoplana*、*Stylochus*。

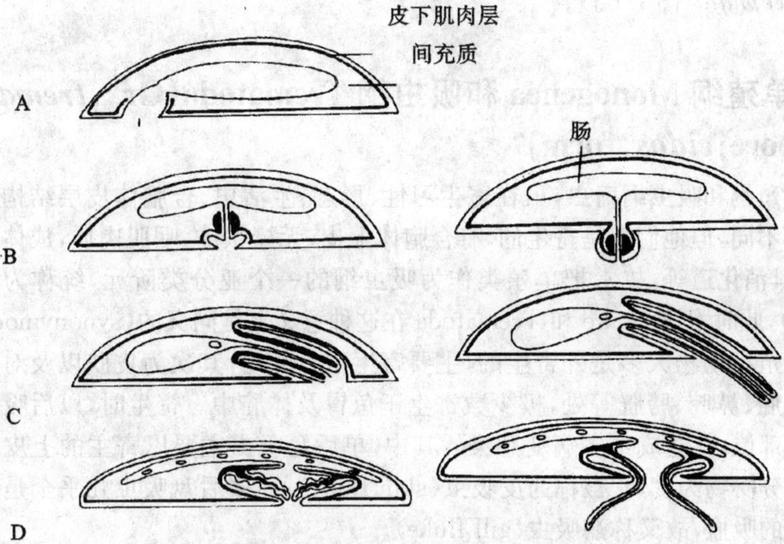

图 7-5　涡虫纲的咽(左:收缩;右:外伸)(仿 Jennings)

A. 大口涡虫 *Macrostomum* 的简单纤毛咽;B. 棒肠目中口涡虫 *Mesostema* 的球状咽;C. 三肠目多眼涡虫 *Polycelis* 的管状咽;D. 多肠目薄涡虫 *Leptoplana* 的褶状漏斗咽

目 7. 原卵黄目 Prolecithophora:多小型，海生或淡水。具褶状或球状咽和简单的肠，外卵黄卵。如 *Plagiostomum*。

目 8. 卵黄皮目 Lecithoepitheliata:海生或淡水。口和复杂的咽位于体前端，肠简单，外卵黄卵。如前吻涡虫 *Prorhynchus*。

目 9. 原列目 Proseriata:小型，以海生为主。咽褶状或管状(tubulate pharynx)，肠不分枝，外卵黄卵。如线涡虫 *Nematoplana*(图 7-1 E)、耳涡虫 *Otoplana*。

目 10. 三肠目 Tricladida:大型涡虫。咽褶状或管状，肠分为 3 枝或再分枝，外卵黄卵。寄生于鲎书鳃中者为蛭态涡虫 *Bdelloura*，淡水的有平涡虫 *Planaria*、杜氏涡虫 *Dugesia*(图 7-1 A)、*Dendrocoelum*、吞噬涡虫 *Phagocata*(图 7-1 D)、多眼涡虫 *Polycelis*(图 7-1 B)等，陆生的包括土笄蛭涡虫 *Bipalium*(图 7-1 C)、*Orthodemus*,*Geoplana* 等。

目 11. 棒肠目 Rhabdocoela:小型，海生或淡水。咽球状(bulbous pharynx)，简单的肠(图 7-5 B)，1 对神经索，外卵黄卵。根据咽的位置和生活习性又分为 Typhlolanoida、Dalyellioida、Kalyptorhynchia 等亚目。

目 12. 刻头涡虫目 Temnocephalida：淡水，寄生于甲壳动物、螺的鳃上、鳃腔或龟的体表，体前具指状“触手”，后部具黏液盘，体表无纤毛。如刻头虫 *Temnocephala*(图 7-1 J)。

7.3 单殖纲 Monogenea 和吸虫纲 Trematoda(Gr., *trema*, pore; *eidos*, form)

单殖纲和吸虫纲扁虫，虽在寄生习性、形态、生活史、合胞体皮层结构等方面有所不同，但他们都是寄生的，有合胞体上皮，无棒状体，咽肌肉质，成体具固着器、具消化道等，故常把单殖类作为吸虫纲的一个亚分类阶元，统称为吸虫(fluke)，此时术语 Fluke 和 Trematoda 在这种意义上是同义的(synonymous)。

单殖纲动物大多是外寄生的，主要寄生于鱼的鳃，其次为皮肤以及对外开口的口腔、鼻腔、膀胱等处，极少数寄生于鱼胃及体腔中。寄生时，以后吸钩插入寄生部位，常造成寄主病变感染。其中，单后盘吸虫主要以寄主的上皮组织和黏液分泌物为食，常被称为皮吸虫(skin fluke)，而多后盘吸虫几乎全是寄生于鳃上的吸血，故又称鳃吸虫(gill fluke)。

吸虫纲中，盾腹吸虫类 Aspidogastrea 寄生于鱼、鳖和软体动物的体表、排泄器或消化道。复殖吸虫类 Digenea 则全部寄生于脊椎动物或软体动物体内，因寄生部位不同，又可大致称为血吸虫(blood fluke)、肝吸虫(liver fluke)、肺吸虫(lung fluke)、肠吸虫(intestinal fluke)等。

7.3.1 形态、结构和功能

1. 一般形态：多扁平叶状或舌形，部分圆柱状、圆锥形、肾形，无明显的头部。体常呈淡红色、棕色或乳白色。体长多不超过几厘米，如淡水单殖类大多在 0.5 cm 以下，指环虫 *Dactylogyrus*(图 7-7 B)超过 1 mm 者不多见，但吸虫纲的复殖吸虫有的可达 10 cm。

典型者口位于体前端，具适于寄生的附着器官。吸附器(固着器 haptor)为体壁加厚凹陷或外突或肌肉环绕与体壁分离的中空吸盘(sucker)，多具腺体或几丁质结构，因分布位置不同，常分为前吸器(prohaptor)和后吸器(opisthaptor)。在单殖纲，前吸器多为有腺体的粘着器官(头器)，而后吸器则结构复杂具多个碗状吸盘(多后盘目 Polyopisthocotylea)或单个吸盘(单后盘目 Monopisthocotylea)，此外还多具钩(hook)、锚钩(anchor)、吸铗(clamp)等吸附、钩着或铗持结构(图 7-7);在吸虫纲,吸器无几丁质结构,而多呈碗状吸盘,其中的腹盾吸虫类常无口吸盘、但腹吸盘强而有力被纵横肌肉分成分格状的许多小室(alveolus),复殖吸虫类口部具口吸盘(oral sucker)、中腹部常具腹吸盘(ventral sucker)、但各目之间常有较大的变化(图 7-8,图 7-9 A)。

2. 体壁:与涡虫不同,吸虫体表无纤毛和杆状体,为合胞体(syncytium)的皮层(tegument)。经电镜揭示,皮层是有生命代谢的结构,其表层是无细胞界限的合胞体,深埋于肌肉层下间质中的是有细胞核的细胞本体或围核体。合胞体表层内含有各种类型的泡囊、线粒体和丰富的高尔基复合体,以细胞膜与外界并以基膜与肌肉层为界,通过小的细胞通道(cytoplasmic connection)与细胞本体相通。

单殖类和吸虫类皮层的结构不同,单殖类皮层表面多具微绒毛(microvilli)(图 7-6 A),而吸虫类皮层表面具内褶或结晶蛋白构成的体棘(图 7-6 B),前者的超微结构与绦虫者很相似,这种情况也许能为他们的系统发生提供依据(见后)。

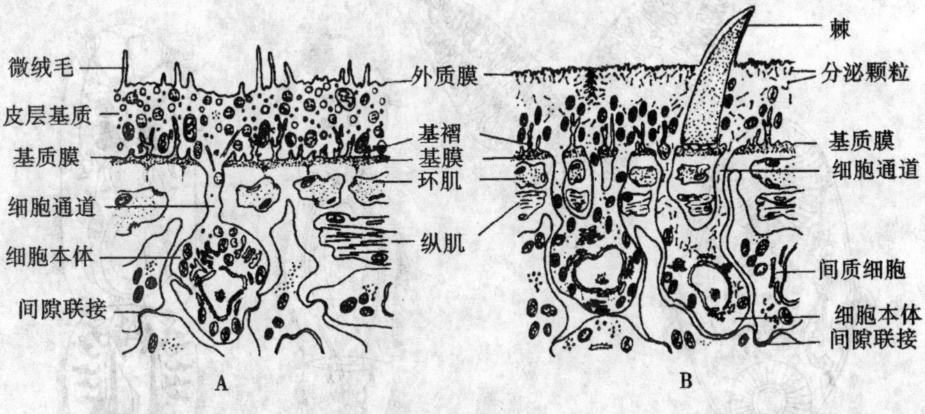

图 7-6　吸虫皮层的超微结构(仿 Barnes 等)

A. 单殖类;B. 吸虫类

3. 消化系统和营养(digestive system and nutrition):单殖纲的消化道由口、咽、食道和简单或分枝的肠组成。口(mouth)位于体前或近体前的腹面。咽(pharynx)为强有力的肌肉结构,常具咽腺。食道(esophagus)很短。肠(intestine)由食道延伸到体后部,通常无肛门,肠的形态变异很大,最简单的为一单管,而更为常见的是两枝盲管(cecum)并再次分枝。简单的肠道常是较小单殖吸虫的特点,而较大的则逐渐具较复杂的形式,最后是大的海生单殖吸虫肠道

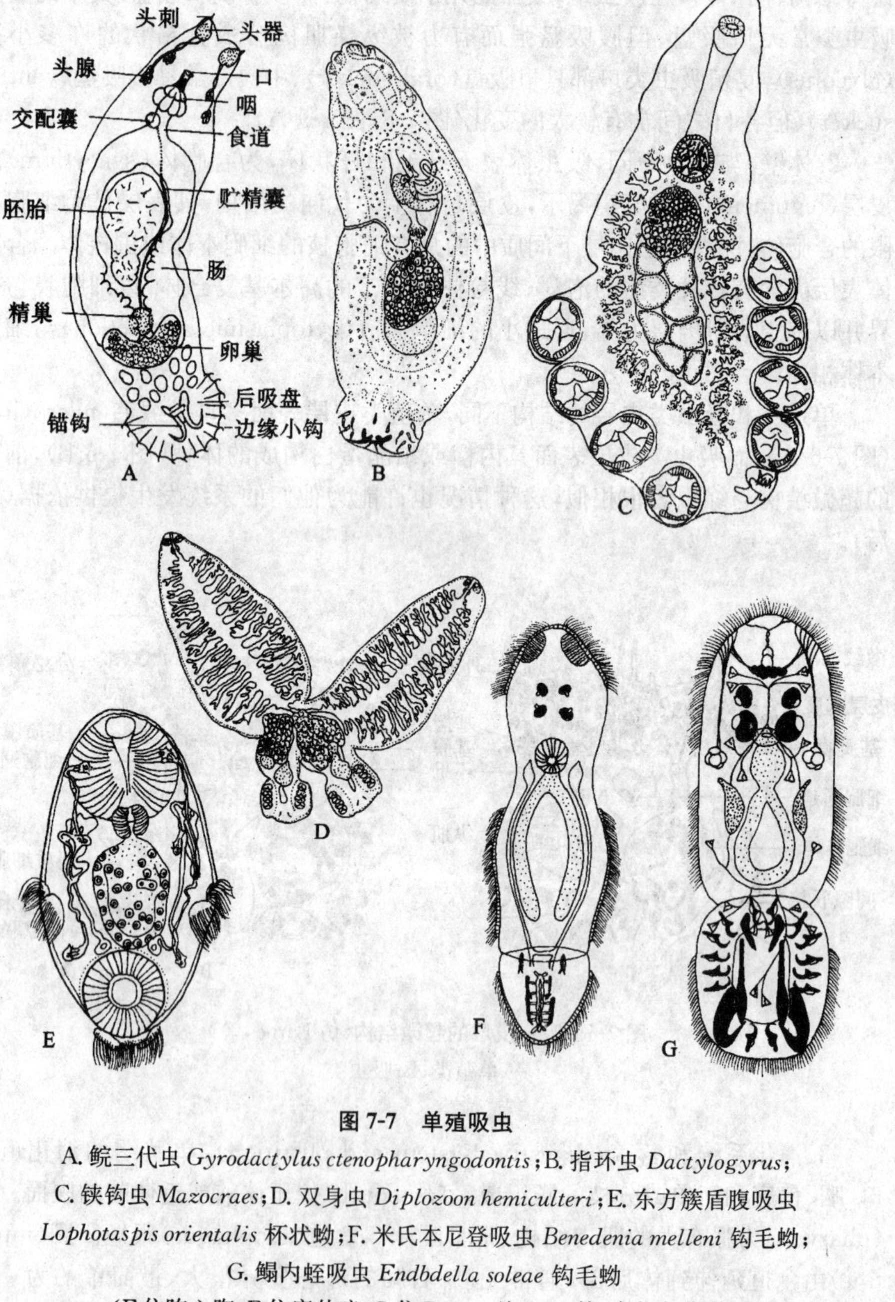

图 7-7　单殖吸虫

A. 鲩三代虫 *Gyrodactylus ctenopharyngodontis*；B. 指环虫 *Dactylogyrus*；C. 铗钩虫 *Mazocraes*；D. 双身虫 *Diplozoon hemiculteri*；E. 东方簇盾腹吸虫 *Lophotaspis orientalis* 杯状蚴；F. 米氏本尼登吸虫 *Benedenia melleni* 钩毛蚴；G. 鳎内蛭吸虫 *Endbdella soleae* 钩毛蚴

（E 仿陈心陶，F 仿唐仲璋，G 仿 Barnes 从 Jahn 等；余仿各作者）

广泛的吻合。在食性上，单后盘目以寄生的上皮组织和黏液样分泌物为食，而多后盘目几乎都是吸血的。

复殖吸虫的肠道可分为两大类。腹口亚纲 Gasterostomata 具一个腹位的口和一简单的囊状肠。前口亚纲 Prosostomata 则与多数单殖吸虫相似，多数肠具盲端，但有的具肛门向外开口（如孔肠虫科 Opecoelidae，图 7-8 B）。

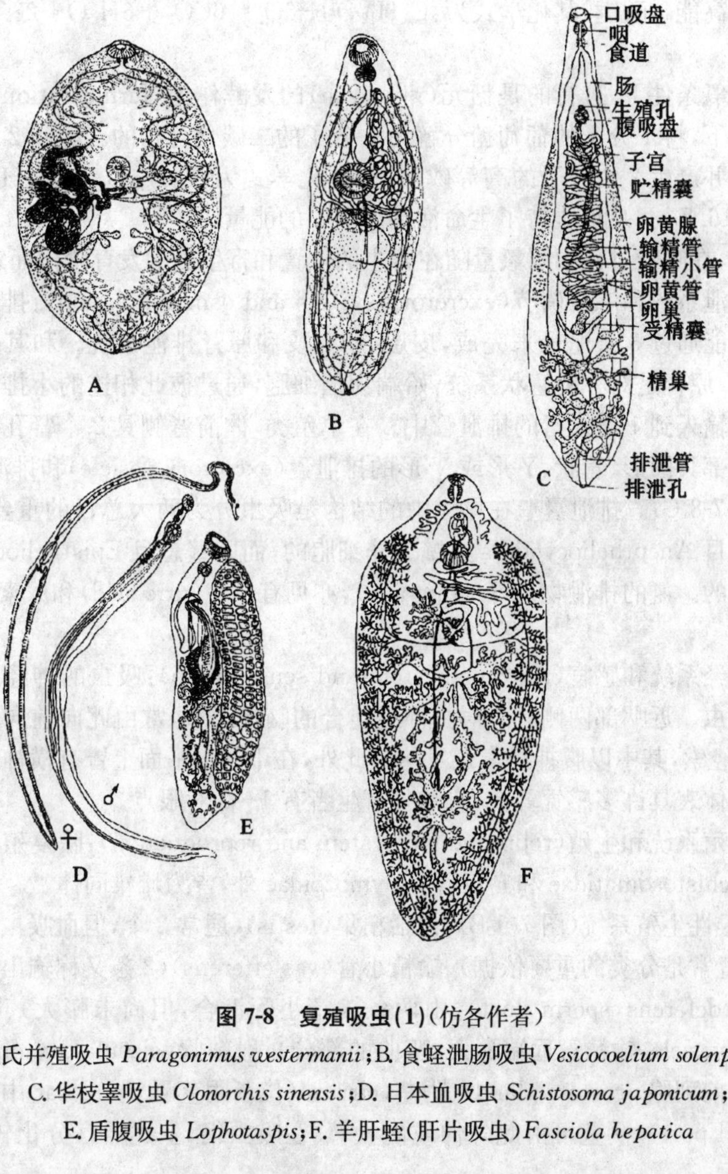

图 7-8　复殖吸虫(1)（仿各作者）

A. 卫氏并殖吸虫 *Paragonimus westermanii*；B. 食蛏泄肠吸虫 *Vesicocoelium solenphagum*；C. 华枝睾吸虫 *Clonorchis sinensis*；D. 日本血吸虫 *Schistosoma japonicum*；E. 盾腹吸虫 *Lophotaspis*；F. 羊肝蛭（肝片吸虫）*Fasciola hepatica*

虽可通过口获得营养或由皮层吸收葡萄糖和氨基酸等营养物质，但其营养生理仍不完全清楚。具分泌和吸收细胞，部分行细胞外消化。

4. 呼吸（respiration）：无专门的呼吸器官，呼吸过程是通过体表扩散进行的。外寄生吸虫是需氧的（aerobic），而内寄生者往往是缺氧的或不需氧的（anaerobic）。

在有氧呼吸中，1 分子的葡萄糖最终被氧化形成二氧化碳和水并释放出 38 个分子的高能磷酸键，其化学式为：$C_6H_{12}O_6+6O_2=6CO_2+6H_2O+26.7\times10^3$ kJ。

在无氧条件下，进行的是糖元（glycogen）的发酵作用（fermentation），即在酶的作用下，将 1 分子的葡萄糖分解为 2 分子的二碳化合物的乙醇和 2 分子的二氧化碳并产生 2 个分子的高等磷酸键，其化学式为：$C_6H_{12}O_6=2C_2H_5OH+2CO_2+116.7$ kJ，从而维持了生命活动所需要的能量。

另外，在呼吸过程中用氧量随在寄主的位置和寄生虫的发育阶段而定。

5. 排泄系统和渗压调节（excretory system and osmoregulation）：排泄和渗压调节可能通过 3 条途径来完成，皮层、肠上皮和原肾排泄系统。和其他扁形动物一样，原肾是对称的管状系统，始端为焰细胞，通过彼此相连的小排泄管把代谢产物输入到 1 对纵行的排泄管中。在单殖类，体前背侧具 2 个肾孔。在吸虫类体后部具圆形、管状、Y 形或 V 形的排泄囊（excretory vesicle）和排泄孔（e. pore）（图 7-8 C）。排泄囊壁在尾蚴中的结构是吸虫分为两大总目的重要依据，无胞壁总目 Aneptheliocystidia 囊壁为非细胞的，而胞壁总目 Epistheliocystidia 则是细胞的。氮的排泄物是氨（ammonia），亦见有尿酸（uric acid）和尿素（urea）的报道。

6. 神经系统和感官（nervous system and sense organ）：吸虫的神经系统基本上似涡虫。近咽部两侧具 1 对由神经连合的脑神经节，常由此向前向后发出 3 对纵神经索，其中以腹神经索最发达。此外，在不同水平面上皆有横神经索相连。吸虫体表具许多感觉乳突，有的外寄生者有 1～2 对眼点。

7. 生殖系统和生殖（reproductive system and reproduction）：除复殖亚纲的裂体科 Schistosomatidae 和囊双科 Didymozoidae 外，皆为雌雄同体。

（1）雄性生殖系统（图 7-9 B）：包括精巢（testis）（通常 2 个，但血吸虫精巢多个，其位置常是分类的重要依据）、输精小管（vas efferens）（2 条又称输出管）、输精管（vas deferens，sperm duct）（由两条输精小管汇合，但尚未膨大）、贮精囊（seminal vesicle，输精管远端膨大、弯曲的部分）、射精管（ejaculatory duct）（其基部外围前列腺 prostate gland）、阴茎（cirrus）（位于阴茎囊 cirrus sac 中）、生殖孔（genital pore）（阴茎可由此外伸或内收）。在吸虫纲，上述器官分化较明显，是分类上值得注意的形态结构。

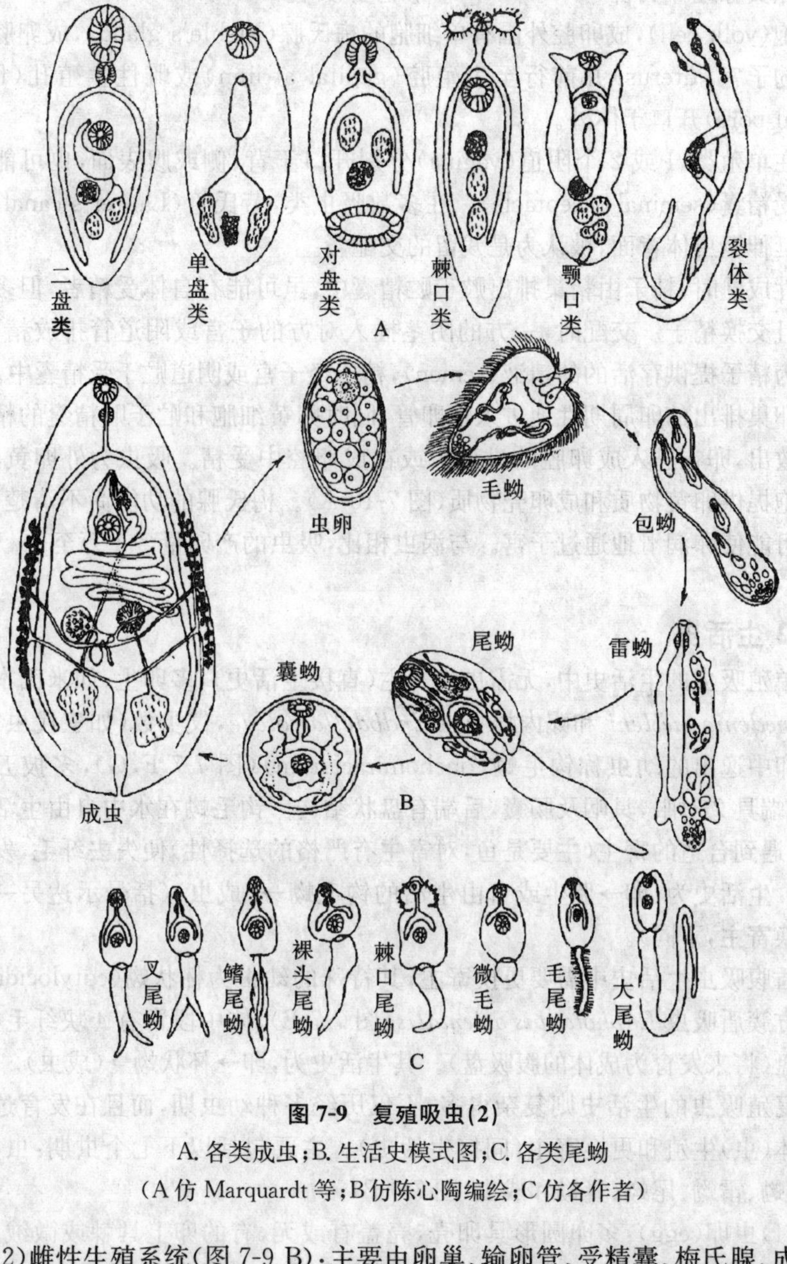

图 7-9 复殖吸虫(2)

A. 各类成虫;B. 生活史模式图;C. 各类尾蚴

(A 仿 Marquardt 等;B 仿陈心陶编绘;C 仿各作者)

(2)雌性生殖系统(图 7-9 B):主要由卵巢、输卵管、受精囊、梅氏腺、成卵腔(卵模)、卵黄腺、生殖腔和雌性生殖孔组成。成卵腔(ootype)是个集中的结构,通过短的输卵-卵黄管(ovo-vitelline duct)接受来自卵巢(ovary)的卵(ovam)和产自卵黄腺经卵黄管(vitelline duct)和总卵黄管(common vetelline duct)的卵黄细胞(yolk cell),成卵腔外围有单细胞的梅氏腺(Mehle's gland),成卵腔通入膨大的子宫(uterus)并前行至生殖腔(genital atrium)或雌性生殖孔(female genital pore)开口于体外。

在单殖类,1 或 2 个阴道(vagina)分别开口于背、侧或腹表面,也可能部分变为受精囊(seminal receptacle)。在多数吸虫类,劳氏管(Laurer's canal)从受精管延伸至虫体背面,被认为是残留的交配囊。

性成熟时,精子由精巢排出贮于贮精囊中,虽可能有自体受精者,但多相互交配且交换精子。交配时,一方的阴茎插入对方的子宫或阴道管排放精子,前列腺为精子提供存活的的精液(semen),精子经子宫或阴道贮于受精囊中。

卵巢排出的卵周期性地进入输卵管,同时卵黄细胞和贮于贮精囊的精子亦同步放出,卵在进入成卵腔的过程中或在成卵腔中受精。吸虫为外卵黄卵,卵黄细胞提供卵黄物质和成卵壳物质(图 7-10 A)。梅氏腺的功能尚不清楚,其分泌物可能使卵润滑地通过子宫。与涡虫相比,吸虫的产卵量多 1 万至 10 万倍。

7.3.2 生活史

单殖吸虫的生活史中,无需更换寄主(直接生活史),多卵生,如米氏本尼登虫 *Benedenia melleni* 和鳎内蛭吸虫 *Endbdella soleae*,仅少数(如三代虫)为胎生。卵中逸出的幼虫称钩毛蚴(onchomiracidium)(图 7-7 F,G),多披五簇纤毛,前端具 2 对眼,具咽及肠囊,后端有盘状结构。钩毛蚴在水中自由生活一段时间,遇到合适的寄主(主要是鱼,对寄主有严格的选择性)便失去纤毛,发育为成虫。生活史为:卵→胎生或自由生活的钩毛蚴→(成虫)(括号示达另一个体或更换寄主,下同)。

盾腹吸虫生活史中需要更换寄主,其特殊的幼虫为杯状蚴(cotylocidium),如东方簇盾吸虫 *Lophotaspis orientalis*(图 7-7 E),体中段常有 4 块纤毛板,具后吸盘(将来发育为成体的腹吸盘)。其生活史为,卵→杯状蚴→(成虫)。

复殖吸虫的生活史则复杂得多,不仅历经多种幼虫期,而且在发育过程中经童体(虫)生殖和更换寄主(间接生活史)。主要包括以下七个虫期:虫卵、毛蚴、包蚴、雷蚴、尾蚴、囊蚴和成虫(图 7-9 B)。

(1)虫卵(egg):多卵圆形具卵壳,壳盖有或无,有的卵上具棘或微绒毛,虫卵内具受精卵和卵黄细胞,有的在成虫子宫中已发育孵化,有的需经中寄主吞噬后孵化,但多在寄主外水中孵化。

(2)毛蚴(miracidium):为自由生活具纤毛的幼虫,体表覆有规则排列的纤毛上皮板,前端具锥状突、单细胞的头腺和顶腺、肠囊、眼点和神经节,发育良好的排泄系统,后端具一团生殖细胞(胚细胞)。当毛蚴被第一中间寄主(腹口吸虫的第一中间寄主主要是瓣鳃类,前口吸虫者主要是腹足类)吃进或以锥状突钻入第一中间寄主后,纤毛板多脱落,在寄主组织间隙中移行,最后定居于寄主的消化腺(肝、胰)中发育为包蚴。

(3)包蚴(sporocyst):通常为中空的长囊状,具一个位于前端的产孔(birth pore)和发育良好的排泄系统但无肠管(靠体表的渗透作用摄食营养)。具生殖细胞团,生殖细胞靠有丝分裂形成许多子包蚴。

(4)雷蚴(redia):与包蚴相似为圆筒形或长袋状,但具口、咽、单一的盲肠(除经体表吸收营养外,有的还可由口进行摄食)、两条排泄管、有的具产孔。生殖细胞靠有丝分裂产生许多胚胎或第二代雷蚴或尾蚴。

(5)尾蚴(cercaria):由雷蚴产孔或破雷蚴而出第一中寄主,在水中自由生活,常分为体部和尾部,体部长圆或梨形,具吸盘、口、咽、食道和肠,此外还具排泄系统和多种功能的单细胞腺(穿透腺、成囊腺),尾部单一或分叉或具鳍,形态因种而异(图 7-9 C)。尾蚴成囊或不成囊、寄生或不寄生,若以鱼或虾等为第二中寄主的种类,尾蚴可主动侵入并脱去尾部,形成囊蚴或称后尾蚴。

(6)囊蚴(metacercaria):常分泌多层囊壁,除无尾外在结构上似尾蚴,囊蚴随第二中寄主或水生植物被终寄主吞食,在其消化道中经消化液的作用,囊蚴便脱囊或孵化而出,转移到终寄主的一定部位(肝胆、肺、血液、肠等处)发育成具成熟生殖器官的成虫。

总之,复殖吸虫常要求不止一个中寄主(一般为软体动物),而第二中间寄主或终寄主常为软体动物、环节动物、甲壳类、昆虫、脊椎动物等。不仅在有性生殖时大量产卵,而且在幼虫期还进行有性的(有人认为是无性的)童体(虫)生殖或幼体(虫)生殖(paetogenesis),如包蚴产生众多的子包蚴或雷蚴、雷蚴又可产生许多尾蚴。

不同种吸虫,生活史历经 2 个寄主或 3 个寄主,虫期亦有变化。如日本血吸虫 *Schistosoma japonicum*(图 7-9 D)生活史中需 2 个寄主、经 2 代包蚴、无雷蚴和囊蚴,尾蚴可直接钻入寄主皮肤或口腔黏膜,生活史为:虫卵→毛蚴→(包蚴→子代包蚴)→尾蚴→(成虫);寄生于缢蛏 *Sinonovacula constricta* 的食蛏泄肠吸虫 *Vesicocoelium solenphagum*(图 7-8 B,图 7-10 E)经 3 个寄主、2 代包蚴但无雷蚴,生活史为:虫卵→毛蚴→(包蚴→子代包蚴)→尾蚴→(囊蚴)→(成虫);羊肝蛭 *Fasciola hepatic*(图 7-8 F,图 7-10 C)的生活史为,虫卵→毛蚴→(包蚴→雷蚴→子代雷蚴)→尾蚴→(囊蚴)→(成虫);华枝睾吸虫 *Clonorchis sinensis*

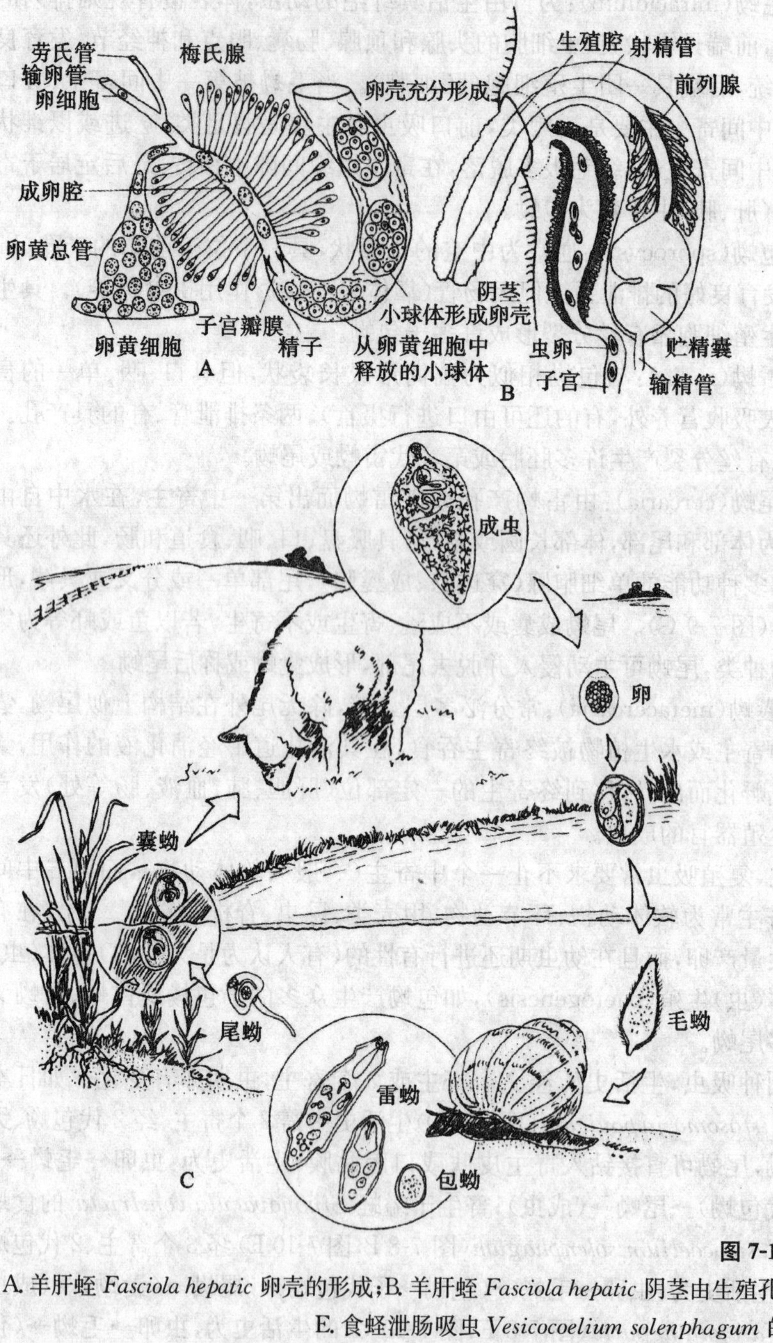

图 7-10 几种

A. 羊肝蛭 *Fasciola hepatic* 卵壳的形成；B. 羊肝蛭 *Fasciola hepatic* 阴茎由生殖孔中伸出；

E. 食蛭泄肠吸虫 *Vesicocoelium solenphagum* 的生活史

（A，B 仿 Barnes：A 从 Smyth 等，B 从 Nolle；

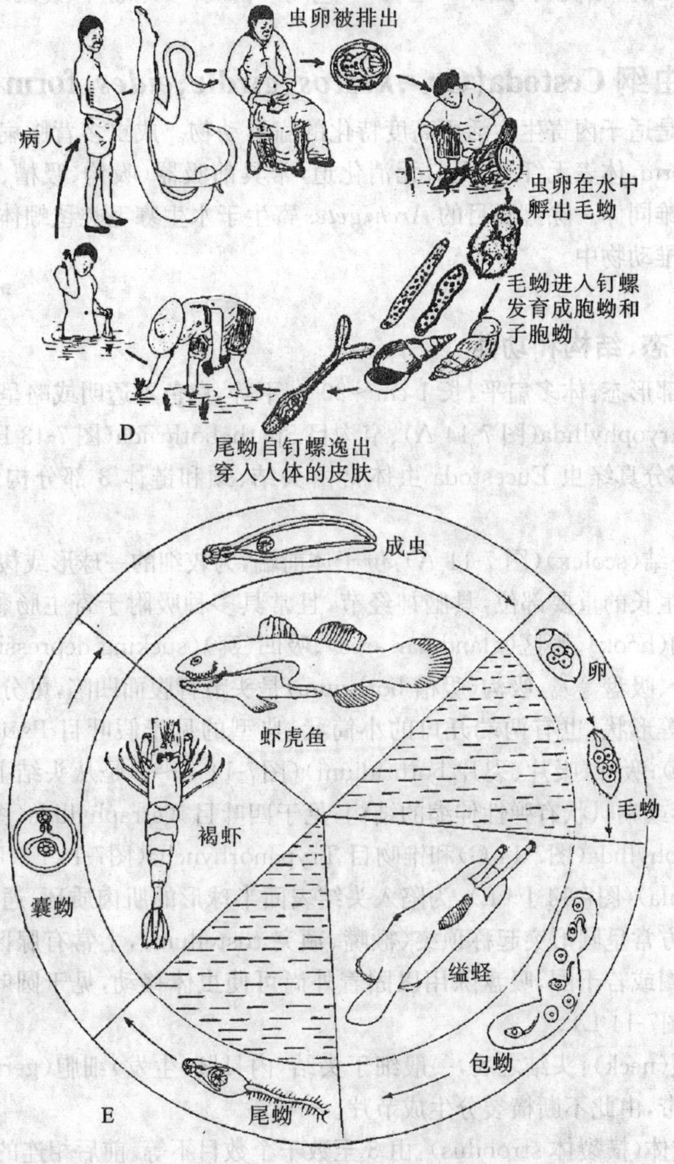

吸虫及生活史

C. 羊肝蛭 *Fasciola hepatic* 生活史；D. 日本血吸虫 *Schistosoma japonicucs* 的生活史；C 仿 Marguardt；D 仿徐蚋南等）

(图7-8 C)的生活史为:虫卵→毛蚴→(包蚴→雷蚴)→尾蚴→(囊蚴)→(成虫)。

7.4 绦虫纲 Cestoda(Gr.,*kestos*,girdle;*eides*,form)

绦虫是适于内寄生生活而高度特化的扁形动物。成虫多背腹扁平如带,又称 tapeworm,体表无纤毛,无口无消化道,常具前吸器(吸钩、吸槽、吸片、吸盘等),多雌雄同体。除鲤蠢目的 *Archigetes* 寄生于水生寡毛类毡蚓体腔,皆寄生于各类脊椎动物中。

7.4.1 形态、结构和功能

1. 外部形态:体多扁平,长 1 cm～20 m 不等,白色不透明或略呈乳白色,除鲤蠢目 Caryophyllida(图7-14 A)、窄沟目 Spathebothriida(图7-13 B)等不具节片外,大部分真绦虫 Eucestoda 虫体常由头结、颈和链体 3 部分构成(图7-11 A)。

(1)头结(scolex)(图7-11 A):位于体前端,为较细的一球形或梭形体,是虫体生活和生长的重要部位,具脑神经节,且常具多种吸附于寄主肠黏膜上的结构,如吸钩(hook)、腺区(glandular area)、吸凹(窝)(sucking depression)(包括:吸沟、吸叶、吸盘等)。吸沟(吸槽 bothrium)是头节背腹面凹陷,可分为浅盘、沟槽或裂隙等形状,也有两端开口的小筒状,典型的见于假叶目 Pseudophyllida(图7-14 D);吸叶(吸片、裂片 bothridium)(图7-14 E～I)是从头结上突起的叶片状,耳形或喇叭状有弹性伸缩的结构,见于四叶目 Tetraphyllida(图7-14 H)、二叶目 Biphyllida(图7-14 G)和锥吻目 Trypanorhyncha(图7-14 F);吸盘(sucker,acetabula)(图7-14 J～L),为陷入头结表面半球形的肌肉质环,通常 4 个,吸盘之间上方常呈圆形突起称顶突(额嘴、额突 rostellum),上常有腺区或矛状吸钩排成一圈或若干圈,吸盘除用以固着外尚可使虫体移动,见于圆叶目 Cyclophyllida(图7-14 L)。

(2)颈(neck):头结之后,一般细于头结,内具胚(生发)细胞(germinal cell)是为生长带,由此不断横裂分生成节片。

(3)链体(横裂体 strobilus):由 3 至数千个数目不等、前后相连的节片(proglottid)组成,是虫体最显著的部位,由颈部横裂而成,每个节片都具各自成套的生殖器官。如在牛绦虫 *Taeniarhynchus saginatus*,各节片的部位、形态和性腺发育程度不同,故又可分为幼节、成节和孕节 3 种节片。幼节(未成熟节片 immature proglottid),最靠近头结,小且年幼,宽远大于长,其内部生殖器官尚在发育中。成节(成熟节片 mature p.),位于幼节后,为长宽近等的方形节片,其生殖器官趋于成熟。孕节(妊娠节片 gravid p.),位于成节之后,为长远大于宽的长方形节片,其子宫发达内充满受精卵。

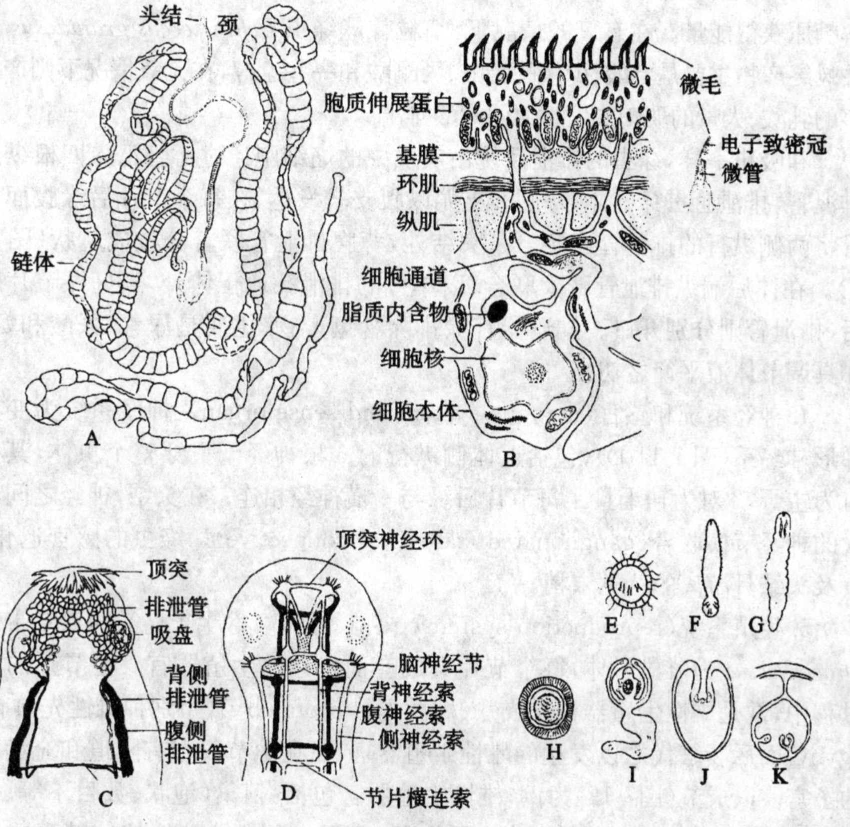

图 7-11 绦虫(1)

A. 牛绦虫 *Taeniarhynchus saginatus*;B. 绦虫皮层超微结构;C. 猪绦虫 *Taenia solium* 头结、示排泄管;D. 莫尼绦虫 *Moniezia* 中枢神经系;E～K. 各种绦虫的幼虫:E. 钩毛蚴,F. 原尾蚴,G. 裂头蚴,H. 六钩蚴(卵内),I. 拟囊尾蚴,J. 囊尾蚴,K. 棘头蚴(部分)

(A 仿 Hyman;B 仿 Barth 等从 Beguin;C～D 仿 Kotpal;E～K 仿各作者)

2. 体壁和营养(body wall and nutrition):体壁的结构似单殖纲吸虫,唯皮层的超微结构的外表面具很多微绒毛状的尖棘样突起称微毛(microtriche)(图 7-11 B),微毛使虫体表面积增加 3～6 倍,从而大大提高了吸收、分泌、保护、吸附和具抵抗寄主消化液的腐蚀以及其他尚未揭示的功能。在节片中纵走的肌肉很发达,形成体壁的内层并贯穿整个链体,但在节片成熟后,节片间的纵肌纤维逐渐萎缩退化，故节片易自链体上脱落。无消化道的绦虫浸于寄主肠道内半消化、半固体的营养物中，以扩散、主动运输的方式吸收寄主的营养物质。

3. 呼吸和排泄（respiration and excretion）：绦虫主要行无氧呼吸，靠成虫酵解糖原获得能量。在有氧的情况下，细粒棘球绦虫 *Echinococcus granulosus* 的原头蚴终产物主要是乳酸、少量的醋酸、丙酮酸和一些乙醇，在无氧情况下则产生较多的乳酸、大量的琥珀酸但从无丙酮酸排出。

和吸虫一样，绦虫的排泄系统由实质中的焰细胞通过小管汇入四根纵走的排泄管，排泄管贯穿链体，每侧 2 支尤以腹支较发达，在每个节片后缘腹面一横管将两侧纵行的排泄管连接。在头结处，背腹排泄管联合分枝成丛状（图 7-11 C）。在体后端纵排泄管膨大联合，以单一的排泄孔通于体外，当妊娠节片脱落后，排泄管则分别开口。排泄器官除排除含氮产物（主要是尿素、尿酸和氨）外亦具调节体液平衡之功。

4. 神经系统和感官（nervous system and sense organ）：神经系统为变异的梯形神经系（图 7-11 D），包括近体侧纵行的 6 根神经干贯穿整个虫体，其中一对为主干，2 对为辅干且于每节片后缘与一横神经相连。在头结，神经之间具膨大的神经节横联合（ganglionated transverse connective）。绦虫的感官退化，体表及头结具游离的感觉末梢。

5. 生殖系统（reproduction system）：多雌雄同体，寄生于鸟类的双室带绦虫 *Dioecocestus* 为雌雄异体，每个节片具成套而发达的生殖器官。在节片的成熟过程中，常是雄性生殖器官先成熟（雄性先熟 protandry）（个别种雌性先熟 protogyny）而后萎缩代之以发达的雌性生殖器官，而在孕节仅存有阴道和充满卵子的子宫。以成节（图7-12）为例，雄性生殖器官包括：精巢（泡状、数目不等、分布于节片背面）、输精小管、输精管、阴茎囊（在阴茎囊中输精管接储精囊或射精管，其末段为可外伸的阴茎）、生殖腔、雄性生殖孔，有的尚有开口于生殖腔的前列腺；雌性生殖器官包括：卵巢（常分叶、位于节片中纵轴的后腹面）、输卵管、卵黄腺、梅氏腺、成卵腔、子宫、受精囊、阴道、生殖腔（与雄性生殖器共有）、雌生殖孔。其中卵黄腺或呈滤泡状分散于间质中（图 7-13 C，D，假叶目 Pseudophyllida、朊头目 Proteocephalida）或集中成实心腺体位于卵巢后（圆叶目 Cyclophyllida）（图7-12）。子宫在假叶目通过体外的子宫孔，而圆叶目等为闭锁的囊无子宫孔，故虫卵不能直接排入寄主肠中。

7.4.2 分类

绦虫纲约 4 000 种，常分为 2 亚纲 15 目。节片及头结的有无，吸附器的种类(吸钩、吸沟、吸叶、吸盘),生殖孔及子宫口开孔的位置,生殖器官的对数,卵黄腺分散或集中等特征,常是分目的主要依据。

亚纲 1. 单节绦虫亚纲(拟绦虫亚纲)Cestodaria:虫体无节片的分化,有时具前吸盘但从无头结,仅具一套雌、雄性生殖器官,发育经十钩蚴(lycophora)。寄生于鱼或海龟。

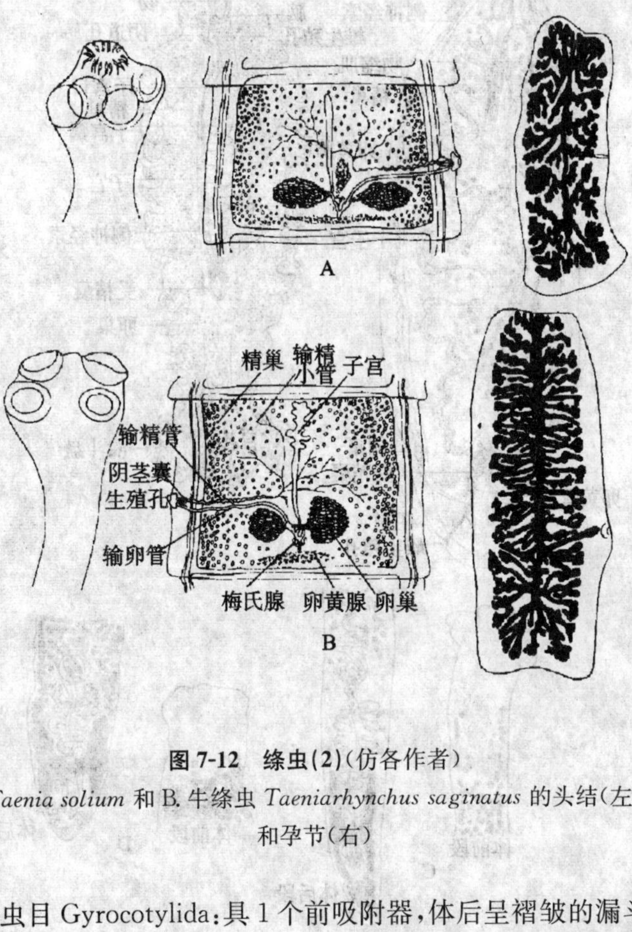

图 7-12　绦虫(2)(仿各作者)

A. 猪绦虫 *Taenia solium* 和 B. 牛绦虫 *Taeniarhynchus saginatus* 的头结(左)、成节(中)和孕节(右)

旋缘绦虫目 Gyrocotylida:具 1 个前吸附器,体后呈褶皱的漏斗状盘,生殖孔和子宫口都位于体前。主要寄生于软骨鱼全头类。如旋缘绦虫 *Gyrocotyle*(图7-13 B)。

两线绦虫目 Amphilinida:前吸盘不发达,生殖孔位于体后,子宫孔位于体前端。寄生于鱼或海龟。如两线绦虫 *Amphilina*(图 7-13 A)。

亚纲 2. 多节绦虫亚纲(真绦虫亚纲)Eucestoda:头结常具吸附器,颈短,节片有或无，每个节片都具成套的生殖器官，发育常经六钩蚴。除 *Archigetes* 寄生于颤蚓体腔内，皆寄生于脊椎动物消化道中。包括以下 13 目，检索见表 7-2（从 Schmidt，1986 改写）。

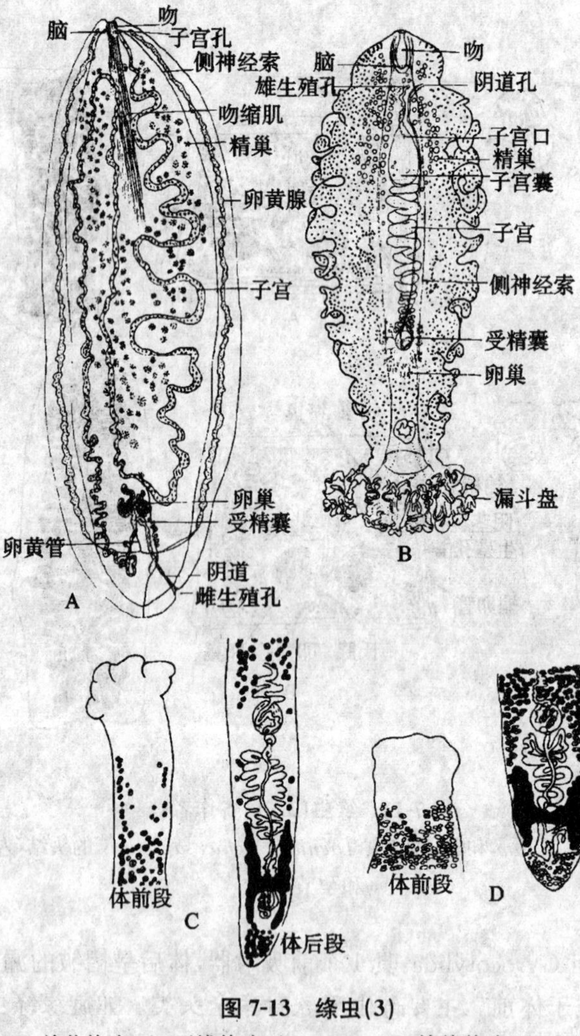

图 7-13　绦虫(3)

A，B. 单节绦虫：A. 两线绦虫 *Amphilina*，B. 旋缘绦虫 *Gyrocotyle*；

C，D. 多节绦虫鲤蠹目：C. 中华许氏绦虫 *Khawia sinensis*，D. 短颈鲤蠹 *Caryophylloeus brachycollis*

（A，B 仿 Hyman：A 从 Hein，B 从 Lunch；C～D 仿湖北省鱼病区系图志）

表 7-2　多节绦虫亚纲目的检索表

1. 体内部无分节现象；具一套生殖器官（图 7-13 C，D）……………… 鲤蠢目 Caryophyllida
   体内部常具分节现象；具多套生殖器官 …………………………………………………… 2
2. 体外部无外分节现象 ……………………………………………………………………… 3
   体外部具分节现象；头结具附着器 ……………………………………………………… 4
3. 具生殖管、生殖孔、阴茎、成卵腔和梅氏腺；寄生于硬骨鱼（图 7-14 B）………………………………………………………………… 窄沟目 Spathelothriida
   无生殖管、生殖孔、阴茎和成卵腔；寄生于鸟类雁形目（图 7-14 C） … 无孔目 Aporida
4. 头结具吸槽、不具吸叶或吸盘（图 7-14 D） …………………… 假叶目 Pseudophyllida
   头结不具吸槽、具吸叶或吸盘 …………………………………………………………… 5
5. 头结被横沟分为前后两区、前区有时具吸盘或无钩的触手（图 7-14 E）…………………………………………………………………… 盘头目 Lecanicephalida
   头结不被横沟分为前后两区 ……………………………………………………………… 6
6. 头结具吸叶 ………………………………………………………………………………… 7
   头结不具吸叶 ……………………………………………………………………………… 10
7. 头结具 4 个有钩的吻或触手（图 7-14 F） ………………… 锥吻目 Trypanorhyncha
   头结非上述 ………………………………………………………………………………… 8
8. 头结具 2～4 个吸叶；头突无物；生殖孔侧位（罕见后位） ………………………… 9
   头结具 2 个吸叶；头突有或无物；生殖孔腹位（图 7-14 G）………… 二叶目 Diphyllida
9. 吸叶上有时具钩、刺或吸盘；雌雄同体；卵黄腺滤泡状（图 7-14 H）………………………………………………………………… 四叶目 Tetraphyllida
   吸叶上无物；雌雄异体；卵黄腺集中围绕着卵巢（图 7-14 I） … 异带目 Dioecotaeniida
10. 头结仅具 1 个顶吸盘 …………………………………………………………………… 11
    头结具 4 个吸盘 ………………………………………………………………………… 12
11. 头结顶吸盘后为几个横排呈十字形的节片；链体具缘膜（图 7-14 J）………………………………………………………………… 光沟目 Litobothrida
    头结非上述；链体无缘膜（图 7-14 K） …………………… 日带目 Nippotaeniida
12. 卵黄腺滤泡状、常位于侧面 ……………………………… 朊头目 Proteocephalida
    卵黄腺集中、常位于卵巢后（图 7-14 L） ………………… 圆叶目 Cyclophyllida

7.4.3 生活史和几种习见绦虫

1.生活史类型：基本模式为钩胚（oncosphere）→中绦虫期（metacestoda）（寄生于中寄主的幼虫期）→成虫。但目和种间有变化（括号示更换寄主）：

（1）经 3 个寄主者：卵→钩毛蚴→（原尾蚴）→（裂头蚴）→（成虫）。如曼氏迭宫绦虫、阔节裂头绦虫、九江头槽绦虫。

似囊尾蚴)→(成虫)。如犬复孔绦虫。

↗

(2)经 2 个寄主者:卵→(六钩蚴→囊尾蚴)→(成虫)。如猪绦虫、牛绦虫。

↘

棘球蚴)→(成虫)。如细粒棘球绦虫。

(3)经 1 个寄主者:卵→(六钩蚴→似囊尾蚴→成虫)。如微小膜壳绦虫。

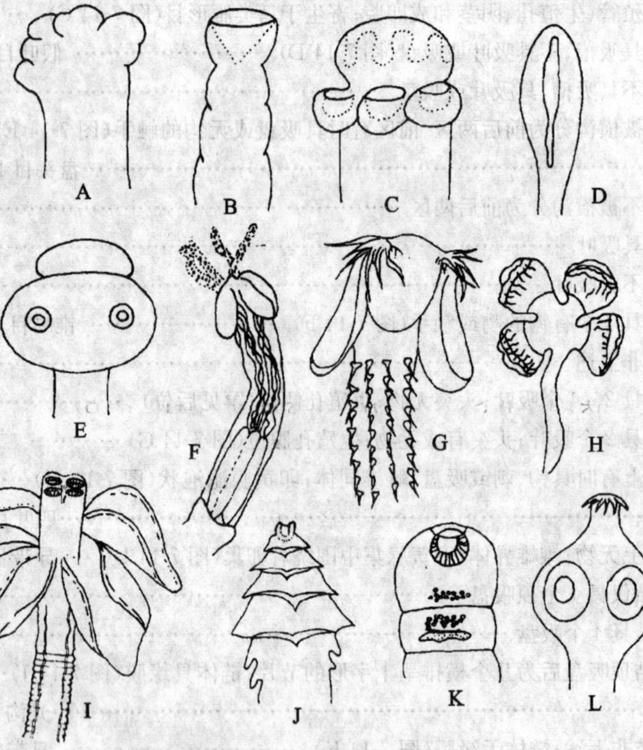

图 7-14 绦虫各目的头结(仿各作者)

A. 鲤鲞目;B,窄沟目;C. 无孔目;D. 假叶目;E. 盘头目;F. 锥吻目;G. 二叶目;H. 四叶目;I. 异带目;J. 光沟目;K. 日带目;L. 圆叶目

原始类群如假叶目绦虫,虫卵具盖,排出后在水中发育成具纤毛自由游动的钩胚又称钩毛(球)蚴(coracidium)(图 7-11 E),当侵入第一中寄主(水生甲壳类肠腔以外的腔隙中)发育为原尾蚴(procercoid)(图 7-11 F,为间质充满的实心结构,前端略凹入、后端呈小球状且保留有 6 个小钩),含有原尾蚴的第 1 中

寄主被第 2 中寄主(鱼或其他脊椎动物)吞食后,原尾蚴变为裂头蚴(plerocercoid)(图 7-11 G)(似成体,具不规则的横皱褶、但不分节,前端略凹、后端钝圆),当终寄主吞食了第 2 中寄主,裂头蚴才在终寄主肠及其附属腔隙中发育为成虫。

圆叶目绦虫,虫卵无盖,在子宫内发育为无纤毛具 6 钩的钩胚又称六钩蚴(hexacanth larva)(图 7-11 H,圆球形,具 6 个小钩,无纤毛,不能自由活动),在中寄主体内出胚膜发育成拟囊尾蚴或囊尾蚴。拟囊尾蚴(cysticercoid)(图 7-11 I)前端膨大囊状,囊腔很小内具一缩入的头节,后部具一实心的尾状结构,头节具小钩,寄生于甲壳类或昆虫体内。囊尾蚴(cysticercus)(图 7-11 J)寄生于哺乳动物,又称囊虫(bladdle worm),为半透明充满液体的小囊,囊壁内具一凹入的头节。囊尾蚴型的幼虫,有不止一个头节者,称为多头蚴(coenurus)或囊体大如小孩头,除头节外还有子囊形成于囊内壁或悬于囊液中,此为棘球蚴(hydatid cyst)(图 7-11 K)。

2. 几种习见的绦虫:

(1)鲤蠢 *Caryophyllaeus* sp.(图 7-13 D):属鲤蠢目,头结宽扁、圆扇形具褶。精巢位于卵巢子宫前,卵巢 H 形,卵黄腺部分在卵巢之后、大部分在卵巢两侧,精巢、卵巢、卵黄腺皆位于髓部,阴茎囊很发达,子宫位于其后。寄生于鲤科鱼类,严重时可堵塞鱼肠道造成肠炎、贫血和死亡。中寄主为颤蚓,原尾蚴在颤蚓的体腔内发育。

(2)曼氏迭宫绦虫 *Spirometra mansoni*(图 7-15 A,B):属裂头目,Schmidt (1986)认为是埃氏裂头绦虫 *Diphyllobothrium erinaceieuropaei* 的同物异名。虫体长可达 10 m,头结背腹面各具一条窄而深的吸沟。颈细长。链体节片通常宽大于长,每节片仅具一套雌雄生殖器官,雄性生殖孔圆形、位于节片前部中央,精巢数多、单层、除节片中部生殖区外皆有分布,卵巢两叶、位于节片后部中央,雌生殖孔位于雄孔之后,子宫在节片中部蟠曲呈发髻状,子宫孔开口于雌孔之后。第一中寄主为淡水剑水蚤,第二中寄主为蛙及蛇,终寄主为人或猫、犬等食肉动物。贴敷生蛙肉(误以为蛙肉可清凉解毒),吞食生的蛙、蛇肉以及游泳时误饮感染的剑水蚤,人可被感染,但成虫远不及裂头蚴的危害大。

(3)阔节裂头绦虫(鱼阔节绦虫、鱼绦虫)*Diphyllobothrium latum*(图 7-15 C,D):成虫似曼氏迭宫绦虫,唯雌雄生殖孔共同开口于节片前部的生殖腔,子宫蟠曲呈玫瑰花状。第二中寄主主要为肉食性的淡水鱼(狗鱼、江鳕、鲈鱼等),人或食鱼哺乳动物(犬、猫等)为终寄主。主要流行于亚寒带和温带,尤以俄国为最,是感染人类最大的绦虫(最长者20～25 m,可达 4 000 节片)。患者除恶性贫血外,常发生感觉异常、运动失调。

(4)九江头槽绦虫 *Bothriocephalus gowkongensis*(图 7-15 E～H):属裂头

目，为阿氏头槽绦虫 *B. acheilongnathi* 的同物异名（Schmidt，1986）。体长 2～23 m，头结心脏形，具顶突和背腹吸沟。无颈部。球形精巢 50～90 个分布于节片两侧髓部，生殖腔开口于节片背中线，卵巢双翼状横列于节片后部。子宫 S 形，开口于节片中腹部、生殖孔之前。卵黄腺散布于皮层。中寄主为中剑蚤 *Mesocyslops leukarti* 或温剑水蚤 *Thermocyclops taihokuensis*。终寄主为淡水鱼，可造成草鱼种苗的大批死亡，使越冬草鱼死亡率达 90%。

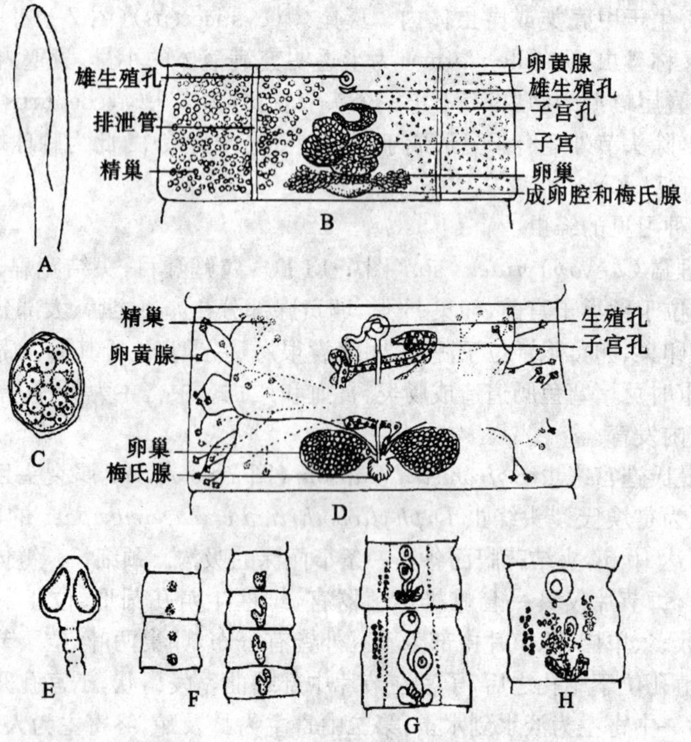

图 7-15　几种习见绦虫（仿各作者）

A，B. 曼氏迭宫绦虫 *Spirometra mansoni*；C，D. 阔节裂头绦虫 *Diphyllobothrium latum*；E～H. 九江头槽绦虫 *Bothriocephalus gowkongensis*

7.5 系统发生

扁形动物的系统发生也是动物学中棘手的难题之一。螺旋卵裂、端细胞法的中胚层发生（图 7-16 A），是为原口动物类群可能争议不大。但无体腔，这是裂生体腔动物的祖征还是体腔动物的衍征，迄今仍未定论。许多功能结构在扁形动物中丧失（如肛门、循环系统），是进行性的进化还是原始状态也无定说。因为，类似的情况亦见于软体、节肢动物体腔的退缩，须腕动物和个别软体动物消化道的丧失，有的小型多毛动物亦无循环系统。何况，自由生活的扁形动物不仅是捕食者且有高度分化的肠，似无理由认为这是通过退化而来的。总之，过去认为从简单到复杂，简单者就是原始的定式，也面临重审。

扁形动物内各大类群的演化，参阅图 7-16 B。

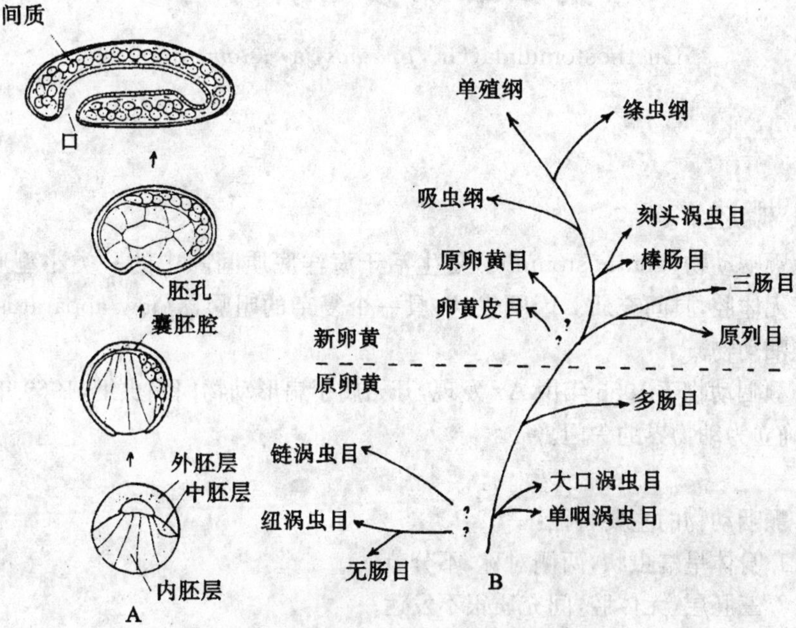

图 7-16　扁形动物的系统发生（仿 Ruppert 等）

A. 发育模式图；B. 各大类群的演化关系

第 8 章　颚咽动物门

Gnathostomulida(Gr., *gnathos*, jaw; *stoma*, mouth)

8.1 概述

颚咽动物(gnathostomulid)是生活于海洋底质间隙中的一类小型底栖动物。无体腔，具间充质。因咽发达，具一个复杂的咀嚼器(jaw apparatus)。故名颚咽动物。

颚咽动物于 1956 年由 Ax 发现，开始属于扁形动物门涡虫纲，1969 年 Sterrer 确立为动物界的一门。

颚咽动物的主要特征：

1. 身体呈蠕虫状，两侧对称，不分节；
2. 三胚层，无体腔，间充质很不发达；
3. 具单纤毛表皮细胞；
4. 消化管不完全，具口，但肛门退化；
5. 咽发达，具 1 个复杂的咀嚼器，由 1 对颚(jaw)和 1 个基板(basal plate)构成；
6. 无循环和呼吸系统，排泄器官为具单纤毛的焰细胞；
7. 神经系统为表皮型(epidermal nervous system)；
8. 雌雄同体，螺旋式卵裂，直接发育；
9. 多见于海洋缺氧的细沙间隙中。

已知颚咽动物有 80 余种，隶属 2 目 3 亚目(表 8-1)，至目、亚目的检索性状主要为：

1. 喙部感觉刚毛：a. 有，b. 无；

2. 颚：a. 坚实致密，b. 片层状；

3. 阴道和交配囊：a. 有，b. 无；

4. 阴茎：a. 有（a^1 具角质刺，a^2. 无刺），b. 无；

5. 精子：a. 丝状，b. 非丝状（b^1. 肥胖不呈圆锥状，b^2. 圆锥状）；

6. 顶毛：a. 1 对，b. 2 对；

7. 精巢：a. 不成对，b. 成对。

表 8-1　颚咽动物门的分类

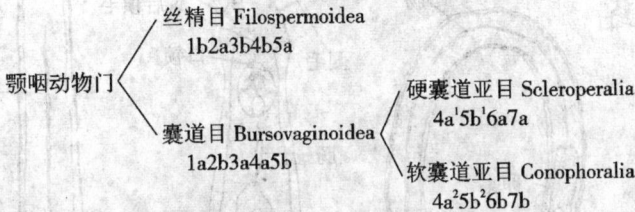

- 颚咽动物门
  - 丝精目 Filospermoidea　1b2a3b4b5a
  - 囊道目 Bursovaginoidea　1a2b3a4a5b
    - 硬囊道亚目 Scleroperalia　$4a^15b^16a7a$
    - 软囊道亚目 Conophoralia　$4a^25b^26b7b$

8.2 习性和分布

颚咽动物是典型的沙隙底栖小型动物，见于世界各地海洋中，自高潮带至数百米深的海底均有分布。多数生活于富含有机质的细沙（尤其是粒径为 150 μm 左右的细沙）中，粗沙、封闭的港湾和珊瑚礁间亦有分布。在其典型的生境中往往形成高密度种群，如在富含硫化氢的深层沙中，其种群密度可达 6×10^5 个/m^3。

8.3 形态、结构和功能

1. 外形：长蠕虫状，体长一般不超过 1 mm，体表遍生纤毛。身体大致分为头部和躯干部两部分，有的具较细的尾部。口位于头部的腹面，口前部分称为喙（rostrum）。两目个体的形态有所不同：丝精目（图 8-1 A）身体细长，喙部无成对的感觉刚毛，与躯干部区分不明显；囊道目（图 8-1 B，C）体形较粗短，喙部生有成对的感觉刚毛，与躯干部间以一狭窄部区分。

2. 体壁和运动：颚咽动物的体表无角皮或类似的表皮分泌结构。表皮由单层上皮细胞构成，每个表皮细胞具 1 条纤毛，这种现象亦见于一些比较原始的腹毛动物。有些种类的表皮层内具有黏液腺（mucous gland）、杆状体（rhabdite）等。表皮之下为 1 层薄的基膜（basal membrane）。基膜之下具薄层的环肌纤维和较厚的纵肌纤维，均系横纹肌。

间充质仅在喙部和生殖器官周围比较发达，身体的其他部位无间充质。体壁和消化管之间为一空腔（但不是假体腔），这一空腔在交配后可用于储存精子。缺少间充质的躯体增加了体形的可变性，有利于在沙隙间运动。

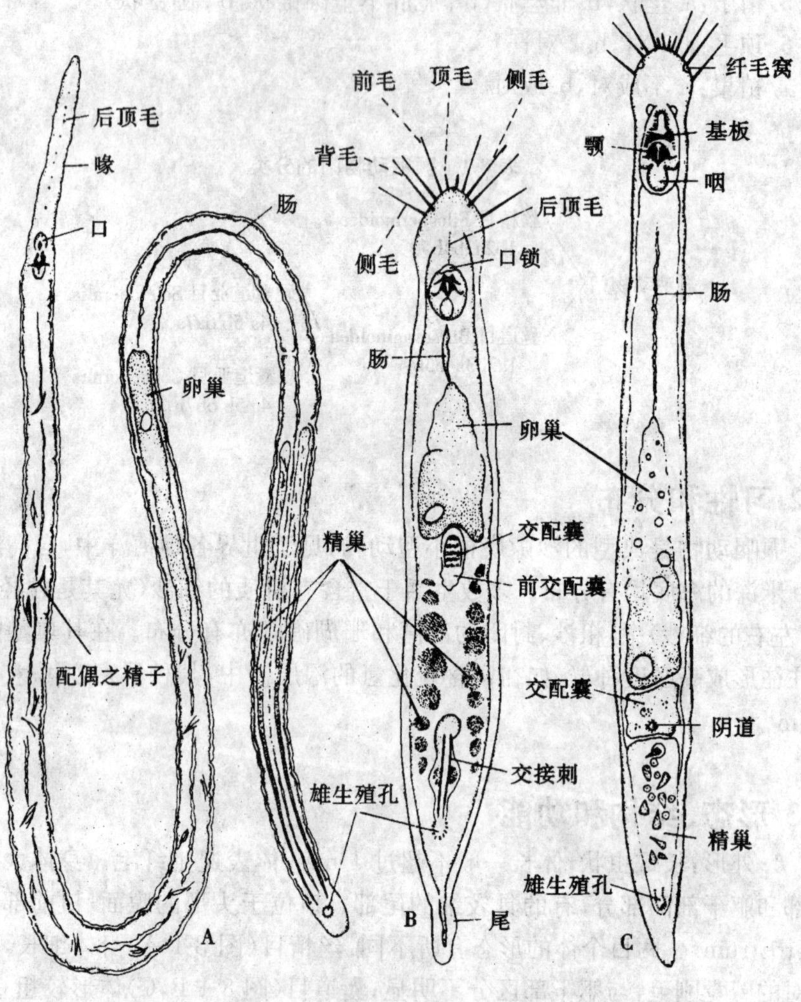

图 8-1　颚咽动物（仿 Sterrer）

A. 简单单颚虫 *Haplognathia simplex*；B. 詹纳颚咽虫 *Gnathostomula jenneri*；
C. 柯氏南颚虫 *Austrognatharia kirsteueri*

颚咽动物的运动主要是靠纤毛的击打而滑行，皮下肌肉的收缩有辅助运动的作用。虫体可在沙隙间蜷曲、转向、爬行，甚至可通过纤毛的反击而倒行，少数种类具游泳能力。颚咽动物具有粘附于沙粒的特性，能穿过小于其身体断面的细微间隙。

3. 消化系统和营养：颚咽动物的消化管为不完全消化管（图 8-1），具口无肛门。口位于头部与躯干部交接处腹面。口后为肌肉质的咽，丝精目的咽肌不发达，囊道目的咽肌比较发达。咽内有 1 个咀嚼器（图 8-2），咀嚼器由两部分构成，前部是 1 个基板，后部是 1 对颚，均为咽上皮分泌的角质构造。基板上常具有棱状、嵴状突起，有时呈梳状或齿状，可用于刮取食物。丝精目的颚比较简单但较坚实（图 8-2 A）。囊道目的颚比较复杂，呈片层状（lamellar），常具齿（图 8-2 B,C）。无颚科 Agnathiellidae 的种类没有颚。颚咽科 Gnathostomulidae 种类口的前方具 1 个新月形的“软骨质 cartilaginous”口锁（jugum）（图 8-2 D），当咽肌收缩时，能防止口部塌入体内。咽的周围常具有口腔腺（buccal gland）、咽前腺（prepharyngeal gland）、口后腺（postoral gland）等腺体（图 8-2 D）。肠呈管状，单层上皮结构，后端无肛门。但独颚虫 *Haplognathia* 和颚咽虫 *Gnathostomula* 的肠管后端具 1 束组织与身体背侧上皮相连，可能是“肛门”之所在。

颚咽动物的主要食物是真菌，也以细菌、蓝藻等为食。摄食时用咀嚼器的基板刮取基质颗粒上的微生物，以颚抱持送入咽内，颚的另一作用是防止咽内的食物倒流。颚咽动物的生活史分营养期（nutritive phase）和生殖期（reproductive phase）两个时期，其摄食量与生殖量呈反相关。

4. 呼吸和循环：颚咽动物没有专门的呼吸和循环系统。其呼吸主要是依赖糖酵解（glycolysis）。颚咽动物的生活环境多处于缺氧状态，并含有丰富的 H_2S，这样的环境对绝大多数动物来说是无法生存的。因此，在沙隙小型动物区系中，随着沙层深度的增加，线虫、腹毛动物、涡虫等动物的数量及多样性均下降，而颚咽动物的多样性和种群密度却呈增加趋势。有些颚咽动物可以行有氧代谢，颚咽虫的耗氧率为 282 $mm^3 O_2$/(h・g 湿重)，这是小型底栖动物已知的最低耗氧率。循环主要是通过扩散来实现的，微小多变的体形和缺少间充质的体内结构无疑有利于物质的扩散和交换。

5. 排泄系统和排泄：颚咽动物具原肾。原肾由单纤毛的焰细胞构成，常位于生殖腺附近的间充质内。纤毛的周围具有 8 根微绒毛。这种原肾比较原始，与其单纤毛的表皮细胞相似，经表皮管细胞（epidermal canal cell）开口于虫体的表面。颚咽动物的排泄不仅依赖于原肾，而且（可能更重要的是）依赖于扩散作用。排泄器官与生殖腺靠近，说明排泄作用主要集中于代谢旺盛的部位。

6. 神经系统和感觉器官：颚咽动物的神经系统为表皮型（epidermal type），即是部分表皮的特化。但丝精目的种类则具有 1 个表皮下脑神经节，位于口前，由此发出 3 对纵神经。在咽的后部还具有 1 个口神经节（buccal ganglion），与 1 对口神经(buccal nerve)相连。

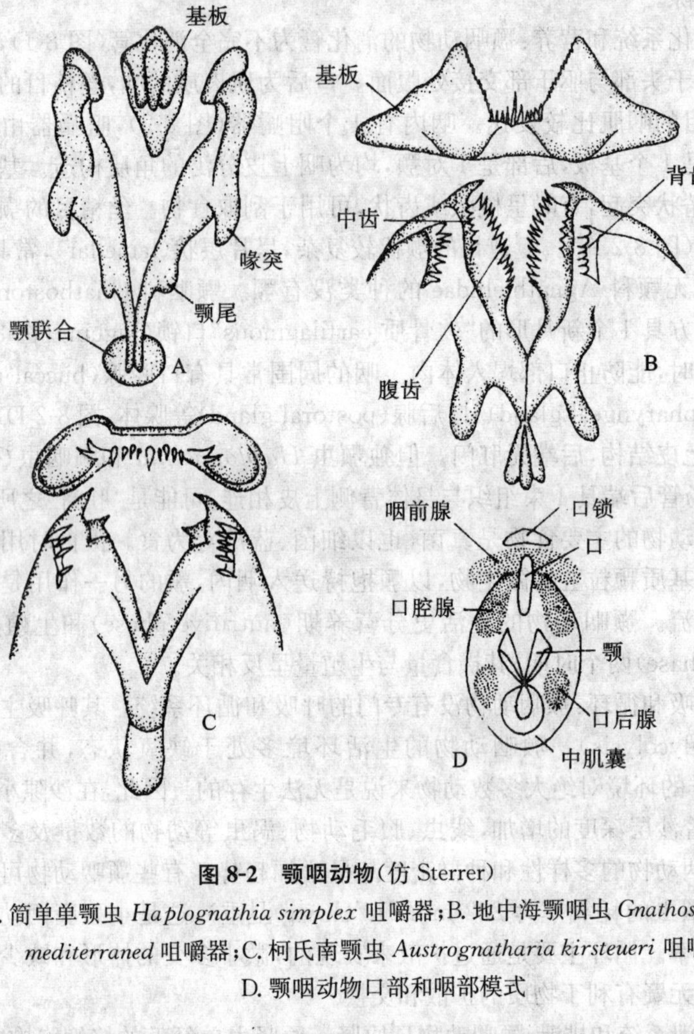

图 8-2 颚咽动物(仿 Sterrer)

A. 简单单颚虫 *Haplognathia simplex* 咀嚼器;B. 地中海颚咽虫 *Gnathostomula mediterraned* 咀嚼器;C. 柯氏南颚虫 *Austrognatharia kirsteueri* 咀嚼器;D. 颚咽动物口部和咽部模式

感觉器官因类群不同而有很大差别。多数颚咽动物都具 1 列后顶毛(occipitalia),位于喙部背面中线附近(图 8-1 A,B)。在囊道目,喙前部具 3～5 对(多数四对)感觉刚毛,因着生的部位不同分别称为前毛(frontalia)、侧毛(lateralia)、背毛(dorsalia)和腹毛(ventralia)等(图 8-1 B,C)。喙部的顶端还具 1～2 对感觉纤毛称顶毛(apicalia)(图 8-1 B,C)。此外,囊道目喙前部还具有 3 个纤毛窝(ciliary pit)(图 8-1 C),顶端的 1 个为顶纤毛窝(apical ciliary pit),侧面的两个称侧纤毛窝(lateral ciliary pit)。丝精目不具有这些结构,但其细长的喙部有助于触觉。

7. 生殖系统、生殖和发育：颚咽动物为雌雄同体。雄性生殖系统多具有成对的精巢，位于躯干后部或尾部（图 8-1 A，B）。有些种类具单个精巢（图 8-1 C），系胚胎发育中成对的生殖原基愈合而来。囊道目的种类具 1 个发育良好的阴茎，伸向腹后方，为肌肉质，多数武装有交接刺（图 8-1 B）。丝精目无阴茎或类似构造。颚咽动物的精子形态是重要的分类依据，有 3 种类型：①丝状精子（filiform sperm）（图 8-3 A），丝精目的精子属这种类型。细长，呈丝状。其结构与一些原始扁形动物的精子类似，具“9-2”微管结构；②矮精子（dwarf sperm）（图 8-3 B），近乎球形，无尾，表面具非纤毛结构的丝，见于硬囊道亚目；③精锥（conulus）（图 8-3 C），见于软道亚目，系一种大型的圆锥状结构，由单个巨大的精子构成或者是 1 个精荚（spermatophore）。

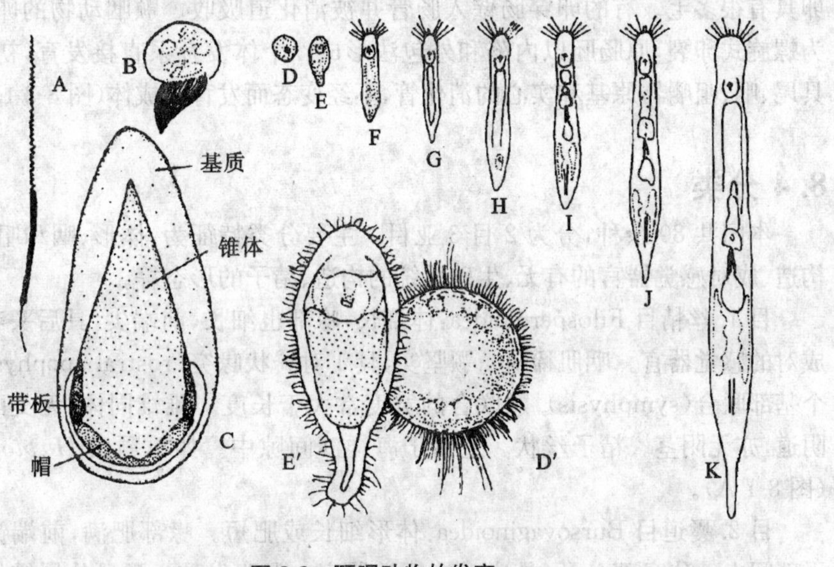

图 8-3　颚咽动物的发育

A～C. 颚咽动物各种类型的精子：A. 简单单颚虫 *Haplognathia simplex* 的丝状精子；B. 拟颚咽虫 *Gnathostomaria* sp. 矮精子；C. 里德尔南颚虫 *Austrognatharia riedli* 的精锥；D～K. 詹纳颚咽虫 *Gnathostomula jenneri* 的发育过程：D，D′. 后期胚胎；E，E′. 尾生出，正在孵化；F. 具颚的幼体；G. 肠腔出现；H. 幼体，生殖器管开始出现；I. 幼体，出现生殖腺和交配囊；J. 较小的成体；K. 最大个体

（A～C 仿 Ax；D～K 仿 Riedl 从 Meglitsch 等）

雌性生殖系统（图 8-1）具 1 个卵巢。囊道目还具有阴道（vagina）和交配囊（bursa），均位于卵巢的后方（图 8-1 B，C）。交配囊呈膨大的囊状，与阴道之间

有一短管相通。交配囊的后方常具有 1 个前交配囊(prebursa)(图 8-1 B)。

丝精目无交配器官,但具能游动的丝状精子。囊道目有交配器官,但其肥大的精子不具活动能力,足见其结构与功能的统一。

颚咽动物有的雌、雄生殖器官同时成熟,有的则雄性先熟,因而具有各种类型的性嵌合个体,如纯雄体、雌雄混合体、纯雌体、"老年(senile)"无性体等。

关于颚咽动物的交配尚知之甚少。丝精目的种类能分泌粘性物质使参与"交配"的两个个体粘在一起,丝状精子通过体壁钻入另一个体体内。囊道目的种类则是由阴茎将精子送入功能雌体的交配囊内。丝精目可通过两个个体腹面与腹面相贴进行交互受精(mutual insemination)。囊道目则因雌、雄生殖孔分别位于腹、背面,无法进行这种交配。

颚咽动物一般每次只有 1 粒卵成熟,成熟卵由体壁破裂排出体外,初产的卵具有很多毛。有的卵穿肠壁入肠管并被消化道吸收。颚咽动物的卵裂方式为螺旋式卵裂,原肠胚以内陷和外包法形成。个体发育系直接发育,初孵幼体具尾、咽、咀嚼器原基和实心的消化管,不经变态而发育为成体(图 8-3 D～K)。

8.4 分类

本门共 80 余种,分为 2 目 3 亚目。主要分类特征为:体形、咽和咀嚼器的构造、成对感觉器官的有无、生殖系统的构造、精子的形态等。

目 1. 丝精目 Filospermoidea:体细长,喙部也细长,前端尖,具后头毛,但无成对的感觉器官。咽肌稀疏。颚坚实,具 1 对翼状喙突(rostral apophysis)和 1 个基部联合(symphysis),颚联合的宽度常大于长度。雌雄同体,无交配囊,无阴道,亦无阴茎。精子丝状。生活于海洋沙间隙中。如单颚虫 *Haplognathia* (图 8-1 A)。

目 2. 囊道目 Bursovaginoidea:体形细长或肥短。喙部肥满,前端钝,与躯干部间由一狭窄部分开,具成对的感觉器官。咽肌发达。颚呈片层结构,无翼状喙突,颚联合常付缺,如有则长大于宽,极少数种类无咀嚼器。雌雄同体,具阴茎和交配囊,且多数具阴道。精子不呈丝状。生活于海洋沙间隙中。分 2 亚目:

亚目 1. 硬囊道亚目 Scleroperalia:具角质的交配囊,有时还具有阴道。精巢成对,位于侧腹面,阴茎常具有角质的交接刺。精子较小(最大 13 μm),呈圆形、多角形或水滴形,常具有一束较短的丝。喙部具 3～5 对感觉刚毛,顶毛通常 1 对。具纤毛窝,但有的退化。如颚咽虫 *Gnathostomula jenneri*(图 8-1 B)等。

亚目 2. 软囊道亚目 Conophoralia：交配囊柔软，有时具阴道。精巢 1 个，位于背面，阴茎肌肉质，无角质交接刺。精子（精锥）较大（一般 15 μm 左右，最大 45 μm），呈锥形，无丝。喙部感觉刚毛 4 对，顶毛 2 对。具纤毛窝。如柯氏南颚虫 *Austrognatharia kirsteueri*（图 8-1 C）等。

8.5 系统发生

颚咽动物三胚层、无体腔、体表具纤毛、消化管为有口无肛门的不完全消化管、卵裂螺旋式，与扁形动物比较接近，是无体腔后生动物演化路线上一个适应于海洋间隙生活的分支。至于其具与轮虫相似的咀嚼器及与腹毛动物相似的单纤毛上皮细胞则很可能是保留的祖先特征或是趋同进化的结果。古生代的牙形石（conodont）曾被认为是颚咽动物的化石，但现在多认为它更接近于脊索动物。

第9章　纽形动物门

Nemertea(Gr., *nemertes*, a sea nymph)

Rhynchocoela(Gr., *rhynchos*, beak; *koilos*, hollow)

9.1 概述

纽形动物(nemertean, nemertine)亦称吻腔动物(rhynchocoel),蠕虫状、两侧对称不分节、具纤毛、消化道具分离的口和肛门、三胚层无体腔(?)、间质中具闭管式的循环系统,因肠管背方多具能外翻和充满液体的吻和吻腔故称吻蠕虫(proboscis worm),又因其细长如带又名缎带蠕虫(ribbon worm)。纽虫结构虽特殊,但尚未见何物种构成一个大的种群使之在生态系统中起重要作用。

纽形动物门的主要特征:

1. 多数海生底栖,远洋浮游者很少,少数生活于淡水或陆地;
2. 两侧对称,不分节,体常背腹扁平,蠕虫状;
3. 体表无角皮,多具纤毛上皮;
4. 具完整的前后贯通的消化道,消化管前端为口,后端为肛门;
5. 三胚层,无体腔(?),在消化管背方具吻腔和特殊的能伸缩的吻;
6. 无呼吸器官,具原肾型排泄系统和闭管式循环系统;
7. 神经系统具1对脑神经节和1对侧神经索;
8. 多雌雄异体且卵生,螺旋卵裂,除异纽目发育经浮游的帽状幼虫(pilidium)、德索幼虫(Desor larva)或岩田幼虫(Iwata larva)外皆直接发育。

已记述纽虫约1 100种,隶属2纲4目(表9-1)。鉴定时需切片观察内部结构。至目的主要检索性状为:

1. 口位于脑的:a. 下方或脑后,b. 前方;

2. 神经索位于体壁肌肉层：a. 以外或之间，b. 以内或间质中；

3. 真皮：a. 透明的结缔组织膜，b. 纤维的具许多腺细胞；

4. 外层肌肉：a. 为环肌，b. 为纵肌；

5. 吻针：a. 具，b 无；

6. 肠侧盲囊：a. 具，b. 无；

7. 腹后吸盘：a. 具，b. 无。

表 9-1　纽形动物门的分类

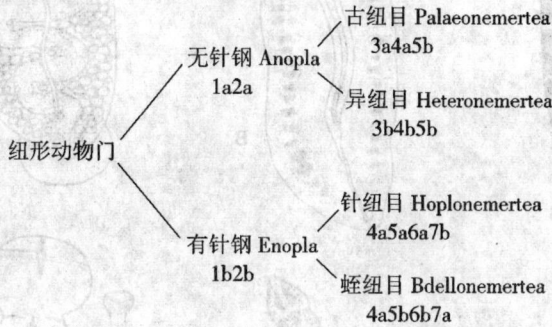

- 纽形动物门
  - 无针钢 Anopla 1a2a
    - 古纽目 Palaeonemertea 3a4a5b
    - 异纽目 Heteronemertea 3b4b5b
  - 有针钢 Enopla 1b2b
    - 针纽目 Hoplonemertea 4a5a6a7b
    - 蛭纽目 Bdellonemertea 4a5b6b7a

9.2 习性和分布

纽虫见于从北极到南极的世界各地，且多见于潮间带和浅海沿岸海域，仅少数种成功地侵入半咸水、淡水或陆地生境中。

大多数纽虫海洋底栖，见于岩石石块下、海藻固着器中、珊瑚和其他固着动物(苔藓、藤壶、贻贝、海绵等)集群的空隙间，或穴居于沙、泥、砾石中。还有的生活于自身分泌的粘性管中或占据其他动物如多毛类磷虫 *Chaetopterus* 的空栖管中或端足类的穴道里(图 9-1 E)。

淡水种类不多，古纽目无淡水种，分布最广的是针纽目的前口纽虫 *Prostoma*。

常见的陆生纽虫是针纽目的地纽虫 *Geonemertes*，生活在隐蔽的高湿环境中，有的利用发达的头腺分泌黏液以抗干旱。地纽虫 *G. pelaensis* 可栖于离地面 40 英尺的松树上。

浮游纽虫均为多针纽虫类，全部海生于深水中，和潮间带种不同的是具宽扁的身体。分布最广的是 *Dinonemertes investigatoris*，从北大西洋到印度洋都有分布。此外，尚有游泳纽虫 *Nectonemertes*、远洋纽虫 *Pelagonemertes*(图 9-1 B)等。

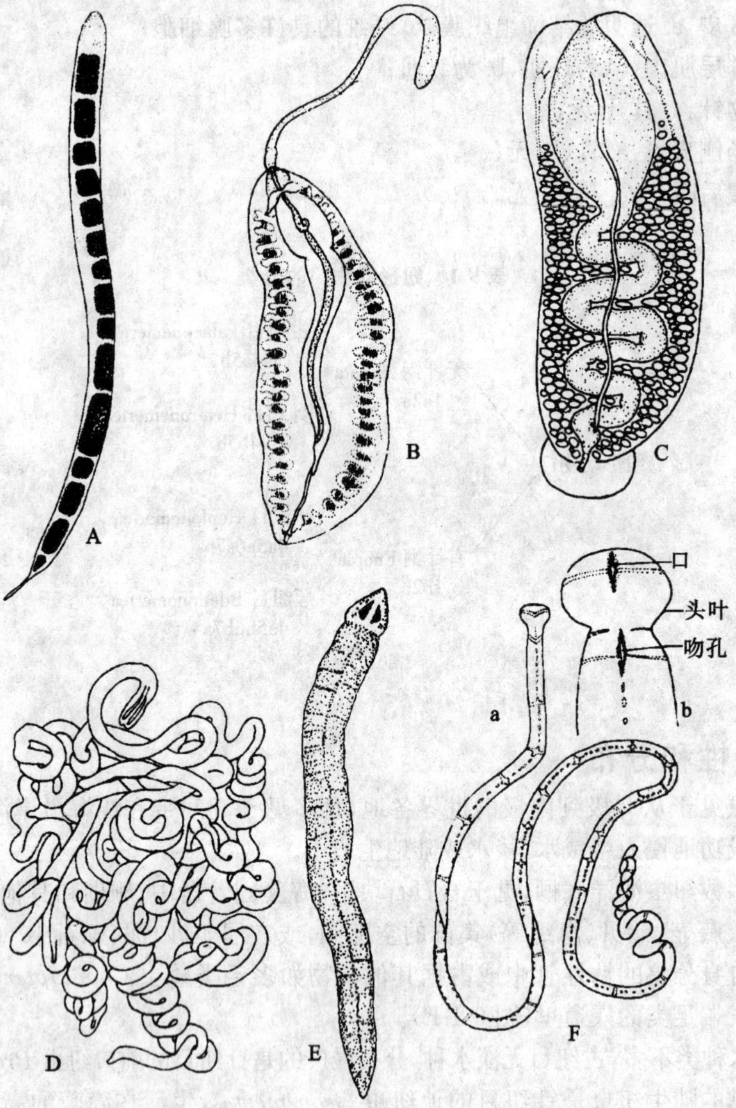

图 9-1　纽虫(仿各作者)

A. 维氏小尾纽虫 *Micrura verrilli*；B. 浮游纽虫 *Pelagonemertes verrilli*；C. 蛤蛭纽虫 *Malacobdella grossa*；D. 长纵沟纽虫 *Lineus longissimus*；E. 两用孔纽虫 *Amphiporus*；F. 斑管栖纽虫 *Tubulanus punctatus*
(a 背面观，b 头部腹面观)

至今尚未发现真正的寄生生活的纽虫。和其他动物共栖的纽虫多为单针类纽虫，有的四眼纽虫 *Tetrastemma* 生活于被囊类的咽腔(pharyngeal cavity)中，线纽属 *Nemertopsis* 的某些种生活于藤壶体内，蟹居纽虫 *Carcinonemertes* 常生活于多种蟹类的鳃腔或卵块上，蛤蛭纽虫 *Malacobdella*(图 9-10)则生活于各种海产双壳类的外套腔中。共栖者除获得保护外，附着的部位大都易于获得氧或食物，极易获取对方纤毛滤食的营养物质，名为无害实则干扰摄食。实际上，许多共栖纽虫有向寄生方向演化的趋势:眼点和感官的退化，吻器消失，生殖力增强、常具数目众多的生殖腺。

9.3 形态、结构和功能

1. 外形:典型的纽虫体形纤细、蠕虫状，多背腹扁平，且具很强的伸缩力。体长因种类不同差别很大，蟹居纽虫 *Carcimonemertes* 和部分四眼纽虫 *Tetrastemma* 仅长几毫米，浅海穴居的脑纽虫 *Cerebratulus*、纵沟纽虫 *Lineus* 可达数米，欧洲的长纵沟纽虫 *L. longissimus* 体长达 30 m，是已知最长的无脊椎动物。

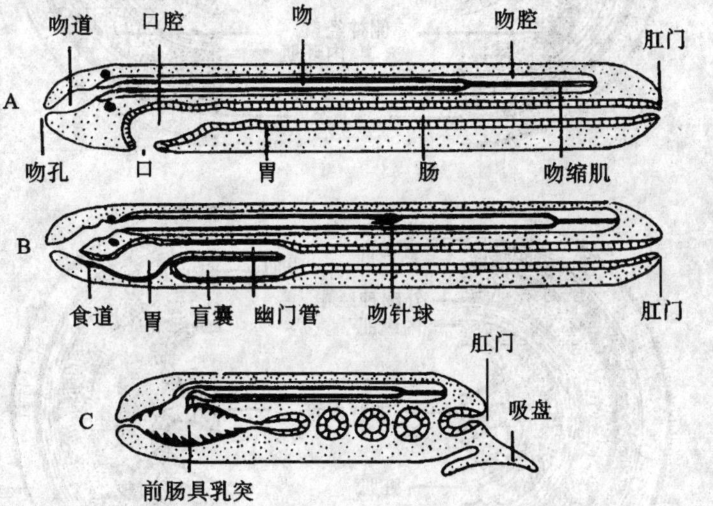

图 9-2　纽虫纵切模式图(仿 Gibson)

A. 古纽和异纽目;B. 针纽目;C. 蛭纽目

纽虫不具明显的头部，多数纽虫前端呈尖形、圆形或钝圆，少数前端具铲形或心形的头叶(cephalic lobe)。前部常具横的、斜的或纵行的头裂(cephalic slit)或头沟(cephalic groove)和对称排列的眼，有的种眼的数目很多，常随个体长大而增多，单针类的某些种眼的数目少而固定，通常为 1 对或 2 对(图 9-1 E)。

古纽目和异纽目，体前端具吻孔(proboscis pore)，口位于脑神经节的后腹面，吻孔和口分离(图 9-2 A)。针纽目和蛭纽目，吻孔和口合一，位于脑神经节之前(图 9-2 B,C)。

纽虫体后端一般逐渐变细，有的具细的尾须(caudal cirrus)，如小尾纽虫 *Micrura*(图 9-1 A)，而蛭纽目后端腹面具吸盘。肛门开口于体后端的背方或尾须基部或吸盘上方(图 9-2)。

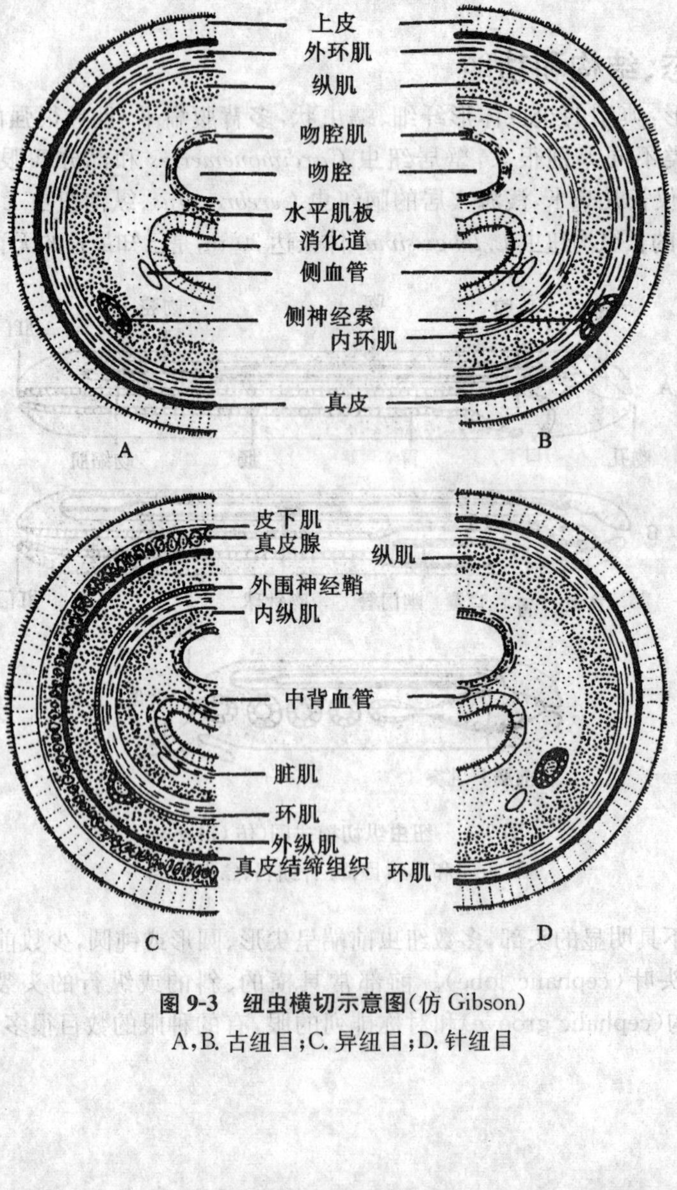

图 9-3　纽虫横切示意图(仿 Gibson)

A,B. 古纽目；C. 异纽目；D. 针纽目

纽虫的体色多灰白或略呈黄色，有的种具黄、橘黄、红或绿的光亮色彩，有的种则具不同颜色的块斑、条斑、点斑等，而许多深海种（bathypelagic species）常为亮红、橘黄或黄色。浅色物种者体多透明，内部器官如吻、吻腔、肠、生殖腺和脑神经节等透过体壁可见。有的种在生殖期还具有两性不同的体色双态现象（colour dimorphism）。

2. 体壁和运动：体壁（body wall）（皮肌囊）主要由表皮（epidermis）、真皮（dermis）和体壁肌（body wall musculature）3 部分组成。表皮具单层的多纤毛细胞、感觉细胞和腺细胞。真皮在各目中有变化，古纽、针纽和蛭纽目的真皮多由透明的结缔组织组成，因种不同，从简单的基膜到厚而明显的层。但在异纽目的真皮主要是纤维的，常比上皮厚且具各种类型的腺细胞，而腺细胞有时排成一个明显的外围层，靠内部的结缔组织层与体壁肌分开（如 *Baseodiscus*，*Euborlasia*，*Poliopsis*），有的种类腺细胞和纤维位于或分散于外层肌纤维之间（如 *Micrella*，*Oxypodia*，*Valencinia*），或兼而有之（如脑纽虫 *Cerebratulus*，纵沟纽虫 *Lineus*，小尾纽虫 *Micrura*）。体壁各肌层的排列顺序是目的重要鉴别特征：古纽目的肌层主要为外环肌和内纵肌两层（厚肌纽 *Carinoma*，细首纽 *Cephalothrix*，原细首纽虫 *Procephalothrix*）或外环肌、中纵肌、内环肌 3 层（管栖纽虫 *Tubulanus*，*Carinesta*）（图 9-3 A，B）。异纽目为外纵肌、中环肌、内纵肌 3 层（图 9-3 C）。针纽和蛭纽目的体肌基本上由外环肌、内纵肌组成（图 9-3 D）。此外，有的种还具背腹肌（dorsoventral muscle）、脏肌（splanchnic muscle）和水平肌板（horizontal muscle plate）。

运动（movement）：纽虫靠体壁肌的伸缩和上皮纤毛的摆动而运动，有的纽虫可借头腺等腺体分泌的大量黏液滑行，有的则靠一系列肌肉沿腹面向后波动的蠕动波爬行或滑行（图 9-4），蛭纽常以前部的吻器和后部吸盘交替使用行尺蠖式运动。

3. 吻器：吻器（proboscis apparatus）包括吻、吻道和吻腔（图 9-5 A）。吻道（rhynchodaeum）是通过吻孔向外开口的管状腔室，其组织结构与体壁基本相似，似外胚层内陷而成（有些种吻道壁上具杆状体）。吻腔（rhynchocoel）是位于肠背方向后延伸的腔，长短不一，有的与体长相当，有的则不及体长的三分之一，其壁为吻鞘（proboscis sheath）。吻（proboscis）前端着生于吻道和吻腔的接合部（古纽目和异纽目位于脑前，针纽目位于脑后），是长的肌肉质器官、蜷缩于充满液体的吻腔中，末端以牵缩肌固定于吻腔后部，可爆发式地由吻孔中翻出，吻肌肉层与各目体壁肌层的排列相当。吻又分为具吻针的武装型（armed form）（针纽目）和无吻针的非武装型（unarmed form）（古纽、异纽和蛭纽目）。在针纽目，吻针（stylet）位于吻壁的膨胀部，在横膈的正面有一小穴，穴内面附有

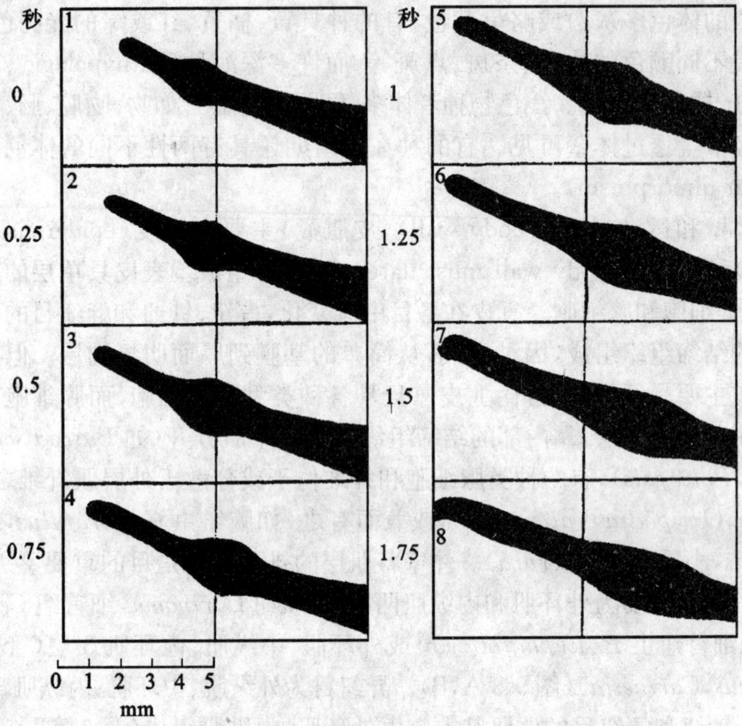

图 9-4　纵沟纽虫 *Lineus* 运动的摄像图(仿 Gibson)

吻针的基座(basis),上具主针或中央针(central stylet),有的还具副针囊(accessory pouch),内具副针(accessory stylet)(图 9-5 B)。

4. 消化系统和营养:消化管简单,两端贯通。口位于前端腹面脑之后(古纽、异纽),或口与吻孔合一位于脑之前(针纽、蛭纽),口后分别为口腔(buccal cavity)、食道(oesophagus)、胃(stomach)、肠(intestine)和肛门(anus)。由口至胃的部分常称为前肠,胃上皮具紧密排列的纤毛和分泌腺。单针类在胃肠交界处和肠侧具成对的侧盲囊(lateral diverticulum,图 9-5 A),因而具假分节现象。蛭纽目的消化管来回弯曲,无侧盲囊,其前肠具能动且具纤毛的乳突。消化道常不具固有的肌肉,但在某些种前肠外围有脏肌层。

纽虫多食肉(carnivorous)或食腐(scavenging),且食欲旺盛,摄食活泼,主要食物为原生动物、线虫、环节动物、节肢动物甚至贝类和鱼类。有的需接近接触猎物才能捕食,有的种能在一定距离进行化学试探,还有的可沿猎物运动的黏液遗迹跟踪捕食。无针类用吻把持猎物,而有针类的吻缠住食物后用吻针反复戳刺并注入毒液杀死猎物,猎物或整个或部分被吞食。在蛋白酶的作用下组虫行细胞外消化和细胞内消化，未被消化吸收的物质和食物残余经体后端的肛门排遗出体外。

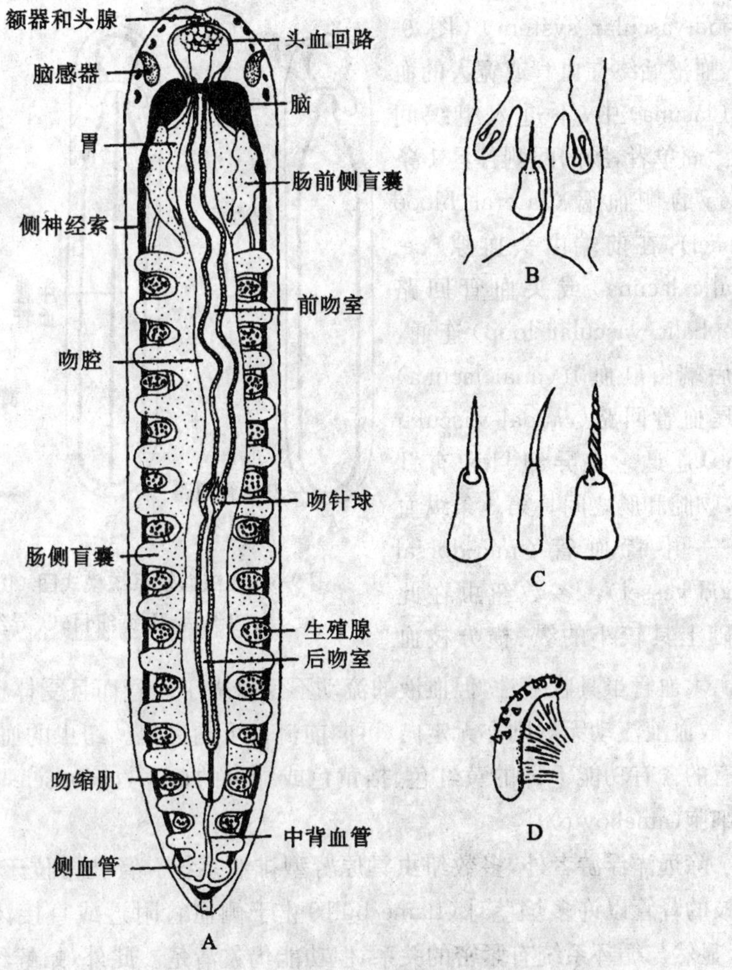

图 9-5　单针纽类纽虫(仿 Gibson)

A. 单针类纽虫内部结构示意图，背面观；B. 吻针的分布；C. 各种单针；D. 多针和基座

蛤蛭纽虫 *Malacobdella* 摄食机制特殊，是无选择的杂食动物(omnivorous)，前肠将水和寄主过滤得到的悬浮物一并吮吸入口后，前肠乳突互锁交织地把水挤出，留下悬浮物的颗粒，被纤毛收集后送入肠。这种摄食方式，不同于其他依赖纤毛摄食的动物，后者往往需要黏液粘捕收集食物。此外，共栖的蟹

居纽虫 *Carcinonemertes epialti* 能够摄食寄主的卵。

5. 内部运输和排泄：纽虫无呼吸系统，靠体表与体外进行气体交换。具闭管式血管系统(closed blood-vascular system)(图 9-6)，血液始终在血管或宽大的血隙(lacuna)中，不进入组织间隙。简单者，肠的两侧各具1条纵行的侧血管(lateral blood vessel)，在前端由头血隙(cephalic lacuna)或头血管回路(cephalic vascular loop)连通，在后端由肛血隙(anal lacuna)或尾血管回路(caudal vascular loop)连通。在异纽目和有针纲，吻腔和肠之间具第3条纵血管——中背血管(mid-dorsal blood vessel)。多数纽虫在此基础上具较小的纵、横分枝血管。大血管虽具收缩性，但血液的流动不仅取决于血管而且受体壁肌收缩的左右，故血液流动无规则亦无定向，可向前流也可向后流。纽虫的血液通常无色，但有的含有功能不详的黄红色、桔黄色或绿色的血球(corpuscle)，有的还具变形细胞(ameboyte)。

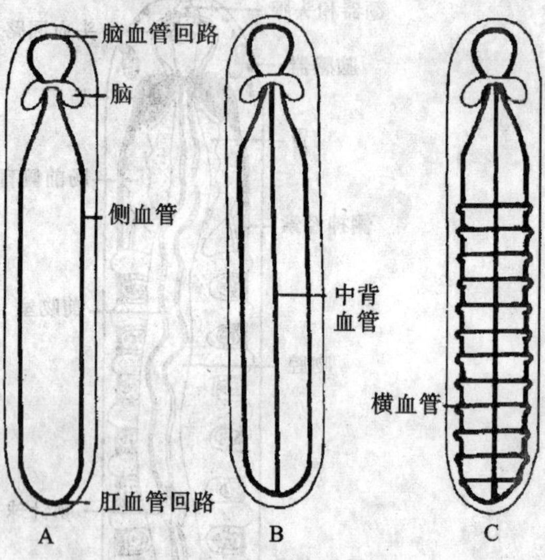

图 9-6　纽虫血管系统模式图(仿 Gibson)

A. 古纽目；B. 针纽目；C. 异纽目

除远洋浮游者外，多数纽虫具原肾型排泄系统。肾孔常位于前肠区侧面，分枝的肾管以许多焰茎球(flame bulb)止于侧血管附近或直接沐浴于侧血管中，显然与循环系统有紧密的关系，但功能仍欠清楚。此外，蛤蛭纽虫肾管周围大的拟原肾细胞(athrocyte)，可能具排泄功能。

6. 神经系统和感官：纽虫神经系统主要由脑和1对侧神经索组成(图 9-7 A)。脑是1对双叶的脑神经节(cerebral ganglia)，左、右脑神经节又各具1背叶和1腹叶，故脑呈4叶。左、右脑神经节的背叶和腹叶分别由脑背联合(dorsal cerebral commissure)和脑腹联合(ventral cerebral commissure)连接并环绕着吻腔。侧神经索(lateral nerve)两条，由神经节腹叶分出沿体侧向后延伸，并在肛门附近由肛联合(anal commissure)相连。侧神经索于体壁中的位置在各目不同，位于肌肉层外、或位于肌肉层间、或位于间质中(图 9-3)。另外，有的纽虫具 1 条中背神经(mid-dorsal nerve)，纵行于体背中部。有的纽虫具 1 对前肠神经(foregut nerve)通入前肠。纽虫的外围神经，主要包括由脑神经节发出的头部神经和许多发自侧神经的神经分枝。纽虫的感官多位于体前端，包括感觉表皮窝(sensory epidermal pit)、色素杯眼点(pigment-cup ocellus)、头裂(异纽目)(cephalic slit)、头沟(groove)、脑感器(cerebral sensory organ)以及额器(frontal organ, apical sensory organ)(图 9-7 B,C)等。头裂和头沟由表皮内陷而成，内具纤毛，可能是化学感受器(chemoreceptor)。脑感器可能是神经分泌腺，亦具化感器的功能。多数纽虫的额器与头腺(cephalic glands)有一定联系，可能与分泌黏液有关。纽虫的眼点位于真皮、肌肉或实质组织中。

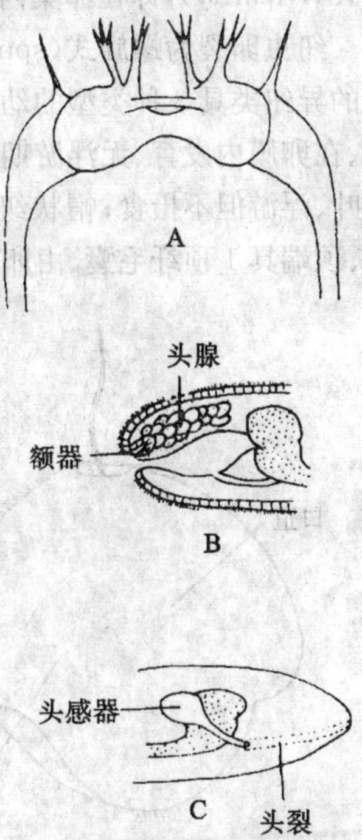

图 9-7　纽虫之头部结构(仿 Gibson)
A. 前孔纽虫 *Prostoma*；B. 额器和头腺；C. 头感器和头裂

7. 再生、生殖和胚胎发育：遇不良的环境(高温或其他强烈的刺激)，纽虫极易断裂成段并再生(regeneration)。有些纵沟纽虫，虫体任何一片段只要含一段中枢神经就能再生出一完整的个体(图 9-8 B)。

多数纽虫为雌雄异体(dioecious)(某些深水和陆生者常雌雄同体(hermaphrodite)。生殖腺由实质细胞聚积呈圆形或曲颈瓶状，多位于肠的两侧，若具肠盲囊则生殖腺与肠盲囊相间排列(图 9-5 A)。雌雄同体者常雄性先熟。在性成熟时生殖腺生出一短的生殖管并向体外开口(生殖孔)，生殖孔常成行排列于体背侧或侧面。远洋纽虫 *Phallonemertes* 的精巢位于头部或前肠区，具指状突起的阴茎。而蟹寄纽虫 *Carcinonemertes* 输精管与肠相通，经肛门排放精子。

多数无针类每个卵巢可同步成熟产出若干卵，而在有针类则一次只产 1 个或几个卵。多数纽虫行体外受精，受精卵分散在海水中或沉于海底或在胶质带中。尽管成熟时有些种聚积在一起或成对栖于共同的穴中，精子和卵子的排放无需两个虫体直接接触。有的纽虫可自体受精，而纵沟纽虫的某些种为卵胎生(ovoviviparity)，即在卵巢内发育成为幼体。

纽虫卵裂为螺旋式(spiral cleavage)。除异纽类外都行直接发育。间接发育的异纽类具3种类型的幼虫：德索幼虫(Desor larva)，圆形具纤毛、无顶纤毛囊、在卵膜内发育、无浮游期；岩田幼虫(Iwata larva)，具顶纤毛囊、无下垂的纤毛叶、浮游但不摄食；帽状纽虫(pilidium larva)，盔状，口部一侧具下垂的纤毛叶、顶端具1顶纤毛囊、由卵膜或卵块中孵出后具浮游摄食期(图9-8 A)。

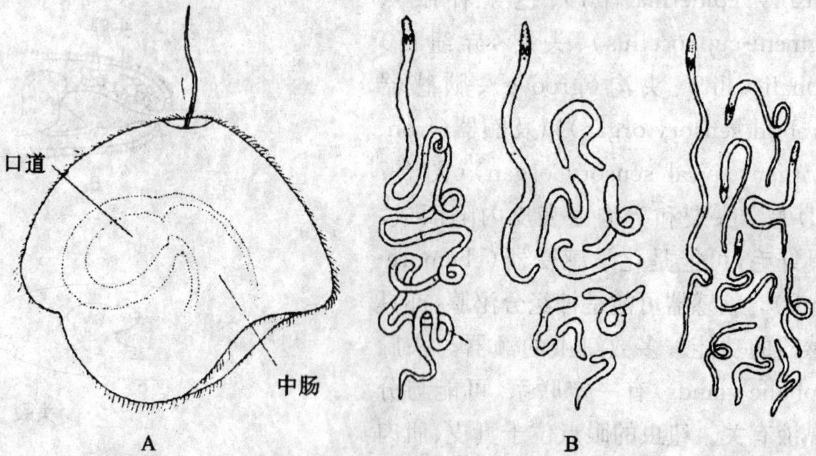

图9-8　纽虫之幼虫和无性生殖

A. 脑纽虫 *Cerebratulus* 之帽状幼虫；B. 纵沟纽虫 *Lineus* 之断裂生殖

(A仿Coe；B仿Gray)

9.4 分类

已记述的纽虫约1 100种，隶于两纲4目。口和吻孔之间、内部体壁肌肉和神经索之间的位置关系，以及吻器的组成等是分类的主要依据。鉴定时需组织学切片观察内部结构。

纲1. 无针纲 Anopla

口和吻孔分别开孔，口位于脑神经节下后方，吻无武装(无吻针、个别种具棒状体)，吻简单，神经系统位于体壁中。

目1. 古纽目 Palaeonemertea：真皮为透明的结缔组织；体壁肌2或3层(外环肌-内纵肌或外环肌-中纵肌-内环肌)，神经系统位于纵肌内或上皮下肌肉层以外，全部海生底栖，主要见于泥沙沉积物中。如斑管栖纽虫 *Tubulanus punctatus*（图 9-1 F）、螺旋原细首纽虫 *Procephalothrix sprialis*、线细首纽虫 *Cephalothrix linearix* 和厚肌纽虫 *Carinoma* 等。

目 2. 异纽目 Heteronemertea：真皮很发达，体壁肌 3 层（外纵肌-中环肌-内纵肌），神经系统位于外纵肌和中环肌之间，间接发育，主要海生底栖，见于泥、沙和贝壳的沉积中、砾石下或海藻固着器中，有些见于半咸水或淡水。如维氏小尾纽虫 *Micrura verrilli*（图 9-1 A）、长纵沟纽虫 *Lineus longissinus*（图 9-1 D）、脑纽虫 *Cerebratulus* 等。

纲 2. 有针纲 Enopla

口和吻孔合一且位于脑神经节前方，神经系统位于体壁肌之内的间质中，具外环肌和内纵肌层。

目 1. 针纽目 Hoplonemertea：吻具针，消化道具侧盲囊，多数海生底栖或浮游，亦见淡水生、陆生、共栖者。依针的结构又分：①单针亚目 Monostilifera，在大的圆形基座上仅具一个大的主吻针，附近具副针囊，内有副针。多海生底栖、习见于粗沉积物或海藻丛中，如两用孔纽虫 *Amphiporus*、拟纽虫 *Paranemertes*；少数种陆生，如地纽虫 *Geonemertes*；或淡水生，如前孔纽虫 *Prostoma*。②多针亚目 Polystilifera，吻的镰刀形座上具许多小针（图 9-5 D），吻孔和口分离或分别开口于共同的口腔中。全部海生，包括爬行族 Reptantia 和浮游的远洋族 Pelagica，如远洋纽虫 *Pelagonemertes*、游泳纽虫 *Nectonemertes*、浮游纽虫 *Planktonemertes agassizii*（图 9-1 B）。

目 2. 蛭纽目 Bdellonemertea：吻简单无针且开口于前肠，肠弯曲无侧盲囊，前肠桶状，生有很多能动且具纤毛的乳突，体后具吸盘。共栖于软体双壳类动物的外套腔中，如蛤蛭纽虫 *Malacobdella grossa*（图 9-1 C）。

9.5 系统发生

纽形动物起源的传统观点是，纽形动物与扁形动物具一无体腔的共同祖先。主要依据：体表都无角皮，表皮都具纤毛和杆状体，且都具原肾、间充组织和能伸缩的吻（仅少数扁形动物具吻）。

但是，近年来对纽形动物超微结构、胚胎发育以及分子生物学的研究表明，纽形动物很可能与有体腔动物的关系更为密切，持此观点的学者认为纽形动物的吻腔、血管系统以及与血管系统紧密联系的排泄系统等都是特化的真体腔（纽虫的血管具体腔的某些特征，如由中胚层带裂开形成并具上皮内衬）。

第 10 章　腹毛动物门

Gastrotricha(Gr., *gaster*, stomach; *trix*, hair)

10.1 概述

腹毛动物(gastrotrich)是一类小型后生动物,因身体腹面生有纤毛而得名。体表具角皮,常特化为刺、甲板等。消化管完全,具口和肛门,咽发达。排泄器官或具成对的原肾。消化管与体壁间充满间充组织。粘管 1 对或很多,与粘腺(adhesive gland)相通。

腹毛动物的主要特征:

1. 身体微小,呈蠕虫状,两侧对称,不分节;
2. 三胚层,消化管与体壁之间充满间充组织和器官,因而呈无体腔状态;
3. 角皮(cuticle)为多层构造,常特化为甲板(plate)、刺(spine)、鳞(scale)等;
4. 身体腹面具单纤毛表皮细胞(monociliated epidermal cell)或多纤毛表皮细胞(multiciliated epidermal cell),纤毛外常具角皮外层延伸而成的纤毛外鞘;
5. 体表具 1 对或多条粘管(adhesive tube),与粘腺(adhesive gland)相通;
6. 消化管完全,咽发达,肛门位于近身体末端腹面;
7. 无专门的呼吸和循环系统,排泄系统或具成对的原肾;
8. 神经系统具 1 对脑神经节和 1 对侧神经索,脑位于咽两侧;
9. 雌雄同体或仅有雌体,从未发现独立的雄体,行两性生殖或孤雌生殖;
10. 定型卵裂,直接发育;
11. 几乎全部水生生活,多栖于海、淡水底质间隙、表面,极少数浮游生活。

本门动物约 450 种,隶属 1 纲 2 目(表 10-1),至目的检索性状主要为:

1. 咽孔:a. 有,b. 无;

2. 咽腔横切面呈：a. 倒 Y 形，b. Y 形；

3. 原肾：a. 有，b. 无；

4. 雄性生殖腺：a. 有(雌雄同体)，b. 无(行孤雌生殖)。

表 10-1 腹毛动物门的分类

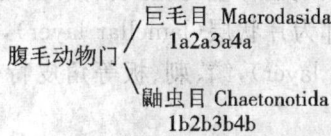

腹毛动物门	巨毛目 Macrodasida 1a2a3a4a
	鼬虫目 Chaetonotida 1b2b3b4b

10.2 习性和分布

腹毛动物常全球性(cosmopolitan)分布，见于世界各地的淡水或海水中，也有极少数为半陆生。就单个物种而言，其地理分布具有随机扩散的倾向，多呈或大或小的片状分布。生境的理化条件(如底质、盐度、温度、食物、pH、氧等)可能是限制腹毛动物分布的重要因子。

在海水和淡水环境中，腹毛动物是间隙动物群落中常见的小型动物，常集群生活，以疏松的底质间隙中最为常见，亦见于沉积碎屑表面。有些腹毛动物生活于植物或大型底栖固着动物的体表。极少数腹毛动物在水层中浮游生活。寄生种尚未发现。

10.3 形态、结构和功能

1. 外形：腹毛动物(图 10-1)体微小，最大体长不超过 4 mm，多数小于 1 mm。身体呈蠕虫状，两侧对称，背面略隆起，腹面较平。身体大致分为头部和躯干部两部分。巨毛目(图 10-1 A，图 10-4 A～D)的头叶不明显，虫体两侧缘近乎平行，虫体后端呈圆形、尖形、二分叉状或平截状，少数种后部延伸成细长的尾(图 10-4 B)。鼬虫目(图 10-1 B，图 10-4 E，F)的头部常呈圆叶状，后有一狭窄的颈部与躯干部分开，其躯干部后端常呈二分叉状。

腹毛动物的体表具 1 层角皮，常特化为各种体表构造如鳞、板、刺等。鳞片(图 10-2 F～L)较常见，呈覆瓦状排列或平铺于虫体表面。刺常生于鳞片上。板则由鳞片愈合而成，多见于虫体的头部和腹面。

腹毛动物的体表纤毛局限于头部和腹面，常呈不连续排列。腹面纤毛有纵带、横带、簇状、片状等多种排列方式(图 10-2 A～E)。头部的纤毛常形成具感觉作用的纤毛丛(ciliary tuft)或愈合为棘毛(cirrus)，有的种类头部还具有眼点(图 10-4 A)、触角(图 10-4 F)、刚毛(bristle)等。

腹毛动物的体表还具有一种特殊的角质突起，呈圆柱状，称为粘管(图 10-1，图 10-4)。粘管与肌肉相连，可因肌肉的收缩而活动。粘管内部与粘腺细胞相通，粘腺细胞具1～3个细胞核，粘腺分泌的黏液由粘管释放，用于暂时附着。浮游生活的极少数种类无粘管。

2. 体壁和运动：腹毛动物的体壁与轮虫相似，由角皮、表皮和肌肉层构成。角皮是由表皮分泌的，外部为片状层(lamellar layer)，有时由很多膜状片层构成，内部为纤维层(fibrous layer)，鳞、刺、板等角皮特化结构均由该纤维层形成。

腹毛动物的表皮既有合胞体型(syncytial type)(鼬虫目)，又有细胞型(cellular type)(巨毛目)，细胞型表皮多见于虫体腹面。表皮细胞有单纤毛表皮细胞和多纤毛表皮细胞两种类型，前者亦见于颚咽动物(gnathostomulid)。腹毛动物的体表纤毛由向外延伸的角皮层所包裹，这与其他动物不同。

腹毛动物的体壁不形成完整的皮肤肌肉囊，其肌肉系统由一些环肌和纵肌束构成。环肌紧贴在表皮层之下，常用于支配刺毛的运动。纵肌包括一些背、腹、侧腹肌肉束，它们的收缩可使虫体缩短或弯曲，纵肌也用于支配粘管的伸缩。

腹毛动物体壁与消化管之间的空间因被各种内部器官填满而呈现一种无体腔状态(acoelomate condition)。至于被早期学者所认定的所谓的假体腔(位于各内部器官之间的一些小的空隙)不过是常规固定方法所产生的一种人为假象。

腹毛动物的运动主要是通过腹面纤毛的摆动进行滑行。有些腹毛动物可利用身体后部的粘管和前部的刚毛作尺蠖样(inchworm like)或蛭样(leach like)运动。也有些种类具有暂时固着的特性。

3. 消化系统和营养：口位于身体的前端，周围常具有 1 圈口刺(oral spine)，口刺具有辅助摄食的作用。口内为口腔，口腔内常具齿(tooth)或嵴(ridge)。咽(图 10-1，图 10-3 A)为肌肉质，其内侧覆有一层比较平滑的角质层。鼬虫目咽的后部常膨大为咽球(pharyngeal bulb)，咽球的数目最多可达 4 个，有的种类还具有单细胞的唾腺与咽相通。巨毛目咽的后部具 1 对咽管(pharyngeal tube)，经咽孔(pharyngeal pore)与外界相通(图 10-1 A，图 10-4 C，D)。腹毛动物的咽腔(pharyngeal lumen)呈三角形，但两目明显不同，鼬虫目的咽腔呈"Y"形，而巨毛目的咽腔则呈倒"Y"形(图 10-3 A)。中肠也称胃肠(stomach-intestine)，起源于内胚层，由具腺细胞的单层上皮构成。消化管的后部为直肠。肛门多位于虫体后部腹面，但鼬虫目有些种类的肛门位于背面或尾叉之间。

腹毛动物以细菌、微藻、原生动物、有机碎屑等各种微小的有机颗粒为食。

口刺和口部纤毛具有辅助摄食的作用,也可通过肌质咽的收缩吸吮食物。巨毛目的咽孔能排除摄食所带入的多余海水。

4.呼吸和循环:腹毛动物无专门的呼吸和循环系统,依赖体表吸收水中的溶解氧,通过扩散完成体内的物质运输,有些腹毛动物能进行厌氧呼吸。

5.排泄系统和排泄:原肾仅见于淡水产的鼬虫目,位于肠管的两侧,由1个或1团焰(管肾)细胞(solenocyte,cyrtocyte)构成,每个焰细胞具1~2条鞭毛,在虫体两侧各具一个原肾孔,原肾的功能可能主要用于排除体内多余的水分。巨毛目无排泄器官。

6.神经系统和感觉器官:腹毛动物的中枢神经系统包括1对脑神经节和1对侧神经索。脑神经节较膨大,位于咽前端两侧(图10-1 A),左右脑神经节由一背联合(dorsal commissure)联结。侧神经索分别由左右脑神经节发出,向后通至虫体末端。

腹毛动物的感觉器官以感觉刺毛(sensory bristle)、纤毛丛等为常见,见于身体各个部位,但在头部较为集中,是触觉感受器,亦能感受水流。巨毛目的多数种类具有成对的化学或机械感受器,称为杵窝(piston pit)或杵器(pestle organ)(图10-1 A,图10-3 B),位于头部两侧,呈小窝状,窝底具1个乳突状的杵(piston)。鼬虫目头部的纤毛窝(ciliated pit)、触须(palp)、触角(tentacle)等可能都是杵器的衍生物。少数腹毛动物的

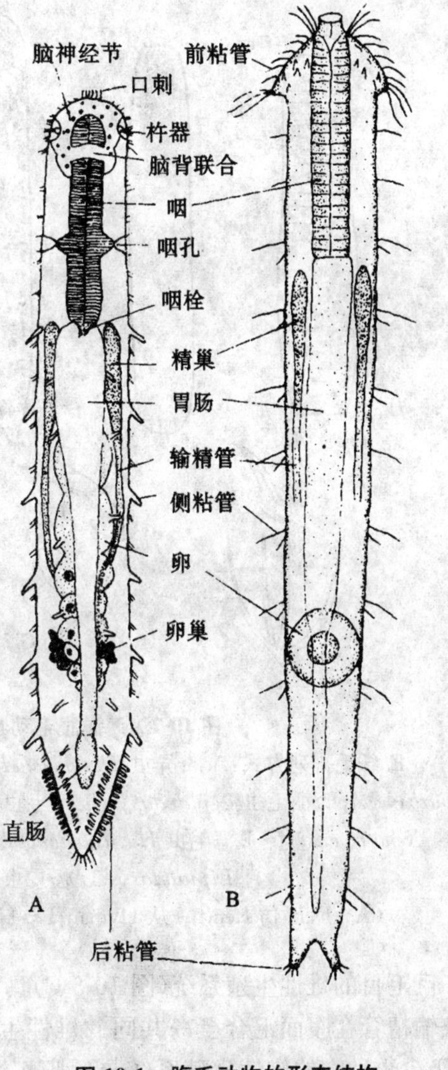

图10-1 腹毛动物的形态结构

A.巨毛虫 *Macrodasys*;B.新毛虫 *Neodasys*

(A仿Remane从Meglitisch等;B仿Hummon)

头部具 1 对眼点(图 10-4 A),含红色色素,可能系光感受器。

7. 生殖系统、生殖和发育:鼬虫目行孤雌生殖,尚未发现雄性个体或雄性生殖器管。巨毛目为雌雄同体。一般认为,鼬虫目在进化过程中雄性生殖器管完全退化,是进化水平相对较高的类群。

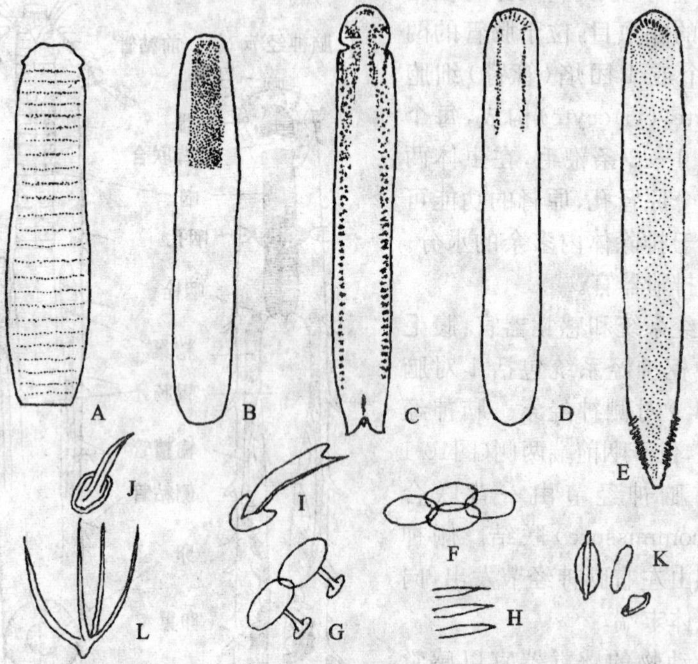

图 10-2 海洋腹毛动物的纤毛和鳞片

A~E. 纤毛排列方式:A. 奇异虫 *Thaumastoderma*;B. 半毛虫 *Hemidasys*;C. 涡毛虫 *Turbanella*;D. 丽毛虫 *Lepidodasys*;E. 巨毛虫 *Macrodasys*;F~L. 鳞片:F~G. 异毛虫 *Xenotricula*;H~I. 海毛虫 *Halichaetonotus*;J. 棘毛虫 *Acanthodasys*;K. 丽毛虫 *Lipidodasys*;L. 怪皮虫 *Thumastoderma*

(A~E,H 仿 Remane 从 Hyman;F~H 仿 Hummon;I~K 仿 Ruppert)

巨毛目的雄性生殖系统(图 10-3 C)具 1~2 个精巢,各与 1 条输精管相通,两条输精管在腹面汇合至一共同的雄性生殖孔。有些种类具有成对雄性生殖孔,极少数种类的雄性生殖系统与后肠相通。巨毛虫 *Macrodasys* 等还具有雄性交配器。雌性生殖系统(图 10-3 C)具 1~2 个卵巢,位于精巢后方。卵巢结构松散,由一团无明显外被的细胞团构成。成熟的卵储存于"子宫"内,所谓的"子宫"位于卵巢的前方,没有明显的外壁,其确切的结构及与卵巢、输卵管间有无联系尚不明了。输卵管与雌性生殖孔相通，输卵管的后部常膨大为厚壁的交配囊(copulatory bursa)，有的种类交配囊前还具有一纳精囊(seminal receptacle)，交配囊内常存有一团精子。奇皮虫 *Thaumastoderma* 等具卵黄腺(yolk gland)，有营养作用。

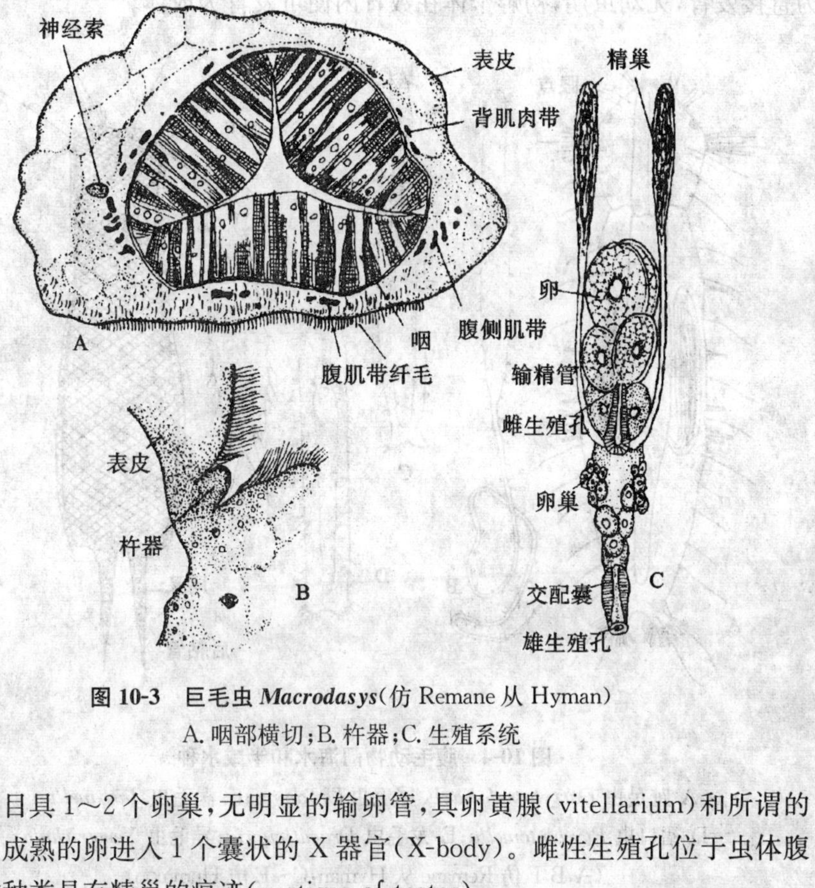

图 10-3　巨毛虫 *Macrodasys*(仿 Remane 从 Hyman)

A. 咽部横切；B. 杵器；C. 生殖系统

鰕虫目具 1～2 个卵巢，无明显的输卵管，具卵黄腺(vitellarium)和所谓的"子宫"。成熟的卵进入 1 个囊状的 X 器官(X-body)。雌性生殖孔位于虫体腹面。少数种类具有精巢的痕迹(vestiges of testes)。

巨毛目绝大多数为雄性先熟(protandrism)，因而常被误认为是雌雄异体。交配时，功能雄体(functioning male)通过尾部的摆动吸引功能雌体(functioning female)，然后两个个体靠在一起进行交配。功能雄体在变为功能雌体前可参加数次交配。受精卵多由体壁破裂的方式释放。

鰕虫目行孤雌生殖，产两种卵。环境条件好时产薄壁的夏卵(summer egg)，环境不适时产厚壁的休眠卵(dormant egg)，后者多由老龄个体所产。鰕虫类的这两种卵均不需受精，行孤雌发育。这种生殖方式与孤雌生殖的卤虫类似。

腹毛动物的卵裂为完全卵裂(holoblastic cleavage),且是定裂(determinate cleavage)。有腔囊胚(coeloblastula)通过内移(ingression)形成内胚层,进一步发育为原肠。口道和肛道内陷形成后与发育中的原肠相通。腹毛动物的发育为直接发育,无幼虫期,初孵个体在数日内便可发育为成体。

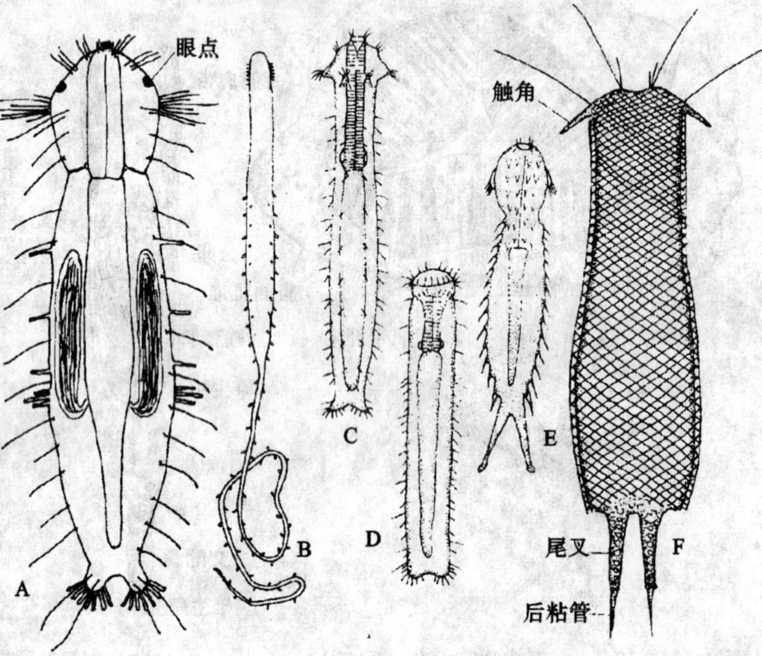

图 10-4　腹毛动物门海水和半咸水种

A. 趾足虫 *Dactylopodalia*;B. 尾毛虫 *Uradasys*;C. 涡毛虫 *Turbanella*;

D. 褶口虫 *Ptychostomella*;E. 龙毛虫 *Draculiciteria*;异毛虫 *Xenotrichula*

(A,B,F 仿 Remane 从 Hyman;C~E 仿 Hummon)

10.4 分类

腹毛动物约 450 种,分为 2 目。头叶的有无、粘管的数目与排列方式、咽腔形态、咽孔的有无、原肾的有无、雄性生殖腺的有无等是主要的分类依据。

目 1. 巨毛目 Macrodasida:体呈长方形、带状、倒卵形或保龄球状等。粘管数目数个至很多,分布于身体前端、后端或两侧。角皮片状层由 1~3 层构成。

表皮具单纤毛表皮细胞或多纤毛表皮细胞。咽具成对的咽孔，咽腔为倒"Y"形。雌雄同体，多数为雄性先熟。无原肾。生活于海水或半咸水。如巨毛虫 *Macrodasys*（图 10-1 A）、趾足虫 *Dactylopodalia*（图 10-4 A）、尾毛虫 *Urodasys*（图 10-4 B）、涡毛虫 *Turbanella*（图 10-4 C）、褶口虫 *Ptychostomella*（图 10-4 D）等。

目 2. 鼬虫目 Chaetonotida：体形多样，具较明显的头叶和较多的感觉毛，身体后端常分叉。咽腔呈"Y"形，无咽孔。孤雌生殖，雌性生殖器官极少见。常具 1 对原肾。绝大多数生活于淡水，少数生活于海水、半咸水或半陆生。海产种类有新毛虫 *Nedasys*（图 10-1 A）、龙毛虫 *Draculiciteria*（图 10-4 E）、异毛虫 *Xenotrichula*（图 10-4 F）等。

10.5 系统发生

腹毛动物无体腔、体表具单纤毛上皮细胞，这与无体腔的颚咽动物相似，但此类特征往往被看做是保留的祖先特征或趋同特征，因而不能据此确定二者为姊妹群关系。一般认为，腹毛动物与后述的线虫关系较近，二者的体表都具角皮，表皮均有合胞体现象，消化管有口和肛门并具"Y"形咽腔，卵裂方式相似（定型卵裂）。

据报道（Zrzavý，2003），环神经动物 Cycloneuralia（图 Ⅱ-13）和腹毛动物祖先曾是多纤毛的，且上皮的纤毛被角质鞘被覆。

第 11 章 线虫门

Nematoda(Nematodea)(Gr., *nema*, thread; *odes*, like)
Nemata(Gr., *nema*, thread; *ta*, suffix)

11.1 概述

线虫(nematode, eelworm, thread worm),又称圆虫(round worm),是与人类关系密切的蠕形动物。很多是人、畜、禽及其他经济动、植物的寄生虫。约在公元前1550年,Papyrus Ebers 就有人蛔虫 *Ascaris lumoricoides* 和麦的那隆线虫 *Dracunculus medinensis* 的记载。长期以来,很多学者把线虫与线形、腹毛、轮虫、棘头等具假体腔但演化关系并不甚清楚的动物合在一起作为一个门,称为线形动物门 Nemathelminthes、原腔动物门 Protocoelomata、假体腔动物门 Pseudocoelomata 或袋形动物门 Aschelminthes。但近年来,这几类动物作为各自独立的门已成为动物学家的共识。

线虫是一类两侧对称、不分节、无附肢、具假体腔和完全直行消化管的后生动物。线虫的体壁具角皮和纵肌,无环肌层,具 4 条表皮索,排泄系统具无纤毛的焰茎球,神经系统具 1 个神经环和数条纵神经,雌雄异体、各具 1～2 个管状的生殖腺。

线虫门的主要特征:

1. 蠕虫状,两侧对称,不分节,无附肢,有沿纵轴辐射对称的趋势;

2. 三胚层,具假体腔,体腔液常处于较高的压力状态,横切面呈圆形;

3. 体壁无环肌,具角皮(角质层 cuticle),表皮在身体的背、腹和两侧向内加厚形成 4 条表皮索(epidermal chord),将纵肌分割为 4 条纵向的肌肉带。肌肉细胞具臂突(muscle arm),以臂与神经索相连;

4. 消化管完全,口位于身体的最前端,肛门位于尾部腹面;

5. 没有专门的呼吸和循环系统；

6. 排泄系统不具焰茎球，而是由 1～2 个腺肾细胞(renette cell)或 1 套排泄管组成；

7. 神经系统具 1 个围咽神经环(nerve ring)和 4 条或更多条纵神经；

8. 头部常具辐射排列的头部感器(anterior sensilla，cephalic sensilla)和 1 对化感器(amphid)，有些种类尾部具有 1 对尾感器(phasmid)；

9. 雌雄异体(gonochorism，gonochorismus，dioecism)，两性体形常有所不同；

10. 定裂(determinative cleavage)，四细胞期的胚胎呈 T 形，多数线虫直接发育，具 4 个幼体期(juvenile stage)；

11. 种数、个体数极多，分布极广，自由生活于海水、淡水、陆地或寄生于各种动植物体内外，在地球上的所有生境都可以发现线虫的存在。

已命名的线虫动物超过25 000种，隶属 2 纲 20 目(表 11-1)，至纲的检索性状主要为：

1. 尾感器：a. 无，b. 有；
2. 尾腺：a. (常)有，b. (常)无；
3. 排泄系统常为：a. 腺型，b. 管型；
4. 直肠腺：a. (常)无，b. (常)有；
5. 化感器：a. 简单孔状位于唇上，b. 复杂位于唇后。

11.2 习性和分布

多数线虫营自由生活，也有很多种类为各种动植物的寄生虫。其种类之多、数量之大、分布之广、生境之多样化，是后生动物中屈指可数的。就某种线虫而言，可能只适于某特定的环境，其分布往往也有一定的局限。但对于整个线虫门来说，几乎世界上任何可供生命生存的地方都有它们的踪迹。

自由生活的线虫体形微小，在生态系统中的地位和作用往往被人所忽视。水生的线虫几乎全部栖于各种水体的底质中。在陆地上，土壤、森林落叶层、树皮、朽木等都是线虫生活的场所。估计每平方米的耕地内有线虫 1×10^7 条，林区有 8×10^6 条，草地有 7×10^6 条，有人在一个烂苹果中就发现 9×10^4 条线虫。有些线虫对不良环境有超常的抵抗力，在一些看似难有生命生存的地方也可以生存下来，在高温的温泉和干燥的沙漠中都发现了线虫的存在，在土层中线虫的垂直分布可深达 4.8 m。有一种醋线虫 *Turbatrix aceti*，通常生活于家酿的食醋中，可忍耐 13.5%醋酸,在瞬间致死其他生物的 HgCl 溶液中也能存活几个小时。

表 11-1 线虫门的分类

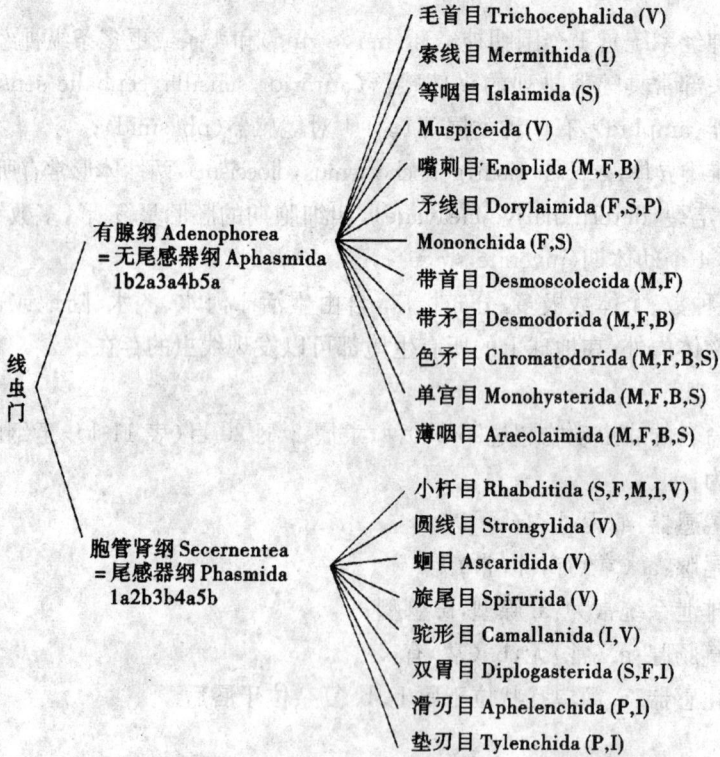

- 线虫门
  - 有腺纲 Adenophorea =无尾感器纲 Aphasmida 1b2a3a4b5a
    - 毛首目 Trichocephalida (V)
    - 索线目 Mermithida (I)
    - 等咽目 Islaimida (S)
    - Muspiceida (V)
    - 嘴刺目 Enoplida (M,F,B)
    - 矛线目 Dorylaimida (F,S,P)
    - Mononchida (F,S)
    - 带首目 Desmoscolecida (M,F)
    - 带矛目 Desmodorida (M,F,B)
    - 色矛目 Chromatodorida (M,F,B,S)
    - 单宫目 Monohysterida (M,F,B,S)
    - 薄咽目 Araeolaimida (M,F,B,S)
  - 胞管肾纲 Secernentea =尾感器纲 Phasmida 1a2b3b4a5b
    - 小杆目 Rhabditida (S,F,M,I,V)
    - 圆线目 Strongylida (V)
    - 蛔目 Ascaridida (V)
    - 旋尾目 Spirurida (V)
    - 驼形目 Camallanida (I,V)
    - 双胃目 Diplogasterida (S,F,I)
    - 滑刃目 Aphelenchida (P,I)
    - 垫刃目 Tylenchida (P,I)

以上分类要览中,括号内大写字母示该类线虫的生境或生活方式。其中:B 为半咸水自由生活、F 为淡水自由生活、I 为无脊椎动物寄生虫、M 为海水自由生活、P 为植物寄生虫、S 为土壤自由生活、V 为脊椎动物寄生虫。

在海洋中,线虫是数量最大的底栖后生动物,自潮间带至超深的海沟中都有线虫分布。海洋自由生活的线虫绝大多数属有腺纲。胞管肾纲只有小杆属 *Rhabditis* 的海洋小杆线虫 *R. marina* 和埃氏小杆线虫 *R. ehrenbaumi* 在海洋中发现,该纲也只有少数种可生活于河口泥滩或其他半咸水水体。海洋线虫一般营间隙生活,近岸水体的海泥中数量最大(约为 2×10^{7} 条/米^{2}),其次是细沙。但从物种多样性的角度来看,细沙中线虫的多样性最高,在一普通的细沙滩中一般可发现 100 种以上的线虫,有人在 6.7 mL 的近岸细沙中发现了 236 种计 1 074条线虫。粗沙和砾石中的线虫较少。有些线虫与海藻或海洋微管植物生活在一起，也有的种类生活于海洋动物的体表。有的海洋间隙生活的线虫如 *Eubostrichus dianae* 因体表共生蓝绿藻而呈毛发状。海洋线虫虽然体形微小，生物量也有限，但因其个体密度很高，且具有较高的代谢率，它们在生态系统中的生产力可能并不比大型动物逊色。

植物寄生线虫有外寄生和内寄生两类：前者如草莓线虫 *Nothotylenchus acris*，在草莓的芽和叶腋外面寄生；后者如根结线虫 *Meloidogyne* spp.，寄生在多种植物的根部组织内。很多植物寄生线虫是农林业的严重害虫，经常对农业生产造成巨大影响。

动物寄生线虫没有真正的外寄生，均为内寄生。几乎所有的后生动物都是动物寄生线虫的宿主，也就是说所有的后生动物，小至跳蚤、水蚤，大至鲸、象，无不具有自己的寄生线虫。人体也有多种寄生虫，常常严重危害人类的健康，如人蛔虫、十二指肠钩虫 *Ancylostoma duodenale*、蛲虫 *Enterobius vermicularis*、丝虫 *Wuchereria* spp. 等。很多线虫是海洋经济动物的病原体，但寄生于海洋鱼类的线虫通常对鱼体并没有严重的危害，当感染强度较高时能堵塞鱼的消化道、引起消化道穿孔、营养不良、繁殖力下降或导致其他病原体的继发感染等。近年来，寄生线虫病导致海水养殖鱼类大量死亡的现象时有发现。动物寄生线虫有的一生只有 1 个宿主，生活史中有一段时间是自由生活的，另一些种类则需要宿主转换。

11.3 形态、结构和功能

1. 外部形态：线虫是典型的蠕形动物，具长条形身体、质柔软、无骨骼、无附肢、左右对称。线虫的身体一般呈纺锤形或圆柱形，两端细削，如蛔虫、体棘线虫 *Echinotheristus*（图 11-1 A）等。有些线虫的身体特别细长，呈丝状，如毛细线虫 *Capillaria*、丝虫、吸咽线虫 *Halalaimus*（图 11-1 B）等。也有少数线虫的身体粗短，呈豆荚状、腊肠状、甚至是球形，如项链线虫 *Desmoscolex*（图 11-1 C）、里克特线虫 *Richtersia*（图 11-1 E）、多毛线虫 *Greeffiella*（图 11-1 F）等。

自由生活的线虫大多不超过 1 mm，最小的如海生的微小多毛线虫 *Greeffiella minutum*，体长只有 82 μm。淡水和陆生的种类最大不过几个毫米。海产种类常常较大，但最长也不超过 50 mm。寄生线虫的个体大小差别很大，小的和自由生活的线虫相似，很多种类的体长可达十几厘米以上，最大的是寄生于抹香鲸 *Physeter catodon* 胎盘上的巨大胎盘线虫 *Placentonema gigantissima*，其体长可达 6～9 m，体宽 1.5～2.5 cm。

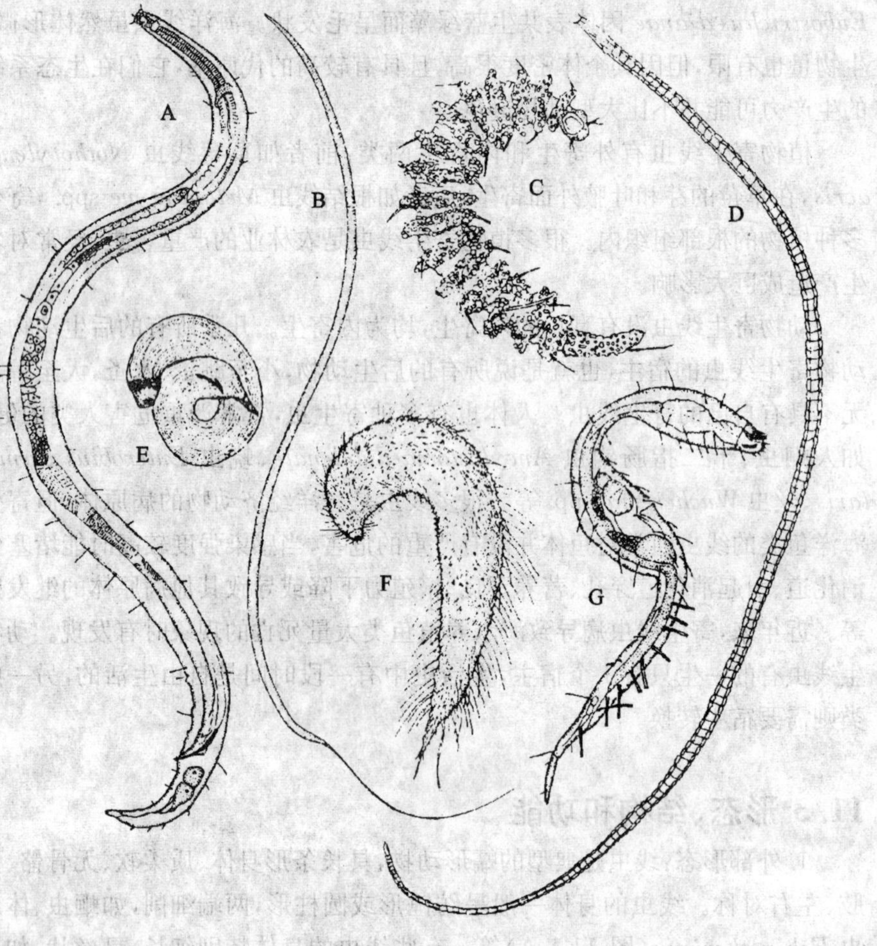

图 11-1 海洋线虫的外形（仿各作者从 Riemann）

A. 体棘线虫 *Echinotheristus*；B. 吸咽线虫 *Halalaimus*；C. 项链线虫 *Desmoscolex*；
D. 环饰线虫 *Pselionema*；E. 里克特线虫 *Richtersia*；
F. 多毛线虫 *Greeffiella*；G. 龙跷虫 *Dracograllus*

线虫的身体不分节，无附肢，横切面呈圆形（因而也称圆虫）。体表没有纤毛，覆盖着一层角皮，通常是光滑的，寄生的种类更是如此。但有些线虫的角皮具有环纹，因而呈现假分节现象（图 11-1 C，D）。很多线虫的角皮上生有鳞片、刺、刚毛、乳突等（图 11-1 A，C，F，G；图 11-2 A，B；图 11-6 B～E），有些是感觉器官。也有不少线虫的角皮在身体的某些部位膨大延展成为翼膜(alae),在前端的称为头翼膜或颈翼膜,在后端的称为尾翼膜(图 11-9 B,G,J,L)。角皮一般透明而略显白色、淡黄色或淡红色。有些线虫因体腔液内含有血红蛋白而呈血红色,如寄生于鱼类的嗜子宫线虫 *Philometra* 和似嗜子宫线虫 *Philometroides* 等。

线虫的身体分部不明显。身体的前端(即所谓的头部)中央有口,口周围构造的原始状态是六放射对称的,有 6 个唇瓣围绕着口,这在许多海洋线虫表现得特别明显。这说明线虫很可能是由海洋中固着生活(以尾腺分泌物固着)的辐射对称祖先进化而来。唇瓣的后方常具乳突和刚毛,多数种类的头部还具 1 对化感器(图 11-2 A,B;图 11-6 B～E)。

线虫体壁透过角皮往往可辨出 4 条纵线,按位置不同分别称为背线、腹线和两条侧线,是体壁表皮索(epidermal chord)的外部表现。表皮索是表皮向内加厚形成的(图 11-2 C～E)。线虫的排泄孔位于身体的前部腹面,雌性生殖孔位于身体中部腹面,肛门(雄性又称泄殖孔)的位置靠近身体的末端腹面(图 11-2 A,B)。此外,多数海洋自由生活线虫身体的末端具有一个尾腺孔,有些种类的尾腺孔包围在一条管内,与腹毛动物粘管相似。

2. 体壁、假体腔、支持和运动:线虫动物的体壁由角质层(角皮)、表皮层(下皮层 hypodermis)和肌肉层(muscle layer)组成(图 11-2 C～E)。角皮是由表皮分泌的,化学成分复杂,含有脂类、碳水化合物、蛋白质、糖蛋白、核酸等。角皮用于支持、保护和抵抗不良环境,因而陆生和寄生的线虫往往具有更厚的角皮。角皮常由上角皮(epicuticle)、外角皮(exocuticle)、中角皮(mesocuticle)和内角皮(endocuticle)4 层构成(图 11-3 A)。上角皮亦称外层(outer layer)或外皮(outer cotex),较薄,主要组分是脂类,具有选择透性,可允许水分子及其他一些可溶性物质通过。这种选择透性常因种类和发育时期的不同而异,寄生的种类常常具有更好的透性。外角皮也叫中层(middle layer)或匀质层(homogeneous layer),常由两个或多个亚层组成。中角皮有时称为纤维层(fiber layer),一般由 3 层排列方向不同的纤维状构造组成。内角皮有时也叫基层(basal layer),多不发达,常与肌肉或表皮层的突出结构密切联系。不同线虫的角皮往往具有很大的形态差异(图 11-1;图 11-2 A,B;图 11-9),有的线虫角皮光滑,有的则具有突出的疣突(wart)、刚毛、鳞片等,也有些线虫的角皮具有纵向延伸的嵴(ridge)、沟(groove)等。多数线虫的角皮具环纹,有的种类环纹相当发达,产生假分节现象。很多海洋线虫的体表具有点状、棒状等各种形状的构造,这些小的装饰并不总是呈横向排列,有时是以纵向或其他方式排列。

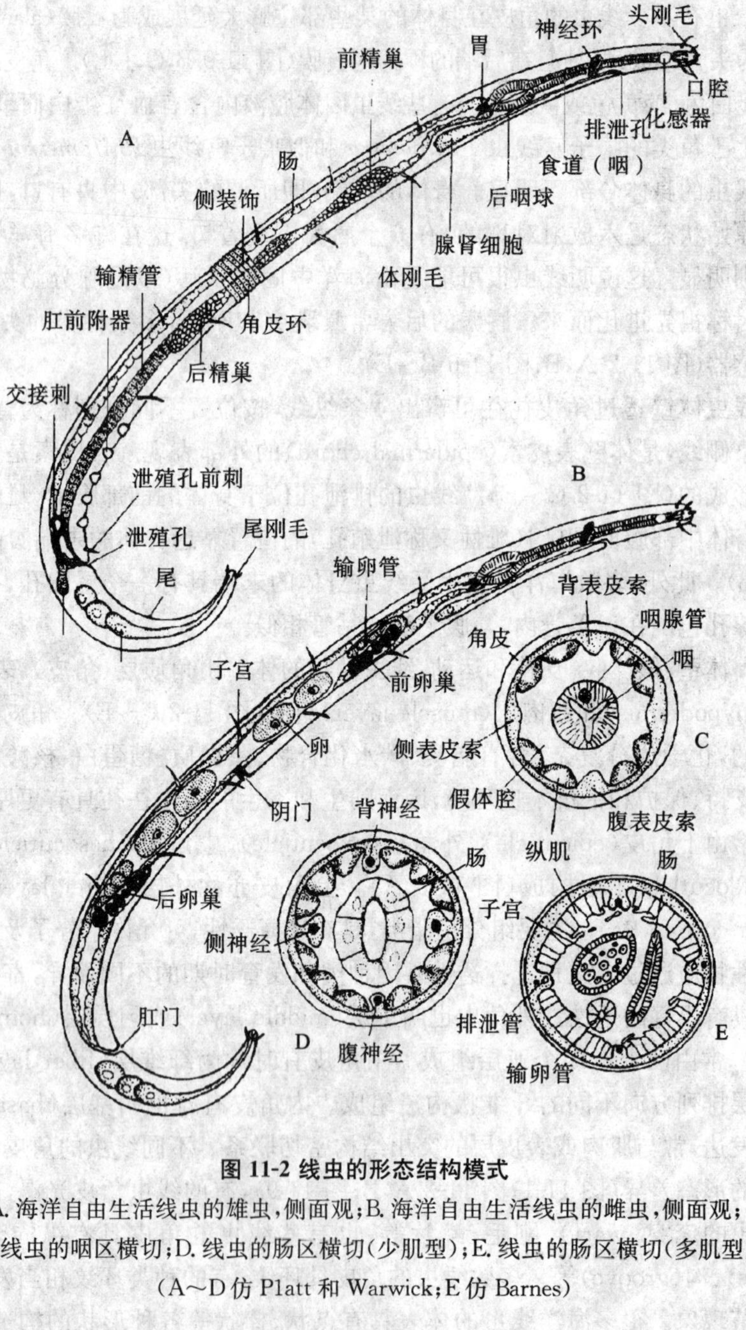

图 11-2 线虫的形态结构模式

A. 海洋自由生活线虫的雄虫，侧面观；B. 海洋自由生活线虫的雌虫，侧面观；C. 线虫的咽区横切；D. 线虫的肠区横切（少肌型）；E. 线虫的肠区横切（多肌型）

（A～D 仿 Platt 和 Warwick；E 仿 Barnes）

角皮之内是一层扁平的表皮。表皮分别在虫体的背中线、腹中线和两侧向内加厚形成四条表皮索或称下皮索(hypodermal chord)(图 11-2 C～E)将线虫的肌肉层纵向分割为 4 区。在外形上与表皮索相对应的便是前述的 4 条纵线。线虫的表皮层细胞核都位于表皮索内,其他部分的表皮只是表皮细胞原生质部向外的延伸。在一些大型的线虫,表皮往往为合胞体结构,细胞核也碎裂为很多小核,但仍然只存在于表皮索内。此外,在背、腹表皮索内分别具有背神经和腹神经,侧表皮索内常有排泄管和侧神经。线虫无环肌层,纵肌被表皮索分割为 4 个纵区,每区通常具有数目恒定的肌细胞。有的线虫每区的 1 个横切面只有 2 个肌细胞,有的种类则有很多。故根据线虫肌细胞的多寡可将线虫分为少肌型、多肌型和全肌型。线虫的肌细胞(图 11-3 B)由本体部和收缩部两部分构成。本体部含核、胞质、线粒体等,收缩部含有肌肉纤维。有的线虫的肌肉纤维只存在于靠近表皮的细胞基部(平肌型 platymyarian)(图 11-3 D),有的种类则肌细胞的基部和侧面均有肌纤维(腔肌型 coelomyarian)(图 11-3 C)。线虫的神经-肌肉联系不是由神经纤维延伸至肌细胞,而是由肌细胞突出的臂(arm)伸至背、腹纵神经干并与之联结(图 11-3 B),背面两区肌细胞的臂相对斜向背表皮索,腹面两区肌细胞的臂则相对斜向腹表皮索。

自由生活的线虫常具单细胞的表皮腺(epidermal gland)或称皮下腺(hypodermal gland),这些腺体多与各种感觉器官伴生。尾腺也是一种类似的腺体,与其他假体腔动物的粘腺相似,见于有腺纲自由生活的线虫,几乎皆由 3 个长梨形的腺细胞组成,在尾部末端具 1 个共同的开孔(图 11-2 A,B)。有些线虫具粘管,粘腺(尾腺)即开口于此,其分泌物用于暂时附着。粘腺的来源和功能均与轮虫的足腺相同。寄生线虫通常没有这类腺体。

体壁之内是假体腔(pseudocoelom),也称原体腔(protocoelom)(图 11-2 C),系由囊胚腔发育而来,其周围没有中胚层所形成的体腔膜包裹。但很多线虫的假体腔壁上具有一类被认为是间充组织的的网状或膜状构造,其中含有假体腔细胞(pseudocoelomocyte, pseudocoelocyte)。后者通常位于纵表皮索附近,有着固定的数目和位置,寄生线虫一般为 2 个,4 个和 6 个,自由生活线虫的假体腔细胞小而多。假体腔细胞常高度分枝成星芒状,分枝上具有很多圆形小结节(图 11-3 F,G)。

线虫虽体形饱满,其假体腔并不宽阔。过去之所以认为线虫具有宽阔的假体腔,是由于酒精固定引起内部器官收缩所致。线虫的假体腔内充满体腔液,具有较高的静压,使虫体膨胀紧绷而具一定形状,故又称线虫的体腔液为流体骨骼(hydroskeleton)。

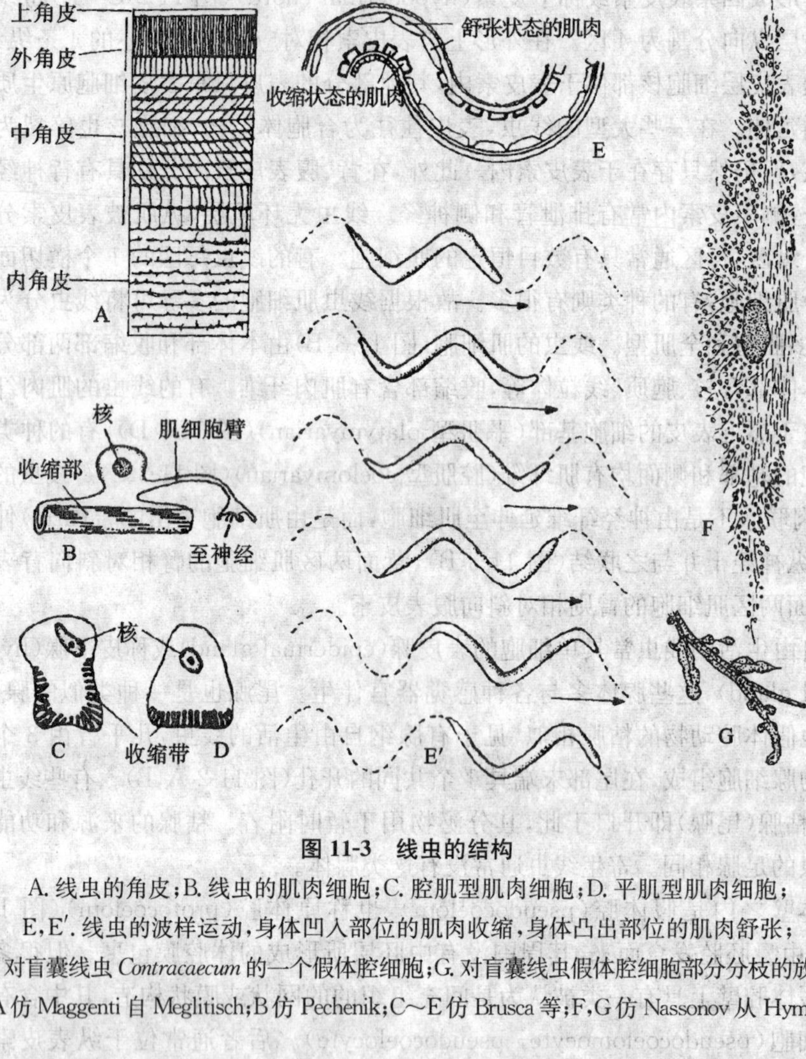

图 11-3　线虫的结构

A. 线虫的角皮；B. 线虫的肌肉细胞；C. 腔肌型肌肉细胞；D. 平肌型肌肉细胞；
E,E′. 线虫的波样运动，身体凹入部位的肌肉收缩，身体凸出部位的肌肉舒张；
F. 对盲囊线虫 *Contracaecum* 的一个假体腔细胞；G. 对盲囊线虫假体腔细胞部分分枝的放大
（A 仿 Maggenti 自 Meglitisch；B 仿 Pechenik；C～E 仿 Brusca 等；F,G 仿 Nassonov 从 Hyman）

如前所述，线虫的支持主要是由角皮和具静压的假体腔来实现的。因线虫没有环肌、假体腔内充满体腔液、角皮比较发达，不能进行蠕形运动，只能依赖纵肌的收缩作波样运动(undulatory locomotion)(图 11-3 E)。这种运动与鳗鱼的运动类似，但不是由侧面到侧面的波浪运动，而是通过身体背部和腹部纵肌的交替收缩进行背-腹方向的波浪运动。对自由生活的线虫来说，这种波样运动往往需要固体基质，肌肉收缩、体形变化作用于物体上产生反作用力使虫体前进。色矛亚纲 Chromadoria 的很多种类具有步行刚毛(图 11-1 G)，可行尺蠖样运动。有些线虫在水中能够靠纵肌的收缩进行有限的游泳运动。

3. 消化系统和营养：线虫的消化系统（图 11-2 A，B，图 11-4）由前肠、中肠和后肠 3 部分组成，是有口和肛门的完全消化管。

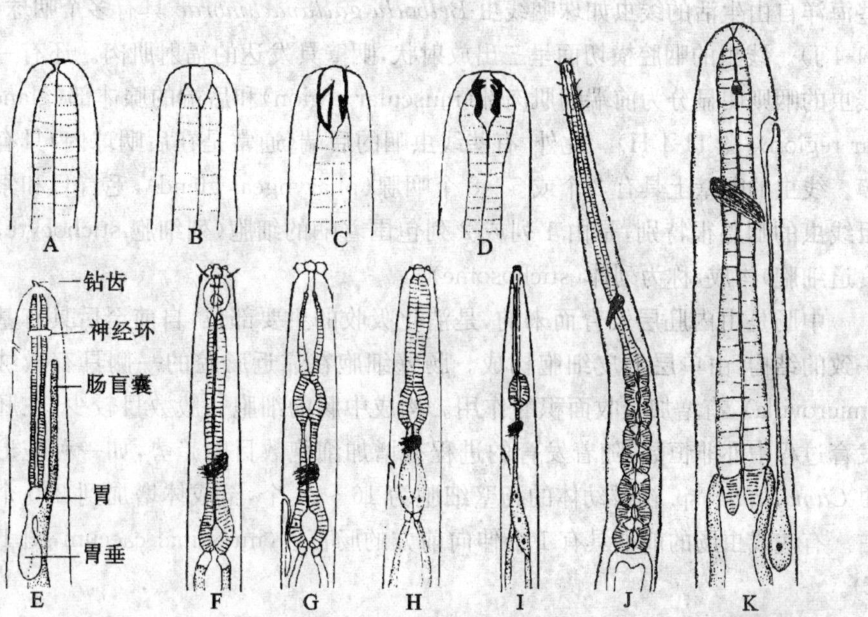

图 11-4　线虫消化道前部结构

A～D. 海洋自由生活线虫的各种口腔；E. 异尖线虫 *Anisakis* 的消化道前部；F～K. 线虫各种类型的咽

（A～D，J，K 仿 Platt 和 Warwick；E 仿 Rohde；F-I 仿 Hirschmann 从 Meglitisch；）

前肠由口道（stomodeaum）形成的，包括口、口腔和咽，起源于外胚层，内壁衬角质层。口位于虫体的前端。原始类型由呈辐射排列的 6 片唇包围，许多种类的唇有融合现象，如寄生线虫常常只有 3 片唇。口内是口腔（buccal cavity），后者的发达程度因种类不同而异（图 11-4 A～D）。自由生活的线虫（如胞管肾纲的大部分）的口腔自前往后可分为数个区域，各由结构不同的角质环（rhabdion）包围。原始的口腔分为唇口腔（cheilostom）、前口腔（prostom）、中口腔（mesostom）、后口腔（metastom）和末口腔（telostom）5 区。口腔的结构常与习性和食性有关，垫刃目 Tylenchida 和滑刃目 Aphelenchida 的线虫常具中空的口针（oral stylet），用以刺入植物细胞吸取汁液。有些海洋线虫的口腔内具有不能活动的齿（tooth）（图 11-4 C）或能活动的颚（mandible）（图 11-4 D）。

咽(pharynx)(图 11-4 E～K)常称为食道(esophagus),位于口腔和肠之间。咽一般呈管状,有些线虫的咽在某些部位膨大为咽球(bulb),通常在咽的后端具有 1 个后咽球(end bulb),有的在咽的中部还有 1 个中咽球(median bulb),某些海洋自由生活的线虫如珠咽线虫 *Belbolla gallanachmorae* 具有多个咽球(图 11-4 J)。线虫的咽腔横切面呈三出放射状,咽壁具发达的辐射肌肉。还有一些线虫的咽则明显分为前端的肌肉部(muscular region)和后端的腺体部(glandular region)(图 11-4 H)。此外,有些线虫咽的后端(通常是在后咽球内)具有瓣膜。线虫的咽壁上具有 3 个或 5～8 个咽腺(pharyngeal gland),毛首目和索线目线虫的咽腺很特别,是由 1 列或 2 列包围着咽的细胞(列细胞 stichocyte,或食道细胞)构成,称为列体(stichosome)。

中肠是由内胚层发育而来的,是消化吸收的主要部位,自前至后具有基本一致的结构,由单层上皮细胞构成。肠壁细胞在靠近肠腔的一侧具有微绒毛(microvilla),有增加吸收面积的作用。构成中肠的细胞一般数目较少,在胚后发育过程中亦非恒数,随着发育的进程有增加细胞数目的趋势,如一种驼形线虫 *Camallanus* sp. 初孵幼体的肠壁细胞为 16～24 个,至成体增加到 200 个左右。有些线虫肠的前端具有 1 个伸向前方的肠盲囊(intestinal caecum,图 11-4 E)。

很多线虫的咽、肠之间具胃(vendriculus,cardia)(图 11-2 A,图 11-4 E),但多不发达。有些线虫的胃具有 1 个伸向后方的胃盲囊或称胃垂(ventricular appendix)(图 11-4 E)。

后肠包括直肠(rectum)和肛门,来源于外胚层,内壁被角质层。直肠是 1 条短的直管。雄性的直肠与生殖管合并为泄殖腔(图 11-2 A)。很多线虫特别是胞管肾纲的线虫常具 3 个直肠腺与之相通。自由生活的线虫直肠腺一般很小,寄生线虫(如旋尾目和丝虫目)的直肠腺往往比较发达。线虫的肛门(雄虫的泄殖孔)呈裂缝状,位置靠近虫体末端腹面。

线虫的食性相当复杂,草食(herbivory)、肉食(carnivory)、杂食(omnivory)和腐生(saprophagy)者均有。自由生活的线虫以细菌、微藻、碎屑、溶解有机物等为食。其摄食方式多与口腔的结构有关。口腔无齿和口腔不发达的种类通常只能吸食流体中的溶解有机物和微小食物颗粒,其肌质的咽球能像泵一样将"食物"吸入咽腔内,在吸食时,咽-肠瓣膜(pharyngointestinal valve)关闭,咽腔内充满食物后,咽球肌肉收缩将食物压入中肠。口腔内具小齿的线虫能将小齿刺入食物细胞吸食或在物体表面刮食。口腔内具大型齿的线虫可以齿捕食,然后将猎物吞食或吸食其内含物。植物寄生线虫常具口针，用以刺入植物细胞吸取汁液。动物寄生线虫的口腔多不发达，靠吸食液态食物生活，有些动物寄生线虫具有发达的口腔或齿，用于在宿主的消化道壁上附着，是对其生活方式的一种适应。

线虫的消化是细胞外消化。消化好的食物由中肠的肠壁吸收，后者能贮存糖原(glycogen)和脂类，线虫可用这些贮存物质度过饥饿、蜕皮等不能进食的时期。咽腺的作用可能是辅助摄食。

4. 呼吸和循环：线虫没有专门的呼吸系统和消化系统。与其他很多低等无脊椎动物一样，线虫的呼吸和循环主要是通过扩散及假体腔液的流动来完成的。

多数线虫，特别是自由生活的线虫是需氧的。但水生自由线虫都是底栖生物，其生存环境往往处于低氧状态，线虫长期处于这种低氧压力之下，在一定程度上产生了对缺氧状态的适应能力。与其他很多需氧动物一样，线虫也具有氧债现象(oxygen debt phinomenon)，即在经过一段时间的缺氧压力之后，一旦获得氧气便大量吸收，这些氧可能用于氧化缺氧代谢所产生的中间代谢产物。多数动物寄生线虫对宿主体内的缺氧环境产生了适应能力，主要行无氧呼吸，高浓度的氧气反而对其有害。但是，完全厌氧的线虫几乎是没有的，在氧气浓度合适时，那些通常进行无氧代谢的寄生线虫也能利用氧气进行有氧代谢。毫无疑问，线虫的假体腔具有运输氧气的作用。有些寄生线虫体腔液内具有血红蛋白等色素，其具体作用尚不清楚，一般认为即使不是运送氧气的载体，也是贮存氧气的仓库。

5. 排泄系统和排泄：线虫排泄系统(图 11-5)的最大特点是没有纤毛或鞭毛，区别于其他具原肾的后生动物。线虫的排泄系统有腺型(glandular excretory system)(图 11-5 A，B)和管型(tubular excretory system)(图 11-5 C～G)两种类型。腺型的排泄器官比较原始，由 1 个(如嘴刺线虫 *Enoplus*，图 11-5 A)或两个(如小杆线虫 *Rhabditis*，图 11-5 B)腺肾细胞(renette cell)构成。腺肾细胞位于身体腹面咽肠交界处附近，呈袋状，前部是一个细长的颈，在神经环附近开口于腹中线上。管型排泄器官是由腺型的排泄器官进化而来。小杆亚纲一些线虫的排泄系统为 H 形的管状结构，仍具 2 个腺肾细胞(图 11-5 C)。驼形线虫 *Camallanus* 管型排泄系统亦为 H 形，但腺肾细胞已消失(图 11-5 G)。蛔目 H 形的排泄系统前臂消失，变为倒 U 形(图 11-5 F)。垫刃目线虫只在身体的一侧具有排泄管，成为 I 形(图 11-5 E)。此外，嘴刺亚纲 Enoplia 的很多线虫既没有排泄管也没有腺肾细胞，自身体的前端至后端具很多单细胞结构，可能是与原肾同源的较原始的排泄器官。

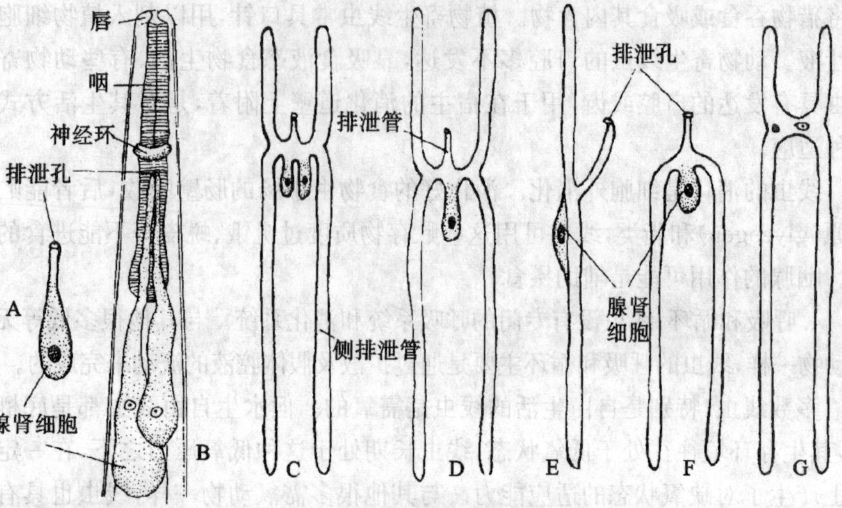

图 11-5 线虫的排泄系统

A. 1 个腺肾细胞；B. 1 对腺肾细胞；C. 具 1 对腺肾细胞的 H 型排泄系统；

D. 具 1 个腺肾细胞的 H 型排泄系统；E. 只具单侧排泄管的排泄系统；

F. 倒 Y 型排泄系统；G. 无腺肾细胞的 H 型排泄系统

（A，D～G 仿 Poinar；B，C 从 Meglitisch 等）

线虫排泄系统的功能尚不完全清楚，可能在渗透压的调节和含氮废物排泄过程中均起一定的作用。有人认为腺肾细胞能分泌消化酶和抗凝物质或具有调节蜕皮的作用。

线虫通常进行排氨代谢，在高盐环境中含氮代谢废物也以尿素的形式排出，这种排泄作用是由肠壁完成的。很多线虫对于盐度的变化具有较好的适应力。线虫的角皮具有选择透性，允许水分进入体内而将多余的盐分排出。体内水分过多时，多余的水分主要由肠壁排出，排泄器官可能也具这种能力。

6. 神经系统和感觉器官：线虫的中枢神经系统在各类群间大同小异。由 1 个围咽神经环（circumpharyngeal nerve ring）、一些与神经环相连的神经节和一些纵神经组成（图 11-6 A）。神经环主要由神经纤维构成，而神经细胞的本体多位于神经环后面的一系列神经节内。比较大的神经节有 1 对侧神经节和 1 对（或 1 个）背神经节。在神经环的附近具有 1 对化感器神经节（amphidial ganglion）和 1 套头神经节（cephalic ganglion），头部感器（cephalic sensilla）和化感器分别有神经与这两个神经节相连。纵神经通常具四条，其前端与神经环后面的一些神经节相连，沿表皮索（图 11-2 D，E）向后延伸到虫体后端。位于腹表皮索内的腹神经最发达，是线虫的主神经干，内有感觉神经和运动神经。它的前端源于神经环腹面的 1 对神经，这对神经在排泄孔的后方合并形成 1 个肾孔后神经节(retrovesicular ganglion)。腹神经的后端具有 1 个或 1 对肛神经节(anal ganglion)。位于背表皮索的 1 条背神经是主运动神经。位于侧表皮索的 1 对侧神经是主感觉神经。很多线虫的四条纵神经间具有横向的神经联系。

线虫有多种类型的感觉器(图 11-2 A，B；图 11-6 B～L)。因多数线虫(如土壤和水底间隙中的线虫)要与周围环境密切接触，触觉感觉器常比较发达。最常见的触觉感觉器是乳突和刚毛，后者往往有肌肉支配，能够活动，这些由角皮突出的感觉器官统称感器(sensillum)。位于身体前端的感器称为头感器(cephalicsensillum)(图11-6B～E)，一般有16个，着生在唇瓣上或唇瓣的后方。

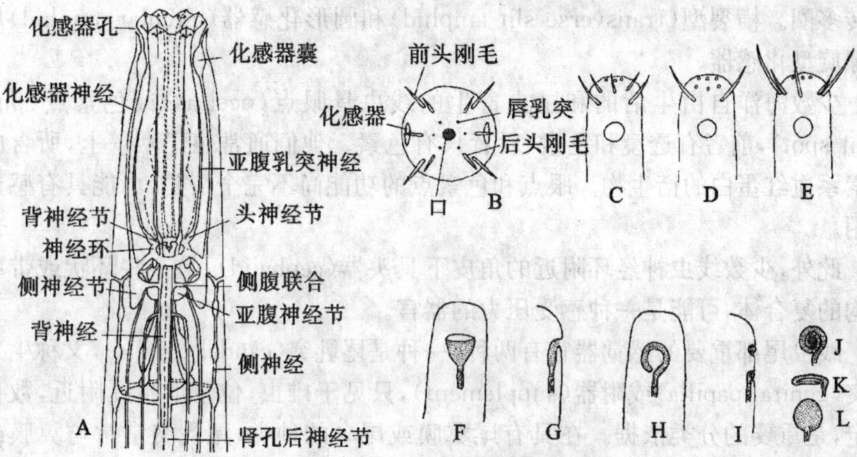

图 11-6　线虫的神经系统和感官

A. 小杆线虫 *Rhabditis* 神经系统的前部；B～E. 海洋自由生活线虫头部感觉器官模式：B. 顶面观；C. 6＋6＋4 样式，后两圈均呈刚毛状；D. 6＋6＋4 样式，只最后一圈呈刚毛状；E. 6＋10 样式；F～L. 各种类型的化感器：F. 袋形；G～I. 螺旋形(单旋)；J. 螺旋形(多旋)；K. 横裂缝形；L. 圆形

(A 仿 Chitwood 等从 Meglitisch 等；B～L 仿 Platt 和 Warwick)

原始类型的头感器为 3 圈，为 6＋6＋4 模式(图 11-6 B～D)：第 1 圈 6 个，多呈乳突状，分别位于 6 片唇瓣上，称为内唇乳突(inner labial papilla)或唇乳突(labial papilla)；第 2 圈亦为 6 个，着生于唇瓣或唇后，呈乳突状或刚毛状，因形状和着生部位不同分别称外唇乳突(outer labial papilla)、外唇刚毛(outer labial seta)或前头刚毛(anterior cephalic seta)等;第3圈为4个,生于唇后,呈刚毛状,称头刚毛(cephalic seta)或后头刚毛(posterior cephalic seta)。一般认为,第3圈头感器本应为6个,其中的两个退化消失,其位置被化感器占据。有些线虫的前头刚毛和后头刚毛融合为1圈,头感器变为6+10样式(图11-6 E)。

线虫的头部除具上述16个头部感器外,通常还具1对特殊的化学感觉器,即化感器(amphid,也译为头感器或侧感器,本书所讲的头感器cephalic sensillum是指前述的各种触觉器官)。这是1对在线虫分类学上具有重要意义的构造,位于头部侧面,左右对称。化感器大致可分为螺旋型(spiral amphid)(图11-6 G~L)和非螺旋型(nonspiral amphid)(图11-6 F)两类。非螺旋型的化感器一般呈袋状,有1个横裂的外开口和1个袋状的内腔(称为感窝fovea),感窝内充满胶状物质。螺旋型化感器的感窝较长,一端对外开口,有的旋转1圈,有的旋转多圈。横裂型(transverse slit amphid)和圆形化感器(circular amphid)属于螺旋型化感器。

少数海洋自由生活的和昆虫寄生的线虫具眼点(ocellus)或色素点(pigment spot),前者有透镜和色素,后者只有色素。他们通常位于咽壁上,所含的色素系血红蛋白的衍生物。眼点和色素点的功能尚不完全清楚,可能具有感光作用。

此外,少数线虫神经环附近的角皮下具头器(cephalid),是一些环状或带状结构的复合体,可能是一种感受压力的器官。

线虫尾部重要的感觉器官有两种:一种是尾乳突(caudal papilla),又称生殖乳突(genital papilla)或附器(supplement),只见于雄虫,位于泄殖孔附近,数目固定,是重要的分类依据。在具有尾翼膜或尾伞的种类,尾乳突常常与翼膜或尾伞结合在一起并特化为棒状的支持肋(图11-9 G,J,L)。生殖乳突是一种机械或化学感受器,在交配时用于对雌性生殖孔定位。尾部的另一种感觉器官是成对的尾感器(phasmid)。虽然长期以来,尾感器的存在与否一直是区分线虫动物门两个纲的基本依据,但人们对这种器官仍缺乏深入的了解。一个重要的原因是多数线虫的尾感器都非常小,用光学显微镜很难观察到。每个尾感器一般具有1个尾感器腺,由1条尾感器管与位于尾部两侧的尾感器孔相连。有的种类腺体消失,只留1孔。尾感器的功能可能是感觉、分泌、渗透压调节等。

7. 生殖系统和生殖:绝大多数线虫是雌雄异体(gonochorism),且在一定程度上两性异形。雄虫一般较雌虫为小,其后部明显向腹面卷曲,常常具有生殖乳突、尾翼膜、尾伞等(图11-2 A,图11~9 B,G,L,J)。

雄性生殖系统(图11-7 C~E)具1个或1对管状精巢,常分为生殖细胞区(germinal zone)、生长区(growth zone)和成熟区(maturation)3段。精巢的后部与输精管相通，输精管的后部常膨大为储精囊（seminal vesicle），与肌肉质的射精管相通。射精管的后部与直肠合并为泄殖腔（cloaca）。有的线虫具与雄性

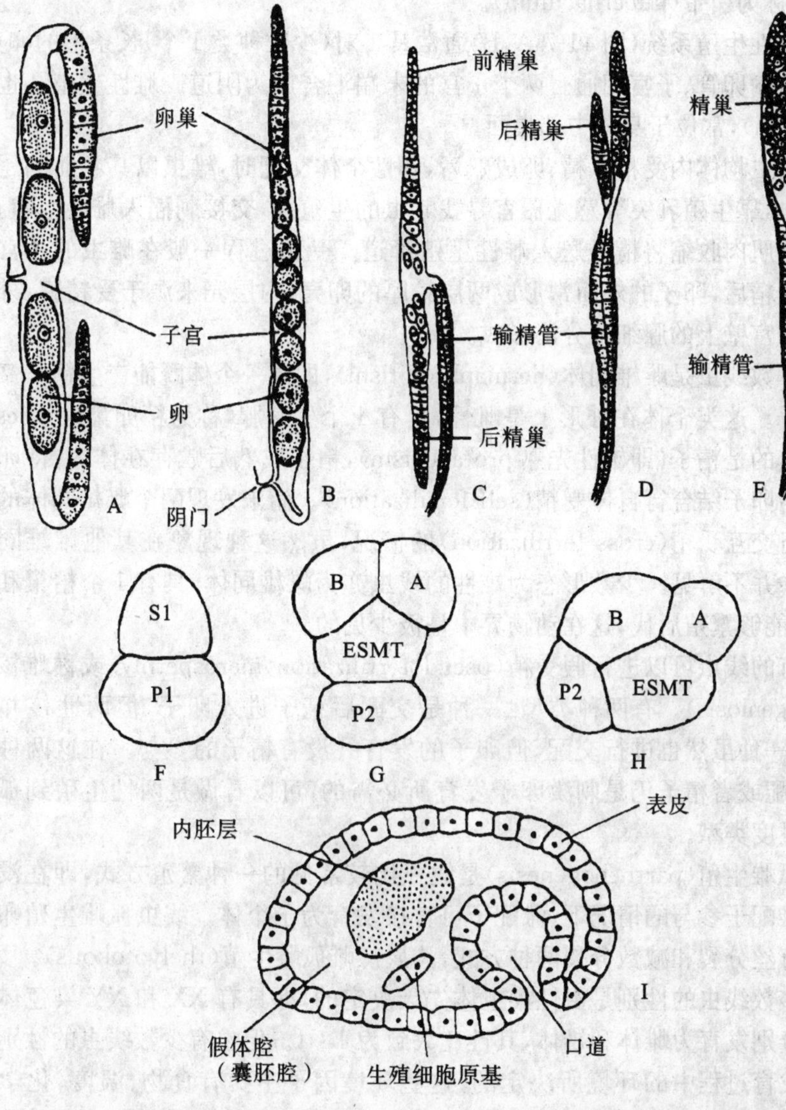

图 11-7　线虫的生殖系统和胚胎发育（A～E 仿 Platt 和 Warwick；F～I 仿 Boveri 从 Brusca 等）
A. 双卵巢雌性生殖系统；B. 单卵巢雌性生殖系统；C. 雄性生殖系统（精巢两个，相对排列）；
D. 雄性生殖系统（精巢前后两个，不相对排列）；E. 雄性生殖系统（精巢 1 个）；
F～I. 马副蛔虫 *Parascaris equorum* 的胚胎发育：F. 二细胞期；G. 四细胞期，4 个细胞呈 T 形排列；H. 四细胞期，4 个细胞重新排列为菱形；I. 口道形成期

生殖系统相连的摄护腺(prostatic glands)。多数线虫的雄虫具交配器,由 1 条或 2 条硬质的交接刺(spicule)组成。有些线虫的交接刺坐落于另一个硬质构造上,称为引带(gubernaculum)。

雌性生殖系统(图 11-7 A,B)通常具 1 对(少数种类 1 个)长条形的卵巢,其后端与输卵管、子宫相通。两个子宫的末端汇合成为阴道。雌性生殖孔也称阴门(vulva),常位于身体中部腹面。

线虫均体内受精。精、卵成熟后,两性个体交配时,雄虫以其卷曲的尾部环抱雌虫,靠生殖乳突等感觉器官寻找雌虫的生殖孔,交接刺插入雌性生殖孔,射精管的肌肉收缩将精子送入雌性生殖管道。受精过程一般在雌虫的子宫内完成。受精后,卵子的外面常形成两层较厚的卵壳,内层壳来源于受精膜,外层壳是由子宫壁上的腺细胞分泌形成。

少数线虫是雌雄同体(hermaphroditism),即同一个体既能产生精子又能产生卵子。这类个体在外形上是雌性,具有 1 个生殖腺,称为精卵巢(ovotestis)。先成熟的是精子(即雄性先熟 protandrism),精子成熟后贮存在体内,待卵子成熟后与卵子结合行自体受精(self fertilization)。尚未发现两个雌雄同体的个体能进行交互受精(cross fertilization)的情况,虽然这种现象在其他雌雄同体的动物中并不鲜见。少数形态为雄性的线虫亦为雌雄同体,具有 1 个精巢和 1 个卵巢,能够繁殖后代,这在动物界中是极少见的。

有的线虫可以进行假受精(pseudofertilization,merospermy)或称雌核发育(gynogeniosis)。有两种类型:一种是交配后精子进入卵子,但两性核并不融合;另一种虽然也进行交配,但卵子的发育并没有精子的参与。在这两种情况下,交配或者精子仍是刺激卵子发育所必需的,可以看做是两性生殖到孤雌生殖的过度类型。

孤雌生殖(parthenogenesis)是线虫比较常见的一种繁殖方式,即在没有雄性或雄配子参与的情况下,雌配子可直接发育为子个体。线虫孤雌生殖卵的形成有有丝分裂和减数分裂两种方式,均属产雌孤雌生殖(thelyotokous)。

多数线虫的性别是由性染色体先天决定的,即具有 XX 和 XY 染色体的受精卵分别发育为雌体和雄体,其性比大致为 1∶1。但也有少数线虫的性别是由后天发育过程中的环境所决定的,这些环境因子主要有食物、温度、化学因素等,如在缺乏食物、高温、CO_2 浓度升高的情况下容易产生雄性。有些植物寄生线虫、无脊椎动物寄生线虫和一些以微生物为营养的自由线虫在后天环境的影响下,可同时发育为具有雌、雄两种性特征的异常个体(某性别的个体同时具有另一性别的某些特征),即所谓的雌雄间性体(intersex,具有功能性别的基因型)和雌雄嵌体(gynandromorph,两种性别的组织细胞各有自己的基因型)。雌雄间性体和雌雄嵌体都只有一个性别的性器官具生殖功能，另一性别的性器官往往发育不良，不能实现生殖功能，这与雌雄同体是不同的。

8. 发育和生活史：线虫的受精卵通常排到环境中开始发育，有些线虫的受精卵在母体的子宫内已开始分裂，产出时已处于二细胞、四细胞或多细胞期了，也有些线虫在产出时已发育为幼体，即是卵胎生（ovoviviparoty）。

线虫的卵裂是完全近等卵裂（holoblastic and subequal cleavage）。其最大特点是预定卵裂（predeterminate cleavage）或称定裂（determinate cleavage），即每个卵裂球（blastomere）将来形成哪种组织和器官在卵裂的早期就已确定。受精卵第 1 次卵裂是横裂，产生 1 个芽胚胞（germ cell，P1）和 1 个体胚胞（somatic cell，S1）（图 11-7 F）。第 2 次卵裂时 S1 分裂为 A、B 两个体胚胞，P1 分裂为 P2 和 EMST 细胞（图 11-7 G）。开始时这 4 个细胞呈 T 形排列，然后又重新排列为菱形，A、B、P2、EMST 细胞分别位于前、背、后和腹面（图 11-7 H）。A、B 细胞将来的命运是形成初级外胚层（primary ectoderm）。EMST 细胞下一次分裂产生 E 细胞和 MST 细胞，MST 细胞则又分裂为 M 细胞和 ST 细胞，E 细胞、M 细胞、ST 细胞将来分别形成内胚层、中胚层和口道（stomodeum）。P2 细胞经多次分裂分别产生芽胚胞（P2，P3 等）和体胚胞（C，D 等）。P 细胞系（P cell line）将来发育为生殖细胞（故也叫生殖细胞系 germinal cell line）或中胚层，各体胚胞均将发育为外胚层。非生殖细胞系的细胞在每次分裂后具有染色体变小的现象，染色体的两端丢失，只保留中段。

卵裂的结果是形成 1 个实心囊胚（stereoblastula）或内腔很不发达的有腔囊胚（coeloblastula）。原肠以外包法（epiboly）为主，也有细胞的内移（ingression）。在线虫胚胎发育的后期，除生殖细胞系外，胚胎的细胞（核）停止分裂，孵化后个体的生长以细胞体积增大的方式进行，各器官的细胞（核）的数目恒定，这便是细胞恒数。这种现象并不是绝对的，某些线虫体细胞数目在孵化后仍有增加（见本节 3）。

线虫是直接发育，初孵幼体除大小和性器官的成熟度与成虫不同外，没有明显的差别。幼体（我国学者常称为童虫）需经 4 次蜕皮（molting）才能发育为成体，第 1、第 2 次蜕皮有时在卵壳内完成。

动物寄生线虫往往具有比较复杂的生活史。有的只有 1 个宿主，其生活史中有 1 个自由生活的阶段（卵或幼体）；有些则需要 1 个或几个中间宿主，生活史中也具有 1 个自由生活的阶段；也有些线虫没有在环境中自由生活的阶段，始终在不同的宿主体内生活。图 11-8 是一种常见的海洋动物寄生线虫——简单异尖线虫 *Anisakis simplex* 的生活史，其终末宿主为海洋哺乳动物，完成生活史至少需要两个中间宿主。

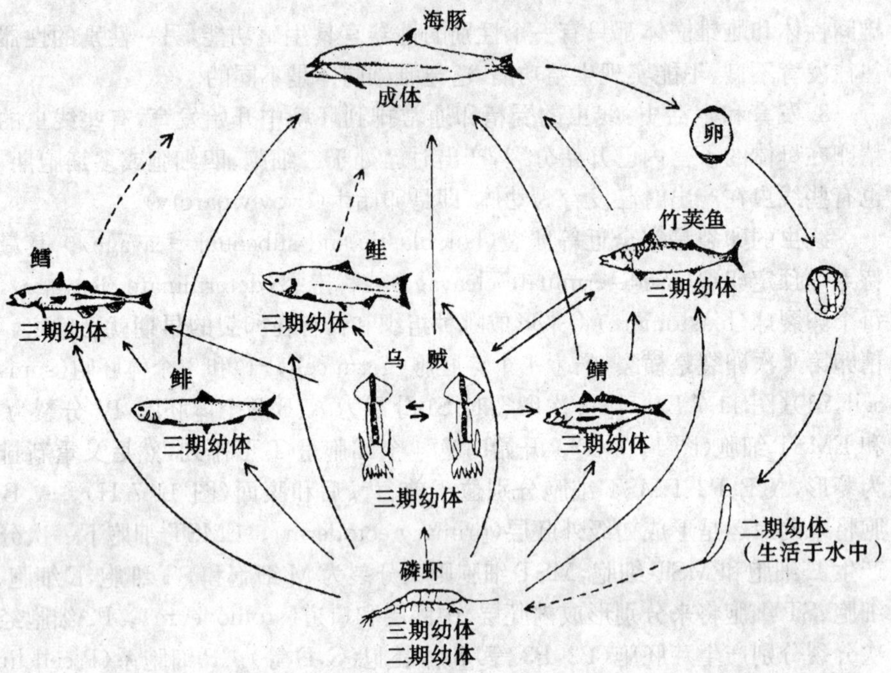

图 11-8 简单异尖线虫 *Anisakis simplez* 的生活史(仿 Oshima 从 Rohde)

海洋自由生活的线虫一般常年都能繁殖，没有明显的季节性繁殖现象，生命周期只有 20～30 天甚至更短。当水温条件不适时，生命周期延长，繁殖力下降。少数大型的海洋线虫具有一年一度的繁殖周期。

11.4 分类

已描述的线虫超过 15 000 种，地球上到底有多少种线虫各学者的估计数字相差很大，可能有 50 万～100 万种之多。尾感器的有无，化感器的形态和位置，尾腺(caudal gland)和皮下腺(subepidermal gland)的有无，生殖系统、口腔、咽和排泄系统的结构，头部和躯干部各种感器的形态、位置及排列等是主要的分类依据。线虫纲以下的分类各学者间分歧很大，本书采用 Maggenti(1982)的分类系统，将线虫门分为 2 纲 20 目(表 11-1)，这里只对海洋类群作一简介。

纲 1. 有腺纲 Adenophorea(无尾感器纲 Aphasmida)

化感器形态多样，常位于唇后；头部感器 16 个，刚毛状或乳突状，位于唇后或唇上；常具体刚毛和下皮腺(hypodermal gland)；表皮细胞单核；角皮表面光滑或具条痕，由 4 层组成；排泄器官有或无，如有则为单细胞；常具尾腺 3 个，但矛线、索线、毛首 3 目无；雄性具 1 对精巢（色矛目有些种类例外），雄性尾部具肛前附器（preanal suplement），但一般没有翼膜；假体腔细胞不少于 6 个。自由生活于海水、淡水、陆地、或为各种动物寄生虫。自由生活的种类草食、肉食、杂食者均有。绝大多数海洋自由生活的线虫属于本纲。分为 12 目，在海洋中生活的多属下列各目。

目 1. 毛首目 Trichocephalida：早期幼体口腔内具一位于中轴的矛，至成体消失；化感器位于唇后；咽腺由很多列细胞构成，列细胞（食道细胞）沿咽排列成 1～2 列，列细胞开口于神经环之后，这是本目最重要的鉴别特征；雌雄生殖腺均 1 个，雄性没有或具 1 个交接刺，卵常具盖（operculate）。全为脊椎动物寄生虫，生活史中无或以节肢动物、环节动物等作为中间宿主。如福鼎毛细线虫 *Capillaria fudingensis*（图 11-9 C，D）寄生于银鲳 *Stromateoides argentous* 体内。

目 2. 嘴刺目 Enoplida：化感器袋形，具裂缝状开孔；头部感器 3 圈，为 6＋6＋4 样式，后 2 圈呈刚毛状；咽圆柱状，后端渐宽；咽腺 5 个，其中背面 1 个，腹面 4 个，背咽腺和前 2 个腹咽腺开口于口腔，后方 2 个腹咽腺开口于神经环前；雌性具 1 个卵巢，雄性通常具有 2 个精巢和 2 条交接刺（极少数 1 条或付缺）；排泄系统如有，则为 1 个单胞腺，开口于腹面中央；具尾腺 3 个。海水、淡水或半咸水中自由生活，以微藻、有机碎屑或其他动物为食。如吸咽线虫 *Halalaimus*（图 11-1 B）。

目 3. 带矛目 Desmoscolecida：角皮具发达的环带（desmen）和刚毛，有时具疣、鳞等；口、唇退化；头部只具第 2 和第 3 圈感器，故为 0＋6＋4 模式，其中第 2 圈为乳突状，第 3 圈为刚毛状；雌性具 1 对曲折的卵巢。绝大多数自由生活于海洋，少数侵入淡水生活，食性未知。如环饰线虫 *Pselionema*（图 11-1 D）、龙跷虫 *Dracograllus*（图 11-1 G）。

目 4. 带首目 Desmodorida：角皮具明显的环纹，但无斑点；口腔形态多样，常呈筒状，有的具齿；头部感器 3 圈（6＋6＋4），少数为 6＋10；有些种类具有管状的步行刚毛。多数生活于海洋，少数生活于淡水和半咸水，食性未知。如项链线虫 *Desmoscolex*（图 11-1 C）、多毛线虫 *Greeffiella*（图 11-1 F）。

目 5. 色矛目 Chromatodorida：角皮具细致的点纹，外观光滑或具环纹；口腔内具齿、颚等角质结构；头部具 1～2 圈感器；雌性具曲折的卵巢 1 对。自由生活于海水、淡水或土壤中，少数种类生活于甲壳动物的鳃腔内。如里克特线虫 *Richtersia*（图 11-1 E）。

目 6. 单宫目 Monohysterida：表皮光滑或具装饰；口腔漏斗状，有时具齿；圆形化感器，有时略旋；头部感器 6＋10 或仅具第 3 圈的 4 条刚毛；卵巢直伸，一般只有1个；雄性肛前附器呈乳突状。多数海产，少数生活于淡水或土壤中。如体棘线虫 *Echinotheristus*(图 11-1 A)。

目 7. 薄咽目 Araeolaimida：角皮无斑点；化感器大，形态多样；唇 3 片，口腔前部为漏斗状，后部为管状；头部具 3 圈感器(6+6+4)，第 1、第 2 圈为乳突状，第 3 圈为刚毛状，极少为 6+10；卵巢 1 对；雄性肛前附器呈管状。绝大多数生活于海水，少数见于淡水、半咸水或土壤中。

纲 2. 胞管肾纲 Secernentea(尾感器纲 Phasmida)

化感器外观常呈孔状，多位于侧唇上；头部感器通常两圈，呈乳突状，一般位于唇上；角皮由 2～4 层组成，常具横向饰纹；排泄系统多为管型，具侧排泄管 1～2 条；尾腺和皮下腺常付缺；假体腔细胞最多 6 个；雄虫常具尾翼膜或尾伞，肛前附器成对。自由生活或为动植物的寄生虫。自由生活的种类多数为陆生，少数水生，仅数种生活于海洋中。分为 8 目，在海洋中生活的种类一般属于下列各目。

目 1. 小杆目 Rhabditida：唇部结构多变，无唇瓣或具 2、3、6 片唇；口腔常为管状，有时分为多区；咽肌肉质，常分为咽体，咽狭和具瓣膜的后咽球 3 部分，寄生种成体咽球消失，但其二期幼体具有咽球；排泄系统具 1 对侧排泄管；雌虫具 1～2 个卵巢；雄虫有或无尾翼膜，如有则无肌肉质支持肋。自由生活或为动物寄生虫。海洋小杆线虫 *Rhabditis marina*（图 11-9 A，B）是胞管肾纲为数不多的海洋自由生活线虫中比较常见的一种，自由生活于潮间带泥、沙及海藻间，在腐烂的海藻中多见。

目 2. 蛔目 Ascaridida：唇瓣通常 3～6 片，极少数没有唇瓣；外唇乳突常为 8 个，有时愈合为 4 个；咽形态多变，有的与小杆目相似，有的呈圆柱状，少数种类咽的后端具有盲囊；排泄系统具 1 对排泄管，常呈 H 形，但没有腺肾细胞；雄虫多具 2 条交接刺，少数具 1 条或付缺；尾翼膜常付缺。异尖科 Anisakidae 线虫的很多种类如异尖线虫 *Anisakis*(图 11-4 E)、对盲囊线虫 *Contracaecum*、海豹线虫 *Phocanema* 等的成体或幼体是各种海洋动物常见的寄生线虫，往往具有复杂的生活史(图 11-8)，生食携有异尖类线虫幼体的鱼类有时能使人体感染，虽不能在人体内发育为成虫，幼体可在人体内移行，导致移行症，引起人体过敏反应等急症，严重者可导致死亡。

目 3. 旋尾目 Spirurida：常具有 2 片唇瓣或假唇，有些种类具唇瓣 4 片、6 片或付缺；口腔较长，有时具齿；化感器位于身体前端，有时位于唇瓣或假唇上；咽前部为肌肉部，后部为腺体部，无瓣膜；咽腺多核；幼体口腔内具钩，头部常具孔状尾感器；雄虫具 2 条交接刺，大小常差别很大；有时具尾伞，但无肌肉质支持肋。已知均为环节动物和各种脊椎动物的寄生虫。脊椎动物寄生者需无脊椎动物作中间宿主。如鲨副细线虫 *Paraleptus sycllii*（图 11-9 K～M），寄生于条纹斑竹鲨 *Chilosyllium plagiosum* 体内。

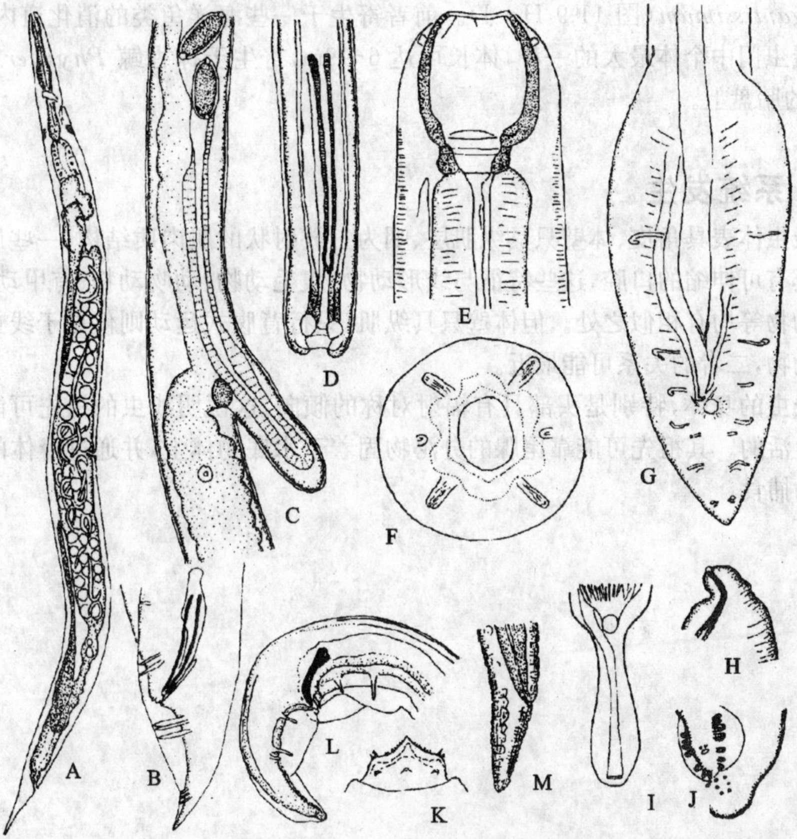

图 11-9　几种海洋线虫

A,B. 海洋小杆线虫 *Rhabditis marina* 的雌虫整体(A)和雄虫尾部(B)；
C,D. 福鼎毛细线虫 *Capillaria fudingensis* 的雌虫生殖孔部位(C)和雄虫尾部(D)；
E～G. 埃拉特前驼形线虫 *Procamallanus elatensis* 的雄虫头部腹面观(E)、头部顶面观(F)和雄虫尾部腹面观(G)；H～J. 巨大胎盘线虫 *Placentonema gigantissimum* 虫体前部(H)、雌虫尾部(I)和雄虫尾部(J)；
K～M. 鲨副细线虫 *Paraleptus sycllii* 的口唇侧面观(K)、雄虫尾部(L)和雌虫尾部(M)
(A～B 仿 Platt 和 Warwick；C～D 仿汪溥钦；E～G 仿 Fusco 等；H～M 仿 Yamaguti)

目 4. 驼形目 Camallanida：唇瓣常付缺；口腔多样化，有时付缺；咽分为肌肉部和腺体部；咽腺简单，单核；幼体口腔无钩，尾感器袋形，较大；雄虫交接刺 2

条，大小相等或不等，形态近似或不近似；有些种的雌虫的肛门和阴门退化消失。全部为各种水、陆生脊椎动物寄生虫，以桡足类为中间宿主。如埃拉特前驼形线虫 *Procamallanus elatensis*（图 11-9 E～G）和巨大胎盘线虫 *Placentonema gigantissimum*（图 11-9 H～J）。前者寄生于一些海洋鱼类的消化道内，后者是线虫门中个体最大的一种，体长可达 6～9m，寄生于抹香鲸 *Physeter catodon* 的胎盘上。

11.5 系统发生

线虫体表具角皮、体壁只具纵肌层、咽为三放射状的肌肉质结构、一些原始种类具有可伸缩的口腔，这些特征与线形动物、腹毛动物、动吻动物、有甲动物、曳鳃动物等均有相似之处。但体壁只具纵肌、只行背腹式运动则仅见于线虫和线形动物，二者的关系可能最近。

线虫的身体，特别是头部具有辐射对称的倾向，这说明线虫的祖先可能是固着生活的。其祖先可能靠尾腺的分泌物固着于水底物体上，并通过身体的蜿蜒摇动捕食。

第 12 章　线形动物门

Nematomorpha(Gr., *nema*, thread; *morphe*, shape)

12.1 概述

线形动物(nematomorph)曾被作为袋形动物门 Aschelminthes 的一个纲。成体营自由生活，多数水生。体细长，发丝状，具宽大的假体腔或为间充组织填充，无排泄系统，消化系统退化(有消化管但不具消化功能)，神经系统简单，雌雄异体且多异形(dimorphic)，两性个体均具泄殖腔(cloaca)。幼虫具多钩的前体部和分节的躯干部，寄生于节肢动物的血腔内。

因成虫形如马鬃，线形动物又称马鬃虫(horshair worm)。这类动物最早于 14 世纪发现，在很长的一段时间内被认为由马鬃而生。又因其常蜷曲纠缠成复杂的结扣状，犹如传说中的戈迪斯结(Gordian knot)*，又称为戈迪斯虫(gordian worms，即铁线虫)。

线形动物门的主要特征：

1. 细长蠕虫状，两侧对称，成体不分节；
2. 三胚层，具宽大的假体腔或被间充组织所填充；
3. 角皮发育良好，体表无纤毛；
4. 体壁具纵肌，无环肌；
5. 具消化管，但不同程度退化，成体消化管不行消化功能；
6. 无循环、呼吸和排泄器官；
7. 神经系统位于表皮内，具 1 个神经环和 1 条纵神经索，神经索上无神经节；

---

* 相传，古代弗里吉亚国(今在埃及)的戈迪斯(Gordius)国王，在他的马车上打了一个绳结，声称谁能解开此结便可统治整个亚洲。富冒险精神的亚历山大大帝一剑将这一难题解决，后人称此结为“Gordian knot”。

8. 雌雄异体(gonochoristic),体内受精;

9. 发育过程中的幼虫前部具钩,躯干部分节,幼虫寄生于节肢动物的血腔中;

10. 成虫自由生活,绝大多数生活于淡水或潮湿土壤中,只有少数生活于海水中。

已知线形动物约 320 种,分为 2 纲(表 12-1),至纲的主要检索性状为:

1. 背表皮索:a. 有,b. 无;

2. 间充组织:a. 有,b. 无;

3. 成纵列的游泳刚毛:a. 有,b. 无;

4. 生殖腺数目:a. 1 个,b. 1 对。

表 12-1　线形动物门的分类

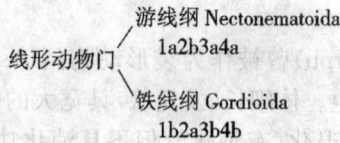

线形动物门
- 游线纲 Nectonematoida 1a2b3a4a
- 铁线纲 Gordioida 1b2a3b4b

12.2 习性和分布

线形动物成虫多数生活于淡水,少数生活于陆地或海洋。淡水种多见于池塘、溪流岸边的腐烂植物、树叶或丛生的藻类植物间。所谓的陆生种类多发现于园林或温室内的潮湿土壤中。淡水或陆地生活的线形动物广泛分布于世界各地,特别是热带和亚热带地区,均属于铁线纲。游线纲线形虫营海水生活,见于近岸海水中,只在少数海区有发现,仅知游线属 *Nectonema* 数种。

12.3 形态、结构和功能

1. 外形:成体极细长,身体自头至尾粗细均匀。长达 0.5~1 m,宽通常只有 1~3 mm。雄性一般比雌性小,但海洋产的游线属(图 12-1 F)则雄性较大。线形动物多呈黄色至深棕色,一般无特殊花纹、色斑等。

前端多钝圆,有些种类尖细。无明确的头部,但常具颜色较浅的头盘(calotte)(图 12-1 B),口即生于头盘上。后端钝圆或分为 2~3 个尾叶(caudal lobe),肛门位于尾部末端或尾叶前方腹面(图 12-1 C,D)。雄虫尾部常如线虫一样呈卷曲状(图 12-1 G)。

线形动物体表具厚的角皮,角皮上常生有疣突(areole)、刚毛(bristle)、乳突(papilla)等附属结构,雄性个体常在泄殖孔附近形成具粘附作用的钩(thorns)、疣(warts)等。有时雄虫在泄殖孔后方还具一新月形角皮褶皱(图 12-1 D),称肛后嵴。海产的游线虫体两侧各具二列游泳刚毛(natatory bristles)(图 12-1 F)。

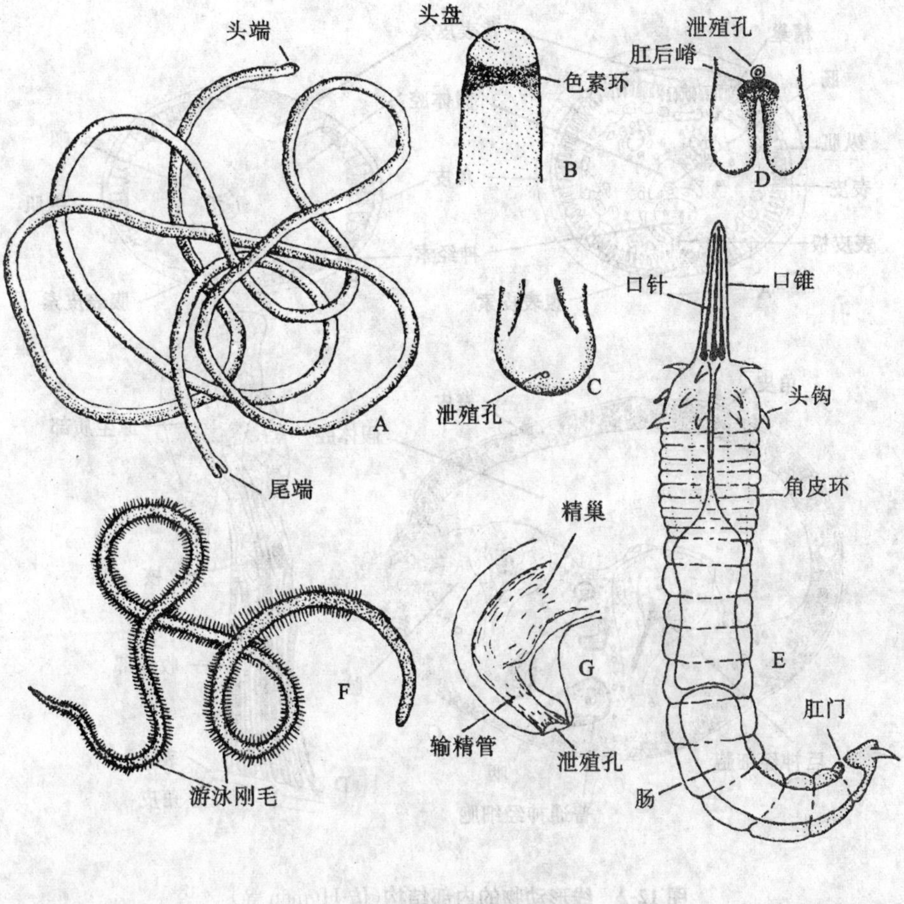

图 12-1　铁线虫和游线虫

A～E 铁线虫 *Gordius*(A. 外形;B. 前端;C. 雌虫后端;D. 雄虫后端;E. 幼虫);
F～G. 游线虫 *Nectonema*(F. 外形;G. 雄虫后端)(A,C,D 仿江静波;B,E,F 仿 Hyman)

2. 体壁与运动:线形动物体形与线虫相似,由角皮、上皮和肌肉层组成。角皮一般很厚,分两层,外层由均匀的物质构成,上面生有各种加厚结构,通称疣突。有些疣突末端具刺或孔,有的可能具感觉功能。具孔者能产生黏液蛋白(mucoprotein)以润滑虫体,使盘曲时所形成的扣结能轻易地松开。角皮的内层由螺旋状缠绕的胶原纤维构成。角皮层下为表皮层,表皮层在虫体腹面或背、腹面各形成 1 个表皮索(epidermal chord)(图 12-2 A,B)。腹表皮索内具 1 条纵神经。表皮之下为 1 层肌肉细胞,线形动物的肌肉由纵肌构成,无环肌层(图 12-2 A,B)。

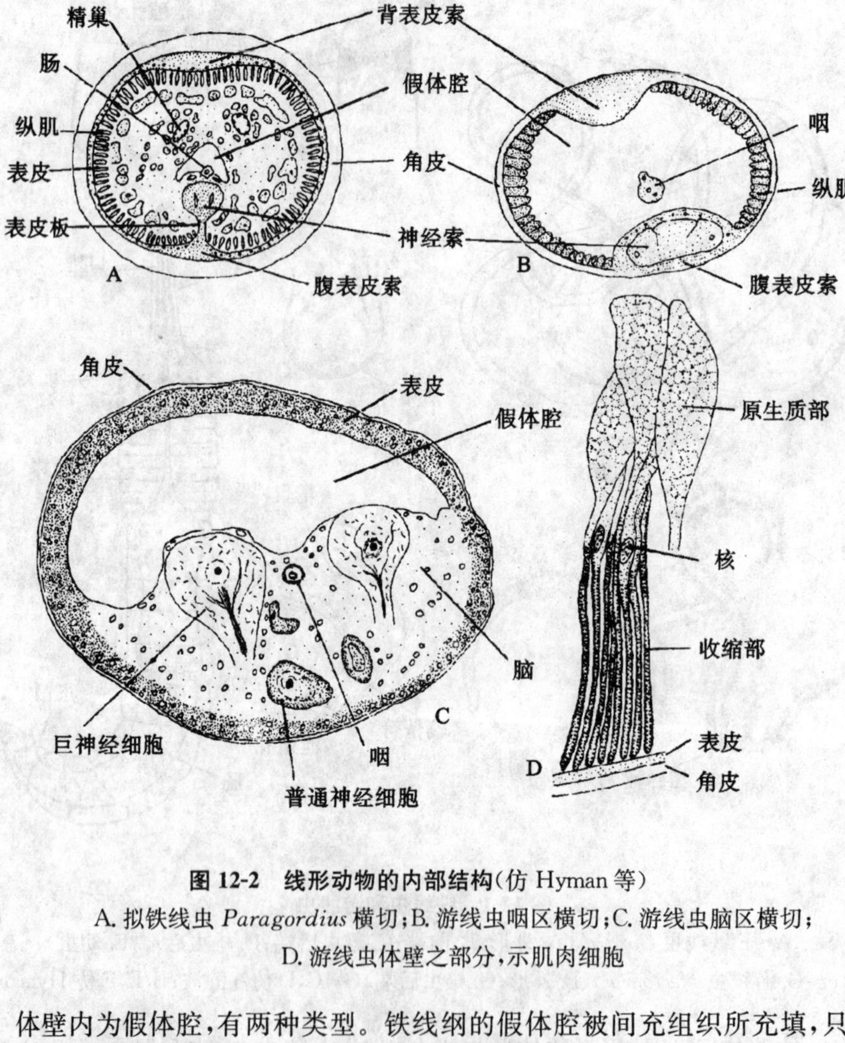

图 12-2　线形动物的内部结构(仿 Hyman 等)

A. 拟铁线虫 *Paragordius* 横切;B. 游线虫咽区横切;C. 游线虫脑区横切;D. 游线虫体壁之部分,示肌肉细胞

体壁内为假体腔,有两种类型。铁线纲的假体腔被间充组织所充填,只剩部分较小的残余(图 12-2 A)。游线纲的假体腔内无间充组织(图 12-2 B)。假体腔内充满体腔液,具静压力,有助于保持体形。

淡水和陆生的线形动物(铁线纲)通过体纵肌收缩使身体波动,或通过重复的"卷曲—伸直"而运动。海洋的游线虫可借游泳刚毛游动,因生活于水层中,亦可借海流被动运动,其刚毛产生的阻力可防止下沉。

3. 消化系统与营养：线形动物的幼虫和成虫的消化系统均退化，消化管不具消化功能。消化管多为一简单的直管，有时无口。咽常为一实心的长索状细胞团。中肠系由上皮细胞构成的薄壁细管。后肠与生殖管相通，形成泄殖腔。海产游线纲的消化管前端具微小的口，口后为具角质层的咽，中肠后端退化，不与泄殖腔相通。

线形动物的幼虫寄生于节肢动物血腔内，通过体壁吸收宿主的组织或体液内的营养。成体靠幼虫所贮存的糖原度过短暂的自由生活期。

4. 循环与呼吸：线形动物无专用的循环与呼吸系统，对其体内的物质运输与代谢尚知之甚少。一般认为，是通过体腔液和间充组织间扩散而完成的，虫体运动则有助于这种扩散。

线形动物的呼吸靠体壁与外界进行气体交换，其细长的体形缩短了环境与内部器官、组织间的距离，有利于气体交换。

5. 排泄：一般认为，线形动物的排泄处于细胞水平，即单个细胞将其代谢产物排出细胞外。有些学者认为退化的中肠上皮细胞具排泄功能，类似于昆虫的马氏管。

6. 神经系统和感觉器官：线形动物的神经系统与表皮关系密切。中枢神经包括 1 个脑神经节（cerebral ganglion）和 1 条腹神经索。脑神经节是位于头盘的一团神经组织。腹神经索位于腹表皮索内，自脑一直延伸至虫体后端。在较高等的铁线纲，腹神经索突出于假体腔内，由一表皮板（lamella）与腹表皮索相连（图 12-2 A）。腹神经索常被神经胶质（neuroglia）分为 3 部分（图 12-2 A，B）。在腹神经索与脑连接处具有一些巨大的神经细胞（图 12-2 C），这种细胞可能具协调虫体后部活动的功能。

线性动物具有明显的趋触性（thigmotaxis），角皮上的某些疣突有神经末梢分布，是触觉接受器。雄虫泄殖腔附近的某些乳突具有种的特异性，其中有些与神经相连，交配前用以辨别同种个体，雄虫能够辨别并追踪远处的成熟雌虫，其感觉过程很可能是一种化感作用。拟铁线虫 *Paragordius* 头盘上具 1 个囊状眼点，具长梭形透明的表皮细胞层、色素层、感觉细胞等，并与脑有明显的神经连系。不具眼点的种类亦具有感觉能力，其感光结构可能位于表皮或中枢神经系统。

7. 生殖系统与生殖：雌雄异体，有时两性异形。雄性假体腔内具 1 个（游线纲）或 2 个（铁线纲）精巢（图 12-2 A），每个精巢具 1 条输精管，有时膨大为贮精囊，输精管末端与泄殖腔相通。铁线纲雌虫具 1 对卵巢，年幼的卵巢与精巢相似，成熟的卵巢常具很多侧盲囊，卵在盲囊内成熟，而卵巢本体则用以贮存成熟卵子，功能类似子宫。卵巢经输卵管、纳精囊与泄殖腔相通。游线纲不具独立的卵巢,卵母细胞直接在假体腔内形成。

铁线虫的生殖活动研究得比较清楚,成虫自宿主体内爬出不久即可进行交尾,秋天成熟的个体可经越冬后再行繁殖。交配时,雄虫环抱雌虫,将精液排放在雌性泄殖孔附近,精子经泄殖孔游至纳精囊,成熟卵经输卵管进入纳精囊内受精。卵产出时呈丝线状,外面包有泄殖腔分泌的胶状物质,每条卵丝内可有上百万粒受精卵。

8. 发育和生活史:海洋产的游线虫 *Nectonema* 的胚胎发育,尚缺乏研究,其幼虫寄生于十足目甲壳幼物。

铁线纲有些种类的胚胎发育已比较清楚,卵裂方式为完全等裂,具与线虫相似的三细胞期或四细胞期。在中胚层细胞移入囊胚腔前后,有腔囊胚经内陷形成不典型的原肠胚。逐渐发育为具吻、肛门、刺、针等结构的线形幼虫(nematomorph larva)或称棘颈幼虫(echinoderid larva)(图 12-1 E)。其形态与铠甲动物、动吻动物相似。幼虫孵化后,可钻入所接触的各种动物体内,但仅在适宜的节肢动物体内能够进一步发育。初产的卵附于岸边植物上,昆虫类如蟋蟀常因食草而感染。幼虫最终在节肢动物血腔内发育为幼体,在适宜环境下离开宿主经蜕皮发育为成虫。

12.4 分类

线形动物约 270 种,分为两纲。主要分类依据为:有无背表皮索、假体腔类型、游泳刚毛的有无、生殖腺数目、生活史类型等。

纲 1. 游线纲 Nectonematoida

成体两侧各具 2 列游泳刚毛。具背、腹表皮索。假体腔内不具间充组织。雄性具 1 个精巢,雌性无独立的卵巢,卵母细胞散布于假体腔内。本目全部海产,幼虫和幼体寄生于甲壳动物,成虫游泳生活。已知只有游线虫 *Nectonema* 一属(图 12-1 F),分布于新英格兰和地中海沿岸海水中。

纲 2. 铁线纲 Gordioida

成体两侧无游泳刚毛;具腹表皮索,无背表皮索;初期自由生活的成虫假体腔内具间充组织;雌雄均具有成对的生殖腺。成虫生活于淡水或潮湿陆地;幼虫和幼体寄生于水生或陆生昆虫(以蟋蟀和鞘翅类昆虫常见)。如铁线虫 *Gordius*(图 12-1 A)、拟铁线虫 *Paragordius*。

12.5 系统发生

线形动物的成体退化，不易与其他动物进行比较。但线形动物与线虫比较接近，都具有发育良好的角皮、咽为三放射状的肌肉质结构、体壁肌肉仅由纵肌组成、只行背腹式运动。另外，线形动物的幼虫与铠甲动物、动吻动物及曳鳃动物比较相似。

第 13 章　轮虫门

Rotifera(L. ,*rota*,wheel;*fera*,to bear)

13.1 概述

轮虫(rotifer)是一类小型、具假体腔、前端具纤毛头冠的后生动物。生活于淡水、海水、潮湿土壤、以及其他动植物体表等多种环境中。体长最大不及 3 mm,因个体小,早期常把它们与原生动物相混。头冠纤毛摆动时犹如转动的车轮,故称为轮虫。轮虫具完全消化管,咽特化为咀嚼囊,咀嚼囊内有咀嚼器。排泄系统为一对原肾。雌雄异体,但多数雄性退化或无,主要的生殖方式为孤雌生殖。

轮虫门的主要特征:

1. 两侧对称,不分节,有时具假分节;

2. 三胚层,具假体腔;

3. 身体前端具 1 个带纤毛的头冠或称纤毛冠,有的特化成 2 个车轮状轮盘;

4. 身体后端常具趾和粘腺;

5. 表皮为合胞体,远端具肌动蛋白纤维交织而成的网状结构,常在躯干部形成“兜甲”,表皮具数目固定的细胞核;

6. 消化管完全,咽特化为咀嚼囊,咀嚼囊内有可动的咀嚼器,由 7 块咀嚼板组成;

7. 无呼吸系统和循环系统,排泄系统具原肾;

8. 神经系统具 1 个中央神经节(脑神经节),脑附近常具 1 个功能不明的脑后器;

9. 雌雄异体,但多数雄体退化或无,孤雌生殖是主要的繁殖方式;

10. 特化的螺旋式卵裂，直接发育，胚后发育体细胞(核)恒数；

11. 自由游泳或附着生活，栖于海水、淡水、潮湿陆地等。

已知轮虫超过 1 800 种，隶属 3 纲 5 目(表 13-1)。分类至目的检索性状为：

1. 头冠：a. 退化，b. 分化为轮环和腰环(b^1 轮环特化为两个轮盘，b^2 轮环特化为漏斗、纤毛环退化)；

2. 咀嚼器类型：a. 舌型，b. 枝形，c. 槌形，d. 钳型，e. 砧形，f. 梳型，g. 杖型，h. 槌枝型，i. 钩型；

3. 卵巢数目：a. 1 个，b. 1 对；

4. 卵黄腺：a. 有，b. 无；

5. 雄性个体：a. 不退化，b. 未发现，c. 退化。

表 13-1 轮虫门的分类

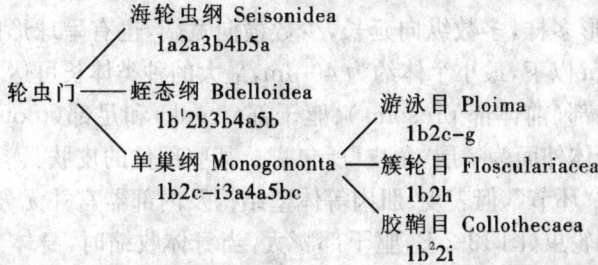

- 轮虫门
  - 海轮虫纲 Seisonidea 1a2a3b4b5a
  - 蛭态纲 Bdelloidea $1b^12b3b4a5b$
  - 单巢纲 Monogononta 1b2c-i3a4a5bc
    - 游泳目 Ploima 1b2c-g
    - 簇轮目 Flosculariacea 1b2h
    - 胶鞘目 Collothecaea $1b^22i$

13.2 分布和习性

轮虫分布很广，大多世界性分布，仅少数种类分布狭窄。多数是淡水环境最常见的底栖生物之一，湖泊、池塘、江河、溪流、温泉、以及暂时性小水体都有轮虫存在。严格的海洋轮虫大约只有 50 种，多生活于沿岸浅海区，真正的大洋种类稀少，只有鼠轮虫属 *Ratulus* 和疣毛轮虫属 *Synchaeta* 的个别种分布于外海区。有些轮虫生活于潮湿的陆地环境。影响轮虫分布的因素往往不是地理，而是环境因素。在世界各地同类型生境内多具类似的轮虫区系。

大多数轮虫营底栖生活。真正浮游生活的种类不多，多见于大型水体的敞水带。有些种类兼营浮游和底栖生活，一般只生活于沿岸带，如臂尾轮虫 *Branchionus* 是以浮游生活方式为主，也行底栖生活。有些种在其他生物的体表生活(epizoic)，如海轮虫 *Seison* 在叶虾 *Nebalia* 的鳃上营寄生(共栖?)生活。还有少数种类生活于自身分泌的管中。

单巢纲的休眠卵和因高度浓缩而进入假死状态的蛭态纲轮虫具很强的耐

旱能力，有历经 27 年仍能复活的记录，是多数轮虫呈世界性分布的主要原因。能够借助风力、鸟类、昆虫及其他动物的迁徙而散布到世界各地，一旦进入水环境，数小时内便可复苏。轮虫还具有耐低温能力，可在液氦（－272 ℃）中保存，在冰封数年的南极湖泊中也能形成种群。

轮虫个体虽小，但具重要的经济意义。我国的四大家鱼在人工繁殖时期，仔鱼入塘前要先行肥水，其主要目的便是繁育轮虫等作为仔鱼开口时的饵料。在海水养殖中褶皱臂尾轮虫 *Branchionus platicalis* 是海水鱼类工厂化育苗不可缺少的饵料生物。该轮虫常见于海边非永久性的积水洼内，适应性很强，适于大规模人工培养，最大培养密度可达 5 000 个/毫升以上。

13.3 形态、结构和功能

1. 外形：除簇轮目的少数种类形成群体外，绝大多数轮虫的个体都是单独生活的，其体形多样，多数纵向延长，少数横向宽阔，也有呈球形的种类。体长一般在 500 μm 以下，最小个体约为 40 μm，最大的种类体长可达 2～3 mm。典型的轮虫由头部（前体部 prosoma）、躯干部（trunk）和足部（foot）3 部分组成。轮虫纵长的身体外面为一层“角皮”所包裹。某些部位的皮肤具有环形折痕，形成一定数目的“环节”，但表皮、肌肉等体壁结构及内部器官并无分节，因而系假分节。蛭态纲轮虫（图 13-2 B）躯干部膨大，当身体收缩时，身体前端和足部的假体节能向躯干中央的假体节缩入，似望远镜的套筒式收缩。由于躯干部的部分体表高度硬化，形成了 1 片至若干片所组成的被甲（兜甲 lorica），某些种类的的被甲上还具有刻纹、斑点、隆起、或发达的棘突等。

轮虫的头部一般比较宽阔，虽然与躯干并无明显的界限，因头冠及其周围纤毛环的存在，头部常常是比较显著的。

头冠（corona）（图 13-1，图 13-2 B）是轮虫最具代表性的外部特征，以此可与其他水生无脊椎动物区别。头冠形态多样。假想的原始类型如图 13-1 D 所示。口位于头冠的腹面，口的周围散布着很多相当短的纤毛，这一着生纤毛的区域为口区（buccal field）或围口区（circumoral field）。围口区纤毛延伸环绕头部前端形成一围顶带（circumapical band）或称围顶区（circumapical field），围顶带纤毛要比围口区纤毛长一些。围顶带前方没有纤毛的区域为盘顶区（apical field）。游泳目一些底栖的轮虫或多或少保持这样简单的形式。由这种原始的头冠发展而来的主要的有两种类型：第 1 类（图 13-1 E）见于多数单巢纲轮虫，围顶带纤毛分化为前后两圈，口前一圈为轮环（trochus）或口前纤毛带（preoral ciliated band），口后一圈为腰环（cingulum）或口后纤毛带（postoral ciliated band)，口和围口区即位于两圈纤毛环之间腹面或多或少下垂的部分。第2类(图13-1 F)见于多数蛭态纲轮虫，轮环纤毛所围绕的盘顶区域分裂成两个左右对称的轮盘。少数海轮虫没有明显的头冠，或者头冠上无纤毛及其特化物(图13-2 A)。

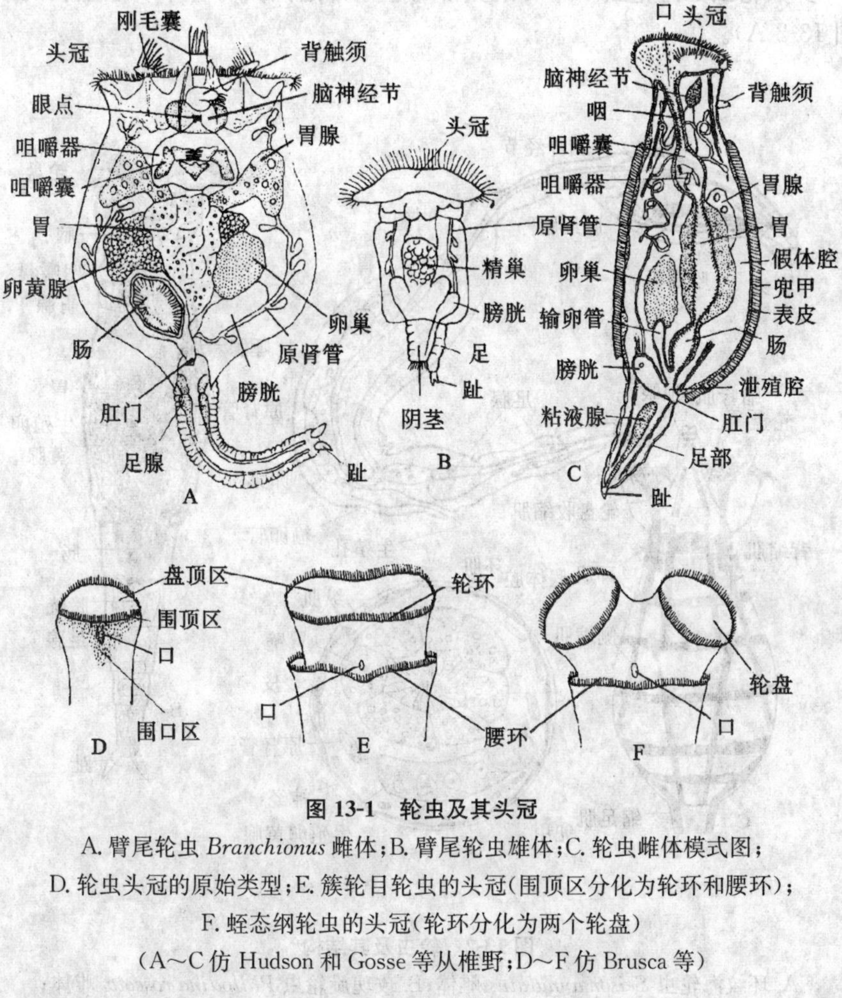

图13-1 轮虫及其头冠

A. 臂尾轮虫 *Branchionus* 雌体；B. 臂尾轮虫雄体；C. 轮虫雌体模式图；
D. 轮虫头冠的原始类型；E. 簇轮目轮虫的头冠(围顶区分化为轮环和腰环)；
F. 蛭态纲轮虫的头冠(轮环分化为两个轮盘)
(A～C仿Hudson和Gosse等从椎野；D～F仿Brusca等)

头部除具头冠外，很多还具司感觉作用的感觉毛或刚毛(图13-1 A)。盘顶区上常具1～2个乳突。有的则具假轮环(pseudotroch)，系由棘毛(cirrus)构成，棘毛是一些由共同的外膜包裹的纤毛。疣毛轮虫 *Syncheata* 等的头部两侧向外突出成“耳”(auricle)(13-6 G)，“耳”的周围也具纤毛。蛭态轮虫具1个喙(rostrum)或称吻(proboscis)，其末端多具纤毛和感觉毛，吻只在轮盘缩入时才伸出。躯干部是身体的主要部分，一般呈圆筒形，有的种类为扁平状，由兜甲包裹。躯干部常具1-2个背触须(dorsal antenna)(图13-1 A,C;图13-4 B;图13-6 I)和1对侧触须(lateral antenna)(图13-4 B)，前者通常位于躯干部的最前端，后者的位置因种类不同变化很大。肛门位于躯干部与足部交界处背面。

少数轮虫如海轮虫 *Seison* 的头部与躯干部之间具有一个明显细长的颈部(图13-2 A)。

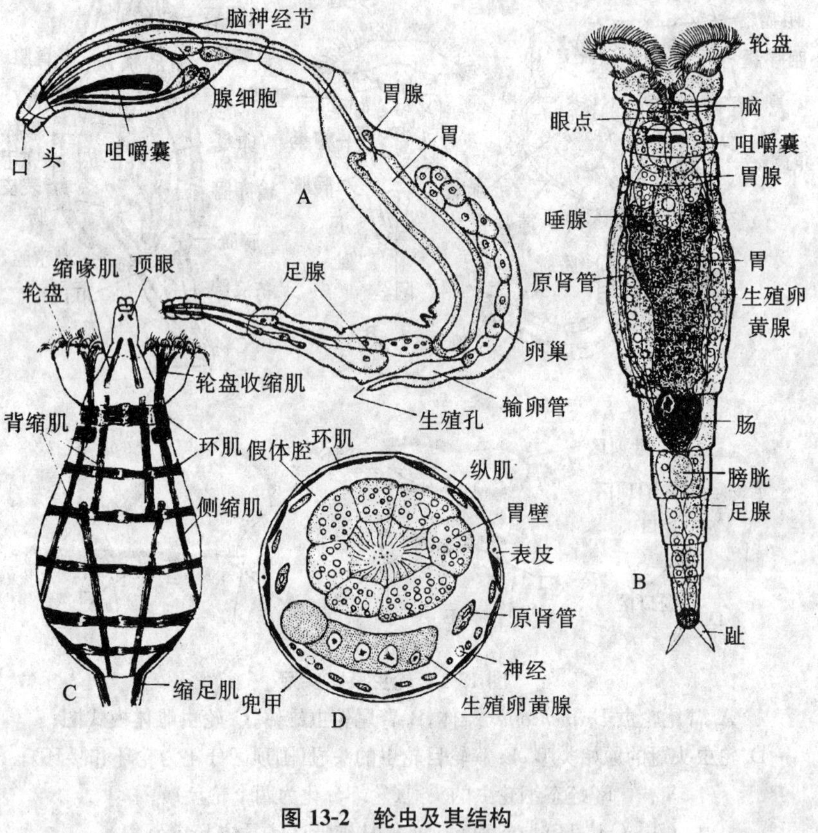

图13-2　轮虫及其结构

A. 环纹海轮虫 *Seison annulatus* 雌体；B. 玫瑰旋轮虫 *Philodina roseola* 雌体；C. 轮虫的肌肉；D. 轮虫躯干部横切面

(A,B仿Nogrady;C,D仿Grasse等，自Brusca等)

足部较躯干部细削，与躯干部或无明显的交界线或与粗壮的躯干部截然分开。多数种类足部具有环形的褶痕(图13-1 A～C;图13-2 A,B;图13-6 I,J)。

游泳生活的轮虫足的末端常具趾(图 13-1 A～C,图 13-2 B),单巢纲常具 2 趾,蛭态纲多具 3～4 趾,具单个趾的种类极少。很多种除具趾外,还有数目不等的距(spur),距的形态与趾类似,呈爪状(图 13-6 J)。固着生活的种类常常无趾,足的末端特化为固着器。不论有趾、无趾,足部都具数目不等的足腺(pedal gland;图 13-1 A～C;图 13-2 A,B;图 13-6 J),足腺起源于表皮,其分泌物通过足的末端或趾释放,用于暂时附着或永久固着。有的寄生(共栖?)种足的末端特化为吸盘(图 13-6 I,J)。

2. 体壁和运动:绝大多数不具由角质构成的真正角皮,其"角皮"仅仅是一层由表皮分泌的胶质。过去认为轮虫的兜甲、体表褶皱、刺等构造都是角皮结构,用电子显微镜对轮虫的体壁研究表明,这些构造是由表皮合胞体原生质内的肌动蛋白(actin)组成的,其纤维在表皮层的远端交织成网状,有时成为很厚的一层,其功能与其他假体腔动物的角皮有相似之处,有支持体壁的作用。很多种类的"角皮"具假分节样的褶痕(也是由表皮合胞体远端的蛋白质网形成的),因而能作套筒式收缩。少数固着生活的轮虫角皮发达,形成包围躯干部的管,如花环轮虫 *Stephanoceros* 和胶鞘轮虫 *Collotheca*。表皮为合胞体,具细胞(核)恒数现象,其数目一般为 900～1 000 个。表皮远端具对外开孔的隐窝(crypt),是表皮远端质膜向内凹陷而成的一些囊状或管状结构,是一些固定的结构,可能具有分泌作用。表皮之下为一些不同走向的肌肉带,环肌和纵肌均不形成完整的体壁肌肉层(图 13-2 C,D)。

体壁内是宽阔的假体腔(图 13-1 C,图 13-2 D),内充满液体。假体腔静压和角皮有保持体形的作用。假体腔压力的增加可使身体的某些部分如轮盘、足等伸出,而不同纵肌带的收缩则可使这些器官收缩。

除少数固着生活外,绝大多数具游泳或爬行的能力。头冠纤毛的摆动在将水推向身后的同时,使身体向前运动。爬行时,先以足腺分泌物附着,再将身体向前伸长并附于前方基质,最后通过肌肉的收缩将身体拉向前方。

3. 消化系统和营养:绝大多数轮虫具完全直管状消化管(图 13-1 A,C;图 13-4 A)。口位于头冠底部腹面。口下为一较短的口腔管(buccal canal)。口腔管与咀嚼囊(mastax)(亦称咽)相连,咀嚼囊肌肉发达,内壁衬"角皮"。咀嚼囊内有角质的咀嚼器(trophi)。

轮虫的咀嚼器(图 13-3)由砧板(incus)和槌板(malleus)共 7 块咀嚼板组成。砧板由 1 块砧基(fulcrum)和 1 对砧枝(ramus)构成。砧基系较薄的 1 片,位于砧板后端中央,与身体纵轴平行。砧枝自砧基向前分叉而出,一般较粗壮,略呈三角形,前端尖锐。槌板左右各一,各由 1 片槌钩(uncus)和 1 片槌柄(manubrium)组合而成。槌钩横置在砧枝的前半部。槌柄多纵长而略弯曲,它的前端总是和槌钩的后端相连接。在某些种类，除了这7片正常的咀嚼板外，还具有前咽片(epipharynx)、副片(accessory piece)等结构。有的种类具有与咀嚼板相连的肌肉带。轮虫的咀嚼器至少有下列9种类型，是重要分类依据。头冠和咀嚼器的类型相结合与摄食方式密切相关。

(1)枝型(ramate)(13-3 A)：砧基和槌柄退化。槌钩大，呈板状，表面具数个平行的嵴，用于磨碎食物。见于蛭态纲轮虫。

(2)砧型(incudate)(图13-3 B)：呈钳状。砧枝发达，但不具锯齿，其他咀嚼板不同程度退化。仅见于凶猛的晶囊轮虫科 Asplanchnidae。适于猎食。平时横卧在咀嚼囊中，猎食时飞速旋转90～180度，伸出口外完成捕食动作。

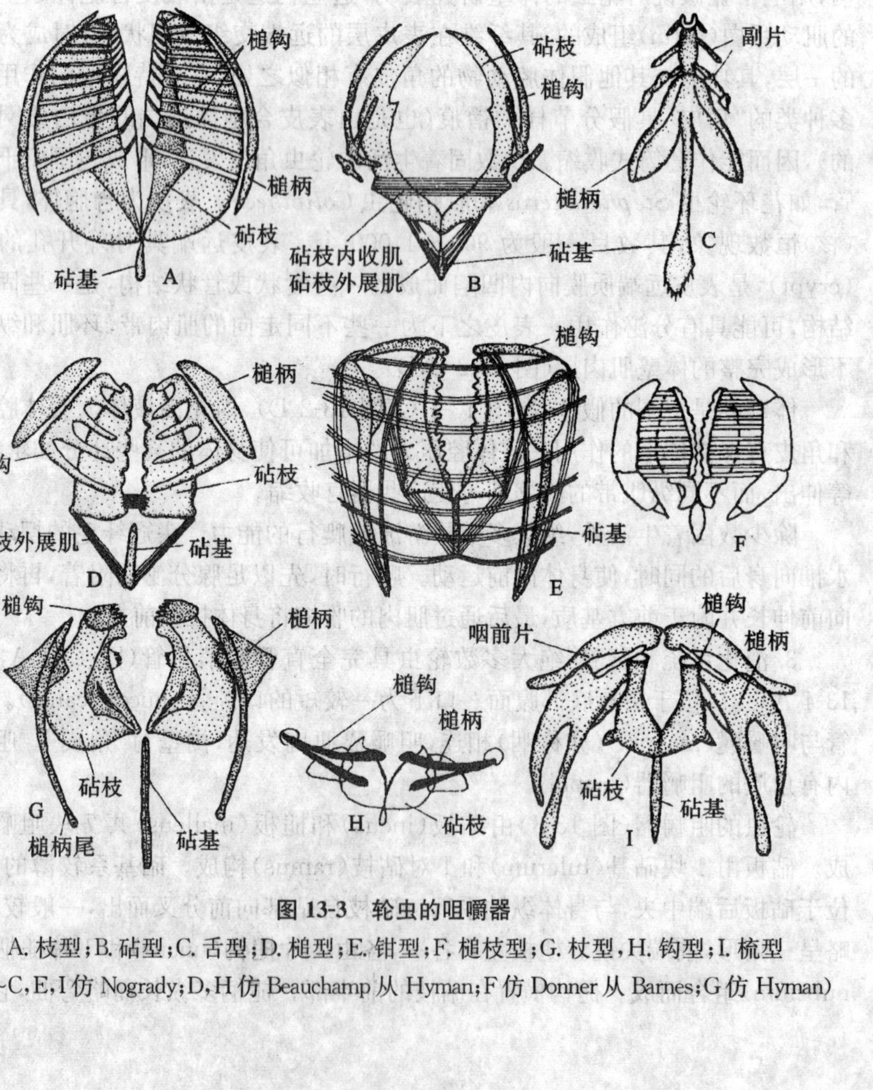

图13-3　轮虫的咀嚼器

A. 枝型；B. 砧型；C. 舌型；D. 槌型；E. 钳型；F. 槌枝型；G. 杖型，H. 钩型；I. 梳型

(A～C,E,I 仿 Nogrady；D,H 仿 Beauchamp 从 Hyman；F 仿 Donner 从 Barnes；G 仿 Hyman)

(3)舌型(fulcrate)(图 13-3 C):舌型咀嚼器为海轮虫纲所特有。结构与其他类型的咀嚼器差别很大。中间是 1 片长条状的砧基,砧基前部与 1 对叶状槌柄及数个比较小的副片相连。

(4)槌型(malleate)(图 13-3 D):原始类型。咀嚼板粗壮,砧枝无齿,槌钩常具数个尖头齿。这种咀嚼器较常见,主要用于咀嚼食物,也可用来抱持食物。如臂尾轮虫 *Branchionus*。

(5)钳型(forcipate)(图 13-3 E):各咀嚼板均长条状,砧枝弯曲成钳状,内侧常具锯齿,其尖锐的前端和棒状的槌钩交错在一处。可伸出体外,用以攫取食物。仅见于淡水猪吻轮虫 *Dicranophorus*。

(6)槌枝型(malleoramate)(图 13-3 F):槌钩由一些密集排列的长条形齿组成。槌柄短而宽阔,分为 3 段。砧基短而粗壮。砧枝呈三角形,内侧常具齿。适应于磨碎食物。见于簇轮目。

(7)杖型(virgate)(图 13-3 G):砧基和槌柄长棒状,砧枝三角形,槌钩常具数目不多的齿,往往具 1 至数个前咽片。常具有发达的腹咽肌肉形成活塞(piston),用于吸食。具杖型咀嚼器者常是凶猛的种类。如鼠轮虫科 Trichocercidae、腹尾轮虫科 Gastropodidae 和疣毛轮虫科 Syhchaetidae。

(8)钩型(uncinate)(图 13-3 H):砧基和槌柄相当退化,砧枝粗壮,槌钩常具发达的副槌钩(subuncus)。是胶鞘目轮虫最主要的特征之一,其咀嚼囊往往非常膨大,能伏击较大的浮游生物,咀嚼器的作用可能不是很重要,槌钩也许仅用于撕碎食物。这类轮虫多为固着生活。

(9)梳型(cardate)(图 13-3 I),槌柄具分枝,前咽片特别发达,往往比槌钩还大。用于吸食,吸吮动作由槌钩的运动完成。只见于柔轮科 Lindiidae 的少数种类。

唾腺(salivary gland)(图 14-4 A)常位于咀嚼囊壁的周围,多为 2~7 个。唾腺管一般与咀嚼囊相通,有时与口腔管相通。唾腺分泌物的作用可能是润滑咀嚼器的活动,也可能有分泌消化酶的能力。

咀嚼囊之后为一或长或短的食道,直通膨大的胃。胃的前端常具 1 对胃腺(gastric gland)(图 14-1 A,C;图 14-4 A),常以孔(少数种类)或管和胃相通。食道和胃腺壁常为合胞体。胃壁一般很厚,有的为合胞体,胃壁细胞或细胞核数目恒定。肠很短,后端膨大为泄殖腔(cloaca),输卵管和排泄管通常开口于此。肛门(泄殖孔)位于躯干部最后端,近足基部背面中央。轮虫的消化管除咀嚼囊外,内壁一般被有纤毛。

轮虫主要以一些微小的生物,如细菌、微藻、原生动物、较大的丝状藻类、其他轮虫等为食,也摄食碎屑、浮泥。对水质有净化作用。因头冠和咀嚼器的类型不同有沉淀取食、捕食、吸食等。食物在口中被咀嚼器磨碎后经食道入胃。多数种类靠胃腺分泌消化酶在胃中行细胞外消化，也有行细胞内消化的，后者胃腺往往退化。轮虫对碳水化合物的消化能力有限，对脂类和蛋白质的消化则非常快，摄食 15～30 分钟后，脂滴和蛋白质颗粒便开始在胃壁上积累。

4. 呼吸与循环：轮虫无专门的呼吸和循环系统。靠体表吸收水中的溶解氧，角皮较薄处是气体交换的主要部位。缺氧环境中的某些轮虫可行厌氧呼吸，但多数轮虫游泳或爬行，对氧有比较高的需求量。水的盐度下降可使轮虫的呼吸率降低，但 pH、温度等的有限变化对代谢强度影响不大。轮虫的循环是通过假体腔实现的。宽大的假体腔充满体腔液，是体内物质循环的介质。无体腔膜则使体液与组织、器官间能进行直接的物质交换。肌肉的收缩、虫体的运动亦具有协助循环的作用。

5. 排泄系统和排泄：多数轮虫具有一对原肾(图 13-1 A～C，图 13-2 B)。每个原肾一般具有 2～8 个焰茎球，有的焰茎球向前可及身体的前端。各焰茎球的输出管向后汇合成较长的排泄管通入膀胱。最后经泄殖腔由泄殖孔与体外相通。轮虫的焰茎球与扁形动物有所不同，系合胞体结构，内具 30 条或更多的鞭毛。蛭态纲往往没有膀胱，其泄殖腔的膨大部分代行膀胱的功能。

轮虫的排泄系统的主要作用是调节渗透压，这在淡水环境中尤为必要。尽管体腔液的盐度与水环境通常并无明显的差别，与体腔液相比，轮虫的“尿”明显是低渗的。轮虫的膀胱每分钟可收缩数次，将“尿”排出。至于体内代谢产物的排泄可能有两条途径，一是经原肾，二是通过体壁扩散。

6. 神经系统和感觉器官：轮虫的神经系统(图 13-4 B)由一脑神经节和连接头盘及身体各处的神经组成。脑神经节(图 13-1 A，C；图 13-2 A，B)亦称中央神经节，位于咀嚼囊的背面。由此发出数条神经至身体各部，这些神经在某些部位膨大为一些较小的神经节。比较发达的神经是两条纵神经，位于身体侧面或背、腹两面。轮虫的神经系统有两个重要的特点：一是有运动神经和感觉神经的分化。二是细胞恒数，脑和神经的细胞数目及位置都是固定的。

头冠区具各种触觉感觉器，如刚毛(图 13-1 A)、刺、棘毛等，多位于盘顶区或围顶区的边缘。有些轮虫的盘顶区具有 1 对纤毛窝(ciliated pit)，可能是一种化学感受器。

大多数游移的轮虫都具脑眼(cerebral ocellus)(图 13-1 A)，位于脑神经节内。有些种类还具有 1～2 对侧眼(1ateral ocellus)或 1 对顶眼(apical ocellus，图 13-2 C)，分别位于头冠侧面和盘顶区。

背触须(图 13-1 A，C；图 13-4 B；图 13-6 I)是轮虫普遍存在的感觉器官，绝大多数种类还具有 1 对侧触须(图 13-4 B)。前者通常位于躯干部的最前端，后者的位置则因种类而异。有的种类触须很发达，有的则退化为感觉毛或凹痕。

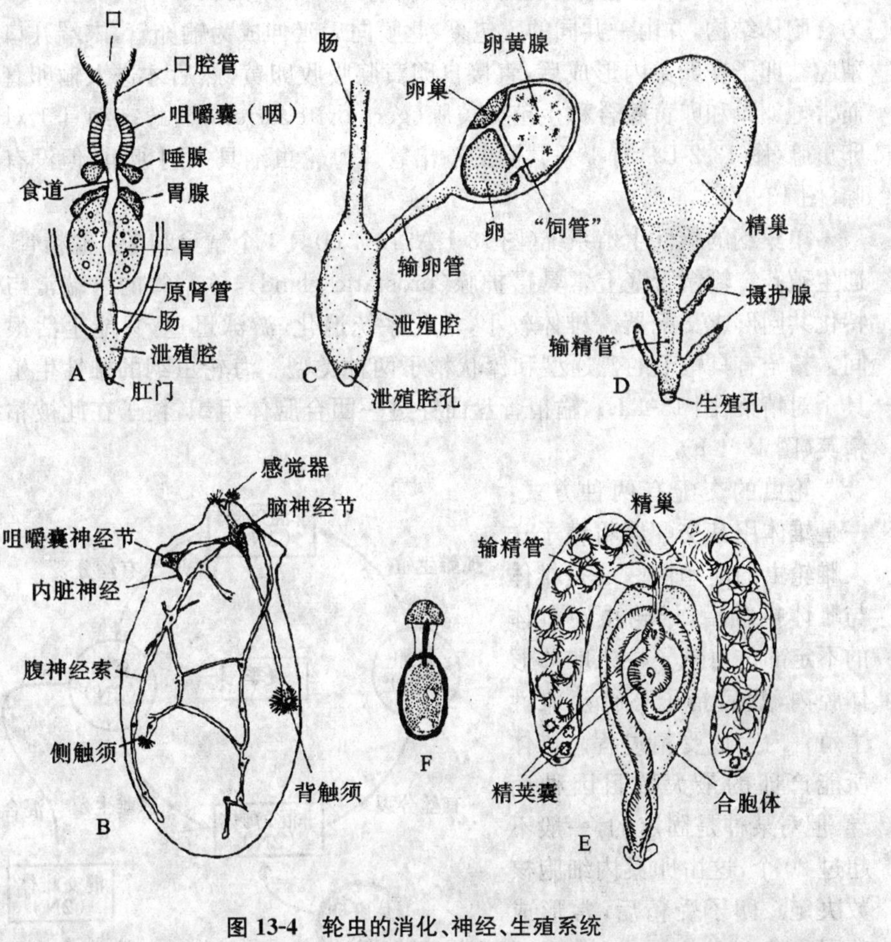

图 13-4　轮虫的消化、神经、生殖系统

A. 轮虫的消化系统；B. 晶囊轮虫 *Asplanchna* 的神经系统；C. 单巢纲轮虫的雌性生殖系统；D. 单巢纲轮虫的雄性生殖系统；E. 海轮虫 *Seison* 的雄性生殖系统；F. 海轮虫的精荚

（A，C，D 仿 Brusca 等；B，E，F 仿 Hyman 从各作者）

在脑神经节附近有 1 个或两个与之密切联系的器官，称为脑后器（retrocerebral organ），各由 1 个位于中央的脑后囊（retrocerebral sac）和 1 对脑下腺（subcerebral gland）构成，有管与盘顶区的开孔相连。脑后器的功能尚不清楚，曾被认为是一个内分泌器官，有的学者认为具感觉功能，也有人发现它能分泌黏液。

7. 生殖系统、生殖、发育和生活史：轮虫雌雄异体，但仅海轮虫纲雄体发育完全。单巢纲雄体很少见，如有则很小，结构亦退化。蛭态纲的雄体尚未发现。

单巢纲的雌性生殖系统(图 13-4 C)包括 1 个卵巢和 1 个卵黄腺。二者均为合胞体结构，并由一共同的膜包裹，此膜向后延伸成为输卵管，末端开口于泄殖腔。卵子在卵巢内形成后，直接自卵黄腺吸收卵黄，然后才进入输卵管。因而常把卵巢和卵黄腺合称生殖卵黄腺(germovitellarium)。蛭态纲具 1 对生殖卵黄腺(图 13-2 B)，有 1 条共同的输出管。海轮虫纲具 1 对卵巢，但没有卵黄腺(图 13-2 A)。

单巢纲的雄性生殖系统(图 13-1 A，13-4 D)具 1 个精巢和 1 条输精管，后者通生殖孔。输精管壁上常具摄护腺(prostatic gland)，输精管的末端常与体壁特化共同形成交配器。雄体较小，消化系统退化，游泳迅速，只能生活很短时间。精子有具鞭毛的普通型和棒状精子两种类型。海轮虫纲的雄性生殖系统具 1 对精巢(图 13-4 E)，输精管盘曲穿过一团合胞体组织，精子在此被粘结成精荚(图 13-4 F)。

轮虫的交配有两种方式：一是雄体用其交配器将精子送入雌轮虫的泄殖腔。二是雄体与雌体接触后，雄轮虫在雌体的不定部位将精子注入雌体假体腔内，然后精子移行至雌性生殖管内完成受精过程。雌体所能产卵的最大数目因种而异，但对某种是固定的，一般不超过 20 个，这由卵巢内细胞核数决定。卵子受精后，常形成数层卵膜。

孤雌生殖是绝大多数轮虫的主要繁殖方式。蛭态纲只行孤雌生殖，单巢纲孤雌生殖与有性生殖交替进行。图 13-5 是对单巢纲生活史的概括，当条件适宜时，雌体经有丝分裂产生二倍体的夏卵(非混交卵 amictic ovum)，不需受精便可发育

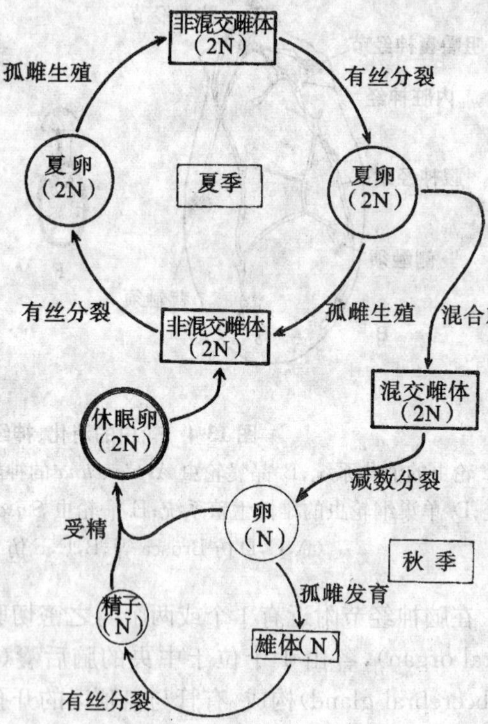

图 13-5 单巢纲轮虫的生活史

为二倍体的雌体，这种产非混交卵的雌体称作非混交雌体(amictic female)，只行孤雌生殖。在一定的环境条件刺激下(称为混合刺激 mixis stimulus)，二倍体的非混交卵便发育为混交雌体(mictic female)，混交雌体通过减数分裂形成单倍体的混交卵(mictic ovum)。混交卵如不受精便进行孤雌发育为单倍体的雄体，雄体经有丝分裂产生精子。雄体与混交雌体交配后，混交卵与精子结合形成厚壁的二倍体冬卵(休眠卵 resting zygote)。休眠卵能抵抗干燥、低温等不良环境，并不立即发育，可被风、鸟等携至其他地区，这是此类动物世界性分布的主要原因。在有水环境和适宜的温度条件下，休眠卵便可孵化，且总是发育为不混交雌体。引起轮虫出现有性生殖的混合刺激因子有温度、日照时间、食物、种群密度等，可能因种而异，有人认为育酚(维生素 E)对混交卵的产生有诱导作用。

轮虫卵为均黄卵，关于轮虫的胚胎发育尚无定论，一般认为：异变的螺旋式卵裂(modified spiral cleavage)为不等裂，形成实心囊胚。在形成原肠时，胚层外包(epiboly)，内胚层和中胚层衰退，逐渐产生 1 个囊胚腔(blastocoel)，将来的假体腔即由此而来。表皮、胃、卵巢等器官的细胞恒数在胚胎发育时期就已决定。

游移生活的轮虫直接发育，固着生活的轮虫常具有一游泳生活的时期。很多轮虫具有发育多态现象(polymorphism)，这是指在环境和内在因子的共同作用下，具有相同基因型的轮虫可发育为不同形态类型的成体(也见于原生动物、昆虫和一些低等的甲壳动物等)。

13.4 分类

轮虫 1 800 多种，分为 3 纲 5 目。身体外形，头冠、咀嚼器的类型，生殖系统，足的构造，趾、距的有无等是轮虫的主要分类依据。

纲 1. 海轮虫纲 Seisonidea

体长可达 2～3 mm。头部较大，卵形；头冠退化，不司运动和摄食，仅具少数刚毛(bristle)；颈部发达；躯干部纺锤形；足部具黏液盘。咀嚼器舌型，食道很长，胃具很多胃腺，雌雄个体的肠管常异形。雌性具卵巢 1 对，无卵黄腺；雄性发育完全(不同于其他轮虫雄性退化)，具 1 对精巢，无阴茎，游动精子常形成精荚(与其他轮虫不同)；雌性只产一种卵，受精卵附着于宿主身体上。已知仅 2 种，隶属 1 目 1 科 1 属。海产，附于叶虾鳃上，行尺蠖样运动，以碎屑和宿主的卵为食。如环纹海轮虫 *Seison annulatus*(图 13-2 A)。

纲 2. 蛭态纲 Bdelloidea

身体多呈蠕虫状。体表有时具棘、板、嵴等，含糖蛋白，但无几丁质。身体分为头部、躯干部和足部 3 部分，颈部不明显。头冠能伸缩，具纤毛，有两个轮盘，用于运动和摄食；足部可伸缩，具趾、距和足腺，趾一般为 2～4 个，距最多可达 4 个。咀嚼器枝形，胃系合胞体，有或无胃腔，唾腺褐色或红色，肠管的后端与排泄系统的膀胱相通。只发现雌体，生殖卵黄腺 1 对，行孤雌生殖，卵生或卵胎生。神经系统具 1 个中央神经节，有的种类具有 1 个脑后器。本纲轮虫可用纤毛冠自由游泳，也可以足腺分泌的黏液附着生活，也可作尺蠖样运动。有些种类栖于自身分泌的管中，也有些种类在其他生物的体表生活。只有 1 目，绝大多数生活于淡水，是淡水环境中最常见的底栖生物。在一些比较极端的环境如高温的温泉、冰封数年的南极湖泊中均有发现。也有的生活于潮湿土壤、森林树叶、苔藓、地衣及碎屑中。少数种类可侵入半咸水生活，但尚未发现真正自由生活的海洋种类。海参蔡氏轮虫 *Zelinkiella cynaptae*（图 13-6 I，J）寄生（共栖?）于海参的表皮窝中。

纲 3. 单巢纲 Monogononta

咀嚼器多型，但无枝型和舌型。雌性具 1 个生殖卵黄腺，最多具二趾。雄虫如存在则退化，比雌虫小，无消化管，具 1 个精巢，只行短暂的游泳生活。大多数轮虫属此，总数超过 1 000 种，分 3 目。

目 1. 游泳目 Ploima：头冠多形，具围顶带。足具 1-2 趾，足腺 1～2 个或付缺。咀嚼器槌形、梳型、钳型、杖型或砧形。习见的个体均为非混交雌体，行孤雌生殖，产二倍体卵，多具有性生殖与孤雌生殖的周期性交替，浮游种的卵多附着于体表。分布于海水和河口区的轮虫多数属此目，浮游与底栖者均有，有些底栖种类生活于间隙中。如臀角异尾轮虫 *Trichocera pygocera*（图 13-6 A）、狭甲轮虫 *Colurella colurus*（图 13-6 B）、沙居鞍甲轮虫 *Lepadella psammophila*（图 13-6 C）、德国前翼轮虫 *Proales germanica*（图 13-6 D）、海洋中吻轮虫 *Encentrum marinum*（图 13-6 E）、褶皱臂尾轮虫（图 13-6 F）、颤动疣毛轮虫 *Synchaeta tremula*（图 13-6 G）、螺形龟甲轮虫 *Keratella quadrata*（图 13-6 H）等。

目 2. 簇轮目 Flosculariacea：头冠分化为轮环和腰环。足无趾，或完全无足，足腺常很多。咀嚼器为槌枝型。多数固着生活，也有游泳生活的种类，几乎没有生活于海水的种类。

目 3. 胶鞘目 Collothecaea：头冠特化为漏斗，纤毛环退化。足无趾，足腺的数目常多于 2 个。咀嚼器钩型。几乎全部固着生活，见于淡水环境。

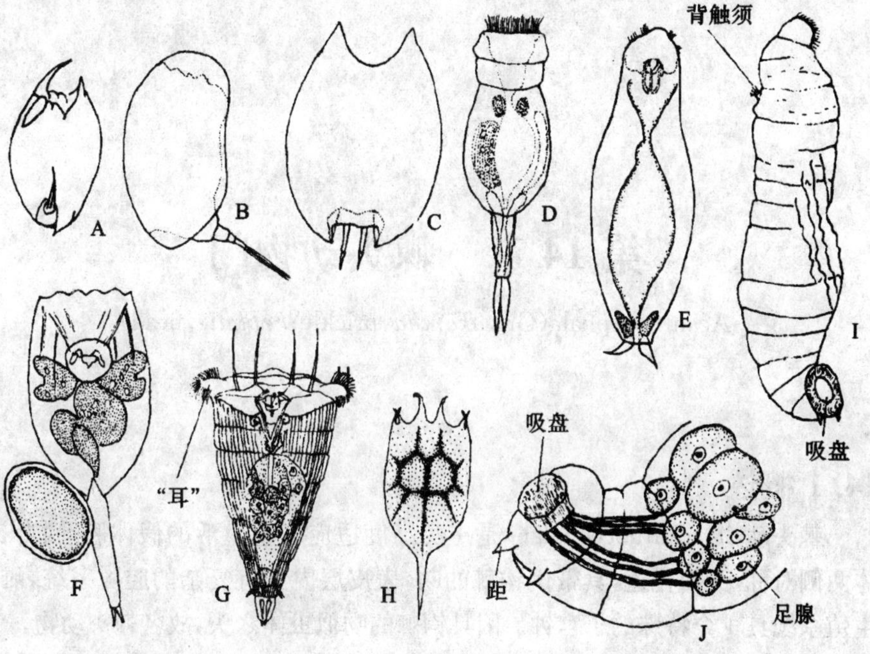

图 13-6 海生的轮虫

A. 臀角异尾轮虫 *Trichocera pygocera*；B. 狭甲轮虫 *Colurella colurus*；
C. 沙居鞍甲轮虫 *Lepadella psammophila*；D. 德国前翼轮虫 *Proales germanica*；
E. 海洋中吻轮虫 *Encentrum marinum*；F. 褶皱臂尾轮虫 *Branchionus platicalis*；
G. 颤动疣毛轮虫 *Synchaeta tremula*；H. 螺形龟甲轮虫 *Keratella quadrata*；
I,J. 海参蔡氏轮虫 *Zelinkiella synaptae*，整体(I)及后部(J)
(A~E 仿各作者从 Turner；F 仿湛江水产学院；G,H 仿王家辑；I,J 仿 Zellinka 自 Hyman)

13.5 系统发生

除始新世(Eocene)的轮虫休眠卵化石外，尚未发现有关轮虫的其他化石记录。一般认为，轮虫与棘头动物的关系较近，二者都没有发达的角皮，合胞体组成的表皮都具肌动蛋白纤维交织构成的网状层，表皮远端都具对外开孔的隐窝(crypt)，精子的的结构和早期发育过程也比较相似。

第 14 章　棘头动物门

Acanthocephala(Gr.,*akantha*,prickle;*kephale*,head)

14.1 概述

棘头动物(acanthocephalan)是一类高度适应寄生生活的假体腔动物。身体两侧对称,无消化道,具带倒钩棘的吻,表皮层内具有复杂的腔隙系统,雌性生殖系统具 1 个特殊的子宫钟。因具钩棘的吻似虫体之头,故名棘头动物。

棘头动物的主要特征:

1. 身体呈蠕虫状,两侧对称,不分节;
2. 三胚层,具假体腔;
3. 身体前端具吻,可缩入吻鞘内,吻具钩;
4. 表皮发达,为一层厚的合胞体,内具腔隙系统,表皮层外端具蛋白纤维交织成的网状层;
5. 无消化管;
6. 无呼吸和循环系统,执行循环功能的是腔隙系统,大多无排泄系统,少数具原肾;
7. 神经系统具 1 个脑神经节;
8. 雌雄异体,雌性生殖系统具子宫钟,体内受精;
9. 成体为脊椎动物的消化道寄生虫,生活史中以无脊椎动物作中间宿主。

棘头动物已知约有1 100种,隶属 3 纲 8 目(表 14-1),至纲的检索性状为:

1. 雌性韧带囊的数目:a. 2 个,b. 1 个;
2. 纵主腔隙管的位置:a. 背或腹中线,b. 侧面;

3. 表皮核：a. 大而少，b. 小而多；

4. 吻钩的排列方式：a. 同心圆排列，b. 辐射排列；

5. 粘腺：a. 6～8 个（a^1. 8 个多为梨形，a^2. 6 个多为管状或球状），b. 合胞体，具数个巨核，具黏液囊；

6. 吻鞘：a. 具（a^1. 单层，a^2. 双层），b. 无；

7. 原肾：a. 有，b. 无；

表 14-1　棘头动物门的分类

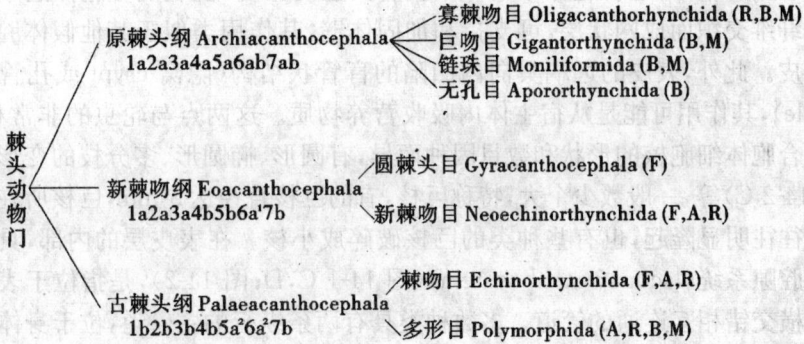

门	纲	目
棘头动物门	原棘头纲 Archiacanthocephala 1a2a3a4a5a6ab7ab	寡棘吻目 Oligacanthorhynchida (R,B,M)
		巨吻目 Gigantorthynchida (B,M)
		链珠目 Moniliformida (B,M)
		无孔目 Apororthynchida (B)
	新棘吻纲 Eoacanthocephala 1a2a3a4b5b6$a^1$7b	圆棘头目 Gyracanthocephala (F)
		新棘吻目 Neoechinorthynchida (F,A,R)
	古棘头纲 Palaeacanthocephala 1b2b3b4b5$a^2$6$a^2$7b	棘吻目 Echinorthynchida (F,A,R)
		多形目 Polymorphida (A,R,B,M)

上列分类要览中，括号内的大写字母为各目的终宿主，F 为鱼类，A 为两栖类，R 为爬行类，B 为鸟类，M 为哺乳类。

14.2 习性和分布

棘头动物寄生生活于各种水生和陆生脊椎动物的消化道内。其幼虫以无脊椎动物为宿主。在海洋，主要感染鱼类、爬行类、鸟类、哺乳类等，常以甲壳类为中间宿主，有时以鱼类为转移宿主或第二中间宿主。往往在宿主体内有很高的感染强度，能破坏宿主的肠壁，引起消化道穿孔或阻塞，并导致鱼体发炎、贫血、消瘦、甚至死亡，是海洋经济动物的病原生物，对海水养殖业有一定的危害。

14.3 形态、结构和功能

1. 外形：棘头动物的身体（图 14-4）不分节，常呈纺锤形、圆筒形或扁筒形等，多数前端较粗，后端较细，有些种类具有环纹状的假分节。体长多数不超过 20 mm，最小者仅 0.9 mm，最大者可长达 1 m。体色多为白色，有些种类呈红色或橙色。

在身体的前部具一角皮沟将身体分为前体部(presoma)和躯干部。前体部包括吻(proboscis)和颈(neck)两部分(图 14-2 A)。吻位于虫体的最前端,呈球形、圆柱形或其他形状,吻上有吻钩,其数目和排列方式是重要的分类依据。颈自最后一圈吻钩基部开始至躯干处为止,通常较短,无棘,但有时细长。躯干部较粗大,体表光滑或具棘,体棘的有无和排列也是本门的重要分类依据。

2. 体壁、腔隙系统、假体腔和运动:棘头动物的体壁最外面是一层由表皮分泌的多糖和糖蛋白外被,有微小的孔隙,是营养物质的通道。

表皮层很厚,系合胞体结构。虽没有真正的角皮,但表皮合胞体远端具蛋白质纤维交织而成网状层,可支持和加固体壁,其作用类似于其他假体腔动物的角皮。此外,表皮的远端具向内凹陷的盲管状结构(隐窝 crypt 或孔管 pore tubule),其作用可能是从宿主体内吸收营养物质。这两点与轮虫的非常相似。表皮合胞体细胞核的形状和数目因种而异,有圆形、椭圆形、多分枝的变形虫状(图 14-2 C)等,一般数少个大,特称巨核,有的巨核直径达 5 mm,巨核所在处的体表往往明显隆起,也有些种类的巨核破碎成小核。在表皮层的内部,具有复杂的腔隙系统(lacunar canal system)(图 14-1 C,D;图 14-2),是指位于表皮内的纵横交错相互连通的管道。多数种类具有两条纵行的主管道,位于身体的背面、腹面或侧面,两条主管道间有一些小的不规则的横管道连成网状,其排列是分类特征之一。腔隙系统不仅出现于躯干部,而且也存在于吻部和颈部,并与吻腺相连。腔隙系统内充满液体,内含丰富的糖原和脂类,是贮存营养的结构,也兼具循环系统的作用。

体壁肌肉由外环肌层和内纵肌层构成(图 14-1 C,D),均为平滑肌。在肌肉层的内面还具有一与表皮层腔隙系统相似的管道系统,称网状系统(renete system)(图 14-2 B)。此外,吻、吻鞘、颈部等还具有各种纵行的牵引肌(图 14-1 A,B;图 14-2 A)。

体壁之内为假体腔,发达,但无体腔膜。全部内部器官如吻鞘、吻腺、韧带囊、生殖系统等均位于假体腔内。

棘头动物营寄生生活,运动能力很差。感染宿主的过程也是被动完成,即通过感染性卵或感染性幼虫被宿主吞食而实现。感染后,一经在宿主消化道壁上附着,便很少活动。繁殖时期,可通过肌肉的收缩在宿主消化道内移动,以寻找异性个体进行交配。

3. 吻和吻腺:吻(图 14-1 A,B;图 14-2 A;图 14-4)位于虫体的前端,是棘头动物的附着器官。吻一般呈球形、圆柱形或长棒状等。吻表面生有向后弯曲的倒钩,用以附着于宿主消化道壁上。吻牵引肌(proboscis retractor muscle)的收缩可使吻缩入吻鞘内,吻鞘位于假体腔的前部,多呈袋状,具有单层或双层的肌肉壁，前端固定于体壁之上。因吻牵引肌的两端分别固定于吻壁和吻鞘壁，它的收缩在将吻拉向后方的同时也将吻鞘拉向前方，但后者被吻鞘牵引肌（receptacle retractor muscle）的收缩力所抵消。吻鞘牵引肌实际上是吻牵引肌在吻鞘壁后向假体腔内的延伸，末端固定于体壁上。

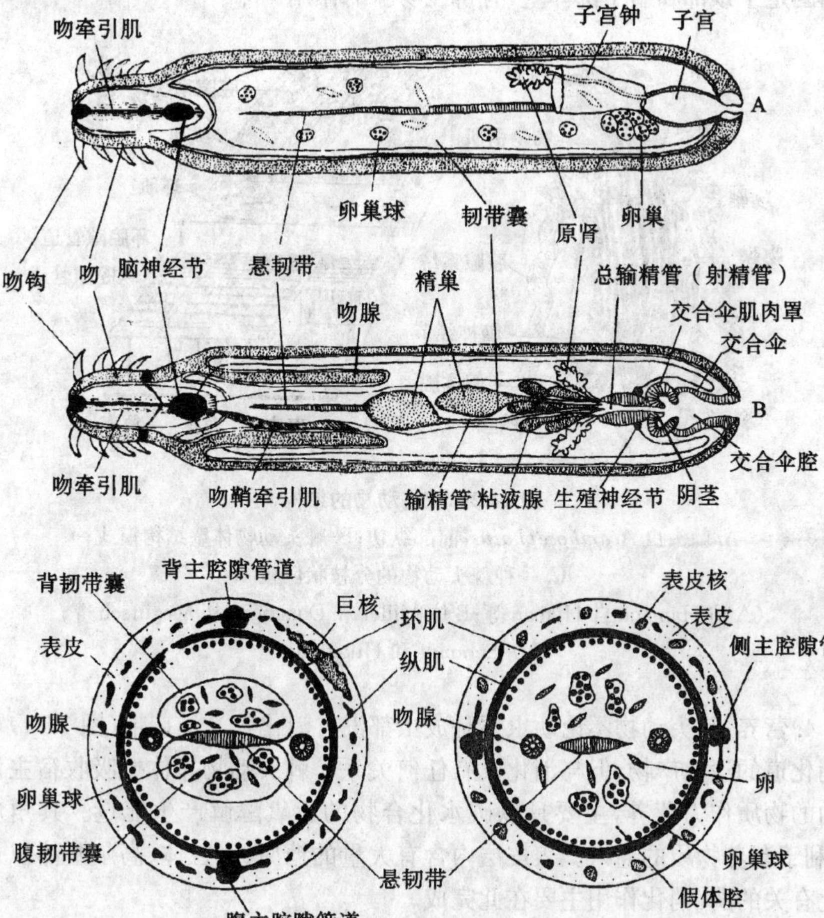

图 14-1　棘头动物的模式结构

A. 雌虫侧面观（韧带囊尚未消失，卵未成熟）；B. 雄虫背面观；

C. 原棘头纲 Archiacanthocephala 和新棘头纲 Eoacanthocephala 的横切面；

D. 古棘头纲 Palaeacanthocephala 的横切面

（A，B 仿 Brumpt 从 Remane 等；C，D 仿各作者）

在吻鞘的周围有两个吻腺(lemniscus)(图 14-1,图 14-2 A,图 14-4),是颈部体壁向假体腔内的突出结构,末端游离于假体腔内。吻腺多呈长条状,等长或不等长。有的种类吻腺内有巨核。吻腺执行着吻外翻液压系统的功能,也可能具有贮存体液的作用。吻腺的周围具有颈牵引肌(neck retractor muscle),两端分别固定于颈部和躯干部体壁,有挤压吻腺的作用。

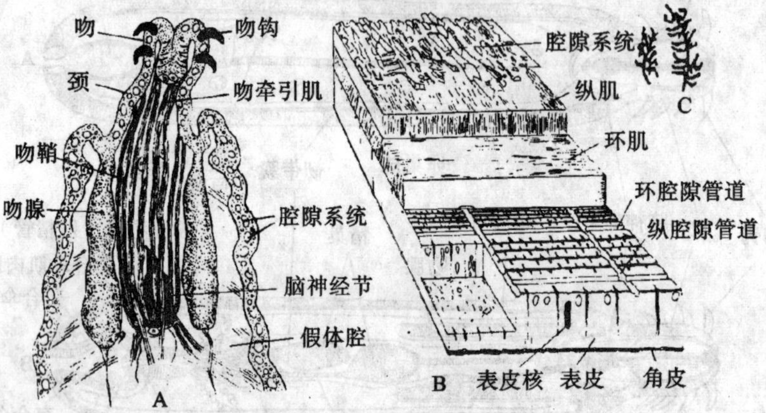

图 14-2 棘头动物的结构

A. 棘头虫 *Acanthocephalus*,前部纵切;B. 棘头动物体壁结构模式;

C. 一种棘头动物的分枝状巨核

(A 仿 Hamann 自 Hyman 等;B 仿 Miller 和 Dunangen 从 Meglitsch 等;

C 仿 Schmidt 和 Hugghins)

4. 营养:棘头动物不论幼虫还是成虫都没有消化管。悬韧带(图 14-1)可能是消化道的退化产物,但与消化没有任何关系。棘头动物靠体壁吸收宿主消化道内的物质作为营养,主要是以碳水化合物的无氧酵解产生能量。其角皮多孔,利于营养物质的通入。表皮层内含有大量的糖原、线粒体、高尔基体以及与消化有关的酶,消化作用主要在此完成。

5. 循环、呼吸和排泄:棘头动物没有呼吸和循环系统。气体的交换通过体壁实现,没有有氧代谢,在宿主的消化道内进行厌氧呼吸。物质运输主要是靠腔隙系统内的体液流动来完成,腔隙管道内的体液含有丰富的糖原、脂类等营养物质,肌肉的收缩使这些物质沿腔隙管道输送到身体各部。此外,体内物质也可在假体腔的体腔液中被动扩散和运输。

多数棘头动物没有排泄系统,排泄和渗透压的调节主要也是由体壁来完成。原棘头纲的部分种类具有原肾(图 14-1 A,B),位于生殖腺的附近,具多纤毛的焰细胞。

6. 神经系统和感觉器官：棘头动物的中枢神经系统具 1 个脑神经节(图14-1 A,B;图 14-2 A),位于吻鞘的前部、中部或后部。由脑神经节发出 1 对侧神经沿体壁向后延伸,分支进入生殖器官。在雄性的阴茎基部具有 1 对生殖神经节(genital ganglion)(图 14-1 B),二生殖神经节间有一环状联合连接。脑神经节发出的另外一些分枝延伸至吻部和体壁肌肉。

棘头动物的感觉器官退化。吻的前端具有 1 个感觉窝(sensory pit),有时颈部也具有一对感觉窝。雄性的生殖器官附近常具乳突等感觉器官。

7. 韧带囊：韧带囊是位于假体腔内的一种长囊状结构(图 14-1 A～C),具结缔组织的囊壁,有时具有肌肉,前端与吻鞘的后壁相连,后端终止于生殖系统。原棘头纲和新棘头纲的雌虫具背、腹两个韧带囊(图 14-1 C),二者在前端互相连通。背韧带囊的后端固定于子宫钟的前缘,腹韧带囊向后伸至身体的末端,并经子宫钟的腹孔与子宫钟相通。雄虫无腹韧带囊,其背韧带囊包围精巢和粘腺,后端与生殖鞘(genital sheath)相接(图 14-3 B)。古棘头纲雌虫和雄虫均只有 1 个韧带囊,位于假体腔的中央,前端与吻鞘连接,后端与子宫钟(雌性)或生殖鞘(雄性)连接。雌性性成熟时,韧带囊常退化破裂,这样卵子可于子宫内自由流动。

韧带囊壁上,常具 1 条纤维质的组织,称为韧带(ligament)或悬韧带(suspensory ligament)(图 14-1),可能是消化管的退化产物,生殖腺即固定于该韧带上。

8. 生殖系统和生殖：棘头动物为雌雄异体,通常雌虫大于雄虫。生殖器官固定于韧带上,生殖孔开口于身体后端或其附近。

雄性生殖系统由精巢、输精管、粘腺、生殖鞘和交配器等组成。精巢一般为两个,呈圆形、卵形、长圆形等,固定在韧带上。在精巢的后方,韧带囊壁与来源于体壁的肌肉共同形成一个生殖鞘,输精管、粘腺等即包围于该生殖鞘内(图 14-3 B)。两个精巢的输精管后部汇合为总输精管(common sperm duct),其基部常膨大为贮精囊(seminal vesicle)(图 14-3 B)。粘腺(图 14-1 B;图 14-3 B;图 14-4 B,D,F)一般位于输精管的周围,多数为 6 个或 8 个,有的为合胞体,有的还具有巨核。粘腺的数目、形状和排列方式是重要的分类特征。粘腺经黏液管(cement duct)在阴茎的基部与总输精管相通。新棘头纲的粘腺为合胞体,其单独的输出管与一个黏液贮囊(cement reservoir)相通,由黏液贮囊引出一对黏液管,后部与总输精管相通(图 14-3 B)。总输精管的末端通阴茎,阴茎突入交合伞(bursa)的内腔中,交合伞(图 14-1 B,图 14-3 B～D)的底部系一肌肉质的交合伞罩(bursal cap)(图 14-1 B,图 14-3 D)。有些种类的生殖鞘内还具有一个充满液体的沙氏囊(Sacfftigen's pouch)(图 14-3 B),有孔与交合伞罩相通。在具有原肾的种类,排泄管亦与总输精管相通(图 14-1 B),形成一条共同的尿生殖管(urogenital duct),负责输送精子、"尿"和黏液。由悬韧带起源于内胚层推测,其祖先的消化管可能也与此管相通。

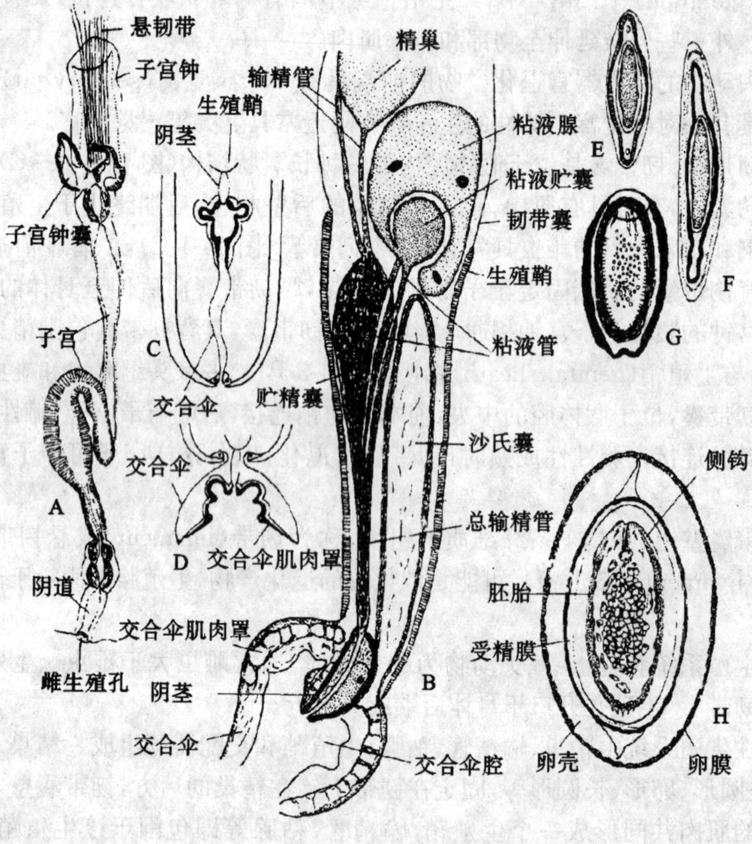

图 14-3　棘头动物的生殖系统和卵

A. 日本球茎体虫 *Bolbosoma nipponicum* 的雌性生殖系统;B. 新棘吻虫 *Neoechinorhynchus* 的雄性生殖系统;C,D. 小多形虫 *Polymorphus minutus* 交合伞的回缩状态(C)和翻出状态(D);E~H. 棘头动物的卵

(A,E~G 仿 Yamaguti;B 仿 Bieler 从 Hyman;C,D 仿 Whitfield 从 Parshad 等;H 仿 Meyer 从 Meglitsch 等)

雌性生殖系统由卵巢、子宫钟、子宫和阴道等组成,除卵巢外,都固定于悬韧带上。早期的成体具有一或两个卵巢。性成熟的雌虫,卵巢分裂成很多卵巢

球(ovarian ball),游离于假体腔中,每个卵巢球由十余个卵母细胞组成。成熟卵子也游离于假体腔内(图 14-1 A,C,D)。子宫钟(uterine bell)(图 14-1 A,图 14-3 A)是棘头动物特有的一种器官,形似一漏斗,肌肉质,位于子宫前方。卵子由子宫钟的前开口(即漏斗的口)进入子宫钟。成熟卵(可能是受精卵)直径较小,可经子宫钟的后孔落入子宫。未成熟的卵(可能是未受精的卵)直径较大,不能进入子宫,再由子宫钟的前口回到假体腔内进一步发育。子宫后端与阴道相通,雌性生殖孔通常位于体末端。

交配在宿主消化道内进行。交配时,雄虫交合伞罩的肌肉和沙氏囊收缩,迫使交合伞向外翻转,翻出的交合伞呈钟罩形(图 14-3 D),抱住雌虫的生殖孔部位,由阴茎将精子排入雌虫阴道。然后,排出黏液在雌虫生殖孔形成一黏液栓,封住雌虫后部,防止精液流出。交配后,精子沿雌性生殖管上行至假体腔内与卵受精。卵受精后产生受精膜,经子宫钟、子宫、阴道由雌性生殖孔排入宿主消化道。卵多为椭圆形或梭形(图 14-3 E～H)。

9. 发育:卵在排出母体前已开始发育,卵裂方式大致为螺旋式完全卵裂,系定型卵裂。形成实囊胚(stereoblastula)后,胚胎细胞的细胞膜消失,形成一合胞体型的胚胎。原肠期不明显,仅有少数细胞核内移至胚胎内部形成生殖腺和韧带囊的原基(primordium)。以后发育为具钩的胚胎幼虫,称棘头蚴(acanthor),此时的胚胎卵具有 3 层卵膜(图 14-3 H)。多数种类的胚胎卵在形成棘头蚴前自母体产出,有的在棘头蚴形成时才排出母体。

胚胎卵随宿主的粪便进入环境,必须被中间宿主吞食后方能继续发育。棘头动物一般以甲壳类(图 14-5)或昆虫为中间宿主,棘头蚴感染节肢动物后,穿过中间宿主的消化道壁进入血腔发育为棘头体(acanthella)。带有棘头体的中间宿主被终末宿主吞食后,棘头体在终末宿主的消化道内发育为成虫。有时,中间宿主不是直接被适宜的终末宿主吞食,而是被其他动物吞食,这些动物便成为转移宿主(transport host)。终末宿主可因吞食转移宿主而感染,转移宿主有时不只一个。

14.4 分类

棘头动物约 1 150 种,分为 3 纲 8 目。主要分类依据为:雌性韧带囊的数目、吻钩的排列、吻鞘的结构、体棘的有无与分布、主腔隙管的位置、表皮核的多寡与形态、粘腺的数目和形态、原肾的有无、脑神经节的位置、卵的形态和卵壳的厚度等。

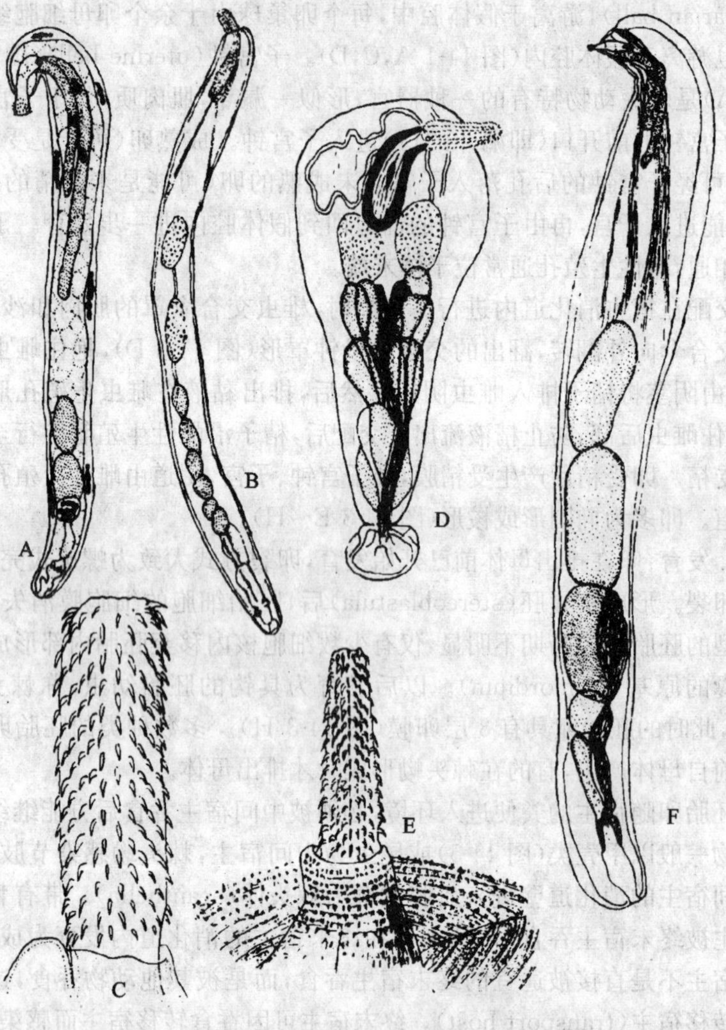

图 14-4　几种海洋棘头动物(A 仿李敏敏;余仿 Yamaguti)

A. 多刺四旋棘虫 *Quadrigyrus polyspinosus*,雄虫;B,C. 串粘棘吻虫 *Echinorhynchus gadi*,雄虫(B)和吻(C);D,E. 南极棒体虫 *Crynosoma antarcticum*,雄虫(D)和吻(E);F. 鲚新棘吻虫 *Neoechinorhynchus coiliae*,雄虫

纲 1. 原棘头纲 Archiacanthocephala

躯干部无棘;除一目外吻均可伸缩,吻钩同心圆排列;吻鞘壁肌肉单层或双层;主腔隙管道为背、腹两条或仅有背管道;体壁具少数巨核,吻腺和粘腺有巨核;脑神经节位于吻鞘中部附近;雌性具两个韧带囊;雄性常具 8 个梨形的粘腺;卵呈卵形,具厚壳;有的种类具原肾。成虫多为鸟类或哺乳类寄生虫,少数

寄生于爬行类。中间宿主一般为昆虫纲或多足纲节肢动物。本纲分为四目(表14-1),全为陆生动物寄生虫。

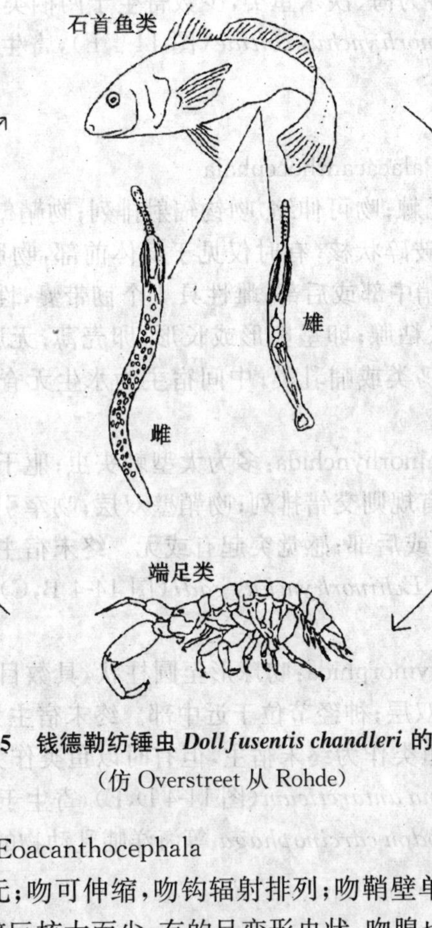

图 14-5　钱德勒纺锤虫 *Dollfusentis chandleri* 的生活史

(仿 Overstreet 从 Rohde)

纲 2. 新棘头纲 Eoacanthocephala

躯干部棘有或无;吻可伸缩,吻钩辐射排列;吻鞘壁单层肌肉;主腔隙管道位于侧面,较细;体壁巨核大而少,有的呈变形虫状,吻腺也具巨核;脑神经节位于吻鞘中部或前部;雌性具两个韧带囊;雄性粘腺为合胞体,并具一黏液贮囊;卵具各种形状,卵壳薄;无原肾。主要为鱼类寄生虫,少数寄生于两栖类或爬行类。中间宿主以甲壳类为主。分为 2 目。

目 1. 圆棘头目 Gyracanthocephalida:身体小型至中型;全体或部分具体棘;吻小、呈球形,吻钩呈螺旋状排列;体壁巨核数目较少,呈变形虫状或破碎状;吻鞘壁单层肌肉;吻腺多形;粘腺为合胞体;卵常为椭圆形;胚胎无钩。终末宿主为海、淡水鱼类。海产者如多刺四旋棘虫 *Quadrigyrus polyspinosus*(图 14-4

A)，寄生于鲻 *Mugil cephalus* 的消化道内，在我国渤海有分布。

目 2. 新棘吻目 Neoechinorhynchida：体小型至大型；无体棘；吻球形至长形，吻钩排列多样；体壁具少数巨核；粘腺常为合胞体；吻鞘单层；卵椭圆形；胚胎无钩。终末宿主多为海、淡水鱼类，少数寄生于两栖类或爬行类。海产者如鲚新棘吻虫 *Neoechinorhynchus coiliae*（图 14-4 F），寄生于凤鲚 *Colia mystus* 的消化道。

纲 3. 古棘头纲 Palaeacanthocephala

躯干部有棘或无棘；吻可伸缩，吻钩辐射排列；吻鞘壁双层肌肉；主腔隙管道位于侧面；体壁具破碎状核，有时仅见于身体前部，吻腺和粘腺核也呈破碎状；脑神经节位于吻鞘中部或后部；雌性具 1 个韧带囊，性成熟时破裂退化；雄性具 6 个管状或球状粘腺；卵呈卵形或长形，卵壳薄；无原肾。终末宿主为鱼类、两栖类、爬行类、鸟类或哺乳类；中间宿主为水生无脊椎动物，以甲壳类为主。分为 2 目。

目 1. 棘吻目 Echinorhynchida：多为大型棘头虫；躯干有棘或无棘；吻呈球形至长圆柱形，吻钩有规则交错排列；吻鞘壁双层；吻牵引肌深入吻鞘后端；脑神经节位于吻鞘中部或后部；感觉突起有或无。终末宿主为鱼类、两栖类或爬行类。如串粘棘吻虫 *Echinorhynchus gadi*（图 14-4 B,C），寄生于鳕 *Gadus* 等多种鱼类的消化道。

目 2. 多形目 Polymorphida：吻球形至圆柱状，具数目众多、相互交错排列的纵行吻钩；吻鞘壁双层；神经节位于近中部。终末宿主为两栖类、爬行类、鸟类或哺乳类，很少以鱼类作为终末宿主，但有时以鱼类作为第二中间宿主。如南极棒体虫 *Crynosoma antarcticum*（图 14-4 D,E），寄生于海豹 *Hydrurga leptonyx*、食蟹海豹 *Lobodon carcinophaga* 等海洋哺乳动物的消化道内。

14.5 系统发生

由于表皮远端的肌动蛋白纤维网和对外开孔的隐窝只见于轮虫和棘头动物，一般认为二者具有密切的关系（参见 13.5）。

第 15 章　动吻动物门

Kinorhyncha(Gr., *kineo*, to move; *rhynchos*, snout)

Echinoderida(Gr., *echinos*, spiny; *dere*, neck)

15.1 概述

动吻动物(kinorhynch)又称棘颈动物(echinoderan),1851 年发现,为具假体腔的小型动物。因头部可伸缩而得名。体表无纤毛,具发达的角皮。身体由 13 个节带构成。头部具环状排列的耙棘。

动吻动物门的主要特征:

1. 体短小蠕虫状,两侧对称,分为 13 个节带(segment, zonite),角皮分为背板和腹板,板间具关节膜;
2. 三胚层,具假体腔;
3. 表皮无纤毛;
4. 消化管完全,具肛门、肌质咽、口锥等,口锥内有口腔;
5. 体壁具环肌、斜肌和背腹肌;
6. 排泄系统具 1 对原肾,位于第 10～11 节,无专门的循环系统和呼吸系统;
7. 神经系统与表皮关系密切,包括环绕咽的一组脑神经节和纵神经索,神经索在各节带有神经节细胞丛;
8. 早期发育具周期性蜕皮;
9. 主要生活于海洋泥沙间隙(interstitial),是海洋小型动物区系的组成成分。

动吻动物门已知约 150 种,隶属 1 纲 2 目(表 15-1),至亚目的主要检索性状为:

1. 头缩入体内时,颈节:a. 不缩入,b. 缩入;

2. 颈节具：a. 14～16 块颈板，b. 14 组小齿，c. 4～8 块颈板；

3. 第 1 躯干节形成背、腹板：a. 是，b. 不是（b^1. 圆柱状不分板，b^2. 形成左右二贝壳状板）。

表 15-1　动吻动物门的分类

- 动吻动物门
  - 圆裂目 Cyclorhagida 1a2ab3b
    - 圆裂亚目 Cyclorhagae 2a3b^1
    - 介裂亚目 Conchorhagae 2a3b^2
    - 隐裂亚目 Cryptorhagae 2b3b^1
  - 平裂目 Homalorhagida 1b2c3a
    - 平裂亚目 Homalorhagae

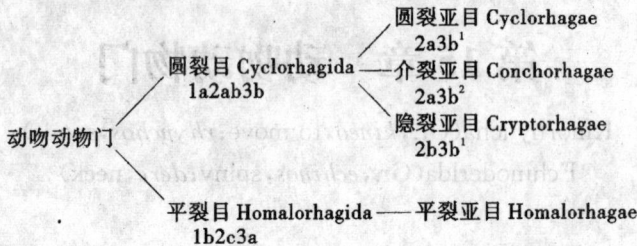

15. 2 习性和分布

动吻动物广泛分布于海洋中，从北极到南极、从潮间带到数千米都有它们的踪迹，少数种侵入河口区。

海洋或河口区有机质丰富的泥沙、海藻固着器或海藻丛中习见。有的则与其他无脊椎动物如贝类、多毛类、苔藓虫、海绵类等生活在一起。还有些动吻动物见于自潮间带至潮下带之砾石、贝壳、砂粒间。

15. 3 形态、结构和功能

1. 外形：动吻动物体长一般不超过 1 mm，呈短的蠕虫状，背面常隆起，腹面平，左右侧缘大致平行（图 15-1，图 15-4）。体表无纤毛，发达的角皮常形成各种特化构造。身体有分节现象，节带数恒定，由头部、颈部和躯干部共 13 个节带构成。其中第 1 节为头部，第 2 节为颈部，第 3 至第 13 节为躯干部（图 15-1）。头部生有向后弯曲呈环状排列的耙棘（scalids），最多 7 圈，每圈 10～20 个，自前向后逐渐变小。最后 1 圈耙棘常生有刚毛，又称毛耙棘（trichoscalids）（图 15-1 B，图 15-2 A）。头部前方具圆锥状口锥，其前端有口，口的周围具 1 圈口针（oral stylets）（图 15-2 A，图 15-3 A）。整个头部可缩入第 2 或第 3 节带。

颈部（第 2 节带）表面覆有大型的角质基板（plate）或称颈板（placid）（图 15-1 B～D），其数目、排列方式是高级阶元的重要分类特征。圆裂目大多数种类的颈板构成闭合器（closing apparatus），当头部缩入体内时盖在前方，具有保护头部的作用（图 15-1 C）。介裂亚目具颈板 16 块，与第 3 节带（第 1 躯干节）形成的左右各一的壳瓣共同构成闭合器，用以保护缩入的头部（图 15-4 C）。平裂目颈部具背、腹颈板各1～4块，与第3节带之3块腹板共同形成闭合器（图15-1 D）。

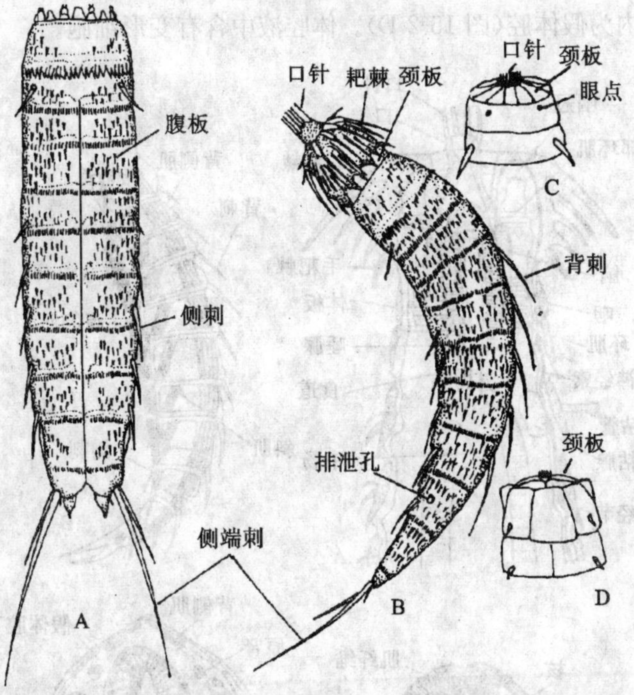

图15-1　动吻动物外形

A. 棘颈虫 *Echinoderes* 腹面观，头部缩入体内；B. 棘颈虫侧面观，头部伸出；
C. 圆裂目前部模式；D. 平裂目前部模式（A、B仿 Higgins 和 Brusca 等；C、D仿 Barnes）

躯干部共有11个节带，各节带角皮常由1块背板和1对腹板构成。背、腹板之间以及节与节的角质板之间均有薄的角皮褶（或称关节）相联系。虫体背面中央和侧缘多具成列的刺（spines），有时体表还具有刚毛。在第3或第4节带的腹面常具1对粘管（adhensive tube），与腹毛虫的粘管相似，其基部各有1大型的单胞粘腺（adhensive glands）（图15-2 A）。肛门位于最后节带，末节带除具侧缘刺外（有时无），常具1对侧端刺（lateral end spine）。

2. 体壁和运动：体壁：由角皮、表皮和肌肉层构成。角皮发达，位于外面、起支持保护作用。因而体形较固定。表皮位于角皮之下，无纤毛，常为合胞体结构，表皮有时延伸到刺中，表皮内含有神经组织。肌肉（图15-2 B）与轮虫相似，不形成封闭肌鞘，主要由一些背侧和腹侧肌肉带组成，末端与角皮连接，前部有些纵肌支配头部的伸缩。各节还有背腹肌，其收缩在体腔内产生的压力可使头部和口锥伸出。与角皮分节相对应，肌肉系统亦分节排列。此外，在前部 2 个节带，还有环肌(图 15-2 A)。除前部环肌外，均为横纹肌。

体壁之内为假体腔(图 15-2 D)。体腔液中含有变形细胞。

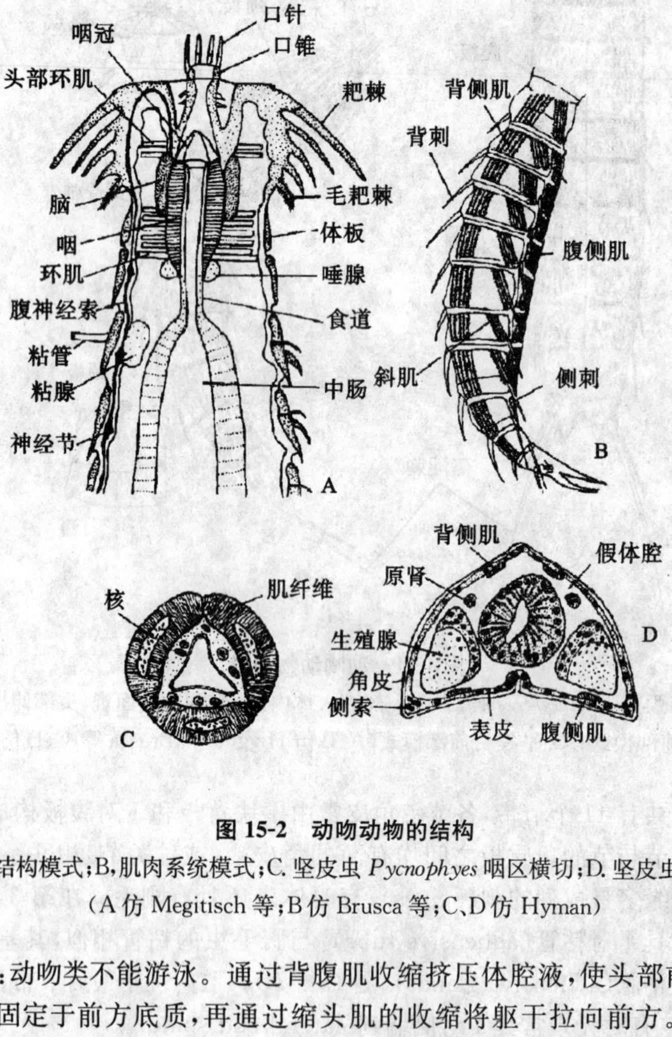

图 15-2　动吻动物的结构

A. 内部结构模式；B，肌肉系统模式；C. 坚皮虫 *Pycnophyes* 咽区横切；D. 坚皮虫肠区横切

(A 仿 Megitisch 等；B 仿 Brusca 等；C、D 仿 Hyman)

运动：动吻类不能游泳。通过背腹肌收缩挤压体腔液，使头部前伸。多刺的头如锚固定于前方底质，再通过缩头肌的收缩将躯干拉向前方。当受刺激时，头部缩入体内，虫体静止不动。因角质板间有关节，虫体可在一定程度内弯曲。

3. 消化系统和营养：消化管(图 15-2 A，图 15-3 A)前部结构较复杂。口位于头部口锥前端，口锥内腔为口腔。口腔后方为咽，咽前部具一角质咽冠(pharyngeal crown)。咽腔断面为三角形，咽壁由角皮层、表皮层和肌肉层构成，肌肉层发达，由辐射肌肉纤维构成(图 15-2 C)。咽的后方为一狭窄的食道，内面覆有角皮，与 1 对唾腺相连。中肠膨大，具分泌腺。直肠内具角皮，与中肠之间具 1 括约肌。肛门位于最末节带背、腹板之间。

关于动吻动物的摄食与消化生理知之甚少。一般认为，通过口锥的伸缩摄食底泥中的细菌、有机碎屑、硅藻等为食。

4. 呼吸与循环：动吻动物无专门的循环和呼吸系统。体内的循环过程是通过假体腔来实现的，气体的交换则是通过体壁的渗透(扩散)完成的。虫体的运动有助于体内的气体扩散与物质循环。

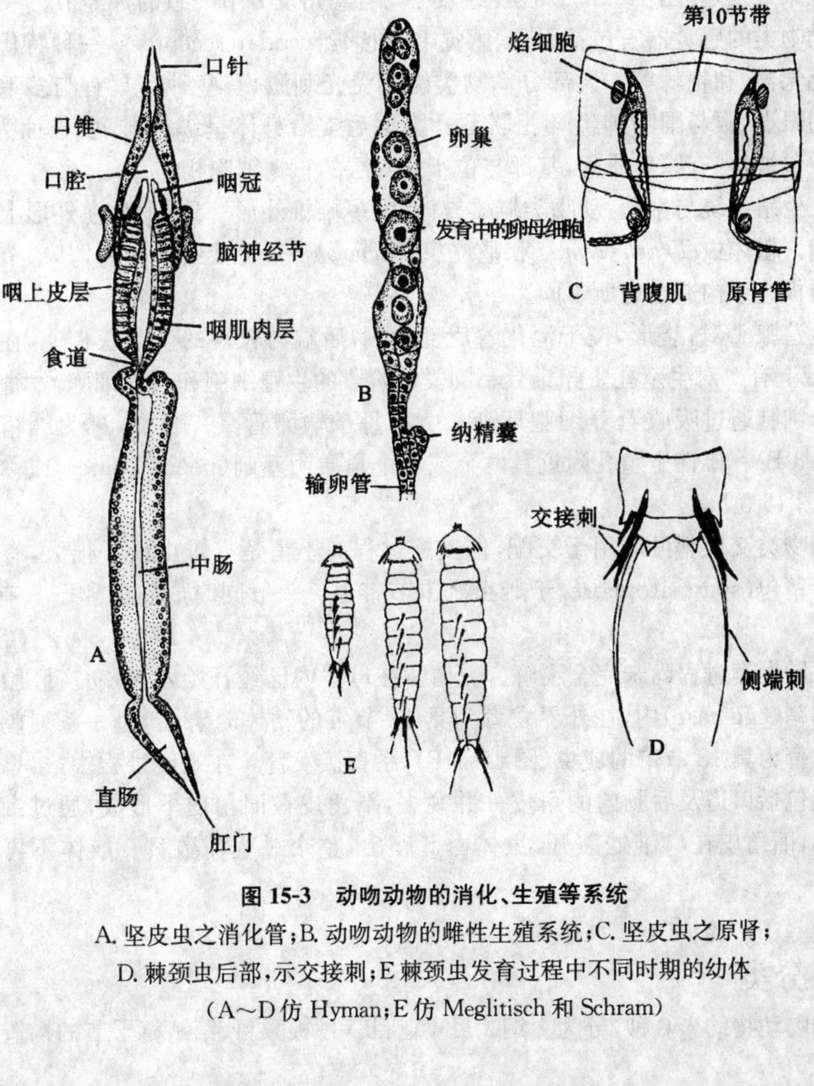

图 15-3 动吻动物的消化、生殖等系统

A. 坚皮虫之消化管；B. 动吻动物的雌性生殖系统；C. 坚皮虫之原肾；

D. 棘颈虫后部，示交接刺；E 棘颈虫发育过程中不同时期的幼体

(A～D 仿 Hyman；E 仿 Meglitisch 和 Schram)

5. 排泄系统与排泄：动吻动物的排泄系统为原肾。焰茎球1对，位于第10至第11节带（图15-3 C），焰茎球为一多核体结构，具1条或一长一短2条纤毛。焰茎球后接肾管，末端通至第11节带背板上的肾孔，肾孔处有1角质筛板（sieve plate）。

排泄与渗透压调节过程尚不清楚，有些种可忍耐较低盐的水环境。

6. 神经系统和感官：神经系统为表皮型，在组织学上与上皮难以区分，具分节特性。虫体前部具1围咽神经环，此神经环具10个叶状神经节（图15-2 A），各具1前脑、中脑和后脑。由此神经环向后发出至少8条纵神经索，其中两条腹神经索最发达（图15-2 D），各神经索上均有与角皮分节一致的神经节。

动吻类的感觉器官包括眼点、感觉毛、颈感器（collar receptors，一种特化的毛丛感觉器）和耙棘等。大部分动吻类能感受光刺激，有些种类具有与多毛类相似的眼点，眼与围咽神经环相联系。感觉毛常沿身体呈纵行排列，外面为1层角质包被，内有原生质丝，基部与位于表皮层的感觉细胞相连。

7. 生殖系统与生殖：动吻类雌雄异体，大多雌雄外形一致，少数在外形上有所区别。粗体虫 *Trachylemus* 和坚皮虫 *Pycnophyes* 仅雄虫具粘管，其末节带之角质板边缘构造也有所不同。

生殖腺1对，袋形，位于消化管后部两侧，后端与较短的生殖管相通，在第13节带上有1对生殖孔。卵巢具不同发育阶段的生殖细胞和营养细胞，发育中的卵母细胞通过吸收营养细胞逐渐长大。每条输卵管具一盲囊，称为纳精囊（图15-3 B）。雄性生殖孔附近具两个或3个角质阴茎刺（penile spines）或称交接刺（图15-3 D）。

动吻类交接刺可能用于交配，但交配过程尚不清楚。雄虫精子很大，有些种可产精包（spermatophore）于雌虫之末节带上。一般同时成熟的卵子只有1～2个。

胚胎发育过程尚未完全了解。受精卵在母体内已经开始发育，初产胚胎尚包于卵鞘（egg case）内，在外界发育为具11节带的幼体时孵出，经一系列蜕皮过程发育为具13节带的成虫（图15-3 E），系直接发育。在蜕皮过程中，自口针至尾端包括口道及后肠内的角皮一并蜕去，新角皮在旧角皮下形成，通过虫体之扭动，旧角皮在口锥处裂开，虫体由此爬出，整个过程需数日。成体不再蜕皮。

15.4 分类

动吻动物约150种，分为1纲2目4亚目。颈板数目、第1躯干节的构造及在头部缩入时是否起封闭作用、颈节是否与头节一起缩入体内等是主要分类依据。

目 1. 圆裂目 Cyclorhagida：第 1 躯干节角皮为完整的一块或双壳状，虫体横断面圆形或卵形，侧刺、背刺、末端刺均发育良好，口锥常具可动的口针；颈部具 14～16 块颈板或具成簇的小齿（denticles）。分 3 亚目。

亚目 1. 圆裂亚目 Cyclorhagae：颈部颈板 14～16 块，以关节与不分板的第 1 躯干节相连。如棘颈虫 *Echinoderes*、曲颈虫 *Campyloderes*（图 15-4 A，B）。陆鼎恒（1934）曾报道烟台棘颈虫 *E. tchfouensis*。

亚目 2. 介裂亚目 Conchorhagae：颈部颈板 16 块，第 1 躯干节分左右两瓣，以关节与颈板相连，第 1 躯干节之两瓣壳用于关闭缩入之头部。如贵颈虫 *Semnoderes*（图 15-4 C）。

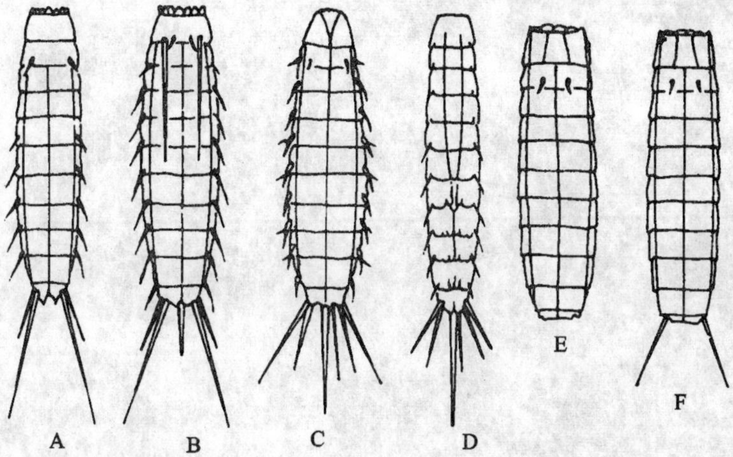

图 15-4　动吻动物各亚目代表（腹面观）（仿 Higgins）

A. 棘颈虫 *Echinoderes*；B. 曲颈虫 *Campyloderes*；C. 贵颈虫 *Semnoderes*；D. 壮体虫 *Cateria*；E. 坚颈虫 *Pycnophys*；F. 动吻虫 *Kinorhynchs*

亚目 3. 隐裂亚目 Cryptorhagae：第 1 躯干节不完全分裂。颈节具 14 团小齿，与第 1 躯干节间无关节相连。如壮体虫 *Cateria*（图 15-4 D）。

目 2. 平裂目 Homalorhagida：第 1 躯干节具 1 块拱形背板和 1 块腹板，腹板常分为 3 小块。一般缺少体刺，如有则仅具侧端刺，具中端刺者极少。颈板数目在 8 块以下，位于背面和腹面。颈板与第 1 节带间有关节相连。只一亚目：平裂亚目 Homalorhagae。如坚皮虫 *Pycnophyes*，动吻虫 *Kinorhynchus*（图

15-4 E,F)。

15.5 系统发生

关于动吻动物的系统发生尚不完全清楚,由于具带刺、可伸缩的头部,有人认为动吻动物和铠甲动物、曳鳃动物、棘头动物、线形动物(幼虫的头部能伸缩、带刺)可能具有某种联系。但从头部具口针、棒状耙棘(clavoscalid)、肌质咽、闭合器(closing apparatus)来看,动吻动物和铠甲动物似乎更为接近。

第 16 章 铠甲动物门

Loricifera(L., *lorica*, a breast plate or corsele; *ferre*, to bear)

16.1 概述

铠甲动物(loriciferan)是海洋间隙中生活的具假体腔和完全消化管的小型动物。因腹部具角质兜甲而得名,曾译名为有甲动物门。头部可翻出,又称翻吻,具耙棘、口锥。胸部具甲板、刺、胸耙棘等。头部和胸部均可缩入腹部兜甲内。

铠甲动物门是动物界中发现较晚的 1 个门(1983 年)。

铠甲动物的主要特征:

1. 两侧对称,不分节;

2,身体分为头部、胸部、腹部 3 部分,腹部具兜甲,头部和胸部均可缩入兜甲内;

3. 具完全消化管,肛门位于腹部末端;

4. 口位于口锥前端,口周围具口针;

5. 无明显的呼吸和循环系统;

6. 排泄系统具 1 对原肾;

7. 雌雄异体,生殖腺 1 对;

8. 发育过程具希金斯幼虫(Higgins larva),有蜕皮现象;

9. 全部海产,于砾石、泥、沙间隙中生活。

已知铠甲动物门有 10 余种,隶属矮甲目 Nanaloricida,如神秘矮甲虫 *Nanaloricus mysticus*(图 16-1)。

16.2 习性和分布

关于铠甲动物的生态学知识尚知之甚少。已发现于北极、地中海、美国沿海、北欧沿海、澳洲沿海以及太平洋中部等世界海洋的很多地方，自潮间带至8 000多米的深海都有它们的踪迹。生活于贝壳、砂砾、泥、沙等各种底质间隙中，对底质没有明显的选择性。幼虫营自由生活，成虫可能自由、固着、外寄生者均有。

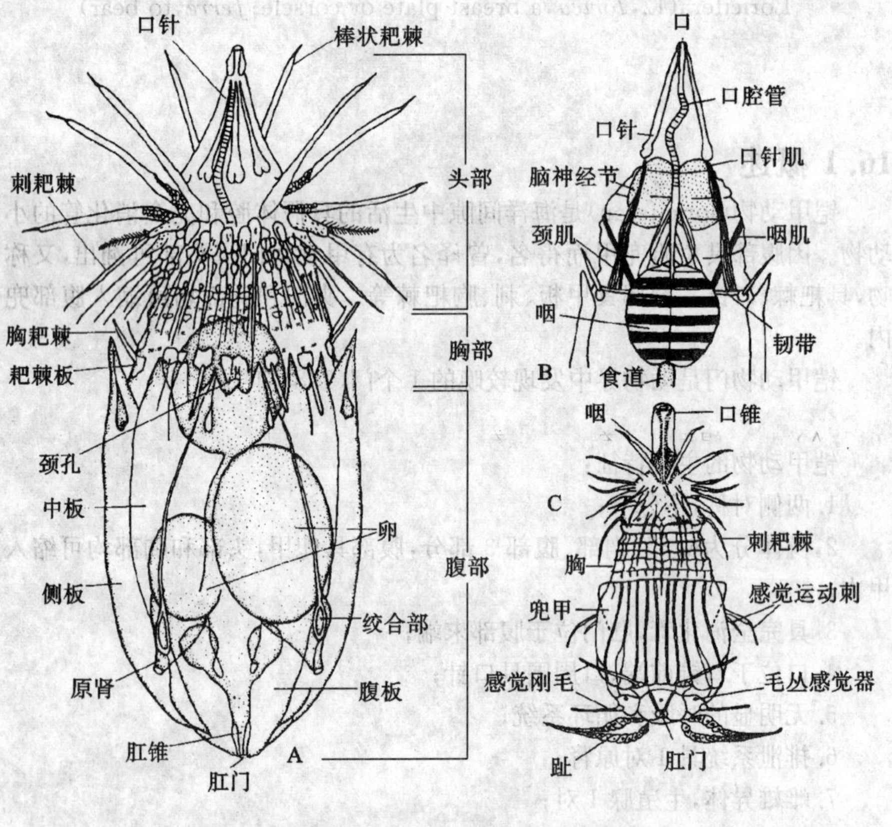

图 16-1　神秘矮甲虫 ***Nanaloricus mysticus***（仿 Kristensen）

A. 雌虫腹面观；B. 虫体前部；C. 希金斯幼虫（Higgins larva）腹面观

16.3 形态、结构和功能

1. 外形：体小，成体只有 0.3～0.5 mm。身体两侧对称，由头部（head）、胸部(thorax)和具角质兜甲(lorica)的腹部(abdomen)3 部分构成(图 16-1 A)。头部和胸部均可缩入腹部兜甲内。

头部(图 16-1 A)也称翻吻(introvert),多呈球状。其前部为口锥(mouth cone),口锥的顶端有口。口的周围常具可伸缩的口针 8～9 个,有的种类具口嵴(oral ridge)6～16 条。在口锥之后,头部具 9 圈耙棘,最前的 1 圈为棒状耙棘(clavoscalid)伸向前方,其数目恒定,共 8 个,两性常异形。后面的 8 圈为具长刺的刺耙棘(spinoscalid),伸向后方。

胸部(图 16-1 A)由外部分节的 2 节构成。前节亦称颈(neck)或领(collar)。一般比较光滑,不具附器。后节常具胸耙棘(thoracic scalid),伸向前方或后方。

腹部(图 16-1 A)由发达的角质兜甲包裹,兜甲由 6 块纵向甲板构成,有的甲板不明显,但具甲褶(plica)22 个以上。兜甲的前缘常具中空的刺,伸向前方。有的种类兜甲的后部具有毛丛感觉器(flosculi)。还有些种类兜甲后部具有铰合部(hinge)。

体壁之内具成带的肌肉束,有的与口针、咽球等相连(图 16-1 B),司其伸缩。

2. 消化系统:铠甲动物具完全消化管。口位于口锥的前端,口的周围有口针(buccal stylet)(图 16-1 A,B)。口后为口腔管(buccal canal),口腔管细长(图 16-1 A),可象望远镜的套筒一样套叠伸缩,与一对唾腺相通,后端与咽球相连。咽球(图 16-1 B)肌肉质,内壁具角质,常形成 5 列棒状盾(placoid)。食道很短,中肠直管状,末端与短的直肠相通。肛门开口于肛锥(anal cone)后端(图 16-1 A)。

3. 呼吸、循环和排泄:铠甲动物无专门的呼吸和循环系统,排泄系统具原肾(图 16-1 A)1 对。对其代谢生理尚缺乏研究。

4. 神经系统和感觉器官:中枢神经系统具 1 对大的脑神经节(图 16-1 B),位于头部背侧,由此发出神经与头部耙棘相联。在颈部和腹部也发现有神经节。

铠甲动物典型的感觉器官是位于身体后部兜甲上的毛丛感觉器(图 16-1 C),有两种类型:一种呈小窝状,窝内具 1 条纤毛和五条微绒毛。另一种由兜甲上的一些小乳突构成。此外,体表的棘、刺,幼虫的感觉—运动刺和感觉刚毛(图 16-1 C)可能也具有感觉作用。

5. 生殖系统、生殖和发育:铠甲动物雌雄异体,两性形态如棒状耙棘常有所不同。雄性具 1 对精巢,位于体腔背侧。雌性具 l 对卵巢,有的还具 1 个较小的纳精囊。

铠甲动物可能行体内受精，雄性兜甲上的“阴茎刺(penile spine)”可能具协助受精的作用。卵巢内每次只有1粒卵成熟。胚胎发育过程尚不清楚。

胚后发育具自由生活的希金斯幼虫(Higgins larva，图16-1 C)。体长80～385 μm，前端是口及口锥，有的无口针，有的具6-12个口针。口锥后具1圈棒状耙棘，亦为8个，其后常具另外数圈刺耙棘，一般每圈6～7个。颈部和胸部常无明显的区分，具由角质结构纵横褶皱而成的5～6圈甲板和胸耙棘原基。腹部甲板具褶皱或由四块独立的甲板构成。胸部腹面前缘常具2～3对感觉—运动刺。兜甲的后部常具有2～3对感觉刚毛，位于背面和侧面。有的种类肛门附近具3个毛丛感觉器，分别位于肛门的背面和侧面。有些种类身体后部具有1对可自由转动的趾(toe)，可能具游泳功能。趾的基部各具1个粘腺，开口于趾的末端。希金斯幼虫的原肾与直肠相通。幼虫在发育为成虫的过程中有蜕皮现象。

按本书的界定，此处所谓的幼虫，应是幼体。

16.4 系统发生

铠甲动物的系统地位尚无定论。矮甲虫 *Nanaloricus* 的口腔管、球状咽及位于颈部和腹部之间酌韧带膈(ligamentous diaphragm)等与线形动物的幼虫相似；头部具口针、棒状耙棘、腹闭合器则与动吻动物相似。因希金斯幼虫(Higgins larva)与曳鳃幼虫(priapulus larva)都具兜甲、毛丛感觉器(flosculi，动吻动物幼虫亦有)和尾附器(caudal appendage)，有人认为铠甲动物是由曳鳃动物幼胚成熟(幼态持续)(progenesis)进化而来的。

第 17 章　曳鳃动物门

Priapulida(L., *priapulus*, little penis)
(Gr., *priapos*, a phallicdeity personifying male generative power)

17.1 概述

蠕虫状,由翻吻和躯干部组成。是动物界中惟一以图腾(totem)(印第安语,意为“自己的亲族”)作为动物门名者,即生殖的崇拜物。日用汉字名鳃曳动物。按汉语动词在名词前的表达方式,中文名译为曳鳃动物。

曳鳃动物门的主要特征:

1. 海生,底栖多穴居;
2. 两侧对称圆柱形蠕虫,由翻吻和躯干部(腹部)组成;
3. 体表具环轮,不分节,角质膜薄且周期蜕皮;
4. 直管式消化系统,前端具口且为吻齿锄状器(耙棘)或刺状冠环绕,体后具肛门;
5. 原肾,与生殖系统合为泌尿生殖系统;
6. 无特殊之呼吸系统,尾附器可能具交换气体的作用;
7. 神经系统具环口神经和不具神经节的腹神经索;
8. 具体腔,体腔内具含蚓血红蛋白的血球,无特殊的循环系统;
9. 雌雄异体,幼体期具特殊的兜甲。

已知现生 16 种曳鳃动物,属于 2 纲 3 科(表 17-1)。分类检索性状主要为:

1. 前端刺状冠:a. 具,b. 无;
2. 围肛钩:a. 具,b. 无;
3. 体表环轮,a. 具,b. 无;
4. 体表管形物:a. 具,b. 无。

表 17-1 曳鳃动物门的分类

- 曳鳃动物门
  - 曳鳃纲 Priapulimorpha 1b2b
    - 曳鳃科Priapulidae 3a4b
    - 管曳鳃科 Tubiluchidae 3b4a
  - 刺冠曳鳃纲 Seticonaria 1a2a
    - 鼻烟虫科 Maccabeidae

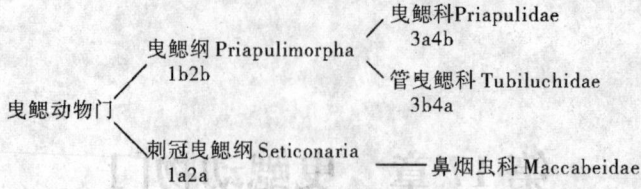

17.2 习性和分布

穴居于浅海和深海底的泥沙中。大型底栖者，多生活于冷水区，西伯利亚的巴伦支海、南极水域，我国黄海、东海大陆架有发现。小型底栖者，如管曳鳃虫 *Tubiluchus* 分布较广，习见于热带珊瑚沙中。大型底栖者是肉食动物，而小型者食沉积物中的细菌。

17.3 形态、结构和功能

1. 外形：圆柱状或黄瓜状，长 0.5 mm～30 cm。分为前部的翻吻（introvert）（吻 proboscis）和后部的躯干部（trunk）（腹部 abdomen）。

翻吻是虫体的前部，上具纵排的菱形或圆锥形吻齿或锄状器（耙棘）（scalid），如东海大陆架的南方拟曳鳃虫 *Priapulopsis* cf. *australis*（该标本因固定不当，躯干部部分膨大，一个尾附器缺失）（图 17-1 A）。小型的触手鼻烟虫 *Maccabeus tentaculatus* 还具分枝的刺状冠（图 17-2 B）。

躯干表面具突起和环轮，翻吻可缩入。躯干后部在小型种具小刺或长的端尾，用以锚在沉积物中，如珊瑚管曳鳃虫 *Tubiluchus corallicola*（图 17-2 B）。在大型种后部具 1～2 个尾附器（caudal appendage），上具许多短而中空的指状盲囊，可能具气体交换和化学接受器的功能。

2. 体壁：由角质膜、无纤毛的上皮、环肌层和纵肌层组成（图 17-1 C）。角质膜可随动物生长而周期性蜕皮。肌肉和吻肌的伸缩，使虫体挤入沉积物中。

3. 体腔：体壁和肠壁间具宽大的空间。据报道，仅发现裴济小曳鳃虫 *Meiopriapulus fijiensis* 咽腔具围脏膜，躯干其他部位皆无此膜。体腔中充满液体，体腔液内具变形细胞和蚓红蛋白，随体壁肌的活动以执行吞噬和呼吸功能。体腔既是循环系统，又是液体骨骼。不是所有的学者都同意这样的体腔是真体腔，过去长期被认为是假体腔。

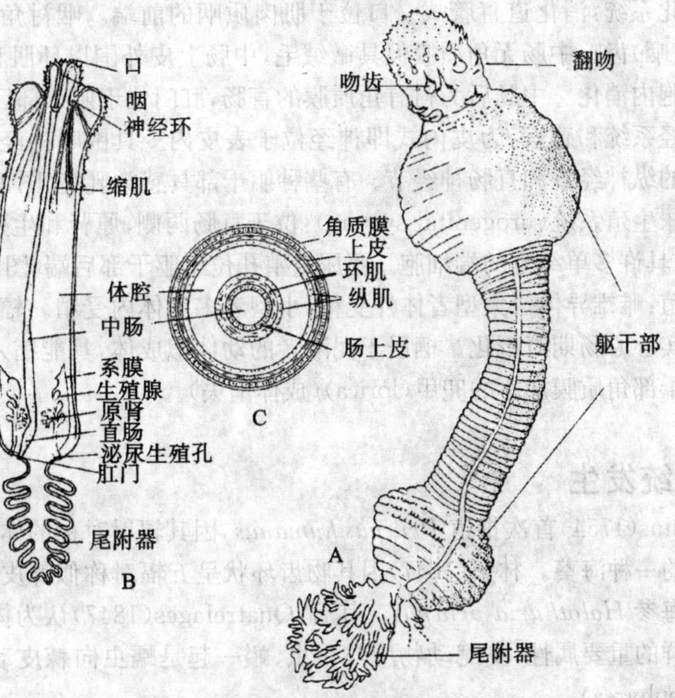

图 17-1　曳鳃动物(B,C 仿 Ruppert 等从 Storch 等)

A. 南方拟曳鳃虫 *Priapulopsis* cf. *australis*;B,C. 小曳鳃虫 *Meiopriapulus*

(B示内部结构,C过中肠横切面)

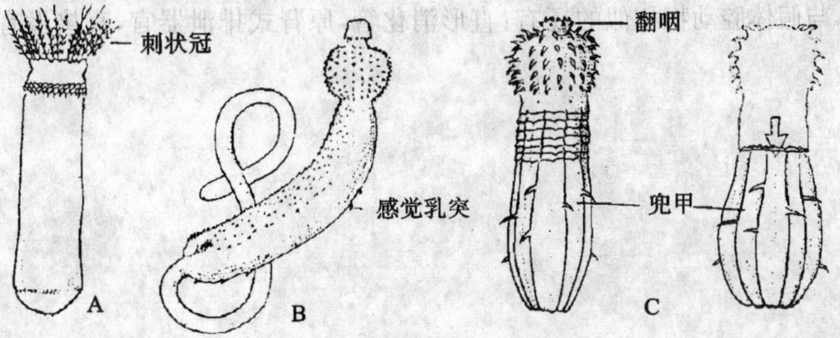

图 17-2　曳鳃动物(仿各作者)

A. 触手鼻烟虫;B. 珊瑚管曳鳃虫;C. 具兜甲的幼体(示吻伸缩)

4. 消化系统：消化道直管式。口位于肌肉质咽的前端。咽衬角质膜，上具特化的吻(咽)齿。中肠无角质膜但具微绒毛，中肠上皮外围以环肌和纵肌。细胞外和细胞内消化。中肠后为衬有角质膜的直肠，肛门位于躯干部后端。

5. 神经系统和感官：为皮内式即神经位于表皮内。具围咽神经环，一条位于腹中部的纵神经索和直肠神经节。有些种躯干部具感觉乳突(图 17-2 B)。

6. 泌尿生殖系统(urogenital system)：位于直肠两侧，原肾和生殖腺悬于系膜上，原肾具许多单纤毛的端细胞。泌尿生殖孔位于躯干部后端(图 17-1 B)。

7. 生殖：雌雄异体。大型者体外受精，小型者多为体内受精。辐射卵裂，在无纤毛的实心原肠期时孵化。栖居于泥滩者的幼体似成体，具能缩入躯干部的翻吻和躯干部角质膜加厚的兜甲(lorica)(成体消失)。

17.4 系统发生

Odhelius(1754)首次报道 *Priapus humanus*，因其辐射对称的体制，认为是腔肠动物的一种海葵。林奈(1847)因其吻齿环状呈五辐对称似棘皮动物，故命名为一种海参 *Holothuria priapus*。其后，Quatrefages(1847)认为体制不完全是划分类群的重要属性，曳鳃动物应与星虫、螠一起是蠕虫向棘皮动物过渡的桥虫类(Gephyrea)。

Hyman(1951)定义的具体腔膜的真体腔动物模式，在本门动物中仅见于上文提到的动物的咽部。体腔皆为中胚层来源的肌肉层包围，因近代真体腔概念的发展(见第 2 篇多细胞动物)，故认为曳鳃动物应属真体腔动物。

但是，在结构上曳鳃动物和动吻动物、铠甲动物有许多共同之处：周期性蜕皮，具耙棘的翻吻，与铠甲动物相似的泌尿生殖系统和具兜甲的幼体(幼虫)。此外，与假体腔动物相似的还有：直形消化管，原肾式排泄器官，直接发育无幼虫期。

第 18 章　环节动物门

Annelida(L., *annelus*, little ring; *ida*, suffix)

18.1 概述

环节动物为真分节、裂生真体腔、多具疣足和刚毛的蠕虫状动物，是软底质生境中最成功的潜居者。陆栖的蚯蚓(earthworm)、淡水的蚂蟥(leech)、海生的沙蚕(sand worm)，皆为习见的环节动物，因具分节性，又称环虫(ring worm)。

多毛动物的沙蚕，古人曾记为海蚕、禾虫、龙肠或凤肠。最早见于唐代，后世记录较多。明·李时珍《本草纲目》记："李珣曰：按南州记云，海蚕生南海山石间，状如蚕，大如拇指。其沙甚白，如玉粉状。每有节。"按，李珣为唐代人，曾著《海药本草》。明·胡世安《异鱼赞闰集》引《渔书》："沙蚕，一名凤肠，似蚯蚓而大。"又《古今图书集成》禽虫典之海错部引《闽书·闽产》："沙蚕，生汐海沙中，如蚯蚓。泉人美谥曰龙肠。"清·赵学敏《本草纲目拾遗》虫部："禾虫，闽广浙海滨多有之，形如蚯蚓。闽人以蒸蛋食或作膏食，饷客为馐，云食之补脾健胃。"

环节动物门的主要特征：

1. 水生或陆栖，通常穴居或生活于栖管中；
2. 具分节现象(metamerism)；
3. 头部形成(cephalolization)，常具感觉或摄食器官；
4. 多具刚毛(seta, chaeta, bristle)和疣足(parapodium)；
5. 裂生真体腔(schizocoel)，常分节排列；
6. 直形完全的消化管，肛门位于虫体末端；
7. 多具闭管式循环系统；
8. 原肾或后肾(metanephridium)，多按节排列；
9. 链式神经系统(chain nervous system)，主要由咽上神经节或脑(cere-

bral，suprapharyngeal ganglion，brain）、围咽神经环（circumpharyngeal connective）或围肠神经珂（circumenteric c.）和神经节按节分布的腹神经索（ventral nerve cord）组成；

10. 生殖腺（gonad）发生自体腔上皮。直接发育者（direct development）多雌雄同体（hermaphrodite，monoecism）常具卵茧（cocoon），间接发育者（indirect development）多雌雄异体（dioecism，gonochorism），多经螺旋卵裂（spiral cleavage）和担轮幼虫（trochophora），常在卵膜中被囊发育（encapsulate）。

环节动物约 16 500 余种，因学者见解不同，常有不同的分类法（表 18-1，表 18-2）。主要分纲（亚纲）的检索性状为：

1. 环带（clitellum）：a. 有，b. 无；
2. 疣足（parapodium）：a. 有，b. 无；
3. 纤毛的口前叶（ciliated prostomium）：a. 有，b. 无；
4. 吸盘（sucker）：a. 有，b. 无；
5. 体环或环轮（annulus）：a. 有，b. 无；
6. 葡萄状组织（botryoidal tissue）：a. 有，b. 无。

表 18-1　环节动物门的分类(一)

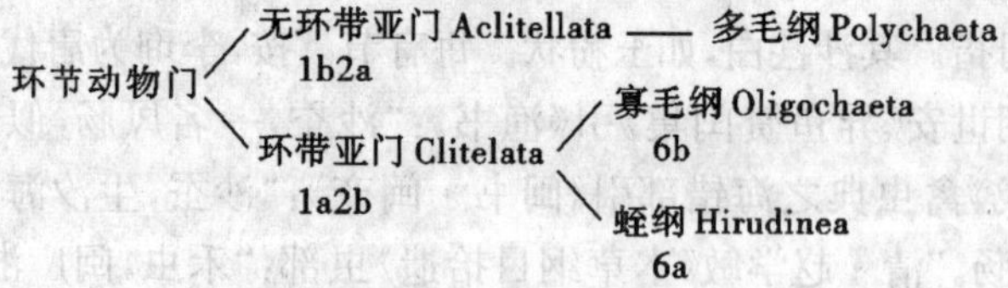

表 18-2　环节动物门的分类(二)

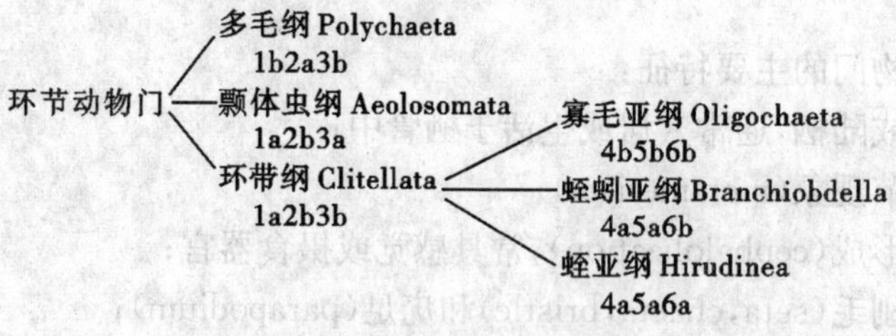

18.2 多毛纲 Polychaeta（Gr.，*poly*，many；*chaeta*，seta）

多毛纲是环节动物门中最大的一纲。包括 80 余科 10 000 多个已知种。近年来，多毛纲定义为：雌雄异体，具疣足和成束的刚毛，体前部具分化良好的头部，多具摄食或感觉的触角、触手、触须和眼，具发达的体腔，无环带，生殖系统简单，发育多经担轮幼虫期，多为海生，少数淡水，陆栖者罕见，体长一般在10～50 mm。也有例外，有雌雄同体的，有疣足极度退化仅留少数刚毛者。

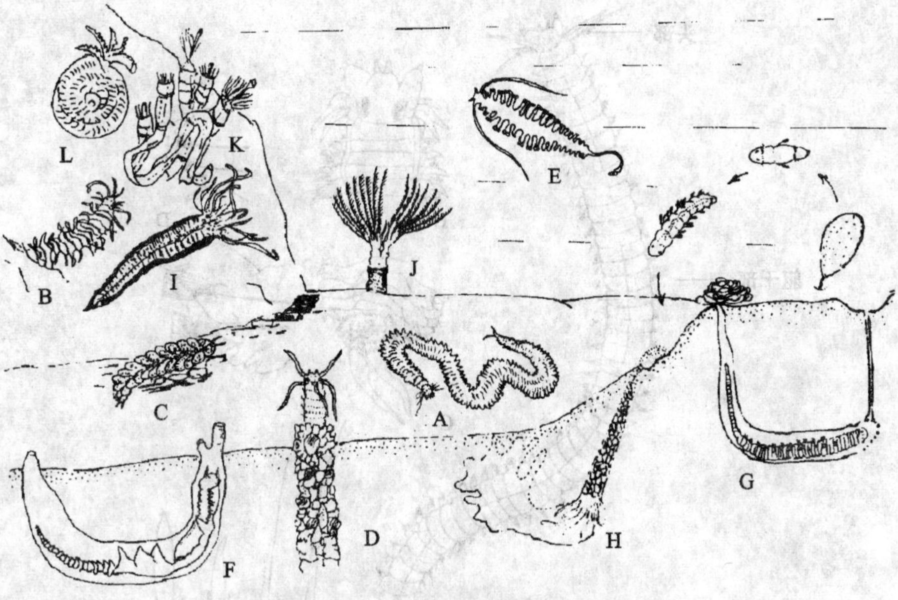

图 18-1　海洋各生境中的多毛动物

A. 沙蚕；B. 裂虫；C. 鳞沙蚕；D. 巢沙蚕；E. 浮蚕；F. 磷虫；G. 沙蠋(示生活史)；H. 笔帽虫；I. 蛰龙介；J. 缨鳃虫；K. 石灰虫；L. 螺旋虫

18.2.1 围沙蚕 *Perinereis* sp.

围沙蚕(图 18-2 A)、刺沙蚕 *Neanthes* 和沙蚕 *Nereis* 在我国沿海极为习见，英文名 sand worm、clam worm 或 rag worm。因水生、具典型的结构特征且产量大，故是教学、实验和养殖的极好对象。

1. 习性和分布(habit and distribution)：广泛分布于世界各地潮间带和浅海海底，穴于泥沙、海藻丛中或石块下。在潮间带，常在退潮的滩面上，以体前部伸出穴口拖食有机颗粒或甲壳、软体、环节和其他小型动物。性成熟时，有的种形态会发生变化，起浮于水面，此为异沙蚕体(heteronereis)。

2. 外部形态(external form)：为分节的长圆柱体，两侧对称，后端稍细具肛须。有时背腹稍扁，其背面稍凸，腹面稍平或微凹。外具黄褐色和彩虹的角质膜，且体色多随个体年龄和性成熟而变化。潮间带泥沙滩的优势种双齿围沙蚕 *Perinereis aibuhitensis*，体长可达 30 cm，230 多个体节。岩岸粗砂中习见的多

齿围沙蚕 *P. nuntia*，体长可达 10 cm，约 100 个体节。依其形态和功能，虫体可分为 3 部分(图 18-2)。

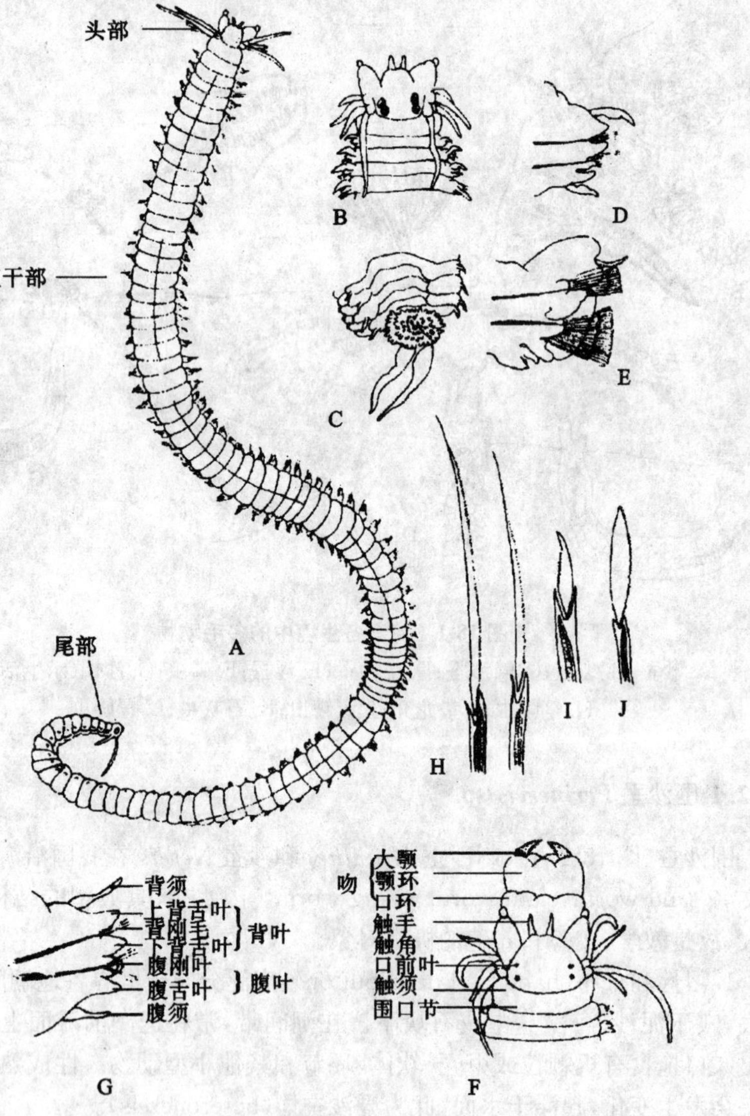

图 18-2　沙蚕的外部形态

A. 多齿围沙蚕 *Perinereis nuntia* 全形；B～E 旗须沙蚕 *Nereis vexillosa* 的生殖态：

B. 头部，C. 尾部，D. 雌性疣足，E. 雄性疣足；F. 头部及吻；G. 疣足各部；

H. 复型刺状刚毛；I. 复型镰状刚毛；J. 桨状刚毛

(1)头(head):体前端,由围口节和口前叶组成(图 18-2,图 18-3):①围口节(peristomium)为体前一个大的环形节,腹面具横长的口,两侧各具 4 根细长的围口节触须(peristomial cirr),即每侧背腹各两条,而背触须较腹触须长。吻(proboscis)可由口中翻出,吻为消化道富肌肉的口腔和咽外翻而成,前端具 1 对强大的颚(jaw),吻的分区及其附属物乳突(papilla)和颚齿(paragnath)的有无、形状和分布是沙蚕科 Nereididae 分类的重要依据。②口前叶(prostomium)为位于围口节上方、口前背方的 1 个背腹扁平、多边形或卵圆形的肉质叶。背面具 4 个眼(eye),前端具 1 对短的口前叶触手(prostomial tentacle),腹侧面具 1 对卵圆形分节且能伸缩的口前叶触角(prostomial palp)。项器(nuchal organ)为两个位于眼后具腺细胞的纤毛上皮的横裂。

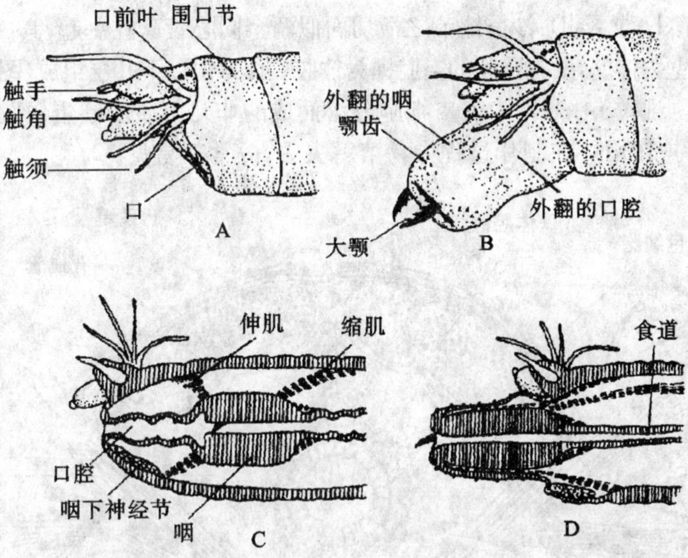

图 18-3　沙蚕的头部和吻(仿 Knox 从 Chapman 等)

A,B. 整体侧面观;C,D,侧切面观(A,C. 吻缩回;B,D. 吻伸出)

(2)躯干部(trunk):位于头部和尾部之间。该部沿虫体纵轴系由许多相似的段落或部分组成,而每一段落或部分称为体节(segment,somite,metamere)。每个体节两侧具疣足,疣足上又具刚毛。这种体外部分节和主要器官在各节内重复排列的现象,被称为分节现象(metamerism)。前后各体节结构相似者即为同律分节(homonomous m.)。

疣足(parapodia):为体节一侧体壁向外垂直伸出的肉质扁平叶。沙蚕除体前两对疣足为单叶型(uniramous)外皆为双叶型(biramous)(图 18-2 C),即不仅具腹足叶(neuropodium)而且具背足叶(notopodium),足叶又可再分出小的舌叶(ligula)。此外,背腹足叶基部又分别具细小的背须(dorsal cirrus)和腹须(ventral cirrus)。疣足富肌肉和血管,是沙蚕的运动和呼吸的器官。

刚毛(seta,chaeta,bristle):位于疣足叶外部或内部的几丁质刺毛,具辅助运动、保护或捕食的功能。通常把内部较粗色深的刚毛称为足刺(aciculum),足刺以足刺肌并支撑着疣足和其他刚毛。外部刚毛通称刚毛,刚毛的形态也是多毛纲分类的依据。

(3)尾部(pygidium):虫体最后一节,常称尾(tail)或肛节(anal segment),无疣足,具肛门和一对较长的腹须称肛须(anal cirrus)。当虫体生长时,新体节在肛节前增殖。

3.体壁(body wall):沙蚕体节之横切面似两个同心管套在一起,其内管壁为消化管,外管壁为体壁,两管壁间的空腔即为体腔。体壁由以下几层组成(图 18-4):

(1)角质膜(cuticle):为表皮细胞分泌而成的非几丁质的硬蛋白膜。较薄易弯曲,有保护作用。在制片过程中易溶解失去,故常不易见。

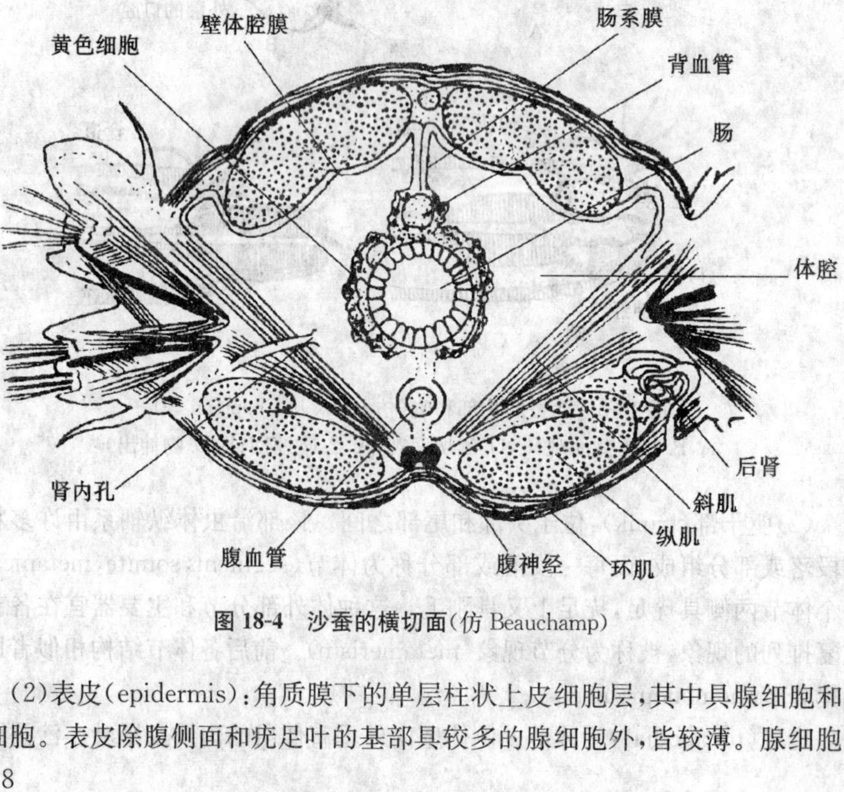

图 18-4　沙蚕的横切面(仿 Beauchamp)

(2)表皮(epidermis):角质膜下的单层柱状上皮细胞层,其中具腺细胞和感觉细胞。表皮除腹侧面和疣足叶的基部具较多的腺细胞外,皆较薄。腺细胞分泌黏液以润滑虫体或其栖居的穴壁。表皮富血管以利于呼吸。沙蚕表皮下的基膜不明显。

(3)肌肉层(muscular layer):分环肌、纵肌和斜肌3种。外层环生者为环肌(circular muscle),较薄,于疣足处间断。内层较厚纵行者为纵肌(longitudial muscle),纵肌分成4束,背腹侧各两束。在每个体节内,还有1对斜肌(oblique muscle),每个斜肌又分为两支,一支穿过体腔达背部,另一支至疣足的腹基部。此外,每个疣足还有复杂的疣足肌(parapodial muscle)。

在功能上,环肌收缩使虫体变细长,纵肌收缩使虫体变粗短,而斜肌和疣足肌则控制疣足各叶和刚毛的运动。

(4)壁体腔膜(parietal peritoneum):位于体壁的最内层,为一层扁平细胞,是体腔膜的一部分。

4. 体腔(coelom):体壁与肠管间宽阔的腔隙。外围有体腔膜,其中近体壁部分为壁体腔膜,而近肠管部分为肠体腔膜或脏体腔膜(visceral peritoneum)。体腔内充满着体腔液(coelomic fluid)和变形细胞(amoeboid corpuscle),具循环功能。在生殖期,体腔内充斥有不同发育阶段的生殖细胞。

在发生上,体腔由原口处的两个中胚层端细胞(mesodermic teloblast)不断分裂成中胚层带(m. band),后由其细胞间的裂隙演变而成,又称裂生体腔(schizocoel)。因中胚层带按节排列,故每个体节具左右两个体腔囊(coelomic sac),当左右两体腔在体节背、腹中线相遇时便形成背、腹肠系膜(dorsal and ventral mesentary)。被背、腹肠系膜排挤而残留的囊胚腔将是背、腹血管腔。前后体节的体腔膜相遇即发展为隔膜(septa)。沙蚕成体,隔膜具孔并常都分消失,故前后体腔得以联系,供循环或执行液体骨骼(hydralic skeleton)的功能。体腔经肾管(nephridium)或体腔管(coelomoduct)与体外相通。

真体腔及其组分的出现,为运动、消化、循环诸系统功能的复杂化和相互间的联系,提供了发展空间和物质基础。

5. 消化系统(digestive system):由消化管和消化腺组成(图18-5 A)。

消化管(alimentary canal)为从口到肛门的直管。根据其结构和来源,可分为前肠、中肠和后肠三部分。①前肠(foregut):包括口、口腔、咽,口(mouth)横裂于围口节,口腔(buccal cavity)壁薄位于围口节内,咽(pharynx)富肌肉可达第4体节,口腔和咽外为肌肉鞘包围形成口咽区(buccopharyngeal region),内衬角质膜或深褐色小齿(denticle, paragnath),前端具两个大颚(jay)。②中肠(midgut):包括食道、胃、肠,食道(oesophagus)短而窄,达第9体节,两侧具1对大而不分枝的食道腺(oesophageal gland),可分泌消化液入食道,食道后部具括约肌,胃-肠(stomach-intestine)是按节收缩状薄壁的直管。③后肠(hindgut):

又称直肠(rectum),位于最后体节或肛节,通过肛门与体外相通。

消化管的组织结构:由外至内包括脏体腔膜(黄色细胞层)、肌肉层(外层为纵肌层、内层为环肌层)、肠上皮(enteric epithelium)。此外,在口腔和咽尚具一层角质膜。

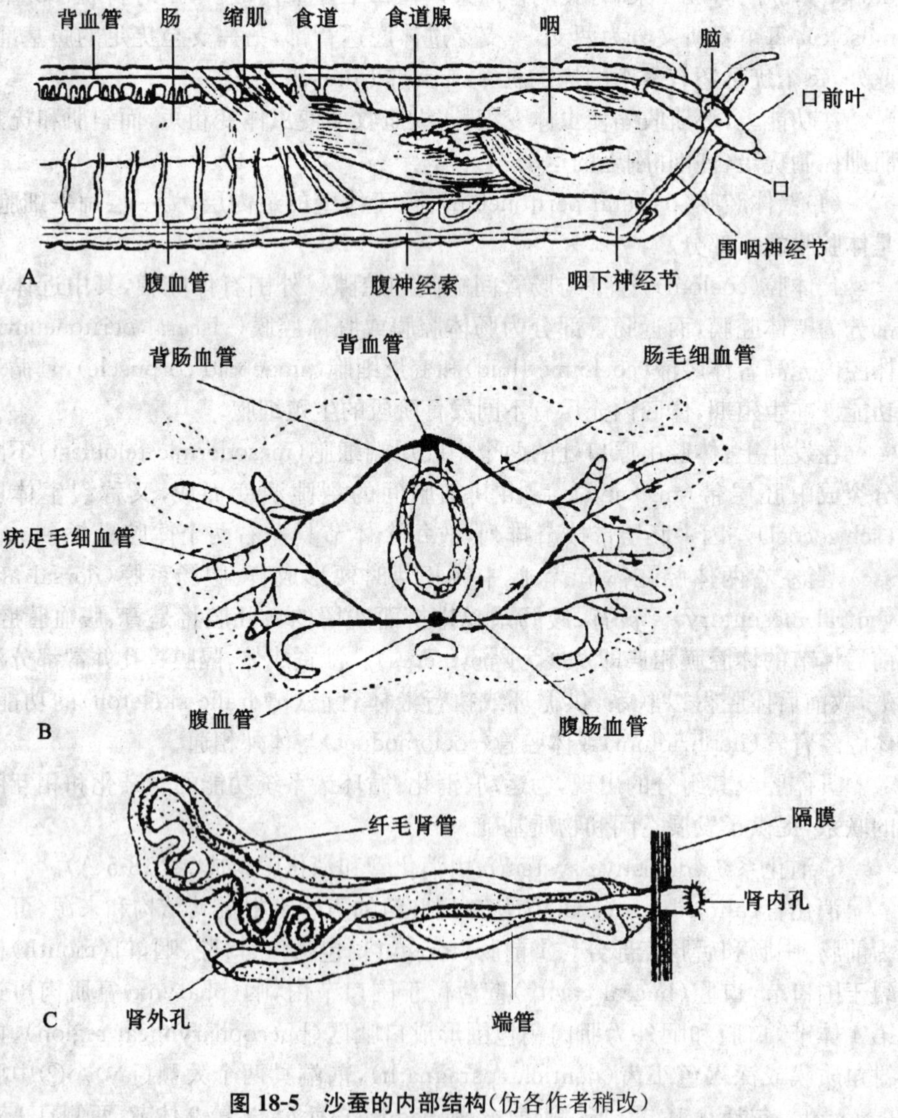

图 18-5 沙蚕的内部结构(仿各作者稍改)

A. 侧切面观;B. 体节横切示循环路径模式图;C. 后肾模式图

沙蚕主要摄食软体、甲壳和其他小型动物及有机碎屑或海藻。摄食时，体前部伸出穴外，同时因伸肌的牵引和体腔液的压力，驱动口咽区外翻成吻（proboscis）或称翻吻（introvert），一旦大颚挟持住食物，外伸的前部便缩回穴中，翻吻也因缩肌的收缩缩回，食物被吞咽后，在肠肌有节律地蠕动和食道腺及肠上皮分泌的酶的作用下，食物被运往肠中被消化（细胞外消化 extracellular）和吸收。未被消化的物质，则经直肠由肛门排出体外。

6. 呼吸系统（respiratory system）：沙蚕无特殊的呼吸器官。体表尤其是薄的背表面和疣足的舌叶充满微血管网，是气体交换的主要场所。

7. 循环系统（circulatory system）或血管系统（bloodvascular system）（图 18-5 B）：沙蚕具很发达的闭管式循环系统（closed circulatory system）。血液皆在血管内流动。

主要血管包括背血管、腹血管、连接血管。背血管（dorsal blood vessel）：纵行于肠背部系膜之中，两背纵肌束之间，具收缩力使血液由体后向前流，也收集体壁、肾、疣足和体节的两对背肠血管（dorsal-intestinal vessel）来的血液，约在第 5 体节分枝入食道壁。腹血管（ventral blood vessel）：纵行于腹中线肠下，为无收缩力的分布性血管，血液由体前向后流，并在每一体节通出两对腹肠血管（ventro-intestinal vessel），在肛节，背、腹血管以直肠血管环（circum-vectal ring）相连接。连接血管（commissural vessel）：除第 4、第 5 体节外，每个体节两侧皆具两对环状的连接血管，供疣足和体壁，并在此形成具呼吸功能的毛细血管网。

血液：沙蚕血液亮红色，血红蛋白（haemoglobin）溶于血浆中（plasma），血浆中还含有变形的无色具核的血球（corpuscle）。溶解的营养物质、代谢产物以及其他物质能通过血液到达身体各处，并通过壁薄的微血管扩散达组织。

8. 排泄系统（excretory system）：除体前几体节外，每个体节都具一对按节排列的体节器（segmental organ）（图 18-5 C），因具一个开于前体节体腔的纤毛肾内孔（nephrostome）故又称后肾（metanephridium）。后肾为一合胞体致密的腺体，腺体表面密集血管，腺体内具螺旋的纤毛肾管（nephridial tubule）和无纤毛的端管（terminal duct）。除肾内孔外，在疣足基部近腹须处具细而圆的肾外孔（nephridiopore）。

由血液、体腔液带来的代谢产物，经后肾纤毛肾管的渗透和吸收浓缩后，形成含氮代谢产物（主要是氨），排出体外。

9. 神经系统（nervous system）（图 18-6 A）：与主动捕食生活相适应，沙蚕神经系统发达，为链式神经系，主要神经索位于腹部。其神经系统包括中枢、外周和内脏 3 个神经系。

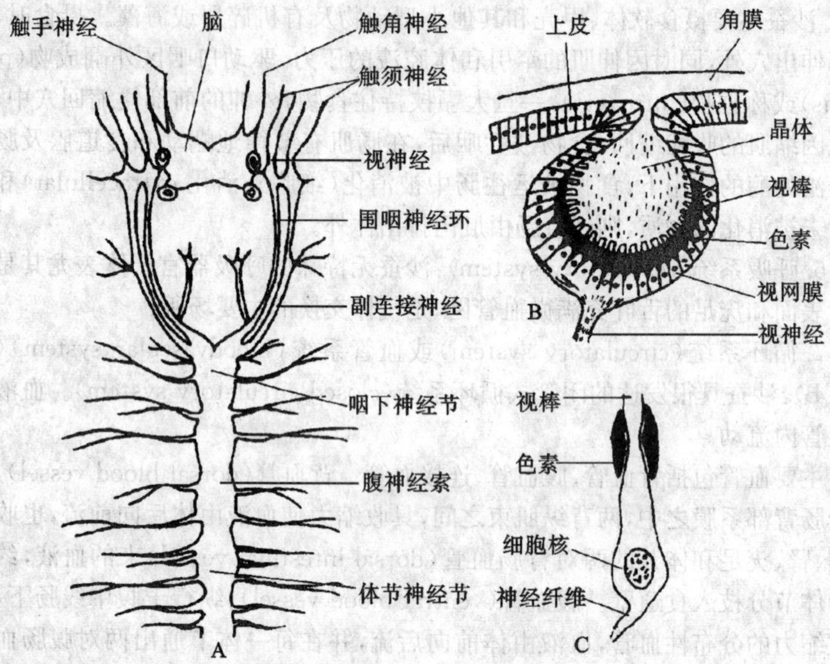

图 18-6　刺沙蚕(仿 Kotpal)

A. 神经系统;B. 眼的切面;C. 一个视网膜细胞

(1)中枢神经系(central nervous system):主要包括脑、围咽神经环和腹神经索。脑(brain)又称咽上神经节(supra-pharyngeal ganglian)或脑神经节(cerebral ganglion),位于口前叶背部,为一个双叶形团块。围咽神经环(circum pharyngeal connective)围绕咽,使脑与第一躯干节腹面的咽下神经节(sub-pharyngeal ganglion)相连。咽下神经节系腹神经索的前两对神经节愈合而成。腹神经索(ventral nerve cord)始于咽下神经节,位于腹中线腹血管下方,纵贯虫体全长,该索为左右两条神经索愈合,且在每一体节处都呈一个膨大的体节神经节(segmental ganglion)从而使腹神经索呈链状,故又称为链式神经系(chain nervous system)。运动的抑制和兴奋中枢分别为脑和咽下神经节。另外,脑还分泌抑制个体过早成熟的激素。

(2)外周神经系(peripheral nervous system):为脑和各神经节发出的神经。由脑向前发出 1 对神经到触手,1 对神经到触角,脑背部发出两对神经到眼,由脑向后发出 1 对纤细的神经到项器。腹对触须系由围咽神经环上的神经节发出的神经支配,而到背对触须的神经则是由咽下神经节向前发出的 1 对平行于围咽神经环的副连接神经(accessory connective)提供的。此外,各神经节还通出环节神经,在刺沙蚕 *Neanthes* 除前两体节具两对外,其余体节都具 3 对,其中 1 对到体节前,1 对到疣足,第 3 对到隔膜和内部器官。而在沙蚕 *Nereis*,每个体节神经节发出 4 对神经,第 1 和第 4 对达纵肌和体壁,第 3 对由本体感受器的纤维组成。每条外周神经皆含传入和传出纤维。

(3)脏神经系(visceral nervous system):由纤细的神经组成,并具几个神经节到咽壁,以控制吻的伸缩,一方面与脑后部相连,另外又与围咽神经环相连。

10. 感觉器官(sense organ):触手、触须都具触觉功能。而触角除具触觉功能外,又似其他动物的侧唇,亦具味觉和嗅觉功能。项器为嗅觉和化学感受器官。

眼(图 18-6 B,C):位于口前叶背表面的 4 个黑色眼,是特殊的视觉器官。每个眼都呈杯状,杯壁为视网膜(retina),杯中具晶体(lens),眼表面为扁平上皮细胞和透明的角质层共同形成的角膜(cornea)。视网膜是由辐射排列的高而窄的接受光的视网膜细胞(retinal cell)组成。而每个视网膜(视觉)细胞包括:向杯内突入的透明的角质棒(视棒)(rod)、有色素的细胞中部和向外延伸为视神经的神经纤维 3 部分。视网膜细胞是变形的外胚层细胞并与其边缘的上皮细胞相连续。此外,眼杯向角膜处的小开孔具瞳孔(pupil)的功能。

11. 生殖系统(reproductive system):除有的淡水沙蚕雌雄同体(hermaphrodite)外,多为雌雄异体的(dioecious)或单性的(unisexual),没有明显的和固定的生殖腺(精巢和卵巢)。生殖腺只是在生殖季节,由腹隔膜体腔上皮细胞快速增殖膨大而成。除体前端几乎每节都可形成生殖细胞。但也有例外,如雄性的杜氏刺沙蚕 *Neanthes dumerilii* 在第 19 和 25 节之间仅具 1 对精巢。

当生殖细胞处于精原细胞(spermatogonium)或卵原细胞(oogonium)时便被排入体腔,在体腔液中分别发育成熟为精子(spermatozooa)和卵(ova)。精子小,具圆形的头部和长的尾。卵大而圆,富卵黄球。

沙蚕无生殖管(gonoduct),肾管兼具生殖管的功能。位于各体节背部纵肌束两侧的 1 对背纤毛器(dorsal ciliated organ),在性成熟时可能具生殖管的功能。在有的沙蚕,体壁常裂开排出生殖细胞。

12. 生殖和发育(reproduction and development):见图 18-7 和图 18-8。

(1)生活史(life cycle):多经非生殖个体—生殖个体(异沙蚕体)的形态、生理变化。历经配子→受精卵→卵裂→幼虫前期→担轮幼虫→后担轮幼虫→游毛幼虫(疣足幼虫)→刚节幼体→成体各期。

(2)生殖态、群浮和婚舞(epitoky,swarming and nupital dance):①生殖态是沙蚕为代表的一种特殊的生殖现象,为生殖前形态明显变化以备生殖活动的

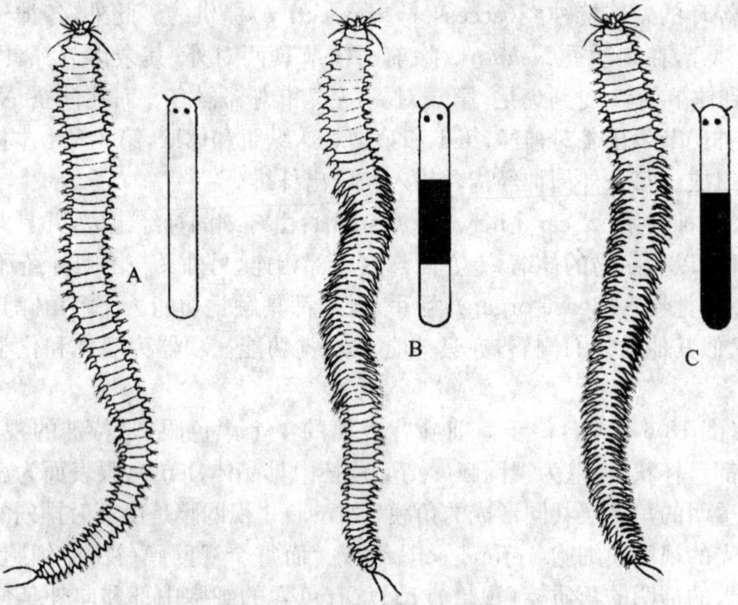

图 18-7　不同种沙蚕的生殖态(仿 Barrington 从 Durchon 改绘)

A. 无明显变形的有性节;B. 仅体中部具变形的有性节;

C. 体中后部皆具变形的有性节

婚前现象,即由无性个体或非生殖个体向浮游的有性个体或生殖个体转变的过程。在沙蚕该过程是由无性个体直接转变为有性个体或称异沙蚕体(heteronereis),常由前部的非生殖体区(atoke)和中后部的生殖体区(epitoke)组成。异沙蚕体(图 18-2 B～E,J,图 18-7)常具以下形态变化:4 个眼明显变大且出现晶体,触手、触角变短,触须相对变长,躯干部长度常缩短、常出现有性体节组成的生殖体区,有性体节的疣足变化最大、其舌叶加宽变扁、刚毛叶呈叶状或扇状且极富血管,雌虫背须须状,而雄虫背须则出现锯齿状的乳突,刚毛为排成扇状的桨状刚毛所替代。有的沙蚕如旗须沙蚕 *Nereis vexillosa* 雄虫肛门周围出现花瓣状排列的乳突。虫体内部,体壁组织溶解重组,肠和隔膜自溶被吸收消失,血管发达,疣足肌显著拉长。上述种种变化,都保证沙蚕的生殖细胞获得足够的营养和宽敞的发育空间,也有利于虫体起浮以采取特殊的生殖对策。应当指出,不同种的沙蚕,生殖个体的变化不尽相同,如河口区广盐性的日本刺沙蚕 *Neanthes japonica* 没有变形的有性节,即有性个体和无性个体除体色外在第 2 性征方面没有什么不同(图 18-7 A)。另一些如短须角沙蚕 *Ceratonereis costae* 等则具正常的体前部—变形的体中部—接近正常的体后部(图18-7B)。游沙

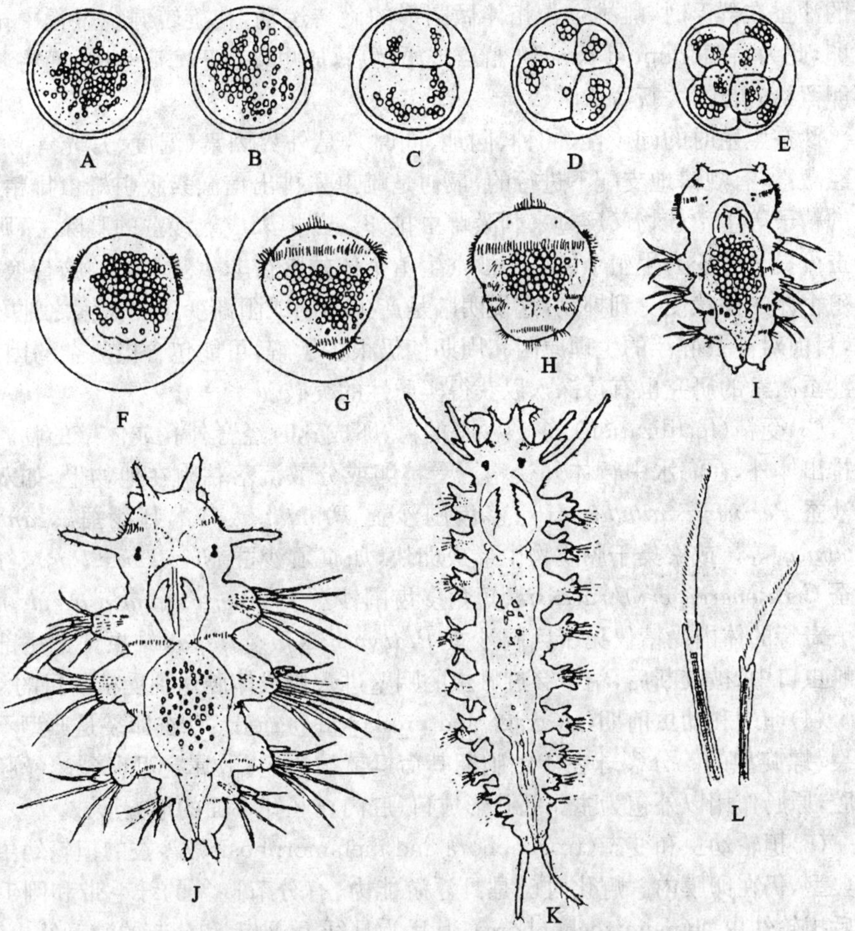

图 18-8 日本刺沙蚕 *Neanthes japonica* 的发育

A. 受精卵；B. 放出极体；C. 2 细胞；D. 4 细胞；E. 8 细胞；F. 原肠胚；G. 担轮幼虫；H. 后担轮幼虫；I，J. 4 刚节游毛幼虫；K. 9 刚节游毛幼虫；L. 幼虫刚毛

蚕 *Nereis pelagica*、双管阔沙蚕 *Platynereis bicanaliculata*、旗须沙蚕和双齿围沙蚕等具正常的前部和变形的中后部(18-7 C)。②群浮和婚舞：性成熟时，分散而居的沙蚕若要成功地使精卵相遇，必须使两性个体在一起。除有的淡水沙蚕雄虫可进入雌虫穴道内达到生殖的目的外，多数沙蚕采取的最优生殖对策，是在一定时期同步地离开栖息地由底栖起浮于海面排精放卵，此生殖习性称为群浮(swarming)。如上所述，异沙蚕体无论在形态上和生理上都作好了群浮的充分准备。群浮者多在一年的几星期或几天内起浮，具一定的周期性和趋光性。

有的沙蚕在群浮时，雌雄虫常相伴做圆形的旋转运动，在旋转缠绕过程中排精放卵，此为婚舞(nuptial dance)，群浮或婚舞后，成虫多沉于海底死去，而将其受精卵留给大自然去抚育。

沙蚕生殖时的同步性(同种、同地、同时)，是外界因素(温度、月光等)通过神经激素，有规律地支配下进行的，最初是雌虫先排出信激素吸引雄虫排精，排出的精子等生殖产物又反过来刺激雌虫排卵。若把未成熟沙蚕的脑除去，则该沙蚕可提早转变为生殖个体。若沙蚕生殖个体的脑被非生殖个体的脑替换，那生殖个体的性状便受到抑制，这说明脑是产生抑制或阻滞变态的激素之地。但是，目前对沙蚕群浮的生理原因和周期性仍很少了解，可能包含极复杂的因素。对沙蚕激素的研究也有待深入以获得实质性的突破。

(3)受精(fertilization)：多数沙蚕的精、卵成熟时经肾外孔或体壁的临时裂口排出体外，在海水中行体外受精。受精卵或分散沉落粘附在他物上，如双齿围沙蚕 *Perinereis aibuhitensis*、多齿围沙蚕 *P. nuntia*、日本刺沙蚕 *Neanthes japonica* 等。或聚集于胶质物中形成卵块，如旗须沙蚕 *Nereis vexillosa*、红角沙蚕 *Ceratonereis erythraeensis*、短角多齿围沙蚕 *Perinereis nuntia brevicirris* 等。奇特的体内受精仅见于巨阔沙蚕 *Platynereis megalopa*，雄虫常把尾部插入雌虫口中，被咬断后，精子穿过雌虫的咽壁进入雌虫体腔达到受精的目的。

(4)卵裂和幼虫前期(cleavage and pre-larval period)：沙蚕卵裂是典型不等全裂、螺旋型的。分裂球在 4 细胞期其命运就被决定，故属定型卵裂。囊胚期无腔，原肠作用以外包为主。胚孔形成口，肛门在胚孔下面的地方形成。

(5)担轮幼虫和变态(trochophora and metamorphosis)：沙蚕的担轮幼虫期不典型，仍在卵膜内。孵化时已是具浮游能力、有分节迹象的纤毛带和刚毛囊的后担轮幼虫期(metatrochophora)，其后为具纤毛、刚毛和分节的游毛幼虫(疣足幼虫)(nectochaeta)，疣足幼虫还具触手、触角、1 对触须和肛须的雏形，在水中游动和爬行。当第 1 刚节的疣足前伸形成第 2 对触须构成围口节的一部分且新体节也在尾节前生长带不断分裂长出时，此变态后的幼体称刚节幼体(setiger juvenile)，下沉到海底成长为底栖生活的成虫。

18.2.2 习性和分布

多毛类见于各海洋生境，其形态结构的变化是与其栖息地、摄食、生殖等习性密切相关的。

1. 生活方式和运动：游走多毛类，常是自由活动的穴居、浮游、爬行者或在生活史一定阶段的管居者；而定居多毛类，成体多为永久性的穴居或管栖者，很少离开栖管或出穴外。

(1)爬行或底表栖居者(crawling polychaete or surface dweller)(图 18-1 A～C):常藏于裂隙、石块、贝壳下或海藻、水螅、苔藓及其他固着生物丛中,包括沙蚕、裂虫、叶须虫和鳞沙蚕等。其虫体的典型结构为:头部发达具感觉器官或附肢,疣足大且常用以爬行(图 18-9),纵肌强壮。

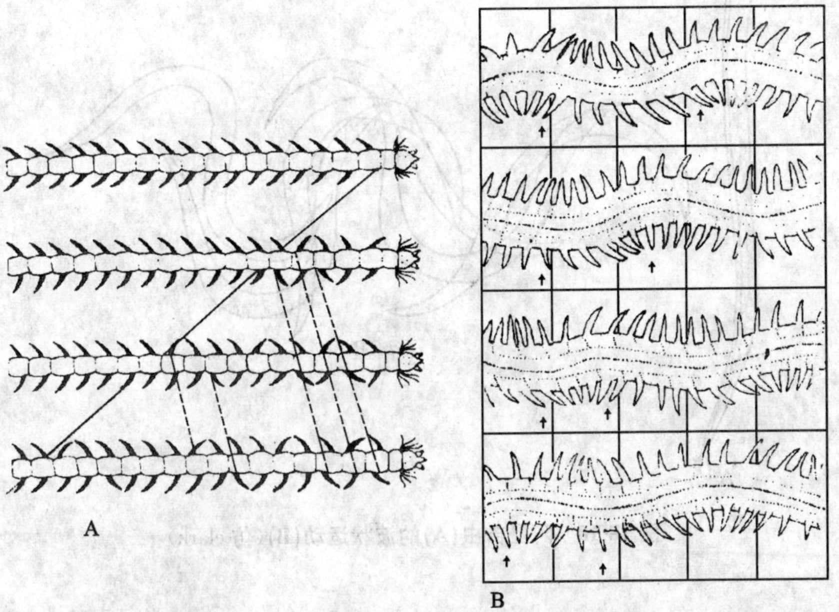

图 18-9 沙蚕爬行(A)和游泳(B)(仿 Clark)

(2)浮游多毛类(pelagic or planktonic polychaete)(图 18-1 E):在水层中浮游生活,包括眼蚕、浮蚕、盲蚕等。其共同特征为:体透明,头部明显,疣足多叶片状,纵肌发达,肉食性。

(3)穴居多毛类(burrowing polychaete):适于在泥沙底穴居者,依穴居方式又分为两类:①地下甬道栖居者(gallery dweller),见于吻沙蚕(图 18-12 A)、索沙蚕(18-12 B)、海蛹(图 18-10)和小头虫(图 18-13 D)等,可挖掘大面积的穴道或地下甬道,并有许多孔开于地表,甬道壁为黏液衬里以润滑并防塌陷,其穴居的适应很似寡毛类的蚯蚓,虫体通常细长,头部尖圆常无附肢或感官,疣足多退化,环肌发达,隔膜较完整,皆为钻穴所必须,肉食性或直接摄食沉积物。②定居穴居者(sedentary burrower),见于沙蠋(图 18-1 G,图 18-13 E)、蛰龙介(图 18-1 I)和丝鳃虫(图 18-13 B)等,可在泥沙中建造临时的两端开孔的 U 形管或一端开孔的直管,体膨胀呈圆柱状且分区,疣足退化、部分变为具齿片或足刺刚毛的横脊、这有助于抓住穴壁，头部无附肢或附肢为特化的摄食结构。沙蠋为直接摄食沉积物者，而螠龙介则为间接摄食沉积物者。

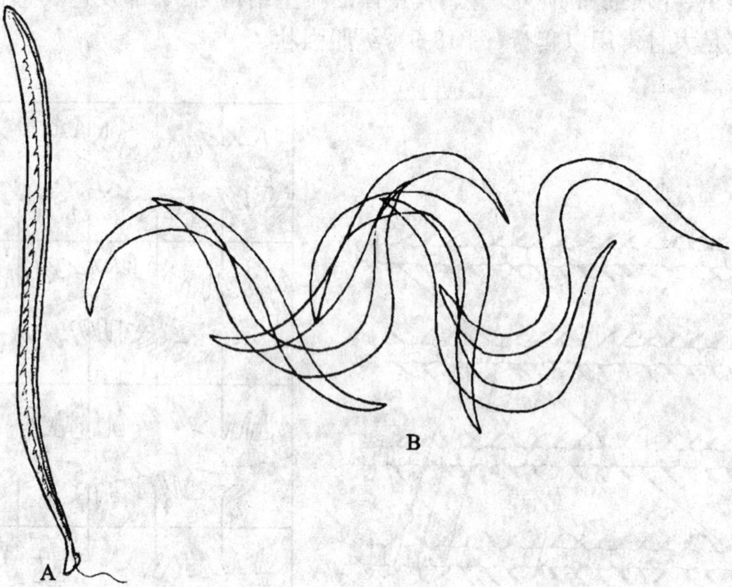

图 18-10　阿曼吉虫(A)的波状运动(B)(仿 clark)

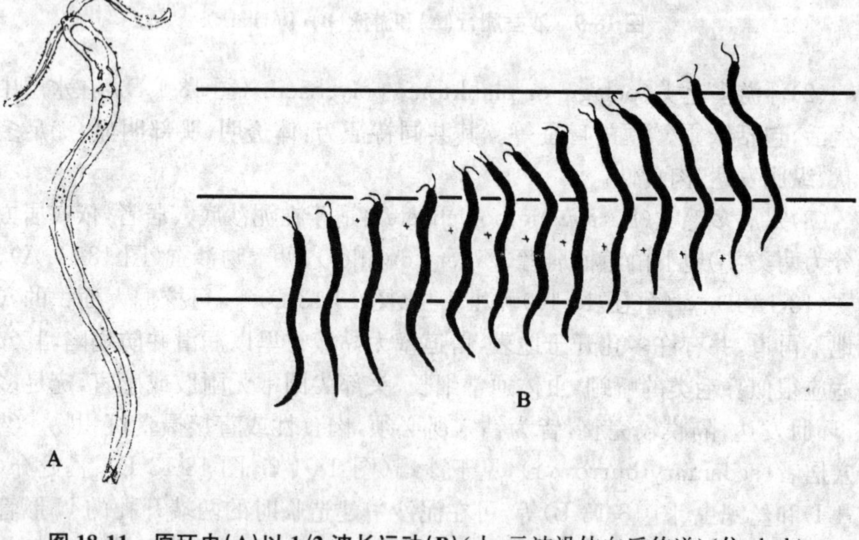

图 18-11　原环虫(A)以 1/2 波长运动(B)(十:示波沿体向后传递)(仿 clark)

(4)管栖多毛类(tubicolous polychaete):永久生活于虫体分泌的或由外来物建成的栖管中。在形态和结构上变化很大,具多种适应类群。①游走管栖类(errantic tubicolou):如矶沙蚕(图 18-12 F)和巢沙蚕(图 18-1 D),头部感官和附肢发达,疣足不明显退化,栖管直立,由沙粒和有机物质粘成。潮间带泥沙滩习见的巢沙蚕 *Diopatra*,管口常用贝壳、海藻等碎屑伪装起来。②定居管栖类(sedentary tubicolou):口前叶具漏斗状的鳃冠或触手冠(brachial crown or tentacular c.)。

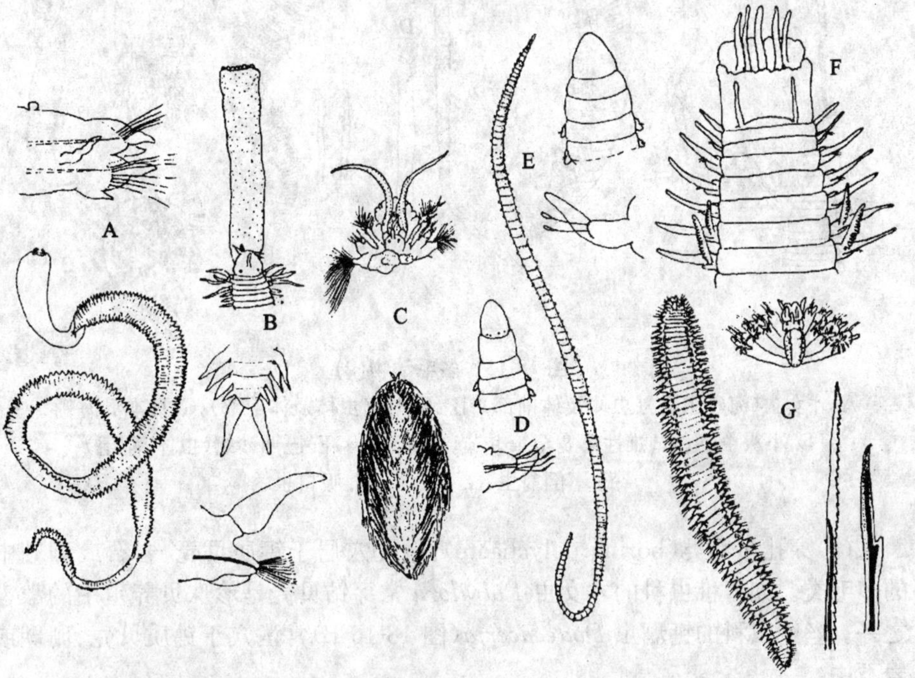

图 18-12 多毛动物(1)

A. 吻沙蚕(吻翻出及其疣足);B. 巧言虫(体前部吻翻出、体后部及疣足);C. 澳洲鳞沙蚕(体前部及外形);D. 花索沙蚕(体前部及疣足);E. 异足索沙蚕(外形、体前部及疣足);F. 矶沙蚕(体前部);G. 扁犹帝虫(仙虫科)(外形、体前部、刚毛)

鳃冠由许多鳃丝或触手丝(b. filament or radiole)组成,鳃丝上又常具两排鳃羽枝(pinnule),躯干部分为胸腹两部分,见于龙介虫(石灰虫)(图 18-1 K,图 18-13 G)和缨鳃虫(图 18-1 J)。③其他:磷虫 *Chaetopterus*(图 18-1 G,图 18-15)具膜状或牛皮纸状 U 形管,故又称 parchment worm。笔帽虫(图 18-1 H)栖管为上细下粗,以细端外露于沙口的锥形管,由沙粒、海绵骨针、有孔虫壳或碎贝壳建造而成。欧文虫栖管两端尖细,内壁角质富有弹性,粘有的沙粒或碎贝壳呈叠瓦式排列。在帚毛虫，栖管常聚积在一起呈蜂窝状故又称 honeycomb worm。此外，阔沙蚕 *Platynereis* 等也具粘有沙粒或碎贝壳的临时性栖管。

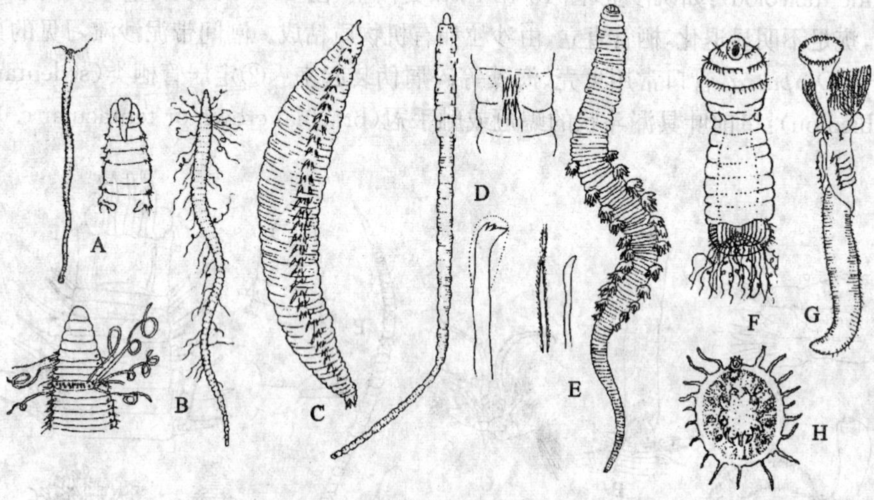

图 18-13　多毛动物(2)

A. 才女虫(海雅虫科)(虫体及体前部)；B. 须鳃虫(虫体及体前部)；C. 日本臭海蛹；D. 小头虫(虫体、雄性第 8 至第 9 节、巾钩刚毛)；E. 巴西沙蠋(虫体、刚毛)；F. 不倒翁虫；G. 龙介虫；H. 吸口虫

(5)穿孔多毛类(boring polychaete)：钻孔穴居于钙质贝壳、岩石或珊瑚中的多毛类。如海稚虫科的才女虫 *Polydora* 常穿钻贝壳是珍珠贝养殖中的敌害之一。丝鳃虫科的钙珊虫 *Dodecaceria*(图 18-16 B)常凿穴于钙质贝壳、珊瑚或岩石中。

(6)小型多毛类(meiofaunal polychaete)(图 18-14)：分布于沉积物的沙间间隙(沙间多毛类 interstitial p.)或非沉积物的海藻、珊瑚、苔藓虫丛中或岩石表面，为能通过 1 mm(或 0.5 mm)直径的筛网而保留于直径 62 μm(或 41 μm)筛网上的多毛类(个别的小型多毛类如囊须虫却难以通过 1 mm 直径的筛网)。小型多毛类常具细长的身体、细长的尾部和粘着器官(adhesive organ)或体节数少、体常透明、常具纤毛头部附肢、疣足甚至刚毛退化不明显或缺少。习见的有栉蝓虫、沙蝓虫、原须虫、好转虫、角蝓虫、原蝓虫。此外沙蚕，裂虫等亦不乏有小型者。因此，小型多毛类也不是个单一的分类类群。有人认为衍生自大型种的退化或其幼态持续(paedomorphic)。

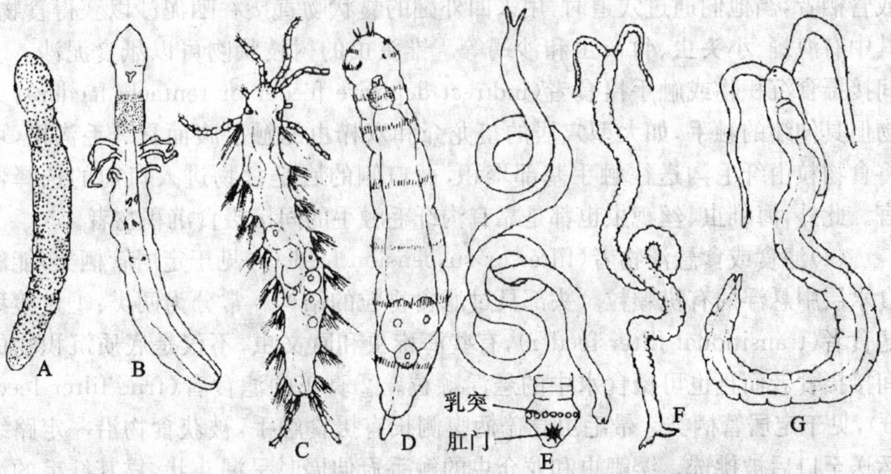

图 18-14 小型多毛动物(仿 Westheide 等)

A. 栉蛹虫;B. 沙蛹虫;C. 原须虫;D. 好转虫;E. 角蛹虫(附尾部);F. 囊须虫;G. 原蛹虫

(7)共栖(commensalism):多毛类的栖管、穴道里或鳞片下,常是其他动物如小型蟹类、贝类甚至鳞沙蚕的寄宿场所。同时,有的多毛类又可生活于其他动物如寄居蟹栖居的贝壳中或海星等的管足里。

(8)寄生(parasitism):寄生的多毛类不多见。寄花索沙蚕 *Labrorostratus parasiticus* 可寄生于其他多毛类的体腔中,最特殊的寄生者是吸口虫 *Myzostoma*(图 18-13 H)。

2. 营养或摄食(nutrition or feeding):多毛类开拓了广泛的摄食小生境,其摄食方式与栖息方式紧密相关。一部分向活动的肉食性或食腐性方向发展,另一部分则向定居生活的等食或滤食方向演化。

(1)食肉者或捕食者(carnivore or raptorial feeder):包括爬行的、浮游的、地下甬道穴居的和部分管栖者。沙蚕以翻吻和颚,矶沙蚕以复杂的颚器,裂虫以齿或一圈小齿,吻沙蚕以翻吻和 4 个颚捕食和咀嚼,而有的游走管栖者甚至能离开栖管外出。食物多为小型无脊椎动物亦包括其他多毛类。

(2)食草者、食腐肉者和啃食者(herbivore, scavenger and browser):具颚的游走多毛类如沙蚕也兼食海藻,以其颚齿将海藻撕成碎片。有些矶沙蚕的颚器更似刮刀。

(3)食泥沙者(sand and mud feeder):海滩中的细菌、硅藻、其他微小动物和从水层中下落的有机碎屑,都是沉积物中有营养价值的食物资源。以此为生的许多定居种类,可分为两类:①直接摄食沉积物者(direct deposite feeder),穴居或管栖者，当他们通过穴道时，用来回外翻的囊状吻直接吞咽泥沙以获得食物。其中有海蛹、小头虫、竹节虫和沙蠋等。锥头虫的树枝状吻可以舐食泥沙。②间接摄食沉积物或触手摄食者(indirect deposite feeder or tentacle feeder)，无吻但具伸缩的触手，如大型穴居的蛰龙介和双栉虫的触手腹面具纤毛沟槽，可将食物粒由纤毛沟送往触手基部聚积，而口侧的唇是食物进入口前的选择器官。此外，海稚虫、丝鳃虫也都是靠有沟纤毛触手的间接摄食沉积物者。

(4)滤食或食悬浮物者(filter or suspension feeder)：见于定居管栖类，能滤食水层中悬浮的有机颗粒。头部具过滤食物粒的结构。常分为两类：①过渡型滤食者(transitional filter feeder)，有些海稚虫和欧文虫，不仅是底质沉积物的间接摄食者而且也可摄食水中的悬浮颗粒。②真正的滤食者(true filter feeder)，见于定居管栖类。帚毛虫壳盖柄腹侧长有摄食触手，被获食物沿一定路线运送至口后被挑选。缨鳃虫和龙介虫的触手冠伸展时呈漏斗状，靠其纤毛的波动把触手冠外的水流向中央集中，浮游生物或其他悬浮的有机颗粒便被滤出，然后沿鳃丝的纤毛沟送往口中。在一种缨鳃虫 *Sabella davonina* 鳃丝的基部形成深沟，起着挑选器(sorting device)的作用，只有最小的颗粒才落到沟底部被送往口，中等颗粒在沟中被捕获运往腹囊用以建管或贮存，最大的颗粒保留在沟的顶部，靠特殊的水流排出(图 18-15 A,B)。

磷虫 *Chaetopterus*(图 18-15 C～F)是一种特殊的滤食动物——黏液过滤摄食者(mucous feeding filter)，其虫体结构高度变异，中区的圆扇叶(fans)像活塞式地抽水入管，特别长的翼状叶(aliform)向背面弯曲成环，同时分泌黏液到环中扩展成滤食的黏液袋(mucous bag)，进入管中的水流和食物经黏液袋后被俘获，于杯形器(cuporgan)中形成食物球，再通过背中部的纤毛沟往前行送至口中，能滤食小到 40Å 的颗粒，是过滤机制最有效的一种动物。此外，磷虫也是种发光生物，其生物(冷)光与裸甲藻、海萤、柱头虫等者不同，是发光蛋白在钙离子作用下不需氧的发光体系：

$$\text{磷虫发光蛋白}\xrightarrow[\text{(不需氧)}]{Ca^{2+}} h\nu\text{(光量子)}$$

3. 生殖：多毛类生殖的多样性，在动物界也具代表性。

(1)无性生殖(asexual reproduction)：断裂和出芽是多毛类中习见的无性生殖。当与有性生殖有关时，断裂部分或出芽的芽体发育成有性个体。

1)断裂生殖(fragmentation)：钙珊虫 *Dodecaceria*(图 18-16 B)、栉端虫 *Ctenodrilus*、叶磷虫 *Phyllochaetopterus*、自裂虫 *Autolytus* 等，可自发地断裂成单个体节或短的片断，断裂的部分可再生为一新个体，有的还可再重复产生一系列的子个体，此为自发断裂(spontaneous f.)。另外，规则断裂(orderly f.)见

于尾稚虫 *Pygospio*、斯氏缨鳃虫 *Sabella spallanzanii* 和裂虫科 Syllidae、石灰虫科 Serpulidae 的物种中，常在一定的部位横断(图 18-17)。

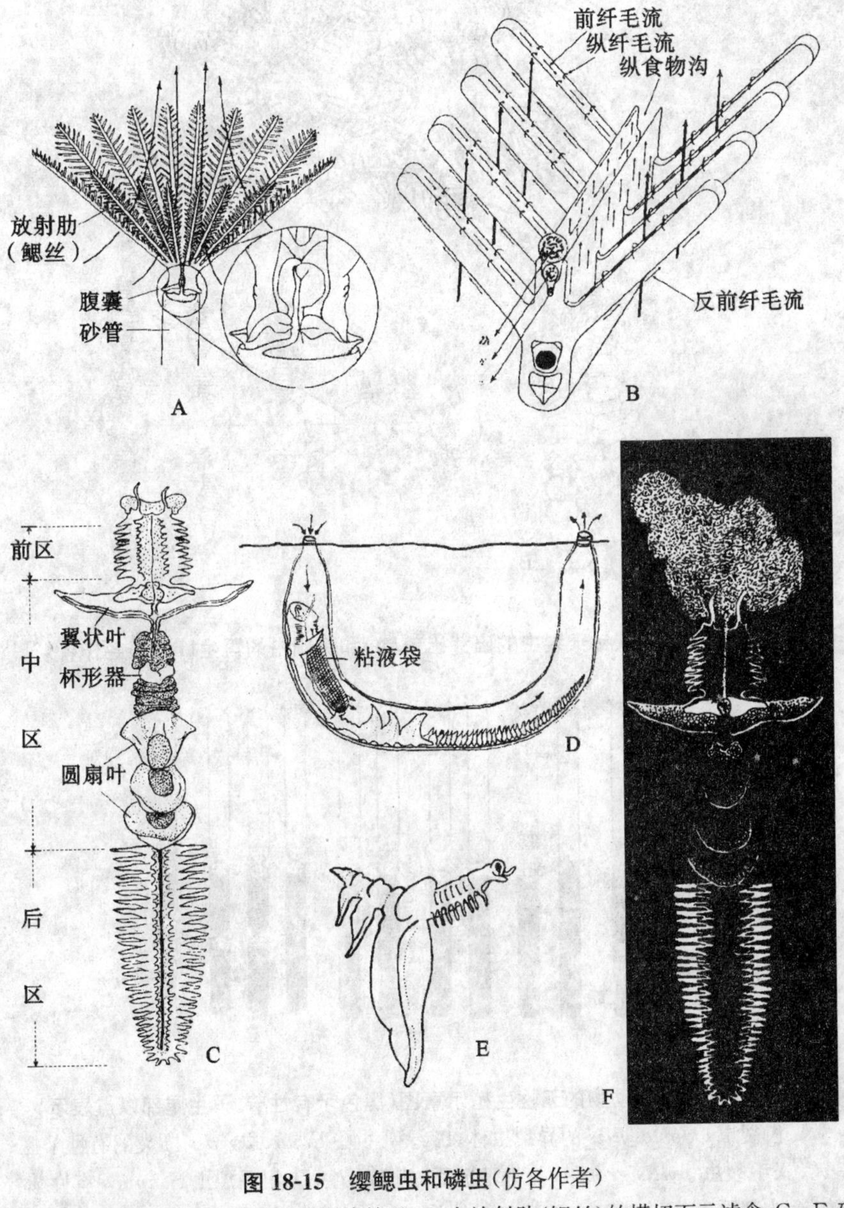

图 18-15　缨鳃虫和磷虫(仿各作者)

A～B. 缨鳃虫：A. 体前端示摄食流和建管，B. 一个放射肋(鳃丝)的横切面示滤食；C～F. 磷虫：C. 外形(背面观)，D. 在栖管中(示黏液袋的形成)，E. 再生(示由一个体节再生)，F. 发光

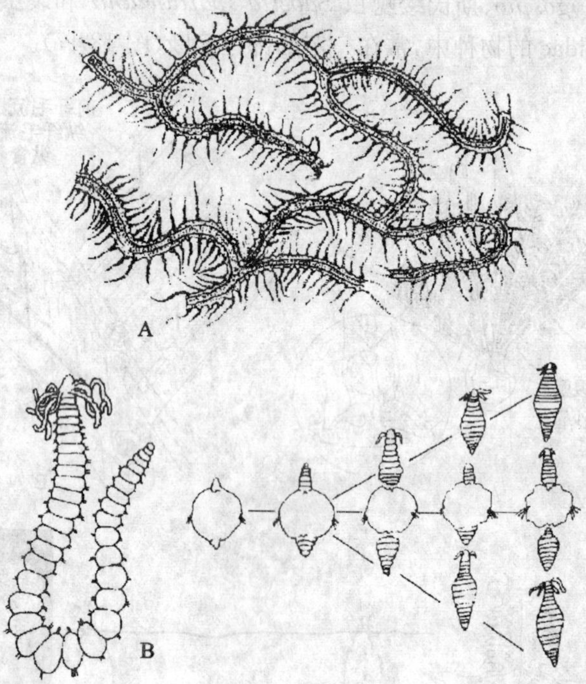

图 18-16　星状钻穿裂虫的出芽出殖(A)和钙珊虫的再生(B)(仿各作者)

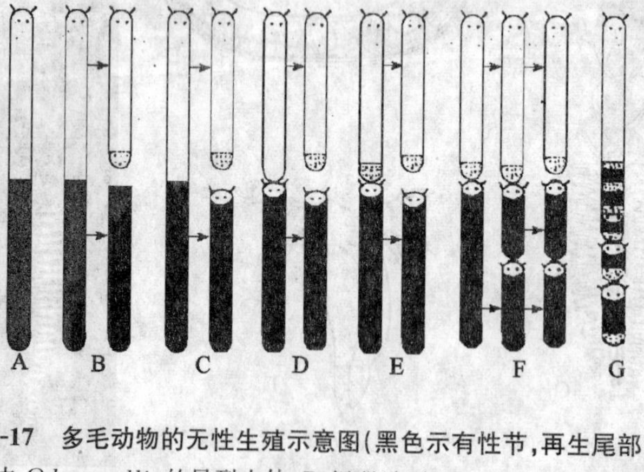

图 18-17　多毛动物的无性生殖示意图(黑色示有性节，再生尾部以点表示)

A. 齿裂虫 *Odontosyllis* 的异裂虫体，B. 绿矶沙蚕 *Eunice viridis* 断裂的有性节区；C. 叉毛裂虫 *Syllis gracilis* 有性节放后，头部再生；D. 粗毛裂虫 *S. amica* 有性节释放前，头部再生；E. *S. vitata* 有性节释放前，新头和无性节区新尾再生；F. 释放第 1 个有性节区前，第 2 个有性节区形成；G. 自裂虫 *Autolytus* 多个匍枝的形成

(从各作者修改)

2)出芽生殖(budding,gemmiparity):由亲体的部分突起形成芽体的能力,在多毛类中虽不多见,但变化却很大,尤其在裂虫科,如多育钻穿裂虫 *Trypanosyllis prolifera* 几乎所有的体节都能产生头部,而且新个体的头链出现于连续的体节上。星状钻穿裂虫 *T. asterobia*(图 18-16 A)可从单个体节上出芽形成一丛有性个体。克氏钻穿裂虫 *T. crosslandi* 则只有肛节前产生一丛有性个体。与深海六放海绵共栖的枝裂虫 *Syllis ramosa* 则在不同的体节上产生侧生的不育芽体,芽体长大仍附于亲体的分枝群体上,仅在分开前,在有的侧枝上产生次生的有性个体。

3)再生(regenaration):多毛类的触手、触角、触须、鳞片和其他柔弱的部分,失去后会很快地再生出来。何况,体长的多毛类受捕食者的损害是常见现象。磷虫*Chaetopterus variopedatus*(图 18-15 C)和胶管虫 *Myxicola* 仅留 1 个体节就能再生成完整的虫体。缨鳃虫 *Sabella* 的触手冠和胸部被鱼食去后,再生的体节数最多不超过 3 节,其余的胸节则由腹部体节改造而成,此为变形再生(morphallaxis)。尾部的再生率,常与被切去的体节数成正比。此外,磷虫极易在翼状背叶和杯形器之间断开,显示其具保留重要的生殖区和当年生的体后区,牺牲价值较小的体前部以供敌害果腹的自卫能力。

(2)有性生殖(sexual reproduction):

1)性(sex):多毛类多雌雄异体,但在裂虫、缨鳃虫、石灰虫等科的个别种中具雌雄同体者。雌雄同体的缨鳃虫腹部前段产生卵而腹部后段产生精子。裂虫有先雌后雄的,矶沙蚕科的眉轮虫 *Ophryotrocha* 有先雄后雌(雄性先熟 protandrous)的性反转(sex reversa)现象。

2)生殖腺(gonad):多毛类生殖腺的中胚层来源是清楚的。但在不同科产生于不同部位,除上述沙蚕科生殖腺来自腹隔膜体腔膜外,鳞虫科的鳞沙蚕 *Aphrodita* 生殖腺则来自大血管处的体腔膜。原则上多数体节都可产生生殖细胞,但明显分为胸腹部的多毛类,生殖腺常限于腹部。

3)生殖态(epitoky):有关生殖态的定义和形态变化在沙蚕中已做过介绍,这常是沙蚕、裂虫和矶沙蚕为代表的特有的生殖现象,是由无性个体(非生殖个体)向有性个体转变的过程,使之适于离开底穴、栖管或其他生境而起浮于水面生殖(常在夜间、常具正的趋光性)。其形态变化包括头部、疣足和刚毛、体节的大小以及体节肌等,所不同的是,有的直接转变(direct transformation)如沙蚕、部分裂虫和矶沙蚕(图 18-16 A)。有的匍枝繁殖(stolonization),即靠无性生殖的断裂和出芽形成生殖匍枝(stolon),这常见于裂虫科(图 18-18 B)。此外,多型现象(polymorphism),常见于自裂虫 *Autolytus*,其雌雄个体具不同的外形。

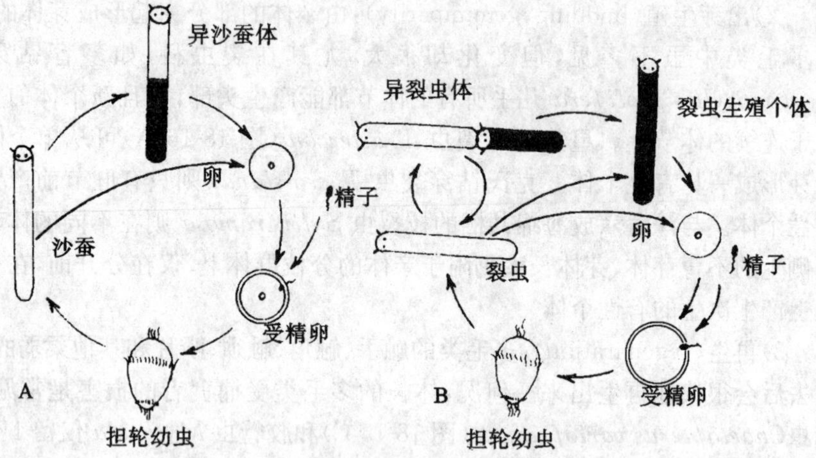

图 18-18　沙蚕和裂虫生活史示意图

A. 沙蚕；B. 裂虫

最严格周期性群浮的例子，见于南太平洋萨摩亚群高潮下带、珊瑚或岩石裂隙中生活的绿矶沙蚕 *Eunice viridis*（*Palolo viridis*），其前部无性体区小，后部有性体区由窄长且具腹眼的体节长链组成，在 10 月或 11 月的 3/4 月相的 3 天里起浮且尤以第 2 天最甚。

多毛类的生殖靠激素调节。激素是由脑或前胃的神经成分（见于裂虫）产生的神经分泌物。一生中只生殖一次的沙蚕或裂虫，激素既调节性细胞的产生又调节生殖态性状发育的全部生殖过程。对多次生殖者，激素对性细胞特别是对卵的发育是需要的，至于控制群浮等方面的准确机制仍知之甚少。

许多多毛类排卵于海水中，有些则将卵置于栖管、穴道或黏液团中，如巴西沙蠋 *Arenicola brasiliensis* 等产卵袋于穴道口（图 18-1 G）。有些种类，尤其是定居管栖多毛类的卵多在管内孵化，螺旋虫 *Spirorbis* 可在壳盖腔中孵卵，自裂虫 *Autolytus* 卵附于体腹面的囊孵化，极个别的种如盐沼沙蚕 *Nereis limnicola* 的则在体腔中孵卵。

4）胚胎发育（embryogeny）和担轮幼虫（trochophora）：多毛类的卵为多黄卵、螺旋卵裂，虽在沙蚕、小头虫等类群发育为实囊胚（stereoblastula），但常具可置换的囊胚腔。内陷、外包法完成原肠作用。原肠后胚胎很快发育为倒梨形的担轮幼虫。叶须虫、缨鳃虫、欧文虫和角蛹虫的担轮幼虫为浮游营养（planktotrophic），而沙蚕、矶沙蚕者则卵黄营养（lecithotrophic），浮游期很短。

担轮幼虫（图18-19A，B）是多毛类等具螺旋卵裂原口动物的幼虫期，前端

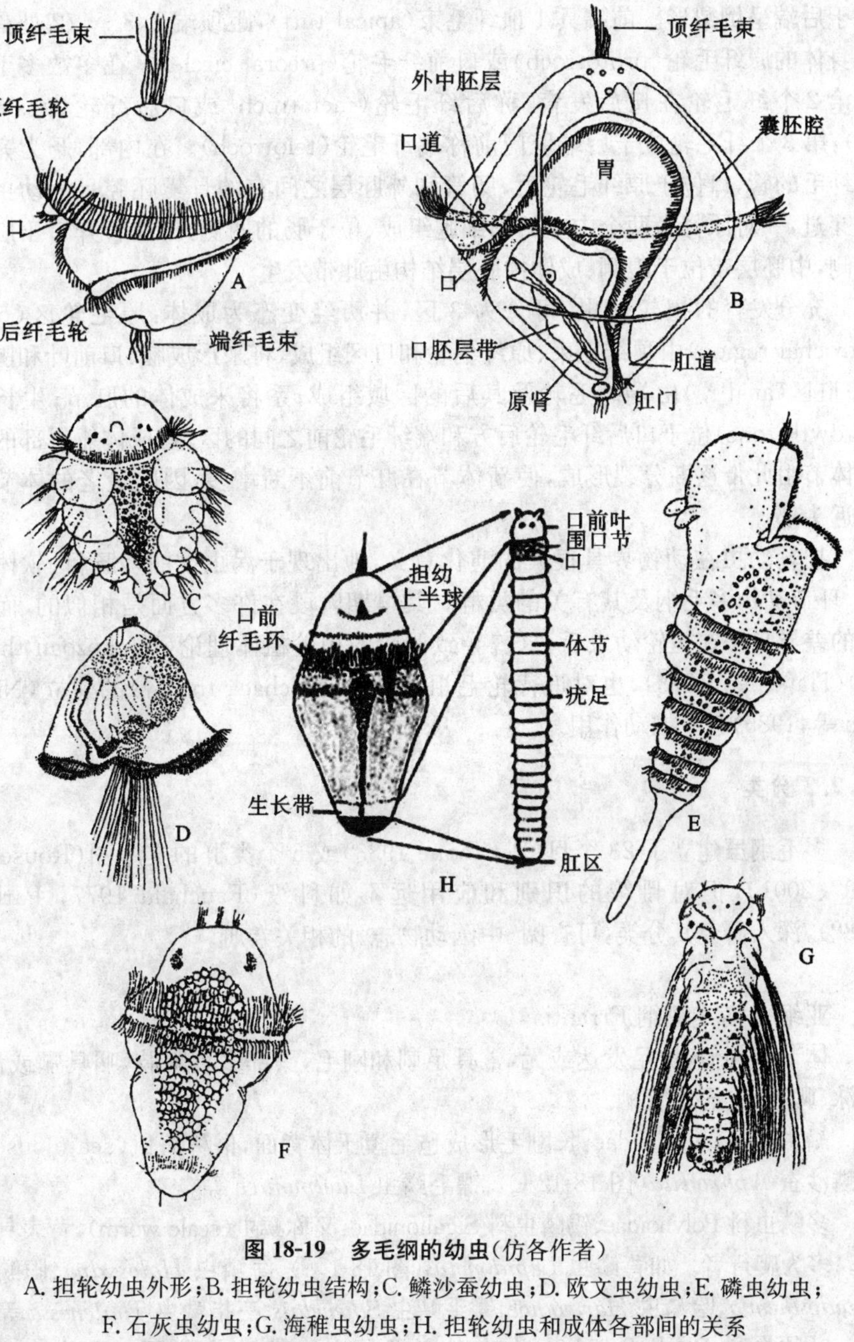

图 18-19　多毛纲的幼虫（仿各作者）

A. 担轮幼虫外形；B. 担轮幼虫结构；C. 鳞沙蚕幼虫；D. 欧文虫幼虫；E. 磷虫幼虫；F. 石灰虫幼虫；G. 海稚虫幼虫；H. 担轮幼虫和成体各部间的关系

大于后端呈倒梨形。前端具1顶纤毛束(apical tuft),距顶端1/3～1/2处具围绕身体的原纤毛轮(prototroch)或口前纤毛轮(preoral circle)。在多数多毛类中第2个纤毛轮在口后发育,称后纤毛轮(metatroch)或口后纤轮(postoral c.),第3个纤毛轮位于后端肛门前称端纤毛轮(telotroch)。在内部,肠为完整具纤毛的管,口位于原纤毛轮后,肠管和外胚层之间有的具囊胚腔且为幼虫肌束穿过,一对原肾由两个中空的焰细胞组成、位于肠的两侧,排泄管开口于肛门外侧,中胚层带位于腹侧、成体中胚层结构由此带发生。

充分发育的担轮幼虫,可分为3区,并历经变态为成体:原毛轮区(prototrochal region)由顶纤毛束、原纤毛轮和口区组成,将来形成脑、口前叶和围口节;肛区(anal r.)由端纤毛轮及其后的区域组成,系将来成体的肛节;生长带(growth zone)位于口后纤毛轮后方和端纤毛轮前之间的区域,成体躯干部的全部体节由此带逐渐分裂形成,使新体节在肛节前不断增多,因此最老的体节最靠近头部。

担轮幼虫在动物界具很大的演化意义,他出现于涡虫纲的多肠目、软体动物、环节动物多毛纲及其有关的类群。其早期阶段在许多方面是相似的,而明显的差异只是在担轮幼虫后,这曾导致假想的担轮祖体理论(trochozoan theory)(Hatschek,1878),也对近代轮毛祖体理论(trochaea theory)的建立(Nielson 等,1985)起了推动作用。

18.2.3 分类

多毛纲虽建立了23个目(Pettibone 1983)或6个类群的支序图(Rouse 等 1997、2001),但对目级的识别和应用远不如科级(Fauchald 1977, Parker 1982),深入研究其分类,可查阅《中国动物志》的相关卷册。

亚纲1. 游走亚纲 Errantia

体节多相似,疣足发达或无,常具足刺和刚毛,头部多具附肢,咽具颚或齿。游泳、爬行、穴居或管栖。

鳞虫科 Aphroditidae:长刚毛形成毡毛覆于体背面,俗称海鼠(sea mouse)。如鳞沙蚕 *Aphrodita*(图 18-12 C)、镖毛鳞虫 *Laetmonice* 等。

多鳞虫科 Polynoidae、锡鳞虫科 Sigalionidae:又称鳞虫(scale worm),背表具鳞片。多为爬行者。如背鳞虫 *Lepidonotus*(图 18-1 C)、海鳞虫 *Halosydna*、脆鳞虫 *Lepidosthemia*、哈鳞虫 *Harmothoë*、镰毛鳞虫 *Sthenelais*、三指鳞虫 *Thalenessa* 等。

叶须虫科 Phyllodocidae:单叶型疣足具扁平的叶状背须。通称 paddle worm。爬行。如巧言虫 *Eulalia*(图 18-12 B)、背叶虫 *Notophyllum*、叶须虫

Phyllodoce 等。

眼蚕科 Alciopidae:体透明具两个大眼,终生浮游。如眼蚕 *Alciopa*、明蚕 *Vanadis* 等。

浮蚕科 Tomopteridae:体透明,前端具 1 对有足刺的长触须,具足膜。终生浮游。如浮蚕 *Tomopteris*(图 18-1 E)等。

海女虫科 Hesionidae:翻吻无颚齿,口前叶附肢发达,疣足单叶型背须很长,仅具简单型刚毛。爬行。英文名 fragile worm。如海女虫 *Hesione* 等。

裂虫科 Syllidae:细线状,翻吻无颚齿常具桶状前胃,疣足单叶型,仅具简单型刚毛。爬行。如裂虫 *Syllis*(图 18-1 B)、自裂虫 *Autolytus*、模裂虫 *Typosyllis*、多链虫 *Myrianida* 等。

沙蚕科 Nereididae:4 个眼,3～4 对围口节触须,翻吻前端具 1 对大颚,具复型刚毛。多爬行。英文名 sand worm、clam worm、rag worm。如沙蚕 *Nereis*、刺沙蚕 *Neanthes*、围沙蚕 *Perinereis*(图 18-2)等。

齿吻沙科 Nephtyidae:吻发达内部具 1 对侧颚、具分叉的端乳突,疣足发达双叶型,背腹足叶分得较开,其间常具间须,仅具复型刚毛。快速爬行。如齿吻沙蚕 *Nephtys* 等。

吻沙蚕科 Glyceridae:圆锥形多环轮的口前叶具长吻和 4 个大颚。地下甬道栖居者。英文名 blood worm。如吻沙蚕 *Glycera*(图 18-12 A)等。

仙虫科 Amphinomidae:口前叶常陷到前几体节中,常具肉瘤,具脆而含毒的刚毛。爬行。英文名 fire worm。如扁犹帝虫 *Eurythoë*(图 18-12 G)、海毛虫 *Chloeia* 等。

矶沙蚕类 Eunicida:为具 2～5 对颚器、关系密切但生活习性不同的一个大类群。其中矶沙蚕科 Eunicidae 和欧努菲虫科 Onuphidae 具眼和触手,为管栖者,如矶沙蚕 *Eunice*(图 18-12 F)、岩虫 *Marphysa*、欧努菲虫 *Onuphis*、巢沙蚕 *Diopatra*(图 18-1 D)等。索沙蚕科 Lumbrineridae 和花索沙蚕 Arabellidae 线状,触手退化为地下甬道栖居者,如索沙蚕 *Lumbrinereis*(图 18-12 E)、花索沙蚕 *Arabella*(图 18-12 D)等。

吸口虫科 Myzostomidae:扁平盘状,无明显的头部,5 对单叶型疣足上各具 1 根钩状刚毛,具吸附器官和侧须。常寄生于棘皮动物的海百合体内外。如吸口虫 *Myzostoma*(图 18-13 H)。

栉蝙虫科 Ctenodrilidae:体节少,口前叶无附肢,无疣足叶,刚毛直接位于体壁上。小型多毛类。如栉蝙虫 *Ctenodrilus*(图 18-14 A)等。

沙蝙虫科 Psammodrilidae:口前叶无附肢,仅前 6 个胸节具背须和足刺,具纤毛。小型多毛类。如沙蝙虫 *Psammodrilus*(图 18-14 B)等。

原须虫科 Nerillidae：体节少而透明，口前叶具 2 个触角，0～3 个触手，具腹纤毛带，疣足单叶型具刚毛束。小型多毛类。如原须虫 *Nerillidium*（图 18-14 C）等。

好转虫科 Dinophilidae：体节少而透明，无附肢、疣足和刚毛，口前叶和体节具纤毛环。小型多毛类。如好转虫 *Dinophilus*（图 18-14 D）等。

角蠕虫科 Polygordiidae：长而细具许多体节，具 2 个实心触手，无疣足，常无刚毛和纤毛，肛节具一环黏液乳突。多小型。如角蠕虫 *Polygordius*（图 18-14 E）等。

原蠕虫科 Protodrilidae：细而多体节，口前叶具 1 对长触手，肛须双叶或三叶形具黏液腺，无疣足如原蠕虫 *Protodrilus*（图 18-14 G）或具疣足突起如囊须虫 *Saccocirrus*（图 18-14 F）。多小型。

亚纲 2. 定居亚纲 Sedentaria

常具不同形态的体节，疣足不发达，无足刺和复型刚毛，口前叶无附肢或具滤食结构，咽通常不外翻，无颚或齿。穴居或管栖。

锥头虫科 Orbiniidae：口前叶圆钝或平截，躯干部分为扁平的胸区和圆柱状的腹区。定居穴居者。如锥头虫 *Orbinia*、居虫 *Naineris* 等。

海稚虫科 Spionidae：口前叶圆钝或具前突起或分叉，具 1 对有沟触角。管栖或凿穴。如才女虫 *Polydora*（图 18-13 A）、蛇稚虫 *Boccardia* 等。

磷虫科 Chaetopteridae：1 对有沟触角，躯干部分为 3 个体区，具发光能力，栖管牛皮纸状或角质稍具环轮。英文名 parchment worm。如磷虫 *Chaetopterus*（图 18-15 C-F）、中磷虫 *Mesochaetopterus*。

丝鳃虫科 Cirratulidae：线状，具丝状鳃，常具有沟触角。定居穴居。如丝鳃虫 *Cirratulus*、须鳃虫 *Cirriformia*（图 18-13 B），或凿穴于珊瑚藻的厚结壳或贝壳中如钙珊虫 *Dodecaceria*（图 18-16 B）等。

铲头虫科 Magelonidae（长手沙蚕科）：口前叶铲状，围口节具一对密生乳突的长触须。定居穴居于泥沙中。如铲头虫 *Magelona* 等。

扇毛虫科 Flabelligeridae：体表多具乳突，口前叶和围口节能缩入前 3 体节，具两个有沟触角和能伸缩的鳃，且常具刚毛头笼。定居于泥沙中。如海扇虫 *Pherusa* 等。

海蛹科 Opheliidae：体呈蛹形或长梭形，圆锥形口前叶无附肢，刚毛叶常为退化的小突起。地下甬道栖居者。如阿曼吉虫 *Armandia*（图 18-10）、软鳃海蛹 *Euzonus*、臭海蛹 *Travisia*（图 18-13 C）等。

小头虫科 Capitellidae：似红色细蚯蚓，口前叶圆锥形或截形无附肢。地下甬道或栖管者。如小头虫 *Capitella*(图 18-13 D)、背蚓虫 *Notomastus* 等。

沙蠋科 Arenicolidae:圆柱形具次生环轮的大型蠕虫,口前叶小无任何附肢。定居穴居者。英文名 lug worm。如沙蠋 *Arenicola*(图 18-1 G,图 18-13 E)。

竹节虫科 Maldanidae:体前后端常为斜截形,体节长远大于宽似竹节。管栖。英文名 bamboo worm。如竹节虫 *Maldane*。

欧文虫科 Oweniidae:口前叶无附肢或呈叶状,部分体节长远大于宽。栖于坚硬的沙管中。如欧文虫 *Owenia*。

帚毛虫科 Sabellariidae:第 1 节为两个突起的壳盖,上具变形、封住壳口的刚毛。管栖。英文名 honeycomb worm。如帚毛虫 *Sabellria*、似帚毛虫 *Lygdamis*。

笔帽虫科 Pectinariidae:前端具 1 排金黄色的刚毛。栖管为上细下粗的锥形管。英文名 cone worm。如笔帽虫 *Pectinaria*(图 18-1 H)等。

双栉虫科 Ampharetidae:口触手能缩入口中,鳃棒状或羽片状。管栖。如双栉虫 *Ampharete*、扇栉虫 *Amphicteis* 等。

蛰龙介科 Terebellidae:具许多不能缩入口中的触手,鳃多为树枝状或丝状。管栖或定居。如乳蛰虫 *Thelepus*、树蛰虫 *Pista*、蛰龙介 *Terebella*(图 18-1 I)等。

缨鳃虫科 Sabellidae:具触手冠和非钙质的栖管。定居管栖。英文名 fan worm、peacock worm。如胶管虫 *Myxicola*、鳍缨虫 *Branchiomma*、真旋虫 *Eudistylis*、刺缨虫 *Potamilla*、缨鳃虫 *Sabella*(图 18-1 J,18-15 A,B)等。

龙介虫科 Serpulidae:具触手冠、胸膜和非螺旋形钙质的栖管。定居管栖。英文名 calcarieous tube worm。如线管虫 *Salmacina*、盘管虫 *Hydroides*(图 18-1 L)、龙介虫 *Serpula*(图 18-13 G)等。

螺旋虫科 Spirorbidae:具触手冠、胸膜和螺旋形钙质栖管(图 18-1 L)。如右旋虫 *Dexiospira*、螺旋虫 *Spirorbis* 等。

18.3 颗体虫纲 Aeolosomata

本类动物为体长仅几毫米的小型环虫。多栖于淡水和咸水水域的间隙生境中,仅海颗体虫 *Aeolosoma maritimum* 海生。靠具纤毛的肌肉质口前叶运动,体分节不明显,但每节背腹侧具四束毛状刚毛,间质、隔膜常退化,腹神经索与体壁相连,后肾成对但不按节排列,雌雄同体,卵巢 1 个位于体中部体节上,精巢多对位于体前、后体节上,成熟时具卵巢体节之腹面的上皮腺体化(有作者称为环带，但与寡毛纲者不同源）。颗体虫 *Aeolosoma* 无性横裂生殖，常形成由许多子个体组成的链（图 18-20）。

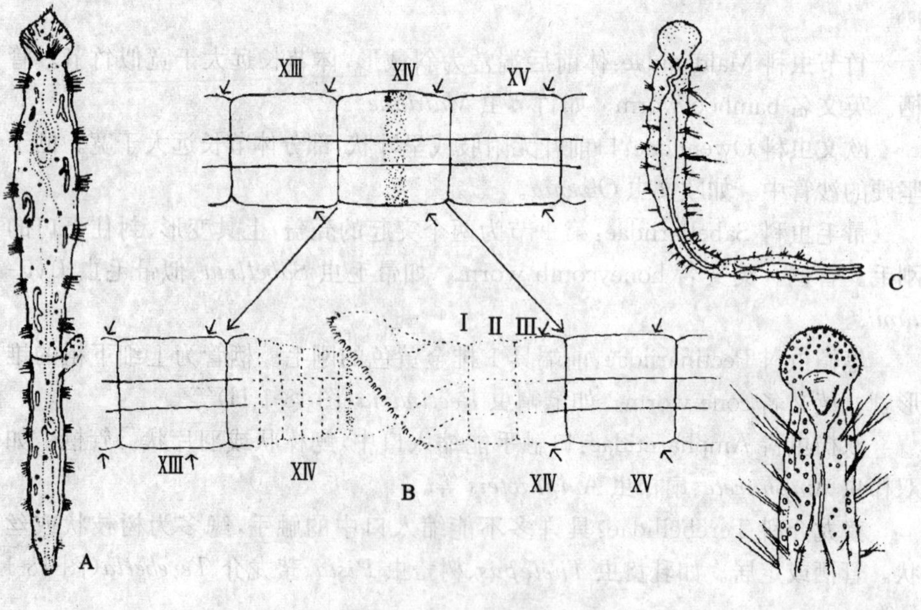

图 18-20　颗体虫

A. 外形；B. 体节衍生的子个体；C. 点缀颗体虫

（A. 仿 Kotpal；B. 仿 Pennak 从 Marcus；C 仿陈义）

该纲动物与其他环节动物的关系尚不清楚，目前包括 2 科，颗体虫科 Aeolosomatidae 和河蠕虫科 Potamodrilidae，共约 25 种。我国曾报道点缀颗体虫 *Aeolosom variegatum*（图 18-20 C），口前叶圆宽，体内具绿色或黄绿色的棍棒状、新月形或不规则形油点，习见于稻草培养液的腐物间。

18.4 寡毛（亚）纲 Oligochaeta（Gr., *oligos*, scant; *chaeta*, seta）

寡毛类是人类最熟悉的无脊椎动物之一，通称蚯蚓（earthworm）。其特征为：两侧对称，分节，具真体腔，无疣足，刚毛数少，头部简单无感觉附肢，雌雄同体，性成熟时具环带，精巢位于卵巢前，直接发育无幼虫期。

近代，把寄生于淡水螯虾、具前后吸盘、具次生环轮、无刚毛、无葡萄状组织的蛭蚓类 Branchiobdella 和口前叶具纤毛、背腹束刚毛皆为毛状、腹神经索与体壁相连的颗体虫类 Aeolosmata 从寡毛类中独立成亚纲或纲。

寡毛类虽习见于陆地土壤(陆栖寡毛类 Megadriles,Terricolae),但多为淡水生(水生寡毛类 Microdriles,淡水寡毛类 Limicolae),亦有水陆兼栖和海生者(海生种数约占寡毛类的6.5%)。

寡毛类6 000多种,属于3目(表18-3)25科。主要检索性状为雄性生殖孔位于具精巢、精漏斗节的:a. 同一节,b. 之后的相邻节,c. 之后的1至数节。

表 18-3　寡毛(亚)纲的分类

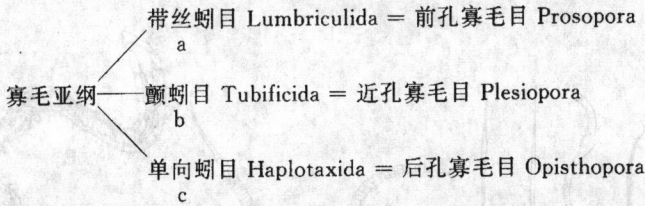

寡毛亚纲	带丝蚓目 Lumbriculida = 前孔寡毛目 Prosopora a
	颤蚓目 Tubificida = 近孔寡毛目 Plesiopora b
	单向蚓目 Haplotaxida = 后孔寡毛目 Opisthopora c

18.4.1 陆栖寡毛类(Terrestrial oligochaetes)

我国习见的大型陆栖蚯蚓为巨蚓科 Megascolecidae 的环毛蚓 *Pheretima*、正蚓科 Lumbricidae 的异唇蚓 *Allolobophora*、爱胜蚓 *Eisenia* 和杜拉蚓 *Drawida*。随着蚯蚓养殖业的发展,新引进的种类也会增多。有关陆栖蚯蚓的生物学知识,可详见其他动物学书。

18.4.2 水生寡毛类(Aquatic oligochaetes)

水生寡毛类和其陆栖者有许多相似之处,其中仙女虫科 Naididae、颤蚓科 Tubificidae 和带丝蚓科 Lumbriculidae 是严格水栖的,单向蚓科 Haplotaxidae 的一些种见于池塘、沼泽或浸水地边缘的碎石中,为半水栖或两栖的,其他科基本上是陆栖的,尽管偶见于水生生境中。水栖者个体较小,一般在1～30 mm长,体壁薄,常具各种色彩但内部器官易见,体节常不明显但节数变化很大,线状的单向蚓可达500体节,而仙女虫则在7～40节,颤蚓在40～200节,每节的刚毛常呈4束,位于背腹侧,且多始于第2体节,每束数目1～20根不等,刚毛常为细而长的毛状刚毛(hair seta)和弯曲的中部有毛节的S形刚毛(sigmoid seta),毛状刚毛(除 *Capilloventer* 外)仅限于背束,而S形刚毛虽有种种变化(单齿、双叉、具栉的等)但从无多毛纲小头虫科的具巾者(图18-13 D)。

水生寡毛类咽的背壁常加厚为角质的咽垫,咽垫能从口翻出以便集合食物(图18-21 B),消化管为两端开口的直管,具前、中、后肠的分化,但例外的见于颤蚓科的 *Limbodriloides*,在第9节肠侧具一对盲囊,而线蚓科 Enchytraeidae

咽的后端具一对消化肾管(peptonephridia)或唾液腺(salivary gland)。此外,颤蚓科的 *Inanidrilus* 和 *Olavius* 无肠,靠体表吸收营养。

水生寡毛类薄的体壁以及体壁中大量的毛细血管都利于在水中呼吸。在苏氏尾鳃蚓 *Branchiura sowerbyi*(图 18-21 E)、管盘蚓 *Aulophorus*、尾盘蚓 *Dero*(图 18-21 D)具数量可观的鳃围绕着肛部或头部(头鳃蚓 *Branchiodrilus*)。有鳃寡毛类常建管于沉积物中,并以具鳃的部位外伸在水中摇曳,以获得更多的氧气,如颤蚓 *Tubifix*(图 18-21 C)。

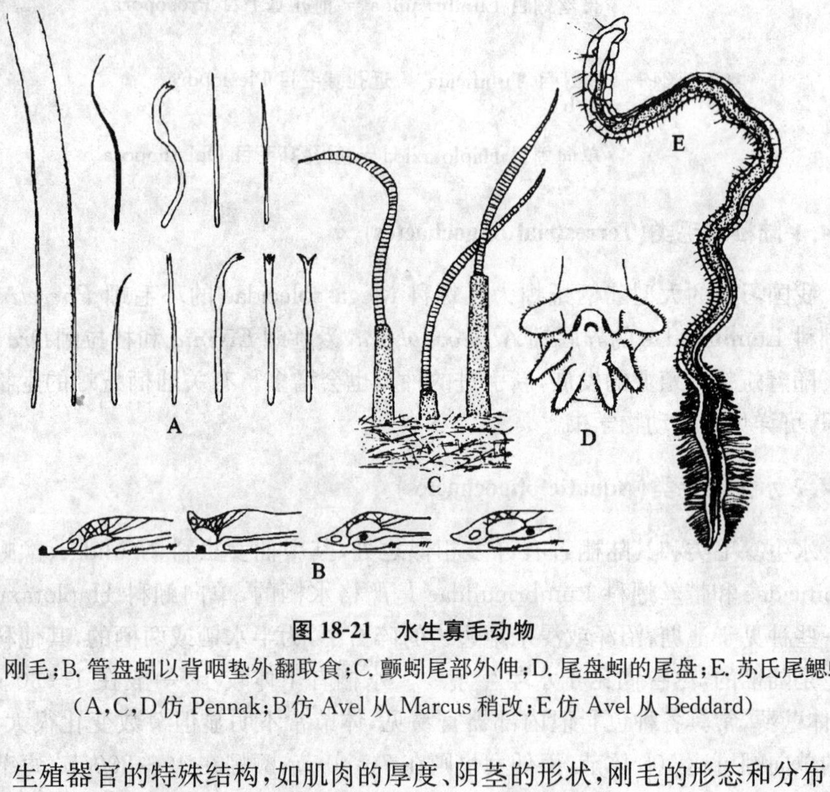

图 18-21 水生寡毛动物

A. 刚毛;B. 管盘蚓以背咽垫外翻取食;C. 颤蚓尾部外伸;D. 尾盘蚓的尾盘;E. 苏氏尾鳃蚓
(A,C,D 仿 Pennak;B 仿 Avel 从 Marcus 稍改;E 仿 Avel 从 Beddard)

生殖器官的特殊结构,如肌肉的厚度、阴茎的形状,刚毛的形态和分布,常是区别水生寡毛类物种的重要依据。

18.5 蛭蚓(亚)纲 Branchiobdella

虫体由 15 节组成,每节具 2 个体环,2 个吸盘,前 3 节形成头和前吸盘,最后 1～2 节形成后吸盘,除末端外体腔不被葡萄状组织充满,具隔膜,无刚毛,精巢位于卵巢前。共栖或寄生于淡水的螯虾。我国报道东北的远东蛭蚓 *Bran-*

chiobdella orientalis(图 18-22 A),其上下颚板具中央大齿 1 个、小齿 2～5 对。

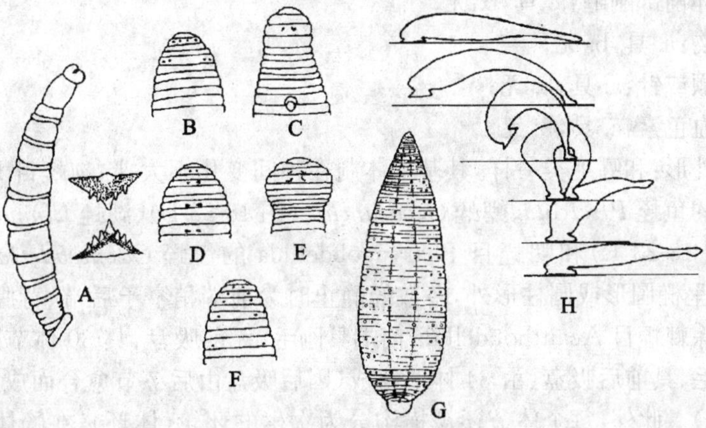

图 18-22　蛭蚓和蛭

A. 远东蛭蚓;B. 八目石蛭;C. 宁静泽蛭;D. 整嵌晶蛭;
E. 缘拟扁蛭;F. 日本医蛭;G. 扁舌蛭;H. 蛭形运动
(A 仿陈义;B～G 仿宋大祥;H 仿 Barnes 等)

18.6 蛭(亚)纲 Hirudinea(L.,*hirudo*,Leech)

蛭(leech)又称蚂蟥,体长多在 2～5 cm,多背腹扁平,头部无附肢,多无刚毛,具 1～2 个吸盘但总有后吸盘,具 30～34 体节且每体节常由 3～5 体环组成,无疣足,雌雄同体,性成熟时具环带,精巢位于卵巢后部。

和寡毛类一样,蛭主要是淡水类群,仅部分海生或陆栖。虽然,许多人都认为蛭是吸血者,但多数蛭是捕食的或食腐物的。暂时性外寄生习性,整个身体的伸缩运动和用吸盘附着,使蛭获得了许多与其他环节动物不同的变化。

蛭纲动物近 500 种,具 4 目(表 18-4)13 科,其主要检索性状为:

表 18-4　蛭(亚)纲的分类

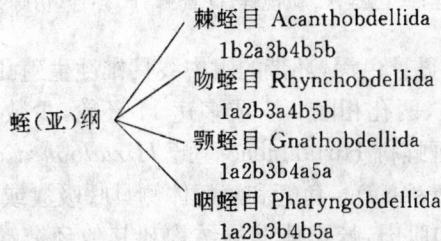

蛭(亚)纲	棘蛭目 Acanthobdellida	1b2a3b4b5b
	吻蛭目 Rhynchobdellida	1a2b3a4b5b
	颚蛭目 Gnathobdellida	1a2b3b4a5a
	咽蛭目 Pharyngobdellida	1a2b3b4b5a

1. 前吸盘：a. 具，b. 无；

2. 体前部刚毛：a. 具，b. 无；

3. 吻：a. 具，b. 无；

4. 颚或针：a. 具，b. 无；

5. 血色素：a. 具，b. 无。

1. 外形：和寡毛类一样，其基本体制在种间变化不大，除吻蛭目 Rhynchobdellida 的鱼蛭 *Piscicola*、鳃蛭 *Ozobranchus*（图 18-23 D）、湖蛭 *Limnotrachelobdella*（图 18-23 E）和咽蛭目 Pharyngobdellida 的齿蛭 *Odontobdella*（图 18-23 A）等体呈椭圆形或圆柱形外，多数蛭静止时为前端稍窄于后端、背腹扁平的叶片形。除棘蛭目 Acanthobdellida 前端具刚毛、无前吸盘、具 30 体节外，其他蛭皆无刚毛、具前后吸盘、由 34 体节组成（因后吸盘由后 7 节愈合而成，故又称蛭为 27 节）。此外，每个体节还被横沟分为次生的环轮（体环），在蛭体中部每节多具 3、5、6 个体环，但在有些鱼蛭科 Piscicolidae 每节则有 7、12 或 14 个体环。乳突位于每体节中间的体环上。

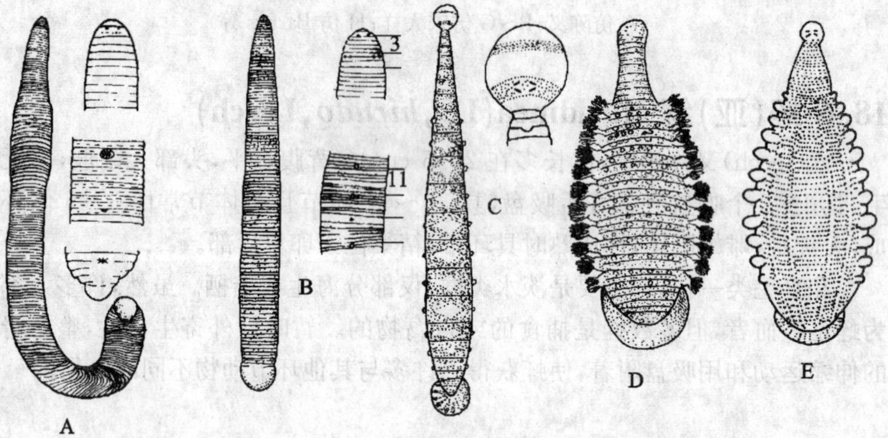

图 18-23　蛭

A. 齿蛭；B. 巴蛭；C. 橄榄蛭；D. 鳃蛭；E. 湖蛭（仿陈义）

在生殖期，环带明显且色深，环带的腹中线具雄性生殖孔和雌性生殖孔各 1 个，多是雄孔在雌孔前，两孔相隔 2、5 或多达 11 环轮，少数种两孔合一。多对肾孔位于虫体腹面如医蛭科 Hirudinidae 医蛭 *Hirudo medicinalis*（图 24）或腹侧面（山蛭科 Haemadipsidae）。鱼蛭和鳃蛭体侧具呼吸囊或鳃。

2. 真皮（dermis）和肌肉：蛭类体壁的结构和其他环节动物相似，所不同的是上皮下具较厚的结缔组织层(真皮),其中有来自上皮的许多下沉的单细胞腺。另外,环肌层和纵肌层之间的斜肌层也很厚(图 18-25 D)。

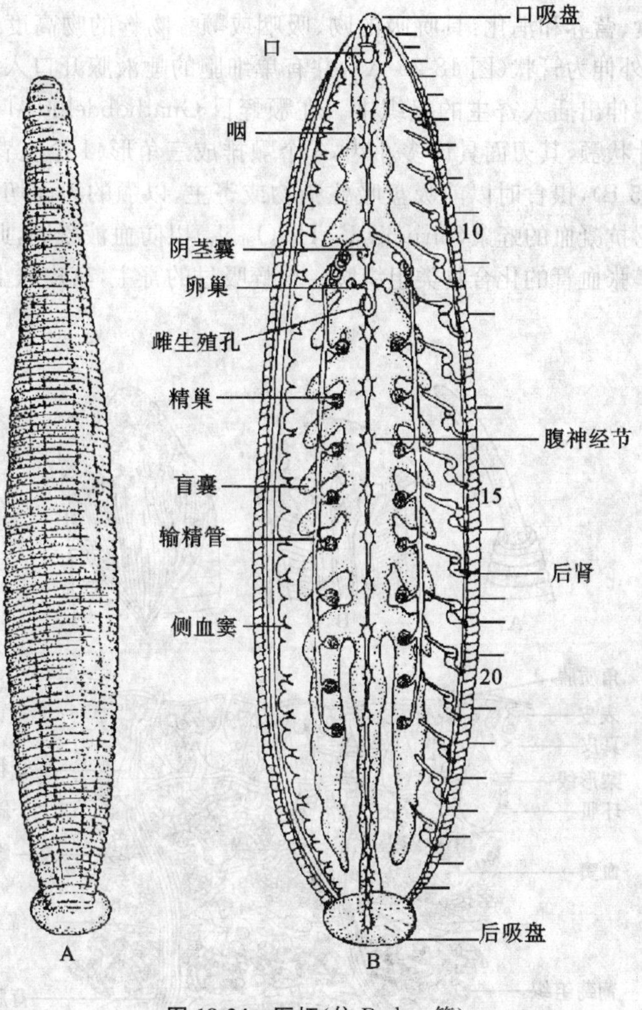

图 18-24　医蛭(仿 Parker 等)

A. 整体背面观;B. 腹面观示内部结构

3. 隔膜、体腔和循环:除棘蛭目 Acanthobdellida 的前 5 体节具隔膜和体腔外,其他蛭的隔膜消失,体腔为黄色细胞和葡萄状组织侵入,结果使体腔退缩为内部相连的体腔窦(coelomic sinus)和通路。在吻蛭目的舌蛭科 Glossiphonidae 和鱼蛭科仍保留着寡毛类那样的循环系统,体腔窦只充当循环系统的辅助作用。但在其他蛭类，像寡毛类那样祖制的循环系统消失，体腔窦进一步缩小为管状，结果出现背窦、腹窦、侧窦 4 支纵干及其横分支组成血管系统，原来的体腔液替代血液的功能，而侧窦具次生的内壁有收缩力，执行血液的流动功能。

4. 摄食、营养和消化：具吮吸的吻、吸咽或颚。吻蛭的吻高度肌肉化，衬有角质膜，可外伸为管状（图 18-25 A），并有单细胞的唾液腺开口入吻腔，当摄食时吻由口中伸出插入寄主的组织中。在颚蛭目 Gnathobdellida 口腔中具 3 个卵圆形刀片状颚，其刃面具许多小齿，3 个颚排成三角形、1 个在背面两个在腹侧（图 18-25 B），摄食时以前吸盘吸住猎物或寄主，以颚的刃面切开皮肤，同时唾液腺分泌抗凝血的蛭素（hirudin，$C_{30}H_{60}O_{20}N_8$）以防血液凝固，此外还分泌一种麻醉及扩张血管的化合物类组织胺。被蛭吸过的寄主，其皮肤上常留下三角形的印痕。

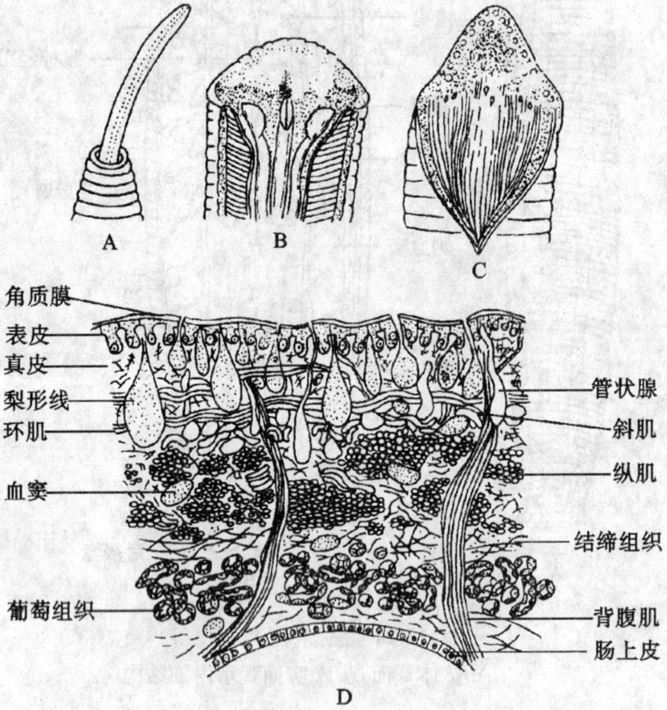

图 18-25　蛭的外形和结构（仿 Mann）

A. 吻蛭（示吻外伸）；B. 颚蛭（示颚齿）；C. 咽蛭（示咽头）；D. 医蛭横切面

虽然已知 2/3 的种可吸血，但多数蛭是捕食性的，主要捕食螺类、蠕虫和昆虫幼虫且常整个吞入。吸血的种类如扁舌蛭 *Glossiphinia complanata*（图 18-22 G）和泽蛭 *Helobdella* 主要吸食螺、寡毛类、甲壳类和昆虫，鱼蛭吸食鱼、鲨鱼和鳐，舌蛭吸食两栖类、鱼、蛇和鳄鱼，晶蛭 *Theromyzoa* 吸于水鸟的鼻黏膜上，而水生的医蛭和陆栖的山蛭主要吸食包括人在内的哺乳动物。日本医蛭 *Hirudo nipponica* 是我国大部分水田中危害最大的吸血水蛭。

蛭的吸血量很大，在医蛭可达自身体重的 2～5 倍，山蛭可达自身体重的 10 倍，这是因为蛭摄食机会不多，胃或嗉囊两侧又多具 1～11 对侧盲囊，以贮藏得之不易的血液。

蛭的消化很特殊，肠不分泌淀粉酶（amylase）、脂肪酶（lipase）、肽链内切酶（endopeptidese），只有肽链端解酶（exopeptidase），该事实可解释吸血蛭消化慢的原因。再说，蛭的肠也是共生菌生活的场所，可能在蛭的消化中扮演重要的角色，医蛭中的蛭假单孢杆菌 *Pseudomonas hirudinicola* 可分解大分子的蛋白质、脂肪和碳水化合物，同时产生维生素和其他化合物以供利用（Wilde，1975）。

5. 生殖：和其他环节动物不同，蛭不行无性生殖，亦不能再生丧失的部分。像寡毛类一样为雌雄同体，也是雄性先熟（非同步成熟）的雌雄同体。另外，生殖系统无分离的受精囊。具交配现象，体内受精，多数具卵茧。

6. 运动：蛭的运动可分为游泳、尺蠖式（inchworm movement）和蠕动 3 种方式。游泳时，蛭体变扁、平铺似一柳叶，波浪式向前游动。后两种运动方式为水蛭离水或山蛭所采用，尺蠖式运动又称丈量式或伸屈式或蛭式运动，当后吸盘吸附时，环肌收缩使虫体拉长前伸，而后，前吸盘吸附、后吸盘松弛，纵肌收缩使虫体缩短后吸盘前移。蛭在地面上的蠕动速度较慢。生活于水池石块下的扁舌蛭 *Glossiphonia complanata*（图 18-22 G）很少游泳，当受到惊扰时，两端向腹面卷成圆球形，似潮湿土壤的潮虫或鼠妇 *Oniscus* 那样滚动。

18.7 系统发生

综上所述，环节动物是个既简单又复杂的动物类群。一方面表现了原始的呼吸（多靠湿润的体表或疣足叶、简单的鳃）和运动方式，是个大小适中、多海生、主要分布于软底质的动物；另一方面，与扁形动物、纽形动物相比，既相似（担轮幼虫似牟勒氏幼虫，成体多为体长大于宽的蠕虫状）又更复杂，其消化、循环和排泄系统更完善，其神经系统处于一个较集中的高水平。

长期来，动物演化常由“简单到复杂”的定式认为：环节动物是从扁形动物特别是涡虫纲演化而来（这也是本书章节顺序所采取的格局），有体腔动物来自某些扁形动物那样的无体腔动物祖先，由间充质的实质细胞中出现空隙形成体腔的裂生体腔(schizocoel)。然而，目前对扁形动物和环节动物超微结构的研究，无体腔动物的地位可能的确是次生的，或是由细胞内侵或幼虫特征滞留在成体中起了重要作用(Rieger,1985)(参见体腔和无体腔动物的起源)。

另外，部分学者认为，环节动物和扁形动物共同起源于担轮幼虫式的假想祖先——担轮祖体(Trochozoa)。近年，轮毛祖体理论(trochaea theory)(Nielsen,1985)，把环节动物、软体动物等统称螺旋动物 Spiralia。的确，环节动物和软体动物在卵裂的方式，中胚层的形成，早期胚胎发育，担轮幼虫等方面都表现很多相似性；另外，分节的身体，上皮分泌的角质膜，功能和结构上相似的中枢神经系统，疣足与分节的附肢等又相似于节肢动物。单元论认为节肢动物起源于多毛纲或共同起源于原始分节的祖先，多元论认为节肢动物来自不同的环节动物。

在环节动物门内，因多毛类多海生、结构简单分化较小、雌雄异体、生殖腺临时来自体腔上皮(一连串地重复)、卵小、体外受精、发育经浮游的担轮幼虫期、有些具原肾等特征，认为多毛纲是较原始的环节动物类群。原始的多毛类，可能由穴居经地面爬行，然后以各种方式侵入到其他生境中，地下甬道穴居者与寡毛类有许多趋同之处，口前叶圆锥状不发达、无附肢、保存了完整隔膜和分室的体腔等原始环节动物的性状，但寡毛类雌雄异体、数量少而卵径大的卵黄卵藏于有保护的充满营养的卵茧中，也显示了寡毛类的次生性。从功能和生态上，寡毛类基本上分为水生的和陆生的，前者原始于后者。蛭类中的棘蛭前几节具刚毛、保留有分节的体腔、真正的血管和雌雄同体具环带等，可作为寡毛类和蛭类间的桥梁，而蛭特有的吸盘、分节性的丧失、消化系统和循环系统的变异等说明蛭类源于寡毛类。除原始的棘蛭外，吻蛭和无吻蛭 Arhynchobdellida(颚蛭和咽蛭)则依吻的有无向两大支发展。有关颤体虫类和蛭蚓类在环节动物系统发生中的地位，目前争议颇多，尚难定论。

18.8 经济意义

饵料和食用：在海洋，多毛类是海洋食物链中的一个重要的环节，是水螅、扁虫、其他多毛类、软体动物和棘皮动物的捕获物，也是经济甲壳类和鱼类尤其是底层和近底层鱼类的饵料，沙蚕、矶沙蚕等在生殖时的大量群浮对渔场的分布和选择都有较密切的关系；在陆地野外，大部分蚯蚓被蛙、鼠、鸟、蜥蜴、蛇、蜈蚣和其他无脊椎动物所捕食；在淡水，淡水蚯蚓无疑是淡水肉食性鱼类的极好饵料。从营养学观点和经济上考虑，环节动物所含蛋白质之多(蚯蚓所含蛋白质约为鲜重的四成、干重的七成)、热量之高(日本刺沙蚕每克干物质总热量达25.5 kJ)、氨基酸之全都是蚯蚓养殖、沙蚕养殖业兴起的原因之一，在解决动物饲料不足，在提供对虾越冬所需鲜活饵料方面都起或将起积极的作用。今知，吻沙蚕(血蠕虫)(图 18-12 A)供做对虾产卵前的饵料，为提高对虾卵受精后的存活质量，至关重要。在我国，虽有炒食沙蚕或国外有食用蚯蚓的报道，但普遍为人所直接享用尚有一个过程。

改良土壤和处理垃圾：蚯蚓的翻耕能力极强、他不仅提高了土壤的通透性使空气和水肥深入，而且能把深层土翻倒或作为蚓粪排到地表，蚯蚓产生的酶能分解诸如纤维素、几丁质等难分解的有机物，从而大大提高了土壤的肥力(蚓粪中富含氮、磷、钾)并保持土壤成中性等都极有利于农作物的生长。近年来工厂化养殖蚯蚓，引人注目，据报道，一个养殖 5 亿条蚯蚓的工厂，每天可处理有机废物 200 吨，同时产生优质肥料 100 吨。一个"蚯蚓回收垃圾系统"能将 60% 的有机垃圾消化掉，40%的转为肥料，而且在处理过程中无臭味、无噪音、无需人管理、不耗能且投资少。在海洋中，吞咽泥沙且数量极大的沙蠋、海蛹等也都是不辞辛劳的翻耕者。

药用：蚯蚓为中药材，早在《本草纲目》中就有详尽介绍，广东、广西产的参环毛蚓(广地龙)、长江沿岸和山东产的直属环毛蚓(土地龙)，都具清热、利尿、平喘、降压、解毒之功；目前，尤其是海岸线较长的国家都开展着海洋药物的研究，作为农药，已大量生产的杀螟丹(padan，cartap)就是从异足索沙蚕的提取物中进一步人工合成的沙蚕毒素(nereistoxi)衍生物，对鳞翅目、鞘翅目、双翅目等多种昆虫(广谱)有强烈的触杀和胃毒作用(高效)而对人和家畜无毒性(低毒)；至于蛭的吸血是众所周知的，蛭吸血疗法在 18～19 世纪初被视为治疗多种疾病的方法，因需求量之大，致使西欧蛭濒于灭绝，直到今天仍处于枯竭状态，近年来蛭素的开发(医蛭制剂)及用活蛭在整形、断肢再植术中通淤激活毛细血管防止组织坏死等方面的药理作用，使蛭的应用在近代医学中得以复兴。

有害方面：环节动物对人类及其经济活动有害方面也是明显的。蚯蚓的钻穴常导致灌溉沟渠的渗漏，且是寄生虫如猪肺吸虫 *Metastrongylus elongatus* 等的中间寄主；吸血类的蛭在野外对人、对家畜甚至对鱼虾骚扰，危害很大；在海洋，龙介虫、盘管虫附于贝类、海藻叶片、船只、码头和其他硬物上，造成管道堵塞、金属加速腐蚀、船舶阻力增加、贝藻养殖减产或失去食用价值。另外，凿贝才女虫凿蚀珍珠贝而居，广盐性沙蚕潜入淡水危害稻根等，都带来程度不同的危害。

其他方面：无论在海洋还是在淡水，环节动物如海洋生境中的小头虫、奇异稚齿虫，淡水的颤蚓、水丝蚓等在群落中所占的丰度，都可作为底质环境污染程度的指标。另外，尺蠖鱼蛭等因水质含氧变小移向水面以预报天气状况，以蚯蚓、蛭对重金属等的富集作用来净化环境，以及蚯蚓、沙蚕等在教学和实验生物学中都具广泛的应用。

第 19 章　须腕动物门

Pogonophora(Gr., *pogon*, beard; *phoros*, bearing)

19.1 概述

须腕动物(图 19-1)是近代发现的珍稀动物之一。为身体细长,仅体后具明显分节,无消化系统,具 1 至数千条触手的管栖蠕虫状动物,称大胡子蠕虫或络腮胡虫(beard worm)。其中,丛生于深海热液口附近者,虫体长达 3 m,又称巨型管虫(giant tube worm)。

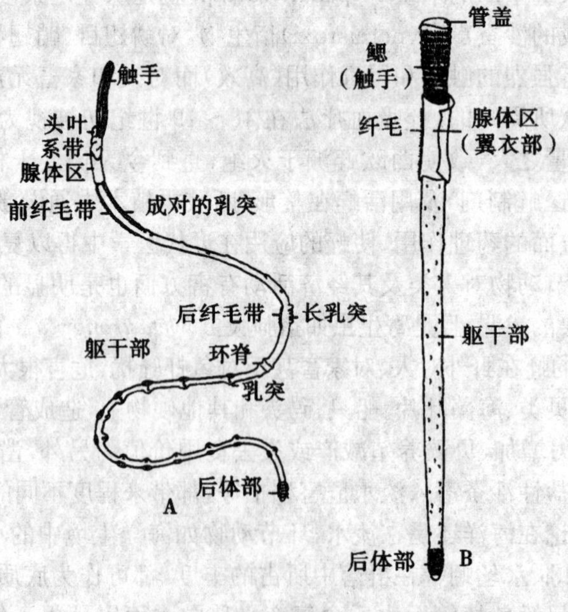

图 19-1　须腕动物模式图(体长缩短,示主要的体区)(仿 Southward)
A. 无管盖须腕动物;B. 罩翼虫

须腕动物门的主要特征：

1. 海生管居，栖管或直立于软泥沉积物中或锚于硬底质上；
2. 两侧对称细长蠕虫状；
3. 虫体由头叶、腺体区、躯干部和分节的常具刚毛的后体部组成；
4. 具触手 1～250 条以上；
5. 具体腔，但无体腔衬膜；
6. 成体无消化管或消化系统；
7. 闭管式循环系统；
8. 神经系统位于上皮基膜中，无神经节；
9. 雌雄异体，体外受精，发育于栖管中，不等卵裂，无腔囊胚，外包法形成原肠胚，无胚孔，裂生体腔。

须腕动物 100 余种，现分为 2 纲 3 目（表 19-1），至纲（目）的主要检索性状为：

1. 系带：a. 具，b. 无；
2. 管盖：a. 具，b. 无；
3. 躯干部刚毛：a. 具，b. 无；
4. 触手数：a. 1～250 根，b. 千根以上；
5. 栖境：a. 软底质，b. 硬底质；
6. 头叶体腔：a. 囊状，b. 马蹄形（U 形）；
7. 精荚：a. 圆柱形，b. 扁平。

表 19-1 须腕动物门的分类

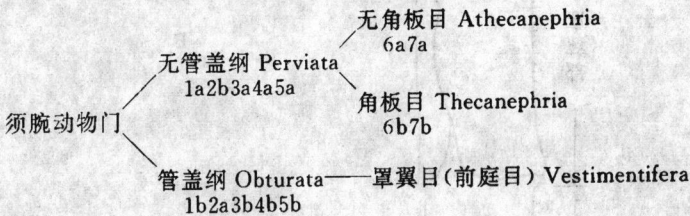

- 须腕动物门
  - 无管盖纲 Perviata 1a2b3a4a5a
    - 无角板目 Athecanephria 6a7a
    - 角板目 Thecanephria 6b7b
  - 管盖纲 Obturata 1b2a3b4b5b —— 罩翼目（前庭目）Vestimentifera

19.2 形态、结构和功能

虫体细长达 10～75 cm，直径小于 1 mm，栖管为虫体长的 3～4 倍，栖于深海热液口附近的厚翼海沟虫 *Riftia pachyptila* 虫体竟长达 3 m（图 19-2，图 19-3）。

1. 虫体分区：由 4 部分组成。

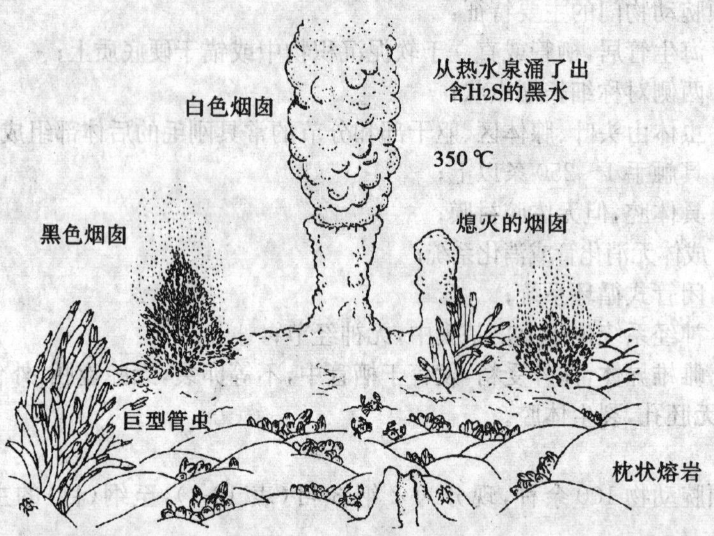

图 19-2　东太平洋中脊热液口的动物群落(仿 Leaman)

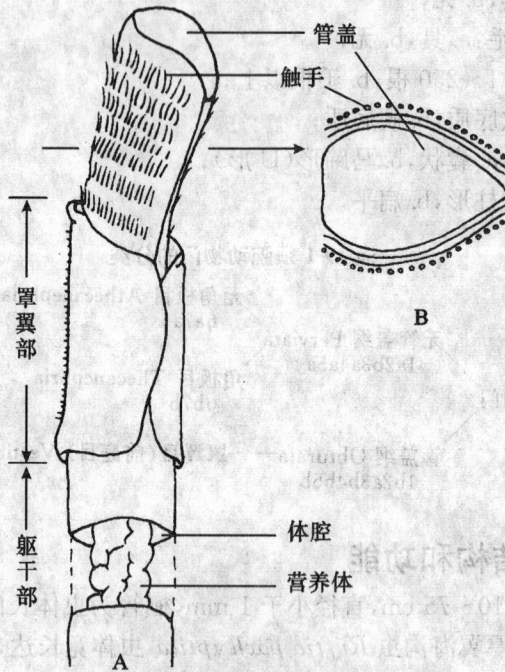

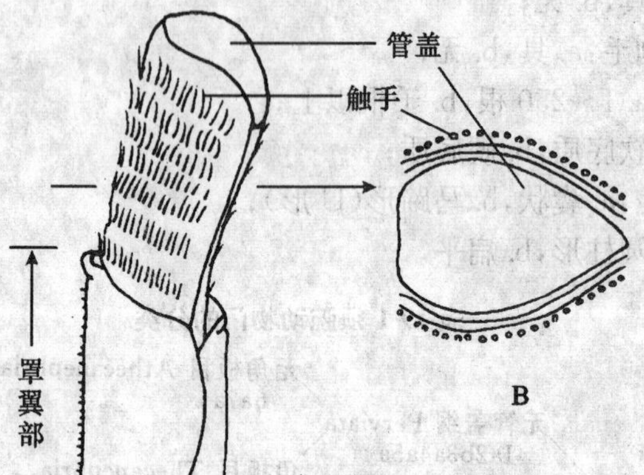

图 19-3　厚翼海沟虫(仿 Southward 等)

A. 体前部;B. 过触手丛的横切面

(1)头叶(cephalic lobe)或前体区(prosoma region):圆锥形,位于体前端,背部具触手。触手是须腕动物显著的特征,随物种及年龄的不同,数目达1～250条,甚至千条以上,触手上具纤毛和小羽枝(pinnule)。在深海热液口附近生活的海沟虫 *Riftia* 触手基部愈合成为片状的触手瓣膜(tentacular lamellae, tentacular plime)并具可盖住壳管的管盖(obturaculum)。

(2)腺体区(glandular region)或中体区(mesosoma region):位于头叶后,是分泌栖管的重要部位。在无管盖纲,腺体区具斜行突起的系带(bridle, frenulum),虫体伸出管口时,系带可附于管壁支持虫体活动。在管盖纲,腺体区又称罩翼部(vestimentum)。Barnes(1987)把头叶和腺体区合称前部(forepart)。

(3)躯干部(trunk)或后体区(metasoma region):为虫体最长的部分。上具各种体环、乳突和纤毛带。在无管盖纲,躯干中部有两圈环状隆起,上具短而有齿的刚毛的环脊(girdle),环脊可使虫体抓住管壁。以环脊为界,其前为躯干前部(preannular region),其后为躯干后部(postannular region)。躯干前部前具成对的乳突,后具不成对的乳突,乳突可帮助虫体沿管壁运动。躯干后部极细弱,采集时易断去。

(4)后体部(opisthosoma):很短,具5～23个体节,每个体节都具比环脊处长的刚毛。体后区可从管的后端伸出,似固着器(holdfast)或掘穴于软沉积物中或锚于硬底质上。

2. 栖管:为硬蛋白-几丁质管(chitin-scleroprotein tube),其成分不同于具角质或胶质管的管栖多毛类。栖管由腺体区和躯干部的多细胞腺体分泌,栖管多不分枝,对水、氯化钠、蔗糖和苯丙氨酸是可透的。不同种类的栖管形态不同,多数西伯达虫 *Siboglinum* 栖管色素和光亮带交替出现,缨腕虫 *Lamellisabella* 管硬而厚具漏斗状的开口,多腕虫 *Polybrachia* 具似分节排列的环状领圈。

3. 体腔:除罩翼虫的罩翼部体腔部分或全部被肌肉或建管腺填满消失外,体区各部皆具体腔,但都缺少体腔膜。在后体部,体腔虽分节排列,但隔膜处的肌肉排列不同,*Siboglinum fiordicum* 仅隔膜后部具肌肉而隔膜前部为上皮细胞,在罩翼虫隔膜两面皆具肌肉。

4. 循环系统:很发达,闭管式,具明显的心脏和血管,血红蛋白不在血球内,有很强的携氧力。深海热液口的海沟虫 *Riftia* 血红蛋白含量占虫体总重的30%以上,分子量高达200万道尔顿(人为6.4万道尔顿),大量的触手不仅能使氧而且也能使硫化氢或甲烷扩散透入体内组织,似乎与氧和硫化氢的结合部位不同,从而保护了硫化氢不在血管中氧化而为硫细菌利用,又保护管虫细胞不被中毒。当然,许多问题,尚待继续研究。

5. 消化系统和营养:须腕动物成体无任何消化道,无消化道的成虫具很大面积的体表，水中溶解的有机物质都能直接经触手和体表渗透到体内。传统的生物学知识告诉人们，地球上的生命靠太阳维持，有了阳光，植物才能生长(光合作用 photosynthesis)，有了植物才能养活靠植物或有机物为生的动物。在深 2 600 m 的热液口何以丛生着巨型管虫，因为那里没有阳光也不可能有来自上层的溶解的有机物质，有的只是大量的硫化氢，硫化氢足以使动物中毒致死，阻断其呼吸活动的进行(阻止氧与血红蛋白的结合，也使重要的酶如细胞色素 C

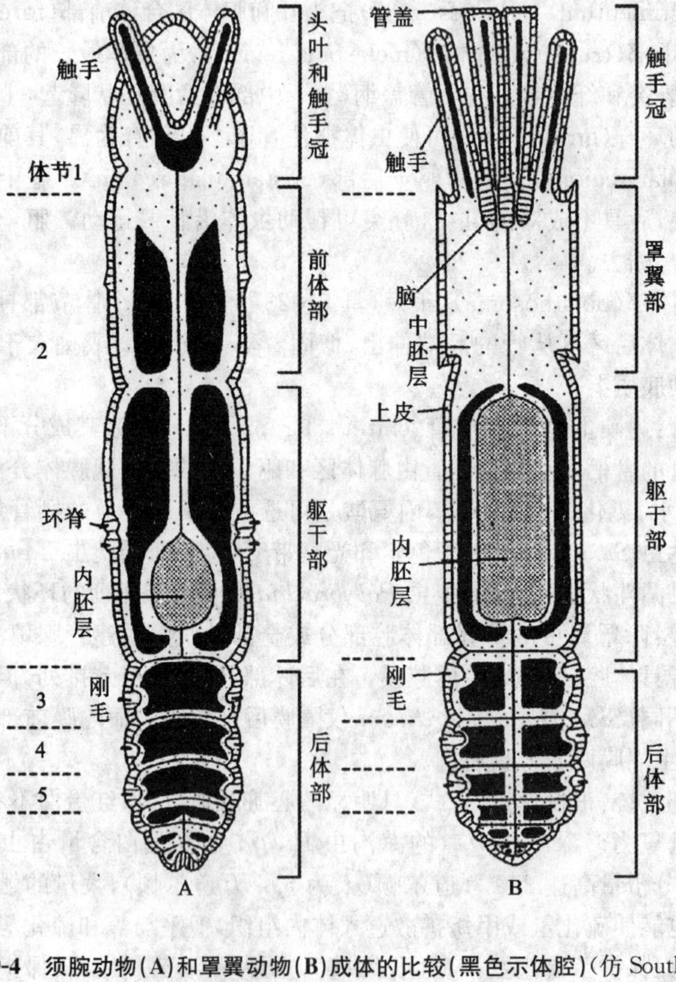

图 19-4　须腕动物(A)和罩翼动物(B)成体的比较(黑色示体腔)(仿 Southward)

氧化酶中毒)。但是,海沟虫 *Riftia* 组织内共生有大量的硫细菌(10^{10}个/g),硫细菌能利用硫化氢或甲烷被氧化后释放的能,进行碳固定(化能合成作用 chemosynthesis),而后含有机物的硫细菌又被巨型管虫摄食,从而维持了一个特殊的食物链其过程为:

$$CO_2+4H_2S+O_2\rightarrow[CH_2O]+4S+3H_2O$$

6. 呼吸和排泄:无特殊的呼吸结构,虽然厚翼海沟虫 *Riftia pachytilia* 具排泄器官,但其功能尚不得知。须腕动物的触手和体表具呼吸和排泄的功能。

19.3 系统发生

第 1 个须腕动物标本采于 1900 年,但因早期采到的标本都缺失躯干后部和分节具刚毛的后体部,故被认为是具 3 个体区的后口动物或与触手冠动物有关(Ivanov,1963)。

1964 年首次获得了第 1 个有分节具刚毛后体部的完整标本,1979 年又在深海热液口附近发现罩翼虫(后体部分节、每个体节具不成对的体腔、按节排列的隔膜和成对的刚毛)。1988 年 Southward 用扫描电镜和透射电镜对 0.15～10 mm 长海脊虫 *Ridgeia* 的幼体进行了研究,发现最早沉落的幼体具幼体纤毛和具有功能的肠。从而证明罩翼虫与以前描述的须腕动物结构相似(图 19-4),而且说明与环节动物的密切关系。

鉴于罩翼虫的特殊结构,Jones(1988)建立罩翼动物门 Vestimentifera。但 Schulze(2003)支持罩翼动物的西伯加科 Siboglinidae 隶于环节动物门,并与多毛纲的缨鳃虫科、龙介虫科是姐妹群,至于罩翼动物的管盖与罩翼是否同源需进一步研究。

第 20 章　星虫门

Sipuncula(L., *sipunculus*, little pipe)

20.1 概述

星虫为圆筒状不分节、具体腔、由翻吻和躯干部两部分组成的海洋蠕虫。翻吻较细,可缩入较粗的躯干部中。因其前端的叶瓣或触手呈星芒状,故称星虫。当翻吻缩入躯干部时,很像一个花生仁,故又称 peanut worm 或 peanut kernel。古记为沙蒜或土笋(筍)。

星虫门的主要特征:

1. 全部海生,多底栖,自由生活;
2. 两侧对称圆筒状不分节,由翻吻和躯干两部组成;
3. 翻吻较躯干部细,前端具口和星芒状的触手或叶瓣;
4. 体腔宽大,被 1～4 条翻吻缩肌穿过;
5. 消化道呈 U 形,肛门位于体前部背中线;
6. 肾 1 个或 1 对,开口于肛门平面的腹中线;
7. 无特殊的呼吸系统和循环系统;
8. 神经系统由 1 个背脑、围咽神经环、1 条无神经节的腹神经索组成;
9. 螺旋卵裂,多经担轮幼虫期,有的还经浮球幼虫期。

星虫门动物 300 余种,现分为 2 纲 6 科(表 20-1),主要检索性状为:

1. 口:a. 部分被触手环绕,b. 全部被触手环绕;
2. 角质或钙质盾:a. 具,b. 无;
3. 纵肌:a. 成束,b. 不成束;
4. 触手茎状分枝:a. 具,b. 无;
5. 肾:a. 1 个,b. 1 对。

表 20-1　星虫门的分类

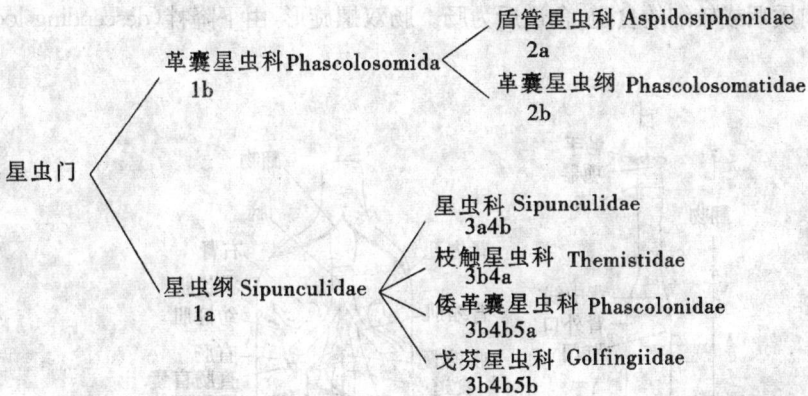

- 星虫门
  - 革囊星虫科 Phascolosomida 1b
    - 盾管星虫科 Aspidosiphonidae 2a
    - 革囊星虫纲 Phascolosomatidae 2b
  - 星虫纲 Sipunculidae 1a
    - 星虫科 Sipunculidae 3a4b
    - 枝触星虫科 Themistidae 3b4a
    - 倭革囊星虫科 Phascolonidae 3b4b5a
    - 戈芬星虫科 Golfingiidae 3b4b5b

20.2 形态、结构和功能

1. 外形(external form):星虫长圆筒状,两侧对称,由两个明显的体区组成(图 20-1 A)。

(1)翻吻(introvert):位于体前部,靠强有力的吻缩肌缩入躯干部,又靠躯干部肌肉收缩的体腔液液压力驱动翻出。当翻吻翻出时,局部的环肌松弛使翻吻部分扩张,从而使虫体挤入沉积物中。通常翻吻为躯干的 0.5～10 倍长,前部常具钩或刺或扁平的乳突,如方格星虫 *Sipunculus* 吻无钩、具三角形乳突(尖端向后、呈鳞状排列)(图 20-1 E)。翻吻端部称口盘(oral disk),具口、触手或触手叶,项器(nuchal organ)叶状常位于口盘背部。翻吻不仅是运动穴居器官而且也是摄食器官。

(2)躯干部(trunk):较粗大,无钩或刺但常具感觉乳突或腺质乳突。在珊瑚礁中生活的星虫,躯干前常具钙质或角质的盾(shield),盾管星虫 *Aspidosiphon* 躯干后端还具钙质尾盾(caudal shield)。除瘤体星虫 *Onchnesoma* 外(肛门位于翻吻上),肛门皆位于躯干前背中线上,肛门腹侧常具 1～2 个肾外孔。

2. 体壁(body wall):由角质膜、上皮、环肌、纵肌和体腔膜组成。其厚度和成分也因种类有所不同,或纵、环肌连续(高英虫 *Golfingia*)或环肌连续而纵肌成束(革囊星虫 *Phascolosoma*)或纵、环肌皆成束构成明显的纵、横垄沟和小方块(方格星虫 *Sipunculus*)(图 20-1 C)。

3. 体腔(body cavity):宽大不分室,具体腔膜。体腔中容纳有从口盘到体壁纵行的吻缩肌、消化道、肾等器官和体腔液,体腔液中的红血细胞含有蚓红蛋白。

4. 消化系统(digestive system)(图 20-1 B):消化管 U 形,口位于吻端,通入短的肌肉质咽或较细的食道,食道后为肠。肠双螺旋形,由下降袢(descending loop)

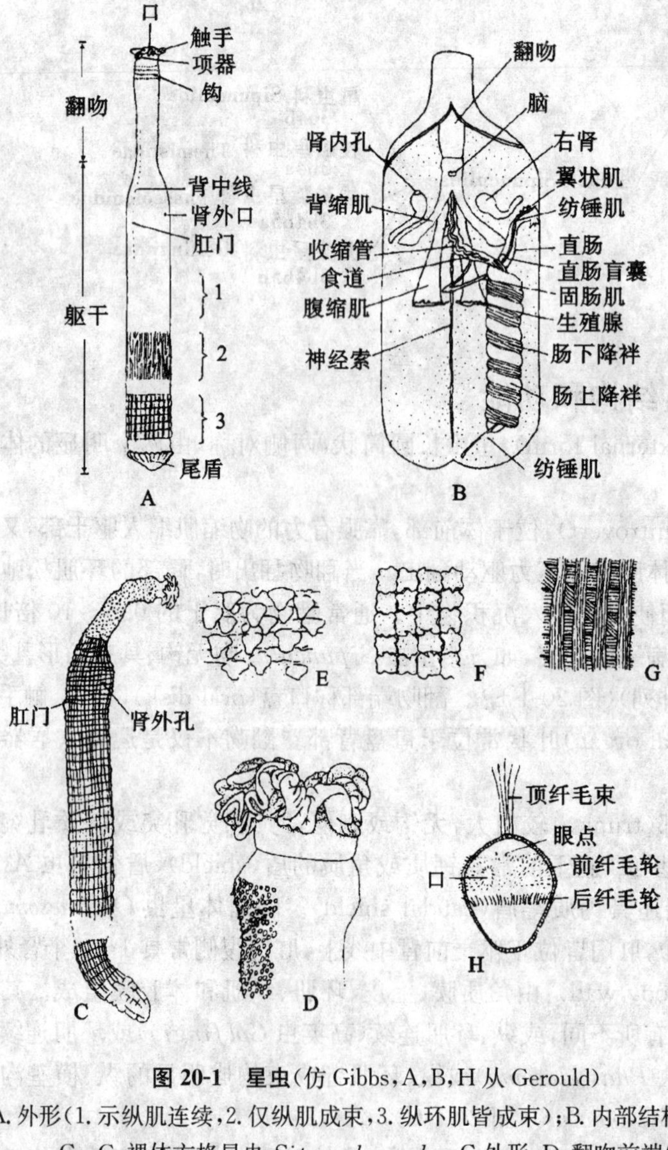

图 20-1　星虫(仿 Gibbs,A,B,H 从 Gerould)

A. 外形(1. 示纵肌连续,2. 仅纵肌成束,3. 纵环肌皆成束);B. 内部结构背面观;

C~G. 裸体方格星虫 *Sipunculus nudus*:C 外形,D. 翻吻前端侧面观;

E. 翻吻上的鳞状乳突;F. 躯干部皮肤的方形图饰;

G. 躯干部皮肤内面观、示肌肉束的排列;H. 高英虫的担轮幼虫

和上升袢(ascending loop)组成，盘旋纵贯于宽大的体腔内并为固肠肌(gut-fixing muscle)固于体壁。肠后为直肠，经位于躯干部前端背中线开口的肛门与外界相通。在方格星虫 *Sipunculus*，咽和肠之间具特有的食道后袢(post-oesophageal loop)，在咽背腹各具一简单的收缩管(contractile vessel)。在有的种，具直肠盲囊(rectal diverticulum caecum)和直肠腺(rectal gland)或葡萄腺(racemose gland)。尽管个别的星虫可用触手上的纤毛过滤有机颗粒，但多数星虫为非选择性的沉积物摄食者(detritus-feeder)，以翻吻前端聚积收集食物，再由纤毛的摆动送往口中。

5. 神经系统(nervous system)：脑双叶形，位于咽背方，经围咽神经环与腹中线的不成对且无神经节的腹神经索相连。

6. 生殖系统和发育(reproductive system and development)：除个别种为雌雄同体外，皆为雌雄异体，且雌多于雄，但从外表上难以区分。生殖腺位于翻吻腹缩肌基部的体腔膜上，性成熟后，精(卵)落入体腔经肾孔被排入水中受精，典型的螺旋卵裂，有的直接发育，有的经担轮幼虫期(trochophora)，典型的担轮幼虫见于高英虫 *Golfingia*(图 20-1 H)，具顶纤毛束(apical tuft)及位于赤道前后的前纤毛轮(prototroch)和后纤毛轮(metatroch)。多数大洋性种类又经第 2 个幼虫期即浮球幼虫(pelagosphera)，浮球幼虫具临时附着的端器(terminal organ)，卵黄营养(lecithotrophic)或浮游营养(planktotrophic)，在大洋水域可生活数月之久。无性生殖的横裂，仅见于盾管星虫 *Aspidosiphon*。

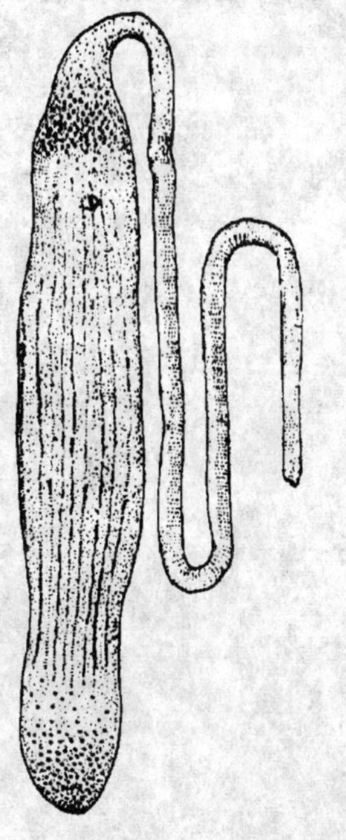

图 20-2　可口革囊星虫 *Phascolsoma esculenta*
(仿陈义等)

7. 生境和习性(habitate and habit)：星虫多分布于暖海水域的潮间带，从极地到深 7 000 m 的深海平原也都有其踪迹。尤其在热带，印度-太平洋具较大的多样性及丰度。底栖的星虫，穴居于泥沙或砾石中，亦见于石块下和岩石的裂隙中。在珊瑚礁中，襟管星虫 *Cloeosiphon* 和石管星虫 *Lithacrosiphon* 的穴居是珊瑚被破坏的原因之一。有的革囊星虫 *Phascolosoma* 和盾管星虫 *Aspidosiphon* 凿穴于石灰质的岩石中，有的倭革囊星虫 *Phascolion* 则栖居于腹足类和掘足类的空壳或多毛类的栖管里。

20.3 系统发生

在动物界，星虫、螠、曳鳃动物曾被称为桥虫 Gephyrea（Hyman，1951），认为这是向分节的真体腔动物的过渡类群；还有把星虫、螠、环节动物和软体动物归并为担轮动物 Trochozoa 的，这是由于他们都具相似的担轮幼虫。但是，在结构上星虫、螠比环节动物更简单，可能保留了比环节动物更原始的或更退化的性状，现今多独立成门。星虫、螠、环节动物的异同比较表见第 21 章。

第 21 章 螠门

Echiura(Gr., *echis*, snake; L., *ura*, tailed)

21.1 概述

螠为不分节、有体腔、常由细长的吻和粗大的躯干部组成的海洋蠕虫。螠吻能伸缩但不能缩入躯干部。因吻腹面的沟槽呈匙状，故又称匙虫(spoon worm)。

在我国古籍中，螠为小蟹，明·胡世安《异鱼图赞补》引《雨航杂录》:“螠，似蟛蜞而小。”后有缢女，指昆虫名。在日用汉字中畸变为今之单环棘螠。

螠门的主要特征：

1. 全部海生，多底栖自由生活；

2. 两侧对称，圆筒状不分节，由吻和躯干两部分组成；

3. 吻较细长，具伸缩性但不能缩入躯干部，其腹面具纤毛的沟槽；

4. 躯干前部腹面常具 1 对刚毛；

5. 具宽大的体腔；

6. 消化道长而卷绕，口位于吻的基部，肛门位于虫体后部口的相对端；

7. 具 1 至数对肾和 1 对肛门囊；

8,除棘螠外，多具闭管式循环系统；

9. 无特殊的呼吸系统；

10. 神经系统无脑，由围咽神经环和 1 条无神经节的腹神经索组成；

11. 螺旋卵裂，多经担轮幼虫期。

螠门动物约 140 个已知种，现分为 1 纲 3 目(表 21-1)，其检索性状为：

1. 循环系统：a. 闭管式，b. 无或开管式；

2. 肾：a. 成对，b. 不成对或多达 200～400 条；

3. 纵肌：a. 位于外环肌和斜肌之间，b. 位于外环肌和内斜肌之外。

表 21-1　螠门的分类

螠门—螠纲 Echiurida—
- 螠目 Echiuroinea 1a2a3a
- 无管螠目 Xenopneusta 1b2a3a
- 异肌螠目 Heteromyota 1a2b3b

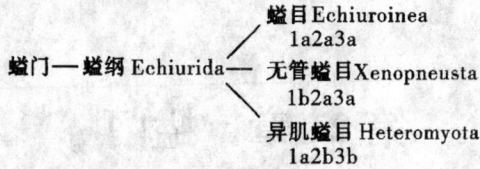

我国的习见种有：螠目的短吻铲荚螠 *Listriolobus brevirostris*（图 21-2 A）、多皱无吻螠 *Arhynchite rugosum*，无管螠目的单环棘螠 *Urechis unicinctus*（图 21-2 B）等。但雌雄双态的伯螠 *Bonellia*（图 21-1 C）国内尚未见报道。

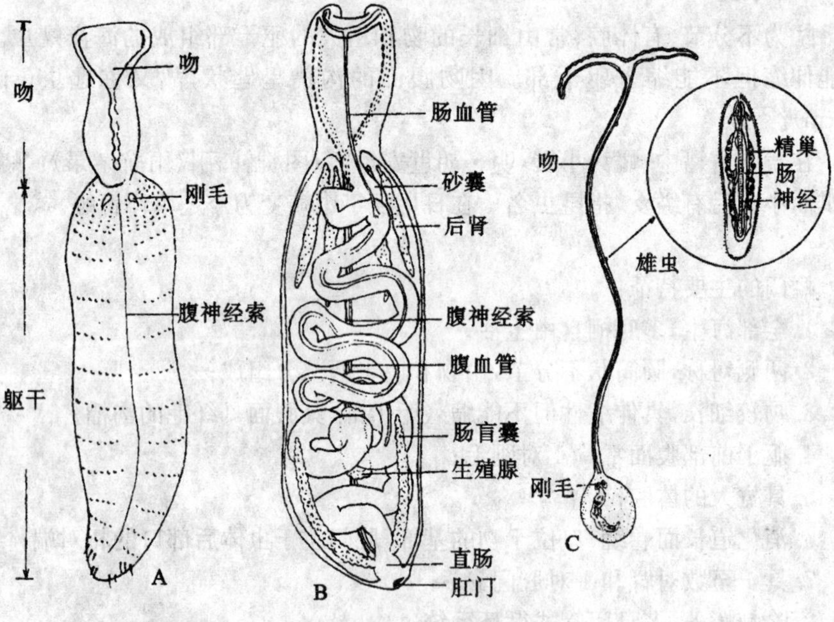

图 21-1　螠

A. 外部形态，腹面观；B. 从背部的解剖；C. 绿伯螠 *Bonellia viridis*

（A，B 仿 Barnes 等；C 仿 Laverck 等从 Baltzer）

21.2 形态、结构和功能

1. 外形（external form）：多为长 3～15 cm 圆柱形的长囊状或香肠状蠕虫。

体色多黄褐或褐色，其他为红色、紫色，伯螠 *Bonellia* 多绿色，少数是透明的。常由两部分组成：

（1）吻（proboscis）：除无吻螠 *Arhynchite*、伯螠雄性个体无吻外，多具吻。吻系前部扁平的突起物，具伸缩力但不能缩入躯干部。吻实际上是头叶，可能与环节动物的口前叶同源。吻的侧缘是卷曲的，腹面具有纤毛的沟槽。口位于吻的基部。吻的长短变化很大，池田螠 *Ikeda* 躯干长 40 cm、吻长 1.5 cm，伯螠的吻前端分叉、8 cm 长的躯干、吻可伸达 2 m 长。吻是掘穴、摄食的器官并兼具呼吸功能。

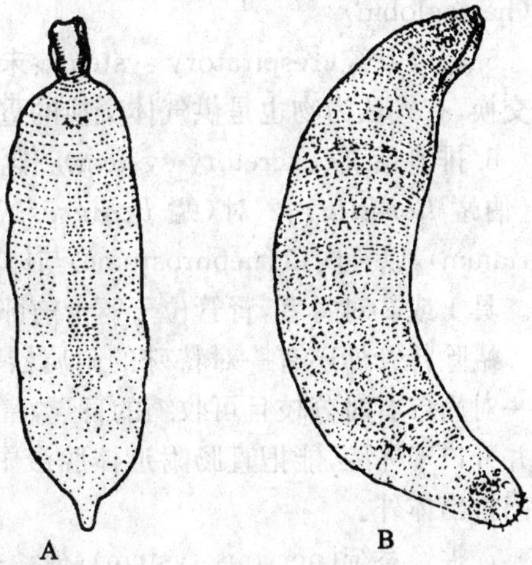

图 21-2　螠（仿李凤鲁）

A. 短吻铲夹螠；B. 单环棘螠

（2）躯干（trunk）：躯干肠囊状，腹面前端具一对靠得很近的、弯曲的钩或粗刚毛（前刚毛）。除前刚毛外，在躯干后部近肛门处，棘螠 *Urechis* 具 1 环、螠 *Echiurus* 具 2 环细刚毛。当虫体波状蠕动时，刚毛可牵引或抓住穴壁以协助运动。

2. 躯干肌（trunk musculus）：躯干肌由环肌、纵肌、斜肌组成。其排列方式因目而异。异肌螠目 Heteromyota 纵肌成束且位于环肌、斜肌之外。螠目 Echiuroinea 和无管螠目 Xenopneusta 纵肌位于环肌和内斜肌之间，但在螠目螠科 Echiuridae 的部分属中，或纵肌成束或斜肌成束。

3. 消化系统和摄食（digestive system and feeding）：口位于躯干前端吻的基部，肛门位于躯干后端，故消化管基本上为直管形但卷绕于体腔中。

多数螠是碎屑摄食者（detritus-feeder），摄食时，吻的腹面伸到沉积物上，分泌黏液，被粘着的有机碎屑沿纤毛的沟槽被送入口中。但 U 形栖管的棘螠 *Urechis* 的摄食方式似多毛类的磷虫 *Chaetopterus variopedatus*，为悬浮摄食者（suspension-feeder）或黏液过滤摄食者（mucous feeding filter），躯干前的环形黏液腺分泌形成黏液网，当虫体体壁肌波状蠕动驱动水流通过黏液网时，食物便被过滤聚集后被吞食。棘螠又称为看护虫（inkeeper worm），因为有多种动物如夜鳞虫 *Hesperonoe*、巴豆蟹 *Pinnixa*、小的双壳类、虾虎鱼等共栖于其栖管中似被看护着。

4. 循环系统（circulatory system）；除棘螠 *Urechis* 无血管为开管式循环系

统外，螠的循环系统与环节动物的极相似，通常为闭管式循环系统，具背、腹血管。虽然循环系统本身无携氧的血色素，但在有些种的体腔液中发现有血红蛋白(hemoglobin)。

5. 呼吸系统(respiratory system)：未发现螠有特殊的呼吸器官。气体经体表交换，有人认为吻也是供气体交换的重要表面。

6. 排泄系统(excretory system)：排泄器官系后肾(metanephridium)，为1对(伯螠 *Bonellia*)、2对(螠 *Echiurus*)甚至达百条(池田螠 *Ikeda*)肾管(nephridium)，以肾内口(nephrostome)与体腔相通，肾外孔(nephridiopore)通向体外。具1或2对肾者，肾管位于躯干前部，肾外孔开孔于刚毛后。

螠除肾管外还有一对特殊的附属器官肛门囊(anal sac)，这是位于直肠两侧一对简单有时分枝且可收缩的盲囊，盲囊表面具许多与肾内孔相似的纤毛漏斗并开口于体腔，能把直肠附近体腔液中的废物抽提入肛门囊，然后经直肠由肛门排出体外。

7. 神经系统(nervous system)：神经系统简单，为皮下神经系，无脑，仅由围咽神经环和一条无神经节的腹神经索组成。

8. 生殖(reproduction)：雌雄异体(dioecism)，无明显的生殖腺。性成熟时，生殖细胞产自体腔膜(躯干部的腹系膜)，并在体腔中游离达成熟。成熟的生殖细胞通过肾管由肾外孔排出体外。

除伯螠 *Bonellia* 外，通常在海水中行体外受精。其发育相似于多毛环节动物，担轮幼虫(trochophora)具3条明显的纤毛带(prototroch，metatroch，telotroch)，但在胚胎发育过程中曾出现分节性的体腔囊未持续到成体。

在有的物种，决定性别的方式(性决定 sex determination)是在受精之后，最典型的例子是性双态的(dinophic)绿伯螠 *Bonellia viridis*(图21-3)，其担轮幼虫具有发育成雌或雄个体的潜力。若幼虫沉落于海底非成体栖居处，则具发育为雌体的倾向，若幼虫沉落于雌体吻附近，因受雌吻分泌物的诱导，便发育成为无吻、无循环系统、消化管退化、体表具纤毛、仅长1 mm且寄生于雌性肾管或食道中的雄个体。若把幼虫放在无雌性成体存在的纯海水中培养，结果90%的幼虫发育为雌性，而把同批幼虫放在雌性或仅有雌性吻存在的海水中培养，那吸附于吻上的幼虫70%发育为雄性，这说明在决定性别时有遗传成分，但上述环境因素常占压倒作用。

9. 生境和习性(hahtate and habit)：除几个咸水种外多见于海洋，从潮间带至1万米深海，但主要分布于浅水区。通常长3～15 cm，偶见75 cm。螠 *Echiurus*、棘螠 *Urechis* 和池田螠 *Ikeda* 生活于泥沙底具半永久性的穴管中，有的则栖居于岩石和珊瑚的裂隙中。此外，一种绿螠虫 *Thalassema mellita* 在幼小个体时，进入死的饼干海胆的空壳，待成长后便永久居于其中。

21.3 系统发生

螠、星虫和环节动物门有很大的相似性(表 21-2)，是 3 个有密切关系的动物门。一般认为，螠更接近于环节动物：螠吻可能与环节动物的口前叶同源，具刚毛，体壁肌的布局相似，皆为直形消化管，多具循环系统，螠发育过程中曾出现过分节现象。

表 21-2 星虫、螠、环节动物的比较

性状	环节动物门	螠门	星虫门
分节现象	幼虫-成体皆具	仅发育过程中出现	无
刚毛	具	具	无
体前端	具口前叶	多具吻(不能缩入躯干部)	具翻吻(能缩入躯干部)
体壁肌	外环内纵肌	外环内纵肌或外纵内环肌	外环内纵肌
消化管	直形	直形	U形
循环系统	具、闭管式	具、闭管或开管式	无
携氧色素	血红蛋白 蚓红蛋白 血绿蛋白	血红蛋白	蚓红蛋白
排泄系统	后肾(多对)	后肾(1～多对) 肛门囊	后肾(1 个或 1 对)
神经系统	具脑和链式腹神经索	无脑具非链式腹神经索	具脑和非链式腹神经索
生殖细胞	来自体腔膜 成熟于体腔 可能经肾外孔排出	来自体腔膜 成熟于体腔 经肾外孔排出	来自体腔膜 成熟于体腔 经肾外孔排出
体腔形成方式	裂体腔	裂体腔	裂体腔
卵裂类型	螺旋定型	螺旋定型	螺旋定型
幼虫	担轮幼虫	担轮幼虫	担轮幼虫 浮球幼虫

第 22 章 软体动物门

Mollusca(L., *molluscus*, soft)

22.1 概述

软体动物习见于海洋、淡水和陆地。常由头(head)、足(foot)、内脏团(visceral mass)、外套膜(mantle, pallium)、壳(shell)5 部分组成。除壳外,因体软如瓜果或真菌,故得名。软体动物繁盛于 5 亿年前的寒武纪,约计 10 万种(现生 5 万余种、化石 3.5 万余种),是动物界的第 2 大门。研究软体动物的学科称为软体动物学(Malacology)或贝类学(Concology)。包括石鳖(chiton)、蛤(clam)、牡蛎(oyster)、螺(snail)、鹦鹉螺(nautilus)、乌贼(cuttlefish)、鱿鱼(squid)、章鱼(octopus)等。

距今 1.8 万年前山顶洞人遗留的 3 个磨孔海蚶壳和具数千年历史之贝丘遗址,均说明我们的祖先史前已利用和食用贝类。宝贝科贝类自商代就供做货币,贝类文字初见于甲骨文及其后的鬲尊、古匋、汗简上。

贝之归类,古有从鳞、从鱼、或归为水族或称为水物怪错,此见西周《周礼·地官·敝人》(鳞物)、《尔雅》(释鱼)、《吕氏春秋·季秋纪·精通》(水族)、晋·张华《博物志》(水产)、晋·郭璞《江赋》(水物怪错)。秦时废贝行钱。唐代贝和珍珠、五谷、玛瑙、玉器并列为宝物(《艺文类聚》)。汉·朱仲的《相贝经》是我国最早的贝类著作。自唐至清,牡蛎、江瑶、蚶、缢蛏、海兔、泥螺等的人工养殖,均有辉煌之成就。

近年来,我国海产贝类养殖业 2004 年仅牡蛎的产量就达 985 万吨(《2004 年中国海洋年鉴》),且已逐渐步入科学理论指导和管理的时代,养殖物种的开发和引进、种苗的生产、养殖技术、良种培育、病害防治等均取得很大成绩。

软体动物门的主要特征:

1. 两侧对称或次生不对称,除双壳类头部退化外,皆具发达的头部;

2. 内脏常集中为内脏团(块)；

3. 外套膜覆以体外，为体壁的延伸，鳃、嗅检器、肾孔、生殖孔、肛门常位于外套腔中；

4. 外套之壳腺分泌钙质骨针、壳板或壳；

5. 肌肉足明显且大，常具扁平的爬行蹠面；

6. 次生体腔常退化为围心腔、肾腔、生殖腔，初生体腔为血腔；

7. 完整的消化系统，口区常具齿舌，常具大的消化盲囊或消化腺；

8. 心脏位于围心腔内，具心室、心耳和血窦，系开放式循环系统；

9. 具结构复杂的后肾；

10. 典型的胚胎发育，经螺旋卵裂、担轮幼虫、面盘幼虫期。

软体动物门约计 10 万种，现分为 7 纲(表 22-1，图 22-1)，其分类性状主要为：

1. 头部：a. 具，b. 无；

2. 足的位置：a. 头前，b. 非头前；

3. 壳：a. 具(a^1. 单个非管状，a^2. 2 片，a^3. 8 片，a^4. 单个管状)，b. 无。

表 22-1　软体动物门的分类

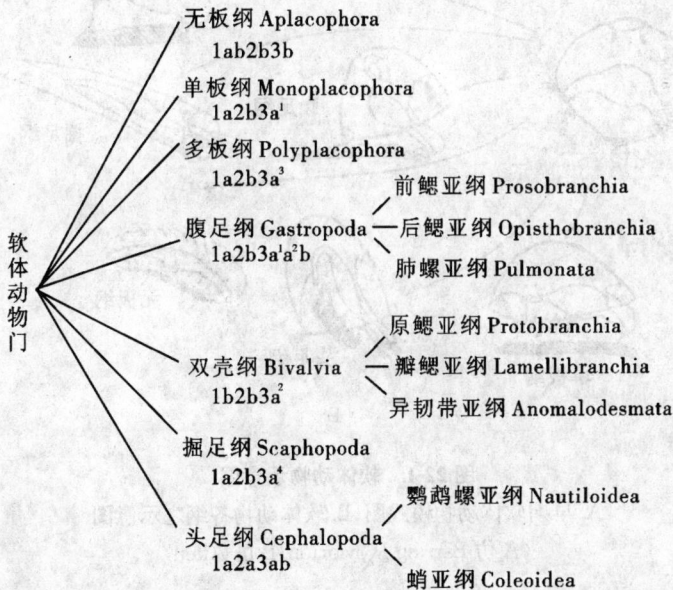

软体动物门
- 无板纲 Aplacophora 1ab2b3b
- 单板纲 Monoplacophora 1a2b3a^1
- 多板纲 Polyplacophora 1a2b3a^3
- 腹足纲 Gastropoda 1a2b3a^1a^2b
  - 前鳃亚纲 Prosobranchia
  - 后鳃亚纲 Opisthobranchia
  - 肺螺亚纲 Pulmonata
- 双壳纲 Bivalvia 1b2b3a^2
  - 原鳃亚纲 Protobranchia
  - 瓣鳃亚纲 Lamellibranchia
  - 异韧带亚纲 Anomalodesmata
- 掘足纲 Scaphopoda 1a2b3a^4
- 头足纲 Cephalopoda 1a2a3ab
  - 鹦鹉螺亚纲 Nautiloidea
  - 蛸亚纲 Coleoidea

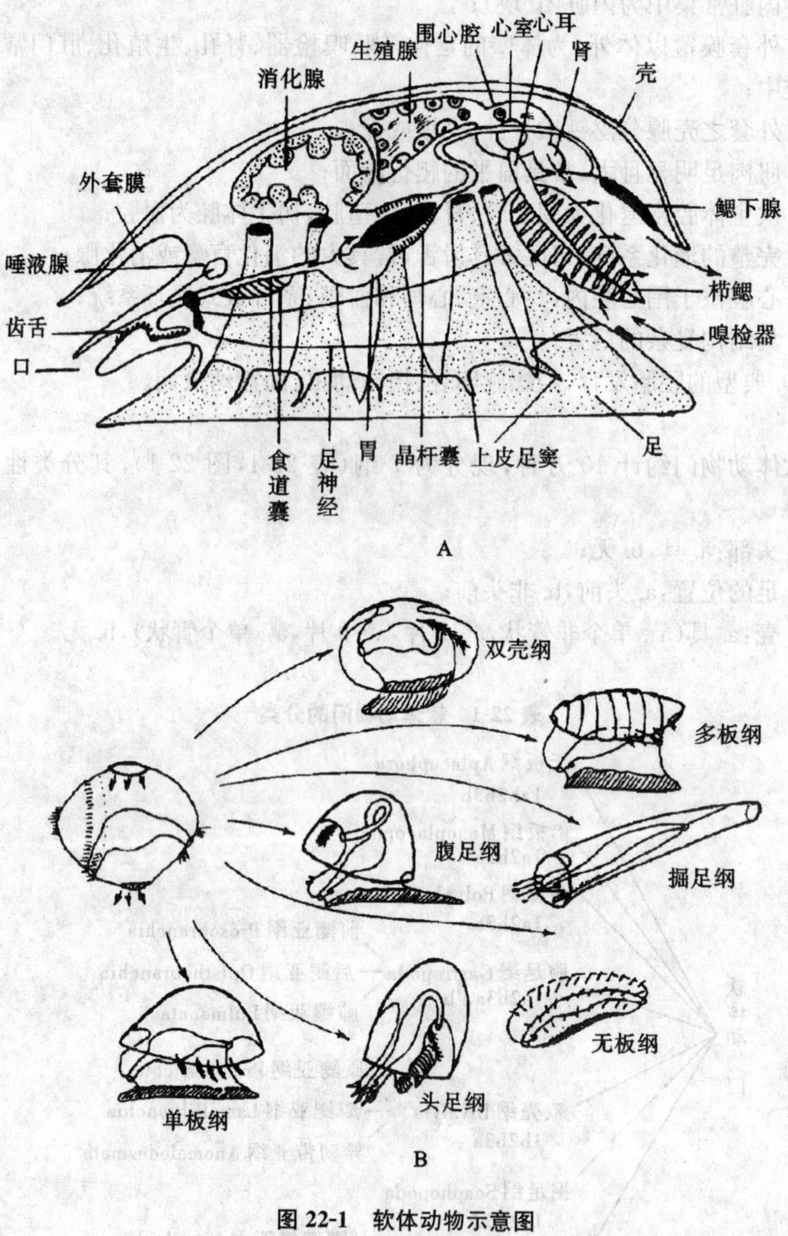

图 22-1　软体动物示意图

A. 早期软体动物模式图；B. 软体动物各纲之示意图

（A 仿 Barring 从 Morton；B 仿 Allen）

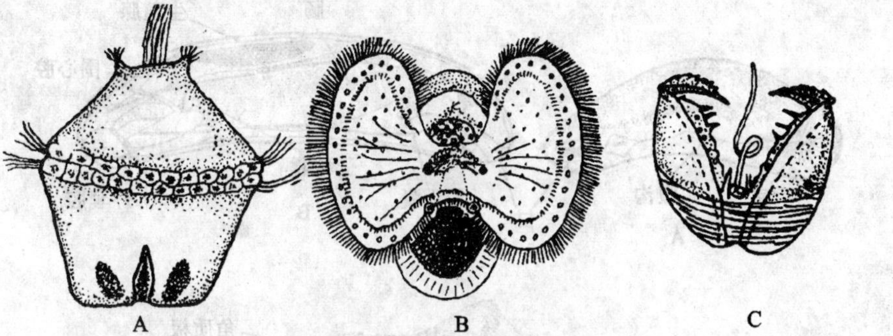

图 22-2 软体动物之幼虫

A. 担轮幼虫；B. 面盘幼虫；C. 钩介幼虫(仿各作者)

22.2 无板纲 Aplacophora(Gr. ,*a*,none;*plax*,plate;*phora*, bearing)

无板纲动物是软体动物中的原始类型。约 250 种。全部海产，栖于深海或穴居于软海底，腐食性或肉食性。身体圆柱形或侧扁蠕虫形，长 0.2～30 cm。无壳。头部不显著或无，有一作用不详的角质板(cuticular plate)。无眼点，无触角。口位于体前端腹面。齿舌(radula)有或无。足退化或无。深海者体腹侧有 1 条纵走的腹沟(ventral groove)，故又称沟腹纲 Solenogaster。沟内有 1 至多个生有纤毛的小嵴(small ridge)，用以爬行。全身覆有外套膜，外套膜上生有尖端向后的针突或 1 至多层相分离的钙质片(calcareous scale)。有的种类后端有一个生有肛门、生殖孔及 2 个栉鳃(stenidia)的囊状外套腔。有的无栉鳃而代之以皮褶或乳突状的次生鳃(secondary gill)。无排泄器官及生殖输管，性产物通过围心腔管排放。神经系统由脑神经节，围食道神经环及向体后纵行的神经索组成。雌雄同体或异体，体外或体内受精。有的种类有交接刺(stylet)，精子贮存于受精囊(seminal receptacle)中。间接发育经担轮幼虫阶段。如新月贝 *Neomenia*、毛肤贝 *Chaetoderma*(图 22-3)。

22.3 单板纲 Monoplacophora(Gr. ,*mono*. one;*plax*,plate; *phora*,bearing)

单板纲动物也是原始的小型海生贝类。在 20 世纪 50 年代以前，仅知古生代的化石种。1952 年，丹麦“海神”号(*Galathea*)在中美哥斯达黎加(Costa Rica)西海岸外水深 3 570 m 采得现生的新碟贝 *Neopilina* 后，才确定该纲。今已

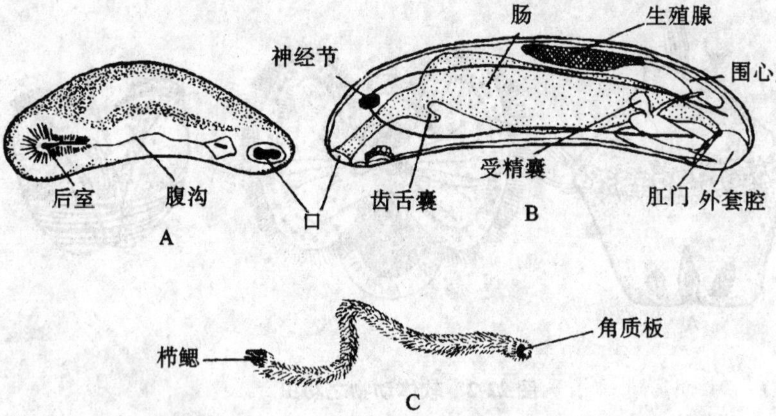

图 22-3　无板纲动物

A. 新月贝外形；B. 新月贝内部结构；C. 毛肤贝(仿 Barnes)

发现约 10 种，均栖息在太平洋、南大西洋及印度洋 2 000～7 000 m 的深海底。草食性或腐食性。体长 0.3～ 3 cm。体背面有 1 个简单的锥形或扁圆的帽形壳，壳顶朝向前腹方弯曲，壳内表面有 3～8 对缩足肌痕(pedal retractor muscle scar)。壳下是软体部及 1 个小的肌质扁平圆形足。足与外套膜之间是外套沟(pallial groove)。头部不明显。无眼点。口位于足前方。口前有 1 个口前褶(preoral fold)并向两侧延伸成具纤毛的须状物(palplike structure)及 1 对口后触角(postoral tentacle)。口腔中有发达的齿舌，胃中有晶杆囊(style sac)，肠长而盘曲(coiled)。肛门位于足后方的外套沟中。许多器官常重复排列，表现分节现象：足两侧外套沟中具栉鳃 5～7 对，3～8 对缩足肌(pedal retractor muscle)，6 对裂片状肾脏。肾脏对内开口于围心腔，对外开口于外套沟，靠近鳃基部。心脏包括 2 对心耳和 1 对心室，全被围包在 1 对围心腔中。神经系统梯形，由不发达的脑神经节，围食道神经环及由此发出的 2 条侧神经索与 2 条足神经索组成，侧、足神经索间有 10 对横行侧足连接神经。雌雄异体。生殖腺 2 对，位于体中部。2 对生殖输管分别通过第 3 第 4 对肾脏通体外。体外受精。如新碟贝 *Neopilina*(图 22-4)。

22.4 多板纲 Polyplacophora(Gr., *polys*, many; *play*, plate; phore, bearing)

多板纲动物体长 3 mm～40 cm，两侧对称椭圆形，口和肛门分列于体前后端。体背部具 8 块覆瓦状之壳板和其外周外套膜加厚之环带(gridle)，环带上具角质刺束(spine)或鳞片(scale)、毛(bristle)等。体腹部足宽大,用以匍匐爬行于海底岩礁等硬物上。具齿舌,用以刮食海藻。俗称石鳖(chiton)。全部海生,全球约550种,我国已记录39种。明·李时珍《本草纲目·石部》记:"石鳖生海边,形状大小俨如蟅虫。蟅虫俗名土鳖。"

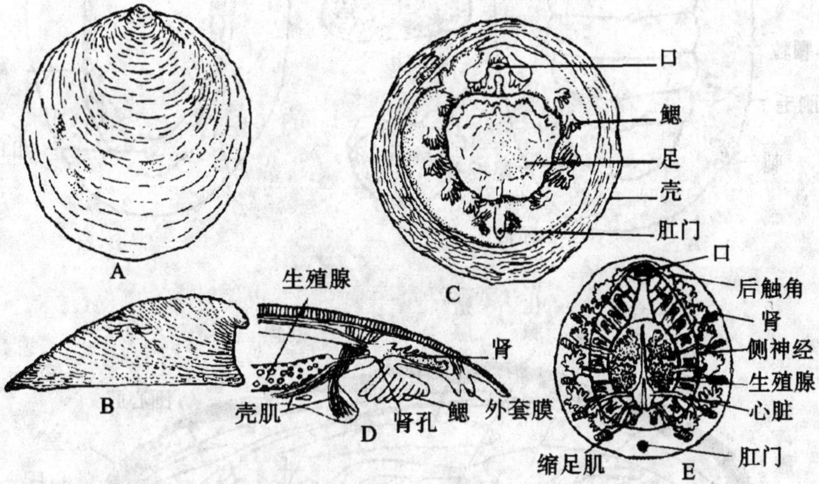

图 22-4 新碟贝(仿各作者)

A. 壳背面观;B. 壳侧面观;C. 外形腹面观;D. 内部结构右侧观;E. 内部结构腹面观

22.4.1 形态、结构和功能

1. 壳板(shell plate)和外套膜(mantle)(图 22-5 A,B):壳板8片,覆瓦状排列于体背部,通常不完全包被动物体背面。最前1片壳板称头板(cephalic plate)、半月形、腹前方有或无嵌入片(insertional lamina),中间6片壳板称中间板(intermediate plate)、腹后方两侧有或无嵌入片,最后1片壳板称尾板(tail plate)、腹后方有或无嵌入片。嵌入片上有或无齿裂(splite)。

每片壳板由盖层(tegmentum)、连接层(articulamentum)和下角层(hypostracum)组成。盖层是壳板的最上层,主要成分是贝壳硬蛋白基质(conchiolin matrix)兼有碳酸钙,表面覆有角质层(periostracum),具各种壳饰(sculpture)。盖层之下是一厚且致密的白色连接层,全是碳酸钙成分。下角层位连接层之下,直接与外套膜相连。每一壳板前面两侧的连接层伸出部分称缝合片(sutur-

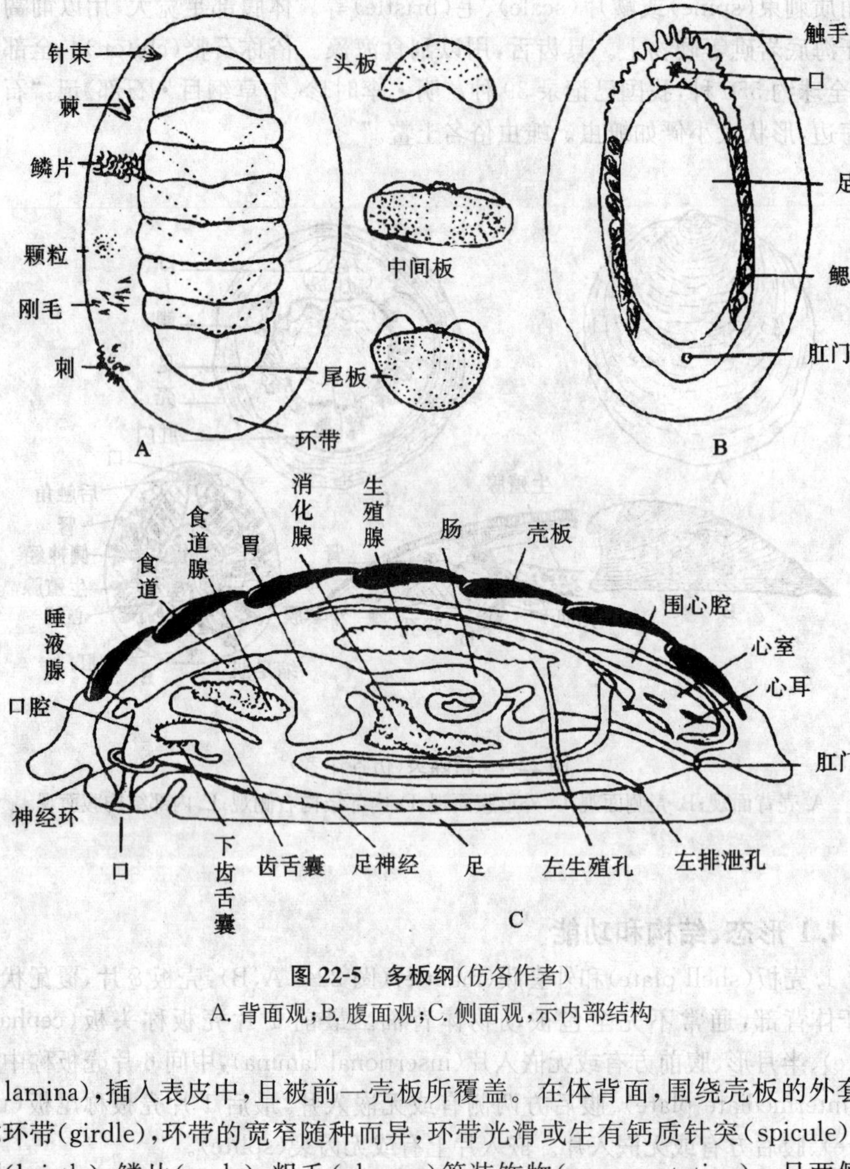

图 22-5 多板纲(仿各作者)

A. 背面观;B. 腹面观;C. 侧面观,示内部结构

al lamina),插入表皮中,且被前一壳板所覆盖。在体背面,围绕壳板的外套膜称环带(girdle),环带的宽窄随种而异,环带光滑或生有钙质针突(spicule)、短刺(bristle)、鳞片(scale)、粗毛(shaggy)等装饰物(ornamentation)。足两侧与外套膜间形成外套沟(pallial groove),沟中有对称排列的双梳状栉鳃,沟后部有1对生殖孔及1对排泄孔,肛门位外套沟后方中间。

2. 头部:不明显。位体前端腹面,圆柱状。有1向下弯曲的吻,口位吻中央。无触角,无眼点。

3. 足部:位于身体腹面。长椭圆形。蹠面宽平,足肌发达。足是缓慢爬行和强有力的吸附器官。

4. 消化系统(图 22-5 C):消化管包括口、口腔、咽、食道、胃、肠及肛门。口腔内有1长带形的几丁质齿舌(odontophora)、亚(下)齿舌囊(subradula pocket)和齿舌囊(radula sac)。齿舌上有数目很多横排的尖锐舌齿,每一横列有小齿17个,齿式:4·3·3·3·4,即中齿3个、侧齿各3个、缘齿各4个。齿舌用以刮取、磨碎海藻等食物。咽宽大,后接短的食道,其后方与宽大的薄壁囊状胃相接,胃后是迂回的肠,末端是肛门。消化腺有:位于口腔前方两侧的1对唾液腺(salirary gland)并以短的唾腺管通入口腔,位于食道前方两侧的1对食道腺并开口于食道的起始处、分泌消化酶使淀粉分解为右旋糖,位于胃周围呈淡绿色葡萄状的消化腺。觅食时,亚齿舌器伸出口外,以寻觅海藻等,然后通过齿舌的刮取而摄入。

5. 呼吸系统:主要的呼吸器官是栉鳃。栉鳃悬挂在足两侧的外套沟顶部,左右对称排列。外套沟形似一个密闭的管子,只在前端有入水孔(inhalant opening),由此流进海水,经栉鳃时行气体交换,再通过外套沟后端肛门附近的出水孔(exhalant opening)流出体外。

6. 循环系统:心脏由1心室2心耳组成,外为围心腔膜所围包,位于体后端中央、最后的2个壳板下方。心室与心耳间有耳室孔相通。心耳接受来自全部栉鳃的血液。

7. 排泄器官:肾脏1对,倒"U"形,位消化管腹面两侧。内端漏斗状,通围心腔,外端开口于外套沟后方2个栉鳃之间的1对排泄孔。肾脏伸出许多分枝状的腺质结构于内脏间,渗取血液中的代谢产物。

8. 神经系统与感觉器官(图 22-6 A,B):神经系统原始、简单、无神经节。围食道神经环向前发出神经支配口腔和齿舌器官,向后发出1对足神经索及1对侧神经索。前者位足上部,伸出神经至足部,后者位体两侧,伸出神经至外套膜、鳃、内脏等器官,后端由粗的直肠上神经相连。各神经索间有横行细小神经相联系形如梯状。

感觉器官有亚齿舌器(subradula organ)和壳眼(esthete,aesthete)。壳眼是外套膜细胞深入盖层分化而成。由晶体(lens)、玻璃体(vitrous body)、感光细胞(photoreceptor cell)等组成。壳眼有大、小之分,通过沟道(canals)彼此相通。

9. 生殖系统与发育(图 22-6 D):多数雌雄异体。1对生殖腺融合成1个长筒形的红色精巢或绿色卵巢。生殖腺位于围心腔前方,中部壳板之下。由生殖腺后端背面两侧各伸出一条生殖输管,开口于足两侧之外套沟中、排泄孔之前。卵于体外或雌体外套沟中受精。受精卵在外界或雌体的外套沟中发育孵化。

经自由游泳的担轮幼虫阶段。变态过程中，纤毛环后区(posttrochal region)伸长形成身体的大部分(图 22-6 C)，纤毛环前区(prototrochal region)退化。沉入水底为幼体，但幼虫眼仍保留一段时间。

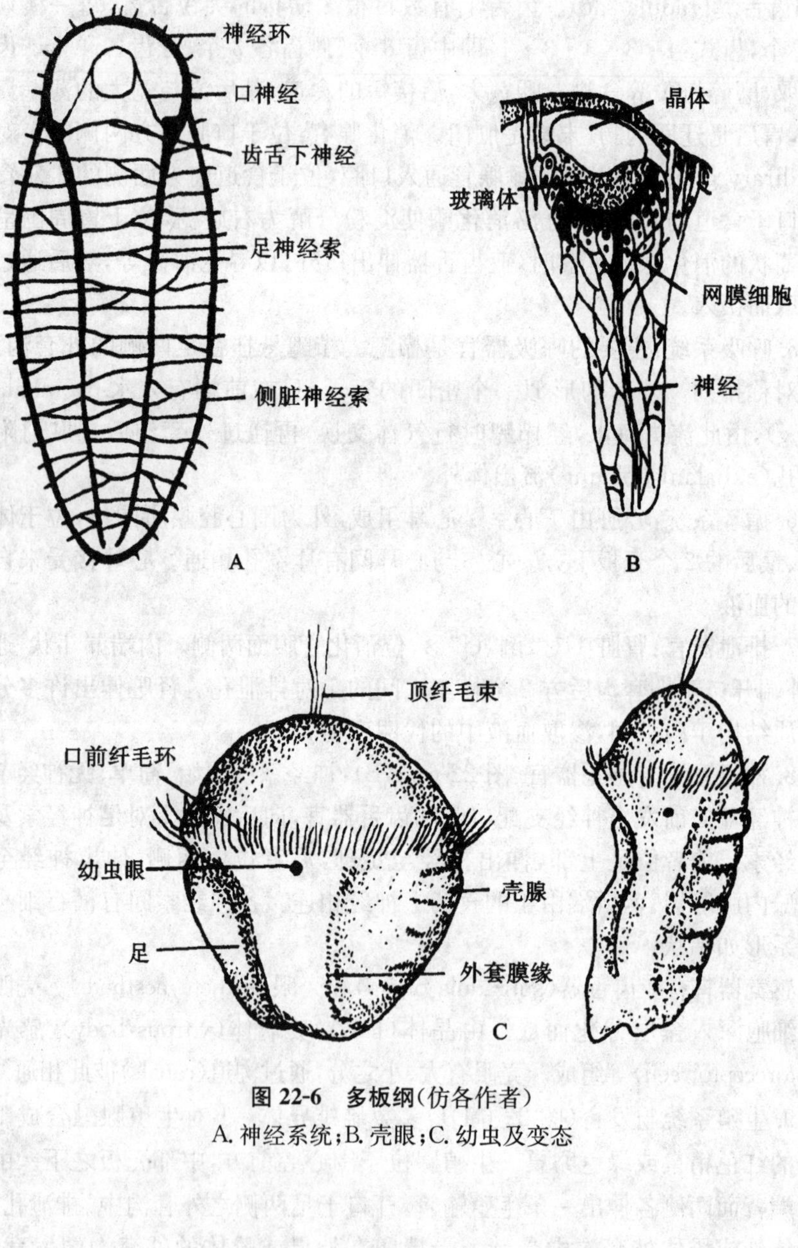

图 22-6　多板纲(仿各作者)

A. 神经系统；B. 壳眼；C. 幼虫及变态

22.4.2 分类

现分 3 目。

目 1. 鳞侧石鳖目 Lepidopleurida：壳板外缘无附着齿（attachment teeth）。外套膜不覆盖壳板。鳃数少，位于体后方近肛门处。如低粒鳞侧石鳖 *Lepidopleurus assimilis*。

目 2. 锉石鳖目 Ischnochitonida：壳板外缘有附着齿。外套膜不覆盖壳板。鳃数多，位于除肛门附近以外的大部分外套沟中。如花斑锉石鳖 *Ischnochiton comptus*。

目 3. 棘石鳖目 Acanthochitonida：壳板外缘附着齿发达。外套膜覆盖壳板。鳃数少，位于外套沟的部分区域。如日本光滑石鳖 *Liolophura japonica*。

22.5 腹足纲 Gastropoda（Gr.，*gaster*，stomach；*podos*，foot）

鲍（abalone）、宝贝（cowry）、牡蛎钻（oyster drill）、海兔（sea hare）、海牛（sea cow）等是常见的腹足纲动物，因其足腹位于头部而得名。单壳（单壳纲 Univalvia）螺旋或退化，偶见 2 片壳如后鳃囊舌目的双壳螺（图 22-14 H）。因随壳之螺转（conversion）和身体背腹生长后之扭转（torsion），故多次生不对称。是软体动物适于生境（水生底栖、浮游或陆生）最成功者，约 3 万个现生种、1.5 万个化石种，现今为动物界第 2 大纲（图 22-7）。

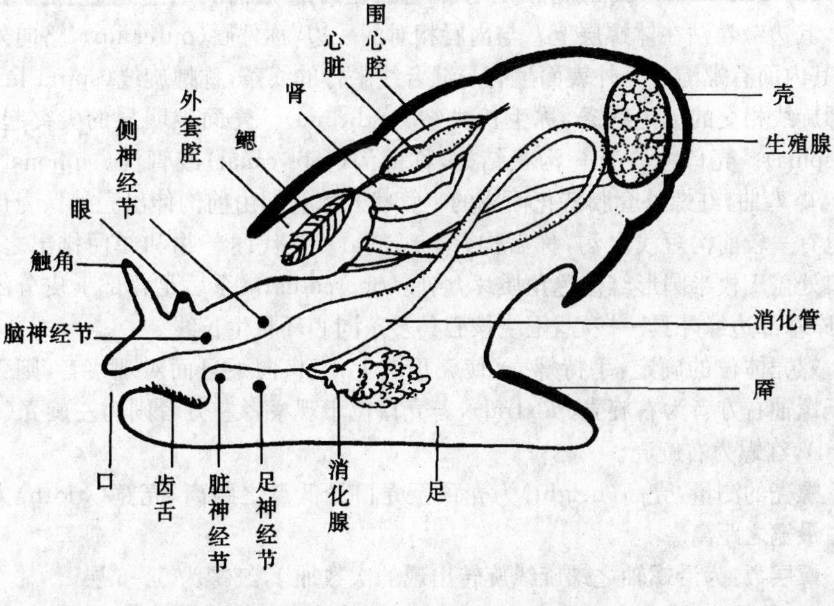

图 22-7 腹足纲之模式图（仿张玺改绘）

古书称“螺本作蠃”(《广韵》)或蚌螺不分皆作蠃,此见《集韵》:“蠃,蚌属,大者如斗,或作螺。”今虽析为二,但仍常把鹦鹉螺、寄居蟹误归为螺。

22.5.1 脉红螺 *Rapana venosa* (Valenciennes)

1. 习性和分布:全国沿海均有分布,平时喜栖息于近岸浅海的泥沙底。我国的黄、渤海是其主要分布区。日本、朝鲜、俄国远东沿海及欧洲黑海亦有分布。是一种重要的大型经济贝类,肉味鲜美,壳可入药及制蛸网。产卵期有群聚现象。肉食性,贪食蛤、死鱼,是贝类养殖业的敌害。当脉红螺体内排出的一种黄色带辣味毒液,可顺蛤进水管进入、麻痹闭壳肌、使双壳弛张,脉红螺即用吻插入,挫食蛤的软体部。

2. 外部形态:包括壳、软体部两部分。

(1)壳(图 22-8 A):被覆于软体部外,坚硬石灰质,圆锥形。壳外表淡褐色,内面粉红色。螺旋形壳之突出尖细的顶点称螺顶(apex)或壳顶(umbo),为壳成长之开始点,由此而螺旋生长。螺顶之相对端为螺壳之开口部,称壳口(aperture),卵圆形。螺壳旋转之各阶层总称为螺旋部(spire)或壳阶(whorl)。由壳顶至螺底,逐层加大,最后 1 个螺层最大为主要容纳软体部之处,故名体螺层(body whorl)。螺层旋转之中轴,称螺轴(columella)。各螺层相连接处为一沟状界线,称缝合线(suture)。壳轴末端有 1 个阔而皱的长椭圆形窝陷,称假脐(pseudo-umbilicus),其与壳轴中心不通。壳口靠壳轴的一边,称内唇(inner lip),其边缘卷贴在体螺层上。与内唇相对的一边,称外唇(outer lip),略向外开张,其内面有螺沟。壳外表面生有与缝合线平行的线条,称螺旋线(spiral line)。与螺旋线相交的纵走线条,称生长线(growth line)。壳面上明显的尖突起,称棘(spina)。壳口前方有一沟状结构,称前沟(fore canal)或管沟(siphonal canal),略弯曲,红螺外套膜特化而成的半管状入水管即由前沟伸出壳外。壳口后方也有一较前沟短浅之沟,称后沟(post canal),是代谢产物和粪便排出之沟。壳口处盖 1 枚半圆形红棕色角质片,名厣(operculum),系后足背部上皮分泌而成,厣基部边缘外具一核心,围绕核心具多条同心环状生长线。

螺壳体位的确定:手持螺壳,使壳顶向上,壳口向下且面对观察者,则壳口位于螺轴右方者为右旋壳(dextral),若壳口位于观察者左方者则为左旋壳(sinistral),红螺为右旋壳。

螺壳的测量:壳高(height)为壳顶至壳口最低点之距离,壳宽(width)为壳左右最宽之距离。

螺层数:为沿螺轴之螺旋线旋转出现的次数加 1,红螺为 5～6 层。

(2)软体部:全部包藏于壳内,活动时,头部及足伸出壳外。可分为:

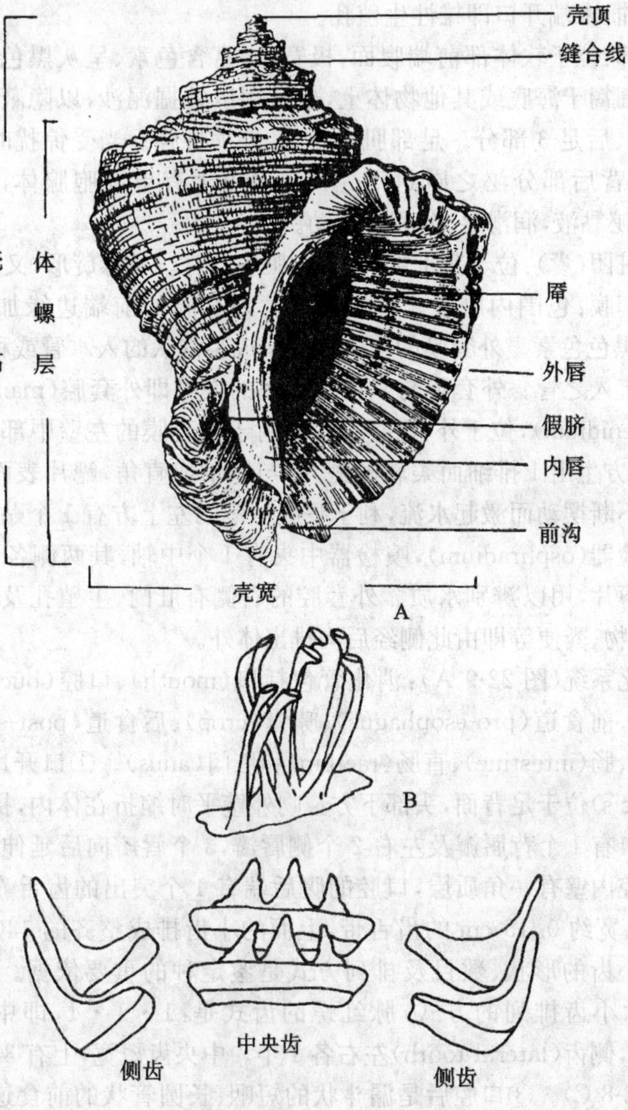

图 22-8　红螺（A，B 仿张玺等）

A. 壳；B. 卵袋；C. 齿舌之二列齿片

1）头部：位于背前部，生 1 对触角（指），其基部较粗。触角外侧基部较粗处，各有 1 个黑色起感光作用的眼点。头部前端腹面有 1 个吻口。当捕食时，吻即由吻口伸出。雄性脉红螺的头部右侧具 1 个扁形肉柱状淡色阴茎（penis），其顶端尖曲，末端开口即雄性生殖孔。

2)足部：位于软体部前端腹面，极宽大，富含色素、呈灰黑色。脉红螺利用足之蹠面匍匐于海底或其他物体上，也可用以钻掘泥沙，以隐蔽身体。足分为前足、中足、后足 3 部分。足部肌肉发达，伸缩性强。当受惊扰时，立即缩入壳内，且以足背后部分泌之厣封闭壳口。足内生有单细胞腺体，称足腺（pedal gland），分泌黏液，润滑足部，利于行动。

3)内脏团(囊)：位于足上部，包含内脏各器官。呈螺旋形，又称内脏螺旋。

4)外套膜：包围内脏囊之外的薄膜。外套膜的前端边缘加厚，称领（collar），生有黑色色素。外套膜的前端左侧褶成半沟状的入水管或称前沟，是外界清洁水流流入之管。外套膜与软体部之间的空隙即外套腔（mantle cavity）。1 个栉鳃（ctenidium），位于外套腔左方，贴附于外套膜的左壁中部。栉鳃有 1 鳃轴，轴之右方生出 1 排细而柔软的鳃片，与鳃轴成直角，鳃片表面密生纤毛，由于纤毛的不断摆动而激起水流，利于呼吸。鳃的左上方有 1 个贴附于外套膜的椭圆形嗅检器（osphradium），嗅检器中央有 1 个中轴，其两侧各生有 1 排紧密相挤的细薄片，用以辨别水质。外套腔的右侧有肛门、生殖孔及排泄孔。性产物、代谢产物、粪便等即由此侧经后沟排出体外。

3. 消化系统（图 22-9 A）：消化管包括口（mouth）、口腔（buccal cavity）、咽（pharynx）、前食道（pro-esophagus）、嗉囊（crop）、后食道（post-esophagus）、胃（stomach）、肠（intestine）、直肠（ractum）和肛门（anus）。①口开口于肠的前端，吻（proboscis）位于足背面，头部下方。吻外壁平时缩折在体内，摄食时，伸出呈长管状。口有 1 个背唇瓣及左右 2 个侧唇瓣，3 个唇瓣向后延伸通向扩大的口腔。②口腔内壁有一角质层，口腔的腹后端有 1 个突出的齿舌囊；囊内有 1 条长约 3 cm、宽约 0.15 cm 的齿舌带，上面的小齿排成整齐的 140～ 160 横列。各横列上小齿的形状、数目及排列方式是鉴定种的重要依据。齿式（formula dentalis）示小齿排列的方式，脉红螺的齿式是：1・1・1，即中央齿（central tooth）1 个，侧齿（lateral tooth）左右各 1 个。中央齿短宽，上有 3 个齿尖呈“山”字形（图 22-8 C）。③口腔后是漏斗状的短咽、长圆管状的前食道、膨大的倒葫芦形嗉囊（内壁自前向后生有 4 个略呈三角形的肌肉瓣及多圈突起的环形皱褶）。嗉囊之后是明显粗于前食道的后食道。④后食道与囊状“U”形胃相连通，胃内壁有许多分叶的皱褶。胃分贲门部（cardiac chamber）、胃体部及幽门部（pyloric chamber）。胃镶嵌在左、右肝叶之间。⑤胃后接折向前行的肠，肠内壁有纵行皱褶。⑥肠后是圆管状、粗于肠的直肠，其内壁的纵行皱褶较高。雄螺的直肠位于前列腺左侧，雌螺者位于蛋白腺左侧。⑦直肠在外套膜右侧边缘附近向外套腔突出一条短管，其末端开口即肛门。

消化腺有唾液腺（salivary gland）、副唾液腺（accessory salivary gland）、食道腺（莱伯林氏腺）（leiblein's gland）、肝（liver）和肛门腺（anul gland）。①唾液腺1对，位嗉囊背面，呈黄色或乳白色，形态不规则，每侧有1条唾液腺管开口于口腔底部，每个唾液腺由10～20个小叶组成，唾液腺分泌消化酶及酸性黏液。②副唾液腺亦位嗉囊背面，为1对管状腺体。每条副唾液腺长5～8 cm，各与同侧的唾液腺以结缔组织联接在一起，2条副唾液腺在嗉囊腹面汇合成1条细的副唾液腺管，向前行通入左右唇瓣交界处的口腔内。③食道腺位嗉囊后面，呈圆锥形，紫色或黄绿色，分前、中、后3叶，食道腺管自前叶伸出通入后食道，分泌消化酶和酸性粘多糖。④肝分左右两叶，右叶大于左叶，呈黄色或褐

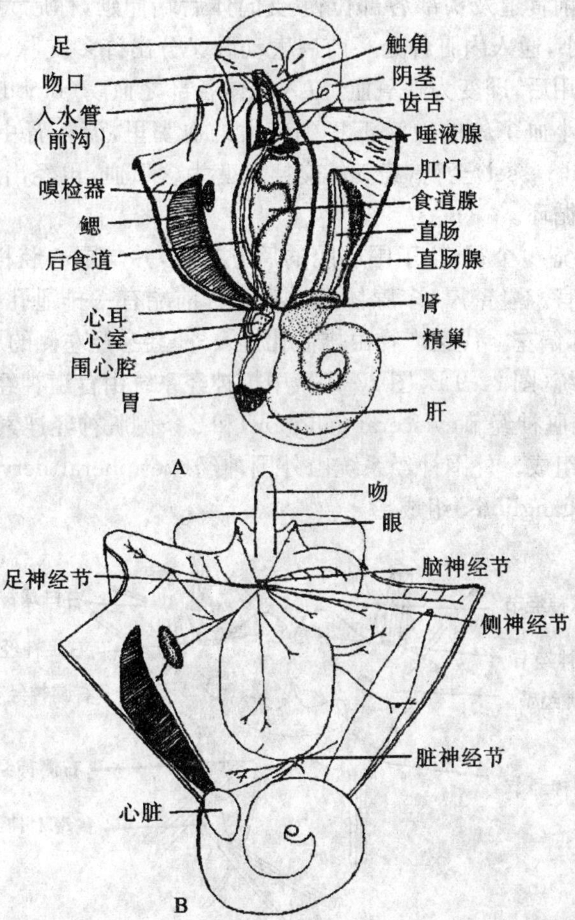

图22-9　红螺的解剖（B仿李国华等）

A. 软体部（雄性）；B. 神经系统

色，包围着胃，两叶肝各有 1 条肝管通入胃腔，肝分泌多种消化酶。⑤肛门腺呈长带形，紫色，紧贴直肠右侧的外套膜结缔组织中，肛门腺的末端开口于近肛门处的直肠内，其作用不详。

4. 循环系统：心脏位于围心腔(pericardial cavity)中。腔外包有透明之围心腔膜(pericardial membrane)。围心腔位于栉鳃后方偏右。心脏由 1 心耳 1 心室组成。心耳壁薄、圆囊状、位心室前方，心室壁厚、三角形、大于心耳。血液无色。鳃中经气体交换之充氧血经出鳃血管(efferent blood vessel)运行到心耳而进入心室，再经心室通出的大动脉而流向身体前、后部。大动脉自心室后端出发并分为 2 支：1 支向体前端伸延，称前大动脉(anterior arteria)，较粗大，通入后食道、嗉囊、前食道及头部各部位；1 支向体后端伸延，称后大动脉(posterior arteria)，较细小，通入内脏各处。前后大动脉又分出许多支脉，以通向各器官。血中的氧被利用后，即变为缺氧血，流入身体各部之血窦(blood sinus)(残留的初生体腔)中，小血窦中的血液汇集到较大的血窦里，流入肾中后经入鳃血管(afferent blood vessel)至鳃，经气体交换又变为含氧血，再经出鳃血管流入耳，如此周而复始循环。

5. 排泄系统：1 个肾，位于围心腔的后方右侧，并与围心腔相通。肾为大的椭圆形囊状器官。囊壁厚，多腺体和血管。肾前端有一排泄孔，位于外套腔的底部、直肠基部偏左。代谢产物由排泄孔排入外套腔，经左侧的后沟排出体外。

6. 神经系统(图 22-9 B，图 22-10)：中枢神经系统由食道神经环(oesophageal nerve ring)、脏神经节(visceral ganglion)和 2 条侧脏神经连索(pleuro visceral connective)组成。外围神经系统由外围神经(peripheral nerves)和外围神经节(peripheral ganglions)组成。

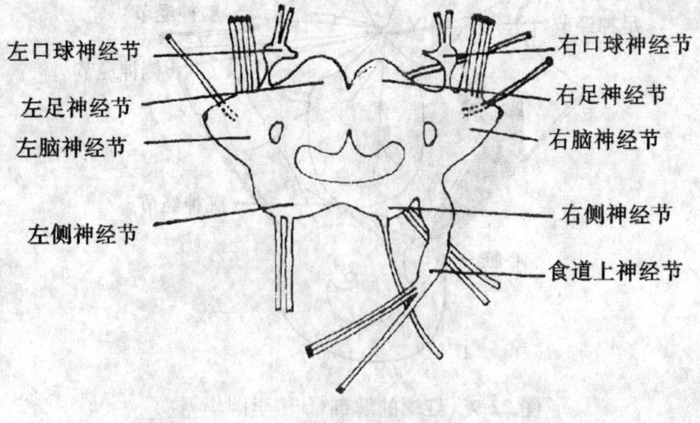

图 22-10　红螺食道神经环(仿李国华等)

食道神经环包括：①位于食道上方左右对称排列的1对脑神经节（cerebral ganglion），每个脑神经节发出五条神经通至触角、背唇、侧唇、吻等器官。②位于食道下方脑神经节之前的1对口球神经节（buccal ganglion），通过脑-口球神经连索（cerebro-buccal connective）与脑相连，每个口球神经节发出两条齿舌神经（radular nerve）通至齿舌肌。③位于食道之下的1对侧神经节（pleural ganglion），左侧神经节发出两条神经通至水管及壳轴肌，右侧神经节无神经通出而是通过1个狭隘部与食道上神经节相连。④位于右侧神经节和食道神经节下方的1对足神经节（pedal ganglion），发出多条神经至足的各部位，如为雄性个体，则由右足神经节发出1条阴茎神经（penis nerve）通入阴茎。⑤位于左侧神经节右侧的食道下神经节（suboesophageal ganglion）发出1条右侧脏神经连索与脏神经节相连，发出2条外套神经（pallial nerve）和1条壳轴肌神经（columella nerve）分别至外套膜及壳轴肌。⑥位于右侧神经节后方的食道上神经节（supraoesophageal ganglion），呈长椭圆形，发出1条左侧脏神经连索与脏神经节相连，发出1条鳃神经（branchial nerve）及1条嗅检器神经（osphradial nerve）分别通至栉鳃及嗅检器。

脏神经节位于内脏囊前部，包括左脏神经节、右脏神经节及生殖神经节（genital ganglion）3部分。左脏神经节发出1条围心腔神经（pericardial nerve）通至围心腔前壁及1条大动脉神经（aorta nerve）支配前大动脉，右脏神经节也发出1条围心腔神经通至围心腔底壁。1条肾神经通至肾及1条生殖神经通至纳精囊（雌性个体）或贮精囊（雄性个体）。生殖神经节也发出1条生殖神经通至纳精囊（雌性个体）或贮精囊（雄性个体）和1条直肠神经（rectal nerve）通至直肠。

7. 生殖系统：雌雄异体，依阴茎之有无辨别性别。

（1）雄性生殖系统（图22-11 A）：由精巢（testis）、输精小管（vas efferens）、贮精囊（vesicular seminalis）、输精管（vas deferens）、前列腺（prostate）和阴茎（penis）等器官组成。精巢位于内脏囊顶部，占2～3个螺层，杏黄色，由多条长管形生精小管组成，生精小管上皮产生精原细胞（spermatogonia），再进一步发育成大量精子。输精小管很多并连结成网，位精巢底面，在精巢右侧边缘汇集成多个较大的囊状结构。后接管状的贮精囊，成熟的精子贮于囊腔中。贮精囊之后接输精管。输精管穿过前列腺的部分称为输精管外套段Ⅰ（pallial vas deferens Ⅰ），离开前列腺并与阴茎相接的输精管称输精管外套段Ⅱ（pallial vas deferens Ⅱ）。阴茎位于头部右上方靠近右触角。输精管弯曲穿行于阴茎中，其末端开口即雄性生殖孔。

（2）雌性生殖系统（图22-11 B）：由卵巢（ovary）、输卵小管（oviduct minor）、输卵管（oviduct）、纳精囊（receptaculum seminis）、蛋白腺（albumen gland）和产

卵器(ovipositor)等器官组成。卵巢位置同于精巢,浅黄色,由许多卵巢小管构成。卵巢接细线状交织成网的输卵小管。后接输卵管前段,下通三角形而侧扁的纳精囊。纳精囊内壁分泌营养精子的蛋白质及少量的糖蛋白。纳精囊后接输卵管后段,后通蛋白腺。蛋白腺呈长蚕豆形,包括内部的精沟(afferent seminal groove)、蛋白腺本体和蛋白腺腔(albumen gland chamber)。蛋白腺分泌蛋白液以形成卵袋。蛋白腺的后端是尖圆锥状的产卵器,末端开口为雌性生殖孔。

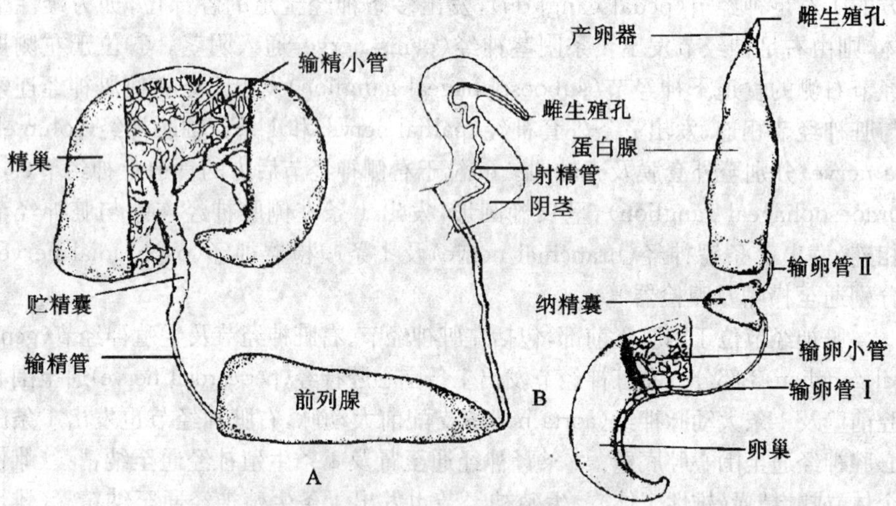

图 22-11 红螺的生殖系统

A. 雄性生殖系统;B. 雌性生殖系统(仿侯圣陶等)

8. 生殖和发育:脉红螺 6~8 月产卵,盛期为 7 月下旬。产卵适温是 23~25 ℃。多在夜间及天亮前后,每年产卵 1 次。受精卵产于长刀形之革质透明卵袋中(图 22-8 B)。卵袋尖端有卵圆形小孔,盖有薄膜。卵袋胶着于岩石、贝壳及其他物体上,有时附于其他红螺之螺壳上。每个红螺可产卵袋 200~400 个,卵袋长 12~21 mm。每个卵袋含受精卵 500~ 600 枚,多者可达2 000枚。刚产出的卵袋为乳黄色,渐变成褐色或紫红色。

受精卵在卵袋内于 23~26.5 ℃水温下,经 7~8 天即完成胚胎发育阶段,再经约 1 个月,卵袋前端覆盖小孔之薄膜破裂,发育成的面盘幼虫(图 22-2 B)便自卵袋孔逸出,在海水中流动一段时间,经变态而成为幼脉红螺,改营底栖生活。所以,脉红螺的担轮幼虫阶段是在卵袋中度过的。脉红螺生长 2 年左右即达性成熟。

22.5.2 扭转现象

扭转(torsion,twisting)是腹足类面盘幼虫的壳和内脏团在其头-足上方逆时针旋转 180°,是腹足类演化史中最重要的事件,也是动物形态发生中难以解释的一个复杂过程。

但是,最早的腹足类是对称的,这从古生物学、胚胎学和比较解剖学可证:①距今几亿年前寒武纪地层的腹足动物,外壳对称并呈平面盘旋(planospiral)(图 22-12 A)。②现生腹足动物个体发育中担轮幼虫是两侧对称的,到面盘幼虫时才成为不对称。⑧软体动物门其他各纲动物,均为两侧对称,直的消化管、口位于体前端、肛门位于体后部、腹位的后外套腔、外套复合体(pallial complex)(鳃、心室、心耳、肾和嗅检器等)都位于体后或后外套腔中、两条侧脏神经连索是平行的(图 22-12 Da)。近代证据指出,无论如何扭转与壳的螺转(coiling,spiraling)无关,是各自独立的事件,甚至螺转发生于扭转之前。

扭转的发生,见于腹足类的面盘幼虫期。有的在短暂的几分钟内就可完成扭转。扭转实质是面盘幼虫右侧牵缩肌(从壳的右侧插到头和足的左侧)突变发达,而左侧牵缩肌退化的结果。这不对称肌肉强力收缩,拉着庞大的内脏团在头-足上方向上、向左逆时针旋转。

扭转后至少表现了如下的变动:①后外套腔变为前外套腔;②直消化管被扭成"8"字形,肛门位于口的背上方;③外套复合体由体后部转向体前部;④两条侧脏神经连索由平行变成"8"字形;⑤对称性丧失;⑥出现一个连接内脏团基部到头-足背面的窄"颈"(图 22-12 D,E)。

扭转给动物带来什么实际的好处?在动物界尚无像腹足类那样允许肛门的排粪和肾的排泄物由自己头顶上方排出的。有人认为,扭转后,面盘幼虫的外套腔不仅给足而且给头部提供了保护,而后又以肉足和厣封闭壳口。但也有人认为,扭转对保护幼虫没有功能上的意义。还有学者认为,外套复合体由体后转向体前,可更好地获得氧气,更快地监测环境水质的理化变化。为改善上述头上排粪等不利的情况,亦相应地出现以下四种适应:①壳缘出现沟或缺刻或壳面贯穿成孔,以使水直接进入,如钥孔蝛、鲍。②最成功而广泛的适应是使水流定向由外套腔的左侧进入而后由右侧排出,肛门、排泄孔和生殖孔都开口于右侧,右鳃退化或消失,其功能以左鳃的发达而得以补偿。此外,外套膜缘部分特化为水管,使水更好地进入外套腔(软底质中生活者或穴居者,水管有时很长)。栖于泥或污浊环境的有水管类,鳃轴常与外套壁愈合只保留了单侧鳃丝,这比原始的游离的双栉鳃更防污,此见于中腹足类和新腹足类。③陆生的肺螺类，系由左到右扭转的腹足类演化而来，适于陆生生活鳃消失，外套壁出现皱褶并富血管形成了肺，为防干旱肺的开口也大为缩小。④后鳃类是由反扭转(detorsion)演化而来。不仅扭转时消失了的鳃不再出现，而且在反扭转中现有的鳃、壳和外套膜也常消失，只是后来在体背表面或后背中部出现次生鳃。

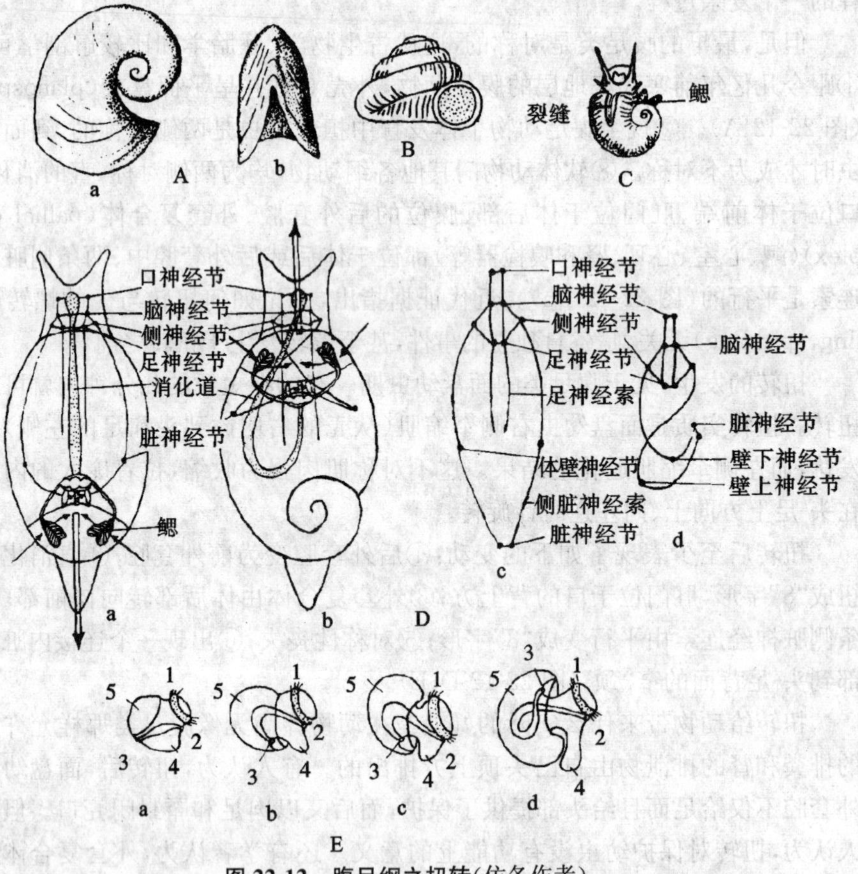

图 22-12　腹足纲之扭转(仿各作者)

A. 化石腹足动物(纹盘螺)(a. 侧面观，b. 正面观)；B. 盘旋螺旋；C. 小裂螺；D. 腹足纲扭转之示意图(a. 扭转前，b. 扭转后)；E. 腹足纲胚胎期扭转之示意图：1. 面盘，2. 口，3. 肛门，4. 足，5. 内脏团

22.5.3 分类

现生腹足类约 3 万种，分为 3 亚纲 13 目。

亚纲 1. 前鳃亚纲 Prosobranchia(扭神经亚纲 Streptoneura)：左右侧脏神经连索成 8 字形，鳃和心耳均位于心室前方，头部有 1 对触角和眼点，具厣。多数种雌雄异体。分为 3 目：

目 1.原始腹足目 Archaeogastropoda：壳具珍珠层，楯鳃 1～2 个，鳃、心耳及肾的数目一致，平衡器中含耳石数较多，外套膜不形成入水管。雌雄异体，雄性无交接器，性产物通过肾管排出体外。齿式多为：∞・5・1・5・∞。神经系统不明显集中，足神经节长索形，左右脏神经节距离较大。多数海产。如皱纹盘鲍 *Haliotis discus hannai*（图 22-13 A）、大马蹄螺 *Trochus niloticus*（图 22-13 B）。

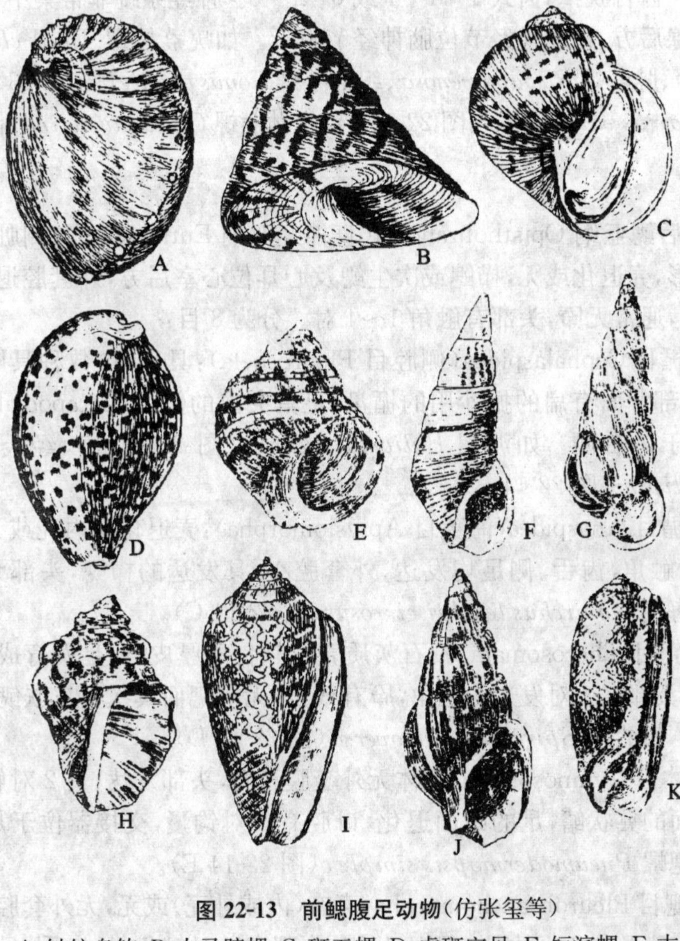

图 22-13　前鳃腹足动物（仿张玺等）

A. 皱纹盘鲍；B. 大马蹄螺；C. 斑玉螺；D. 虎斑宝贝；E. 短滨螺；F. 古氏滩栖螺；G. 耳低梯螺；H. 疣荔枝螺；I. 织锦芋螺；J. 纵肋织纹螺；K. 伶鼬榧螺

目 2. 中腹足目 Mesogastropoda：壳无珍珠层，栉鳃 1 个，1 心耳、1 肾，平衡器只 1 个耳石，外套膜拉长成入水管。雌雄异体，雄性多具交接器，性产物通过生殖输管排出。齿式 2·1·1·1·2。神经系统集中。如斑玉螺 *Natica maculosa*(图 22-13 C)、虎斑宝贝 *Cypraea tigris*(图 22-13 D)、短滨螺 *Littorina brevicula*(图 22-13 E)、古氏滩栖螺 *Batillaria cumingi*(图 22-13 F)、耳低梯螺 *Depressiscala aurita*(图 22-13 G)等。

目 3. 新腹足目 Neogastropoda:壳无珍珠层,栉鳃 1 个,1 心耳、1 肾,口吻发达,具不成对的食道腺,外套膜部分包卷成入水管,嗅检器羽状。雌雄异体,雄性具交接器。齿舌狭窄,齿式 1·1·1 或 0·1·0。神经系统非常集中,食道神经环位唾液腺后方,胃肠神经节位脑神经节附近。如疣荔枝螺 *Thais clavigera*(图 22-13 H)、脉红螺 *Rapana venosa*、织锦芋螺 *Conus textile*(图 22-13 I)、纵肋织纹螺 *Nassarius variciferus*(图 22-13 J)、伶鼬榧螺 *Oliva mustelina*(图 22-13 K)等。

亚纲 2. 后鳃亚纲 Opisthobranchia(直神经亚纲 Euthyneura):侧脏神经连索不成 8 字形,壳退化或无,栉鳃或次生鳃及心耳位心室后方,外套腔退化或消失,雌雄同体,通常无厣,头部有触角 1～4 对。分为 8 目:

目 4. 头楯目 Cephalaspidea(侧腔目 Pleurocoela):具壳,少数种具厣,具齿舌及栉鳃,头部背面有扁的掘沙用的楯盘,足具突出的侧足(parapodial lobe),外套腔开口于体右侧。如泥螺 *Bullacta exarata*(图 22-14 A)、经氏壳蛞蝓 *Philine kinglipini*(图 22-14 B)。

目 5. 无楯目 Anaspidea(海兔目 Aplysiomorpha):壳退化成内壳或无,头部延长、具 2 对触角,齿舌、侧足均发达,外套腔小,具发达的栉鳃,头部无楯盘。如蓝斑背肛海兔 *Notarchus leachii cirrosus*(图 22-14 C)。

目 6. 被壳目 Thecosomata:具石灰质壳或软骨质厚皮,侧足发育成两个对称的翼状鳍,头部有 1 对发达的触角,厣有或无,无本鳃而具次生皮肤鳃。营大洋浮游生活。如蜣螺 *Spiratella vetroversa*(图 22-14 D)。

目 7. 裸体目 Gymnosomata:成体无外套膜和壳,头部发达、具 2 对触角,侧足发育成腹面的翼状鳍,足的蹠面退化,口腔有 1 对钩囊,交接器位于足右方。如简单拟皮鳃螺 *Pneumodermopsis simplex*(图 22-14 E)。

目 8. 侧鳃目 Pleurobranchomorpha:壳有(内或外壳)或无,无外套腔具突出于体外的外套膜及位于右边的大形羽状鳃,头部有 2 对触角,具齿舌,足大非翼状。如篮无壳侧鳃海牛 *Pleurobranchaea novaezealandiae*(图 22-14 F)。

目 9. 无壳目 Acochlidioida:无壳、外套腔、鳃和翼状足,皮肤生钙质针刺,头部 2 对触角,具齿舌,内脏囊常大于足并与足之界限分明。如无壳螺 *Acochlidium weberi*(图 22-14 G)。

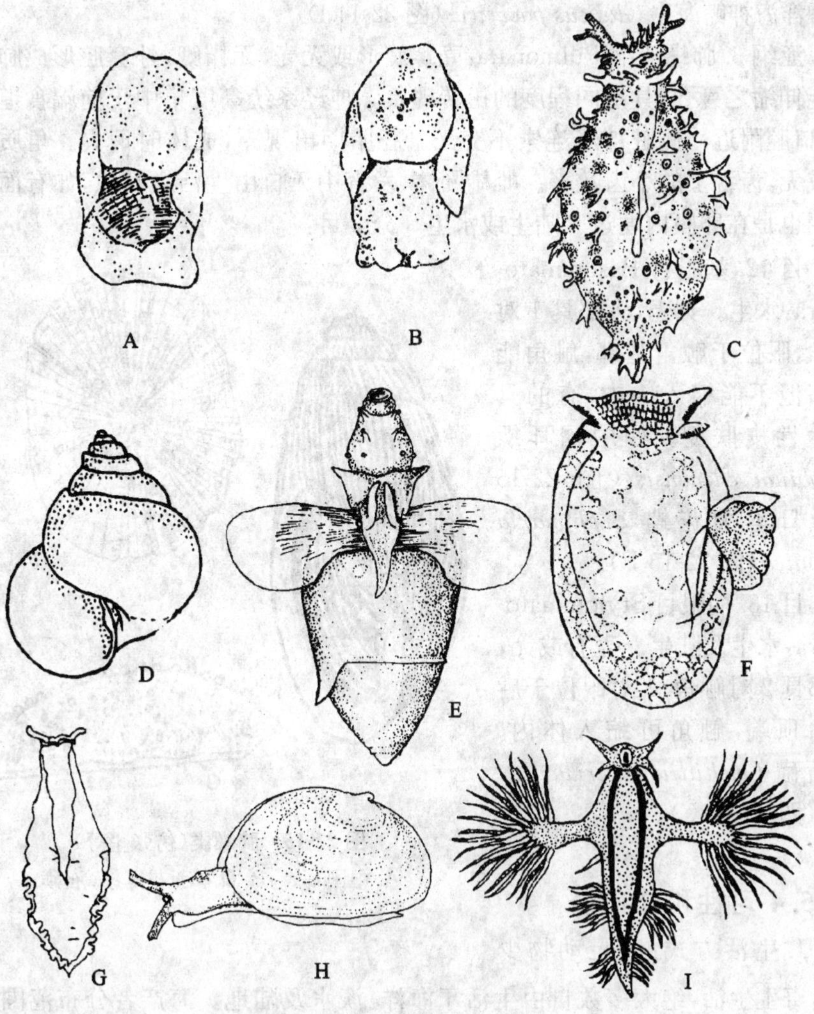

图 22-14　后鳃腹足动物(仿张玺等)

A. 泥螺;B. 经氏壳蛞蝓;C. 蓝斑背肛海兔;D. 蚨螺;E. 简单拟皮鳃螺;
F. 篮无壳侧鳃海牛;G. 无壳螺;H. 双壳螺;I. 太平洋海神鳃海牛

目 10. 囊舌目 Sacoglossa:无壳或具 2 片壳,头部具 1 对触角,齿舌狭窄、部分齿舌包藏于 1 个囊内、齿尖锐,无外套膜,有时背面具露鳃(cerata)。如双壳螺 *Berthelinia typica*(图 22-14 H)。

目 11. 裸鳃目 Nudibran-chia:无壳,两侧对称,无外套膜,背面具露鳃或次生皮肤鳃、无栉鳃,头部具 2 对触角、其中 1 对具鞘、触角可以缩入鞘内,体色鲜明。如

太平洋海神鳃海牛 *Glaucus pacificus*(图 22-14 I)。

亚纲 3. 肺螺亚纲 Pulmonata:壳螺旋形或无壳,无栉鳃,外套腔形成肺囊并具能伸缩之囊孔,具不同程度的扭转现象。神经系统高度集中于前端食道周围(即口腔附近),侧脏神经连索不交叉。胚胎期出现厣,成体时消失。角质颚板有或无,齿舌上的小齿数多。雌雄同体,发育中无自由生活之幼虫,如有面盘动虫期也是在卵膜内度过。陆生或水生。分 2 目:

目 12. 基眼目 Basommatophora:水生。具壳,头部具 1 对触角,眼位于触角基部,触角能伸缩但不能缩入体内,有的具次生性皮肤鳃。如中国耳螺 *Ellobium chinensis*(图 22-15 A)、日本菊花螺 *Siphonaria japonica*(图 22-15 B)。

目 13. 柄眼目 Stylommatophora:水生及陆生。壳有或无,头部具 2 对触角,1 对眼位于后触角顶端,触角可缩入体内。如石磺 *Onchidium verruculatum*(图 22-15 C)。

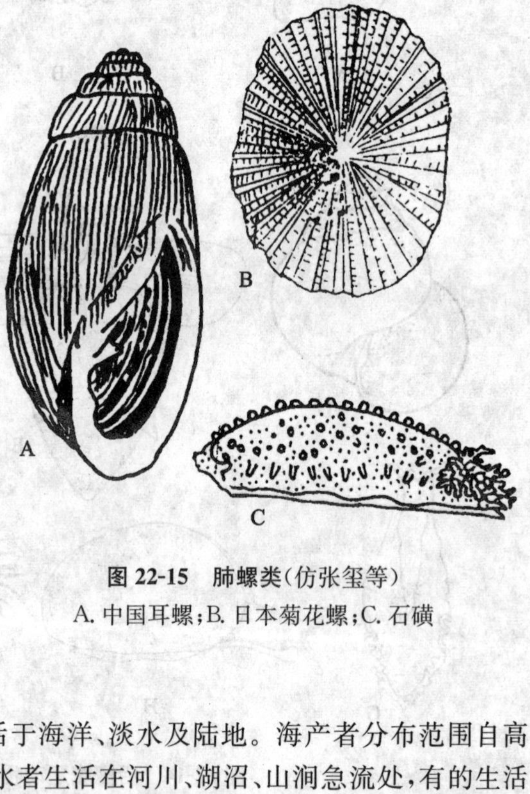

图 22-15　肺螺类(仿张玺等)

A. 中国耳螺;B. 日本菊花螺;C. 石磺

22.5.4 习性和分布

1. 生活方式:腹足动物少数营寄生生活,绝大多数自由生活于海洋、淡水及陆地。海产者分布范围自高潮线至水深 8 300 m 的海沟。淡水者生活在河川、湖沼、山涧急流处,有的生活在水深 350 m 的湖底。陆生者,以热带地区较多,平原、田野、森林、甚至高达 5 500 m 的高山。在干燥和低温季节,可整体缩入壳内,分泌膜厣封闭壳口暂时休眠,以防止和减少体内水分的损失,待环境好转,适宜生活时,再恢复正常。

自由生活的腹足动物,生活方式多种多样:用发达的肌肉质前足在泥沙中潜行(玉螺 *Natica*),用宽阔的足部蹠面匍匐于岩礁或海藻间(滨螺 *Littorina*),以侧足特化的翼状鳍营浮游生活(海若螺 *Clione*),软质泥沙底的小型种类靠足部纤毛运动(海蜗牛 *Eulota*)。有能分泌黏液或释放出丝状物形成薄膜,使身体悬垂于水面下或在薄膜上靠纤毛的摆动滑行(锥实螺 *Lymnaea*、膀胱螺 *Phy-*

sa),有靠身体侧缘的交替波状收缩游泳于水中(六鳃螺 *Hexabranchu*),有能够连续跳动(凤螺 *Strombus*)。营固着生活的种类,如管蛇螺 *Siphonium* 固着在岩石或其他物体上,终生不移动,这类动物足部不发达而呈退化状态,贝壳增厚粗糙或呈不规则的卷曲管状。有些腹足类由于环境和生理的需要,常出现周期性的群体迁移现象,如生活在潮间带的蛎敌荔枝螺 *Thais gradata*,遇到大雨或大量淡水注入时,则移栖到低潮线以下较深海区,待盐度回升后再返回。海兔 *Aplysia* 常在产卵期由较深水处移至浅海,产卵结束后再归返。

2. 食性:多数腹足动物取食或以齿舌刮食海藻,属植物食性(草食性),如鲍 *Haliotis*,其消化腺主要分泌碳水化合物分解酶。有的主食硅藻及其他微小浮游生物,如三齿龟螺 *Cavolinia tridentata* 靠翼状鳍足上的纤毛活动而把细小食物送进口中。有些肉食性腹足动物,如玉螺 *Natica*、蛎敌荔枝螺等,有强有力的运动器官和发达的感官,主动觅食,以吻捕食小动物或由唾液腺分泌酸性液体以溶解双壳类的贝壳,然后用吻或颚取食其软体部。有的种类属于杂食性,如陆生大蜗牛 *Helix* 能吞食石灰,有的陆生肺螺能够吃纸或胶片。有些腹足动物是腐食性,如织纹螺 *Nassarius* 吃潮水带来的沉积物碎屑或腐烂的有机物。

寄生的腹足动物,如短口螺 *Brachystomia*(图 22-16 A)是外寄生种类,以几丁质的颚和起泵作用的咽吸食多毛类及双壳类的体液。再如内寄螺 *Entoconcha*(图 22-16 B)内寄生在棘锚海参体内,身体特化成蠕虫形,取食宿主的体液。

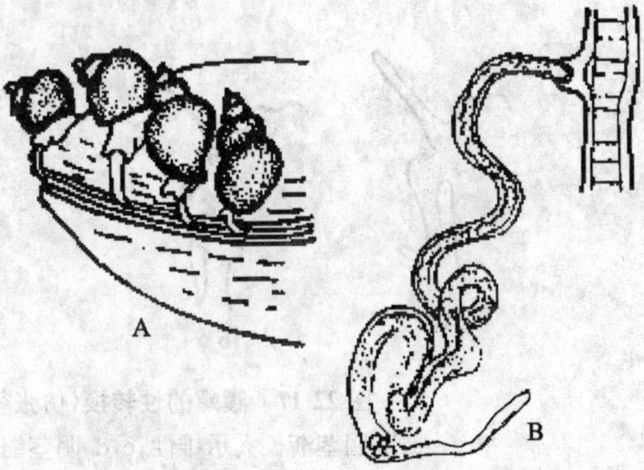

图 22-16　寄生腹足动物(仿各作者)

A. 短口螺(吸食宿主体液);B. 内壳螺

3. 自卫和御敌:少数腹足动物能用颚片与敌害搏斗以自卫(阿勇蛞蝓 *Arion ater*),有的种类在炎热、寒冷、干燥和缺乏食物时冬眠或夏伏(大蜗牛能凿穴冬眠),有的种类采取拟态及伪装掩护自己(衣笠螺 *Xenophora* 常在其壳上有规则的粘着许多石粒或空贝壳以伪装,泥螺用头盘和足掘起泥沙与自身分泌的黏液混合覆盖在身体表面以避敌并减少水分蒸发,石磺与环境中岩石色泽近似,生活在海藻间的海兔 *Aplysia* 能够变换体色以与环境色彩一致),有的种类能够自切以解脱(蓑海牛 *Aeolidia* 能自切背部的突起,革质扁海牛 *Argus spe-*

ciosus 外套膜周缘可自行脱落，竖琴螺 *Harpa conoidalis* 能自切足的后部），有的可分泌毒物或有刺激性物质以保护自己（海兔能分泌有害于神经和肌肉的挥发性油类，片鳃海牛 *Armina* 能分泌臭味，芋螺可分泌毒汁并借刺针将毒汁注入他物）。

4. 生长及性转换：腹足动物通常在胚胎初期只增加分裂球数目、不增加体积，到幼虫阶段开始摄食并缓慢地增长，幼体期则迅速生长，老年阶段生长又渐慢。生长速度与温度、铒料关系密切，当温度适宜、饵料丰富时，生长迅速，反之则生长缓慢或处于休眠状态或几乎停止生长。

寿命受许多生理因素的影响。生殖量大，则寿命相对短。一般雄螺寿命短于雌螺。前鳃类寿命较长，大马蹄螺 *Trochus niloticus* 4～5 年，田螺 *Cipangopaludina* 可活 4 年，滨螺可生活 20 年，英雄玉螺 *Natica heros* 36 年。后鳃类及肺螺类寿命较短，2 个月至数年，最高者如卷扁大蜗牛 *Helix spiriplana* 可活 15 年。

腹足动物的性转换现象在坩埚螺 *Crucibulum* 和履螺 *Crepidula* 表现得特别明显：幼时是雄性，待充分生长时即变为雌性（图 22-17）。性转换可能与水温、营养条件及代谢物的性质有关。

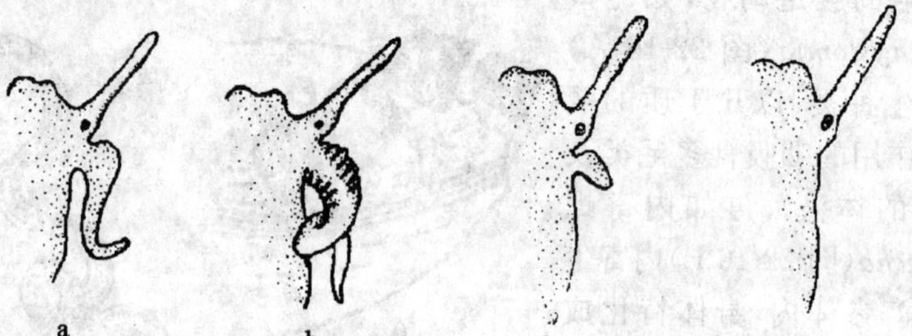

图 22-17 履螺的性转换（仿张玺等从 Abbott）

a，b. 阴茎渐长大示雄性；c，d. 阴茎缩小消失转化为雌性

22.6 双壳纲 Bivalvia（L.，*bi*，two；*valva*，valve）

蚶（arca）、牡蛎（oyster）、扇贝（scallop）、贻贝（mussel）、蛤（clam）、船蛆（ship-worm）等是常见的双壳纲动物。体侧扁，两则对称，以铰合齿或韧带相扣合的两块片状钙质壳而得名。又因呼吸兼滤食器官的鳃常呈瓣状又名瓣鳃纲 Lamellibranchia，足扁似斧而名斧足纲 Pelecypoda。多适于软底质穴居生活，头部退化又称无头类 Acephala。现生者近 15 000 种。

在我国先秦已用蛤名，《礼记 · 月令》"季秋之月，爵入大水为蛤"（爵乃酒器，故误为物生物）。汉时蛤蜃不分，《说文·虫部》：“蜃，大蛤”又“蛤，蜃属。”至宋，海蛤已不专指一蛤，宋·沈括《梦溪笔谈》：“海蛤至多，不能分别其为何蛤，故通谓之海蛤也。”《尚书·禹贡》：“淮夷蠙蛛暨鱼。”孔颖达书：“蠙是蚌之别名，此蠙出珠，遂以蠙蛛名。”迄今，蛤多指海产的蛤，蚌多指淡水之珠蚌。

22.6.1 文蛤 *Meretrix meretrix* Linné

1. 分布和习性：广布于潮间带至浅海有淡水注入的较平坦的细沙海底，以足潜钻埋栖生活。涨潮时水管伸出滩面滤食水中的浮游生物和有机碎屑或排出代谢产物、排粪或行气体交换。随生长迁移栖息地，或借潮流下移，或借水管处流出之透明黏液带（约长 50 cm）粘于滩面靠潮流拖走或悬于水中漂走，5 cm以上的个体多靠足之伸缩爬行。5～10 月为其产卵期。在我国，辽河口营口海区、黄河口莱州湾、长江口吕四和嵊泗近海蕴藏量大。

除文蛤外，在我国同一属的物种尚有斧文蛤 *M. lamarkii*（前侧缘尖、壳面具许多横向棕色色带、主要分布于海南）、丽文蛤 *M. lusoria*（壳前缘圆长、后缘尖，见于闽粤桂台诸海域）。

2. 外部形态：包括壳及软体部两部分。

(1)壳（图 22-18）：左右两片等大略呈心脏形，前后缘圆，前侧缘与后侧缘近等长。壳顶灰白色，壳面褐红色，具 WV 状之花纹。壳各部名称分述如下：

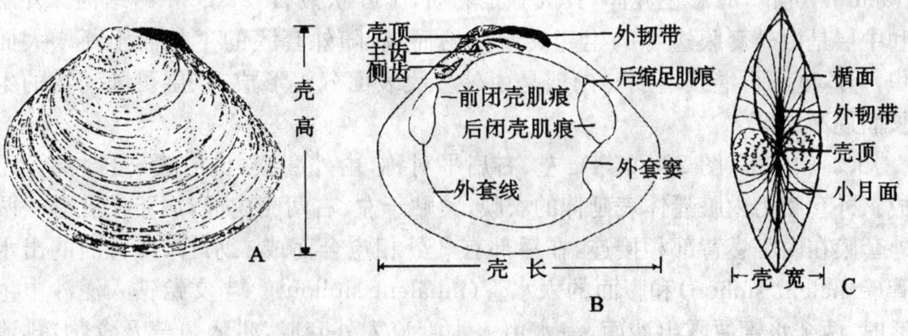

图 22-18　文蛤壳（A,B 仿张玺等稍改）

A. 左壳外面观；B. 右壳内面观；C. 壳顶面观

1)壳外面：壳顶（umbo）为壳的最高点，是为胚壳。生长线（growth line）是以壳顶为圆心的许多同心圆线。放射线（radial line）以壳顶为中心向壳缘放射之线，与生长线交叉，此线在文蛤不明显。壳缘则为壳顶相对之游离缘，其腹部为腹缘，其背部为背（侧）缘，后者又分为前侧缘和后侧缘两部分。小月面（lunula）为壳顶前方狭长矛头状的凹陷。韧带（ligament）为壳顶后方的黑褐色凸起物，楯面（escutcheon）为包围韧带的卵圆形面。

2）壳内面：平滑色白。壳顶下方两壳相互扣合的部分称铰合部（hinge）。铰合部具突起的齿，其中对准壳顶的齿为主齿（cardinal tooth），位于主齿前后的齿为前后侧齿（lateral tooth）（文蛤右壳具3枚主齿、2枚前侧齿，左壳具3枚主齿、1枚前侧齿）。平行于壳腹缘的肌肉痕为外套痕（pallial impression）。外套痕后端的半圆状的弧线称外套窦（pallial sinus）或外套湾，为出入水管肌附着壳内面留下的痕迹。外套痕前端的椭圆形肌痕为前闭壳肌痕（anterior adductor muscl scar），外套痕后端的大卵圆形肌痕为后闭壳肌痕（posterior adductor muscle scar），前后缩足肌痕（pedal muscle scar）分别位于前后闭壳肌痕的背上方。

文蛤壳体位的确定：手持贝壳，使壳顶向上，腹缘朝下，前缘向前，后缘朝后。壳顶弯向的、背侧缘短的、无韧带的、无外套窦的、闭壳肌痕小的一方是为前方，前方的相对端为后方，壳顶为背方，壳腹缘为腹方。

文蛤壳的测量：壳高（height）为壳顶至腹缘的最大距离，壳长（length）为壳前后的最大长度，壳宽（width）为壳左右的最大宽度（图22-18 B,C）。

壳由3层组成（图22-19 A）：最外层是角质层（periostracum），又称壳皮（epistracum），薄而透明，其成分是壳基质贝壳素（conchiolin，贝壳硬蛋白）。中层是棱柱层（prismatic layer），又称壳层（ostracum），较厚透明，是方解石（calcite）的钙质棱柱形结晶体。最内层是珍珠层（pearl layer），又称下角层（hypostracum），光滑，有彩色光泽，其成分是钙质，呈叶状霰石（aragonite）结构。外层和中层是由外套膜边缘的生壳突起分泌而成，随外套膜的生长而不断增大面积，但厚度不再继续增加。内层是由外套膜表面分泌形成，该层可随动物的生长而逐渐加厚。

（2）软体部（图22-20 A）：左、右扁平对称，由外套膜、内脏囊、足3部分组成。外套膜为内脏囊体表延伸的衣膜，紧贴于左、右两壳内面，属于三孔型。两外套膜在内脏囊背部相接连，在后部有3处相愈合而成二水管，即背面的出水管（exhalent siphon）和腹面的入水管（inhalent siphon）。当文蛤钻入泥沙中生活时，两个水管便露出沙面，海水由入水管流入外套腔，带入氧气及食物，排泄和排遗物及缺氧之水由出水管流出体外。外套膜外层和内层都是单层上皮细胞层，中层是结缔组织及肌肉纤维。外套膜内层上皮细胞具纤毛。

在腹缘，外套膜边缘加厚成外套膜外褶（outer mantle fold）、外套膜中褶（middle mantle fold）和外套膜内褶（inner mantle fold）3个褶皱（图22-19 A）。外套膜褶皱上生放射肌（radial muscle）及环肌（circular muscle）以使其紧贴于壳上。外套膜中褶又称感觉突起（sensory protrusion），分布有大量的感觉细胞，具感觉功能。外套膜色线（外套腹缘黄褐色有腺体的细胞线）背方的外层细胞可分泌壳的珍珠层，所以当砂粒等外物落入壳与外套膜之间时，外物即被外套膜所分泌的钙质物层层包围，最后形成珍珠(图 22-19 B)。人工培育珍珠即是利用双壳贝的这个特性。

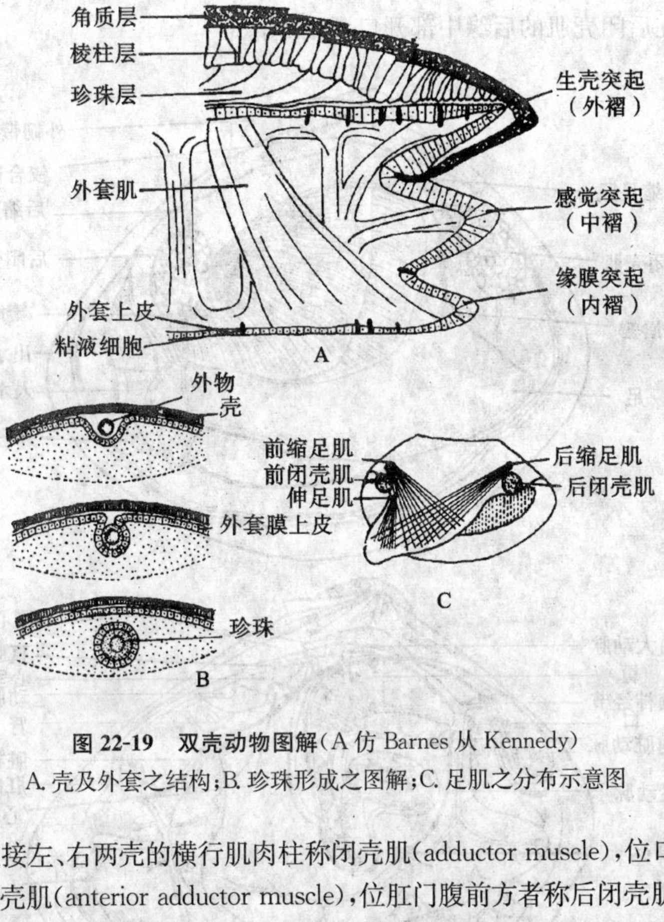

图 22-19 双壳动物图解(A 仿 Barnes 从 Kennedy)

A. 壳及外套之结构；B. 珍珠形成之图解；C. 足肌之分布示意图

两个连接左、右两壳的横行肌肉柱称闭壳肌(adductor muscle)，位口背前方的一个称前闭壳肌(anterior adductor muscle)，位肛门腹前方者称后闭壳肌(posterior adductor muscle)。闭壳肌收缩时，可使左右两壳紧紧闭合。外套膜与内脏囊之间的空腔是外套腔，每侧的外套腔中有瓣鳃及 2 个唇片(labial palp)。

足侧扁，呈斧形。是运动器官，用以挖掘泥沙。足的前、后上方各有两束肌肉，与两壳相连，分别称前缩足肌(anteriorprotractor muscle)及后缩足肌(posterior protractor muscle)，司足的收缩。而足的伸长是靠足部血窦内血液的充胀(图 22-19 C)。

3. 消化系统(图 22-21 A)：口为一横裂缝，位于前闭壳肌后方。口之两旁各有 2 片瓣状物，左右边的 2 外片称外唇片(outer labial palp)，内面的 2 片称内唇片(inner labial palp)。唇片呈长三角形,表面密生纤毛,起传递和选择食物的作用。口下接一条短食道,后通膨大的囊状胃。胃两旁是发达的消化腺,称肝胰脏(liver-pancreas gland),由肝管通入胃。胃后接盘曲在内脏囊中的小肠。小肠上行渐变细,向后为直肠。直肠先穿过围心腔及心室,然后沿着闭壳肌背面下行,在后闭壳肌的后缘中部开口,即肛门。

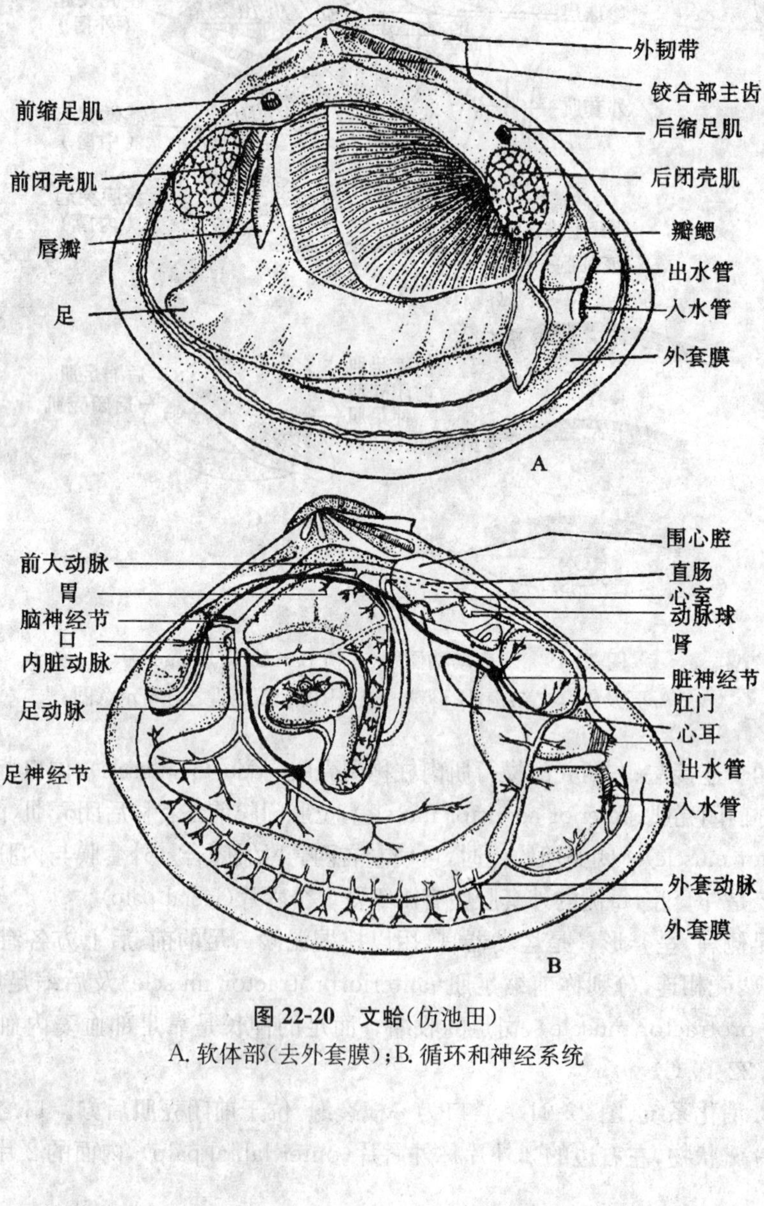

图 22-20 文蛤(仿池田)

A. 软体部(去外套膜);B. 循环和神经系统

4. 呼吸系统：1 对真瓣鳃(eulamellibranch)位于软体部内脏囊两侧。每个瓣鳃由内鳃瓣(inner lamina)和外鳃瓣(outer lamina)组成。每个鳃瓣又由 2 片鳃小瓣(lamellae)构成，每个鳃瓣的外侧 1 片称外鳃小瓣(outer lamella)，内侧 1 片称内鳃小瓣(lnner lamella)。每一鳃小瓣有许多彼此平行而皆与身体纵轴垂直的鳃丝(gill filament)，鳃丝间有丝间联系(interfilamentary junction)或称丝间隔，生有许多入鳃小孔(ostium)，内、外鳃小瓣的前、腹、后缘都相互愈合，只背面分开，形成鳃上腔(superbranchial chamber)。内、外鳃小瓣之间的空腔称鳃腔(branchial cavity)，外鳃瓣者称外鳃腔(outer branchial cavity)，内鳃瓣者称内鳃腔(inner branchial cavity)。鳃腔被内、外鳃小瓣之间的许多瓣间隔(interlamellar junction)隔成许多平行于鳃丝的小室，或称鳃水管(water tube)。鳃丝的表面生有无数纤毛，鳃丝、丝间隔及瓣间隔内均有血管及起支持作用角质杆(skeletal rod)(图 22-21)。

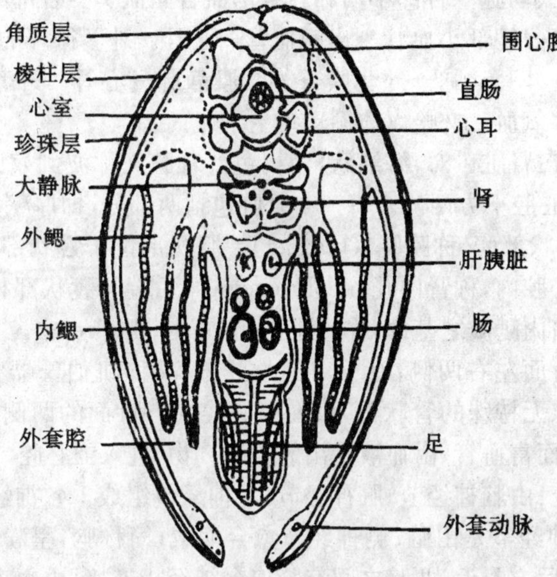

图 22-21 文蛤横切示鳃及各部器官

鳃丝上纤毛的不断摆动，使外套腔内的水形成水流，通过入鳃孔进入鳃腔，进行气体交换。含氧的血经鳃血管集中到鳃轴腹面的出鳃血管(efferent vessel)流入心耳(auricle)。在进行呼吸作用的同时，水流中携带的浮游生物、有机颗粒等也由于鳃丝纤毛的作用而集中在鳃的表面并顺着鳃丝腹缘的食物沟前行，经唇片而至口中。所以，文蛤鳃除了呼吸机能外，泸食也是它的重要生理功能。水流在文蛤体内的运行途径是:外界→入水管→外套腔→鳃小孔→鳃腔(鳃水管)→鳃上腔→出水管→外界。另外,外套膜也具气体交换功能。

5. 循环系统:属于开管式循环系统。循环器官有心脏、动脉血管、血窦及静脉血管。心脏位于铰合部下方,内脏囊后背部之围心腔中。心脏由 1 个心室、2 个心耳组成(图 22-20 A)。心室壁厚、中部被直肠穿过,心耳位于心室下方两侧、壁薄、略呈三角形。心室与心耳之间有孔相通,并具防止血液倒流之瓣膜。自心室向前通出 1 条前大动脉(aorta anterior),向后通出 1 条后大动脉(aorta posterior),在其始端围心腔内后方膨大成 1 个壁厚的囊,称动脉球(arterial bulla)。前后大动脉再分出许多小动脉至体各部器官,各小动脉分支通入各组织间的血窦中。各血窦再通入各部之小静脉,然后汇入大静脉,于围心腔下方其分支进入肾脏,再至入鳃血管,经鳃部小血管汇入出鳃血管,直通入心耳入心室。

文蛤的血液循环过程可分为体循环及外套循环两部分。体循环的血液途径是:→心室→大动脉→各部小动脉→各部器官间血窦→各部小静脉→大静脉→肾→入鳃血管→鳃部小血管→出鳃血管→心耳。外套循环的血流途径是:→心室→大动脉→外套动脉→外套膜→外套膜静脉→心耳。外套膜上的血液经呼吸作用后为多氧血。文蛤以体循环为主。

6. 排泄系统:肾脏 1 对,海绵状,淡褐色。肾脏又称波剑奴氏器官(Bojanus organ),位于围心腔下方两侧。每一个肾脏包括两部分,即厚壁的腺状部(glandular part)及囊状部(又称膀胱)(bladder)。腺状部位于囊状部之下,腺状部之前端开口于围心腔内,称肾内孔(nephrostome),后端与囊状部相通。囊状部壁薄,开口于左、右内鳃瓣之基部,称排泄孔(nephridial pore)。

围心腔的背面左右两侧,有 1 对围心腔腺,又称凯伯氏器官(Keber's organ)。围心腔腺无特殊的管状部,仅在围心腔前方背面的两侧壁上,成为海绵状腺质构造,里面富血管,由血液渗出的代谢产物,进入围心腔。

7. 神经系统:由脑神经节、脏神经节、足神经节组成。各神经节再分出神经到各器官。脑神经节是由脑、侧神经节愈合而成,简称脑,呈粉红色,位于口上方、前闭壳肌的后方附近,两脑之间有脑连合神经相连接,由每个脑分出 3 条神经,即脑脏神经连索通至内脏神经节(visceral ganglion),脑足神经连索通至足神经节(pedal ganglion),外套神经(mantle nerve)通至外套膜。内脏神经节位于后闭壳肌的腹内侧,是一个粉红色的小颗粒。内脏神经节的外表面有由黄色上皮细胞组成的块状嗅检器(osphradium)。足神经节位于足与内脏囊分界处的腹中前部,亦是粉红色块状物(图 22-20 B)。

8. 生殖系统:雌雄异体。生殖腺 1 对,位于内脏囊中,胃的腹后方,呈奶油黄色。生殖输管 1 对,分别开口于排泄孔附近。

9.生殖和发育:生殖腺发育成熟时,呈淡黄色。产卵期在5～10月。体外受精,间接发育。卵径约为60 μm。受精卵初孵化的是担轮幼虫,卵圆形,具有发达的纤毛环,营浮游生活,经变态发育成为面盘幼虫。遇适宜环境即附于外物上,长出外套膜及外壳,成为幼文蛤,改营海底埋栖生活。

22.6.2 习性和分布

1.生活方式:双壳类营水生生活,在淡水和海洋中分布均极广泛。在海洋中,从生活在潮间带的菲律宾蛤仔 *Ruditapes philippinarum* 到栖于万米深海的芽豆蛤 *Phaseolus*。以热带海洋的种类最多、形态最美,体形也最大,如鳞砗磲 *Tridacna squamosa*。淡水产的双壳贝,在河川、水库、湖泊、水稻田中的分布也相当普遍。有的种类可生活在半咸水水域,如河蚬 *Corbicula fluminea* 等。

许多双壳类软体动物营底栖生活,身体半埋或全埋于泥沙中,仅水管露出泥沙外。有的种类可潜入泥沙中达1 m之深,如缢蛏 *Sinonovacula constricta*。胡桃蛤 *Nucula* 等可在海底作缓慢行动,樱蛤 *Tellina*、青蛤 *Cyclina sinensis* 等能在海底物体上匍匐前进,三角蛤 *Trigonia* 能用足跳跃,竹蛏 *Solen* 能借助出水管的排水作用而运动,扇贝能用双壳的开闭作短距离的游泳。有些营固着生活,用壳固着在其他物体上(如牡蛎 *Ostrea*)或由足丝腺分泌足丝以附着在岩礁、木椿、贝壳等外物上(如贻贝 *Mytilus galloprovincialis*)。还有些双壳贝营钻蚀生活,穴居于岩石、木质物内,如船蛆 *Teredo* (*Teredo*) *mavalis*、吉村马特海笋 *Martesia yoshimurai* 等。也有少数双壳贝营寄生生活,如桑氏内寄蛤 *Entovalva senperi* 寄生在棘皮动物身体内。或与其他生物营共生生活,砗磲 *Tridacna* 与虫黄藻 Zooxanthellae、钳蛤 *Isognomon* 与海绵、云石二区肋蛤 *Modiolaria mormorata* 与海鞘共生。

海产双壳贝的分散与聚集,常随水温、盐度及海底性质而定,如金蛤 *Anomia* 多栖息繁殖于岩岸上,砂海螂 *Mya arenaria* 埋栖于潮下带至水深数米的泥沙滩中,竹蛏 *Solen* 等生活于沙滩中,近江牡蛎 *Ostrea* (*Crassostrea*) *rivularis* 等多在河川入海处繁衍。泥蚶 *Tegillarca granosa*、褶牡蛎 *Ostrea plicatula* 等对温度的变化适应力强,对盐度的适应范围较大,生活在潮间带及河川入海处。扇贝 *Chlamys*、珠母贝 *Pinctada* 等对温度变化的适应力弱,对盐度的适应范围较小,栖息在低潮线以下的海区。

2.食性:双壳贝类以食微小生物及有机碎屑为主。多数是滤食(filter feeding),食物类型和数量常有地区性及季节性变化,这种滤食的取食方式在文蛤中已记述。少数深海生活的双壳贝,如杓蛤 *Cuspidaria*、孔螂 *Mya* 等为肉食性,能够主动摄食环节动物、甲壳动物、小鱼及其他动物的尸体。钻蚀生活的双壳类如海笋可凿食坚硬的石灰粒,船蛆可蚕食木质纤维。

3. 自卫:双壳类以闭壳和潜居的方式自卫。具有特殊的影象反射(shadow reflex),当光线被遮或减弱时,便预料到敌害的来临,把双壳紧闭。有的种类闭壳力很强,如牡蛎等可抵抗数千克至10 kg的拉力。有的种类壳很厚,可抵抗数百千克的压力。穴居于泥沙中的双壳贝,当遇到敌害时,立即将水管缩入壳内并潜入深处。许多则有明显的自切现象以避敌害,如海笋等常将水管末端自切掉,竹蛏能丢弃足的后部,栉孔扇贝等能自切去外套膜触手和鳃,自切的部分可逐渐再生。有的还能分泌一种恶臭味使敌害厌而远离,如美国海菊蛤 *Spondylus americanus* 可以分泌一种有臭味的物质,而大蚬 *Corbicula maxima* 本身就有一种恶劣的味道。

4. 生长及性转换:双壳贝的体积大小差异很大,从长2～3 mm(克氏新薄壳蛤 *Neolepton clarkiae*)至2 m(长砗磲 *Tridacna maxima*)。寿命多为2～3年,泥蚶 *Tegillaica granosa* 能活10年左右,珍珠蚌 *Margaritifera margaritifer* 能活80年,砗磲的寿命可达100年。

许多双壳贝有性转换现象。船蛆 *Teredo navalis* 幼小时是雄性,首次性成熟时亦显雄性,若以后环境条件适宜即可变为雌性,也有由雌性变为雄性的。牡蛎及贻贝的性转换现象较普遍,有些雌雄同体的食用牡蛎,雌雄性性状也不是对等的,性别经常转换,有时一年发生二次性转换。这种性转换现象的产生与种的特性、水温变化、代谢物的性质、营养条件的好坏有关。一般是水温低、营养条件差、糖原代谢旺盛,则雄性占优势。如水温高、营养条件优越、蛋白质代谢旺盛,则雌性占优势。

22.6.3 分类

本纲现分4亚纲10目。

亚纲1. 原鳃亚纲 Protobranchia:由三角形鳃叶组成羽状本鳃。

目1. 胡桃蛤目 Nuculida:左右两壳等大,铰合部具许多小齿,前、后闭壳肌等大,以唇片突(palp proboscide)收集食物,栉鳃小,足腹面平扁。如奇异指纹蛤 *Acila mirabilis*(图22-22 A)。

目2. 蛏螂目 Solenomyida:壳薄,壳外缘不钙化,无铰合齿,前闭壳肌大于后闭壳肌,栉鳃大,鳃轴两边是叶状鳃丝(leaf-like filament),唇片小。如蛏螂 *Solenomya*(图22-22 B)。

亚纲2. 丝鳃亚纲 Filibranchia:栉鳃扩大呈丝状横切面呈W形,丝鳃狭长,鳃小瓣间靠结缔组织连结。

图 22-22　双壳动物(1)(仿各作者)

A. 奇异指纹蛤；B. 蛏螂；C. 泥蚶；D. 贻贝；E. 栉孔扇贝；

F. 褶牡蛎；G. 密鳞牡蛎；H. 合浦珍珠贝

目 3. 蚶目 Arcida：壳厚重、两壳相似，铰合齿小而多，前、后闭壳肌等大，无水管，足小。如毛蚶 *Scapharca subcrenata*(图 22-22 C)。

目 4. 贻贝目 Mytilida：壳楔形或扇形、两壳相似，铰合齿退化或无，前闭壳肌退化或无，无水管，足小、能分泌足丝。如贻贝 *Mytilus galloprovincialis*(图 22-22 D)。

目 5. 珍珠贝目 Pteriida：两壳不等或近等大，壳表面有鳞片，壳顶前、后具耳(auricle)，铰合齿少或无，前闭壳肌退化或不存在，无水管，足小。如栉孔扇贝 *Chlamys farreri*(图 22-22 E)、褶牡蛎 *Crassostrea plicatula*(图 22-22 F)、密鳞牡蛎 *Ostrea denselamellosa*(图 22-22 G)和合浦珠母贝 *Pinctada martensi*(图 22-22 H)。

亚纲 3. 真瓣鳃亚纲 Eulamellibranchia：栉鳃扩大呈瓣状，鳃小瓣间及鳃丝间以结缔组织和血管相连。

目 6. 三角蛤目 Trigoniida：贝壳三角形，两壳相等，每壳具 2～3 个裂齿(schizodont teeth)，前闭壳肌小于后闭壳肌，无水管。如新三角蛤 *Neotrigonia*(图 22-23 A)。

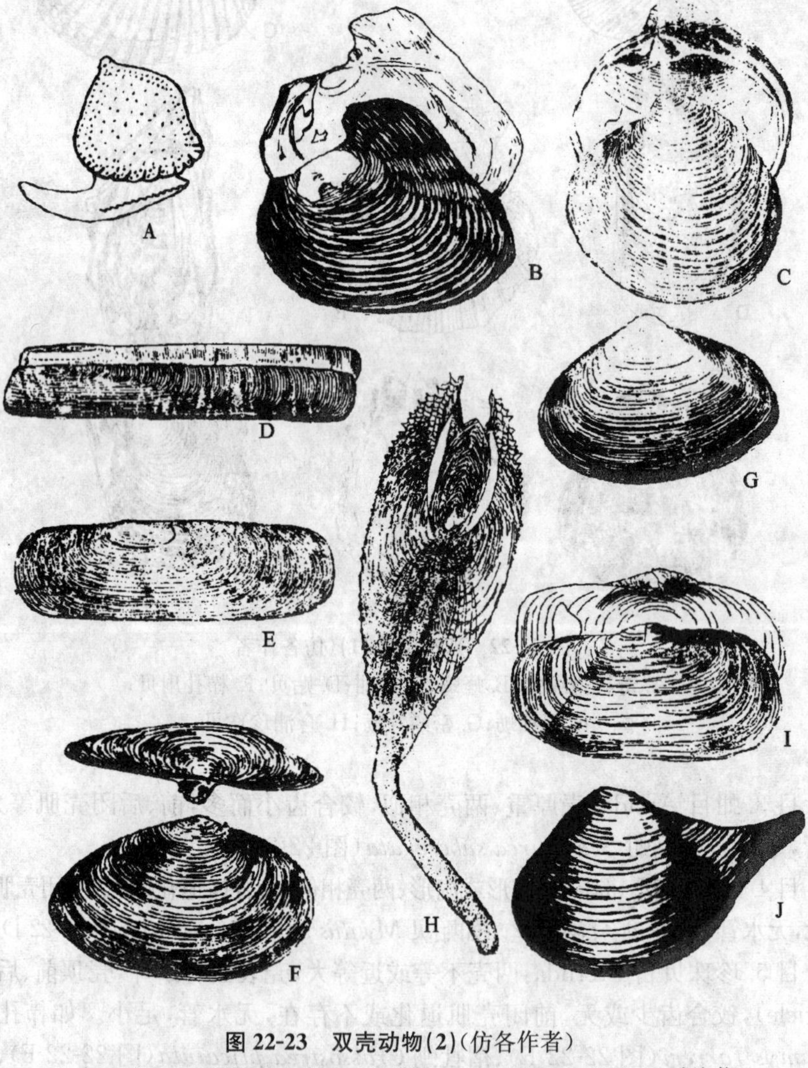

图 22-23　双壳动物(2)(仿各作者)

A. 新三角蛤；B. 皱褶纹冠蚌；C. 凸镜蛤；D. 长竹蛏；E. 缢蛏；F. 砂海螂；G. 篮蛤；H. 大沽全海笋；I. 渤海鸭嘴蛤；J. 中国杓蛤

目 7. 蚌目 Unionida：两壳相等、角质层与珍珠层均发达，铰合齿为裂齿，前、后闭壳肌等大，卵胎生。如褶纹冠蚌 *Cristaria plicata*（图 22-23 B）。

目 8. 帘蛤目 Venerida 两壳相等，有 2 种类型的铰合齿（主齿及侧齿），前、后闭壳肌等大，外套膜腹缘未全部愈合，一般有水管。如凸镜蛤 *Dosinia gibba*（图 22-23 C）、长竹蛏 *Solen gouldi*（图 22-23 D）、缢蛏 *Sinonovacula constricta*（图 22-23 E）。

目 9. 海螂目 Myida：两壳薄、不等大，铰合部有几个异形齿（heterodont teeth）或无铰合齿，韧带退化或位于壳顶内方匙状槽内，前闭壳肌退化，外套膜腹缘愈合、只留有足伸出之孔，水管长、不能收缩。如砂海螂 *Mya arenaria*（图 22-23 F）、篮蛤 *Potamocorbula*（图 22-23 G）、大沽全海笋 *Barnea davidi*（图 22-23 H）、渤海鸭嘴蛤 *Laternula marilina*（图 22-23 I）。

亚纲 4. 隔鳃亚纲 Septibranchia：栉鳃退化，具穿孔的肌质隔板（muscular septa），雌雄同体。

目 10. 孔螂目 Poromyida：两壳不等大，前、后闭壳肌相同，外套膜缘愈合，深海产。如中国杓蛤 *Cuspidaria chinensis*（图 22-23 L）。

22.7 掘足纲 Scaphopoda(Gr., *skaphe*, boat; *podos*, foot)

掘足纲又称管壳纲 Siphonoconchae，通称角贝（horn shell）、象牙贝（tusk shell），底栖穴居于海底。自潮间带至 4 600 m 深海均有分布。大部分是化石种，现生约 520 种皆栖于海洋未固结的沉积物中（Steriner 等，2003）。

掘足纲动物具一个细长呈牛角形或圆锥形管状壳。贝壳两端开口，稍向腹面弯曲。壳长 2～150 mm。壳色浅黄、浅灰，有的种类呈绿色。壳粗端是前端，其开口大称头足孔，头与足由此孔伸出壳外，水流由此孔流入。壳细端是后端，其开孔小称肛门孔，通常露出沙外，水流由此孔流出。壳表面光滑或具有纵肋、生长线（图 22-24）。

头部不明显，退化为体前端圆而尖的突起呈吻状称口吻。头部无眼点，无触角。基部两侧各有一头叶（head lobe），头叶生有一簇能收缩的丝状物称头丝（captacula）。头丝末端膨大成纤毛结，起触觉及摄食作用。

足位于头基部后方，圆锥形或缩小。足上端有一圈肌质褶叶，以增强足的附着力。足末端两侧具肌肉襞，使足底呈三叶状或盘状。足能伸出壳外很长，以挖掘泥沙，利于在泥沙中移动。

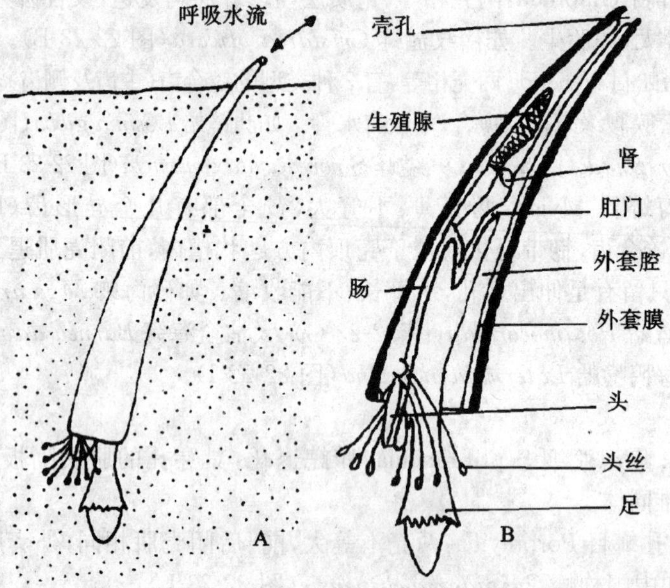

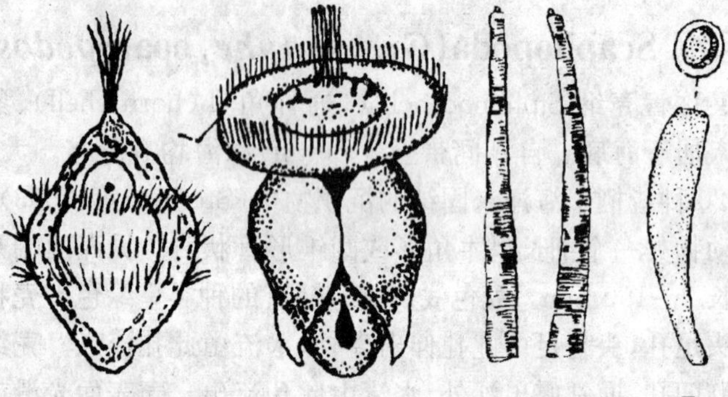

图 22-24　角贝（A、B 仿 R. S. K. Barnes；E 仿张玺等）

A. 生活状态；B. 剖视图；C. 担轮幼虫；D. 面盘幼虫；E. 胶州湾顶管角贝；F. 棒形梭角贝

多数种类有外套膜，左、右外套膜在腹面愈合成为管状，包围内脏。腹面之外套腔亦是两端开口。靠外套膜内表面纤毛的活动以及动物体肌肉的收缩，形成水流。水流由头足孔流入，经外套腔，再由肛门孔流出。因掘足动物无鳃，故以由外套膜进行气体交换。

软体部以背面的肌肉柱附于壳上。

消化系统包括口、口球、食道、胃、肠和肛门。口球内有齿舌（radula），齿式为2·1·2,还有1个简单的颚(jaw)。食道细短。胃膨大呈囊状,行细胞外消化。消化道呈∧形。肛门开口于体中部腹面之外套腔中。消化腺较发达,围生于胃腹面。掘足动物靠头丝粘着微小的浮游生物,再经纤毛的活动及头丝肌肉的收缩,将食物送入口中。

循环系统退化成一个简单的血窦系统(blood sinuses system),无心脏。靠足的伸缩,促使血液流动。

排泄器官是1对后肾,位于胃与肠之间,1对排泄孔开口于肛门两侧。

神经系统由脑、侧、足、脏4对神经节及神经节间的神经连索组成。脑、侧神经节位于口球后方偏背面,足神经节位于足上方中间,近于内脏囊交界处,脏神经节位于肛门前方附近。感觉器官有头丝及足中的平衡囊(statocysts)。

雌雄异体,生殖腺1个,充满于身体的后半部分,生殖输管与右侧肾管相连。生殖细胞成熟后通过右肾管排到外套腔中,经肛门孔成单行排出体外。系浮性卵,在海水中受精。

发育相似于海产双壳贝类。经自由游泳的担轮幼虫(trochophora)(图22-24 C)和面盘幼虫(veliger larva)(图22-24 D)。面盘幼虫两侧对称,具2片壳及2叶外套膜,在发育过程中,壳及外套膜渐延伸并沿腹缘愈合成为两端开口的管状象牙形。经变态后,成为一个营底埋生活的幼角贝。

掘足纲分为2目。

目1.角贝目 Dentalida:头丝多而细小,足圆锥形,具2个翼状的侧叶(lateral lobe)。如胶州湾顶管角贝 *Episiphon kiaochowwanense*(图22-24 E)。

目2.管角贝目 Siphonodentalida:头丝少而宽大,足小呈长的丝状突起、侧叶愈合成褶皱状的足盘(frilled disc)。如棒形梭角贝 *Cadulus clavatus*(图22-24 F)。

22.8 头足纲 Cephalopoda(Gr.,*kephala*,head;*podos*,foot)

头足纲包括乌贼(墨鱼,cuttle-fish)、鱿鱼(squid)、章鱼(蛸,octopod)、大王乌贼(giant squid)和鹦鹉螺(nautilus)等。两侧对称,因头前具足得名。高度特化的眼,足分化为腕(arm)和漏斗(funnel)。全部海生,虽章鱼次生地适于海底潜居(bottom-dwelling),但多是水层中之游泳者。繁盛于6亿年前古生代寒武纪。化石约7.5万种,现生仅600种,我国已报道80余种。

先秦《山海经·北山经》记:“明山之谯水出焉,西流注于河,其中多何罗之鱼,一首而十身。”明·杨慎补注,“何罗鱼今八带鱼也”(图总-5 B)。因古时乌贼、章鱼等常相混,皆从鱼部亦作鲗鲫。乌贼之名来源有三:一说见《初学记》卷三十引晋·沈怀远《南越笔记》“乌贼鱼，一名河伯度事小吏，常自浮水上，乌见以为死，乃卷取乌，故谓之乌贼”，古时乌字同鸟，这里说飞鸟去食佯死的乌贼，反被卷食，意乌贼为食鸟（乌）之贼；二说见唐·段成式《酉阳杂俎·广动植二》“江东人或取墨书契，以脱人财物，书迹如淡墨，逾年字消，唯空纸耳”，以此做诈骗之谋，故谑称乌贼；三说亦见《酉阳杂俎·广动植·鳞介篇》“海人言，昔秦王东游，弃算袋于海，化为此鱼，形如算袋，两带极长”，《集韵·平模》：“鲄，鰞鲗，鱼名。九月寒乌入水化为之。”上述系物（算袋）或鸟入水之“物生说”或“生生说”。对第二说，本书主编亦书字愈数年，字迹如新，故诸说皆虚构杜撰。明·李时珍《本草纲目·鳞二》：“腹中有墨可用，故名乌鲗。能吸波噀墨，令水溷黑，自卫以防人害。”可信。

三国吴时记鹦鹉螺，《渊滥类函·鳞介部》引三国吴·万震《南州异物志》：“鹦鹉螺，状如覆杯，头如鸟头向其腹视，似鹦鹉故以为名。肉离壳出食，饱则还壳中，若为鱼所食壳乃浮出，为人所得，质白而紫文，如鸟形与觞无异。”此记前段甚是，中段系误传或指寄居蟹或喜钻空螺壳产卵之蛸。迄今国内从未采到过活标本，活动物只分布于西南太平洋热带海域，东起萨摩亚群岛，西至加里曼丹，北从菲律宾群岛，南达澳大利亚的悉尼，其空壳可被洋流带至我国南海，故鹦鹉螺被列为我国国家一级保护动物，亦应重新审核。

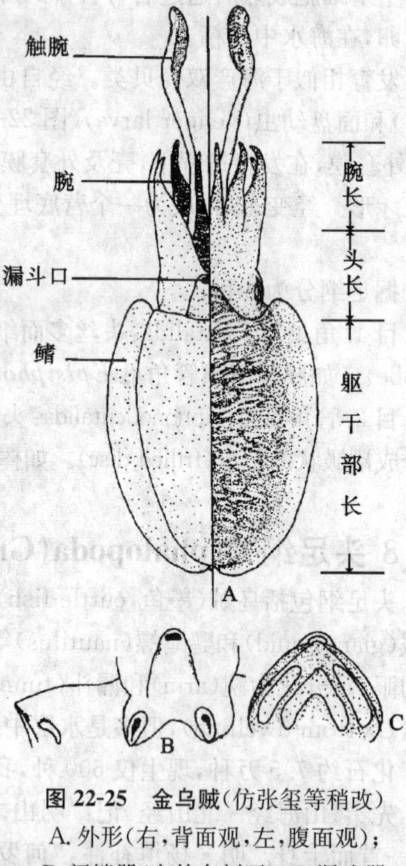

图 22-25　金乌贼（仿张玺等稍改）
A. 外形（右，背面观，左，腹面观）；
B. 闭锁器（右外套剖开）；C. 漏斗器

22.8.1 金乌贼 *Sepia esculenta* Hoyle

1. 习性和分布：金乌贼栖息于我国沿海近岸，十数米深处，生殖期来近海海藻繁茂处产卵。主要渔场在山东岚山头、青岛、黄海中部和北部。是一种具有回游特性的海洋动物。金乌贼肉食性，能主动掠食各种中、上层和底层甲壳类、小鱼及其他游泳动物。当遇敌害时，放射墨汁，使水变黑，乘机逃遁。

2. 外部形态(图 22-25):体左、右对称,分为头、足部及躯干部 3 部分:

(1)头部:圆筒形。左、右两侧各有一个发达的眼。眼后方有一个椭圆形的嗅觉窝。头的顶端是口,有口端即前端,其相对端即后端。口周围有较薄的围口膜(perioral membrane)。围口膜的近口部分称内唇(inner lip),生有乳头状突起。内唇的外围口膜部分称外唇(outer lip),生有皱纹。雌性金乌贼的围口膜腹面有一交配囊,囊的背面附有一个肉垫。

(2)足部:由头前部的腕和头腹位的漏斗组成。

10 个口腕(oral arm),其中 8 个较短为普通腕,自基部向顶部渐细,腕上均有排成 4 列的吸盘(sucker),吸盘两侧具保护膜,吸盘呈浅杯形,杯底具有一短粗的柄,杯缘膜状,缘下有 1 个角质环,角质环外缘具有角质环齿。普通腕之长短不一,由背中线向腹部标记,其腕一般为 4>1>2>3,即以第 4 腕最长、第 3 腕最短。左侧的腕,以左字标志,如左 4 即代表左侧的第 4 腕,雄性金乌贼的左 4 腕中部吸盘变小而稀疏特化为生殖用腕,特称茎化腕(hectocotylized arm),生殖时用以传送精荚(spermatophore)。另两个较长的口腕是触腕(tentacular arm)或称攫(捉)腕(clasping arm),位于第 3、第 4 普通腕之间,触腕基部有 1 个触腕囊,游泳时触腕缩入囊中,捕食时可迅速伸出,触腕顶端扁平微弯曲称腕穗(arm club),内面约有排列整齐的 10 列吸盘,外面正中有腕鳍(arm fin),腕穗以下部分称腕柄(arm stalk)。口腕间皆具皮肤延伸的腕间膜,以第 2、3 腕间的腕间膜最宽。

漏斗(funnel)是足的一部分,紧贴于头部腹面中线处,其前半部游离于外套膜外。漏斗内部的背面有一半圆形的舌瓣,防止海水进入漏斗。舌瓣之后的漏斗内壁上有一“∧”形的腺质片,能分泌滑润漏斗内壁的粘质物。漏斗基部与外套膜之间有软骨质的闭锁器(locking apparatus)(图 22-25 B,C)。漏斗是乌贼排出代谢产物、粪便或生殖产物的器官,更是乌贼赖以运动的动力器官,当水由头后侧外套缝进入外套腔,漏斗闭锁器紧闭后,水流只得由漏斗夺路而出,乌贼则靠其反作用力向相反方向运动。漏斗游离端不仅能向前且能向左右或向下运动,从而控制乌贼的运动方向。

(3)躯干部:囊状袋,椭圆形。外围以外套膜。外套膜与体头部背侧面和体腹面游离称外套缝。外套膜与身体之间为一广阔的外套腔。躯干部的两侧全缘有狭长末端分离的肉鳍,肉鳍在游泳中起平衡作用。体背表面有许多紫褐色斑点及相间的白色花纹,系皮下色素细胞(chromatophore),在神经末梢支配下周围放射状肌纤维伸缩所致。此外,皮肤内还有很多反光细胞(iridocytos),有特殊的闪光作用,具金黄色的光泽。所以,当乌贼遇到外界刺激时,引起肌纤维伸缩,导致体色变化。这也是金乌贼对颜色深浅不同的海水环境的一种适应。

躯干部的腹面呈灰白色或灰黄色。

3. 内骨骼：海螵蛸(pen)(图 22-28 A)：埋于躯干背部皮下壳囊中，长圆形。背面是硬石灰质，有沉淀颗粒。其腹面软，石灰质多空隙，有浮性，可分为背楯(平滑的终室和具环形生长横纹的横纹面)，后部的内、外圆锥体和最外一圈薄的角质缘，最后端为顶鞘(退化为骨针)。

软骨组织(cartilaginous tissue)：来源于中胚层。头软骨(cartilago cephalicus)又称脑箱(图 22-26)，位于头部背面，包被着中枢神经系统及平衡囊。腕软骨位于腕基部，供腕肌附着。颈软骨(cartilago nuchalis)位颈部背面，呈半月形，供颈肌附着。背软骨(cartilago dorsalis)位于颈软骨背面，直伸至身体后端壳周围。

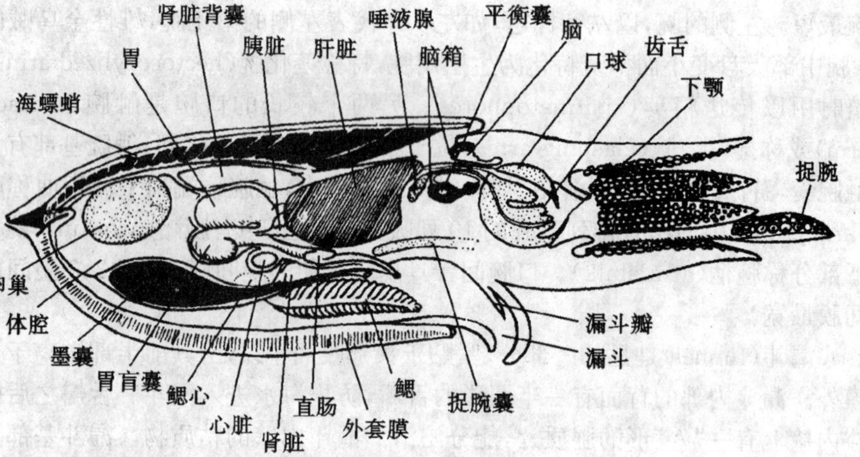

图 22-26 乌贼解剖示意图(仿 Lane)

4. 肌肉：躯干部、头足部、外套膜及口球等处均有强有力的肌肉网。而漏斗下拽(掣)肌，始于海螵蛸中部边缘，在起始处与收缩肌及外套壁相愈合，沿内脏囊两侧前行，抵达漏斗软骨处与漏斗的背、腹肌融合。此外，还有漏斗的外颌肌、内颌肌及头部收缩肌、口球的斜收肌和侧收肌等。

5. 消化系统(图 22-27 B)：由消化道(口、咽、食道、胃、胃盲囊、直肠、肛门)和消化腺(唾液腺、肝脏、胰脏、墨腺)组成。口位于围口膜中央，口通向肌肉质厚壁的咽或口球(buccal bulb)。口球中有 1 对紫褐色呈鹦鹉咀状的角质颚(jaw)，下颚大于上颚，起切碎食物的作用。口球底部有齿舌，齿舌上生有具锯齿的几丁质薄片，齿式为 3・1・3，齿舌起推动食物的作用。齿舌前方的突起为舌咽头。口球的内有一前唾液腺，分泌黏液。口球外的腹后方具成对的后唾液腺，两条唾腺管合并成1条由口球腹后方通入口球。后唾液腺能分泌酶，消化蛋白质，也分泌有毒物质，可杀伤麻痹猎物。口球后是细长的食道，纵行于二叶大的黄褐色肝脏之间。食道后通长囊状的厚壁胃和壁薄的胃盲囊(caecum)。肝脏有肝管通入胃、胃盲囊及肠之交汇处。在肝管的周围有许多葡萄状的胰脏(pancreas)，其分泌物通过短的胰管流入肝管。胃盲囊的内表面有许多生有纤毛的褶襞，以扩大消化面积。肠斜行向前并与食道平行，后部略变粗，即直肠。末端开口为肛门，肛门位于外套腔腹面前方，正对着漏斗基部，肛门两侧有肛门瓣。

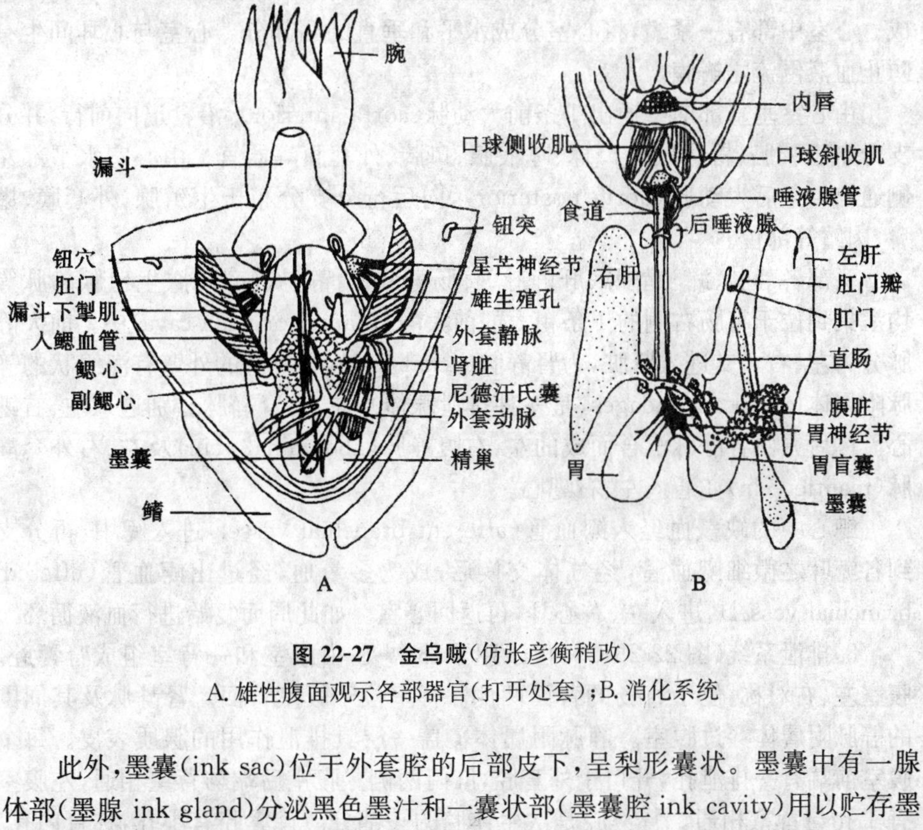

图 22-27　金乌贼(仿张彦衡稍改)

A. 雄性腹面观示各部器官(打开处套)；B. 消化系统

此外，墨囊(ink sac)位于外套腔的后部皮下，呈梨形囊状。墨囊中有一腺体部(墨腺 ink gland)分泌黑色墨汁和一囊状部(墨囊腔 ink cavity)用以贮存墨汁。墨囊向上通墨管，墨管开口于近肛门处的直肠中，靠墨管末端开口处的1对括约肌控制墨管的开闭。当金乌贼受惊扰时，在神经系统的作用下，墨囊腔收缩，促使墨汁经墨管射入直肠，再经肛门进入外套腔中由漏斗喷出。使附近海水变成黑色，以混淆敌害视线并借此掩蔽自己，趁机捕食或逃遁。

6. 呼吸系统：1对羽状栉鳃，位于外套腔两侧且大部分贴附于外套腔的背侧壁，每个鳃有1鳃轴，由轴肌及腹肌构成。腹肌两侧生出许多由鳃丝组成羽状鳃叶，鳃叶表面具复杂之皱褶。鳃满布血管和神经，其中有2条较粗大的血管，一条是接受污血的入鳃血管，一条是转运多氧血的出鳃血管。鳃上无纤毛。通过外套膜收缩所产生的水流经过鳃血管进行气体交换。鳃的背侧有与鳃轴平行的鳃腺（branchial gland）。

7. 循环系统（图22-27 B）：金乌贼的血液循环接近于闭管式循环系统，有少量的血窦，如围口球血窦、围食道血窦、眼血窦等。血管有动、静脉之分，还有分布于内表皮处的微血管。促进血液流动的动力器官是位于躯干部腹面胃上方围心腔中的1心室2心耳的心脏和位于鳃基部的两个鳃心（branchial heart）组成。心室中部有一紧缢，将心室分成水平和垂直的两部分。心室与心耳间生有防止血液倒流之瓣膜。

由心室垂直部前壁通出1条前大动脉（aorta anterior），沿食道向前行，并分支分布于胰脏、胃、肝脏、口球、唾液腺、口腕、外套膜等器官。由心室水平部左侧通出1条后大动脉（aorta posterior），向后行分支分布于生殖腺、外套膜、墨囊、肉鳍等部位。

头部各静脉、漏斗静脉、肝静脉、直肠静脉、胃静脉、胰静脉、生殖腺静脉等均汇集到位于直肠右侧的1条粗大的前大静脉（anterior vena cava）中。前大静脉分为左、右2支进入肾脏，为肾静脉（venal rein），肾静脉的外壁有海绵状的静脉附属体（renal appendages，是一种排泄腺体），左、右肾静脉分别进入左、右鳃心。体后方由各静脉汇合而成的左、右腹静脉（abdominal vein）及左、右外套静脉（mantle vein）亦通入左、右鳃心。

鳃心中的缺氧血经入鳃血管（afferent branchial vessel）进入鳃中，再分支到各鳃叶之微细鳃血管，经气体交换后，成为多氧血，经过出鳃血管（efferent branchial vessel），进入左、右心耳，再返回心室。如此周而复始进行血液循环。

8. 排泄系统（图22-28 C）：位于躯干部中央，由腹室和一背室组成肾囊腔。腹室左、右对称，位于直肠的背面两侧。背室位于腹室背面。肾静脉及其周围的静脉附属体穿过腹室。静脉附属体覆盖一层具排泄作用的腺质表皮。每个腹室前端有一排泄孔，开口于外套腔，肛门两侧。腹室后端与背室相通，左腹室有1孔与背室相通。肾囊腔是次生体腔的一部分。肾囊腔有小孔，称肾内孔，与围心腔相通。金乌贼的排泄物主要是鸟粪素（guanine）$C_5H_5ON_5$。

胰脏的外层细胞亦具排泄作用。

每个鳃心的下方附有一卵圆形的腺体，称鳃心附属体或副鳃心，其下部的小腔与鳃腔相通。该腺体相当于双壳类的围心腔腺，也有排泄机能。

9. 神经系统：包括中枢神经系统、外周神经系统及交感神经系统3部分（图22-29 B,C）。

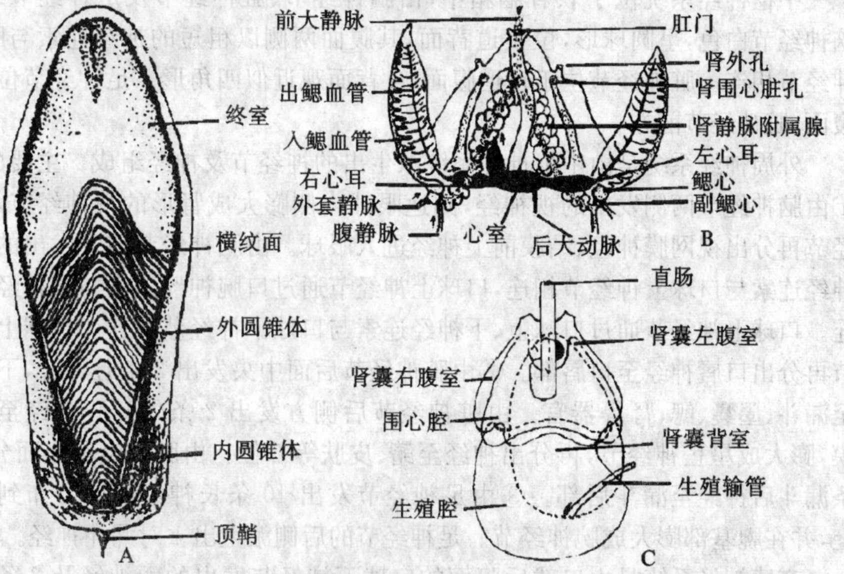

图 22-28 乌贼各部腹面观(仿各作者)

A. 海螵蛸;B. 循环系统;C. 肾囊

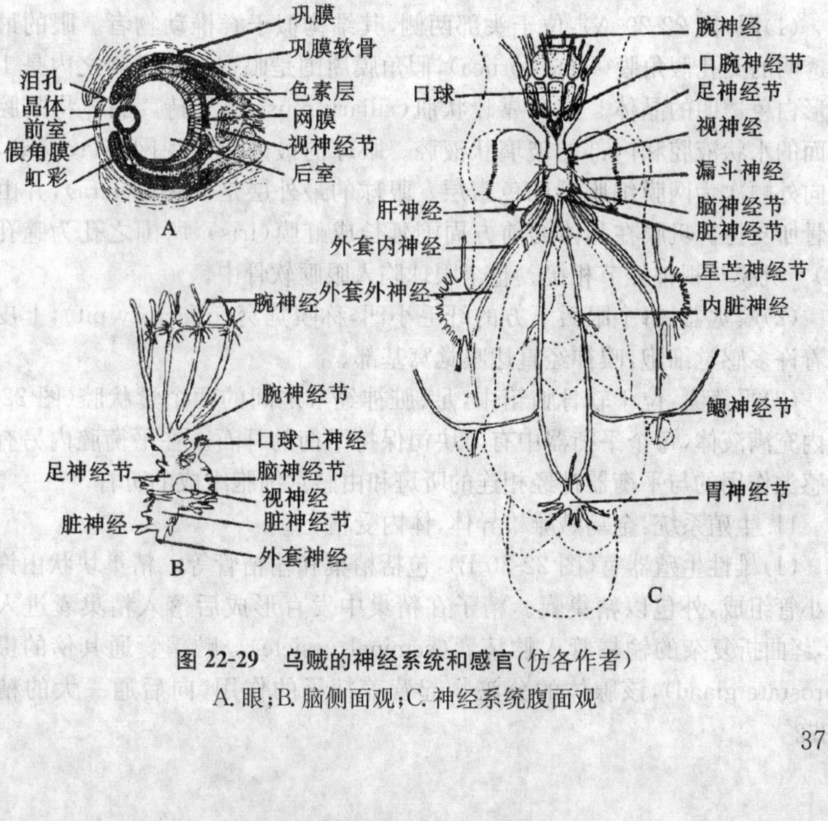

图 22-29 乌贼的神经系统和感官(仿各作者)

A. 眼;B. 脑侧面观;C. 神经系统腹面观

中枢神经系统位于软骨脑箱中，由脑神经节、脏神经节及足神经节组成。脑神经节白色，呈圆球形，位食道背面，其腹面两侧以粗短的神经连索与脏、足神经节相连。脏神经节位于食道腹面，自背面观近似四角形。足神经节位食道腹面，脏神经节前方。

外周神经系统是由中枢神经系统派生出的神经节及神经组成。主要的有：①由脑神经节两侧发出的视神经，到达眼球内侧膨大成肾形的视神经节，视神经节再分出视网膜神经、结膜前上神经进入眼球。由脑神经节前方发出的脑口神经连索与口球上神经节相连，口球上神经节通过口腕神经连索与腕神经节相连。口球上神经节通过口球上、下神经连索与口球下神经节相连。口球上神经节再分出口唇神经至口唇部。②由脏神经节后面中央发出 2 条脏神经，下行通至漏斗、墨囊、鳃、肾等器官。由脏神经节后侧方发出 2 条外套膜神经至外套膜，膨大成星芒神经节，再分出神经至鳍、皮肤等部位。由脏神经节腹面分出 1 条漏斗后神经至漏斗后部。③由足神经节发出 10 条长神经向前分布到各腕上，并在腕基部膨大成腕神经节。足神经节的后侧派生出 1 对漏斗神经。

交感神经系统是由口球后腹面的口球下神经节发出的颚神经及 2 条交感神经到胃后，膨大成胃神经节，再由胃神经节分出神经至胃盲囊、胃、肠等器官。

10.感觉器官;包括眼、嗅觉器和平衡囊。

(1)眼(图 22-29 A)：位于头部两侧，其结构似于脊椎动物者。眼的最外层是透明的无孔假角膜(false cornea)，假角膜周围是眼帘。假角膜之内是 1 个圆球形白色透明的晶体。晶体靠睫状肌(ciliary muscle)支持。晶体将眼腔分成外面的水状液腔和内部的玻璃状液腔。眼球的最内层是视网膜(retina)，其自内向外顺次为网膜细胞层和色素层。眼球的最外层是巩膜(selera)，并由巩膜软骨所支持。巩膜在晶体的前方周围延长成虹膜(iris)，所围之孔为瞳孔(pupil)。巩膜与视神经节相接。整个眼球陷入眼眶软骨中。

(2)嗅觉器：每个眼后下方的纤毛小凹，称嗅觉窝(olfactory pit)，上皮内分布着许多感觉细胞，嗅神经直达嗅觉窝基部。

(3)平衡囊：位于软骨脑箱中，足、脏神经节之间的两个囊状腔(图 22-26)，腔内充满液体，每个平衡器中有 1 块司保持平衡的耳石。在平衡腔内另有 2 个起感觉作用的与平衡器神经相连的听斑和由感觉细胞组成的听脊。

11.生殖系统：金乌贼雌雄异体，体内受精。

(1)雄性生殖器官(图 22-30 B)：包括精巢和输精管等。精巢块状由许多精巢小管组成，外包以精巢囊。精子在精巢中发育形成后落入精巢囊进入输精管，经曲折复杂的输精管入贮精囊(seminal vesicle)。贮精囊通其傍的摄护腺(prostate gland)，该腺体的分泌物起营养精子的作用，向后通一大的精荚囊

(spermatophore sac)，或称尼德汗氏腺(Needha's gland)，精子被包在精荚(spermatophore)中暂存。精荚长约 2 cm，是 1 个弹性鞘具弹出装置。精荚囊后端接射精管，开口于外套腔左侧即雄性生殖孔。贮精囊、摄护腺、精荚囊均在生殖囊中，该囊有 1 小孔开口于外套腔，位于雄孔稍后方。雄性生殖器官的干制品俗名乌鱼穗，可供食用。

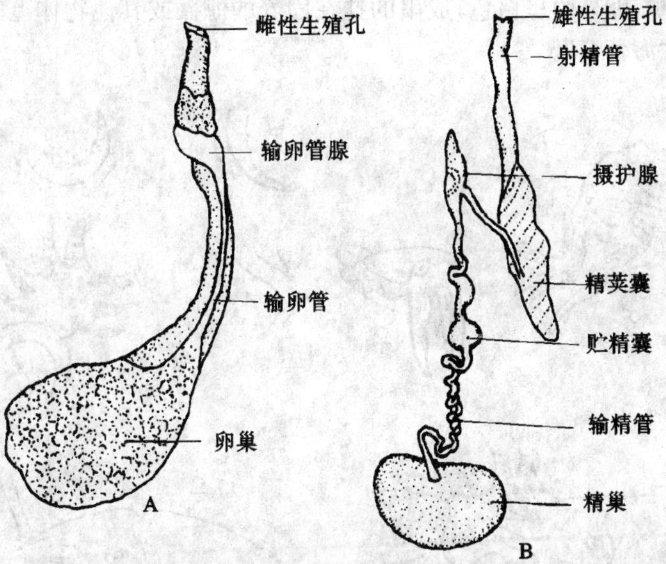

图 22-30　乌贼的生殖系统(仿池田)

A. 雌性生殖系统；B. 雄性生殖系统(部分分离示意)

(2)雌性生殖器官(图 22-30 A)：包括卵巢和输卵管及生殖附属腺。卵巢块状外包以卵巢囊。卵成熟后落于卵巢囊中，然后进入卵巢左方的输卵管。输卵管末端开口为雌性生殖孔，位于外套腔左侧。

雌性生殖附属腺有：①输卵管腺(oviducal gland，又称蛋白腺 albumen gland)1 对，位于输卵管末端，其分泌物形成卵外膜；②缠卵腺(nidamental gland)1 对，位于内脏囊中部直肠两侧，白色，扁卵圆形，开口于外套腔，其分泌物亦形成卵外膜，同时还可把卵粘附于外物上；③副缠卵腺(accessory nidmental gland)1 对，位于缠卵腺前方，在生殖期呈红色，其作用不详。缠卵腺的干制品，俗称乌鱼蛋，是筵席中的佳品。

12. 生殖与发育：金乌贼在生殖季节(每年 5～6 月底)，雌体呈黄褐色，雄性的背面出现横行不规则的蓝绿色斑纹，腹部由平时的乳白色变成鲜艳的金绿色。金乌贼在交配时(图 22-31)，雄性有追尾现象，经过一段时间的追尾后，雄性向雌性发情，向上翘起第1对口腕，引起雌性动情。当雌性将口腕呈辐射状撑开时，雄性便迅速与雌性相对，各自用第2、第3对口腕相互交叉紧抱对方的头部。最后，雄性用左4腕钩住从漏斗口排出精荚，并将精荚迅速粘于雌性交配囊上。每次交配时间长短不一，一般为2～15分钟。经过第一次交配后，如果雄性仍不离开，则有连续交配的可能。金乌贼的卵分批成熟，分批产出，卵外有胶质膜保护，卵外膜呈白色，成串的挂在固着的海藻或其他物体上。金乌贼的卵群俗称"海葡萄"。

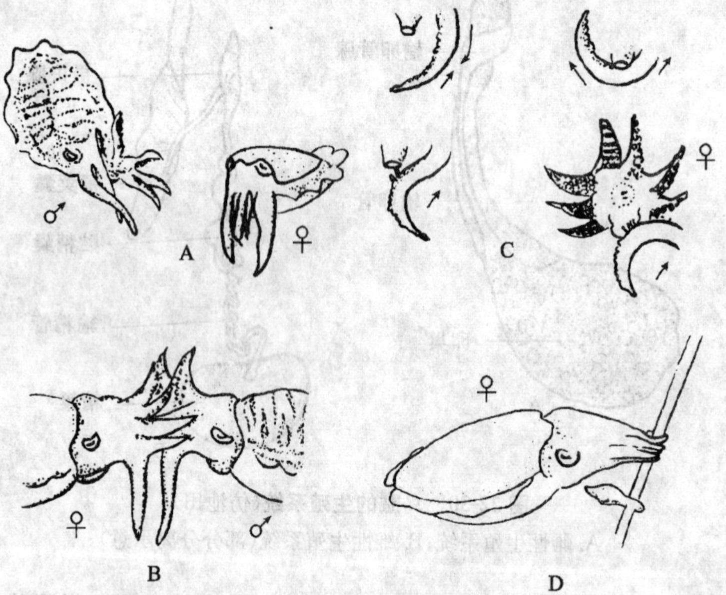

图 22-31　乌贼的交配和产卵行为(仿魏臻邦)

金乌贼为直接发生。盘状卵裂，小分裂球在动物极胚盘处形成1层胚膜，然后胚膜边缘内卷加厚。卵黄膜下包卵1/4时出现壳囊和视杯，下包到1/2时其他器官如漏斗褶等相继出现，下包到3/4时外部器官芽开始全部出现。

22.8.2 习性和分布

1.生活方式:头足动物分布在世界各海区，从近海到远洋，由寒带至热带，但较喜成群栖居在温暖和盐度较高的海洋中。对盐度的适应力强，垂直分布范围也很广。多数种类善于作快速远距离的游泳，如枪乌贼 *Loligo*。有的还能跃出水面在空中滑翔一段距离，如习柔鱼 *Ommastrephes volatilis*。少数种类营底栖生活，有隐居的习性，常在岩石下，岩缝间或泥沙中栖息，如短蛸 *Octopus ocellatus*。

生活在深海的头足动物，有的在体表、头部、外套膜、眼或口腕上具发光器，有发光的特性。有的种类是由体内的共生菌发光，所发的光是一种不连续的蓝绿色冷光。这种生物发光(bioluminescence)的机制是：某些无机离子在高能键三磷酸腺苷的协调作用下，在荧光素酶(luciferase)的参预下，荧光素(luciferin)被氧化的过程。荧光素是一种蛋白质，当有三磷酸腺苷加入时，形成荧光素-三磷酸腺苷复合体，在水、氧及镁离子存在时，加入荧光素酶，则产生生物冷光，而三磷酸腺苷则失去一个高能键变成了二磷酸腺苷。这种发光现象可能有吸引异性、诱捕食饵或对抗敌害的作用。如双喙耳乌贼 *Sepiola birostrata*、剑尖枪乌贼 *Loligo edulis* 等均有发光特性。

有些头足动物对光线的反应灵敏，具趋光性。如金乌贼趋向紫红色光，而对直射强光则多表现为避光性。

2. 食性：多数头足动物是肉食性，主动捕食鱼类、甲壳动物、蠕虫、腔肠动物及其他软体动物。如金乌贼每天可追逐捕食近 10 尾玉筋鱼。枪乌贼能够捕杀鲭鱼为食。有的头足动物以微小生物及有机碎屑为食，如生活在远洋的须蛸 *Cirrotenthis*，其颚、齿舌均退化，腕间膜长成蹼状，形似捕捞的网具，用以滤捕微小的浮游生物。有的头足动物在海滩上匍匐，以口腕尖端探寻其他动物的洞穴，遇到小动物便捉而食之，如短蛸 *Octopus ocellatus*。

3. 自卫和御敌：许多头足动物都生有墨囊，排出墨汁使海水混浊，借此以捕食或逃避敌害，同时由于墨汁有一定的毒性，还可麻痹敌害动物。营底栖爬行生活的头足动物，他们的皮肤常改变颜色，以适应周围的环境。有些大型头足动物性凶猛，能够与海兽搏斗，如体长 18 m，体重近 3 t 的大王乌贼 *Architeuthis* 用其长而有力的口腕缠住鲸的鼻孔，偶尔会使鲸窒息而亡。有的头足动物用拟态和伪装的方法避敌，可随时更换体色，使与周围环境的颜色相一致。短蛸可利用双壳类的贝壳及石粒吸附到吸盘上以伪装自己或使外皮凸起，形似岩石被植物包围的状态。

4. 繁殖特点：头足动物雌雄性的比例差异很大，通常雌体多于雄体。雄性用生殖腕将精荚送入雌体外套腔中或其他器官上，卵成群附于外物上。卵粒大，富含卵黄。有的种类，卵产于由雌性背腕分泌而成的假外壳中，这种假外壳由雌体背腕支持，当雌体被捕时，假外壳便脱落。有的种类，雄性生殖腕携带精荚后，能脱离雄体而进入雌体外套腔中，或于雌孔附近或附着于雌体之腕上或漏斗上，脱离之腕处还能再生出一个新的生殖腕。

头足动物有护卵行为，如雌性短蛸用躯干部的背面靠着卵群并以第 4 对口腕的尖端钩着卵群，轻轻拉动，让卵群处于摇动状态，使之免受伤害或获得更多的氧气。

22.8.3 分类

本纲现分 2 亚纲 5 目。

亚纲 1. 鹦鹉螺亚纲 Nautiloidea：具多室且平面盘旋的外壳，具无吸盘的口腕 8～90 个、雄者有 4 腕特化成生殖腕，漏斗由左右两叶构成、未形成完全的管子，栉鳃 2 对(故又称四鳃亚纲 Tetrabranchia)，肾脏 2 对，心耳 2 对，眼无角膜或无晶体。鹦鹉螺目 Nautiloida，如鹦鹉螺 *Nautilus pompilius*(图 22-32 A)。

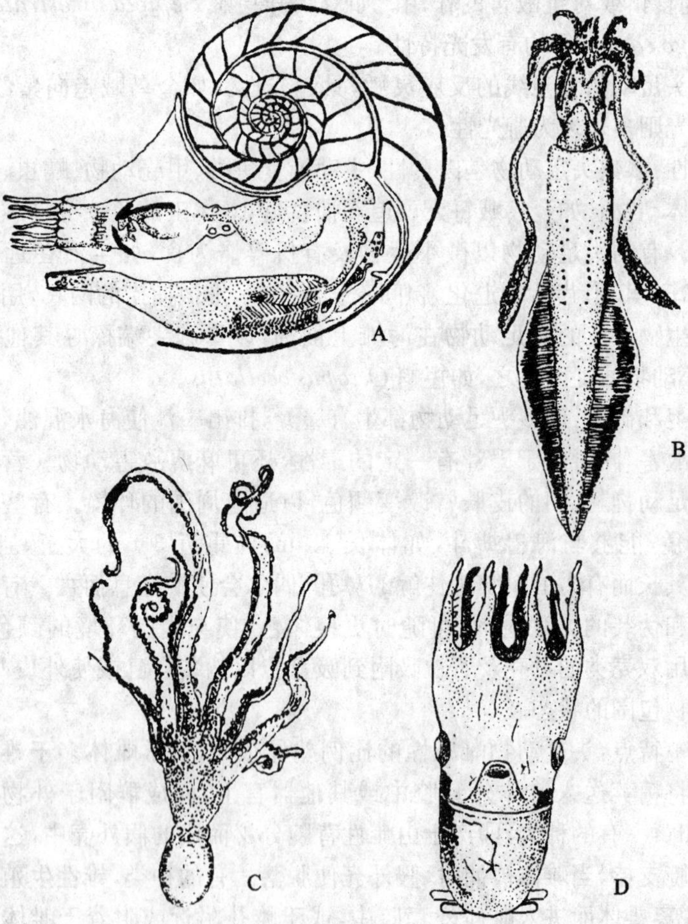

图 22-32　几种头足动物(仿各作者)

A. 鹦鹉螺；B. 中国枪乌贼；C. 长蛸；D. 黑瓦达蛸

亚纲 2. 蛸亚纲 Coleoidea：内壳或退化或无壳，有 8 或 10 个具吸盘的口腕，雄性有 1 个口腕分化成生殖腕，漏斗为完全的管子，栉鳃 1 对（故又称二鳃亚纲 Dibranchia），肾脏 1 对，心耳 1 对，眼有角膜和晶体。

目 2. 乌贼目 Sepioida：内壳钙质，躯体短宽，具侧鳍，10 腕，触腕具吸盘、可缩入腕囊中。如金乌贼 *Sepia esculenta*。

目 3. 枪乌贼目 Teuthoida：内壳退化为角质，躯体长纺锤形，具侧鳍，10 腕，触腕不能缩入腕囊。如中国枪乌贼 *Loligo chinensis*（图 22-32 B）。

目 4. 八腕目 Octopoda：无壳，8 个口腕由腕间膜联结，躯体短圆，无侧鳍。底栖性。如长蛸 *Octopus rariabilis*（图 22-32 C）。

目 5. 幽灵蛸目 Vampyromorpha：壳薄透明、叶形，8 个口腕的腕间膜发达，口腕具一行吸盘，躯体短肥，具 1～2 对大形鳍。远洋深海种。如黑瓦达蛸 *Watasella nigra*（图 22-31 D）。

22.9 系统发生

软体动物多经螺旋卵裂、担轮幼虫，具成体体腔及排泄器官等特征，与环节动物相似，故推测软体动物与环节动物是从身体不分节、无体腔类似扁虫的共同祖先演化而来。在进化过程中，环节动物是向适应活动生活方式发展，形成了体节、疣足及头部等结构；而软体动物（图 22-1 B）则向适于比较不活动的生活方式发展，形成了保护结构——贝壳，体腔退化和大多数种类神经系统的不发达，特殊的适应器官——肌质足及外套膜。

自发现单板类新碟贝后，其内部结构的器官直线性重复排列（8 对收缩肌、5 对鳃、6 对肾等），被认为是原始软体动物所出现的分节现象，因而主张软体动物起源于环节动物。但新碟贝只有 1 个无任何分节迹象的壳，重复排列的器官数彼此差异也较大，而其他各纲软体动物的鳃、心耳、肾的数目是一致的，故有人认为，新碟贝的分节特征并非是原始的。

据比较解剖学的知识和进化理论推断假想的软体动物祖先模式图：头位前方，肛门位后端，足位腹面，内脏位身体背部，并为一个硬的贝壳所包被，有成对的鳃，心脏 2 心耳和 1 心室，肾脏 1 对、一端开口于围心腔另端开口于外套腔。虽然现代生活的软体动物并没有完全符合这些特征的物种，但 7 个纲中无板纲、多板纲和单板纲与推断的假想原始软体动物最接近。其中，多板纲的壳板、肌肉、血管和神经均保留分节现象，而单板纲的神经、肌肉、血管的分节现象比多板纲更明显，推断这 3 纲是软体动物中的最原始类群或合成盏贝纲 Tryblidia。其余 4 纲中，头足纲的生殖腔与围心腔相通似无板纲，都有前肾，且前肾形成生殖产物的输送管道相似于多板纲，此外，无板纲、多板纲和头足纲的胚胎期均无肾。但是，头足纲有发达的头部和运动器官，复杂的眼和循环系统等，可看出，头足纲在演化中既有原始特征，又有高度进化的结构。由此推测，头足纲和软体动物其他各纲在一开始就沿着不同的方向进化发展：无板纲、多板纲和单板纲是沿着匍匐爬行的习性发展、以后进化到最高等的肺螺动物，头足纲顺着自由游泳的习性发展、最后进化到最高等的八腕类头足动物。在头足纲中，原始者的鳃、心耳、肾和口腕的数目多、外壳分室，进化者的鳃、心耳、肾各 2 个，口腕的数目也减少到 8～10个，由外壳变为内壳或退化。

瓣鳃纲、掘足纲及腹足纲是从共同的祖先原始腹足类演化而来。原始腹足类相似于多板纲动物，沿着较不活泼的生活方式演化。瓣鳃纲由于活动较少，在演化中表现出倒退现象，如头部退化、感觉器官不发达等，其中鳃由原始的栉鳃演化成为丝鳃、再发展成鳃丝间由血管联系的真瓣鳃，铰合齿由齿形一致排列成行进化到齿数少、齿形复杂，足由足底扁平演化到足呈斧形（钻蚀生活者为凿穴，足又变得宽平）。掘足纲动物在形态结构上，既有着瓣鳃纲的特征又有腹足纲的特征，曾被认为是介于两者之间的动物类群。腹足纲是比较活动的动物类群，头部及其感觉器官均较发达，演化比较清楚的器官是呼吸器官、心耳数目和神经系统的结构，本鳃由楯状演化为栉状或本鳃退化出现二次性鳃（次生鳃）到肺螺类鳃完全消失而代以肺囊，心耳多是两个演化为 1 个，神经系统由分散进化为侧脏神经连索交叉成"8"字形。

近年（Steiner 等，2003），依 18S rDNA 分子序列研究，则支持掘足纲-头足纲分支（进化级），即盔贝纲＋（双壳纲＋（腹足纲＋（头足纲＋掘足纲）））。

22.10 经济意义

1. 食用：软体动物中，除少数种类外，几乎都可以食用。如鲍 *Haliotis*、红螺 *Rapana*、玉螺 *Natica*、泥螺 *Bullacta exarata*、蚶 *Arca*、牡蛎 *Ostrea*、贻贝 *Mytilus*、扇贝 *Chlamys*、江瑶 *Pinna*、蛏 *Solen*、文蛤 *Meretrix meretricc*、菲律宾蛤仔 *Ruditapes philippinarum*、西施舌 *Mactra antiquata*、乌贼 *Sepia*、短蛸 *Octopus ocellatus*、枪乌贼 *Loligo* 等。其软体部含丰富的蛋白质、脂肪、无机盐（钙、磷、铁等）和各种维生素，有的种类如牡蛎等含有多量的动物淀粉（glycogen）。贝类的营养物质易溶解在液汁中，易被人消化吸收。除鲜食外，还可干制、盐渍、罐藏等，如出售的淡菜、干贝、蚝豉、蚝油、蛏干、蛤干、柔鱼干、墨鱼干、乌鱼蛋和各种贝肉罐头等。

2. 医药用：不少软体动物可做药材，治疗多种疾病。如：珍珠、石决明、海螺、海螵蛸等(见表22-2)。

表22-2 主要药用贝类的药用部分及主治疾病

种 类	药用部位	主治病症
毛 蚶	壳、肉	胃痛、吐酸、痰积
贻 贝	珍珠、壳	眩晕、盗汗、高血压、阳萎、腰痛、吐血
大珠母贝	珍珠、壳	惊悸、癫病、惊风、眩晕、耳鸣、疮疖、消炎止痛、目生翳障
近江牡蛎	壳、肉	眩晕、失眠、盗汗、胃及十二指肠溃疡、烦热、颈淋巴结结核
文 蛤	壳	慢性气管炎、淋巴结结核、胃及十二指肠溃疡
杂色鲍	壳、肉	高血压、头晕、青光眼、白内障、月经不调、大便干结
金乌贼	海螵蛸、肉、墨囊、缠卵腺	胃及十二指肠溃疡、胃出血、血尿、血虚、闭经、功能性子宫出血、开胃、利尿
短 蛸	肉	催乳、滋补、痈疽

3. 工业与农业用:软体动物贝壳的主要成分碳酸钙,是烧石灰的良好原料。由于贝壳烧石灰的方法简单、成本低、原料来源广,故在我国东南沿海农村,土法贝壳烧窑为建筑用石灰提供了部分来源。珍珠层较厚的贝壳,如海产的大马蹄螺等是制钮扣的原料。大型的贝壳可制成美观的容器和文具,又如塔形马蹄

螺 *Trochus pyramis*、夜光蝾螺 *Turbo marmoratus* 等的壳粉,可混入油漆做喷漆的调和剂。小型贝类及贝壳磨成粉后,可以作为农肥或掺入饲料提高家禽产卵量。骨螺科中的某些种类含有紫色腺(肛门腺),可从中提取染料。二鳃类头足动物分泌的墨汁可以制作驰名中外的中国墨。贻贝 *Mytilus galloprovincialis*、江瑶 *Pinna* 等的足丝可作为纺织品原料。

4. 装饰和工艺用:很多软体动物具有绚丽的光泽和色彩惹人喜爱,如宝贝 *Cypraea*,榧螺 *Oliva*,芋螺 *Murex*,竖琴螺 *Harpa*,瓜螺 *Cymbium*,骨螺 *Murex*,日月贝 *Amusium*,珠母贝 *Pinctada* 等。贝雕工艺品系用各种贝壳雕刻装饰而成,可与木雕、玉雕、牙雕等珍贵艺术品相媲美,其独特的风格深受国内、外各界人士的赞赏。我国古代的螺钿,就是用贝壳在木器上镶刻雕制而成,也极为珍贵。

人工培育珍珠是我国首创。珍珠不仅是珍贵的装饰品,而且可入药,配制成各种高级化装品,在国际市场上也深受欢迎。

软体动物的化石,多被保存在各个时期的地层中,对地质年代的鉴定提供了可靠的资料。各种软体动物及其幼虫又是多种经济鱼类的食料。

5. 有毒和传染疾病:现知约85种软体动物对人类有食后中毒或接触中毒的

危害。人们食后中毒也有的是因为软体动物吃了含有毒性的双鞭藻等所引起。骨螺 *Murex* 的鳃下腺中有骨螺紫毒素(urocanyl choline)、节香螺 *Neptunea arthritica* 的唾液腺和唾液中含有四胺铬物(tetramine)毒素、荔枝螺 *Purpura floridana* 和波纹蛾螺 *Buccinum undatum* 中有千里酰胆碱和丙烯酰胆碱。芋螺 *Conus* 口腔内部有毒腺,被它刺伤后,受伤部分就要溃烂,采捕时应特别当心。此外,许多淡、海水贝类又常是寄生虫的中间寄主,危害极大。

6. 对农业的危害:许多肉食性的螺类,是贝类养殖业的敌害,如玉螺 *Natica*、荔枝螺 *Thais*、红螺 *Rapana* 等,能损害牡蛎 *Ostrea* 和贻贝 *Mytilus*,特别对养殖贝类的幼苗危害更大。再如锈凹螺 *Chlorostema*、单齿螺 *Monodonta*、背尖贝 *Notoacmea*、黑指纹海兔 *Aplysia parvula* 等草食贝类,常刮食海带、紫菜等海藻幼苗,是藻类养殖业的敌害。

7. 对港湾建筑和交通运输等的危害:海洋中的船蛆 *Teredo*、海笋 *Barnea* 等是专门穿凿木材或岩石的穴居种,对于海中的木船、木桩,海港的防波堤及木、石建筑物为害甚大。用足丝和贝壳营固着生活的贝类,如贻贝 *Mytilus*、牡蛎 *Ostrea*、不等蛤 *Anomia* 等,大量固着在船底影响船速,固着在沿江沿海工厂冷却水管的管道系统中则堵塞管道使机器空转过热而烧损。

第23章 节肢动物门

Arthropoda(Gr., *arthron*, joint; *podos*, feet)

23.1 概述

节肢动物门是动物界百万余物种的最大集合。身体分节,体外具几丁-蛋白质且随生长而周期性蜕皮的外骨骼,因附肢具关节而得名。

节肢动物是海洋动物的重要组成部分,以鲎(horseshoe crab, king crab)、卤虫(brine shrimp)、桡足类(copepod)、藤壶(acron barnacle)、龟足(goose barnacle)、海蟑螂(sea slater)、南极磷虾(Antarctic krill)、虾(shrimp)、蟹(crab)、虾蛄(螳螂虾 mantis shrimp)、龙虾(lobster)等最为习见,毛虾干晒而成的虾皮(dried small shrimp)和鹰爪虾等晒制的海米(shelled shrimp)又最为人所喜食。然而,作为节肢动物最大类群的昆虫,在海洋中的建树甚微(种数不及昆虫总数的1%),仅见半翅目的洋黾(ocean skater)、海黾(marine water-strider)、水际蝽(shore bug)、水手蝽(water-boatman),双翅目的藻蝇(seaweed fly)、摇蚊类(non-biting midge),鞘翅目的海甲虫(marine beetle),以及寄生的吮虱(sucking lice)和嚼虱(chewing lice)等。

我国古代,对鲎、龟足、虾、蟹等海洋节肢动物均记颇详。鲎,最早见于三国和晋代之古籍,唐·虞世南《北堂书钞》卷146引晋·刘欣期《交州记》:"鲎如惠文冠玉,其形如龟,子如麻,子可为酱,色黑。十二足,似蟹在腹下。雌负雄而行。南方用以作酱,可啖之。"何为鲎,宋·罗愿《尔雅翼·释鱼四·鲎》曰:"鲎善候风,故其音如候也。"有关"鲎善候风"、"鲎帆"、"鲎性畏蚊"等说,需考证或误记讹传。

龟足,《荀子·王制》记为紫紶(蚨),"东海则有紫紶、鱼、盐焉",杨倞注"字书亦无紶字,当为蚨"。明《三才图会·龟脚菜》:"龟脚,一名石蚨,如蛎房之附石也。形如龟脚,故名。如人指甲,连支带肉,又名仙人掌,又名佛手蚶。"

有关虾的记载,可追溯至先秦,常又从鱼或从虫之变,《尔雅·释鱼》:"鰝,大鰕"。虾名何来?一说因色而名,此见《说文·鱼部》:"鰕,鰕鱼也。"段玉裁注"各本作魵也,今正。鰕者,今之蝦字。凡叚声如瑕、鰕、騢等,皆有赤色。"二说虾同霞,明·李时珍《本草纲目·鳞四·鰕》释名曰:"鰕音霞,俗作鰕,入汤则红色如霞也。"三说虾同假,宋·罗愿《尔雅翼·释鱼三·鰕》:"其字从假,物假(意为借用)而远者。今水母不能动,鰕或能附之,则所往如意。"古人误水母是借助其共栖之虾而运动的。

蟹,《尔雅》记为:"蜎、蟳,小者蟧。"《说文·虫部》:"蟹,有二敖八足,旁行。蠏,蟹或从虫。"有关蟹的著作,古有唐·陆龟蒙《蟹志》、宋·傅肱《蟹谱》、宋·高似孙《蟹略》、宋·吕元《蟹图》(佚)、清·孙之騄《晴川蟹録》等。何为蟹,三国晋·葛洪《抱朴子·登涉》曰:"无肠公子,蟹也。"实际上,蟹的消化道比较短。唐·贾公彦《周礼·冬官考工记疏》:"今人谓之螃蟹,以其侧行也。"宋·罗愿《尔雅翼·释鱼四·蟹》:"字从解者,以随潮解甲也。"这都说明,对蟹的内部结构、运动方式和蜕皮现象,古人都有认识和记载。宋·傅肱《蟹谱》综述曰:"蟹之为物,虽非登俎之贵,然见于经,引于传,著于子书,志于隐逸,歌咏于诗人,杂出于小说,皆有意谓焉。"足见古人对蟹之重视。

此外,对龙虾、虾蛄、寄居蟹(䗩)、蟹奴、糠虾等古时均有所记。近代,对虾蟹的研究均取得一定成绩,以虾为例,我国海洋虾类已计476种,其中黄渤海49种、东海138种、南海316种(刘瑞玉等,1986)。

节肢动物门的主要特征:

1. 两侧对称,分节(metameric, segmented),且常愈合成部(区);

2. 每节常具有关节的附肢(joint appendage);

3. 体外具几丁质-蛋白质的外骨骼(chitin-protein exoskeleton)(角皮 cuticle),司保护功能又是肌肉附着处,且周期性蜕皮(molting, ecdysis);

4. 肌肉成束、具横纹;

5. 成体真体腔退缩(仅留生殖和排泄腔),且与初生体腔共同衍生为混合体腔(mixocoel);

6. 开管式循环系统(无微血管),动脉开放于混合体腔(血腔 hemocoel);

7. 以体表、鳃、气管、书肺或书鳃等呼吸;

8. 无真正的后肾,绿腺、马氏管和蜕皮等执行排泄功能;

9. 链式神经系统(chain-type nervous system);

10. 体内外器官皆无纤毛或鞭毛。

有关节肢动物高级阶元的分类，近百年来颇多争论。依触角或气管的有无分：有螯类 Chelicerata＋甲壳类 Crustacea＋缺角类 Atelocerate，或有气管类 Tracheata(多足类 Myriapoda＋六足类 Heropoda 或昆虫类 Insecta)；依功能性大颚(上颚)的有无分：有螯类＋有颚类 Mandilulata(甲壳类＋多足类＋六足类)；依附肢是单肢还是双肢分：有螯类＋裂肢类 Schizoramia 或双肢类 Biramia 或甲壳类＋单肢类 Umiramia(有爪类 Onychophora＋多足类＋六足类)；其后，发现两种化石昆虫具上基肢(epicoxa)形成的外肢，从而认为六足类祖先的附肢并非单肢型，系陆生甲壳类，故有：有螯类＋多足类＋泛甲壳类 Pancrustacea(甲壳类＋六足类)。迄今，讨论仍在继续(Bitsch 等，2004)。

本书依附肢的肢型，采用 4 亚门分类法(表 23-1)。其检索性状主要为：

1. 体背纵沟：a. 具，b. 无；
2. 触角：a. 具(a^1. 1 对，a^2. 2 对)，b. 无；
3. 双肢型附肢：a. 具，b. 无；
4. 呼吸器官：a. 鳃，b. 书鳃，c. 书肺，d. 气管。

表 23-1 节肢动物门的分类

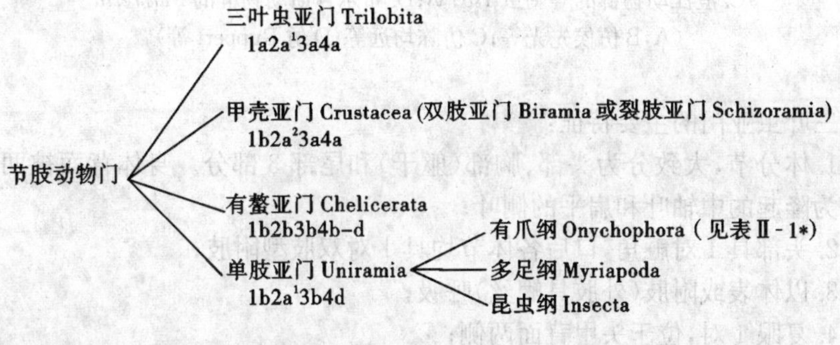

节肢动物化石除三叶虫外，在加拿大布尔吉斯 Burgess 动物群及云南澄江动物群还发现了其他很多节肢动物化石。其中，有的构造特殊，具很多体节和附肢(图 23-1)，与已知的各节肢动物类群均不相同，分类地位有待研究。

23.2 三叶虫亚门 Trilobita(Gr.，*treis*，three；*lobos*，lobe)

23.2.1 概述

三叶虫(trilobites)生活于古生代海洋，今已灭绝。体分节，分部。身体背面被两条纵沟分为隆起的中轴叶和两侧扁平的侧叶，故名三叶虫(图 23-2)。

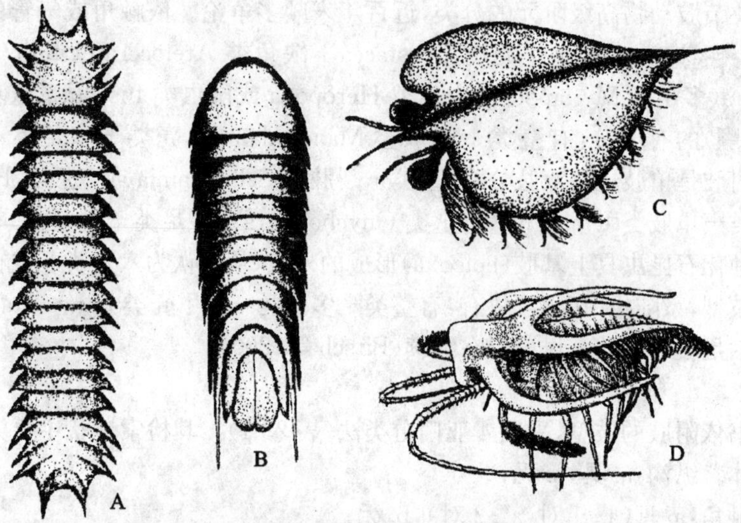

图 23-1　地位未定的化石节肢动物

A. 澄江动物群的等称尾头虫 *Urokodia aequalis*；

B. 澄江动物群的锯齿刺节虫 *Acanthomeridion serratum*；

C. 澄江动物群的等刺虫 *Isoxys*；D. 布尔吉斯动物群的 *Marrella*

（A，B 仿侯先光等；C 仿陈均远等；D 仿 Ruppert 等）

三叶虫亚门的主要特征：

1. 体分节，大致分为头部、胸部（躯干）和尾部 3 部分。身体背面被两条纵沟分为隆起的中轴叶和扁平的侧叶；

2. 头部具 1 对触角，口后各体节均具 1 对双肢型附肢；

3. 以体表或附肢（外肢具鳃丝）呼吸；

4. 复眼 1 对，位于头甲背面两侧；

5. 生活于古生代海洋，寒武纪至奥陶纪繁盛，今全部灭绝，化石记录丰富。已描述化石种约 3 900 种，隶属 1 纲。

23.2.2 分布和习性

迄今所知，三叶虫全部为化石种，无现生者，化石习见于古生代海相地层，世界性分布。根据古生物学研究结果，多数三叶虫在海底表面生活，扁平的体形、生于头顶的复眼等是对在泥沙表面爬行生活的适应。有的三叶虫半埋栖或穴居，但头部露在泥沙表面（图 23-3 E），亦有的游泳或浮游生活（图 23-3 B）。

23.2.3 形态、结构和功能

体长多为 3～10 cm,最大者近 1 m。浮游种较小,最小者仅 0.5 mm。多扁平卵形,游泳种体形较细长,浮游种则具很多棒状突起(图 23-3 B)。身体分为头部(cephalon)、胸部(thorax)(躯干部 trunk)和尾部(pygidium)3 部分。体表被外骨骼,背面较腹面发达。背面被两条纵沟分为隆起的中轴叶和两侧扁平的侧叶(图 23-2A)。

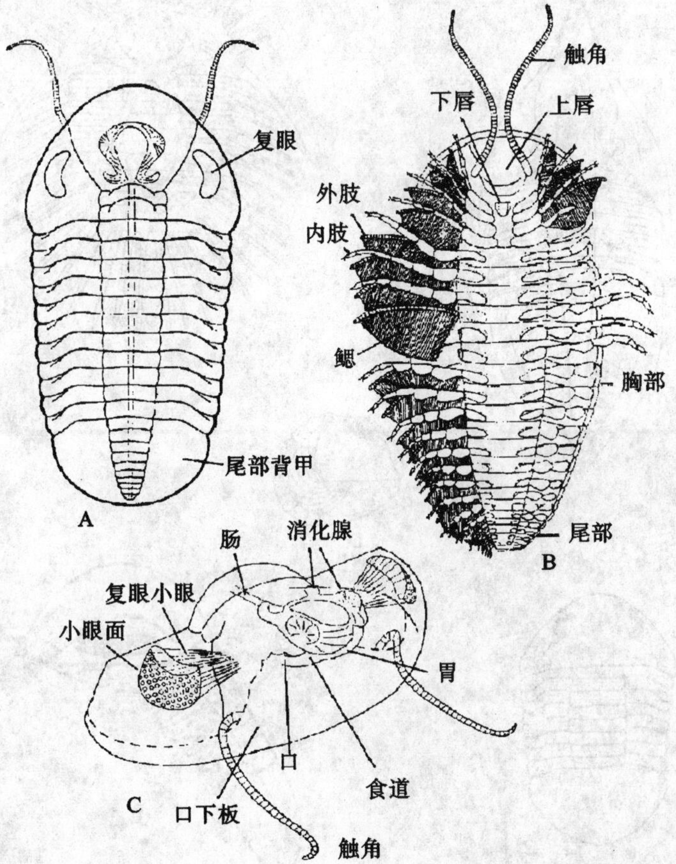

图 23-2　三叶虫

A. *Phacops* 背面观;B. *Triarthrus catoni* 腹面观;C. *Phacops* 的头部器官模式

(A,C 仿 Stürmer 和 Bergström;B 仿 Walcott 和 Stürmer;A～C 从 Barnes)

头部：由至少5节愈合而成，具一盾形背甲（carapace）。头甲前端大多钝圆（图23-2 A～B），也有的呈犁形（适于钻泥沙）（图23～3 A）或具棘（浮游种）（图23-3 B）。背甲中部两侧具复眼1对（图23-2 A，C）。口位于头部腹面中央，口前具一突起的上唇（labrum）（因而口朝向后方）（图23-2 B）。头部口后具5对附肢。其中，第1对为触角，单肢型，位于上唇两侧，司感觉，一般认为与甲壳动物的第1触角、昆虫的触角同源。第2至第5对为双肢型附肢，与躯干部、尾部

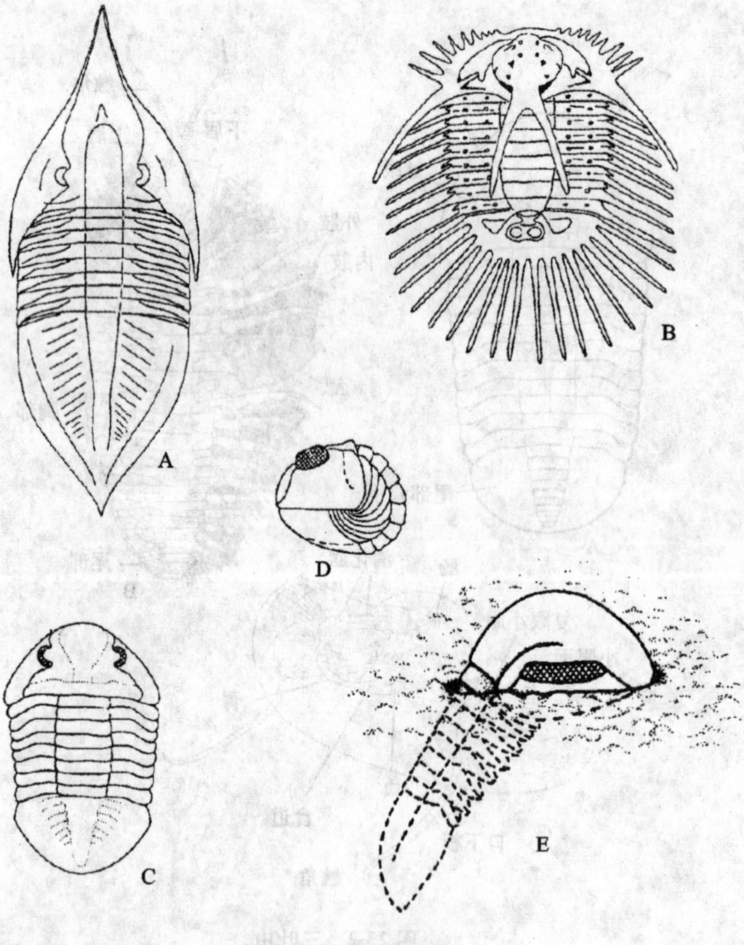

图 23-3　各种三叶虫

A. 奥陶纪之 *Megalaspis acuticauda*；B. 泥盆纪之 *Radiaspis radiata*；
C，D. *Asaphus* 伸展状态背面观（C）和蜷曲状态侧面观（D）；E. 穴居的 *Panderia*
（A，B 仿 Stürmer，C～E 仿 Bergström，A～E 从 Barnes）

附肢相似，其内肢为步足（inner walking leg，telopodite），外肢亦称前上肢（pre-epipodite），位于背甲边缘和步足之间，具鳃丝。少数种类的外肢上具棘、齿、倒钩等。外肢可能与挖掘、滤食、游泳等有关。有的种如 *Phacops* 的某些头肢的基节上具齿突，司颚之功能。

躯干部（胸部）：由具关节的体节组成。各体节的后侧缘常向后延伸。各背板则在两侧向腹面弯曲。每节具附肢 1 对，与头部附肢相似。

尾部：多节，并在背面愈合成一盾板。各节构造与躯干部类似，但自前向后附肢逐渐变小。

根据化石证据重建的消化管如图 23-2 C。食道自口伸向前背方与梨形的胃相通，胃的周围有消化腺，肠细长，肛门位于虫体末端。

三叶虫以体表或鳃进行呼吸，鳃生于附肢的外肢上，由鳃丝组成（图 23-2 B）。三叶虫身体扁平，表面积/体积的比率较大，腹面外骨骼很薄，有利于通过体表行气体扩散。

通过研究三叶虫化石，对有些三叶虫的胚后发育过程已经有了比较清楚的了解。包括 3 个幼虫期，每期又分多龄。第 1 个幼虫期称原三叶幼虫（protaspis），长 0.5～1.0 mm，包括 1 个口前节（acron）和 4 个口后体节，背面具一背甲，浮游生活（图 23-4 A，B）；第 2 个幼虫期为中三叶幼虫（meraspis），尾部出现，随着一系列蜕皮过程躯干部体节逐渐由头部分离出来（图 23-4 C）；第 3 个幼虫期为全三叶幼虫（holaspis），体形已与成虫相似，每次蜕皮仅使个体增大。

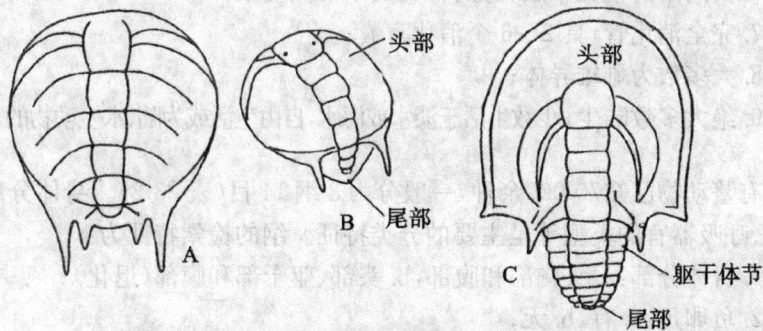

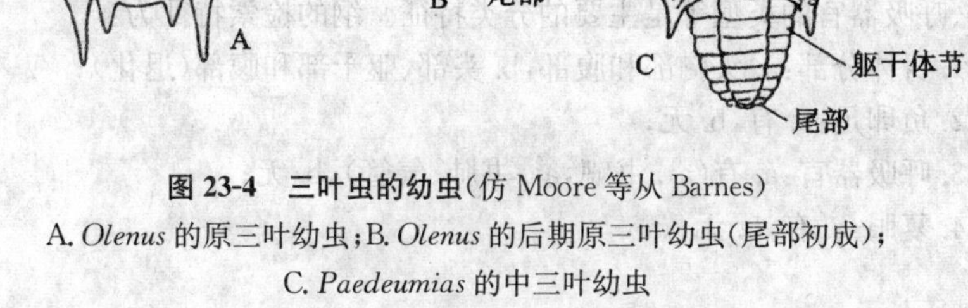

图 23-4　三叶虫的幼虫（仿 Moore 等从 Barnes）

A. *Olenus* 的原三叶幼虫；B. *Olenus* 的后期原三叶幼虫（尾部初成）；
C. *Paedeumias* 的中三叶幼虫

23.3 有螯亚门 Chelicerata(Cheliceriformes)(Gr. *khele* or L. *chele*, craw)

23.3.1 概述

蝎(scorpion)、蜘蛛(spider)、螨(mite)、恙螨(tick)和海产的鲎(horseshoe crab)是最习见的有螯动物(chelicerate)。其最显著特征是没有触角,第1对附肢(螯肢 chelicera)生于口前并具螯,因而得名。

有螯动物的主要特征:

1. 身体分两区(tagmata),即头胸部(cephalothorax)和腹部(abdomen),也分别称为前体部(prosoma)和后体部(opisthosoma)。前体部具6个体节(somite),常具1个背甲(carapace, dorsal shield)。后体部体节数可多达12个,有时再分为前腹(preabdomen)和后腹(postabdomen);
2. 无触角,头胸部附肢由1对螯肢、1对脚须(pedipalp)和4对步足组成;
3. 附肢多关节(multiarticulate),单肢型(uniramous);
4. 呼吸器官为书鳃(book gill)、书肺(book lung)和气管(trachea);
5. 排泄器官为基节腺(coxa gland)或马氏管(Malpighian tubules,有螯动物的马氏管由内胚层发育而来,与昆虫及缓步动物的马氏管不同源);
6. 具简单的中央单眼,有的种类具1对侧复眼;
7. 完全消化管,具2~6个消化盲囊;
8. 大多数为雌雄异体;
9. 绝大多数陆生,少数生活于淡水或海水,自由生活或为陆、水生动物的寄生虫。

有螯动物已知70 000余种,一般分为3纲14目(表23-2)。身体分部、分节、附肢、呼吸器官的类型等是主要的分类特征。纲的检索特征为:

1. 身体分部:a. 头胸部和腹部,b. 头部、躯干部和腹部(退化);
2. 负卵足:a. 有,b. 无;
3. 呼吸器官:a. 有(a^1. 书鳃,a^2. 书肺、气管),b. 无;
4. 复眼:a. 有,b. 无;

23.3.2 肢口纲 Merostomata

本纲多是大型的有螯动物。头部具6对附肢,除第1对为螯肢外,其余5对为步足且围绕在口的周围,故名肢口纲。腹部附肢 5 对或 6 对,具特化为书页状的呼吸器官书鳃。肢口纲动物在古生代曾繁盛一时。现生种类只有 3 属 4 种,全部生活于海洋中,通称鲎,因头胸甲形如马蹄,又名马蹄蟹(horseshoe crab)。

表 23-2　有螯亚门的分类

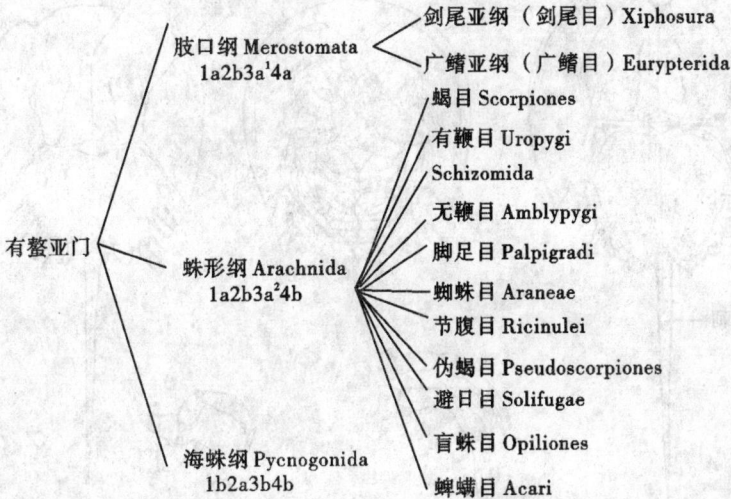

- 有螯亚门
  - 肢口纲 Merostomata 1a2b3a^{1}4a
    - 剑尾亚纲(剑尾目)Xiphosura
    - 广鳍亚纲(广鳍目)Eurypterida
  - 蛛形纲 Arachnida 1a2b3a^{2}4b
    - 蝎目 Scorpiones
    - 有鞭目 Uropygi
    - Schizomida
    - 无鞭目 Amblypygi
    - 脚足目 Palpigradi
    - 蜘蛛目 Araneae
    - 节腹目 Ricinulei
    - 伪蝎目 Pseudoscorpiones
    - 避日目 Solifugae
    - 盲蛛目 Opiliones
    - 蜱螨目 Acari
  - 海蛛纲 Pycnogonida 1b2a3b4b

1. 分布、习性和经济意义:现生的四种鲎都生活于海洋中,呈孤立分布。除美洲鲎 *Limulus polyphemus* 分布于北美洲和中美洲沿海外,其余 3 种都分布于东南亚沿海。鲎通常在浅海底栖生活,喜软底质,有钻入表层泥沙中生活的习性。我国沿海已发现两种,即中国鲎(三刺鲎)*Tachypleus tridentatus* 和圆尾鲎(俗称鬼鲎仔)*Carcinoscorpius rotundicauda*。前者自浙江宁波沿海至北部湾均有分布。后者分布于东南亚,在我国只见于北部湾。

古生代(Palaeozoic)奥陶纪(Ordovician)至二叠纪(Permian)是肢口纲动物的繁盛时代。那时,有一些广鳍类适应于在半咸水、淡水中生活,少数种类甚至过渡到陆地生活。

圆尾鲎有毒,不能食用,其他鲎均是美味的海洋食品。鲎的血液遇革兰氏阴性细菌立即凝固,用鲎血制成的鲎试剂可以简单、快速、可靠地检验食品、药物等是否被革兰氏阴性细菌感染。此外,由鲎血清提制的一种鲎素,可能具有抗癌作用,价格较鲎试剂昂贵百倍以上。目前,我国已开始进行鲎的人工养殖,反复抽血进行鲎试剂的生产。一条 3 kg 的鲎每年可抽血 7 次,每次抽血 120 mL,共可制造鲎试剂 420 支。

2. 形态、结构和功能:

(1)外形：中国鲎又名三刺鲎(图 23-5)，体长可达 75 cm，体重达 7 kg。4 种鲎中个体最小的圆尾鲎也可生长至 33 cm 长(体重 0.55 kg)。鲎的身体分为头胸部和腹部，体表具坚固的被甲，腹部的末端具有一细长的剑形尾刺，故名剑尾类。

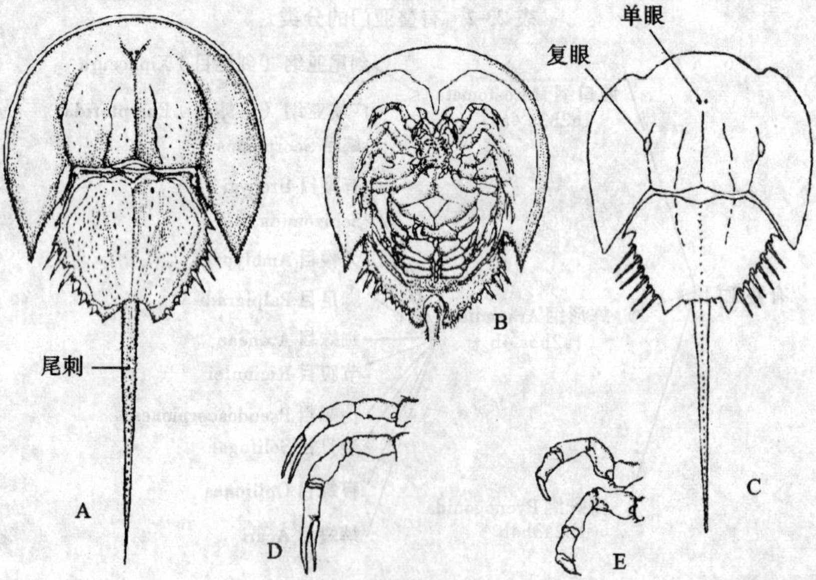

图 23-5　中国鲎

A. 雌体背面观；B. 雌体腹面观；C. 雄体背面观；D. 雌性第 1，第 3 胸肢；E. 雄性第 2 和第 3 胸肢

(A，B，D～E 从岸田久吉；C 仿关口晃一)

头胸部也称前体部，头胸甲大致呈马蹄形，背面凸出腹面凹入，两侧缘具向后突出的刺。头胸甲背面具 1 条中央隆起线(中央嵴)和 1 对侧隆起线(侧嵴)。中央嵴的前端两侧具 1 对中央眼(单眼)，左右侧嵴的外侧各具有 1 个较大的侧眼(复眼)。

腹部(后体部)不分节，以关节与头胸部相连接，可稍屈曲。腹部被甲两侧缘呈锯齿状，左右各具可动关节的棘状突 6 个。中国鲎的后 3 对棘状突在雌、雄性有所不同，雄鲎的后 3 对棘状突与前 3 对大小相同，雌鲎的后 3 对棘状突则明显小于前 3 对(图 23-5 A～C)。背面中央具有 1 条中央隆起线，与头胸甲的中央嵴相接续。腹部的末端以关节与一细长的剑形尾刺(caudal spine)相连。鲎的肛门位于尾刺的前方后体部的腹面，因而该尾刺与尾节(telson)不同。当鲎的身体翻转时，可借尾刺的推动恢复正常体位。鲎的尾刺与攻击和防御无关，因此用手提此尾是安全的。

鲎的头胸部具有6对附肢。第1对是螯肢，由3节构成，其基部生于上唇(upper lip, labrum)，最后2节形成螯。第2至第6对为较大的步足，其中第1步足与其他有螯动物的脚须同源。除最后1对步足外，雌体步足的末端均为钳状(图23-5 D)。在雄性，第1，第2步足的形状则因种类而异(图23-9)，中国鲎前两对步足的末端均呈钩状(图23-5 E)。第1至第4步足的基节内侧生有小刺，特称颚基(gnathobase)。第5步足的形态与其他步足有较大的差异，其基节具中央磨齿(central crushing tooth，mandibular tooth)和一个弯曲的扇叶(flabellum)。再者，第5步足的末端不具螯，跗节上生有4个叶状突出物。第5步足的作用是在泥沙中钻穴和清洁身体上的淤泥等，扇叶的摆动使水流自前向后流到腹部。此外，在第5步足的内侧具1对唇状瓣(chilarium)，仅1节，具刺毛，作用与颚基相似，实为第1腹节退化的附肢。第1腹节已与头胸部愈合。

腹部具6对附肢。第1对左右愈合成生殖盖板(genital operticulum)或称鳃盖(gill operticulum)(图23-6 A,B)，覆盖在生殖孔上。第2至第6对腹肢的外形与生殖盖板相似，呈板状，其内侧具有很多书页状的鳃瓣(lamella)，鳃瓣是气体交换的呼吸面，鲎的这种书页状呼吸器官(足)特称为书鳃(book gill)(图23-6 A,B)。呼吸时，水流由身体背面经前、后体部间的沟(有进水管的作用)流向腹面，在第五步足扇叶和书鳃运动的作用下，水流向后流经鳃瓣进行气体交换。

(2)消化系统和营养：口位于螯肢后方步足之间。食道自口伸向前方并膨大为嗉囊(crop)。嗉囊之后为砂囊(gizzard，grinding chamber)，砂囊内肌肉发达，内壁的角质纵褶多齿，用于磨碎食物。经砂囊研磨仍不能消化的食物颗粒再经食道吐出体外，可消化的食物进入中肠继续消化。中肠的前部膨大为胃，后面较细的部分为肠。胃的两侧各具1个腺质的肝盲囊(hepatic caecum)，甚发达，其分枝充满头胸部和腹部，不仅能分泌消化酶，也是吸收营养物质的主要器官。消化管的末部是短的直肠，内被几丁质。肛门位于后体部腹面尾刺之前。

鲎杂食性，以软体动物、环节动物、腕足动物、底栖海藻等为食。人工养殖也可投喂小鱼虾。

(3)循环系统和物质运输：鲎的循环系统(图23-6 A)发育良好。心脏位于后体部背中线上围心腔中，呈管状，具8对心孔。动脉比较发达，具1条前动脉和8对侧动脉。血液经动脉进入组织血窦，然后汇合于腹面的一对纵血窦中，由此进入书鳃。经气体交换的含氧血液最后汇集到围心腔，经心孔回到心脏。书鳃的运动不仅使水流不断流经鳃瓣，而且也为血液流经书鳃提供了动力。

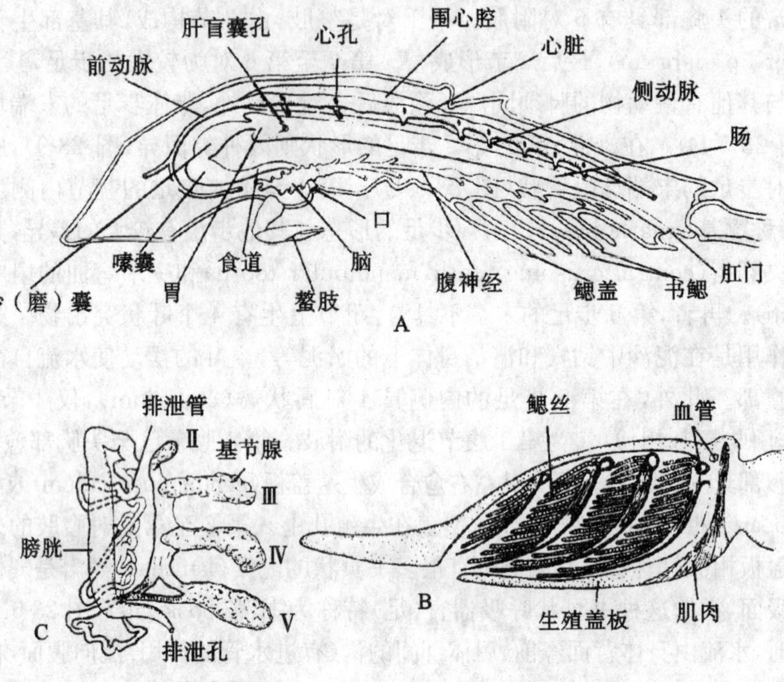

图 23-6 美洲鲎(A,C 仿 Ruppert 和 Barnes 修改)

A. 纵切;B. 腹部纵剖,示书鳃;C. 基节腺和排泄管

鲎的血液呈蓝色,血量比较丰富。鲎血内内含有血青素(haemocyanin,与血红素相似,但以铜代铁)和一种司凝血作用的变形细胞。

(4)排泄系统和排泄:鲎的排泄器官为基节腺(图 23-6 C),共 4 对,分别位于第 2 至第 5 步足的基节附近。但只有 1 对排泄孔,位于第 5 步足的基部。基节腺由体腔管演变而来,每侧的 4 个基节腺汇集到一个共同的体腔起源的囊状结构,此囊经一蟠曲的细管与膨大的膀胱相通。基节腺不仅用于排泄含氮代谢产物,也用于调节渗透压。当鲎进入半咸水时,通过排稀尿保持渗透压的平衡。

(5)神经系统:鲎的神经系统(图 23-6 A)高度愈合,脑与后 7 个神经节愈合为环绕食道的神经环,因此,生殖盖板前的所有附肢均由脑所发出的神经直接支配。腹神经索具 5 个神经节,支配后体部。

鲎具 1 对侧眼和 1 对中央眼。侧眼(图 23-5 A,C)为复眼,位于头胸甲侧嵴外侧。现生有螯动物中,也只鲎具复眼。鲎的复眼只有少数小眼(ommatidium)构成,小眼的排列不如其他节肢动物的复眼那样紧密,可能没有成像功能。每个小眼具角膜(cornea)、透镜、视干(rhabdome)和 8～14 个小网膜细胞(retinula cell)构成(图 23-7 A)。中央眼(图 23-5 A，C)位于头胸甲中央嵴前端两侧，系小网膜细胞内陷形成的杯状眼点。此外，鲎的身体前端具有 1 个额器(frontal organ)，一般认为是一种化学感受器。

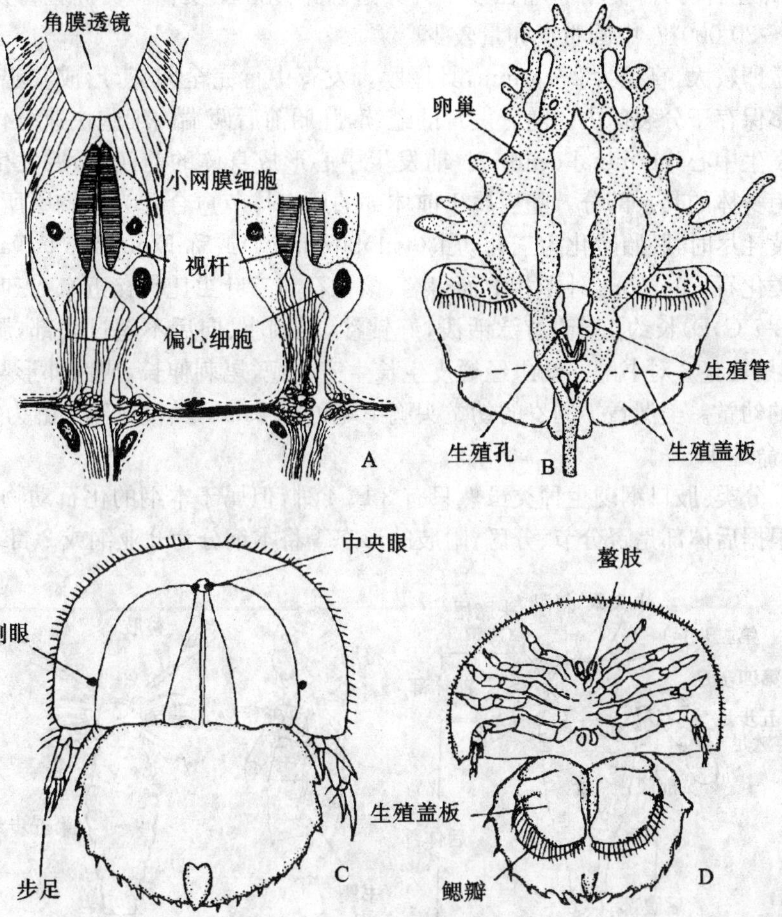

图 23-7　美洲鲎

A. 两个小眼的纵切；B. 雌性生殖系统；

C，D. 三叶幼虫(Euproops 幼虫)的背面观(C)和腹面观(D)

(A 仿 MacNichol 从 Ruppert 等；B～D 仿各作者从 Brusca)

(6)生殖系统和生殖发育：鲎雌雄异体。两性生殖系统的构造相似。生殖腺单个，位于肠管附近，为不规则分枝状结构。生殖管 1 对，很短，分别开口于腹中线附近。生殖盖板(左右愈合的第 1 对腹肢)即覆盖于此生殖孔上(图 23-7 B)。

在生殖季节，鲎进入内湾或河口浅水区进行交配。交配时，雄鲎爬到雌鲎的背甲上，以其具钩的第 1 步足抱住雌鲎的后体部。配对的雌鲎一般在春季大潮时在沙底上挖浅窝并产卵其中，同时雄鲎排出精液进行受精。这一过程完成后，雌雄个体分开，受精卵埋在沙中开始进行早期胚胎发育。美洲鲎每次产卵 2 000～30 000粒，中国鲎产卵量较少。

鲎卵较大，直径为 2～3 mm，具厚膜。发育中行完全卵裂，形成实心囊胚，卵黄多保存于分裂球内。随着发育的继续，胚胎前后两端的细胞快速分化形成两个发生中心(germinal center)。前发生中心形成身体的前四节，后发生中心发育为身体的其余部分。随后属于前体部的所有体节愈合并为头胸甲所覆盖。至卵黄耗尽时，胚胎孵化为三叶幼虫(trilobite larva)或称 Euproops larva(因与剑尾类化石 Euproops 外形相似而得名，该化石与三叶虫比较接近)。三叶幼虫(图 23-7 C，D)长约 1 cm，游泳活泼，好钻沙，尾刺小、向后不超过腹部，胸肢长齐，但只具有 2 对书鳃。幼虫经蜕皮生长生齐书鳃，尾刺伸长，成为外形与成体相似的幼鲎。美洲鲎 1 周岁的幼鲎头胸甲宽可达 4 mm，其性成熟年龄为 9～12 岁，寿命达 19 岁。

3. 分类：肢口纲现生种类虽然只有 3 属 4 种，但属于本纲的化石动物很多。一般根据后体部是否分节、分区，附肢的形态等将本纲分为 2 亚纲或 2 目。

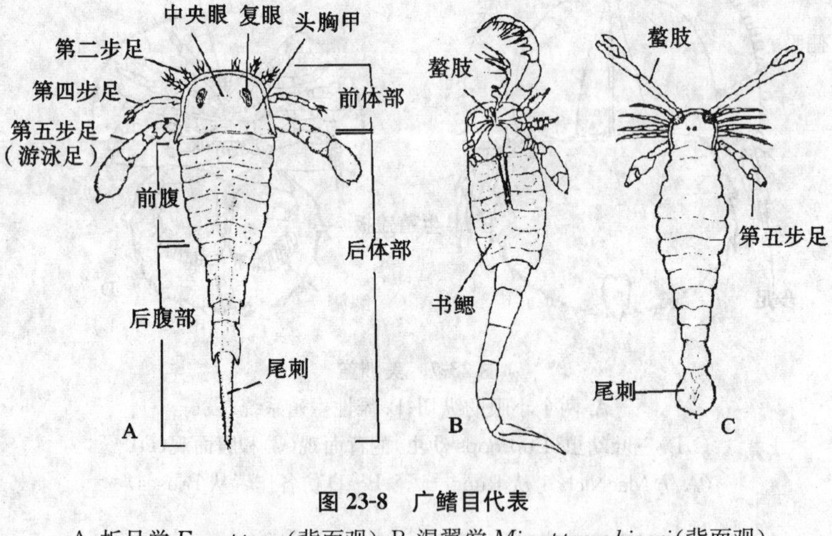

图 23-8　广鳍目代表

A. 板足鲎 *Eurypterus*(背面观)；B. 混翼鲎 *Mixopterus kiaeri*(背面观)；

C. 翼鲎 *Pterygotus buffalloensis*(腹面观)

(A，C 仿 Snodgrass 从 Brusca 等；B 仿 Stormer 从 Ruppert 等)

亚纲 1. 广鳍亚纲(广鳍目)Eurypterida(图 23-8):后体部分节分区。前腹(proabdomen,mesosoma)7 节,具 6 对鳃。后腹(postabdomen,metasoma)5 节,狭窄,尾刺生于末腹节上。螯肢小。最后 1 对步足特别发达,呈桨状,可能用于游泳。全部生活于古生代奥陶纪至二叠纪。化石证据表明有些种类曾侵入淡水或陆地生活。如板足鲎 *Eurypterus*(图 23-8 A)、混翼鲎 *Mixopterus*(图 23-8 B)。广鳍类中最大的翼鲎 *Pterygotus*(图 23-8 C)体长可达 3 m。

亚纲 2. 剑尾亚纲(剑尾目)Xiphosura:后体部不分节,不分区,但仍具有 6 对瓣状附肢,其中第 1 对左右愈合为生殖盖板覆盖于生殖孔上,后 5 对为书鳃。5 对步足均具螯,其中第 5 步足末端特化,适于在软底支撑。化石种类最早见于古生代寒武纪。现生 3 属 4 种,其主要形态区别在于雄性的第 1,第 2 步足(图 23-9)。

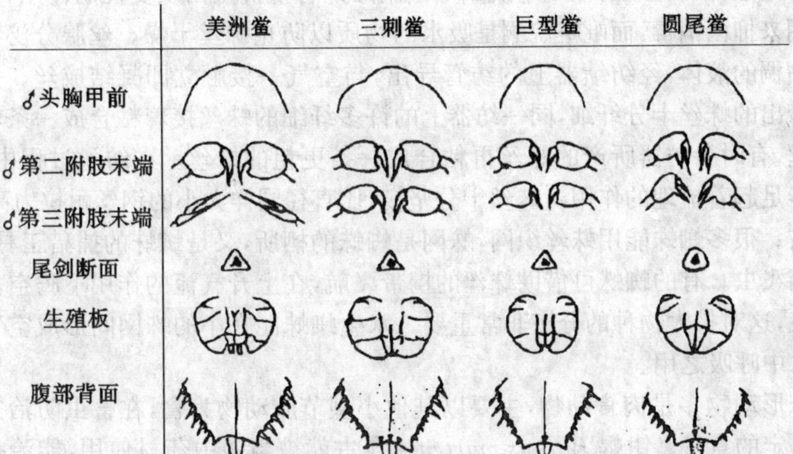

图 23-9 现生四种鲎的形态比较(仿关口晃一)

23.3.3 蛛形纲 Arachnida

蛛形纲是一个古老的动物类群,化石种类最早见于古生代志留纪(Silurian period)。现生种数占有螯动物总数 98%以上,是有螯动物中最重要的一个类群。蛛形动物绝大多数适应陆地生活,常见的如蜘蛛、蝎、螨、恙螨等,也有少数种类生活于淡水或海洋中。

1. 分布、习性和经济意义:蛛形纲动物广泛分布于世界各地。绝大多数为典型的陆生动物,常见于土壤、森林、洞穴、草丛、腐烂植物丛、各种基质的缝隙内。通常隐蔽生活，昼伏夜出。有些种类织网栖息在空中。淡水生的蛛形动物种类很少，如水螨 *Tyrrelia*、湖螨 *Limnochares*、蚌螨 *Unionicola*、水蛛 *Argyroneta aquatica* 等。有些种类喜好潮湿，常活动在淡水池塘、溪流岸边，但大都算不上是真正的水生生物。

海产的蛛形动物多见于潮间带和潮下浅水区，常与潮间带的其他海洋动物或海藻生活在一起。蜱螨目的海螨(haracarid mite)是本纲中最重要的海产类群，见于海底各种基质的表面或泥、沙中，有些是海洋间隙生物。生活在潮上带者，见于岸边石块下、腐烂海藻中、各种缝隙、洞穴中，有的则与沿岸嗜盐植物生活在一起，它们常常在退潮时进入潮间带活动。有的海螨在海洋中的垂直分布可达 6 850 m。

陆生的蜘蛛能纺丝，蛛丝由丝腺的分泌物形成，这种分泌物以蛋白质为主，也含有硝酸钾、磷酸氢钾、吡咯烷酮等。硝酸钾有抵抗蛋白质变性的作用，磷酸氢钾用来抑菌消毒，而吡咯烷酮是吸水的物质以防止蛛丝干燥。丝腺分泌物是一种粘稠的液体，经纺绩器上的纺管导出，与空气一接触立即凝结成丝。每个纺管产出的蛛丝十分纤细，同一纺器上的许多纤细的蛛丝接着粘合成一条较粗的蛛丝，有时各纺器所产的蛛丝再粘合成一条更粗的蛛丝。在纺丝过程中，第四对步足起着梳理的作用。蛛丝十分坚韧，比直径同样大小的钢丝耐拉力高 10 倍左右。很多蜘蛛能用蛛丝织网，蛛网是蜘蛛的栖所，又是蜘蛛的捕猎工具，用以粘捕飞虫。有的蜘蛛可借助蛛丝的携带飞航，在上升气流的作用下腾空并随风飘飞，这对扩大物种的分布非常重要。水生蜘蛛能在小的蛛网间形成空气泡供在水中呼吸之用。

蛛形动物多是肉食动物，主要以其他小型节肢动物为食，在害虫防治方面具有一定的意义。钳蝎 *Buthus martensi* 自古就被当做中药材使用，能治疗多种疾病，更被现代人当做一种时尚的保健食品，在我国分布很广，山东、河南产量最大，人工养殖已获成功。

蜱螨目的很多种对人类的危害很大。有的属严重危害农林业的害虫，如棉红叶螨 *Tetranychus telarius*、柑橘锈蜘蛛 *Phyllocoptcs oleivorus* 等都属此类。有的为人畜体外寄生虫，如牛蜱 *Boophilus* 能传播牲畜血孢子虫病，人疥螨 *Sarcoptis scabiei* 致人体生疥疮，恙螨 *Trombicula* 的幼螨寄生在人或鼠等动物身上，吸吮血液，落地变成若螨和成虫后，则以昆虫卵为食。也有些蜱螨为动物体内寄生虫，如寄生在龟类直肠内的直肠螨 *Cloacarus* 和寄生在蜜蜂气管内的蜂螨 *Ascarapis* 等。

2. 形态、结构和功能：蛛形动物是从水生有螯动物祖先演化而来，这种由水生到陆生生活环境和生活方式的改变使它们产生了一系列结构与生理的适应变化，如：上角皮（epicuticle）富含蜡质以保持水分，水生祖先的鳃被书肺（book lung）或气管（tracheae）取代以适于呼吸空气，附肢亦发生了适应陆地生活的变化。此外，蜘蛛、蝎、伪蝎等出现了毒腺，伪蝎和蜘蛛等出现了丝腺（silk gland）。

（1）外部形态：蛛形动物体形多样（图 23-12）。一般分为头胸部和腹部，两部分之间以细腰相连。一些原始种类的腹部又分为前腹和后腹两部分（图 23-12 A）。也有些种类如蜱螨目头胸部与腹部又愈合为一体（图 23-12 E，F）。除蝎等少数种类腹部分节外（图 23-12 A，B，D），绝大多数身体无明显的分节。头胸部常具背甲。

前体部附肢 6 对（图 23-10）。螯肢位于口前，通常 2-3 节，多用于摄食，有的（蜘蛛目）末端具毒腺。脚须位于口侧，司捕食、触觉、交配等。步足 4 对，多由基节、转节、腿节、膝节、胫节、跗节和前跗节 7 节组成。腹部没有司运动的附肢，附肢如存在则特化为栉状器（蝎）或纺绩器（蜘蛛）。

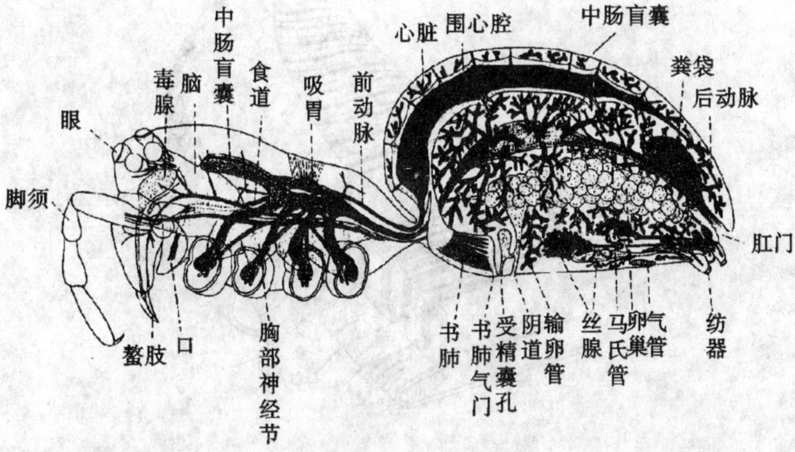

图 23-10　蛛形纲的模式结构（仿 Barnes）

（2）消化系统和营养：消化管分为前肠、中肠和后肠。其中前、后肠具角皮，是外胚层来源的。很多蛛形动物的前肠特化为吸食流体食物的“泵”，如蝎的肌质咽和蜘蛛的吸胃。中肠具有成对的盲囊，代行消化腺的功能，是食物进行最后化学消化和吸收营养物质的主要部位。有些种类，中、后肠交界处具有一个膨大的粪袋（stercoral pocket）。马氏管生于中肠的后部，如有粪袋则生于其前方。

多为肉食性，以其他小型节肢动物为食。螯肢和脚须是捕食器官。以螯抱持猎物，中肠分泌物排出体外行体外消化，直接摄入消化道的是这种半消化的流体。很多蜘蛛能够织网,用以粘捕昆虫。也有很多蛛形动物直接吸吮动植物的液汁为生。

(3)呼吸系统:蛛形动物的呼吸器官为书肺(book lung)或(和)气管。蛛形纲没有鳃,水生种类是次生适应水环境的结果,往往需要呼吸空气中的氧。有些小型种类没有呼吸器官,以体表进行呼吸。

书肺(图 23-11)是腹部体壁内陷形成的囊状构造,和书鳃同源。是原始书鳃为适应陆地生活而内陷形成的结构。书肺囊的内壁衬有几丁质层,囊壁一侧有很多薄的书页状褶突称为肺页(lamella),肺页间具棒状结构支撑以防贴到一起,利于气体流通。书肺囊无褶突的一侧称为气室(artrium,air chamber),经气门(spiracle)与外界相通。气室的背侧与一束肌肉联结,当肌肉收缩时,气室扩张,气门张开,空气进入书肺,肺页内的血液与肺页间的空气进行气体交换,但空气的运动主要是通过扩散完成的。

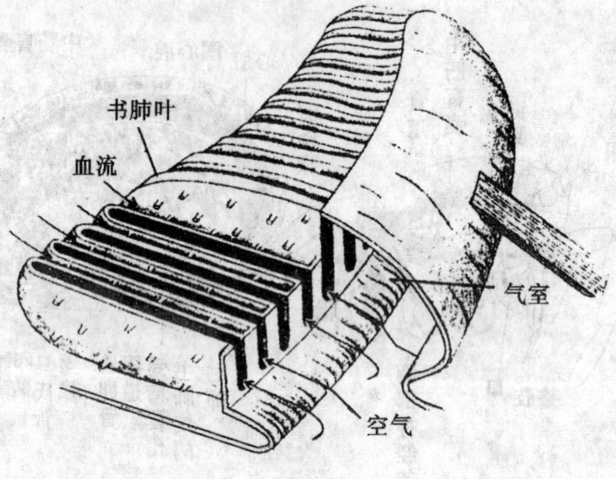

图 23-11　书肺的模式结构(仿 Ruppert 等)

气管是腹部体表内陷形成的管状构造,管壁具几丁质膜。与昆虫的气管结构相似,但二者不同源,一般认为蛛形纲的气管由小的书肺演变而来。通常在小型的蛛形动物比较发达,这可能与书肺相对容易失水而气管更利于保持水分有关。节腹类、伪蝎和部分蜘蛛的气管为筛气管(sieve tracheae),气门内为管状或室状腔,由此腔发出一大束气管。螨类、盲蛛类(harvestman)、避日类(solifuge)和多数蜘蛛具有管型气管(tube tracheae),这种气管不成束状,而是一些简单的具分枝的或不具分枝的管子。气管末端终于血腔(至少蜘蛛类是这样)，血液是气体运输的载体。

蛛形动物的呼吸器官一般只有1～2对，一般前1对为书肺，后1对为气管，有的种类两对都是书肺或气管。无论书肺的气门还是气管的气门都位于第2与第3腹节的腹面。蝎目具4对书肺，其4对气门分别位于第3至第6腹节的腹面。

(4)循环系统：小型种类常无发达的循环系统，大型种类的循环系统具心脏、前主动脉、后主动脉(较小)和腹动脉(多条，较小)，血液经动脉进入组织间隙，再汇入腹血窦(ventral sinus)，然后经静脉血管到围心腔(pericardium)，由心孔回到心脏。蛛形动物的心脏长形，位于腹部背方，多数种类具有3对心孔。蝎的心脏具有7对心孔，是比较原始的类型。

有些蛛形动物的血液内具数种血细胞，一般由心脏壁未分化的细胞游离到血液中再经分化、成熟形成，可能分别具有凝血、贮存、抗感染、辅助角皮几丁质化等功能。

(5)排泄系统：排泄器官为基节腺或(和)马氏管。基节腺一般只有1～2对，开口于第1或(和)第2步足的基节处。马氏管(图23-10)生于中肠后部，是中肠向血腔内突出的管状结构，通常在后体部内有分枝，一般只有1对，但蝎目有2对，排泄产物经消化道由肛门排出体外。排泄产物为难溶的含氮化合物如鸟嘌呤(guarine)、黄嘌呤(xanthine)和尿酸(uric acid)等。此外，血腔内的吞噬细胞，可能具排泄作用，称为肾原细胞(nephrocyte)。

蛛形动物的体表上角皮富含脂质，有利于防止水分蒸发和入侵。排泄产物为难溶化合物，减少了"尿液"中的水分流失。多数蛛形动物具有白天于潮湿阴凉处潜伏的生活习性，以减少水分蒸发。此外，有的种类在因伤失血时大量饮水补充体液。这些都是对陆生生活的适应。

(6)神经系统和感觉器官：神经系统(图23-10)有分节现象，但常常高度趋前集中，除蝎目尚保存几对神经节在腹部神经链上外，腹部神经节都前移到头胸部内与咽下神经节愈合，且和脑神经节靠近。

感觉器官有感觉毛(sensory hair)、眼和隙感器(slit sense organ)。常见的感觉毛有位于身体表面的末端开口的嗅毛(olfactory seta)和生于附肢的听毛(trichobothria)。蛛形动物的眼均为单眼，2～12只，多数为8只。每个眼由角膜透镜(角膜和透镜的复合体，由角皮加厚形成)、玻璃体(vitreous body，由表皮形成)和网膜(retinal layer)组成。眼有直接眼(direct eye)和间接眼(indirect eye)之分。直接眼是光线直接照射到感觉细胞上而被感知，间接眼在网膜后方具一层反光色素层(即照膜 tapetum)，光线需经照膜反射后才能被感光细胞感知。隙感器生于体表或附肢上，有时单个存在，有时多个合为1组(又称为琴形器 lyriform organ)，这类感器对张力的变化比较敏感，能感受重力、底质的变化、空气的振动等。

(7)生殖系统和生殖发育:雌雄异体且常异形,一般雄性较小。生殖腺位于腹部,成对或左右愈合为1个。生殖管1对,末端汇合,由一共同的生殖孔通体外。生殖孔位于第2腹节(第8体节)腹面。雌性的生殖系统除具有生殖孔外,有时还具有1对受精囊孔。雄性常具有输送精子的交配器,由脚须特化形成的也称脚须器(pedal organ),有些种类的交配器是由第3步足特化形成的。

盲蛛目和蜱螨目的少数种类的雄性具有阴茎,交配时直接将精子送入雌性生殖管道内。绝大多数蛛形动物的精子是通过间接方式输送到雌性生殖系统内的,也就是说在"交配"时,精子先排放到雄体体外某处,然后再经某种途径输送到雌体体内,而不是由雄性的生殖管直接输送到雌性生殖管内。蜘蛛目和Uropigi目雄性的脚须器负责将精子输送到雌体,节腹目、避日目和蜱螨目的一部分由雄性第3步足完成这一功能。其他种类则是将精子排放到地上,然后为雌体拾取,完成"交配"过程。蛛形动物间接输送精子往往形成某种形式的精荚,如蜘蛛类是先织一小的精网(sperm web),并排精于此网,然后用脚须器将此精网送到雌体。交配后精子在受精囊内暂时储存,待卵子成熟时进行受精。

交配前通常具有求偶行为(courtship behavior),这对于识别同种、防止个体较小的雄体被雌体当做猎物吃掉具有重要意义。此外,交配器、精荚等的形态和性质不同也具有防止种间杂交的作用。

绝大多数直接发育,蜱螨目的一些种类有变态。多数卵生,但蝎目和部分蜱螨目的种类是卵胎生。

3. 分类:已知约70 000种,分为11目(见有螯动物概述)。海产者分别属于下列5目。

目1. 蝎目 Scorpiones:体长形,头胸部有背甲。脚须大型,末端为钳状。腹部分前腹和后腹两部分,后腹末端具带毒腺的尾刺(barb)。腹部第2节具栉状器(comb-like pectine)(系感觉器官),其后有4对书肺。已知1 500~2 000种,绝大多数为陆生动物,夜间活动。仅少数见于潮间带,如*Veyovis*(图23-12 A)。

目2. 脚足目 Palpigradi:体小,最大者体长仅2.8 mm,结构高度退化。角皮很薄,常无色。无呼吸和循环系统,亦没有眼和马氏管。脚须呈步足状,无颚基,脚须和第1步足均伸向前方。尾鞭(flagellum)细长,分为多节。本目已知约60种,属罕见的蛛形动物。生活环境隐蔽,多见于石下和洞穴中,无淡水种类。海产者如*Leptokoenenia scurra*(图23-12 B),生活于潮间带间隙中。

目3. 蜘蛛目 Araneae:头胸部与腹部以细小的腹柄相连。腹部具纺绩器(spinning organ)。螯肢具毒腺。雄性脚须末端特化为交接器。已知约32 000种,世界性分布。多数陆生,少数于潮间带生活,以昆虫、等足类、端足类或其他蜘蛛为食。如 *Paratheuma interaesta*（图 23-12 C），见于高潮区垂直岩面上的四板藤壶 *Tetraclita squamosa* 间，低潮时出来活动，捕食长脚蝇，涨潮时以藤壶壳内形成的空气泡为避难所。

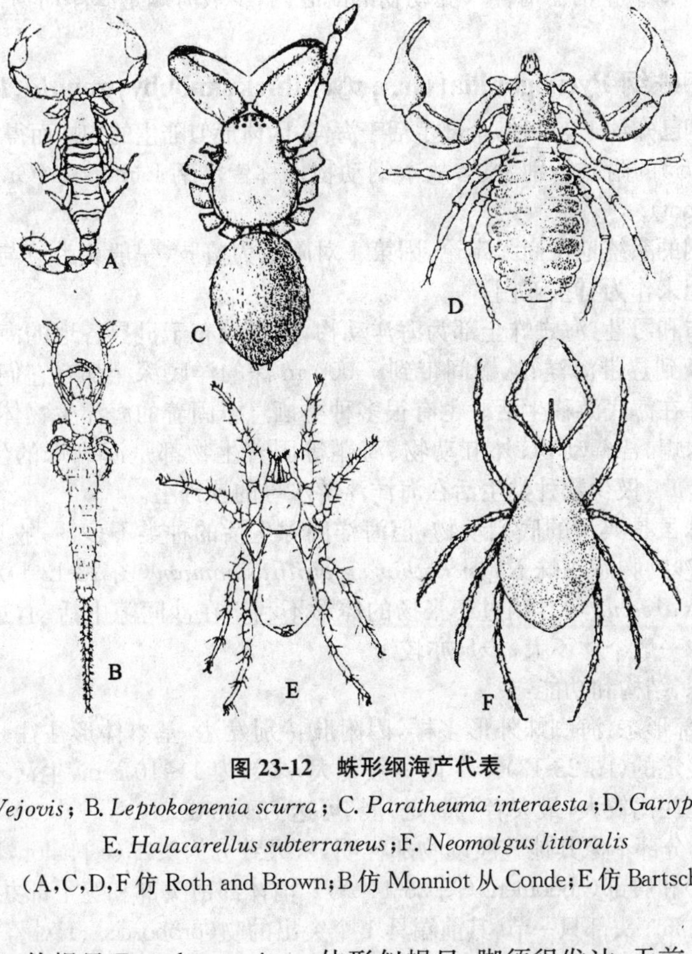

图 23-12　蛛形纲海产代表

A. *Vejovis*；B. *Leptokoenenia scurra*；C. *Paratheuma interaesta*；D. *Garypus sini*；E. *Halacarellus subterraneus*；F. *Neomolgus littoralis*

（A，C，D，F 仿 Roth and Brown；B 仿 Monniot 从 Conde；E 仿 Bartsch）

目 4. 伪蝎目 Pseudoscorpines：体形似蝎目，脚须很发达，无前、后腹之分，亦无尾刺。已知约 2 000 种，多为陆生动物。仅少数生活于潮间带石块下、石缝中、或海滩腐烂海藻下面，捕食小型节肢动物，如 *Garypus sini*（图 23-12 D）。

目 5. 蜱螨目 Acari：体小，形态、习性多样。头胸部与腹部愈合，腹部不分节。螯肢具螯或呈刺吸状。约 30 000 种，大多陆生，多是人和其他动物的寄生虫。海产者分布于世界各地沿海，常见于岸边海藻残骸和潮间带礁石海藻间，或与其他海洋动物生活在一起，如 *Neomolgus littoralis* 生活于潮间带岩礁海藻丛中，分布广泛，个体可达 2.0 mm。本目中的海螨总科 Halacaroidea 已知约有 700 种，除 40 余种为淡水种外，都生活于海水或半咸水中，与海藻、水螅、苔藓动物等生活在一起。也有些种类生活于泥沙中，是海洋间隙生物的组成部分。如 *Halacarellus subterraneus*（图 23-12 E）、*Neomolgus littoralis*（图 23-12 F）等。有些海螨生活于海洋甲壳动物的鳃腔内，少数海螨是海洋动物寄生虫。

23.3.4 海蛛纲 Pycnogonida（Gr.，*pyc*，thick，knobby；*gonida*，knees）

海蛛纲已知约 1 000 种，全部生活于海洋，因体形似陆生的蜘蛛而得名。海蜘蛛（sea spider）的附肢特别发达，故本纲动物也称皆足纲 Pantopoda（Gr.，*pantos*，all；*podos*，foot）。

海蛛纲的系统地位尚无定论，因第 1 对附肢为螯肢，一般认为应与肢口纲、蛛形纲合起来作为有螯亚门。

1. 分布和习性：海蜘蛛全部为海洋动物，广泛分布于世界各地的海洋中，从寒冷的两极到热带海洋、从潮间带到 7 000 m 深的洋底深渊都有它们的足迹。有些海蜘蛛在海底游移生活。也有很多种类栖息于固着的海洋生物体上，如海藻、海葵、水螅、苔藓动物、外肛动物、海鞘等固着生物都是海蜘蛛的生活场所（图 23-13 F）。极少数种类生活在海洋浮游水母的泳钟上。

海蜘蛛虽是典型的底栖动物，但海洋间隙生活的种类不多，一般只见于粗沙中，如嗜沙吻胸海蜘蛛 *Rhynchothorax philopsammum*（图 23-13 D）和 *Anoplodactylus arescus* 等。因过于张扬的体形不利于在沙间隙中活动，这种生境中的海蜘蛛一般个体不大，步足亦较短。

2. 形态、结构和功能：

（1）外部形态：海蜘蛛外形多样，因附肢特别发达，基本体形往往是由附肢的特征所决定的（图 23-13）。个体一般不大，多数为 1～10 mm，生活于深海的种类个体往往比较大，最大者“翼（足）展”可达 750 mm。

身体的分部不像其他节肢动物那样明显，大致分为头部（cephalon，head）、躯干部（trunk）和腹部（abdomen）（图 23-14 A）。前体部由头部和躯干部共同构成，后体部即腹部。头部只一节，其前端具 1 个突出的吻（proboscis）、1 对螯肢（chelifore，chelicera）和 1 对须肢（palp）（图 23-14 A）。吻内具吻内腔（proboscis chamber），前端有吻口，吻内腔底部有口与食道相通（图 23-15 A）。螯肢一般较小，生于吻基部两侧，具螯或不具螯。有些吻特别发达的种类如斯氏海蜘蛛 *Pycnogonum stearnsi* 螯肢付缺（图 23-13 E）。须肢呈足状，不仅司感觉，而且用于摄食和清洁。头部的后端具眼、负卵足（oviger，ovigerous leg）和第 1 步足（图 23-14 A）。眼 4 只，构造简单，位于背面一个突起（tubercle）上（图 23-14 A，23-15 A）。负卵足有时付缺，其作用是携带发育中的受精卵（胚胎），有的也用于清洁步足。

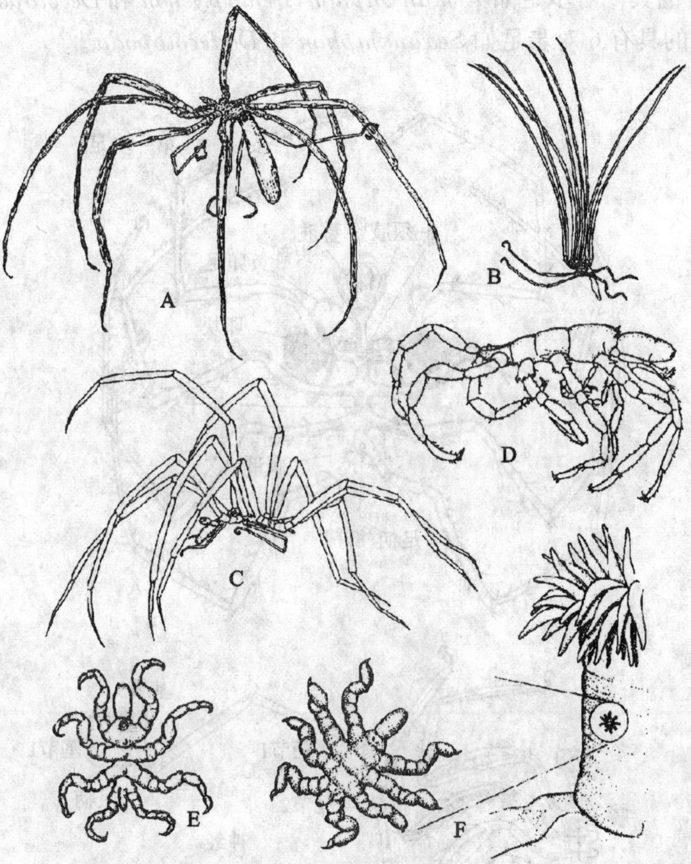

图 23-13 海蜘蛛(1)

A. 斯氏象海蜘蛛 *Colossendeis scotti*；B. 象海蜘蛛 *Colossendeis colossea*；
C. 澳洲十足海蜘蛛 *Decolopoda australis*；
D. 嗜沙吻胸海蜘蛛 *Rhynchothorax philopsammum*；
E. 斯氏海蜘蛛 *Pycnogonum stearnsi*；F. 示海蜘蛛栖于海葵体上
(A 仿 Hedgpeth 从 Brusca 等;B 仿 Sars 从 Ruppert 等;
C 仿 Schram 等从 Brusca 等;D 仿岸田久吉)

头部之后为躯干部(图 23-14 A,B),由 3 节构成(实为 4 节,其第 1 节已愈合到头部),分别具第 2 至第 4 步足。躯干部的后端背面具有 1 个后背突(posterodorsal tubercle),是后体部退化留下的痕迹器官,肛门即生于此突起的末端。

虽然多数海蜘蛛都具有 4 对步足，但有些种类则是多肢体（polymerismus）。有的具 5 对步足如 *Pentanymphon*，*Pentapycnon* 和 *Decolopoda*（图 23-13 C），有的具有 6 对步足如 *Sexanymphon* 和 *Dodecolopoda*。

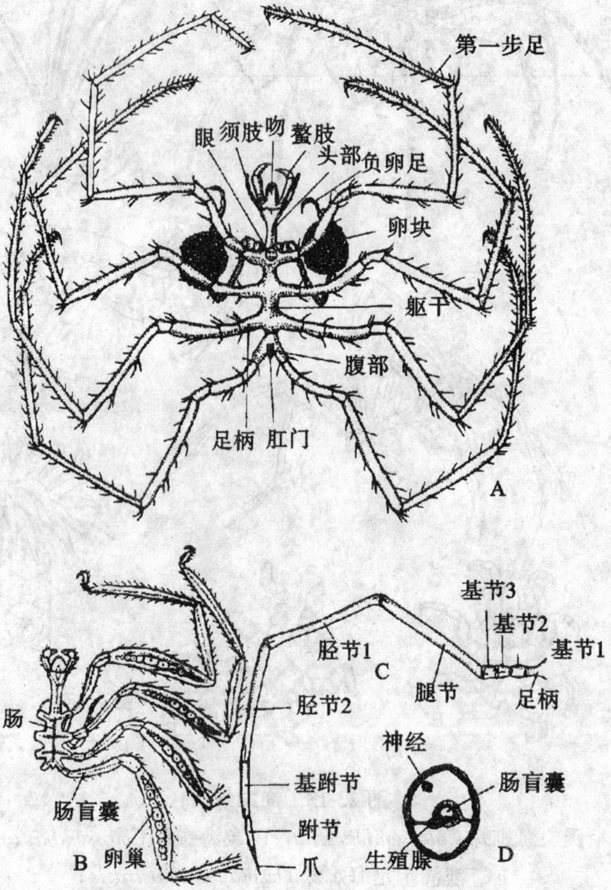

图 23-14　海蜘蛛(2)

A. 赤新娘海蜘蛛 *Nymphon rubrum* 雄体；

B. 小喙马其顿海蜘蛛 *Pallene brevirostris* 雌体；

C. 澳洲象海蜘蛛 *Colossendeis australis* 的步足；

D. 细缘海蜘蛛 *Phoxichilidium* 的步足横切

（A 仿 Fage 从 Brusca et al.；B 仿 Sars 从 Ruppert 等；

C 仿 Schram 等从 Brusca 等；D 仿岸田久吉）

海蜘蛛的步足一般由 9 节构成，依次是 3 个基节、1 个腿节、2 个胫节、1 个基跗节、1 跗节和 1 爪（图 23-14 C）。海蜘蛛身体各体节侧面具侧突（lateral process）或称足柄（pedestal）。步足的基节 1 即固定在这些侧突上，该连接不能活动，对足的运动没有用处。基节 1，基节 2 间的关节司足的提升（promotion）和远离（remotion）。其他各关节司普通的屈（flexion）、伸（extension），也具有一定的蜷曲能力。有的关节缺少伸肌，足的伸展由静压实现。

潮间带生活的海蜘蛛一般不甚活泼，多是一些小型的种类，附肢粗短，用于抓住或粘附于其他固着生物体上，而不是用于运动。深海生活的海蜘蛛多数比较好动，往往具有较长的步足，以步足的尖端在海底步行。有人观察到多肢种（polymerous species）的步足运动的协调性较好，可防止细长的步足卷缠到一起。有的深海种类靠海流的作用在海底滚动，也有一些海蜘蛛能在水中游泳。

（2）消化系统和营养：海蜘蛛具完全消化管，由口、食道、中肠、直肠和肛门组成（图 23-15 A）。口位于吻的基部，口前为吻内腔。吻内腔内壁上密生刚毛，是过滤和混合食物的结构。海蜘蛛的食物需先经吻口、吻内腔才能入口。海蜘蛛的中肠具有多个中肠盲囊，分别延伸至各步足内（图 23-14 B，D；23-15 B）。肛门位于后背突的末端。

多数海蜘蛛是肉食性的，但也有少数种类以藻类为食。肉食种类以吻末端的角质齿刺入其他动物体内吸取汁液或组织碎片。生活在水螅上的海蜘蛛常用螯肢夹取宿主的部分组织送入吻口。深海种类的摄食尚不完全清楚，可能在步行过程中以须肢搜索底泥中的猎物，并用吻吸出食之。

海蜘蛛的消化主要是细胞内消化，是否具有细胞外消化尚无定论。中肠及其中肠盲囊的壁上具有吞噬细胞。这种吞噬细胞不仅能原位吞食消化腔内的食物，而且可自肠壁脱落游走于消化腔内吞食食物颗粒。食足的游走吞噬细胞重新回到肠壁后，将食物转移给固定细胞，并吸收代谢产物，再次脱离肠壁，最终由肛门排出体外。

（3）循环系统和物质运输：海蜘蛛的循环系统简单，由心脏和血腔组成。心脏呈长管状，位于身体背部（图 23-15 B），也有人称之为背血管。心脏包围于围心腔（pericardial chamber）中，具有多个心孔（ostium）。血腔分布于包括附肢在内的身体各部。当心脏收缩时，血液由心脏向前流入血腔，同时在围心腔内产生暂时低压，血腔内的回流血经围心膜上的孔进入围心腔。当心脏舒张时，围心腔内的血液经心孔回到心脏。

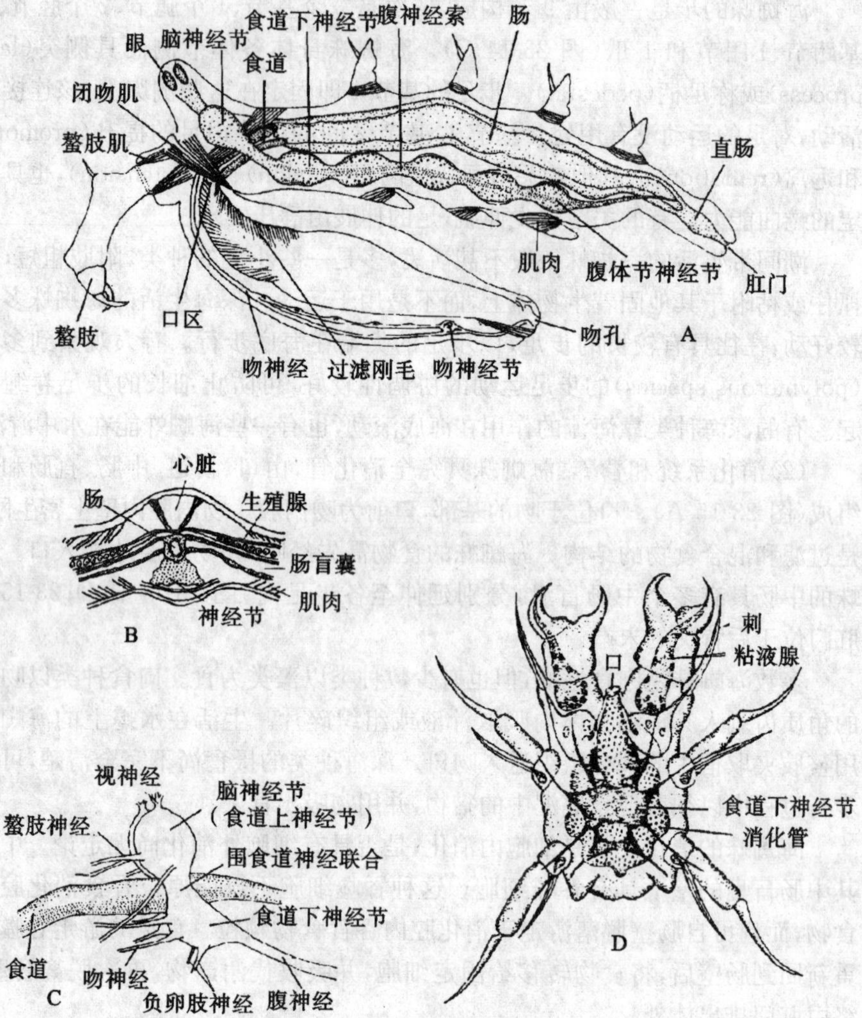

图 23-15 海蜘蛛(3)

A. 囊吻海蜘蛛 *Ascorhynchus castelli* 纵切；B. 新娘海蜘蛛 *Nymphon* 躯干部横切；
C. 新娘海蜘蛛神经系统前部；
D. 刺丽吻海蜘蛛 *Achelia echinata* 的原海蜘蛛幼虫(protonymphon)
（A 仿 Fage 从 Brusca 等；B 仿岸田久吉；
C 仿 Schram 等从 Ruppert 等；D 仿 King 从 Brusca 等）

(4)气体交换和排泄：海蜘蛛没有专门的呼吸器官和排泄器官。气体交换和代谢产物的排泄主要由体壁和消化道壁的扩散来完成。海蜘蛛的身体和消化道均具很高的面积/体积比率，这有利于扩散。另外，中肠的吞噬细胞也可能具有辅助排泄的作用。

(5)神经系统和感觉器官：海蜘蛛的脑神经节位于身体头部食道背侧，由1对围食道神经联合(circumenteric connective)与食道下神经节(subenteric ganglion)相连。腹神经索前端始于食道下神经节，在每对步足处各具1个神经节(图23-15 A)，多肢种具有附加的神经节。自脑神经节和食道下神经节分别发出视神经(optic nerve)、螯肢神经(chelifore nerve)、吻神经(proboscis nerve)等(图23-15 C)。

海蜘蛛的触觉器官主要是位于须肢上的感觉毛。除一些深海种类外，多数海蜘蛛具有4只眼，位于脑背方体表突起上(图23-14 A，23-15 A)，有360度的视野。

(6)生殖系统和发育：海蜘蛛雌雄异体且常异形。雄性的负卵足一般比较发达(图23-14 A)。雌性的负卵足常退化或付缺，其步足的腿节多明显膨大(图23-14 B)。

两性生殖系统的结构相似，生殖腺单个，有分枝伸到步足。配子在步足内形成并储存于此，雌性的成熟卵子储存于膨大的腿节中(图23-14 B)。生殖孔多个，位于步足第2基节的腹面，各步足均有或只限于某一对步足。

“交配”时，雄性海蜘蛛悬垂于雌性海蜘蛛的腹面或立于后者的背上，当雌体排卵时，雄体亦排精。然后，雄体利用腿节腺体分泌的粘性物质将受精卵粘合为一球状卵块，并以负卵足携带该卵块直至受精卵孵化。

卵裂为完全卵裂，实囊胚，由部分细胞向内移形成内胚层和中胚层。当胚胎发育出现3对附肢时，孵化为原海蜘蛛幼虫(protonymphon larva)。原海蜘蛛幼虫(图23-15 D)前端具吻，躯干部不分节，具3对附肢且各由3节组成。这3对附肢将来分别形成螯肢、须肢和负卵足。幼虫离开雄体负卵足后，在刺胞动物、软体动物或棘皮动物体表或体内继续发育。幼虫须经蜕皮、变态才能发育为成体。有的种类原海蜘蛛幼虫孵化后并不离开雄体的负卵足，也有些种类的变态过程在卵壳内完成。

3. 分类：海蜘蛛已知约1 000种，目前尚没有一个公认的分类系统。通常将现存种分为1目(皆足目 Pantopoda)若干科。主要分类依据是各种附肢的有无、多少、节数等。我国已报道的有希氏瓶颈海蜘蛛 *Lecythorhynchus hilgendorfi*、壮丽吻海蜘蛛 *Achelia superba*、长腺海蜘蛛 *Anoplodactylus glandulifer*、华长海蜘蛛 *Tanystylum sinoabductus* 等。

23.4 甲壳亚门 Crustacea(L.,*crusta*,a hard shell;*aceus*,of the nature of)

23.4.1 概述

甲壳动物(crustacean)绝大多数适于水中生活,以虾、蟹、枝角类、桡足类等最为常见。很多种与人类关系密切,很早就被人们认识和利用,在国民经济中占有相当重要的地位。甲壳动物的附肢一般为双肢型,其中头部具2对触角、1对大颚和2对小颚共5对附肢。因体外多具坚硬的外壳(外骨骼、角皮)而得名。

甲壳动物的主要特征:

1. 绝大多数海产,少数(13%)淡水生,极少陆生(3%);
2. 身体两侧对称且分节,通常可分为头、胸、腹3部,或头部和躯干部,或头胸部和腹部,外骨骼通常钙化,具头甲或头胸甲;
3. 头部附肢5对,即2对触角、1对大颚和2对小颚;
4. 附肢具关节,多为双肢型;
5. 完全且直行的消化管,中肠具消化盲管(盲囊);
6. 循环系统为开管式;
7. 排泄器官为触角腺和(或)颚腺,多用鳃呼吸;
8. 神经系统多为链式,各体节具成对的神经节且常愈合,通常具中央单眼和复眼,有的种类复眼着生于眼柄上;
9. 雌雄异体,极少雌雄同体,生殖孔多位于胸部;
10. 个体发育多有变态。

研究甲壳动物的学科称为甲壳动物学(Carcinology)。传统上将已知67 000余种甲壳动物作为一纲并分为切甲亚纲 Entomostraca 和软甲亚纲 Malacostrca。现在,常把甲壳动物作为节肢动物的一个亚门来研究。本书主要采纳 Bowman 和 Abele(1982)的分类系统并参考"甲壳动物最新分类的修订"(Martin 等 2001),甲壳动物分为5纲(表23-3),纲的主要检索性状为:

1. 附肢着生于:a. 体节两侧,b. 体节腹部;
2. 分部:a. 2部(a^1. 头部、躯干部,a^2. 头胸部、腹部),b. 3部(头部、胸部、腹部);
3. 马蹄形头甲:a. 具,b. 无;
4. 躯干或胸部附肢:a. 叶片状,b. 非叶片状;
5. 腹部附肢:a. 具,b. 无;

表 23-3 甲壳亚门的分类

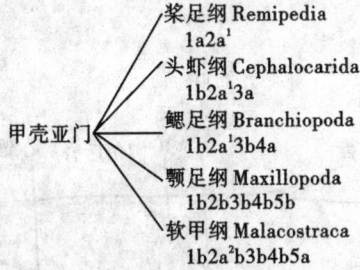

甲壳亚门	桨足纲 Remipedia	$1a2a^1$
	头虾纲 Cephalocarida	$1b2a^13a$
	鳃足纲 Branchiopoda	$1b2a^13b4a$
	颚足纲 Maxillopoda	1b2b3b4b5b
	软甲纲 Malacostraca	$1b2a^2b3b4b5a$

23.4.2 中国明对虾 *Fenneropenaeus chinensis* (Osbeck) = 东方对虾 *Penaeus orientalis* Kishinouye

中国明对虾主要产于黄渤海，属洄游性甲壳动物，在我国海洋渔业中占有相当重要的地位。据 2004 年统计，养殖虾（含其他对虾）产量超过 30 万吨。从结构及幼虫发育看，中国明对虾既具甲壳动物的一般特征，又具有自身典型性。

23.4.2.1 形态、结构和功能

1. 外部形态：中国明对虾身体侧扁。雌虾体长 18～24 cm，体色灰青，俗称青虾。雄虾体长 13～17 cm，体色黄，俗称黄虾。全身由 20 个体节构成，头部和胸部愈合为头胸部（cephalothorax），后面为腹部（abdomen）（图 23-16）。

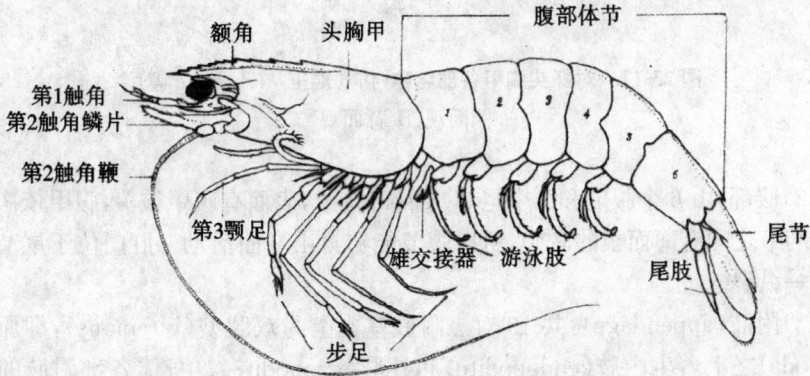

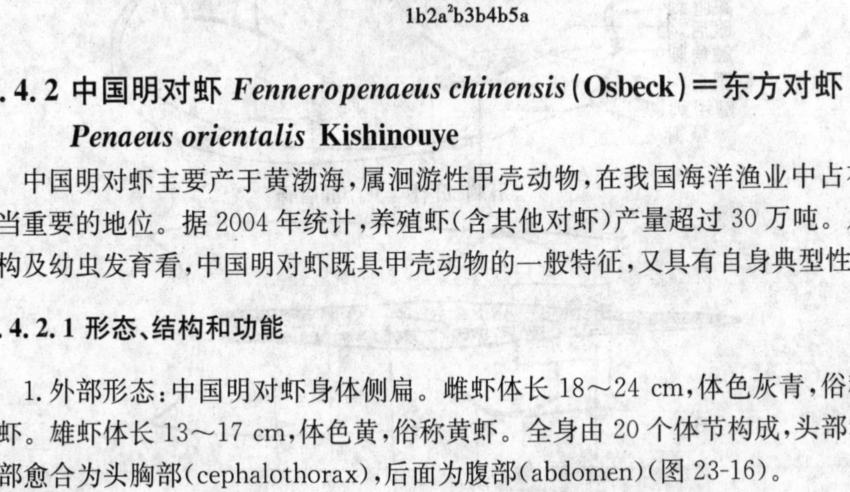

图 23-16 对虾的外部形态（雌体）（仿刘瑞玉从 Farfante 等）

(1)头胸部：由头部 5 体节和胸部 8 体节愈合而成，外包裹 1 个坚固的头胸甲（cara-pace）。头胸甲前端具 1 长棘，称为额角（rostrum），其背腹缘皆具锯齿（背缘 7～9 齿，腹缘 3～5 齿）。头胸甲表面根据其内脏位置，可分成若干区（图

23-17)，其上具沟、脊、刺突等结构。额角两侧各具 1 带柄的复眼。口位于腹面两个大颚之间。

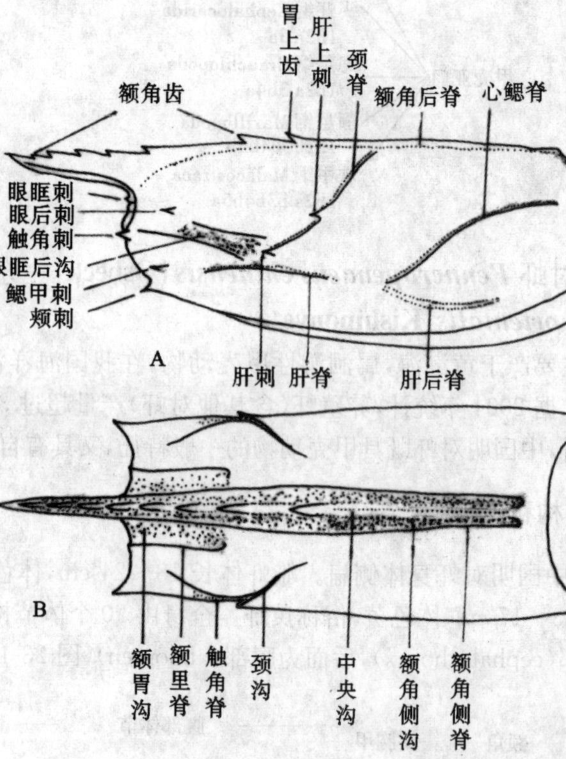

图 23-17　对虾头胸甲各部名称(仿刘瑞玉从 Farfante 等)

A. 侧面观；B. 背面观

(2)腹部：由 6 个腹节和 1 个尾节(telson)构成，表面有腹甲被覆，腹甲依次覆盖，节与节之间有薄而柔的软膜，所以腹节能够自由弯曲活动。肛门位于尾节腹面，为一纵裂缝。

(3)附肢(appendage)：共 19 对。附肢基本上为双肢型(biramous)，即原肢(propoda)之上着生内肢(endopodite)和外肢(exopodite)。身体各部附肢的功能和形态常有所不同。如用于触觉的附肢触鞭很长，用于捕食和爬行的附肢基肢发达，用于游泳的附肢内外肢不分节、边缘具刚毛。

1)头部附肢：5 对。

第 1 触角(antennule)(图 23-18 A)：原肢 3 节，称为触角柄，其上具 2 触鞭，司触觉。触角柄第 1 节丛毛中具一平衡囊(statocyst)，司身体平衡。

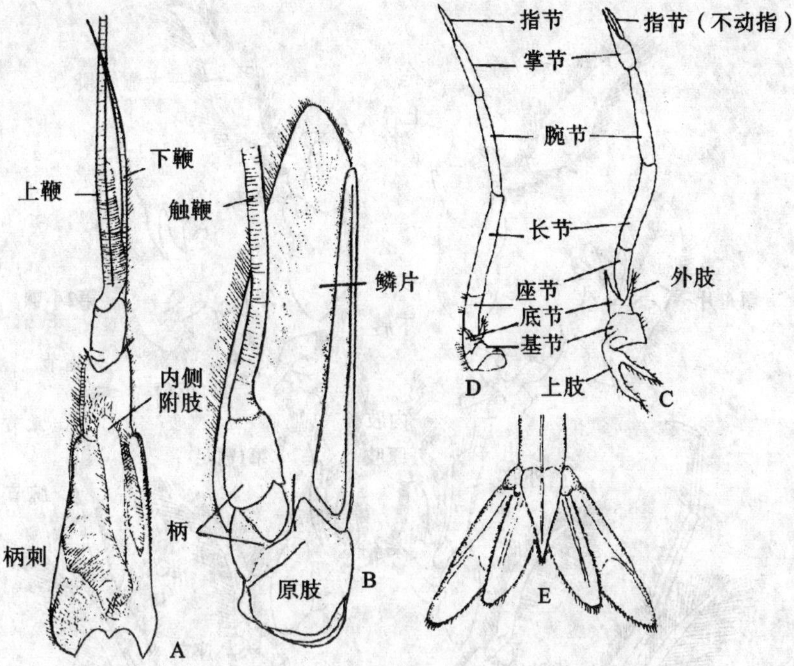

图 23-18　中国明对虾的附肢（A～D 仿刘瑞玉；E 仿 Dall 等）

A. 第 1 触角；B. 第 2 触角；C. 第 2 步足；D. 第 4 步足；E. 对虾的尾扇

第 2 触角（antenna）（图 23-18 B）：原肢 2 节，外肢成宽叶片状，称鳞片（scaphocerite 或 antennal scale），司身体游泳时升降，内肢由 3 节和 1 长触鞭构成。

大颚（mandible）（图 23-19）：原肢发达，特化成齿，分成门齿（incisor process）和臼齿（molar process）。内肢变成大颚触须（mandibular palp），分 2 节。

第 1 小颚（maxillula）（图 23-19）：原肢 2 片，内缘着生硬刚毛，协助咀嚼。内肢片状，外肢退化。

第 2 小颚（maxilla）（图 23-19）：原肢 2 片，外肢发达成叶片状，称为颚舟片，用以不断鼓动鳃腔水流，借以呼吸，内肢退化。

2）胸部附肢：8 对。

颚足（maxilliped）3 对（图 23-19），为摄食辅助器官，原肢分 2 节，即基节（coxa）和底节（basis）。内肢分 5 节，外肢不分节（图 23-19）。第 3 颚足内肢末端 2 节雌雄形状不同（图 23-20 A）。

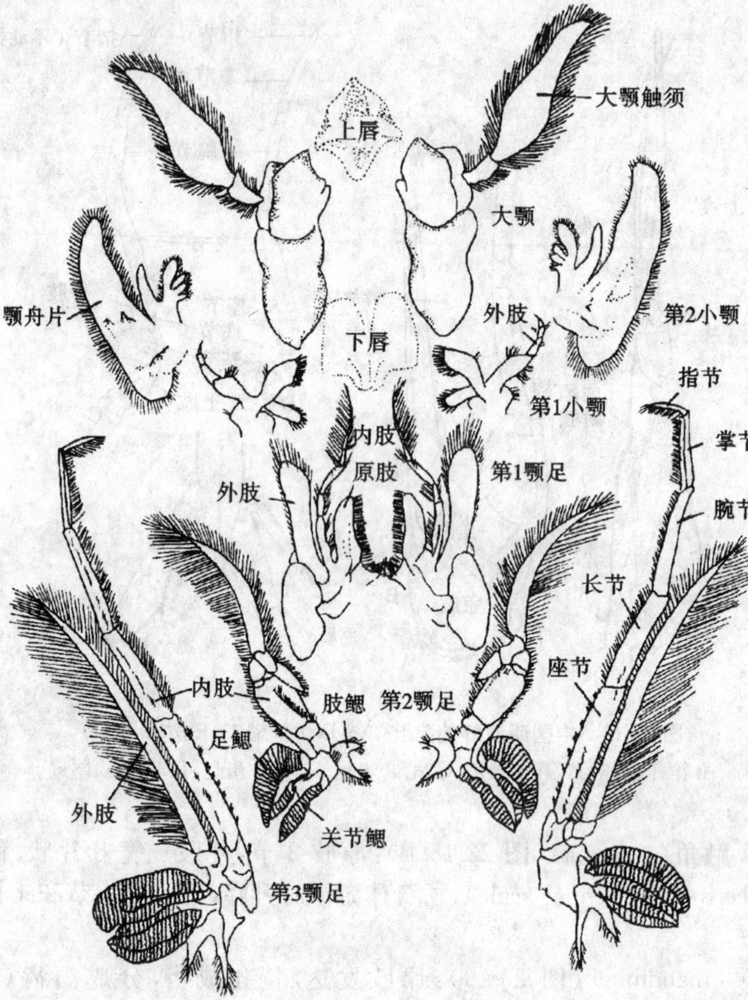

图 23-19　中国明对虾的口器

步足(pereiopod)5 对,为爬行捕食器官。原肢 2 节,内肢分 5 节,即座节(ischium)、长节(merus)、腕节(carpus)、掌节(propodus)、和指节(dactylus)。外肢退化。前 3 对步足末端成螯状,后 2 对成爪状(图 23-18 C,D)。雌性个体第 3 步足底节内侧具 1 对雌性生殖孔,胸部第 4、第 5 对步足之间具一纳精囊(seminal receptacle)(图 23-20 E)。雄性个体第 5 步足底节内侧具 1 对雄性生殖孔。

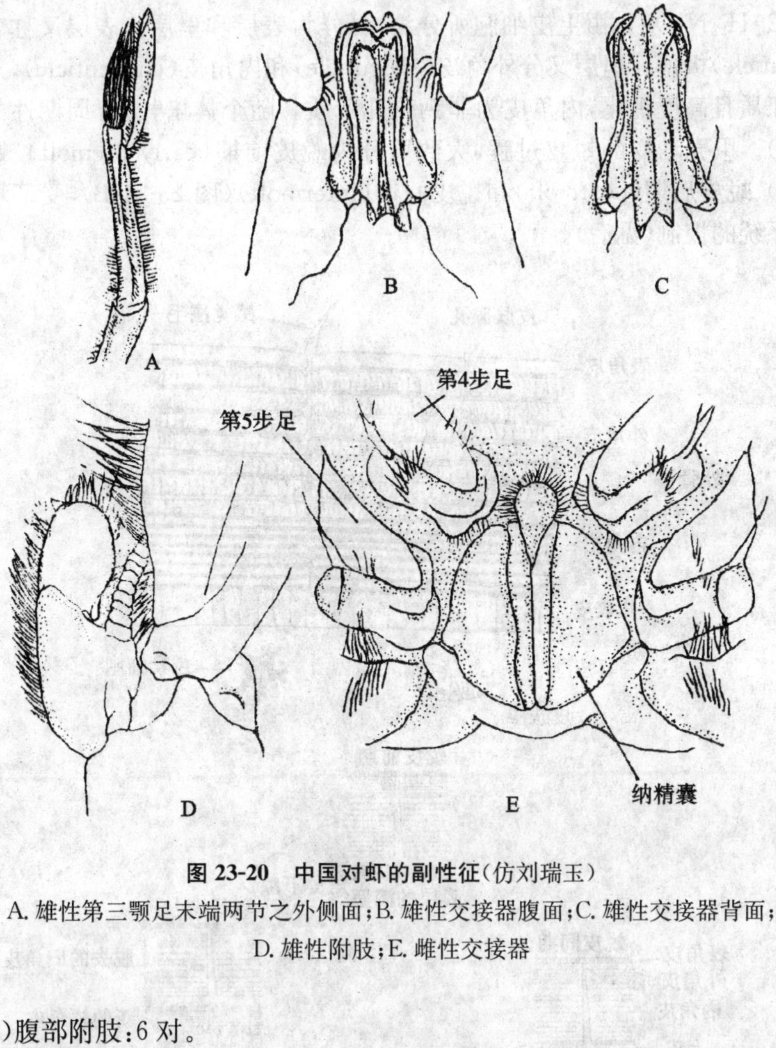

图 23-20　中国对虾的副性征(仿刘瑞玉)

A. 雄性第三颚足末端两节之外侧面;B. 雄性交接器腹面;C. 雄性交接器背面;
D. 雄性附肢;E. 雌性交接器

3)腹部附肢:6 对。

前 5 对腹肢基本相似。原肢 1 节,内外肢均不分节,边缘具刚毛(setea),为主要游泳器官,称为游泳肢(pleopod)。雄性个体第 1 腹肢内肢联合成交接器(petasma)(图 23-20 B,C),雌性个体内肢退化。雄性个体第 2 腹肢在内肢内侧具 1 雄性附肢(appendix masculina)(图 23-20 D)。最后 1 对腹肢称尾肢(uropodite 或 uropod),原肢 1 节短而粗,内外肢宽大与尾节共同构成尾扇(tail fan)(图 23-18 E),运动时具平衡和快速倒退运动的功能。

2. 外骨骼、皮肤和蜕皮:外骨骼覆盖于对虾身体和附肢的外表,保护身体,同时外骨骼又是肌肉附着的地方,使身体运动成为可能。外骨骼几丁质(chi-

tin)($C_{15}H_{22}N_2O_{10}$)，由上皮细胞所分泌，可分为表层和里层。表层又称表角皮(epicuticle)极薄。里层又分外角皮(exocuticle)和内角皮(endoeuticle)，外角皮为几丁质且高度钙化，内角皮为非钙化几丁质。随个体增长，可周期性的蜕皮(molt)。甲壳动物的蜕皮过程，大致可分为蜕皮前期(early premolt)、蜕皮期(molt)、蜕皮后期(postmolt)和蜕皮间期(intermolt)(图 23-21 B)，受环境和内分泌系统的控制(见后)。

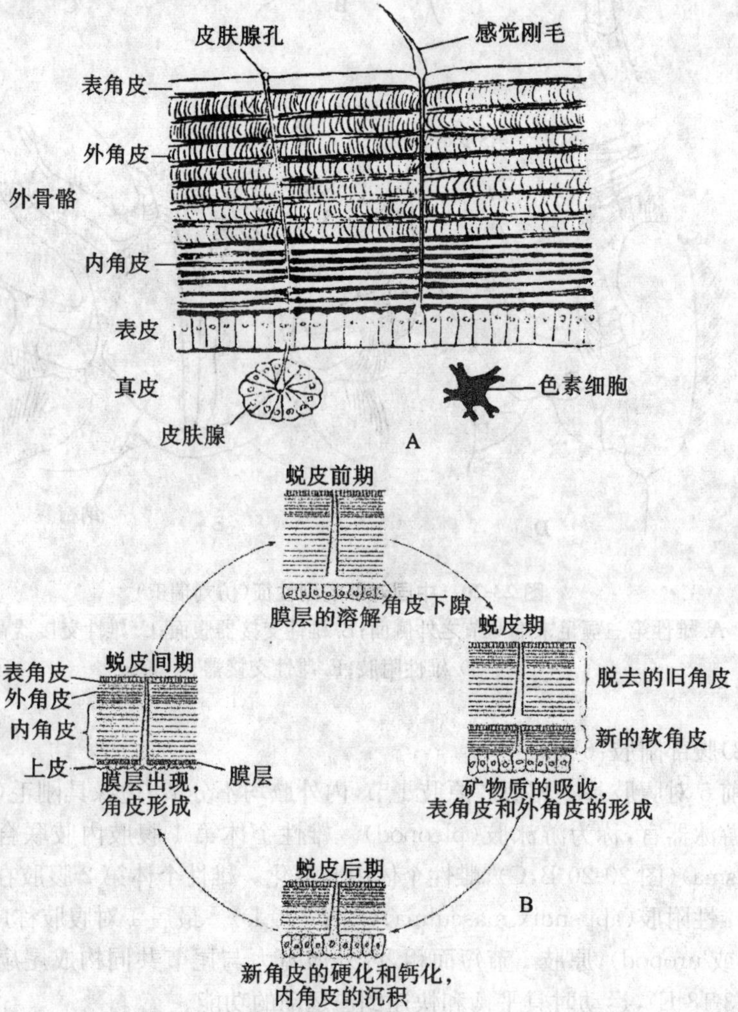

图 23-21　对虾的外骨骼、皮肤(A)和甲壳动物的蜕皮示意图(B)

(A 仿陈宽智；B 仿 Brusca 等)

外骨骼表面分布有刺状刚毛，刚毛中空，有管道穿过外骨骼与上皮细胞相连，并有神经分布，故称为感觉刚毛。此外，在发育过程中由口道和肛道陷入形成的前肠和后肠内壁也有几丁质层覆盖。

皮肤由表皮和真皮构成(图 23-21 A)，表皮位于外骨骼之下，由单层柱状细胞组成，下方有基膜衬托。真皮由网状结缔组织及游走细胞组成，还分布有色素细胞和皮肤腺。色素细胞具有细胞突起，细胞内含色素，受刺激后通过色素扩散或集中以改变身体颜色。皮肤腺呈球状，由多个锥状分泌细胞组成，有分泌管穿过皮肤和外骨骼，在体表开孔，其分泌物有润滑功能。

3. 肌肉系统：中国明对虾各部及附肢的动作由不同肌肉群相互配合完成，故肌肉名称也随其所起作用而得名，如头部前动肌与头部后动肌、大颚外展肌和大颚内收肌等。头胸部除具与眼柄、第一触角、口器、胸肢和前肠运动有关的肌肉外，绝大多数肌肉与腹部的弯曲有关，从腹部发出的大型的背侧和腹侧的肌肉即附着于头胸部的深层。腹部的外层具一层薄的背肌和腹肌，但主要的肌肉是腹背伸肌、斜肌(腹屈肌)和横肌(图 23-22)。对虾肌肉属横纹肌，光镜下可看到明暗交错的肌节。按肌节长短、组化及超微结构的特征，可将肌肉分为快肌和慢肌两类。快肌肌节短，内质网发达，二联体丰富，其特点是收缩快，收缩力强(如背伸肌与腹屈肌)。慢肌特点与快肌相反(如步足座节后移肌)。

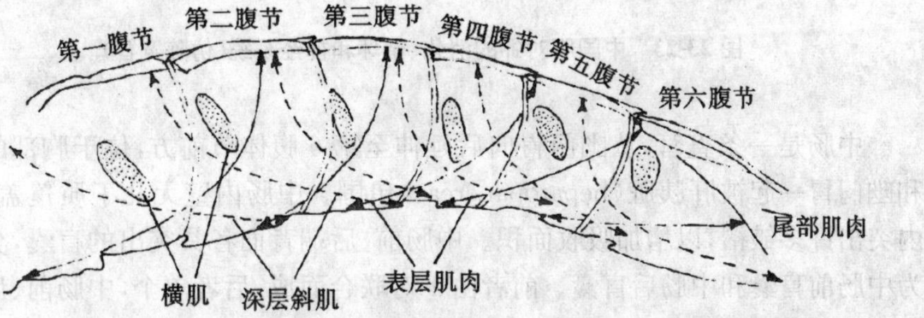

图 23-22　对虾腹部肌肉示意图(仿 Rothlisterg 等)

4. 消化系统(图 23-23)：包括消化道和消化腺，前者分为前肠、中肠和后肠，后者则是肝胰脏。

前肠包括口、食道和胃，内壁有几丁质层覆盖。口在两大颚之间，口的前后具上唇和下唇(图 23-19)；口之后短竖管即为食道，其表皮层之下有很多皮肤腺分布，皮肤腺分泌物能调和食物、润滑食道；胃接于食道之后，分为贲门胃和幽门胃，贲门胃膨大成囊状，具几丁质壁形成的皱褶、脊、齿和实心机械刚毛，是研磨食物的场所；幽门胃较窄，具几丁质壁形成的沟、脊和机械刚毛，是过滤食物的地方。幽门胃后方有突起伸入中肠，以防食物倒流。

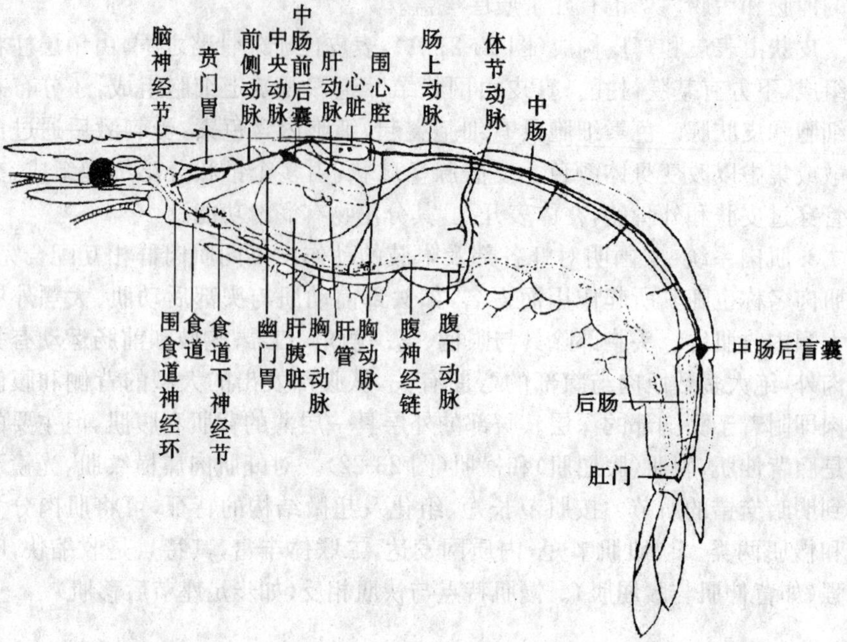

图 23-23 中国明对虾的消化、循环和神经系统(仿陈宽智)

中肠是一条直管，从幽门胃向后延伸至第 6 腹体节前方，位于胸部的中肠和幽门胃一起被肝胰脏(hepatopancreas)包围。中肠内壁无几丁质覆盖，且向内突出许多皱褶，以增加吸收面积。中肠前、后端背面各具突出的盲囊，分别称为中肠前盲囊和中肠后盲囊。前者由 1 对联合而成，后者单个，中肠前、后盲囊是中肠与前、后肠的分界。

后肠较膨大，后肠壁有大量的皮肤腺，有润滑粪便的功能。肛门纵裂缝状，开于尾节腹面。

肝胰脏是大型消化腺，成对，但中国明对虾的肝胰脏已联合成一块，位于头胸部中后区，包围幽门胃和中肠的前部。1 对主肝管由中肠前端通消化道，主肝管经多次分支成肝小管，各级肝管由结缔组织联结，外包一层被膜，是消化和吸收的主要场所。

5. 呼吸系统：鳃为呼吸器官，共 25 对，位于胸部两侧鳃腔中。

鳃分两类：一类是枝状鳃，共 19 对，依着生于附肢基节、附肢与体壁间之关节膜、体侧壁等不同部位可分为足鳃(podobranchia)、关节鳃(arthrobranchia)和侧鳃(pleurobranchia),是主要的呼吸器官;另一类为胸肢的上肢(epipod)(肢鳃 mastigobranchia),共 6 对,结构简单,被认为有辅助呼吸的功能。

枝状鳃(图 23-24 B)中央为鳃轴,两侧有 1 对分支,各分支再生长出许多平行排列的鳃丝,鳃丝为二分叉结构。鳃轴由鳃中隔隔开,其外侧为出鳃血管,内侧为入鳃血管,鳃分支由次级鳃中隔隔开,鳃丝中的中隔薄而不连续,这是血液经气体交换后流入出鳃血管的构造。鳃轴入鳃血管通胸血窦,出鳃血管与鳃-围心腔血道相连(图 23-24 A)。血液在鳃内流动的途径为:胸血窦→鳃轴入鳃血管→分支的入鳃血管→鳃丝→分支的出鳃血管→鳃轴出鳃血管→鳃-围心腔血道。

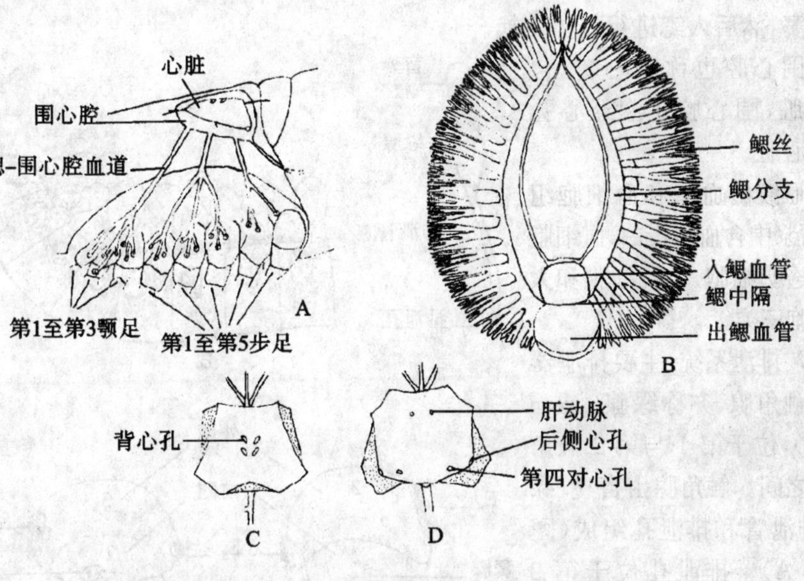

图 23-24 中国明对虾的呼吸系统(仿陈宽智)

A. 鳃-围心腔血道解剖;B. 枝状鳃横切面;C. 心脏背面观;D. 心脏腹面观

引起鳃腔水流的器官是颚舟片(第 2 小颚外肢),从前部深入鳃腔,不断摆动,使呼吸水流川流不息,水由头胸甲下缘和后缘与胸壁之间缝隙流入鳃腔,再向上向前流动,经过鳃,从头胸甲前方流出。

6. 循环系统(图 23-23):属开管式,动脉系包括心脏和一系列动脉管,静脉系包括血窦和围心腔。心脏囊状,位于头胸部后端背面的围心腔中,心孔 4 对,心孔有瓣膜以防止血液倒流(图 23-24 C,D)。中央动脉 1 支,很退化,从心脏前端中央发出。前侧动脉 1 对,发达,从心脏前端中央动脉两侧发出,供胃、大颚、触角、复眼及脑血液。肝动脉 1 对,由心脏腹面近前方发出,随即进入肝胰脏。中央后动脉 1 支,很发达,由心脏后端中央发出,向后延伸至第 6 腹节后方,中央后动脉于每腹节各发出 1 对体节动脉,供给消化道、肌肉及游泳肢血液。胸动脉 1 支,从中央后动脉近基部处发出,向下绕过消化道左侧,穿过胸神经链的动脉孔,到达腹面,然后分为两支,前支为胸下动脉,供给胸肢血液,后支为腹下动脉,延伸到第 1 腹体节后方。

血窦主要有头血窦、胸血窦和腹血窦。头血窦位于头部背方,收集头部血液;胸血窦最大,位于胸部腹甲以上区域,收集胸部器官及胸肢血液;腹血窦分为腹上血窦和腹下血窦,收集腹部器官、游泳肢及尾肢的血液。各血窦均汇入胸血窦,然后入鳃进行气体交换。

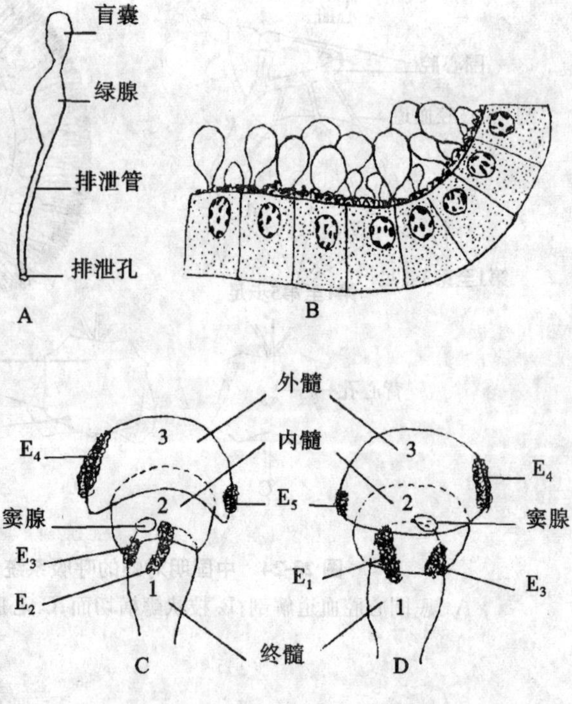

图 23-25　中国明对虾的触角腺和窦腺

A. 触角腺的构造;B. 绿腺细胞处于分泌原尿状态;
C. X-器官和窦腺(眼柄解剖腹面观);
D. X-器官和窦腺(眼柄解剖背面观)
(A,B 仿陈宽智;C,D 仿 Oka)

围心腔也称围心窦,包围心脏,围心腔血液经心孔进入心脏。

血液由血浆和血细胞组成,血浆中含血清蛋白,血细胞分为透明细胞、小粒细胞和大粒细胞三类。

7. 排泄系统:主要排泄器官为触角腺,亦称绿腺(green gland),位于第 1 与第 2 触角肌肉之间。触角腺由盲囊、绿腺、排泄管和排泄孔组成(图 23-25 A)。排泄孔位于第 2 触角内侧基节与底节的关节膜之上,为耳状突起。其泌尿机制有分泌(图 23-25 B)和过滤两种。

8. 内分泌系统:内分泌器官包括神经分泌和器官分泌。前者由成丛神经细胞体特化成能合成激素的腺体,轴突特化成能贮存、释放激素的结构。

(1)神经分泌包括:①X-器官(X-organ)和窦腺(sinus organ)(图 23-25 C,D):位于眼柄内,X-器官由 5 个细胞团(E_1～E_5)组成,窦腺是汇集 X-器官所分泌抑制蜕皮激素的地方,其激素有抑制蜕皮、控制色素细胞的活动及调节复眼色素移动的功能。②后联合器官,为食道后联合发出的 1 对小神经,扩展成瓣状,其分泌物有调节色素细胞活动的功能(图 23-26 A)。③围心腔腺:浸泡于围心腔血液中,由网状神经纤维与结缔组织组成绒球状结构,其分泌物有调节心率的功能。

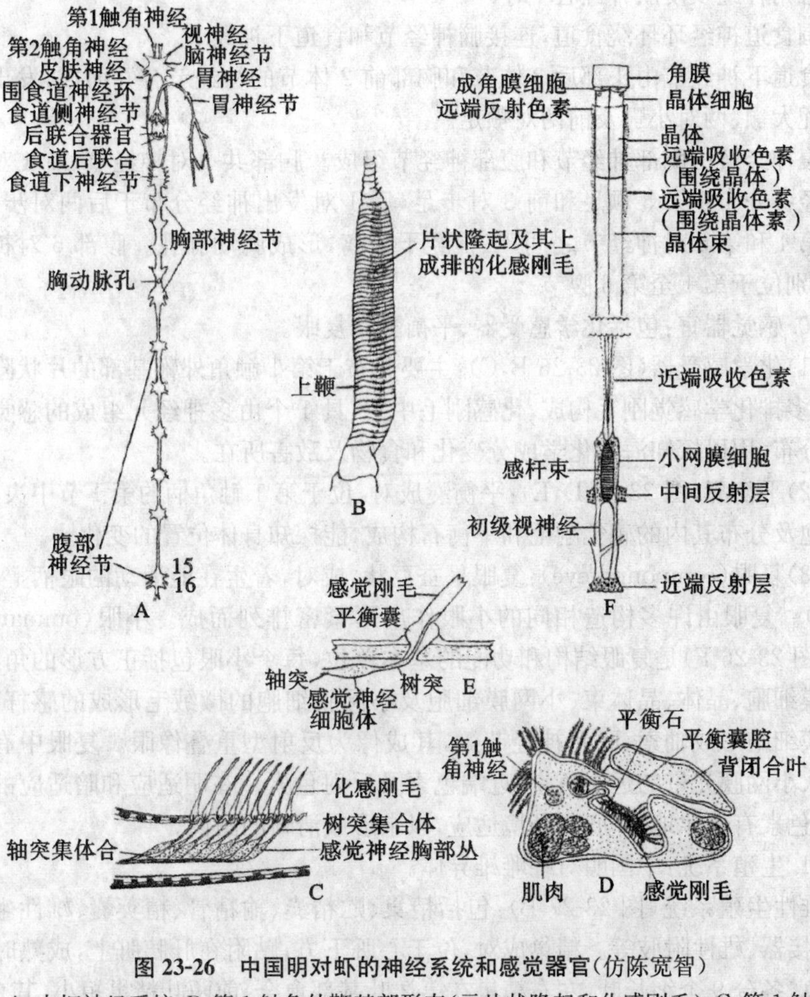

图 23-26 中国明对虾的神经系统和感觉器官(仿陈宽智)

A. 中枢神经系统;B. 第 1 触角外鞭基部形态(示片状隆起和化感刚毛);C. 第 1 触角化感刚毛的神经分布;D. 平衡囊横切;E. 平衡囊感觉刚毛的神经分布;F. 小眼的结构

(2)器官分泌包括:①Y-器官(Y-organ),位于第 2 小颚基部,分泌蜕皮激素,以促进动物蜕皮,故有蜕皮腺之称。②促雄性腺(androgenic gland),位于输精管末端,贴近精荚囊的外侧,其分泌物能促进精巢发育、维持第 2 性征。③卵巢激素(ovarian hormone),由卵巢分泌,具促进卵巢发育和维持第 2 性征的功能。

9. 神经系统:中枢神经系统成链状,由脑神经节、围食道神经环、食道下神经节和腹神经链组成(图 23-26 A)。

脑神经节由头部前两体节的神经节合并而成,发出视神经、第 1 触角神经、第 2 触角神经及皮肤神经各 1 对。

围食道神经环环绕食道,连接脑神经节和食道下神经节。

食道下神经节由头部后 3 体节和胸部前 2 体节的神经节合并而成,发出神经支配大颚、两对小颚及前两对颚足。

腹神经链由胸部神经节和腹部神经节组成。胸部共 5 对神经节,前 4 对发出神经各分布于第 3 颚足和前 3 对步足,后 1 对发出神经分布于后两对步足。胸部第 4 和第 5 对神经节之间,二神经干分离,形成胸动脉孔。腹部 6 对神经节,分别位于第 1 至第 6 腹节。

10. 感觉器官:包括化学感受器、平衡囊和复眼。

(1)化学感受器(图 23-26 B,C):主要分布于第 1 触角外鞭基部的片状隆起上,由多排化学感觉刚毛构成,化感刚毛中空,具 1 个由多神经元组成的感觉细胞丛分布,用以探知海水化学成分变化和食物及敌害所在。

(2)平衡囊(图 23-26 D,E):平衡囊成对,位于第 1 触角柄的第 1 节中央,由一囊泡及分布其内的感觉刚毛和平衡石构成,能探知身体位置的变化。

(3)复眼(compound eye):复眼呈蚕豆状,成对,着生在能活动的眼柄上(图 23-16)。复眼由许多构造相同的小眼作扇形紧密排列而成。小眼(ommatidium)(图 23-26 F)是复眼结构和功能的基本单位,每个小眼包括正方形的角膜、成角膜细胞、晶体、晶体束、小网膜细胞及小网膜细胞的微绒毛形成的感杆束。小网膜细胞形成轴索,联系神经节瓣,其成像为反射型重叠像眼。复眼中有调节进入小网膜光量的远端色素、近端色素及反射色素。在明适应和暗适应的条件下,色素有规律地移动,与环境适应,以求形成清晰的图像。

11. 生殖系统:中国明对虾雌雄异体。

雄性生殖系统(图 23-27 B):包括精巢、贮精囊、输精管、精荚囊、雄性生殖孔、交接器、雄性附肢等。精巢成对,位于心脏下方,贴附在肝胰脏上,成熟时呈乳白色,各分 9 个细长叶,左右精巢在第 2 叶基部愈合,前两叶精巢短小,其余 7 叶较长大。输精管分为前、中、后 3 段,前段与精巢相连,中段粗且具分泌管,后段细。输精管在第 5 步足基部膨大成桃形精荚囊。生殖孔 1 对,开口于第 5 步足基部。交接器由第 1 对腹肢内肢构成(图 23-20 B,C)。

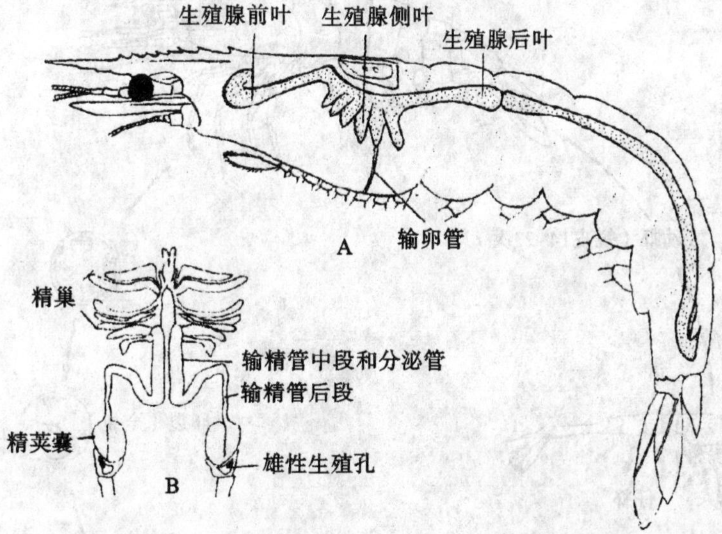

图 23-27　中国明对虾的生殖系统(A 仿陈宽智;B 仿王克行)

A. 雌性生殖系统;B. 雄性生殖系统

雌性生殖系统(图 23-27 A):包括卵巢、输卵管、雌性生殖孔和 1 个在体外的纳精囊。卵巢成对,位于身体背面,分前叶、侧叶和后叶,前叶自幽门胃背面延伸至贲门胃的前方,中叶分为 6 小叶充塞于心脏、肝胰脏之间,后叶沿肠的背面延伸至腹部第 6 节末端。输卵管自第 5 侧叶的前侧角伸出。生殖孔 1 对,开口于第 3 步足基节内侧。雌性交接器(主要是纳精囊)位于第 4、第 5 步足之间(图 23-20 E)。

23.4.2.2 生殖和发育

雄虾精巢当年 10 月即成熟,而雌虾必须至次年四五月份才能成熟产卵。秋末 10～ 11 月,雄虾尾随雌虾,待雌虾脱壳后,新壳尚未硬化之前与之交配,雄虾将包有精子的精荚的豆状体送入雌虾的纳精囊。翌年的 4～6 月,雌虾成熟,开始产卵。在产卵的同时,纳精囊里的精子排出,边产卵边受精。受精卵沉于海底,即开始发育。对虾多次产卵,一般每尾雌虾产卵约 100 万粒。

受精卵完全卵裂,在水温 20 ℃左右,约经一昼夜时间即孵化,进入幼虫期,分述如下(图 23-28)。

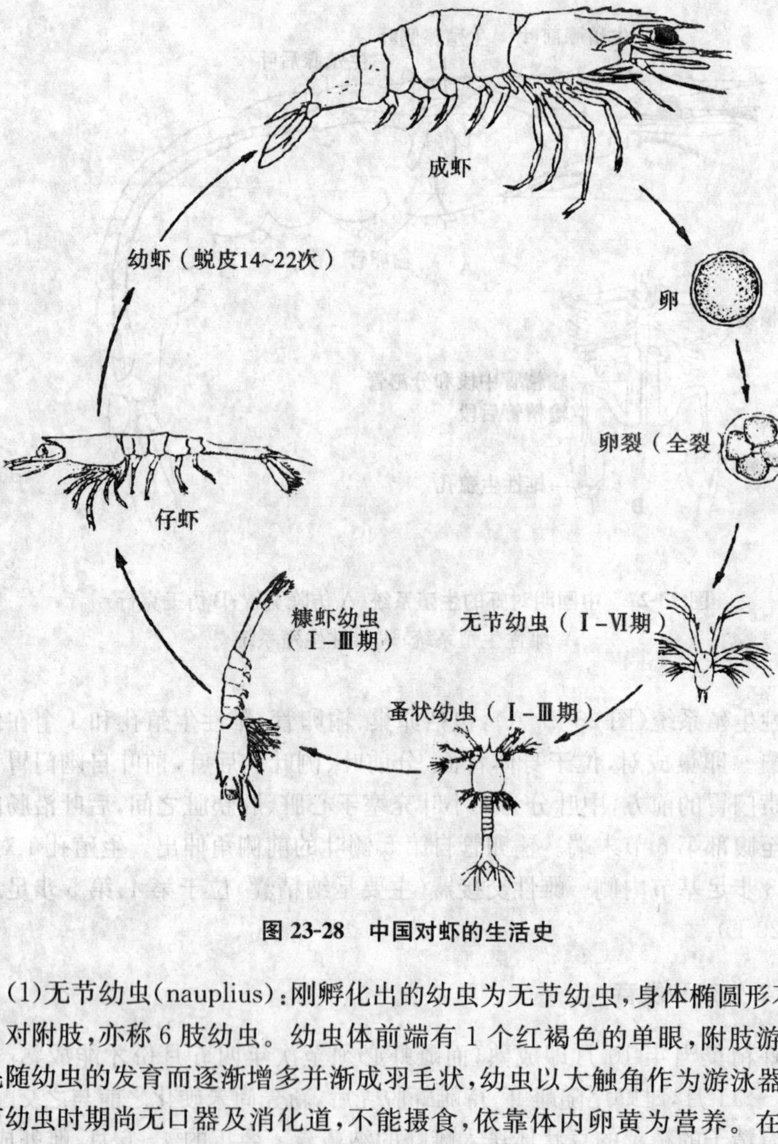

图 23-28　中国对虾的生活史

(1)无节幼虫(nauplius):刚孵化出的幼虫为无节幼虫,身体椭圆形不分节,具 3 对附肢,亦称 6 肢幼虫。幼虫体前端有 1 个红褐色的单眼,附肢游离端的刚毛随幼虫的发育而逐渐增多并渐成羽毛状,幼虫以大触角作为游泳器官。在无节幼虫时期尚无口器及消化道,不能摄食,依靠体内卵黄为营养。在平均水温 19 ℃,正常条件下蜕皮 6 次(6 期),约经四天进入蚤状幼虫期。

(2)蚤状幼虫(zoea):身体前部大,后部细长,头胸部具有头胸甲,单眼存在,复眼出现,口器及消化系统出现,能主动摄食。身体开始分节,具 7 对附肢。共蜕皮 3 次(3 期),在环境条件适宜的情况下,经 7 天左右进入糠虾幼虫期。

(3)糠虾幼虫(mysis):头部和胸部紧密愈合形成头胸部,身体各部附肢齐全。第 2 触角的外肢形成鳞片，内肢形成触鞭。共蜕皮 3 次(3 期)，在平均水温 21 ℃的条件下，约 7 天完成发育，进入仔虾期。

(4)仔虾期(post larva)：第 1 触角具有平衡囊，步足增大，外肢退化，游泳肢逐渐发达。共蜕皮 14 次或更多，在平均水温 22 ℃条件下，约 25 天就可以变为幼虾，逐渐长大成为成虾。

23.4.2.3 分布和习性

中国明对虾主要分布于黄渤海，是我国北部海域及朝鲜半岛西海岸的特产。在我国东海北部舟山群岛附近海域有少量分布，甚至还偶见于广东沿海。

中国明对虾喜生活于泥沙底质的浅海，捕食底栖虾类、其他小型甲壳类、小型双壳类、各种无脊椎动物及其幼体以及硅藻类等。

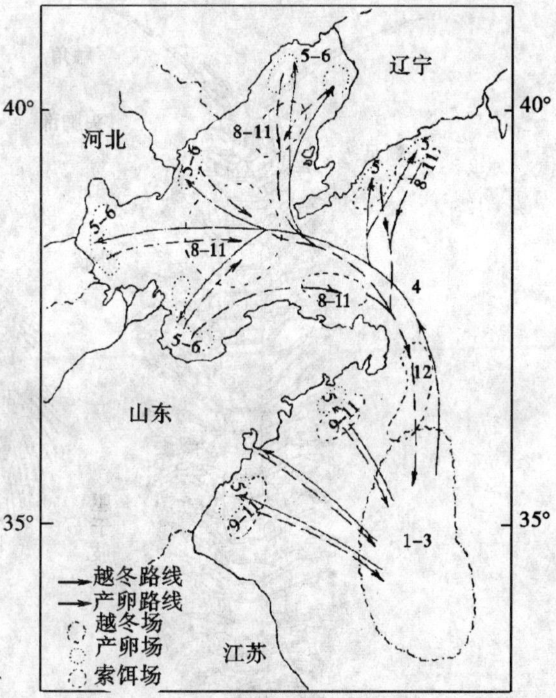

图 23-29　中国对虾的洄游(仿刘瑞玉)

中国明对虾的生活史中，要进行两次洄游(图 23-29)，每年 10 月间，中国对虾交尾后，由于水温下降，便开始集群向黄海南部深海区迁移，称为越冬洄游。12 月至 1 月进入越冬场，而后分散越冬。越冬场的水温一般在 8～10 ℃，最低可达 6 ℃。寒冬过后，浅海水温开始回升，对虾又开始集群自黄海向北迁移，这就是生殖洄游。每年 3 月，大量对虾出现在山东半岛东南外海，4 月间，一部分到达山东半岛南岸各地，大部分游向渤海西部沿岸和辽东湾浅海，另一支则游向朝鲜半岛西岸各河口。在生殖洄游时，雌虾群在前，雄虾群在后，雌虾进入河口咸淡水混合处产卵，繁殖后代。水生动物在一定时间、沿一定空间(路线)远距离地周期性运动，此谓洄游(migration)，洄游与外界环境变化相伴，洄游扩大了动物生存的空间和分布区，又完成了自己的生活史。

23.4.3 各纲分述

23.4.3.1 桨足纲 Remipedia

蠕虫形的桨足动物最先在大巴哈马群岛(Grand Bahama Islands)发现,这类动物既具原始的特征(躯干部细长、同律分节、两条腹神经索、分节的消化盲囊、桨状的第2触角等),又有高等的特征(有颚足、附肢双肢型等)。桨足动物的附肢向身体侧面伸出,这与其他甲壳动物不同,其大颚和小颚也很独特,触角前突起(preantennular frontal process)更是这类动物所独有的。

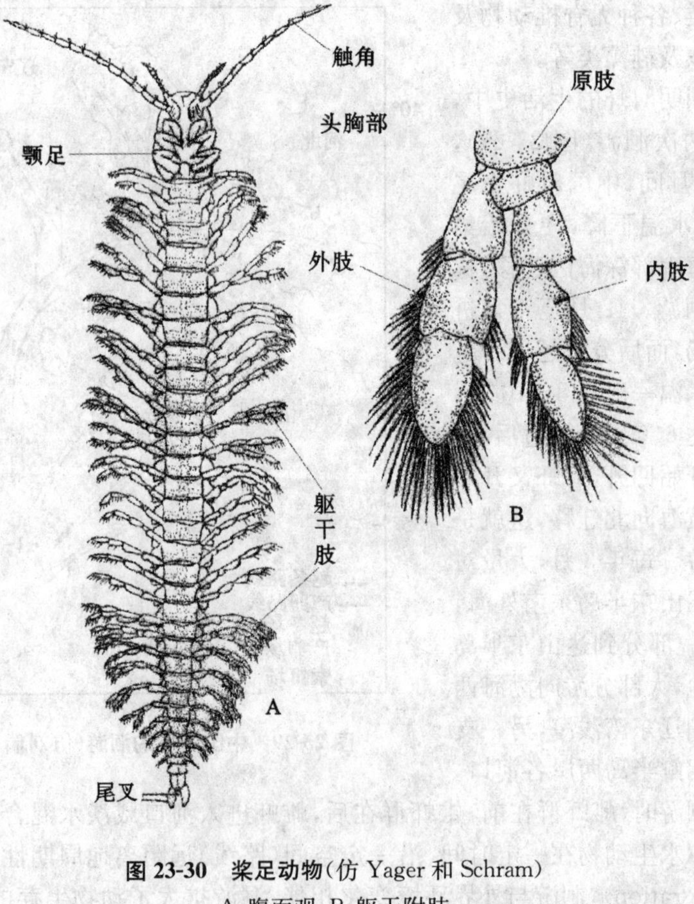

图 23-30 桨足动物(仿 Yager 和 Schram)
A. 腹面观;B. 躯干附肢

桨足动物(图 23-30 A)全长约 30 mm,游泳时背部朝下,身体分为头部和躯干部,躯干部长,约由 32 节组成。第 1 触角前具 1 对触角前突起,第 1 触角双肢型,第 2 触角桨状;第 1,第 2 小颚强壮,为执握型附肢;躯干部附肢向体侧伸出,双肢型,桨状,无大的上肢;躯干部附肢(图 23-30 B)的内外肢分为 3 节或 3 节以上。躯干部最后 1 节在背部部分与尾节愈合,尾节具尾叉(furca)。头甲(cephalic shield)盾状,具横沟,躯干部仅第 1 节与头部愈合。现存种类无眼,具 1 对可进行捕握的颚足,上唇大,形成 1 小室,内有大颚。雌性生殖孔位于躯干部第 7 节的附肢上。

迄今,桨足动物仅含泳足目 Nectipoda,有 8 种,均生活于大西洋的海底洞穴中,其生物学特征有待于进一步研究。

23.4.3.2 头虾纲 Cephalocarida

本纲动物海生,个体通常小于 4 mm,身体细长。分为头部、胸部(8 节)和腹部(11 节)。尾节具有 1 对尾叉,左右尾叉末端各具 2 刺,其中一刺的长度超过体长的一半(图 23-31 A)。头部具头甲,无眼。两对触角短小,第 1 触角单肢型,触角柄 6 节,鞭细长。第 2 触角双肢型,内肢细小,外肢粗大呈圆锥状。大颚无触须,第 1 小颚(图 23-31 B)双肢型呈足状,第 2 小颚的结构与前 7 对胸肢结构相似。第 1 到第 7 对胸肢(图 23-31 C)为原始的双肢型附肢,其原肢宽大,伪上肢宽大呈卵圆形,外肢扁平分 4 节,内肢狭窄圆柱状,6～7 节,各节长度小于其直径,最后一节末端呈爪状,第 8 对胸肢退化或无。腹部第 1 对附肢退化,是卵子孵化的场所,其他腹节无附肢(图 23-31 A)。触角和胸肢是运动器官,用来游泳和爬行。此外,胸肢还具有摄食的功能。头虾类动物雌雄同体,发育经过

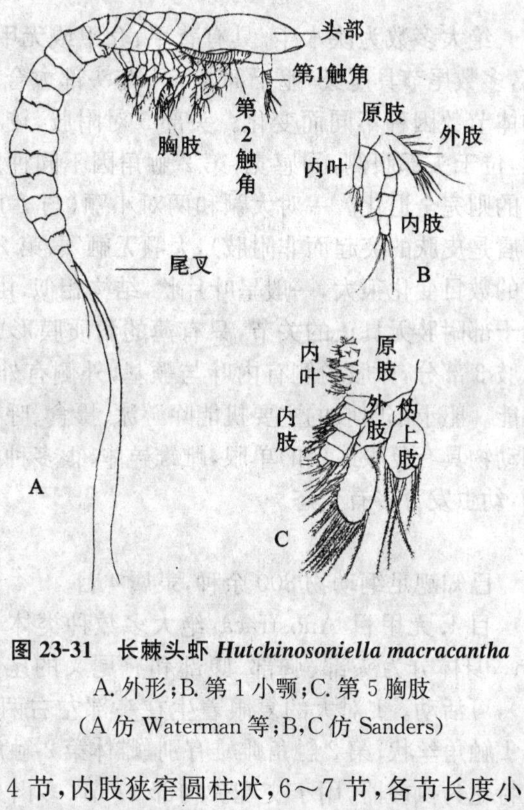

图 23-31　长棘头虾 *Hutchinosoniella macracantha*

A. 外形;B. 第 1 小颚;C. 第 5 胸肢

(A 仿 Waterman 等;B,C 仿 Sanders)

变态。

自 1955 年 Sanders 发现长棘头虾 *Hutchinsoniella macracantha* 以来，已报道 10 种，属于短足目 Brachypoda。所有种类均为底栖生活，摄食有机碎屑，多数种类生活环境为具一层絮状有机碎屑的沉积物，也有些种类生活于清洁的沙质环境中，还有些种类生活于有机质丰富的软底环境中。从潮间带到 1 500 m 深海均有分布。我国尚未发现有该纲动物。

细长的体形、无眼以及多节而短小的触角等特点都与其生活方式有关，身体各节相似、胸肢结构一致、以及用来摄食的附肢内叶等则是系统发育过程中遗留下来的古老特征。因此，多数学者认为它是最原始的甲壳动物。

23.4.3.3 鳃足纲 Branchiopoda

绝大多数为淡水生，具有背甲、介甲或无甲，个体小，身体分为头部和躯干部，多数尾节具尾叉，躯干部体节不与头部愈合。头部由 5 节愈合而成，躯干部的体节数因种不同而变化。头部 5 对附肢，较小或退化。第 1 触角单肢型，棒状，位于头部腹侧，司感觉；第 2 触角因不同种差异较大，司游泳、摄食和交配，有的则完全退化。一对大颚和两对小颚（与 1 片上唇和 1 片下唇构成口器，上下唇是皮肤的突起而非附肢），大颚无触须，第 2 小颚几乎完全退化。躯干部附肢的数目变化很大，一般呈叶片状，结构相似，由前向后逐渐缩小，后部无附肢。躯干部附肢无真正的关节，只有薄的角质膜形成的原始关节，分为原肢、外肢、内肢 3 部分，原肢内侧有内叶与颚基，外侧有外叶与上肢，上肢常膨大，有呼吸机能。躯干部附肢的主要机能除游泳、摄食、呼吸外，还与交配抱卵有关。鳃足纲动物具有复眼或（和）单眼，雌雄异体，很多种类可行孤雌生殖，有些还有休眠期，幼虫发育多有变态。

已知鳃足纲动物 800 余种，隶属 4 目。

目 1. 无甲目 Anostraca：绝大多数种类体长约 1 cm，少数种类体长达 10 cm。身体分为头部、胸部、腹部和有尾叉的尾节。头部游离，无头胸甲（或头甲），可活动。1 对大的复眼着生在头部左右两侧的眼柄上，具 1 个中央单眼。第 1 触角丝状；第 2 触角雌雄有别，雌体第 2 触角棒状、叶状或钩状，雄体第 2 触角特化为执握器，用于交配。胸部 11 节（多卤虫科 Polyartemiidae 17 节或 19 节），每节具 1 对叶状双肢型附肢，结构相似，有发达的上肢。腹部 8 节，由前向后逐渐变细，无附肢。生殖孔位于腹部的生殖区。尾叉叶状，边缘有毛，少数种类尾叉退化。

无甲动物在水中腹面向上，背面向下行仰泳，游泳时各胸肢从后到前依次拨出，推动身体不停地游动，而不在水底停息。

无甲动物一般进行两性生殖，通常一年一代，交配时雄体先在雌体下方游泳，利用第2触角抱握雌体，这样两个虫体就双双在水中仰泳并交配，交配完毕后，雌雄分离。雄体还可再进行交配，交配数次后死亡。雌体把卵子排入孵育囊，卵在囊内受精，发育到囊胚期，外包一层粘性卵壳排出体外，对不良的环境有很强的抵抗能力。另外卤虫 *Artemia* 还可进行孤雌生殖，即雌体不经交配就可产卵(夏卵)到孵育囊内，不久便可孵化。

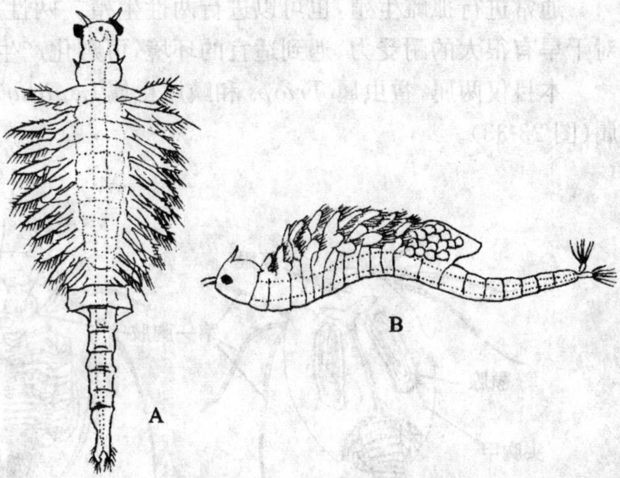

图 23-32　卤虫

A. 雌体，B，游泳状态的雌体

本目约 185 种，栖息于静止的内陆水域，多出现于雪融水、山洪水或夏季雷阵雨水形成的并定期干涸的水坑等小水域中。卤虫(图 23-32)栖息在内陆高盐水域中，也生活于与海洋隔离的泻湖和盐田中，却不出现于海洋，我国西藏高原湖泊和沿海盐场中均有发 现。无甲动物以滤食细小的有机碎屑为主，同时也可以滤食单细胞生物。

目 2. 背甲目 Notostraca：体长 2～10 cm，头胸甲宽大，马蹄型，背部略弓起，覆盖头部、胸部和部分腹部，身体后部呈细的圆柱状，末端具长而分节的尾叉。复眼成对，无眼柄，1 个中央单眼位于复眼前方。第 1 触角和第 2 触角几乎完全退化，胸部 11 节，每节有 1 对附肢，第 11 对胸肢特化为藏卵肢，形成孵育囊。腹部有很多“环(ring)”，每环均由几个体节愈合而成，前部各环具有多对附肢，后部各环无附肢。

背甲类主要利用前两对胸肢爬行于水底，也可通过胸肢的拨动，在水中短时间地快速游泳。无论爬行或游泳，身体均腹面朝下。背甲类动物生活于水坑、水潭等泥底、间歇性小型水域，无海洋种类。主要以沉积于水底的有机碎屑为食，摄食时通过附肢把水底的有机物搅动上升，继而进行滤食，有些种类还可以捕食其他动物，例如软体动物、甲壳动物、蛙卵、蝌蚪甚至小鱼。

通常进行孤雌生殖，也可以进行两性生殖。两性生殖所产的受精卵（冬卵）对干旱有很大的耐受力，遇到适宜的环境，可孵化产生新个体。

本目仅两属，鲎虫属 *Triops* 和鳞尾虫属 *Lepidurus*，共 9 种，我国仅见鲎虫属（图 23-33）。

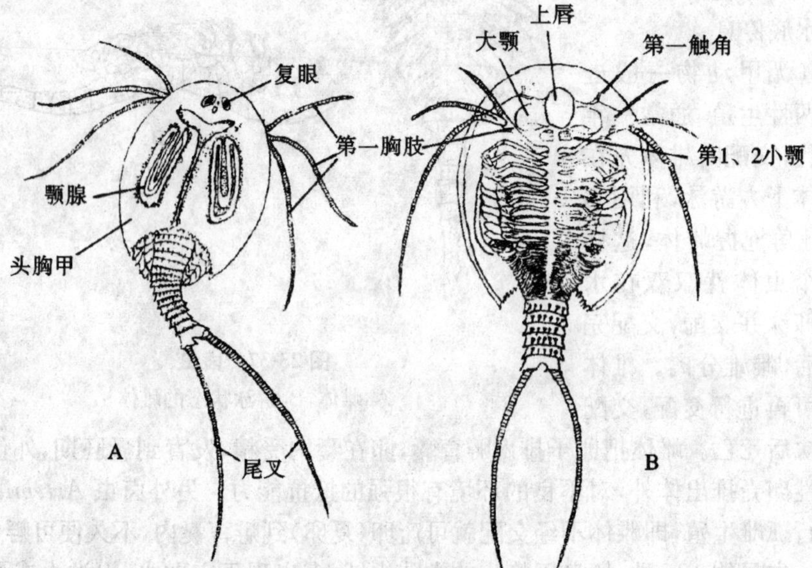

图 23-33 蟹形鲎虫 *Triops canariformis*（仿堵南山）

A. 背面观；B. 腹面观

目 3. 介甲目 Conchostraca：被称为蚌虫。身体分为头部和躯干部。复眼无眼柄，左右紧靠，中央单眼较为发达。第 1 触角单肢型，细长；第 2 触角双肢型，发达，原肢强壮，内外肢节数多，有刚毛。躯干部 10～32 节，躯干附肢叶状，由前向后逐渐变小。雄性第 1 对或前两对躯干附肢特化，在交配时抱握雌体，生殖孔位于躯干部第 11 体节上。尾节具爪状尾叉。该类动物的头胸甲被称为介甲，在背中线处向下对称弯曲，形成左右两片（图 23-34）包围整个身体，腹缘、后缘左右分离，使介甲内腔与外界通畅，介甲坚硬，蜕皮时旧壳不脱落，因此形成生长线，头部一部分或全部可以从介甲伸出。介甲类动物的一对闭壳肌由附肢肌演变而来，横贯全身，外端着生于介甲的内面，但无肌痕。

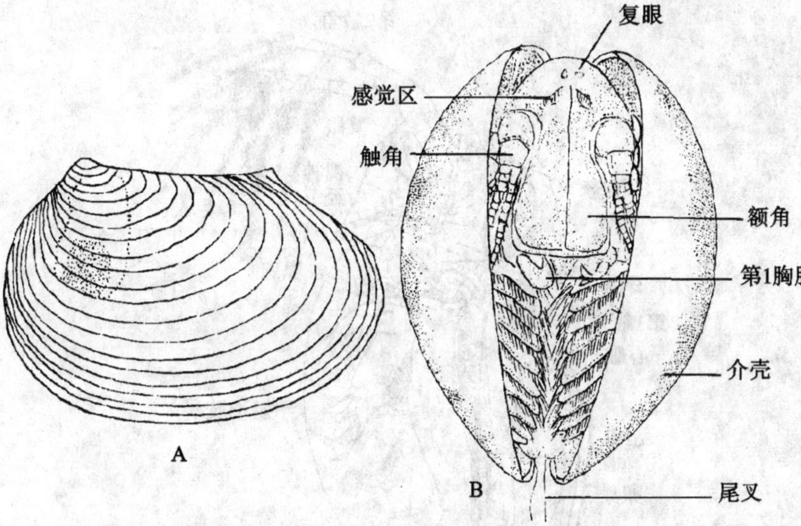

图 23-34　介甲动物(仿 Remane)

A. 左侧介壳,虚线示身体及闭壳肌与介壳愈合的范围;B. 介壳目的结构（介壳部分张开）

有些种类以两性生殖为主,通常一年一代,但种群中出现的雄性个体较少,另外有些种类也可以进行孤雌生殖。介甲类动物利用第 2 触角在近水底处游泳,游泳能力弱。其食性因种类不同而异,可以滤食有机碎屑、浮游生物以及大型藻体表面的附着物,有些可直接滤食悬浮物,有些则搅动底质而滤食悬起的有机质。

已知约 200 种,分布广泛,主要生活于泥质静止的淡水水域,也可在间歇性水域中生长繁殖,少数种类生活于海水或半咸水。

目 4. 枝角目 Cladocera:枝角类(图 23-35,图 23-36)体长一般只有 0.3～3 mm。身体左右侧扁,绝少数呈圆柱状。壳瓣(头胸甲)包被躯干部,只头部裸露在外,壳瓣是由头部向后延伸的上皮皱褶及其上皮所分泌的角质膜共同组成的。身体分为头部和躯干部。头部大小因种类而异,复眼之前的部分为额,额向后下方弯曲,形成吻。躯干部由胸、腹愈合而成,胸部有附肢,腹部则无。枝角类头部共有 5 对附肢,第 1 触角小,单肢型,棒状,雌雄个体的形态差别较大;第 2 触角双肢型(少数除外),较为强大,是惟一的运动器官,内外肢的节数及刚毛数是鉴定的特征之一;大颚为一对几丁质板,无触须;小颚 2 对,位于大颚之后,较为退化。大小颚和上下唇(皮肤的突出物)共同组成了枝角类的口器。躯干部有 4～6 对叶状附肢,用来滤食。枝角类的腹部背侧有 1～4 个指状腹突及 2 根羽状的尾刚毛,多数种类有一对爪状尾叉。

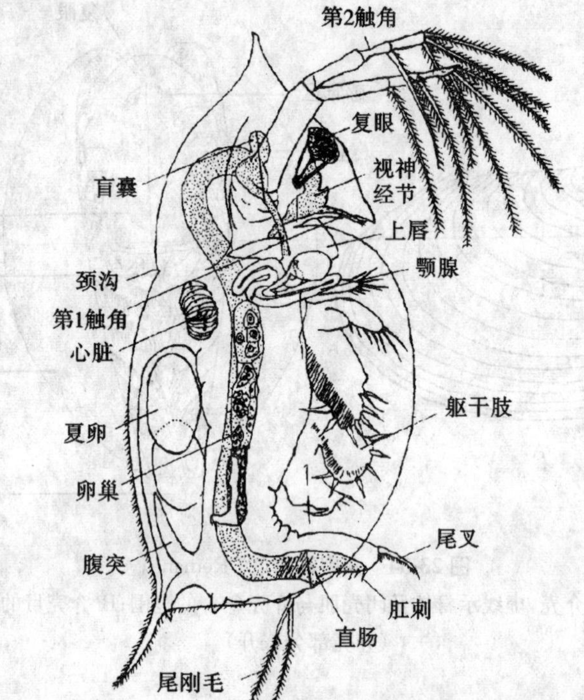

图 23-35 枝角类结构图(仿堵南山)

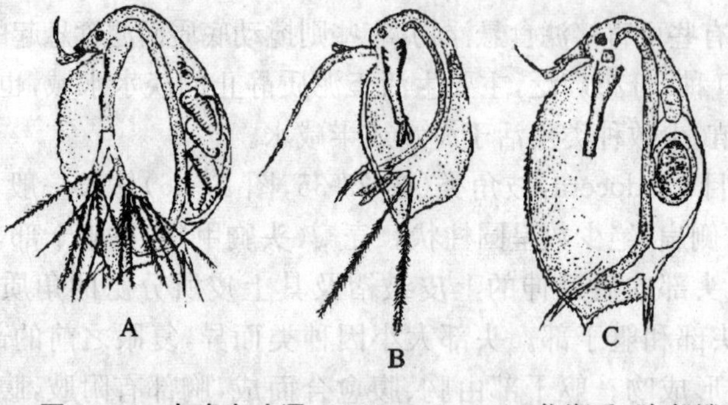

图 23-36 鸟喙尖头溞 *Penilia avirostris*(仿郑重、陈孝麟)

A. 孤雌生殖雌性侧面观；B. 有性生殖雄性侧面观；C. 有性生殖性侧面观

枝角类的摄食以滤食为主,有少数种类进行捕食。滤食的枝角类其第 2 至第 5 躯干部附肢或第 3、第 4 躯干部附肢上的羽状刚毛排成栉状,借助附肢摆动形成水流,水中的细菌、微小的浮游植物以及有机碎屑被收集起来送到口内。

枝角类的生殖包括两性生殖和孤雌生殖，这两种生殖方式随环境的变化有规律地交替进行。当外界条件比较适宜时，进行孤雌生殖，这时雌体所产生的卵为夏卵，这种卵不需受精即可发育，因此又称为非需精卵，孵化出的个体全部为雌性，通过这种方式可以迅速繁衍后代。在环境条件恶劣时进行两性生殖，这时种群中不仅有雌性个体，并且出现雄性个体，两性个体交配，雌体所产生的卵为冬卵，由于它必须受精才能发育，因而又称为需精卵。当卵子发育到囊胚阶段就可离开母体，经过一段滞育期（几天到几个月），至环境条件改善后，才继续发育，孵出幼体，因此冬卵又称为滞育卵或休眠卵。冬卵孵出的幼体均为雌性，是下一周期的第1代孤雌生殖的雌体。由此可见，两种生殖方式的交替是枝角类对环境的一种特殊适应，在不利的环境条件下，两性生殖可以保证种群的延续；在有利条件下，孤雌生殖可充分利用条件，扩大种群（图 23-37）。

枝角类多数生活于各种静水或流速小的内陆水域，海洋种类较少（约 20 种）。一些海洋种类在我国沿岸水域广泛分布，其中鸟喙尖头溞 *Penilia avirostris*（图 23-36）可作为沿岸水流的指示种。

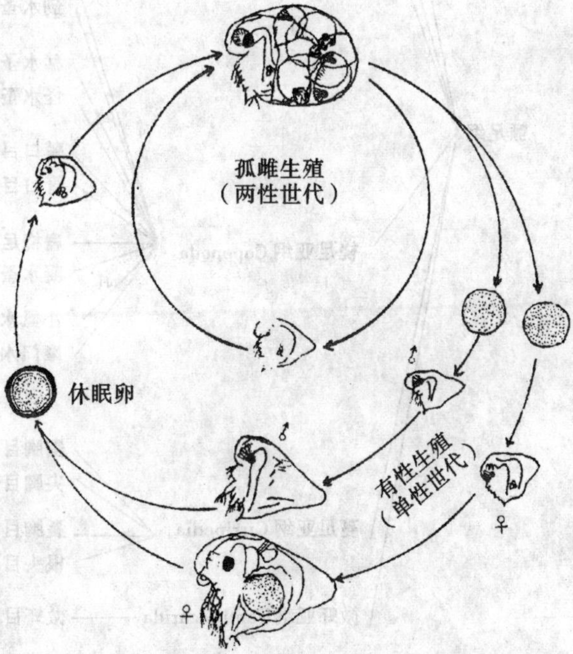

图 23-37　海洋枝角类生活史（仿郑重）

23.4.3.4 颚足纲 Maxillopoda

颚足纲大多数为小的甲壳动物，整个身体分为头部 5 节、胸部 6 节、腹部（多数种类）4 节和 1 个尾节。胸与头部愈合的体节数有变化，尾节通常具尾叉。第 1 触角单肢型，第 2 触角单肢型或双肢型，胸部附肢双肢型（少数单肢型）无上肢（介形亚纲除外），腹部无附肢。具头胸甲或头胸甲退化。

颚足纲作为一个分类阶元已被很多分类学家所接受，但该纲的特征及所包括的类群仍有争议。本书将颚足纲分为 6 亚纲 22 目(表 23-4)。

表 23-4 颚足纲的分类

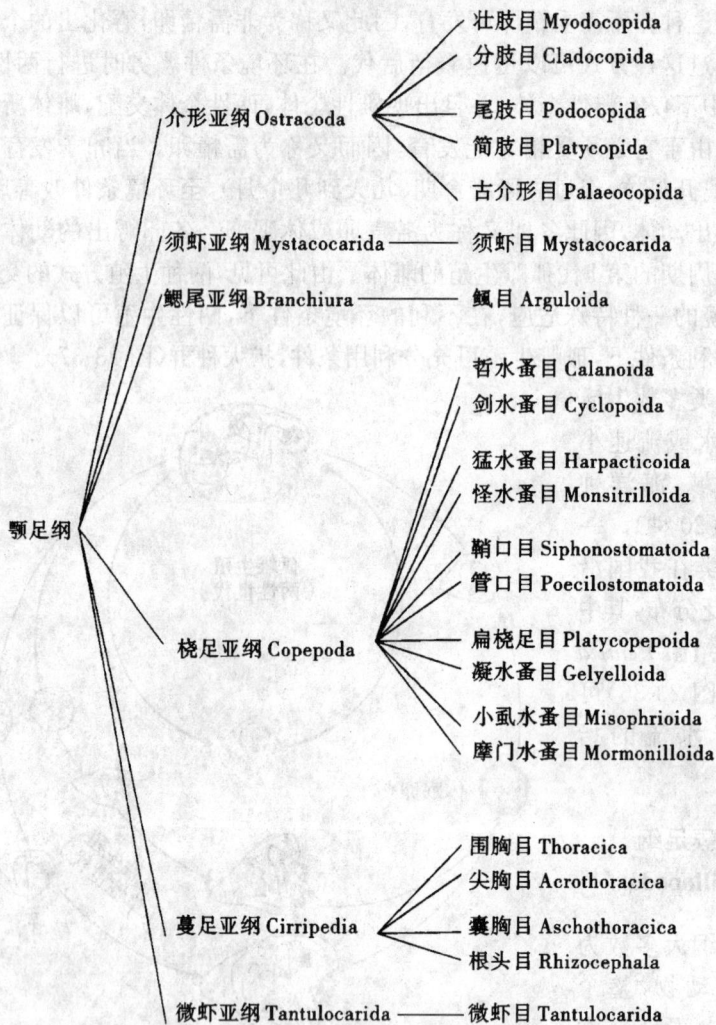

纲	亚纲	目
颚足纲	介形亚纲 Ostracoda	壮肢目 Myodocopida
		分肢目 Cladocopida
		尾肢目 Podocopida
		简肢目 Platycopida
		古介形目 Palaeocopida
	须虾亚纲 Mystacocarida	须虾目 Mystacocarida
	鳃尾亚纲 Branchiura	鲺目 Arguloida
	桡足亚纲 Copepoda	哲水蚤目 Calanoida
		剑水蚤目 Cyclopoida
		猛水蚤目 Harpacticoida
		怪水蚤目 Monsitrilloida
		鞘口目 Siphonostomatoida
		管口目 Poecilostomatoida
		扁桡足目 Platycopepoida
		凝水蚤目 Gelyelloida
		小虱水蚤目 Misophrioida
		摩门水蚤目 Mormonilloida
	蔓足亚纲 Cirripedia	围胸目 Thoracica
		尖胸目 Acrothoracica
		囊胸目 Aschothoracica
		根头目 Rhizocephala
	微虾亚纲 Tantulocarida	微虾目 Tantulocarida

亚纲 1. 介形亚纲 Ostracoda

(1)外部形态:本亚纲动物是一类小型低等动物,体长仅 0.1～32 mm。体外披钙化的介壳(头胸甲),身体分为头部和躯干部,从外表来看,形似软体动物瓣鳃类,介壳的表面无生长线,常有各种突起和花纹,这是鉴定的重要依据之一。左右两介壳不对称,其中一片常大于另一片。介壳的背部铰合,有的种类还有齿。左右介壳之间有 1 对闭壳肌,这对肌肉横贯整个身体,左右肌肉内端在身体内部中央以短的肌腱连接，外端着生在介壳内面。介形类多数种类有中央单眼，有些有复眼，复眼有不明显的眼柄或无眼柄。躯干部短，不分节，躯干后部向腹面弯曲，末端具尾叉，尾叉的形态随种类不同而异(图 23-38 A,B)。

介形动物附肢最多不超过 7 对。第 1 触角单肢型，具运动、感觉功能，形态多变，在有些种类中，雄性第 1 触角较发达，具有十分发达的感觉毛及嗅毛；第 2 触角双肢型，是重要的运动器官，原肢 1 节，内肢、外肢不等大；大颚为双肢型，原肢的底节与内肢共同构成发达的大颚须，大颚须有发达的爪与刚毛，形似胸肢，有爬行的功能，有的种类大颚可执握食物或协助咀嚼食物，外肢一般较小，通常被称为呼吸板；第 1 小颚单肢型，形态变化较大；第 2 小颚(即第 1 小颚之后的 1 对附肢)单肢型，也称为颚足或第 1 步足，可摄取食物或咀嚼食物，有的种类还可以用来爬行；胸肢(步足)单肢型，末端具爪，用以爬行，胸肢的数目是分目的主要依据(分肢目无胸肢，简肢目 1 对胸肢，壮肢目与尾肢目则有 2 对胸肢)。

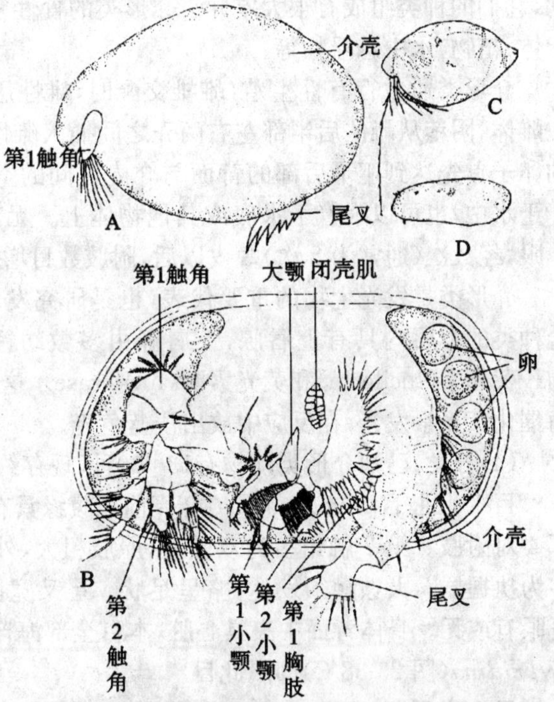

图 23-38　介形动物

A. 侧面观；B. 内部结构(左壳被移去)；
C. 海萤 *Cypridina sinosa*；D. *Darwinula stevensoni*
(A,B 仿 Cohen；C 仿 Poulsen；D 仿 Sars)

(2)内部结构：口位于大颚之间，中肠宽大、呈囊状，其前端多具 1 对盲囊，后肠很短，肛门一般位于尾叉背面，但壮肢目的肛门位于尾叉腹面。淡水种类一般具有触角腺和颚腺，有些种类成体仅有触角腺。除海萤科有些种类具鳃外，介形亚纲均无特化的呼吸器官，气体交换完全依靠身体表面，两对小颚的打动产生水流，水从左右介壳的前方流向后方。绝大部分种类无循环系统。介形动物为雌雄异体，雌体具 1 对半圆形或管状的卵巢，位于身体后部中肠左右两侧，生殖孔位于最后 1 对附肢上。雄性精巢形态多样，左右精巢与输精管相连，输精管的后端为射精管和1对阴茎，阴茎位于尾叉前方腹面。

(3)分布与习性：介形类动物是一类分布很广的甲壳动物，从古到今、从海洋到淡水甚至陆地、从浮游到底栖均可找到介形类的踪迹。由于生活环境的不同，它们的种类组成有很大差异。介形类的食性复杂，可以摄食活的动物、动物尸体、植物、水中悬浮物等。

介形类通常行有性生殖，雌雄交配时，雄性用第2触角或第1对躯干肢抓住雌体，阴茎从雌体后半部左右两壳之间插入雌性生殖孔。从雌性生殖孔产出的卵子首先达到躯干后部的背面与介壳之间的空腔中，随后排卵，卵子可直接产于水中，也可以附着于水底或其他物体上。无节幼虫具1对介壳，有壳肌和单眼，经数次（通常为8次）蜕皮以后，附肢数目增加，逐渐变为成体。

介形类是发光生物的重要代表，也是研究发光生理、生化的常用材料。发光种类的上唇内具有上唇腺，上唇腺由多数纺锤状细胞组成，排出两种内含物—荧光素（luciferin）和荧光素酶（luciferase），这两种物质与水接触时，荧光素酶催化荧光素发光，在反应中放出浅蓝色光。

(4)分类：已知介形类动物有13 000种，现存约8 000种，分属5目（表23-4）。

目1.壮肢目 Myodocopida：介壳前端腹缘具有触角凹，头部5对附肢，躯干部4对附肢。第2触角多为双肢型，原肢粗大，外肢9～10节，内肢退化，雄性多为执握器。大颚触须发达，略呈足状。尾叉宽而扁，呈片状，有强大的爪刺。复眼有或无。身体背面中央具心脏，本目全部海产。发光生物的著名代表海萤 *Cypridina*（图23-38 C）即属此目。

目2.分肢目 Cladocopida：介壳前端无触角凹，全身仅头部具5对附肢。躯干部无附肢，第2触角内、外肢均发达。大颚触须发达，不呈足状。尾叉片状，边缘有强大的爪刺。无复眼。无心脏。为海产底栖性动物。

目3.尾肢目 Podocopida：介壳无触角凹，头部5对附肢，躯干部2对附肢。两对触角均较为发达，第1触角足状，第2触角近乎单肢型，外肢退化，内肢最多4节。大颚发达，大颚触须弯曲，多呈足状。尾叉的分叉细长，呈柱状。无复眼和心脏，常具有发达的单眼。本目包括大部分淡水种类和部分海洋种类，少数可分布到陆地。如 *Darwinula stevensoni*（图23-38 D）。

目4.简肢目 Platycopida：介壳无触角凹，除头部5对附肢外，只有1对躯干肢。第2触角有发达的内、外肢。大颚触须长，具有长而排列成梳状的刚毛。尾叉叶状，边缘有刚毛。无复眼、无心脏。全部海产。

目5.古肢目 Palaeocopida：该目几乎全部为化石种类，仅1科 Puniciidae 为现存种类，分布于南太平洋。

亚纲 2. 须虾亚纲 Mystacocarida：身体细小，圆柱状，体长 0.5 mm 左右，有的种类可达 1 mm。身体无色、柔软，分为头部、躯干部和尾节（图 23-39）。无头胸甲，头部延长，其显著特点是具有 1 条横的缢沟将头部分为前头部和后头部，前头部前缘发出 1 对前内叶，着生第 1 触角。后头部较长，着生第 2 触角。

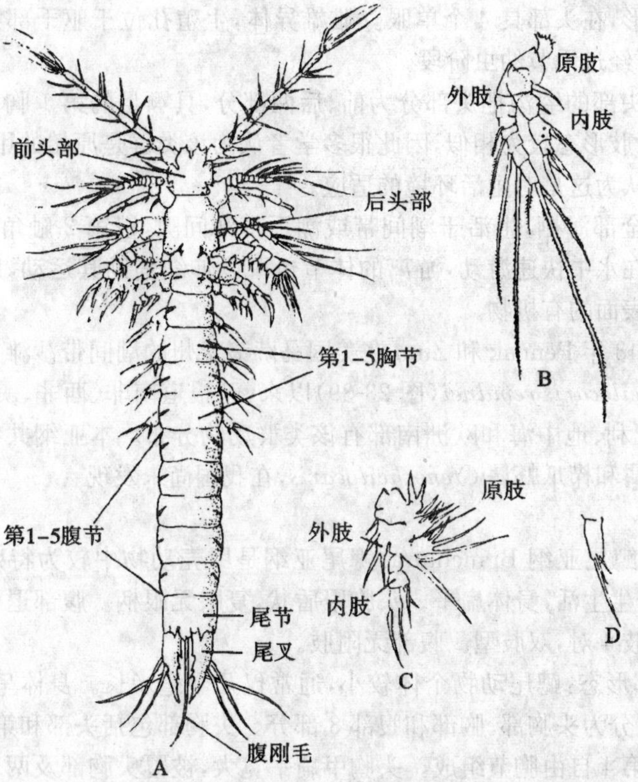

图 23-39 勒氏长唇虾 *Derocheilocaris remanei*

A. 背面观；B. 大颚；C. 第 2 小颚；D. 第 3 胸肢（仿 Delamare 等）

躯干部共 10 节，胸部和腹部各 5 节，均为自由体节，左右两侧各体节间均有凹陷，尾节末端有 1 对强壮的钳状尾叉，各尾叉上具 3 条长的刚毛，左右尾叉基部之间尾节向后发出肛上突，肛上突末端从腹侧发出一根长的腹刚毛。

头部具 5 对附肢，第 1 触角发达、单肢型、第 2 触角发达、双肢型、原肢不分节且内、外肢分节，大颚双肢型、基部可用于咀嚼，两对小颚均为单肢型、其外肢退化。胸部每节具有 1 对附肢，第 1 对胸肢为颚足、双肢型、原肢分为基节和底节、内肢一般分为 3 节、外肢不分节较为短小，第 2 至第 5 对胸肢单肢型、短小只有 1 节、末端具 1～2 根长刚毛和 1 根短刚毛。腹部各节无附肢。

须虾类口被一宽而长的上唇覆盖，消化道分为前肠、中肠、后肠，肛门位于尾节。无呼吸系统，排泄依靠颚腺和触角腺。幼虫具循环系统，成体则无。神经系统为梯形，在头部具 4 个单眼。雌雄异体，生殖孔位于躯干部第 4 节的腹面，胚后发育经过无节幼虫阶段。

须虾类头部的缢沟把头部分为前、后两部分，具颚足的第 1 胸节不与头部愈合，口部附肢形态较为相似，因此很多学者认为该类群是原始的甲壳动物，但有些学者则认为这是对生活环境的适应。

须虾类全部海栖，生活于潮间带或潮下带沙间隙，以第 2 触角、大颚、第 1 小颚的拨动在水中快速游动，游离的体节也可以伸缩辅助其运动，以口部的附肢刮食沙粒表面的有机物。

自从 1943 年 Pennak 和 Zinn 在美国马萨诸塞州的潮间带沙滩发现勒氏长唇虾 *Derocheilocaris remdnei*（图 23-39）以来，已报道南非、西非、美国东海岸、墨西哥湾、智利、地中海和欧洲南部有该类群动物分布。本亚纲共有 10 种，分属于长唇虾属和栉爪虾属 *Ctenocheilocaris*，在我国尚未发现。

亚纲 3. 鳃尾亚纲 Branchiura：鳃尾亚纲是甲壳动物中较为特殊的一个类群，全部外寄生生活，身体扁平。头胸甲盾状，复眼无眼柄。腹部退化，不分节，呈鳍状。胸肢 4 对，双肢型。腹部无附肢。

（1）外部形态：鳃尾动物个体较小，通常仅几个毫米长。身体呈圆形，背腹扁平，身体可分为头胸部、胸部和腹部 3 部分。头胸部包括头部和第 1 胸节，胸部由第 2 至第 4 自由胸节组成。头胸甲扁平宽大，被覆头胸部及两个游离的胸节的背面，但仅与头胸部愈合。腹部不分节，腹部后缘分两叶，称为腹叶，腹叶内侧有 1 对很小的尾叉。

鳃尾类的附肢高度适应于寄生生活，第 1 触角和第 2 触角十分短小，双肢型，具有钩、刺等结构（图 23-40 A～C），因此触角除感觉功能以外，还能用来附着在寄主身上。鲺属 *Argulus* 的大颚藏于上下唇构成的口管内，大颚小，结构较为复杂，具细齿（图 23-40 A, D）。在口管前方有一长的口前刺，唾液腺（毒腺）即开口于口前刺末端。第 1 小颚单肢型，特化为吸盘状，有强的吸附力，是附着的主要器官（图 23-40 E）；第 2 小颚单肢型，有很多刺和刚毛，有辅助附着的功能（图 23-40 F）。胸肢 4 对，双肢型，在水中自由活动时为游泳器官。腹部无附肢。雌性生殖孔 1 对，位于第 4 对胸肢基部；雄性生殖孔 1 个，位于最后 1

个胸节腹面中央。复眼1对，无眼柄，单眼1～3个。

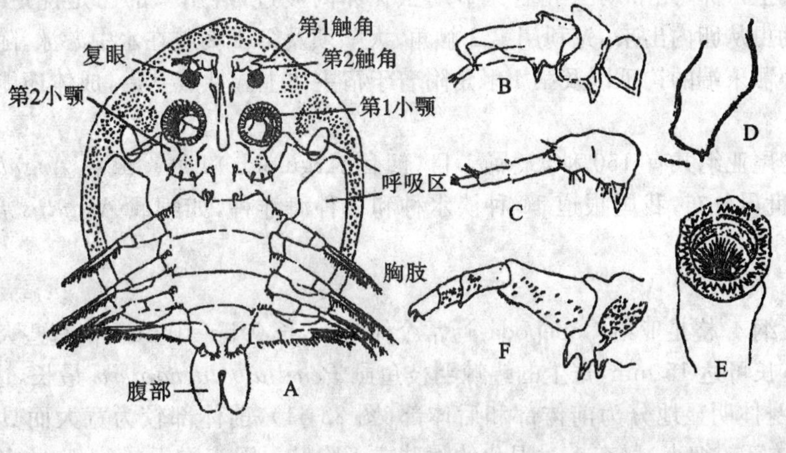

图 23-40 鲤鲺 *Argulus foliaceus*

A. 雌体腹面观；B. 第1触角；C. 第2触角；D. 大颚；E. 第1小颚；F. 第2小颚

（A仿堵南山；B～F仿 Floessner）

（2）内部构造：消化道分为前肠、中肠和后肠3部分，前肠、后肠由外胚层发育而来，中肠长而宽大。排泄作用靠小颚腺完成，无专门的呼吸器官，呼吸作用靠体表完成，特别是在头胸甲两侧的腹面各有2个呼吸区，气体交换旺盛，附着在寄主身上时，4对胸肢不断拨动以激起水流，利于呼吸。中枢神经系统包括1个脑神经节和1个大的神经团。雌雄异体，卵巢1个位于肠道上方一侧，精巢1对，位于腹部近背侧处。

（3）习性和分布：鳃尾动物为暂时性外寄生种类，寄生在海、淡水鱼类或两栖类身体上，由于更换宿主、生殖等原因，鲺类能脱离寄主，在水中靠胸肢拨动自由游泳。另外，头胸甲左右两侧叶可以上下活动，改变运动方向，当遇适合的寄主之后便附着上去，附着时身体的长轴与寄主的长轴平行，附着部位一般是鳃和鱼鳍之后，固着的主要器官是吸盘及多刺的第2小颚，头胸甲左右两叶、身体腹面的倒刺及触角上的钩刺也能起到辅助固着作用。鲺类用口前刺和口管上的刺刺破寄主的皮肤，口前刺将唾液腺分泌的毒液注射到伤口，以防止血液凝固，然后用口管吮吸血液，大颚的作用在于进一步扩大伤口。鲺类对寄主的危害较大，它不仅吸食血液，唾液腺分泌的毒液对寄主有毒害作用，同时伤口为病原体的侵入创造了良好的条件。

鲺类的交配在寄主体表进行，交配后，雌雄分开，通常一个雄性个体可与多个雌性个体交配。排卵前，雌体脱离寄主，在水中游动，随后附着于石块、木桩等基质上产卵，无节幼虫和后无节幼虫在卵内渡过，孵出来的已是桡足幼虫。桡足幼虫从卵内出来，先利用第 2 触角、大颚须及第 1 胸肢在水中游泳，随后用第 1 小颚末端的钩爪以及第 1 触角附着于宿主体上。性成熟后，成体还能继续蜕皮。

鳃尾亚纲共有 150 种，隶属 1 目（鲺目 Arguloida）4 属。鲺属 *Argulus* 习见，呈世界分布，我国报道 10 种淡水种和 1 种海洋种，如鲤鲺 *Argulus foliaceus*（图 23-40）。

亚纲 4. 桡足亚纲 Copepoda：通常个体较小，长 0.5～10 mm，但有些大洋性种类体长可达 15 mm，寄生的鳁鲸羽枝鱼虱 *Penella balaenoptera* 最长，达 320 mm。身体明显地分为前体部和后体部（图 23-41），前体部较为宽大而具有附肢，后体部较细小，仅有 1 对退化的附肢或无附肢。无头胸甲，第 1 胸肢多为颚足。有自由生活的，也有寄生（或阶段性寄生）生活的，胚后发育经过桡足幼虫期。

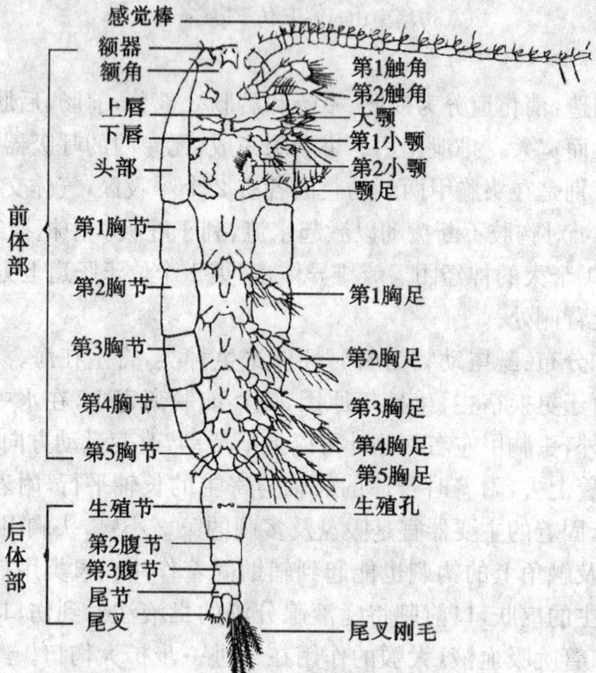

图 23-41　桡足类雌体的腹面观（仿 Giesbrecht 等）

(1)外部形态:由于生活习性的不同,桡足类的体形多种多样,浮游种类呈圆柱形,附肢刚毛较发达,底栖种类扁平、狭长,寄生种类则呈蠕虫状囊包形、附肢退化具有吸盘。桡足类通常身体透明,有各种色彩的斑点,身体的颜色取决于所含的油滴或所具有的色素,体色和生活环境密切相关。

身体分节明显,共16~17节,但由于体节愈合的原因,从表面看一般不超过11节。整个身体可分为前体部和后体部,在两者之间有1个活动关节,其位置是区别不同目的依据之一。前体部较为宽大,包括头部和胸部,头部由头节(5个体节愈合而成)和第1胸节(有些为一二胸节)愈合而成,头部的长度可能超过其余胸节的一倍。头部的前端称为前额,在它的腹面的突起称为额角,前额的背面常有1个单眼。胸部由3~5个体节组成(胸部6节,前一或两个胸节与头部愈合,末2个胸节也常有愈合),各节均具有1对附肢。腹部3~5节,不具附肢,腹部第1节为生殖节,具生殖孔,腹部的节数雌雄有别,雄性通常比雌性多一节。腹部最末一节为尾节或肛节,肛门位于尾节背面近前缘处,尾节末端有1对尾叉(图23-41)。尾叉的形状、长度等随种类而异,尾刚毛对于浮游生活有重要意义。

桡足类共有11对附肢。

第1触角:单肢型,细长,分节,位于头部前端两侧,其长度与节数因种类而异,雄性第一触角常特化为执握肢。浮游种类的第1触角通常较长,营底栖生活的种类则较短,绝大多数寄生种类的第1触角退化。第2触角双肢型,原肢2节,内肢2节,外肢5~7节,浮游种类发达,底栖种类则退化或消失。除运动外,还具有摄食功能。

大颚:一般为双肢型,位于上唇之下。原肢2节,基节为几丁质板,面向上的一端呈锯齿状,称为咀嚼缘,咀嚼缘齿的数目、结构、排列等因种类、摄食习性、性别而异。大颚的底节及分节的内外肢合称为大颚须,具有刚毛。寄生种类的大颚结构简单,呈镰刀状、爪状、棒状或针状等。

第1小颚:双肢型,位于口的后方,形态因种类而异。哲水蚤目的第1小颚较发达,其他各目则结构简单、退化,寄生种类甚至完全消失。

第2小颚:单肢型,位于第1小颚之后,原肢发达,内肢简单,外肢完全退化。

颚足:单肢型,是胸部第1对附肢,有辅助摄食的作用,原肢很长,分2节,内肢1~5节,无外肢。不少种类的颚足退化,有的甚至完全消失。

胸肢:位于胸节的腹面,共5对。前4对为游泳器官,结构相似,通常无雌雄区别,左右对称,双肢型,原肢2节,内外肢各3节,内肢较外肢短,节数因愈合而减少。第5对胸肢常有不同程度的改变,雌性第5对胸肢退化或消失,雄性则特化用于交配。

(2)内部结构：消化道简单，分为口腔、食道、胃、中肠、后肠、肛门等几个部分。口位于头部腹面中央上唇之后，肛门位于第5腹节即尾节末端左右尾叉基部之间的背面。绝大多数种类无特化的循环系统，血液借消化道的摆动和附肢的运动而流动。桡足类无专门的呼吸器官，借体表的扩散作用获得氧气，另外有些种类还可进行肠呼吸。无节幼虫阶段的排泄器官为触角腺；桡足幼虫之后，则以颚腺行排泄作用，触角腺逐渐退化、消失；此外，身体的表皮和消化道的后端也具有一定的排泄作用。中枢神经系统的神经节相互愈合，变得十分简单，分节现象消失。寄生种类的神经系统则更趋于退化，脑和腹神经索往往合并为一个大的神经团。桡足类无复眼，只具单眼。自由生活的种类有1对额器，位于身体前端，基部具有感觉细胞，额器的功能尚不完全明确。

多数种类为雌雄异体。雌性生殖孔位于第1腹节的腹面，剑水蚤目多具两个雌性生殖孔，而哲水蚤目和猛水蚤目则有1个。雄性生殖孔位于第1腹节的生殖瓣下，交配时成熟精子由此孔排出，然后移到雌体的腹部上。

(3)生殖发育：一般种类行两性生殖，雄性个体以第一触角或第五游泳足把握雌体。交配后雌雄个体分开，雌体负着精荚，精荚的中轴物质吸水膨胀，把精荚内的精子压出，精子或直接进入输卵管的末端(无纳精囊种类)，或进入纳精囊中储备，而后进入输卵管的末端。卵子在输卵管的末端受精以后，即可排出体外。桡足类产卵有下列几类方式：①直接把卵产于海水中，大多数哲水蚤目种类属此。②多数桡足类有抱卵习性，从雌性生殖孔排出的受精卵粘着成团，外包薄膜形成卵囊，粘附于生殖节上(图23-42 A～D)，卵在卵囊内发育到无节幼虫阶段才孵化。③有些桡足类产粘性卵，粘附在胸肢上(图23-42 G)。受精卵有两层卵膜，孵化前，外膜先膨胀而破裂，随后幼体由内膜中脱出，胚后发育有变态。经5～6个龄期的无节幼虫及5个龄期的桡足幼虫阶段，发育为成体，成体不蜕皮。桡足类胚后发育各阶段长短不同，无节幼虫各龄期短，桡足幼虫各龄期长，特别是第5龄期，这一龄期体内储存了大量的脂肪，完成雌雄的两性分化。成体期较短，因此在浮游动物组成中，桡足类的成体较为少见。

(4)分布与习性：桡足类种类多、数量大、分布广，常常是海洋中占优势的浮游生物，在海洋生态系统中占重要地位。绝大多数的哲水蚤类和剑水蚤类终生营浮游生活，猛水蚤则多营底栖生活。有些桡足类营阶段性浮游生活，如怪水蚤类的幼虫营寄生生活，成体则在海中浮游。

桡足类的生长不仅受内在因素，特别是代谢率的影响，也受外界因素如温度、饵料丰度等的影响，在适温范围内，桡足类的生长率随温度升高而加速。同一种桡足类其大小常因纬度、深度和季节而不同，愈近热带，个体越小；栖息深度增加，个体增大；高温季节个体小，低温季节个体大。

桡足类的食性可分为滤食型和捕食型。浮游的哲水蚤目中绝大部分种类为滤食型动物，通过附肢的摆动激起水流而摄取微小生物和其他有机颗粒。滤食时，由于第2触角、大颚须和第1小颚外肢的快速颤动，引起身体侧面的涡流，当水流通过第2小颚和颚足的羽状刚毛交织而成的滤网时，食物颗粒被过滤下来，并由小颚内小叶的刚毛送入口中。滤食型桡足类的大颚咀嚼缘齿较多，呈臼齿状，有发达的硅质齿冠，能磨碎硅藻的硅质细胞壁。大多数剑水蚤类及部分哲水蚤类是捕食者，能主动地捕食饵料生物，通常具强壮而生有粗刚毛的第2小颚及颚足。剑水蚤类以两对触角觅食并确定食物方向，用第1小颚抓住食物，如果食物较大，则由第2小颚和颚足协助，共同将食物送向大颚，靠大颚来切下食物，送到口中，最后借咽部肌肉的活动而吸进食道内，大颚不起咀嚼作用而只用来将食物撕碎。猛水蚤目的摄食情况还不很清楚，大概沿水底爬行，摄食有机碎屑与动物尸体。

无论淡水还是海洋均有寄生的桡足类，从腔肠动物开始的大多数动物(管水母、多毛类、螠、软体动物、甲壳动物、棘皮动物、半索动物、尾索动物、鱼类、鲸等)均可作为宿主，其中鱼类是寄生桡足类的良好宿主。寄生桡足类绝大多数是外寄生，寄生于宿主的体表、鳃、鳍、皮肤、鳞、鳃盖的内面及口腔、鳃腔的内面，有些种类则内寄生于宿主的器官内。寄生桡足类有些仅个体发育的某个阶段营寄生生活，无节幼虫自由浮游而桡足幼体寄生于宿主身体上，长大后则又离开宿主，暂时浮游于水中，随后再营寄生生活。

有些桡足类，特别是栖息于深海的种类如长腹水蚤科、异肢蚤科等有发光能力。

(5)分类：已描述的桡足类约9 000种，现常分为10目(表23-4)，其中下列各目比较重要。

目1.哲水蚤目 Calanoida：(图23-42 A)：身体的前体部宽大，后体部瘦小。活动关节位于最末胸节和第1腹节之间。第1触角长，节数多；第2触角双肢型。雄性第5胸足常呈钳状。多数种类有心脏。卵直接产于水中或产于卵囊内。全部自由生活，多数浮游。主要分布于海洋，是海洋食物链中初级消费者的重要成员之一。

目2.猛水蚤目 Harpacticoida：(图23-42 B)：头部与两个胸节愈合而成头胸部，前体部包括头胸部及后续的3个自由胸节；后体部包括最后一节胸节和腹部。前体部和后体部区别不明显，活动关节位于最后两个胸节之间。尾叉一般短小。卵囊1～2个。无心脏。第1触角很短，第2触角双肢型。自由生活于海水、淡水、半咸水中，只少数寄生。

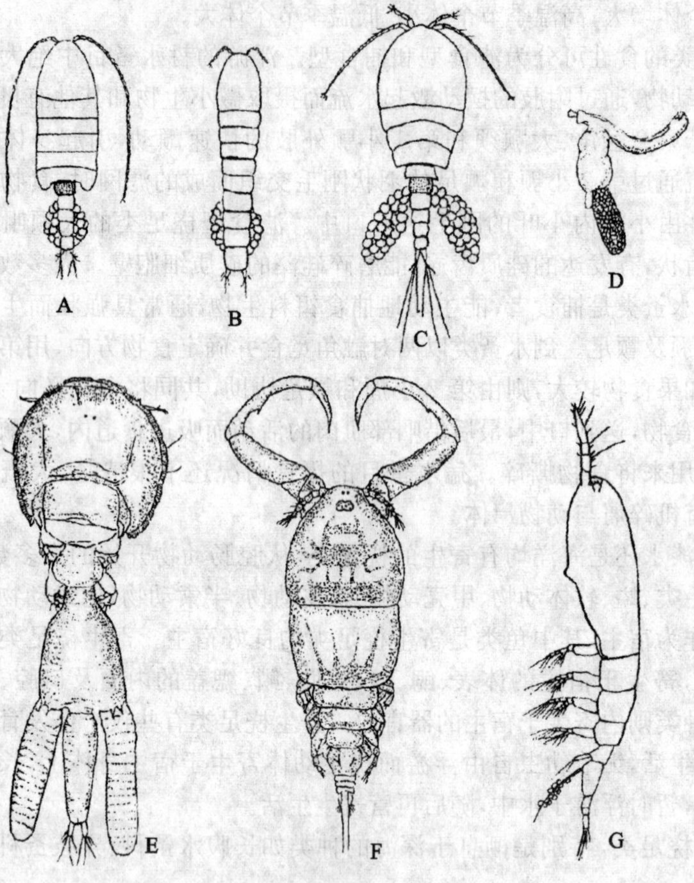

图 23-42　桡足动物(仿各作者)

A. 哲水蚤;B. 猛水蚤;C. 剑水蚤;D. 柱颚虱 *Clavella adunca*;
E. 雌性 *Trebius heterodonti*(管口水蚤目);F. *Ergasilus pitalicus*(杯口水蚤目);
G. 赫耳兰怪水蚤 *Monstrilla heloglandica*

目 3. 剑水蚤目 Cyclopoida:(图 23-42 C):前体部比后体部宽大,活动关节位于最后两个胸节之间。第 1 触角较短,第 2 触角单肢型,无心脏。自由生活,分布于海洋、淡水。

目 4. 怪水蚤目 Monstrilloida:身体圆筒形,前体部比后体部宽,活动关节位于第 4,第 5 胸节或第 5,第 6 胸节之间。幼体寄生于腹足类、多毛类及棘皮动物体内,成体浮游生活,如赫耳兰怪水蚤 *Monstrilla heloglandica*(图 23-42 G)。

目 5. 鞘口目 Siphonostomatoida:大多数雄性第 1 触角特化为执握肢,第 2

触角双肢型，口器刺吸式，大颚咀嚼缘尖。个体小，身体分节不明显。在各类无脊椎动物及淡水、海水鱼类中行内、外寄生生活，如柱颚虱 *Clavella adunca*（图 23-42 D）。

目 6. 管口目 Poecilostomatoida：雄性第 1 触角均不变为执握肢，第 2 触角单肢型，口器吮吸式，大颚退化，身体分节不明显。主要寄生于无脊椎动物和海洋鱼类，如 *Ergasilus* pitalicus（图 23-42 F）。

亚纲 5. 蔓足亚纲 Cirripedia：全部为海洋动物，绝大多数成体营固着生活，固着于岩石、贝壳、珊瑚礁、漂浮的木块及其他物体上，有些种类能同鲸、龟、鱼等动物共生。少数种类寄生生活。该类群是甲壳动物较为畸变的一类，藤壶身体外有石灰质的壳板，长期以来被认为是软体动物。直到 19 世纪 30 年代，发现藤壶幼虫后，人们才认识到蔓足类是甲壳动物的一员，藤壶才不再列入软体动物之中。

（1）外形：绝大多数蔓足动物个体较小，大小仅几毫米，身体分节不明显，外包由皮肤形成的外套膜，外套膜表面有石灰质的壳板。第 1 触角细小，用以附着，第 2 触角退化。胸肢内外肢卷曲，形如蔓草，由多节构成。自由生活的蔓足动物身体左 右对称，通常分为有柄（stalked）和无柄（sessile）两类。

茗荷类（图 23-43 A，C）为有柄的类群，柄部的一端固着于基质上，另一端与身体的主要部分—头状部（capitulum）相连。柄部通常裸露，是动物的口前部，内有退化的第 1 触角、水泥腺、卵巢、大的血窦及结缔组织，较为柔软。头状部是身体的主要部分，腹面向上，通常弯曲，与柄部垂直。头状部被外套膜包裹，外套膜的表面至少有五片壳板，即峰板（carina）1 片、背板（tergum）1 对、盾板（scutum）1 对（图 23-43 A）。在外套膜背部的峰板龙骨状，从柄部与头状部交接处一直延伸至头状部顶端，峰板向前被一对背板覆盖，峰板向后被一对盾板覆盖，在左右盾板之间有一大的闭壳肌，当背板和盾板各向两侧张开时，胸肢和交接器可伸出体外。

藤壶（图 23-43 B，D）为无柄的类群，其附着的底面叫基板（basis），为膜质或石灰质，这部分为口前部，内有水泥腺。头状部在峰板一侧变短，而吻板一侧变长。藤壶有一些壳板组成壁板（mural plate）包围动物体。壁板最基本的类型是由峰板、吻板、侧板、峰侧板、吻侧板组成，各壁板相互嵌合，基部又与基板愈合，因此壁板不能活动。另外，由于壁板的愈合、断裂、增生、退化，不同种类藤壶的壁板变化很大。壁板的上端被壳盖（operculum）覆盖，壳盖由成对的背板和盾板构成，通常壁板向上延伸，形成类似门厅的结构，动物体即在其中。

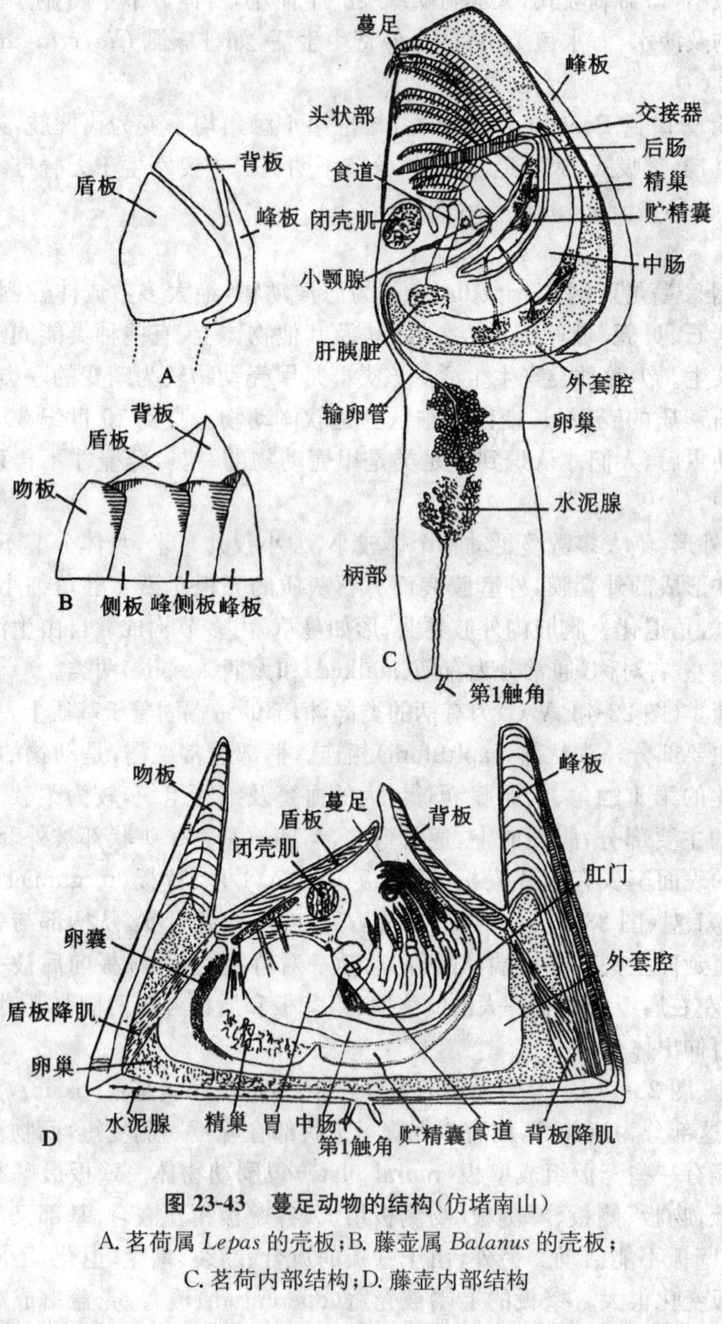

图 23-43　蔓足动物的结构（仿堵南山）

A. 茗荷属 *Lepas* 的壳板；B. 藤壶属 *Balanus* 的壳板；

C. 茗荷内部结构；D. 藤壶内部结构

蔓足动物壳板的主要机能是保护身体，也用于平衡酸碱度，当动物处于酸性环境中，壳板的石灰质可作为碱的储备释放出来，调节外套腔内水的 pH 值。

蔓足类动物的头状部被外套膜包裹，外套膜为皮肤皱褶延长而形成，从柄部后端发出，自背侧包围整个头状部，左右两侧的外套膜的腹缘不愈合，留一外套膜孔，动物的口器、胸肢和交接器可以从此伸出。

蔓足动物的第 1 触角细小，位于身体的口前端，其作用为附着。第 2 触角完全退化，仅存于幼虫阶段。口器咀嚼型。胸肢 6 对，双肢型，蔓状，蔓足亚纲由此得名，原肢两节，内外肢均分为多节，向前弯曲，自第一至第六胸肢长度与节数逐渐增大。蔓足上生长很多刚毛，通过蔓足的运动，动物体可以达到摄食和呼吸的目的。在摄食时，成对的背板和盾板向两侧张开，蔓足从外套孔伸出，每侧的蔓足形成一张网状结构，两张网相向，向下运动，这时悬浮于水中的食物颗粒即被过滤到蔓足的刚毛上，由第 1 至第 3 蔓足取下，送至口中。食物颗粒的大小变化很大，有些茗荷可以滤食桡足类、等足类、端足类等，因此这些动物被称为捕食者更为确切。

(2)内部结构(图 23-43 C,D)：蔓足动物消化道简单，前肠较细长，中肠大、弯曲呈 U 型，后肠短而细，肛门开口于身体末端的背侧、交接器基部。消化腺包括唾液腺和肝胰脏，唾液腺的分泌物排入口中，肝胰脏 1 对，形状结构因种类而异。

无心脏和血管，血液在身体各部分的血窦及组织中流动，血液流动完全依靠身体各部分的活动，由食道附近的吻血窦及闭壳肌提供主要动力，血液也能流到外套膜壁及柄壁等处。新鲜血液为亮红色，白血球不多。

无专门的呼吸器官，外套膜和胸肢为主要气体交换场所。排泄器官为成对的颚腺，位于食道背后方。由于身体缩短，蔓足动物的神经系统趋于集中，脑神经节位于食道之前，在无柄类腹神经索的各种神经节集中形成 1 个神经团，而在有柄类还可以看到食道下神经节和后续的 4 个神经节组成的腹神经索。胸肢上的感觉刚毛为蔓足动物重要的感觉器官，成体还保留无节幼虫眼，对不同光强产生反应。

绝大多数自由生活的蔓足动物为雌雄同体。由于在适宜的底质上有大量的个体着生，所以异体受精现象非常普遍。雄性生殖系统包括精巢、输精管、储精囊、射精管等，精巢为分布于躯干部各脏器之间的囊状小体，各精巢发出一条输精管汇合成两个储精囊，储精囊位于肠道腹侧的左右，储精囊汇合形成射精管，伸入交接器中，交接器着生于腹部末端，长管状，被有粗或细的刚毛。雌性生殖系统包括卵巢、输卵小管、输卵管、交配囊等，茗荷类的卵巢位于柄部，而无柄的藤壶的卵巢位于身体的底部及外套膜的壁中，各卵巢发出输卵小管，汇合成两条大的输卵管，成对的输卵管开口于第 1 对蔓足的基部，在到达生殖孔之前通常膨大为交配囊。有些种类如铠茗荷 *Scalpellum*、毛茗荷 *Ibla* 等有矮雄现象，矮雄（dwarf male）个体生命周期短，个体小，结构简单，附于雌性个体（或雌雄同体）上。

(3)生殖发育：卵子经输卵管到交配囊，交配囊分泌黏液形成卵囊，内有很多卵，卵在卵囊内发育成熟，精子穿过卵囊膜上的细孔进入卵囊内完成受精作用。

多数种类的卵孵化为无节幼虫，无节幼虫的头胸甲呈三角形（图 23-44 A），经 6 次蜕皮成为介形幼虫（图 23-44 B,C），其头胸甲向腹侧弯曲，很像介形类的壳瓣，有 1 对无眼柄的复眼，利用 6 对游泳肢在水中游泳，自由游泳一段时间后，以第 1 触角来试探基质，寻找适宜的固着环境，光照、基质的粗糙程度、深度、基质上是否有菌膜均能影响介形幼虫的附着。附着以后，幼虫变态，蔓足变长，身体扭曲，幼虫壳瓣脱离，外套膜外分泌形成 5 片几丁质的原始壳板（primordial plate），经钙化成为石灰质壳板，形成幼藤壶（图 23-44 D）。很多藤壶在早期能调整身体的方向，使峰板顺着水流，这样动物体在水流中伸展开蔓状的足可以很容易地摄食到食物。

蔓足动物的表皮（外骨骼）位于外套腔的内表面，覆盖着附肢，与其他节肢动物一样，表皮在一定阶段也要蜕皮，钙质壳板由外套膜分泌，蜕皮时不脱落。钙质的沉积是连续的，只是低潮动物露出水面时，钙质沉积才被打断，所以壳板上的条纹与潮汐时间有关。钙盐可以从海水中获得，集中于皮下，然后再分泌到壳板的边缘和内表面，这样壳板就变大变圆。藤壶的底部是水泥体（cement），随着个体的生长而伸展，当受损伤后，还能修复，这种水泥体非常坚固，能承受很大的压力，由于这个特性受到了许多外科专家的重视。

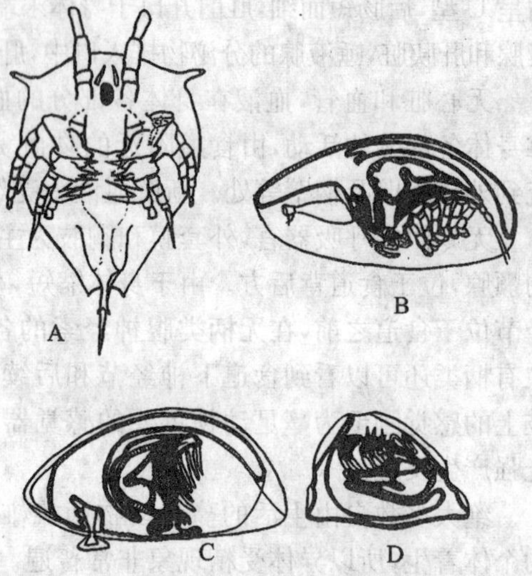

图 23-44　藤壶的变态（仿 Walley）

A. 无节幼虫；B. 自由游泳的介形幼虫；C. 附着不久的介形幼虫；D. 幼藤壶

多数藤壶能生存 2～6 年，但在附着初期死亡率很高。生长的速度及生活长短很大程度上受环境条件的制约，被其他个体或生物侵害是造成其死亡的主要原因。

藤壶类是轮船、浮标及其他设施的主要附着生物，可以随轮船传播到世界各地。一艘被附着严重的船只，其航行速度能下降 30%，因此防附着是世界航运业需要解决的棘手问题之一。

(4)分类：蔓足亚纲约有 1 000 种，隶属于 4 个目(表 23-4)。

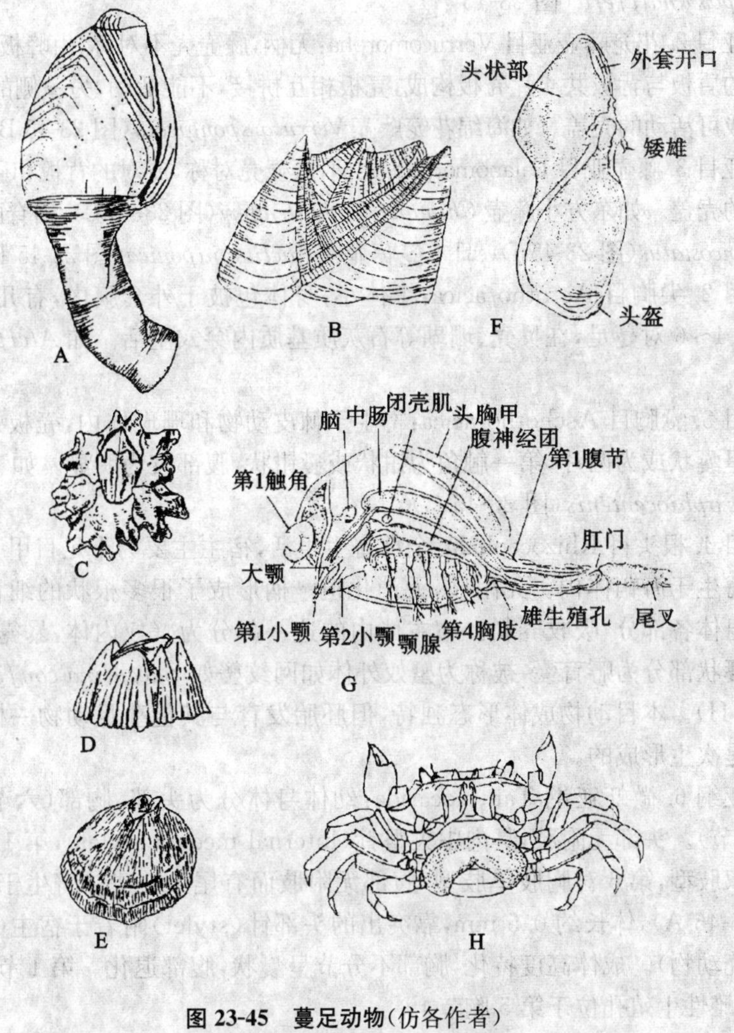

图 23-45　蔓足动物(仿各作者)

A. 茗荷 *Lepas anatifera*；B. 海绵花笼藤壶 *Verruca spongicola*；

C. 东方小藤壶 *Chthamalus challengeri*；D. 白脊藤壶 *Balanus albicostatus*；

E. 日本笠藤壶 *Tetraclita japonica*；F. *Alcippe*；G. 囊虱 *Ascothorax*；

H. 网纹蟹奴，寄生于蟹腹部

目 1. 围胸目 Thoracica：自由生活或共栖类群，身体被外套膜包围，外套膜外面有石灰质的壳板。具 6 对发达的蔓足，水泥腺发达。根据有无柄、壳板的排列分为 3 个亚目。

亚目 1. 茗荷亚目 Lepadomorpha：为有柄的一类，壳板不形成藤壶壳。如茗荷 *Lepas anatifera*（图 23-45 A）。

亚目 2. 花笼藤壶亚目 Verrucomorpha：无柄，藤壶壳不对称，由峰板、吻板以及一侧的盾板与背板共 4 片壳板构成，壳板相互拼接，不能活动，另一侧的背板和盾板构成可活动的壳盖。如海绵花笼藤壶 *Verruca spongicola*（图 23-45 B）。

亚目 3. 藤壶亚目 Balanomorpha：无柄，藤壶壳对称，成对的背板和盾板形成可活动的壳盖。如东方小藤壶 *Chthamalus challengeri*（图 23-45 C）、白脊藤壶 *Balanus albicostatus*（图 23-45 D）、日本笠藤壶 *Tetraclita japonica*（图 23-45 E）。

目 2. 尖胸目 Acrothoracica：个体小，身体包被于外套膜内，有几丁质的壳板，具 4～6 对蔓足，在贝壳、珊瑚等石灰质基质内穿穴生活。如 *Alcippe*（图 23-45 F）。

目 3. 囊胸目 Aschothoracica：寄生于棘皮动物和珊瑚体内，壳板几丁质，外套膜呈囊状或为两片，第一触角为钳状或囊钳状，腹部较为明显。如囊虱 *Ascothorax ophiocentenis*（图 23-45 G）。

目 4. 根头目 Rhizocephala：全部寄生生活，宿主主要为十足目甲壳动物，少数能寄生于海鞘体内。无附肢，无消化道。柄形成了很多根状的细管，分布于宿主身体各部分，吸收养料。宿主体内的这一部分为蟹奴内体，暴露于宿主体外的囊状部分为孵育囊，被称为蟹奴外体如网纹蟹奴 *Sacculina confragosa*（图 23-45 H）。本目动物成体形态独特，但胚胎发育与其他蔓足动物一样，成体的形态是次生形成的。

亚纲 6. 微虾亚纲 Tantulocarida：幼体身体分为头部、胸部（六节）和腹部（约 7 节）。头部无附肢，具内中央螯针（internal median stylet），第 1 到第 5 对胸肢双肢型，第 6 对胸肢单肢型，腹部无附肢而有尾叉。成体寄生于甲壳动物（图 23-46 A），体长约 0.5 mm，靠突出的头部针（stylet）附着于宿主（一般为深海甲壳动物）。成体高度特化，胸部不分节呈囊状，腹部退化。第 1 节有雄性交配器，雌性生殖孔位于第 5 胸节上。

以前该亚纲的动物归于寄生的桡足亚纲或蔓足亚纲，直到 10 年前，才建立该亚纲。尽管该亚纲的幼体腹部 6～7 节，头部无附肢，寄生生活引起身体特化等，但其他特征还是较为符合颚足纲的特征，所以该类群列为颚足纲的 1 个亚纲。现记录 12 种，如大西洋基肢虾 *Basipodella atlantica*（图 23-46 B）。

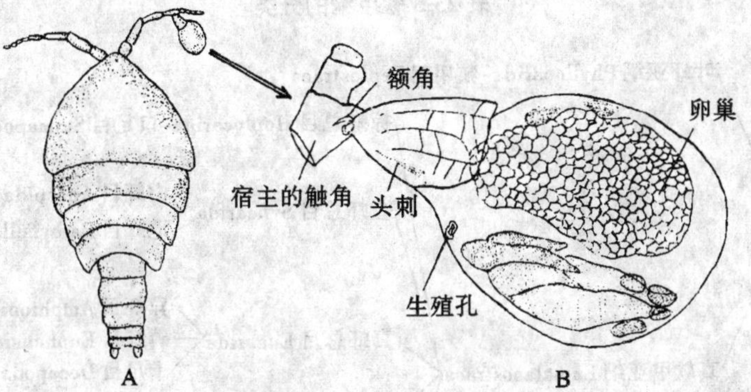

图 23-46 基肢虾 *Basipodella*（仿 Boxshall 和 Lincpoln）

A. 附着于桡足类触角上；B. 成体

23.4.3.5 软甲纲 Malacostraca

软甲纲约占已知甲壳动物的 3/4，结构和机能较其他各纲更为发达，身体平均大小也比其他甲壳动物大，我们所熟悉的虾、蟹等经济种类属于本纲。

软甲纲体节数恒定，除尾节外，身体 19 节（少数 20 节），即头部 5 节，胸部 8 节，腹部 6 节（叶虾类 Leptostracan7 节）。头胸甲发达，包被头部或部分胸节。软甲动物每个节体都有 1 对附肢，共 19 对。第 1 触角和第 2 触角通常为双肢型，第 2 触角的外肢呈鳞片状，大颚通常有大颚触须。软甲纲有 0～3 对颚足，胸肢多为双肢型，少数为单肢型，仅叶虾亚纲（Phyllocarida）为叶状。腹部具 5 对双肢型的腹肢和 1 对双肢型的尾肢。本纲动物通常具复眼，多雌雄异体，生殖孔位置一定，雌性生殖孔位于第 6 胸节，雄性生殖孔位于第 8 胸节。

软甲动物有 28 000 多种，根据体节数目的不同分为 2 亚纲 16 目（表 23-5）。

亚纲 1. 叶虾亚纲 Phyllocarida：叶虾亚纲是软甲纲中最原始的类群，头胸甲大，形成壳瓣，向后可达身体的第 5 腹节，左右壳瓣之间，头部两侧有 1 对闭壳肌；壳瓣背侧中央突出形成额剑。额剑基部有关节，能活动。头部 5 节，8 个胸节全部游离，腹部细长，包括 7 个腹节和 1 个尾节，尾节末端具尾叉。第 1 触角双肢型，第 2 触角单肢型，胸肢叶状，结构相似，不特化成颚足，前 4 对腹肢双肢型，结构相似，后 4 对腹肢单肢型，复眼 1 对，具眼柄。叶虾类个体小，多数种类体长 5～15 mm，最大的大叶虾 *Nebaliopsis typica* 体长可达 4 cm。

表 23-5 软甲纲的分类

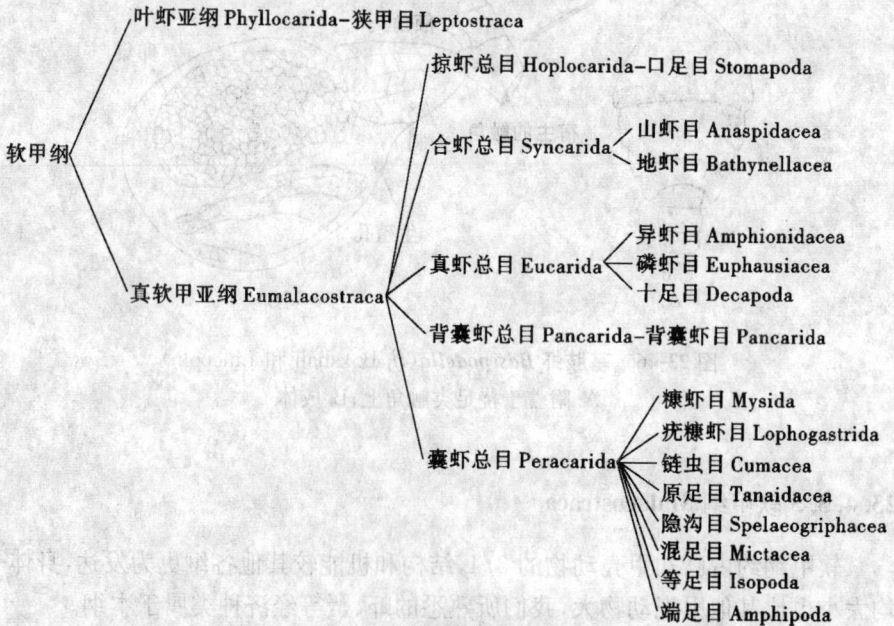

- 软甲纲
  - 叶虾亚纲 Phyllocarida－狭甲目 Leptostraca
  - 真软甲亚纲 Eumalacostraca
    - 掠虾总目 Hoplocarida－口足目 Stomapoda
    - 合虾总目 Syncarida
      - 山虾目 Anaspidacea
      - 地虾目 Bathynellacea
    - 真虾总目 Eucarida
      - 异虾目 Amphionidacea
      - 磷虾目 Euphausiacea
      - 十足目 Decapoda
    - 背囊虾总目 Pancarida－背囊虾目 Pancarida
    - 囊虾总目 Peracarida
      - 糠虾目 Mysida
      - 疣糠虾目 Lophogastrida
      - 链虫目 Cumacea
      - 原足目 Tanaidacea
      - 隐沟目 Spelaeogriphacea
      - 混足目 Mictacea
      - 等足目 Isopoda
      - 端足目 Amphipoda

本亚纲全部为海洋种类。除大叶虾外，其余均为底栖种类，分布于潮间带到水深 400 m 的海底。摄食时，借助胸肢的活动搅动底质，将细小的食物颗粒蜗旋起来，从而滤食悬浮物。它们也能靠其大颚直接摄食淤泥表面较大的有机碎块及同类动物的尸骸。

本亚纲仅 1 目（狭甲目 Leptostraca），共 6 属约 20 种，其中双足叶虾 *Nebalia bipes*（图 23-47）在我国沿海有分布。

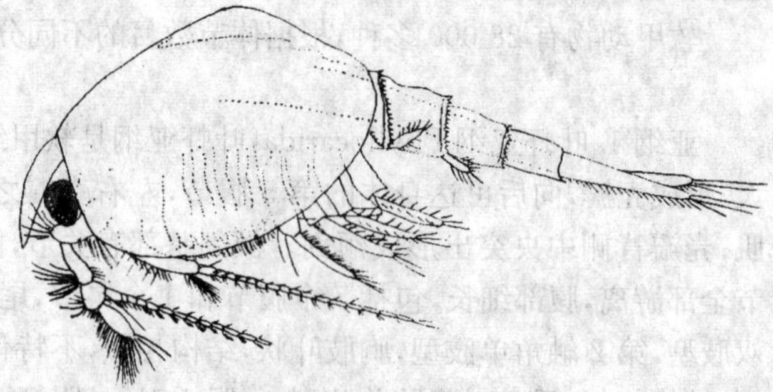

图 23-47　双足叶虾 *Nebalia bipes*（雌性）（仿堵南山）

亚纲 2. 真软甲亚纲 Eumalacostraca：除尾节外，身体共分 19 节，即头部五节，胸部 8 节，腹部 6 节，无尾叉。头部与胸部愈合成头胸部，愈合程度、头胸甲存在与否、眼柄有无、胸肢的分化等各类群变化较大，通常第1对或前几对胸肢特化为颚足，尾节和1对尾肢构成尾扇。腹部长而多肌肉。本亚纲分为5总目15目。

总目1.掠虾总目 Hoplocarida：一般称为虾蛄(mantis shrimp)。身体扁平，头部与前4个胸节愈合，头胸甲小，不能覆盖胸部后4个胸节，胸部后4个胸节能自由活动。头胸甲前缘中央有1片能活动的额角，额角前方有2个活动关节。第1触角为三肢型，第2触角为双肢型，复眼大而具眼柄。胸部前5对附肢单肢型(无外肢)，称为颚足，其中第2胸肢特别强大，称掠肢(raptorial claw)，后3对胸肢双肢型，为步足。腹肢5对，内外肢均呈宽大的叶片状，其中尾肢1对、叶状双肢型，与尾节共同形成尾扇。除胸鳃外，虾蛄类的腹肢也具鳃，腹鳃为管状，管壁薄，高度分枝，这样大大提高了气体交换的面积，保证了动物活动的需要。循环系统还保存原始的分节特征，心脏长管状，自胸部延伸至腹部。胚后发育有变态，但无节幼虫期在卵内渡过。虾蛄类是猎食动物，能捕食鱼、软体动物、腔肠动物及其他甲壳动物。

几乎全部生活于热带，亚热带浅水海洋环境中，只有极少数广盐性种类侵入半咸水中。口足目动物栖于底质较软的海底，在泥沙内挖洞而居或潜居于牡蛎、岩石与珊瑚之间的洞隙中。本目动物的洞穴呈圆筒状，垂直于海底，有1～2个口，呈U字形或Y字形。一个洞穴只有1个个体，很少离开洞穴，虾蛄利用后3对胸肢在海底爬行，靠5对腹肢游泳，游动时十分迅速，身体背面向下，腹面朝上，后3对胸肢收缩，借第2触角鳞片状的外肢及尾肢调整方向。

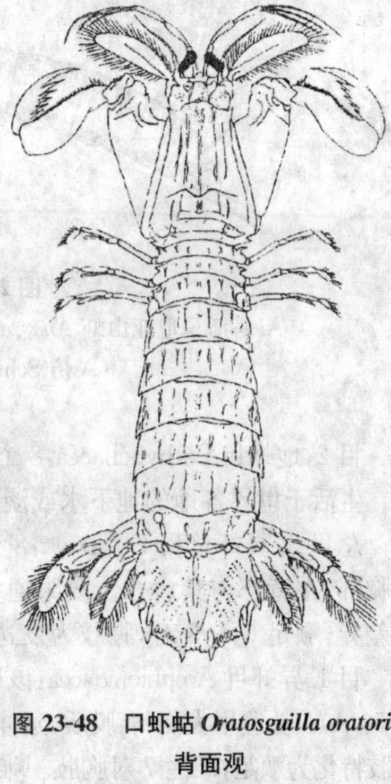

图23-48 口虾蛄 *Oratosguilla oratoria* 背面观

(仿刘瑞玉)

虾蛄类的个体较大，而生活的洞穴相对较为狭小，这就需要有一定的柔韧性，头胸甲短小，腹部多肌肉且柔软，使其能在洞穴或狭小的地方折叠、翻转。当虾蛄逃避敌害时，通常是头部首先进入洞穴，而后象发夹那样，弯曲身体，头部朝向洞口，以眼和触角窥探外界。现存350种，隶属于1个目(口足目 Stomapoda)。我国产80种左右，如口虾蛄 *Oratosguilla oratoria*(图23-48)。

总目 2. 合虾总目 Syncarida：合虾动物个体小，结构简单，为冰川时期前的残遗动物。无头胸甲，复眼有或无，胸部第一节游离或与头部愈合，其余各节几乎呈圆筒形，完全没有分化。胸肢皆为双肢型，结构相似；腹肢变化大。合虾总目的动物能爬行，也可游泳，主要摄食有机碎屑，繁殖时无抱卵习性。已知约 70 种，分为 2 目。

目 1. 山虾目 Anaspidacea：第 1 胸节与头部愈合而成头胸部，6 个腹节游离，末一腹节不与尾节愈合，无尾叉。生活于澳大利亚、新西兰、南美的淡水中，如塔斯马尼亚山虾 *Anaspides tasmaniae*（图 23-49 A）。

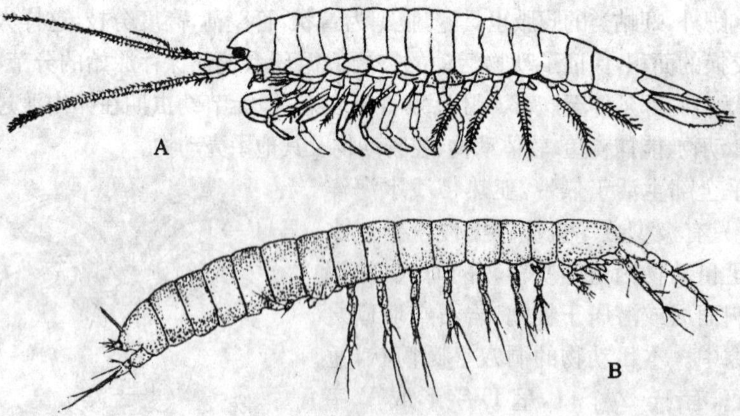

图 23-49　合虾总目

A. 塔斯马尼亚山虾 *Anaspides tasmaniae* 雄体；B. 地虾 *Bathynella*

（A 仿 Schminkc；B 仿 Snodgrass）

目 2，地虾目 Bathynellacea：8 个胸节全部游离，最末一腹节与尾节愈合，具尾叉。生活于世界各地的地下水或淡水沉积物中，如地虾 *Bathynella*（图 23-49 B）。

总目 3. 真虾总目 Eucarida：8 个胸节与头部愈合成头胸部，头胸甲大，覆盖头胸部，在背部与其愈合。复眼通常具柄，鳃位于胸部，胸肢特化程度因类群而有差异，颚足 0，1，3 对，腹肢为发达的双肢型附肢，尾节无尾叉。分为 3 目。

目 1. 异虾目 Amphionidacea：该目仅 1 属，1 种，异虾 *Amphionides reynaudii*（图 23-50 A）。头胸甲大而薄，膜质，延伸包裹胸肢，胸肢双肢型，有短小的外肢。第 1 对胸肢特化为颚足，雄性 7 对胸肢。雌性 6 对胸肢，雌性的口器较为退化。腹肢 5 对，雄性腹肢均为双肢型，雌性第 1 对腹肢为单肢型，扩大向前延伸到胸部，形成孵卵腔（育儿囊 brood pouch）。为世界广分布种，出现于水深 1 700 m 的深海。

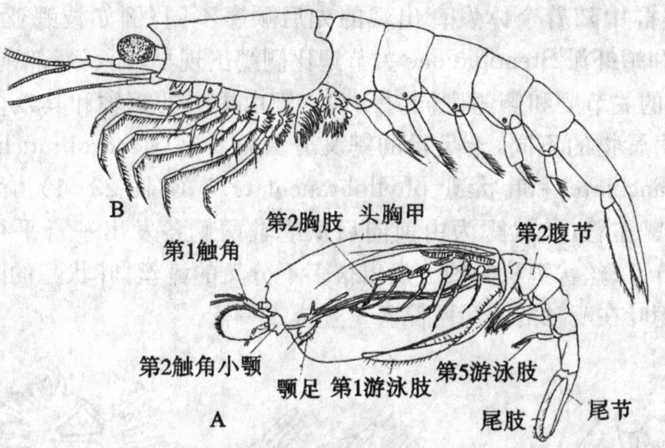

图 23-50　异虾和磷虾(仿各作者)

A. 异虾 *Amphionides reynaudii*; B. 超型磷虾 *Euphausia super*

目 2. 磷虾目 Euphausiacea:体小虾状,细长,左右略侧扁,头部与 8 个胸节合成头胸部,头胸甲的左右两侧只延伸到胸肢基部,不形成鳃室,鳃裸露于体外,直接浸浴于海水中。8 对胸肢结构相似,为双肢形,无颚足。腹部 6 节均游离,尾节细长,尾节上有 1 对可动的刺。除了深海磷虾属 *Benthenphausia* 外,磷虾均有发光器,发光器呈球形,数目随种类而异,通常在眼柄、第 2 和第 7 对胸肢上各有 1 对,前 4 腹节左右腹肢基部之间的腹甲中央突起内各有 1 个发光器,如超形磷虾 *Euphausia super*(图 33-50 B)。

磷虾全部为海产,浮游生活,无底栖种类。本目动物分布广泛,数量丰富,有群居的生活习性,磷虾的密度能超过1 000个/m^3,大多数种类滤食生活,是海洋食物链中非常重要的一个环节。

目 3. 十足目 Decapoda:头部与全部胸节愈合,头胸甲发达,两侧形成鳃室,鳃位于鳃室内。第 2 小颚的外肢发达,形成颚舟片,生活时在鳃室内不停地摆动,使水流不断通过,以进行呼吸。胸肢前 3 对特化为颚足,是摄食的辅助器官,后 5 对为步足,可用以爬行、捕食和御敌。低等种类的腹部较发达,腹肢用以游泳;高等种类的腹部退化而折于头胸甲之下,腹肢退化,丧失游泳能力,发育过程中有显著的变态现象。

鳃是十足目重要的呼吸器官,鳃的结构、位置和数目是重要的分类特征,足鳃(podobranchs)、关节鳃(anthrobranchs)和侧鳃(pleurobranchs)均着生在胸部,为胸鳃。足鳃着生于附肢基节上,关节鳃着生于体壁与附肢基节间关节膜上,侧鳃着生于体壁之上。另外,附肢的上肢也具有呼吸功能,称为肢鳃。各类鳃在不同类群中随着个体发育出现的先后顺序不同，例如枝鳃亚目 Dendrobranchiata 和蝟虾派 Stenopididae 关节鳃比侧鳃出现早，而真虾部则相反；其他十足目动物的关节鳃和侧鳃则同时出现。鳃由中央的鳃轴和其众多的附属物构成，根据附属物的不同，十足目的鳃又分为枝状鳃（dendrobranchiate）、丝状鳃（trichobranchiate）和叶状鳃（phyllobranchiate）3 类（图 23-51）。鳃轴内有出鳃血管和入鳃血管，枝状鳃为由前向后从鳃轴两侧各发出一行平行排列的鳃丝，鳃丝具分叉；丝状鳃从鳃轴上发出很多不分叉的鳃丝；叶状鳃的附属物为扁平的鳃叶，鳃叶在鳃轴的前后两侧各重叠排成一行。

A　　B　　C

图 23-51　十足甲壳动物的鳃（仿堵南山）

A. 叶状鳃；B. 丝状鳃；C. 枝状鳃

十足动物主要为海产，小部分栖于淡水，极少数为陆栖。绝大部分为底栖生活，其胸部的步足适于爬行，但有一小部分虾类步足没有爬行能力，只适于漂浮游泳。底栖种类中，有的深居底质内，能作一定的游泳活动，有时则有较强的游泳能力，能做长距离的洄游，如对虾。十足目的食性因种类不同而异，绝大部分为肉食性，食谱很广。

本目是软甲亚纲最大的一目，已知 9 000 余种，隶属 2 亚目。

亚目 1. 枝鳃亚目 Dendrobranchiata：本亚目约有 450 多种，对虾类和樱虾类动物属于本亚目（图 23-52）。身体侧扁，腹部发达，第 2 腹节侧甲不覆盖第 1 腹节侧甲后缘，第 3 颚足 7 节，前 3 对步足为钳状，雄性第 1 腹肢内肢变为交接器。雌性在胸部末两对步足基部之间的腹甲特化为交接器或纳精囊，不抱卵，卵直接产于海水中，体外受精，卵子孵化出无节幼体。本亚目最主要的特征是鳃为枝状（莹虾属 *Lucifer* 的鳃为次生性退化）。包括对虾科 Penaeidae 和樱虾科 Sergestidae。几乎全部海产，樱虾科多为浮游种类如毛虾 *Acetes*、莹虾，而对虾科多为底栖游泳种类如中国明对虾、鹰爪虾 *Trachypanaeus curvirostri* 等。许多种类有重要的经济价值，在渔业捕捞或养殖生产中占有重要地位。

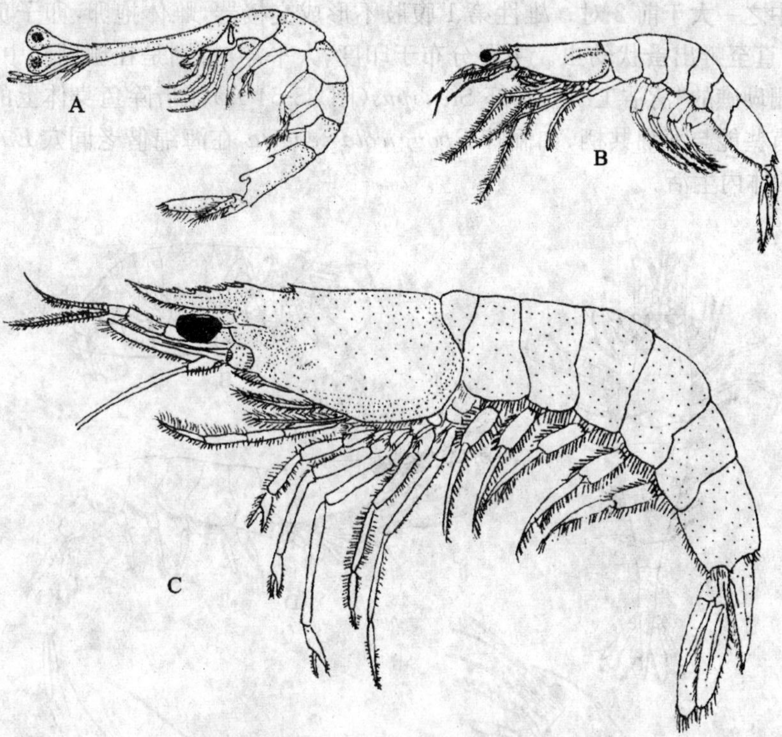

图 23-52　枝鳃类（A 仿蔡秉及等；B，C 仿刘瑞玉）

A. 正型莹虾 *Lucifer typus*；B. 中国毛虾 *Acetes chinensis*；

C. 鹰爪虾 *Trachypanaeus curvirostris*

亚目 2. 腹胚亚目 Pleocyemata：包括虾、蟹、喇蛄、龙虾等，另外还有一些寄生种类。鳃为叶状或丝状，雌性个体抱卵，卵产出后抱于雌性腹肢之间，于无节幼虫后的某一阶段孵化。本亚目分为 7 个派(infraorder)。

派 1. 真虾派 Caridea：现存约 2 000 种。腹部较长，第 2 腹节的侧甲覆盖第 1 腹节侧甲的后缘，第 3 颚足 4～6 节，第 1 对或前 2 对步足为钳状(*Procaris* 属的附肢均不形成钳状)，鳃为叶状鳃，雄性和雌性个体都不具交接器，雄性第 1 对腹肢变小，雌性腹肢抱卵，如褐虾 *Crangon crangon*(图 23-53 A)、鼓虾 *Alpheus*(图 23-53 B)、日本沼虾 *Macrobranchium nipponensis*(图 23-53 C)、蟹螯虾 *Leptochela gracilis*(图 23-53 D)、鞭腕虾 *Hippolysmata vittata*(图 23-53 E)等。

派 2. 猬虾派 Stenopididea：约 20 种。个体小，体长仅 2～7 cm。身体左右侧扁，第 2 腹节侧甲不覆盖第 1 腹节侧甲后缘，前 3 对步足呈钳状，第 3 对步足或其中之一大于前 2 对。雄性第 1 腹肢不形成交接器,雌体抱卵,卵子负于腹肢上,直至孵出蚤状幼虫。主要分布于印度、太平洋,特别是在珊瑚礁中,有些成为珊瑚礁的"清洁工",如猬虾 *Stenopus*(图 23-54 A)能清除鱼身体上的寄生物。有些能与海绵共栖,如俪虾 *Spongicola venusta* 在海绵偕老同穴 *Euplectella* 的体内生活。

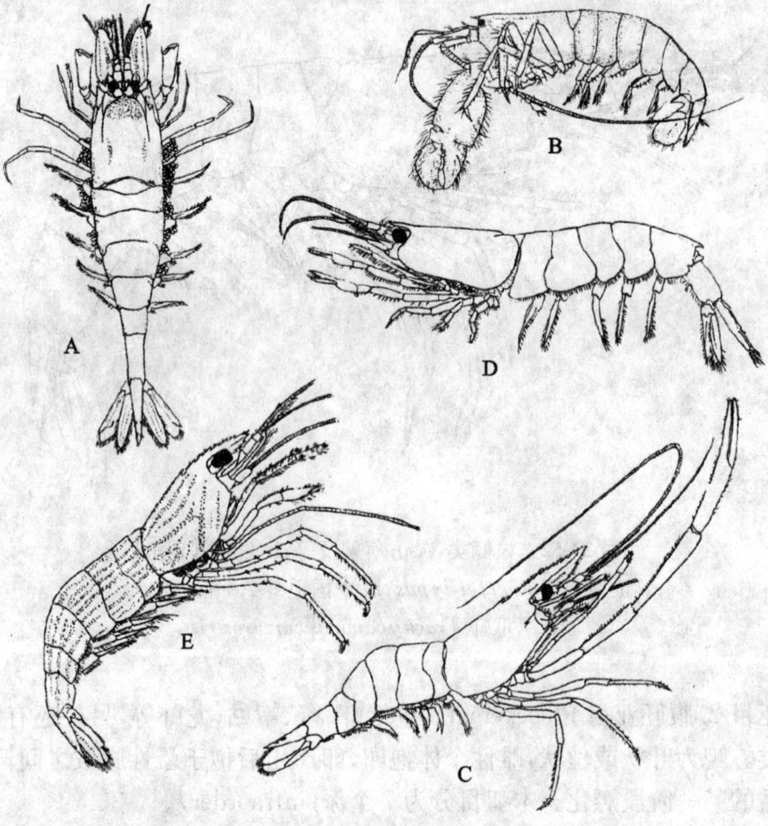

图 23-53　真虾(A,C~E 仿刘瑞玉;B 仿 Brusca)

A. 褐虾 *Crangon crangon*;B. 鼓虾 *Alpheus*;C. 日本沼虾 *Macrobrachium nipponensis* 雄体;D. 蟹螯虾 *Leptochela gracilis*;E. 鞭腕虾 *Hippolysmata vittata*

派 3. 海蛄虾派 Thalassinidea:身体呈虾形,头胸甲稍侧扁,额角明显,腹部对称,背腹扁平,尾扇发达,鳃丝状,前 2 对步足形成钳状,而第 3 对非钳状。全部海产,穴居生活,如美人虾 *Callianassa*(图 23-54 B)、蝼蛄虾 *Upgeoebia*(图 23-54 C)等。

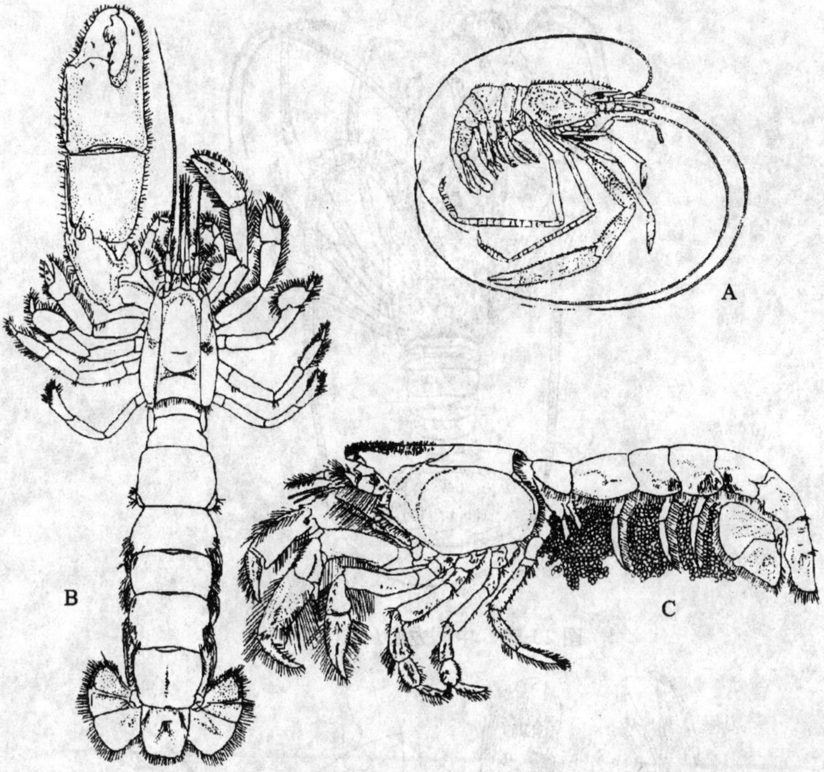

图 23-54　猬虾和海蛄虾（A 仿 Brusca，B，C 仿刘瑞玉）

A. 猬虾 *Stenopus*；B. 哈氏美人虾 *Callianassa harmandi* 雄体；

C. 大蝼蛄虾 *Upgeoebia major* 雌体

派 4. 龙虾派 Palinura：头胸甲圆柱状或稍背腹扁平，额角小或无，腹部扁平，具尾扇，鳃丝状。这类动物步足形成的钳状有变化，有些前四对钳状，有些仅第 5 对钳状，有些则不形成钳状。均为海洋种类，如中国龙虾 *Panulirus stimpsoni*（图 23-55）。

派 5. 喇蛄虾派 Asctacidea：头胸甲呈圆柱状，腹部发达，背腹扁平，尾扇大，鳃丝状，前 3 对步足钳状，第 1 对特别强壮。多数为淡水种，也有少数海洋种类，有个别种类生活于潮湿的土壤之中，如原螯虾 *Procambarus*（图 23-56 B）、海喇蛄 *Homarus*（图 23-56 A）。

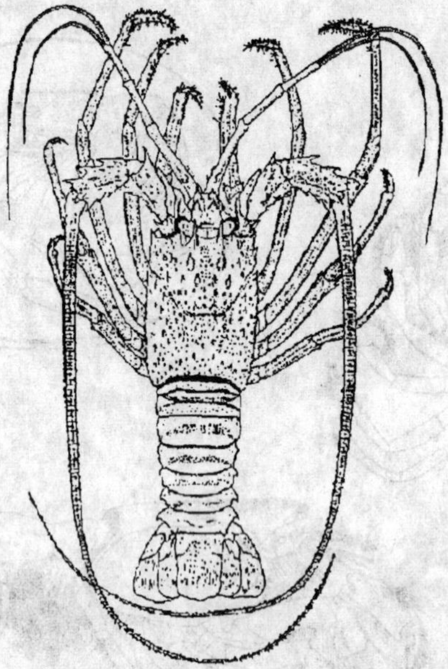

图 23-55　中国龙虾(仿刘瑞玉)

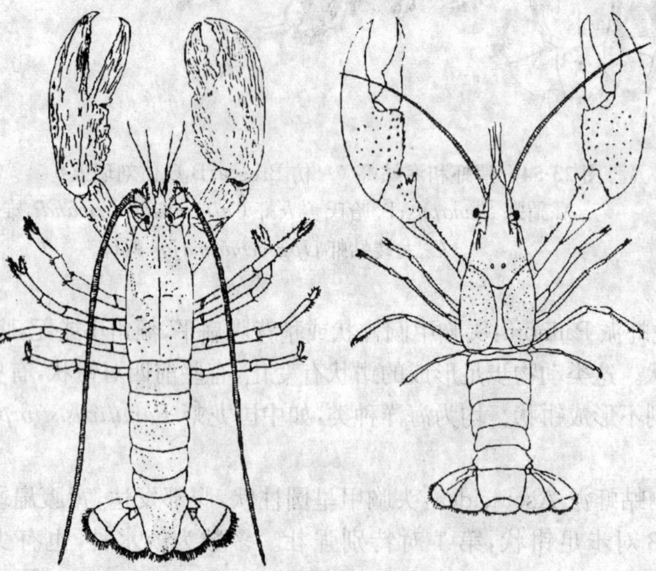

图 23-56　喇蛄虾(A 仿 Huxley；B 仿堵南山)

A. 普通海喇蛄 *Homarus vulgaris*；B. 克氏原螯虾 *Procambarus clarki*

派 6. 异尾派 Anomura：头胸甲形状变化较大，腹部长且退化，有的左右对称，折于头胸甲之下，有的柔软、扭转而左右不对称。腹部扭转的类群常生活于腹足类的壳中，第 3 步足永不形成钳状，第 1 对步足钳状，末一对(有时两对)步足退化，向上弯曲。有尾肢，多不形成尾扇，眼位于第 2 触角的内侧，多数种类为海洋种类，俗称寄居蟹，古书曰蟳(图 23-57)。

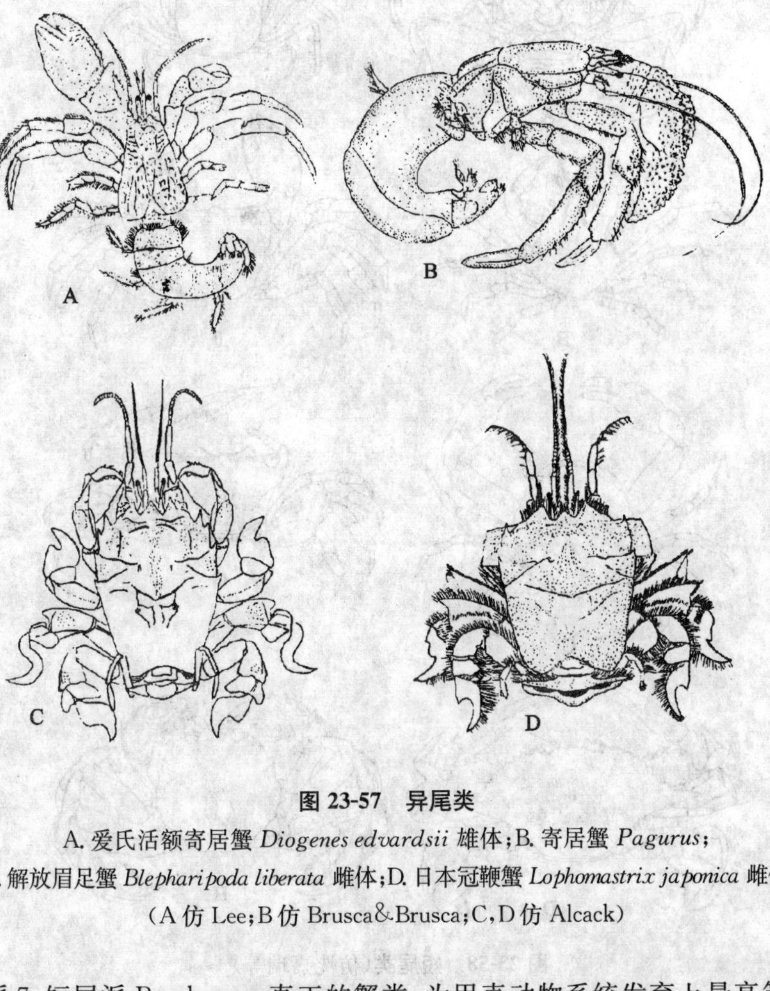

图 23-57　异尾类

A. 爱氏活额寄居蟹 *Diogenes edvardsii* 雄体；B. 寄居蟹 *Pagurus*；
C. 解放眉足蟹 *Blepharipoda liberata* 雌体；D. 日本冠鞭蟹 *Lophomastrix japonica* 雌体
(A 仿 Lee；B 仿 Brusca&Brusca；C，D 仿 Alcack)

派 7. 短尾派 Brachyura：真正的蟹类，为甲壳动物系统发育上最高等的类群。身体短而扁，头胸部背腹扁平，向两侧延伸，腹部对称退化，扁平，向前弯曲，贴附在头胸部之下。第 1 对步足钳状，非常强大，第 3 对步足不形成钳状。雄性第 2 对腹肢形成生殖肢，后 3 对完全退化，通常无尾肢，叶状鳃，眼位于第 2 触角的外侧。运动以爬行为主，且多横行。多数为海产，少数生活于淡水、潮湿的地方，如关公蟹 *Dorippe*、矶蟹 *Pugettia*、拳蟹 *Philyra*、梭子蟹 *Portunus*、豆蟹 *Pinnotheres*、沙蟹 *Ocypode*、招潮 *Uca*、中华绒螯蟹 *Eriocheir sinensis* 等(图 23-58)(中国蟹的分类著作见沈嘉瑞等、戴爱云等、陈惠莲等)。

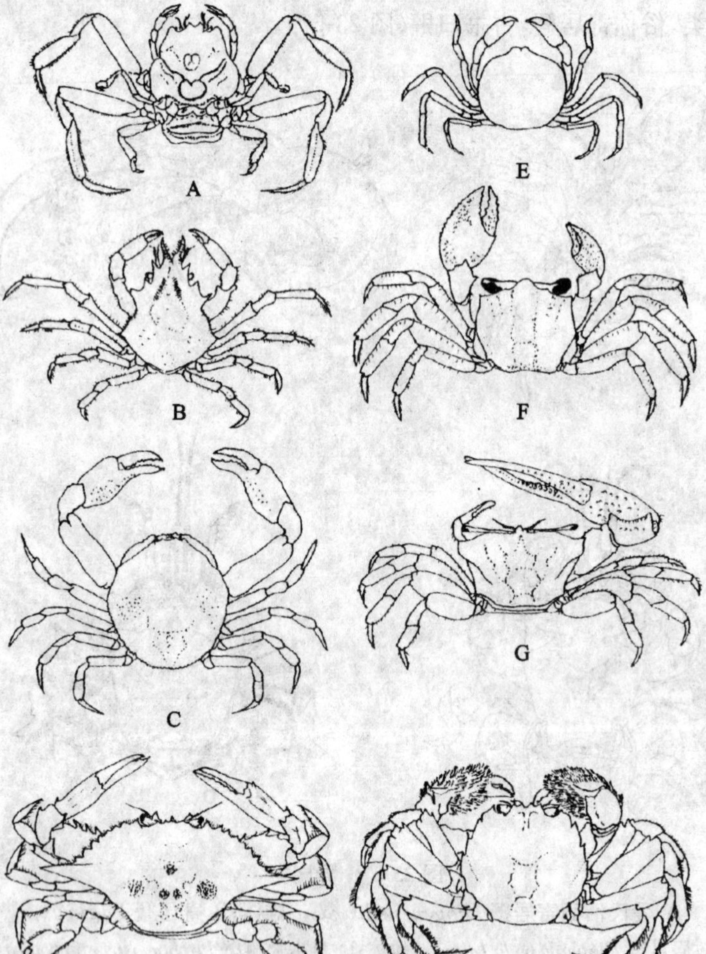

图 23-58　短尾类(仿沈嘉瑞等)

A. 日本关公蟹 *Dorippe japonica*；B. 四齿矶蟹 *Pugettia quadridens*；
C. 豆形拳蟹 *Philyra pisum*；D. 三疣梭子蟹 *Portunus trituberculatus*；
E. 中华豆蟹 *Pinnotheres sinensis*；F. 痕掌沙蟹 *Ocypode stimpsoni*；
G. 弧边招潮 *Uca arcuata*；H. 中华绒螯蟹 *Eriocheir sinensis*

总目 4. 背囊虾总目 Pancarida：身体细小，圆柱状，头部与第 1 胸节愈合，头胸甲仅覆盖胸部 2～3 节，雌性头胸甲向背部扩大形成孵育囊。大颚有活动齿(lacinia mobilis)。胸肢 6 对或 8 对，双肢型，第 1 对特化为颚足。腹肢 2 对单肢型，尾肢双肢型，尾节独立或与最末一腹节形成腹尾节。眼位于盘状的眼柄上，眼无色素。生活于热泉或地下水中，摄食植物碎屑，分布于地中海沿岸，美国的德克萨斯及西印度群岛，6 属 11 种。如莫氏温泉虾 *Monodella sanctaecrucis*(图 23-59 A,B)

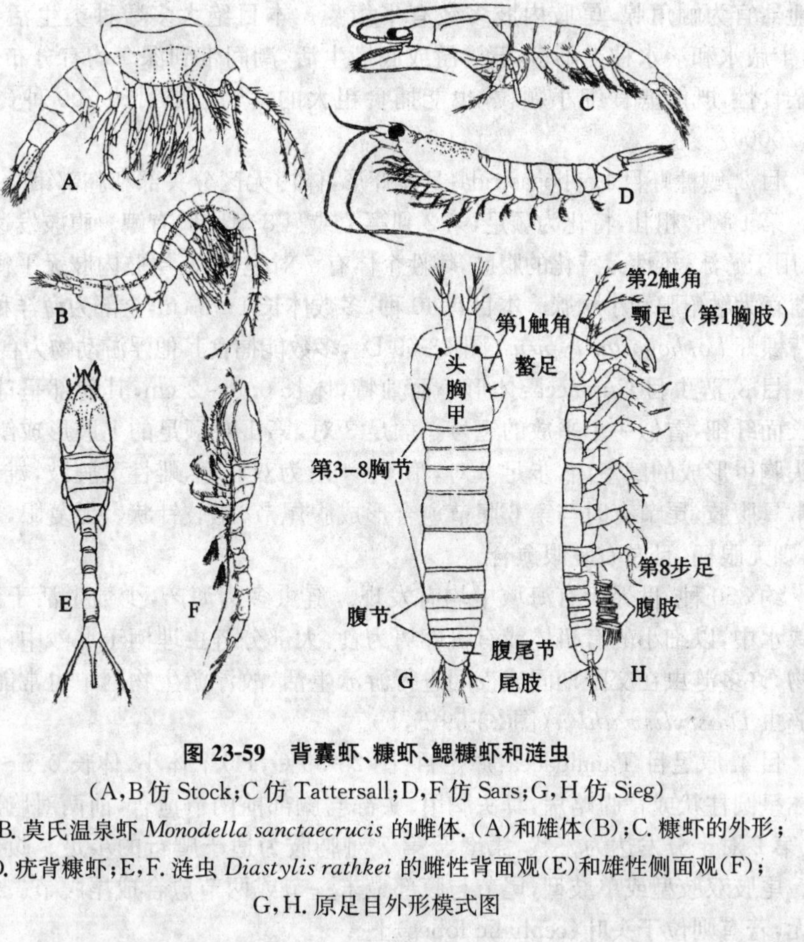

图 23-59　背囊虾、糠虾、鳃糠虾和涟虫

(A,B 仿 Stock；C 仿 Tattersall；D,F 仿 Sars；G,H 仿 Sieg)

A,B. 莫氏温泉虾 *Monodella sanctaecrucis* 的雌体.(A)和雄体(B)；C. 糠虾的外形；
D. 疣背糠虾；E,F. 涟虫 *Diastylis rathkei* 的雌性背面观(E)和雄性侧面观(F)；
G,H. 原足目外形模式图

总目 5. 囊虾总目 Peracarida：第 1 胸节或胸部前几节与头部愈合，原始类群的头胸甲正常，高等类群则退化以至完全消失。颚足 1 对(极少数 2～3 对)，大颚的门齿突和切齿突之间有一活动齿，活动齿基部有关节，可活动。鳃位于胸部或腹部，雌体胸部具抱卵板。

囊虾总目的多数种类为海产，也有栖息于淡水和陆地的，有浮游生活的，也有底栖的。个体大小变化较大，食性非常复杂。本总目约有 11 000 种，分 8 目。

目 1. 糠虾目 Mysida：身体呈虾形（图 23-59 C），头部与前 3 个胸节愈合，头胸甲发达，覆盖大部分胸节，身体内的骨棒把头部与第 1 胸节分开，除最后 1 对以外，胸肢均为双肢型，雌性个体腹肢退化，已丧失运动功能，雄性个体有 1 对或两对特化的腹肢，绝大多数种类雌性个体只有 2～3 对抱卵板（少数 7 对）。排泄器官为触角腺，尾肢内肢多数有平衡囊。本目绝大多数种类生活于海洋中，半咸水和淡水种类不多，营浮游或底栖生活，潮间带到深海均有分布。糠虾为杂食性，既能滤食细小颗粒，也能捕食粗大的食物。本目约 700 种（刘瑞玉等，2000）。

目 2. 鳃糠虾目 Lophogastrida：身体虾形，体内无区分头部和胸部第 1 节的骨棒。第 1 胸肢粗壮，特化为颚足，第 2 到第 7 或第 8 对胸肢有鳃。腹肢发达，双肢型，用于游泳，雄性无特化的腹肢，雌性个体有 7 对抱卵板，尾肢内肢无平衡囊，排泄器官为触角腺和小颚腺。本目有 40 种，多数体长 1～8 cm，全部为海洋种类，如疣背糠虾 *Lophogastar typicus*（图 23-59 D），多数能捕食其他浮游动物为食。

目 3. 涟虫目 Cumacea：体形小而独特，体长 0.5～2 cm，其前部呈球状，后部长而纤细，看似一个平放的逗号。颚足 3 对，第 1 对颚足的上肢形成鳃，伸入由头胸甲形成的鳃室内，步足 5 对，第 1～4 对为双肢型，雌性无腹肢，雄性个体通常具腹肢，尾节有时与第 6 腹节愈合形成腹尾节，尾肢针状。无复眼，若有复眼，则无眼柄，且左右复眼愈合。

约 850 种，世界所有海域中均有发现。涟虫多为海产，少数生活于淡水或半咸水中，以细小的有机体或有机碎屑为食，大部分涟虫埋栖于泥沙中，属底栖生物，许多涟虫在交配期间或夜间进行游泳生活，故浮游生物网中也常能采到，如涟虫 *Diastylis rathkei*（图 23-59 E，F）。

目 4. 原足目 Tanaidacea：原足目（图 23-59 G，H）个体小，体长 0.5～2 cm，身体呈圆柱状或背腹略扁，具头胸甲，头部与胸部前两节愈合，前两对胸肢为颚足、第 2 对十分发达为螯状，第 3 至第 7 对胸肢为适于爬行的步足。腹肢有或无。尾肢双肢型或单肢型，尾节与腹部最末一节或两节愈合成尾腹节。复眼有或无，若有则位于头叶（cephalic lobes）上。

约 850 种，全世界各海洋均有发现，几乎全部海产，底栖生活于洞穴或管中，多数摄食悬浮颗粒，也有一些摄食有机碎屑或捕食生活。

目 5. 隐钩目 Spelaeogriphacea：体长不足 1 cm，体透明。头胸甲短，头部与胸部

第 1 节愈合，具 1 对颚足，第 1 至第 7 对步足双肢型，外肢短小，第 1 至第 3 对步足的外肢摆动，产生水流，第 4 至第 7 对步足的外肢形成鳃。第 1 至第 4 对腹肢双肢型，用于游泳，第 5 对腹肢退化。尾扇发达，通常具眼柄而无复眼，或有无作用的复眼。

隐钩目仅有两个洞穴种，如隐钩虫 *Spelaeogriphus*(图 23-60 A)。

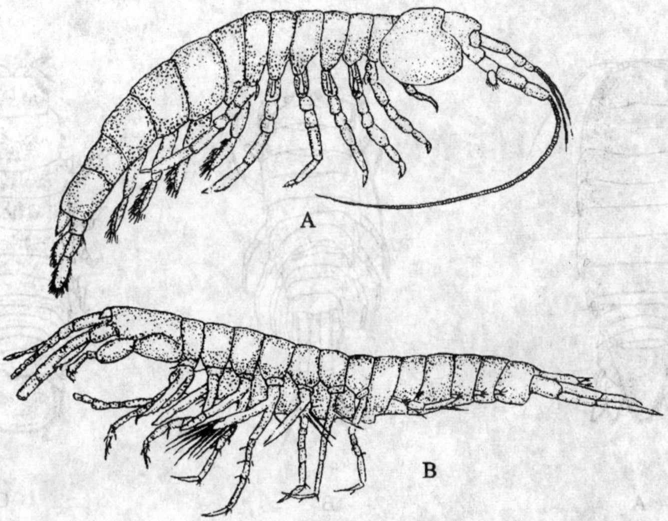

图 23-60　隐钩目和 Mictacea 目动物(A 仿 McLaughlin；B 仿 Bowman 等)
A. 隐钩虫 *Spelaeogriphus*；B. *Mictocaris*

目 6. 混足目 Mictacea：个体小，2～3.5 cm，头甲发达，与胸部第 1 节愈合，头甲向身体两侧延伸到口器的基部，颚足 1 对，步足结构简单，第 1 至第 5 或第 2 至第 6 对步足双肢型，外肢用于游泳，无鳃。腹肢退化，单肢型。尾肢双肢型，具 2～5 节的尾叉，尾节不与腹节愈合。具眼柄，无视觉能力(如 *Mictocaris* 图 23-26 B)或无眼柄(如 *Hirstutia*)。

生活于海洋洞穴或深海底栖生活。

目 7. 等足目 Isopoda：体形多样，体长 0.5～440 mm。身体扁平，无头胸甲；胸部第 1 节与头部愈合；尾节经常与腹部的 1～6 节愈合形成尾腹节。无复眼或有无眼柄的复眼。颚足 1 对；步足 7 对，单肢型，第 1 对步足有时为亚螯状，具爬行、执握或游泳作用，步足的底节常与体壁结合，向侧面扩展成为侧板。腹肢双肢型，发达，既能游泳又可进行气体交换。

等足类有的生活于陆地，能调节渗透压，表皮有适应陆地气体交换的器官。有的生活在淡水。绝大多数种类是海产的，从沿岸到深海皆有，多数底栖生活，浮游种类非常少。许多种是鱼类或虾类身上的寄生虫，影响其发育和繁殖。另外，有些种类能够蛀食木材，损害海港建筑。如浪漂水虱 *Cirolana*（图 23-61 A）、海岸水虱 *Ligia*（图 23-61 B）、蛀木水虱 *Limnoria*（图 23-61 C）等。

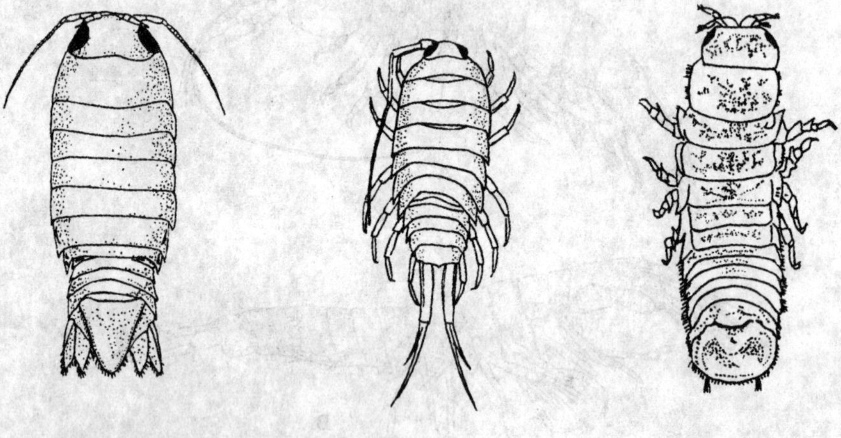

图 23-61　等足类（仿各作者）

A. 日本浪漂水虱 *Cirolana japonensis*；B. 海岸水虱 *Ligia exotica*；C 日本蛀木水虱 *Limnoria japonica*

目 8. 端足目 Amphipoda：身体通常侧扁。无头胸甲。胸部第 1 节与头部愈合（极少数种类与前两个胸节愈合）。颚足 1 对；步足 7 对单肢型，第 1，2 对或其他对步足常特化为螯状或亚螯状，步足底节扩大为侧板，鳃着生在胸肢上。腹部正常，腹肢分两组，前 3 对有羽状刚毛为游泳肢，后 3 对内肢粗壮，为跳跃肢（尾肢）。尾节游离或与腹部最后一节愈合。复眼无眼柄或无复眼。

本目有 6 000 多种，生活在海洋、半咸水以至淡水中，个别种类还栖息于陆地上，但以海洋为主。游泳种类出现在不同深度的水层中，而底栖种类从潮间带到10 000 m深的海底均有分布。本目分为 4 个亚目：

亚目 1. 钩虾亚目 Gammaridea：头部不与第 2 胸节愈合，颚足须（内肢）4 节或两节。胸肢有底节板。通常具复眼，位于身体两侧。腹部发达，游泳肢和尾肢发达。底栖或游泳，栖息于海洋、内陆水域以及陆地潮湿场所，从深海直到海拔 5 400 m 的高山上均有分布，共约 4 600 种，如中华蜾蠃蜚 *Corophium sinense*（图 23-62 A）、胶州湾凹板钩虾 *Caviplaxus jiaozhouwanensis*（图 23-62 B）、伊予双眼钩虾 *Ampelisca iyoensis*（图 23-62 C）、卢氏马尔他钩虾 *Melita rylovae*（图 23-62 D）等。

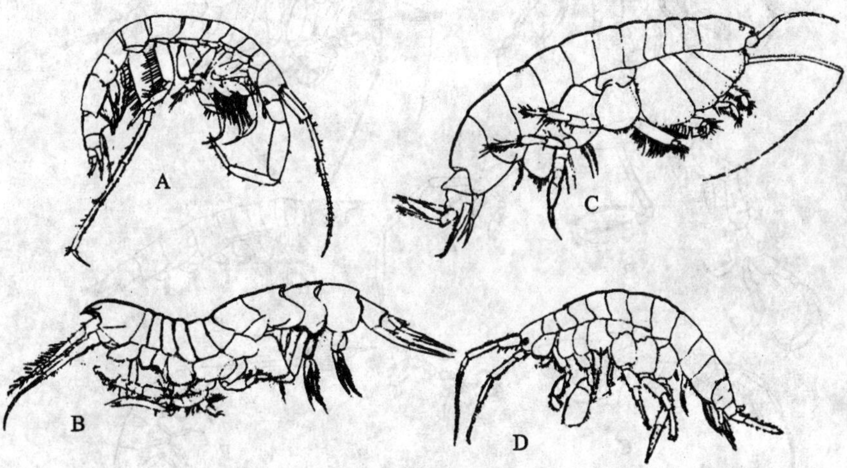

图 23-62　端足类(1)（仿任先秋）

A. 中华蜾蠃蜚 *Corophium sinense*；B. 胶州湾凹板钩虾 *Caviplaxus jiaozhouwanensis*；C. 伊予双眼钩虾 *Ampelisca iyoensis*；D. 卢氏马尔他钩虾 *Melita rylovae*

亚目 2. 英哥虫亚目 Ingolfiellidea：体细长，圆柱状。头部与第 1 胸节或前两胸节愈合，颚足有颚足须。腹部各节游离，末端有 1 尾节。腹肢退化。复眼退化。本亚目约有 30 种，多数为淡水或半咸水生，少数生活于海洋中，如英哥虫 *Ingolfiella*（图 23-63 A）。

亚目 3. 麦杆虫亚目 Caprellidea：身体细长，圆柱状，寄生种类身体短而扁平。大多数头部与前两个胸节愈合，颚足有颚足须。腹部短，腹肢退化。攀爬在海藻上，也能在水中游泳。约 250 种，全部海产，如麦杆虫 *Caprella*（图 23-63 B,C）。

亚目 4. 蛾亚目 Hyperiidea：体形多样，细长到近乎球形，身体通常透明。头部与胸部第 1 节愈合，颚足无颚足须，底节板小或与身体愈合。腹部和腹肢发达，腹部后两节常愈合，眼通常很大，占头部的大部分。约 350 种，全部海产，营浮游生活，也常附在水母、栉水母、纽鳃樽上漂浮，为重要的海洋浮游甲壳动物，数量仅次于桡足类和磷虾类，大多分布于远洋。如细拟脚长蛾 *Parathemisto gracilipes*（图 23-63 D）、尖头蛾 *Oxycephalus clausi*（图 23-63 E）、短尾棒头蛾 *Phabdosoma brevicaudatum*（图 23-63 F）等（陈清潮等，2002）。

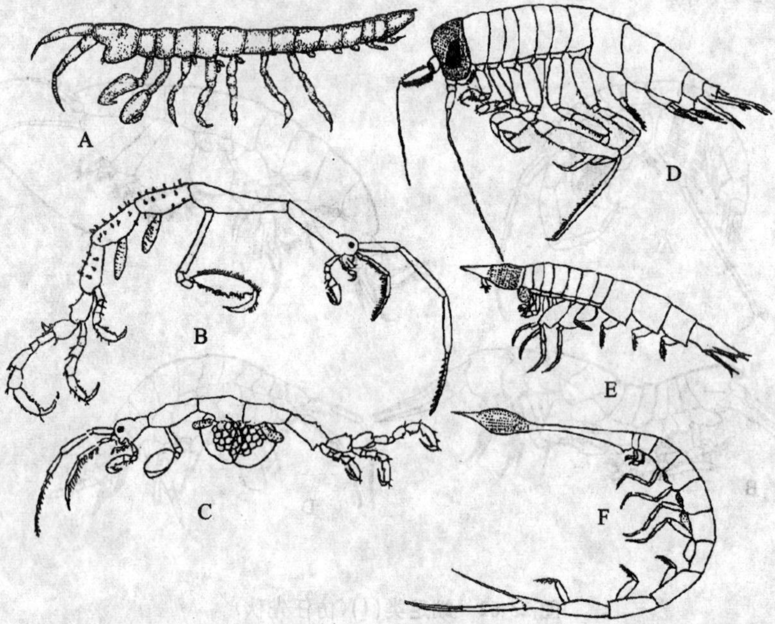

图 23-63　端足类(2)（仿各作者）

A. 英哥虫 *Ingolfiella*；B. 麦杆虫 *Caprella* sp. 雄体；C. 麦杆虫雌体；D. 细拟脚长蛾；E. 尖头蛾雌体；F. 短尾棒头蛾 *Rhabdosoma brevicaudatum* 雌体

几乎所有甲壳亚门的动物在寒武纪就已经存在，他们的起源及与其他节肢动物类群的关系尚不清楚。

通过比较解剖现存的甲壳动物，可以推测甲壳动物祖先：个体小，自由游动，底栖生活，身体分为头部和躯干部，躯干部同律分节；头部两对触角，1 对大颚，2 对小颚，复眼 1 对且具眼柄，口向后方；躯干部的附肢多，结构与小颚很相似，有运动、摄食和气体交换的作用。从现存的甲壳动物来看，尽管头虾类和桨足类有很多特化的特征，但与假想的甲壳动物祖先最相似。

甲壳动物祖先在早期可能沿 3 个重要的路线向现存的甲壳动物各类群进化：一支向鳃足纲，一支向颚足纲（鳃尾、蔓足和桡足类），另外一支向软甲纲发展。软甲纲分支的顶端分成囊虾类和真虾类（图 23-64）。

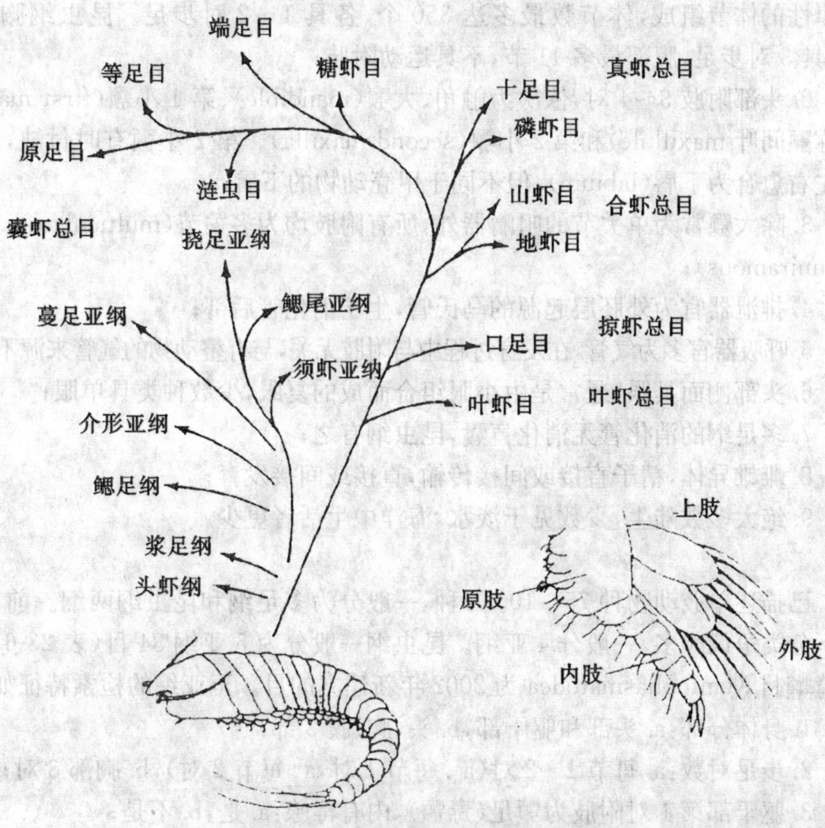

图 23-64 甲壳动物亚门的系统发生(仿 Hessler 和 Newman)
(下图和右图分别示假想的甲壳动物祖先及其躯干部附肢)

23.5 单肢亚门 Uniramia(Gr. ,*unus*, one; *ramo*, branch)

23.5.1 概述

单肢动物(uniramians)包括多足动物(myriapods)、昆虫(insects)和有爪类,大多高度适应陆地生活。身体分为头部和躯干部(多足纲)或分为头、胸、腹 3 部(昆虫纲)。多具触角 1 对,附肢单肢型,呼吸器官为气管,排泄器官为马氏管。

单肢亚门的主要特征:

1. 体分为头部和躯干部两部(多足纲)或分为头、胸、腹 3 部(昆虫纲)。头部由头前节(acron)和 3~4 个具附肢的体节愈合而成。多足纲的躯干部为外观同律性的体节组成，体节数最多达 350 个，各具 1～2 对步足。昆虫纲胸部 3 节，具 3 对步足，腹部最多 11 节，不具运动附肢；

2. 头部附肢 3～4 对，依次为触角、大颚（mandible）、第 1 小颚（first maxilla 或称颚间叶 maxillule）和第 2 小颚（second maxilla）。第 2 小颚有时付缺，如有则左右愈合为下唇（labium），但不同于甲壳动物的下唇；

3. 除大颚常为单关节的咀嚼器外，所有附肢均为多关节（multiculate）、单肢型（uniramous）；

4. 排泄器官为外胚层起源的马氏管，生于消化管后部；

5. 呼吸器官多为气管，在发育过程中与附肢无关，与有螯动物的气管来源不同；

6. 头部侧面具眼，通常是由小眼组合而成的复眼，少数种类具单眼；

7. 多足纲的消化管无消化盲囊，昆虫纲有之；

8. 雌雄异体，精子直接或间接传输，直接或间接发育；

9. 绝大多数陆生，少数见于淡水，海洋中生活者更少。

已描述单肢动物种 75～100 万种，一般分为多足纲和昆虫纲两纲。前者的纲下分类争议颇多，一般分 4 亚纲。昆虫纲一般分为 5 亚纲 34 目（表 23-6），其中螳䗛目 Mantophasmatodea 为 2002 年新建立的目。至亚纲的检索特征如下：

1. 身体分部：a. 头部和躯干部，b. 头、胸、腹 3 部；

2. 步足对数：a. 每节 1～2 对（a^1. 每节 1 对，a^2 每节 2 对），b. 胸部 3 对；

3. 躯干部第 1 对附肢为颚足（毒颚），内有毒腺：a. 是，b. 不是；

4. 触角分支：a. 是，b. 不是；

5. 生殖孔位于：a. 末节之前的生殖节（最后一个真体节）腹面，b. 躯干前部第 3 或第 4 躯干节；

6. 原始状态翅：a. 有；b. 无；

7. 成虫蜕皮：a. 有；b. 无；

8. 触角：a. 有；b. 无；

9. 中尾丝：a. 有；b. 无；

10. 跳器：a. 有；b. 无。

表 23-6　单肢亚门的分类

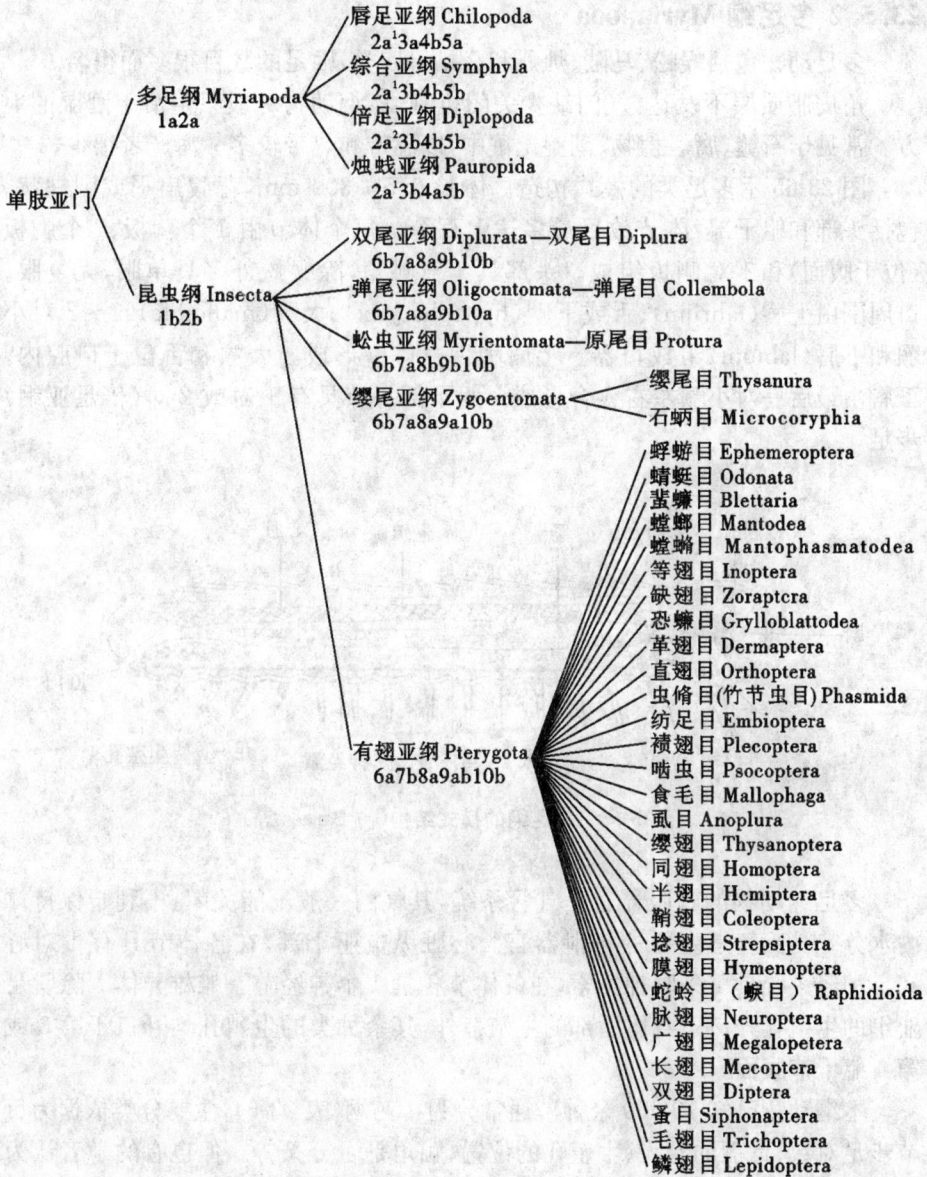

- 单肢亚门
  - 多足纲 Myriapoda 1a2a
    - 唇足亚纲 Chilopoda 2a^{1}3a4b5a
    - 综合亚纲 Symphyla 2a^{1}3b4b5b
    - 倍足亚纲 Diplopoda 2a^{2}3b4b5b
    - 烛蚿亚纲 Pauropida 2a^{1}3b4a5b
  - 昆虫纲 Insecta 1b2b
    - 双尾亚纲 Diplurata—双尾目 Diplura 6b7a8a9b10b
    - 弹尾亚纲 Oligocntomata—弹尾目 Collembola 6b7a8a9b10a
    - 蚣虫亚纲 Myrientomata—原尾目 Protura 6b7a8b9b10b
    - 缨尾亚纲 Zygoentomata 6b7a8a9a10b
      - 缨尾目 Thysanura
      - 石蛃目 Microcoryphia
    - 有翅亚纲 Pterygota 6a7b8a9ab10b
      - 蜉蝣目 Ephemeroptera
      - 蜻蜓目 Odonata
      - 蜚蠊目 Blettaria
      - 螳螂目 Mantodea
      - 螳䗛目 Mantophasmatodea
      - 等翅目 Inoptera
      - 缺翅目 Zoraptcra
      - 恐蠊目 Grylloblattodea
      - 革翅目 Dermaptera
      - 直翅目 Orthoptera
      - 虫脩目(竹节虫目) Phasmida
      - 纺足目 Embioptera
      - 襀翅目 Plecoptera
      - 啮虫目 Psocoptera
      - 食毛目 Mallophaga
      - 虱目 Anoplura
      - 缨翅目 Thysanoptera
      - 同翅目 Homoptera
      - 半翅目 Hcmiptera
      - 鞘翅目 Coleoptera
      - 捻翅目 Strepsiptera
      - 膜翅目 Hymenoptera
      - 蛇蛉目（蜧目） Raphidioida
      - 脉翅目 Neuroptera
      - 广翅目 Megalopetera
      - 长翅目 Mecoptera
      - 双翅目 Diptera
      - 蚤目 Siphonaptera
      - 毛翅目 Trichoptera
      - 鳞翅目 Lepidoptera

23.5.2 多足纲 Myriapoda

多足动物包括蜈蚣、马陆、烛贱和么蚰等四类，因足的数目很多而得名。

角皮脂质层不发达，气门缺少关闭机制，该纲动物一般只生活于潮湿的地方。常见于石缝、腐烂植物、潮湿土壤中，以温带和热带较多。海产者很少。

图 23-65 示多足类的模式构造。体长 0.5～300 mm，背腹扁平或圆柱状。包括头部和躯干部，体节数目最多达上百个。每个体节由 1 个背板、1 个胸板（位于腹面）和 1 对侧板组成。头部具 1 对触角，除蜈蚣外多具单眼，无复眼。口周围由上唇（labrum）、舌或下咽（hypopharynx）、大颚（mandible）、1～2 对小颚和下唇（labium）组成口器。上唇和舌由体壁形成。大颚和舌位于口腔内。下唇由最后一对小颚左右愈合形成。躯干部每节具有 1 对或 2 对（倍足亚纲）步足。

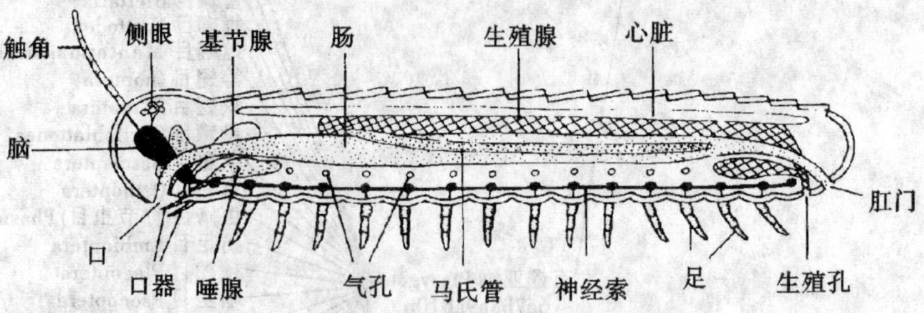

图 23-65　多足纲的模式结构（仿 Barnes 等）

多足纲动物的呼吸器官是气管系统，其气门一般不能关闭，不利于保持体内水分。马氏管是主要的排泄器官。心脏纵贯躯干部，在各体节具有 1 对心孔。神经系统具 1 条腹神经索，在各体节各具 1 个神经节。雌雄异体。除唇足亚纲的生殖孔开口于身体后部的生殖节外，其余种类的生殖孔均开口于第 3 或第 4 躯干节腹面。

本纲动物已知 10 500 余种。通常分为 4 亚纲（表 23-6），主要分类依据为每节步足对数、毒颚的有无、生殖孔的位置、触角是否分叉等。但也有的学者认为它们具有不同的起源，应分属 4 个不同的纲。只有极少数生活于潮间带，如水蜈蚣 *Hydroschendyla submarina*（唇足亚纲 Chilopoda）、海马陆 *Thalassiobates littoralis*（倍足亚纲 Diplopoda）、海烛蚨 *Thalassopauropus remyi*（烛蚨亚纲 Pauropida）和海综合虫 *Symphyella essigi*（综合亚纲 Symphyla）等。

23.5.3 昆虫纲 Insecta

昆虫是一类高度适应陆地生活的节肢动物。身体分为头部、胸部和腹部。头部为感觉、摄食中心，附肢演变为1对触角、1对大颚和2对小颚；胸部为运动中心，具3对附肢(因而本纲又称6足纲 Hexapoda)，多数昆虫的胸部还具有2对翅；腹部为代谢中心，附肢全部退化，具有完全适应陆上生活的呼吸器官—气管。

昆虫纲是动物界最大的一纲，实际种数很难估计，已记述的种有75万～100万种之多，是已知其他所有动物总和的3倍还多。很多昆虫与人类的关系密切，吸引了世界各地大批动物学家从事于昆虫学(Entomology)的研究，并发展起来了如昆虫形态学、昆虫分类学、昆虫生理学、昆虫生态学、昆虫医学、经济昆虫学等分支学科。

23.5.3.1 分布、习性和经济意义

昆虫种类繁多，数量极大，分布广泛，但多为陆生动物。见于森林、荒地、草原、农田、沙漠、湿地等陆地环境。它们有的生活于地上，有的栖于地下土壤中，也有很多寄生于各种动植物的体内、外。具翅的昆虫是惟一能够飞行的无脊椎动物，可以暂时生活于空中。

根据化石证据，陆生昆虫和微管植物同时出现于中古生代(Mid-Palaeozoic，距今2.5亿～3亿年)，那时的海洋较浅、温暖而广阔，几乎所有主要的无脊椎动物门类都已出现并占据了辽阔的海洋生境，特别是甲壳类在寒武纪(Cambrian)以后逐渐在海洋中繁盛起来，竞争与捕食的结果限制了后起的昆虫大规模进入海洋。第1个有翅昆虫可能出现于上古生代(Upper Palaeozoic)，其幼虫水生或半陆生于淡水池沼中。现代的昆虫由这种祖先演变而来，绝大多数为完全陆生生活，彻底摆脱了对水环境的依赖。陆生昆虫较其水生祖先具备了很多进步特征，如：角皮具有发达的蜡质层，能有效地防止水分蒸发；具分枝的气管内陷到体内，只有很小的气门对外开口，既保证了足够的呼吸表面，又减少了水分的丧失，有的种类气门上还有盖，使水分的损失降到了最底限度；具翅，使昆虫能够飞翔至遥远甚至是隔离的地区，对于扩大地理分布远较步足有效。

水生的昆虫(通常只幼虫水生)已知约有3 000余种，其中只有很少(数百种)生活于海洋中，主要见于潮间带、盐沼、岸边等陆水相接的环境中。海黾属 *Halobates* 种类终生不会离开海洋表面，其分布有时远离陆地数千千米。

次生适应水环境的现生水生昆虫，必须解决一些生态、生理和理化问题。

首先要有一个桥生境(bridging habitat),河口、潮间带、盐碱滩、红树沼泽等具有这种桥生境的作用。事实上,所谓的海洋昆虫大多生活于这些环境中。昆虫一般具有较轻的体重和较大的表面积,虽然有利于在空气中活动,但这对于它们穿越气—水界面行水生生活则是一个不利因素。昆虫次生入水的另一个障碍是气管不适应于水下呼吸。有些水生昆虫能将空气封闭于其遍布体表的拒水毛,供水下呼吸之用,也有的具特化的呼吸结构如呼吸管、气管鳃、气门鳃、血鳃和各种物理鳃等。关于这个问题将在"呼吸"一节再作详述。

有些昆虫是海鸟或海兽的暂时性或永久性寄生虫。如嚼虱(chewing lice,食毛目)寄生于海鸥、企鹅等多种海鸟的皮肤上,多数以皮屑、羽毛等为食。由于海鸟的羽毛层不仅能保暖且能隔水,这些寄生昆虫实际上仍然生活于羽毛层内的空气中,而不是直接生活于海水中,因而与陆生种类具有相同的生活习性,它们只有在温暖的环境中才能产卵,落入海水很快溺死。虱目 Anoplura 棘虱科 Echinophthiriidae 的少数种类寄生于海豹等海洋哺乳动物的皮肤上吸血为生。

昆虫与人类的关系十分密切,利弊兼有。

很多种子植物需要昆虫帮助授粉,这些植物的花特称虫媒花。昆虫在采集花蜜的同时帮助虫媒植物传粉,这是它们在长期的进化历史中所建立起来的一种适应关系。这些昆虫和虫媒植物之间往往在形态上非常配合,有时它们的分布区也完全一致。合理地利用昆虫授粉,可以提高经济作物的产量。

有些昆虫如蚕蛹、蝉、桂花蝉等可以食用。随着社会经济的发展,食用昆虫的重要性越来越受到人们的重视,很多本来并不起眼的昆虫渐渐地成了人类餐桌上的美味佳肴。有些昆虫的产物如蜜蜂的蜂蜜、蜂王浆等也是上好的食品和滋补剂。有的科学家已经指出昆虫食品将成为一项重要的产业,应大力发展。可作为药用的昆虫很多,如蝉蜕、冬虫夏草(虫草蝙蛾 *Hepialus armoricanus* 的幼虫和由其头部长出的冬虫夏草菌 *Cordyceps sinensis* 的菌座组成)、地鳖 *Eupolyphaga* spp. 等。

有些昆虫的产物是重要的工业原料。各种蚕茧可抽丝纺纱。五倍子(五倍子蚜 *Melaphis chinensis* 寄生在盐肤木的嫩枝叶上形成的虫瘿)含有鞣酸,可用于制革和制造染料,在医学上可作收敛剂和消痰剂,也可用来防治鱼病。蜜蜂 *Apis* spp. 分泌的蜂蜡、白蜡虫 *Ericerus pela* 分泌的虫白蜡、紫胶虫 *Kerria lacca* 分泌的紫胶等都是重要的工业原料。此外,很多昆虫是农林业害虫的天敌,可用作生物防治。蝶类色彩艳丽,具有比较高的观赏价值和经济价值。摇蚊幼虫是鱼类的优质饵料生物。

昆虫对人类也具有很多不利的方面,首推其对农林业的危害,如褐飞虱

Nilaprvata lugens 危害水稻、玉米螟 *Ostrinia nubilalis* 危害玉米、棉铃虫 *Heliothia armigera* 危害棉花、飞蝗 *Locusta migratoria* 和各种蚜虫则危害多种农作物。危害蔬菜、果树和林业的害虫也很多，如菜螟 *Hellula undalis* 和各种天牛、金龟子、蛾类等。此外，还有不少昆虫是仓储害虫，如谷盗 *Tenebroides* spp.、米象 *Sitophilus* spp.、豆象 *Bruchus* spp. 等。

昆虫对人类的另一重要危害是危害人体和其他经济动物的健康。家蝇能散播多种疾病，虱、蚤、臭虫、蚊子、白蛉子等不仅吸食人体血液，且能传播严重危害人体健康的疾病。

此外，白蚁蛀食木材、破坏堤坝，蠹蠊蛀蚀衣物等。

23.5.3.2 形态、结构和功能

1. 身体分部：昆虫的身体一般由 20 个体节构成，每个体节的外骨骼有 1 块背板(notum)、1 块腹板(sternum)和 2 块侧板(pleurum)组成。体节间的外骨骼由柔软的薄膜联系，彼此间可以自由活动。昆虫的模式结构如图 23-66 所示，身体可分为头、胸、腹 3 部分。分述如下：

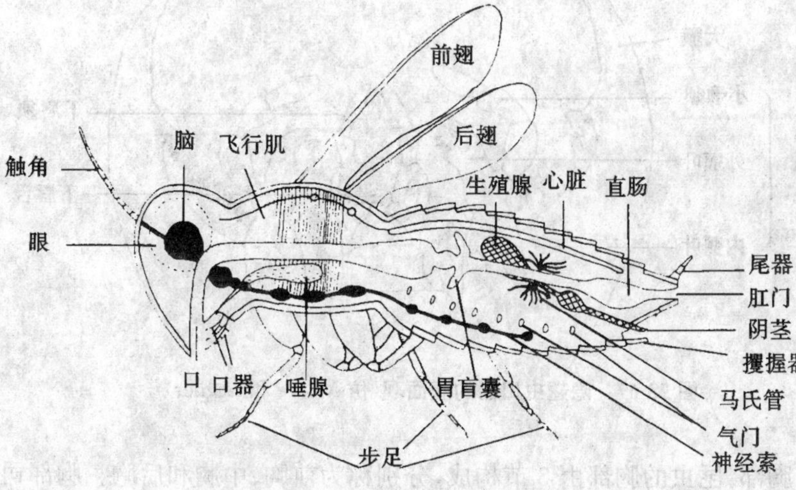

图 23-66 昆虫的模式结构(仿 Barnes 等)

(1)头部：一般认为由 6 节构成，愈合为头壳，除具有成对的附肢外，很少具有分节的痕迹。头部的主要功能是感觉和摄食。

头部的主要感觉器官是 1 对复眼和 1 对触角，有的种类具有数目不等的单眼等。触角是第 1 对附肢，一般着生在两复眼之间，因种类、性别和功能的不同而有很大的形态差异。常由多节构成，第1节为柄节(scape)，第2节为梗节(pedicel)，其余各节为鞭节(flagellum)。

头的前方、口的周围是口器(mouthparts)。昆虫的口器由部分头部和头部的附肢组合而成，包括上唇、大颚、小颚、下唇、舌等构造。上唇(labrum)1块，位于口前，由头部而来。舌(hypopharynx)是口的后面、下唇前面的一条狭长突起，唾腺常开口于其后壁基部。大颚(mandible)、小颚(maxilla)和下唇(labium)由头部的后3对附肢而来。大颚通常单节，是咀嚼的主要器官。小颚有轴节(cardo)和茎节(stipes)，茎节的外侧为小颚须(maxillary palp)，通常5节，内侧分为外颚叶(galea)和内颚叶(lacini)二瓣。下唇是左右一对附肢在中央合并而成，其构造与小颚相似，又分为亚颌(submentum)、颌(mentum)等部分。昆虫的口器因食性的不同而有很大的差别，典型的如蝗虫和隐翅虫 *Cafius* 的咀嚼式(chewing type)(图23-67)、雌蚊的刺吸式(piercing-sucking type)、蜂的嚼吸式(chewing-lapping type)和吮吸式(siphoning type)、蝶的舐吸式(sponging type)等。

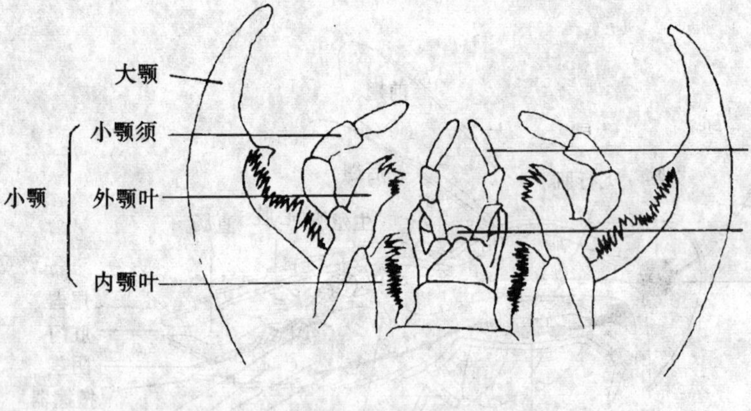

图23-67　隐翅虫口器的腹面观(仿 Moore 和 Legner)

(2)胸部：昆虫的胸部由3节构成，分别称为前胸、中胸和后胸。胸部司运动，每节具1对足，分别称前足、中足和后足。多数昆虫的中胸和后胸上还具有成对的翅。

昆虫的附肢不像甲壳动物为双肢型，是单肢型附肢。足由7节组成，由基部至末端分别称为基节(coxa)、转节(trochanter，有时分2节)、腿节(femur)、胫节(tibia)、跗节(tarsus)和前跗节(matatarsus)(图23-86 A，B)。基节与体壁相连，转节连接基节和腿节，腿节最膨大，胫节细长，跗节一般分为1～5个亚节，前跗节常变为1个或1对爪(claw),有的种类爪间还具有爪间突(empodium),爪下有爪垫(pulvillus)。

昆虫的3对附肢都是步足,主要用于爬行。成虫的步足一般比较发达,能支撑起整个身体在地面步行。幼虫的体壁和附肢往往欠发达,只能在地上爬行。有些昆虫的步足特化,用于跳跃、捕食、抱握等。弹尾目昆虫则利用腹部的弹器(叉状器 furcula=spring)(图 23-79 A)进行跳跃运动。

水生昆虫在水中的运动与陆生昆虫在陆上运动有所不同,而其在水面上运动与水下运动又有不同。

水面上生活的昆虫能够利用水表面张力使之停留在水面而不下沉,其步足的跗节多生有拒水毛(hydrofuge hairs),附肢各部表面蜡质发达,与水分子不具亲和力。当这些昆虫立于水面上时,虽然重力的作用会使足与水接触处的水面膜上产生一个凹陷,但表面张力足以支撑上面的重量,昆虫不会沉入水下。海黾类(如洋黾 *Halobates micans*、轮海黾 *Trochopus plumbea*)无翅,中足的拒水毛特别发达,密生于跗节(和)胫节上(图 23-83 A, B),即使跳跃时也不会踩破水面膜。运动时,以前足支撑身体,中足像一对桨一样同步击水推动虫体快速向前滑行,同时伸向后方的1对后足像舵一样掌握方向,当中足伸展或抬出水面时后足也用来支撑身体。桨爪海黾 *Husseyella* 中足的爪和爪垫特化为桨状(图 23-68 A),其作用与前者类似。日本立翅摇蚊 *Telmatogeton japonicus* 的翅相对立于背上,步足具有较大的活动空间,能在水面快速步行(图 23-68 C)。津岛海滨摇蚊 *Clunio tsushimensls* 的雄虫以前足将身体举起20度,后足拖在身后,翅不断扇动如飞机的螺旋桨一样推动虫体在水面快速滑行(图 23-68 B)。有的昆虫如四丘瘤岬 *Onchthebius quadricollis* 能从下面利用水面膜的表面张力,犹如苍蝇倒仰在天花板上,以足倒悬于水面膜上步行(图 23-68 D)。

底栖昆虫在水底的步行和爬行与陆上的步行相似。有些昆虫能够潜水和游泳,这类昆虫往往具有流线型的身体,背腹扁平或龙骨状,1对或多对特化为适合于游泳的附肢。

无翅类昆虫原始无翅。有翅亚纲的成虫通常具有两对翅,生于中胸和后胸,分别称为前翅(fore wing)和后翅(hind wing)(图 23-66)。翅是中胸和后胸背板向体壁外扩张形成,发展过程中上下两层体壁紧贴,表皮细胞逐渐消失,其中有骨化的管状构造,内含神经、气管和血液,这种管状构造称为翅脉(vein),由翅基部走向外缘的为纵脉,与纵脉垂直的为横脉。翅内全部翅脉的整个系统统称脉相(脉序、脉系 veination),昆虫翅脉序的模式如图 23-69 所示,其他各种复杂或简单的脉序都是由这种基本状态演变而来。

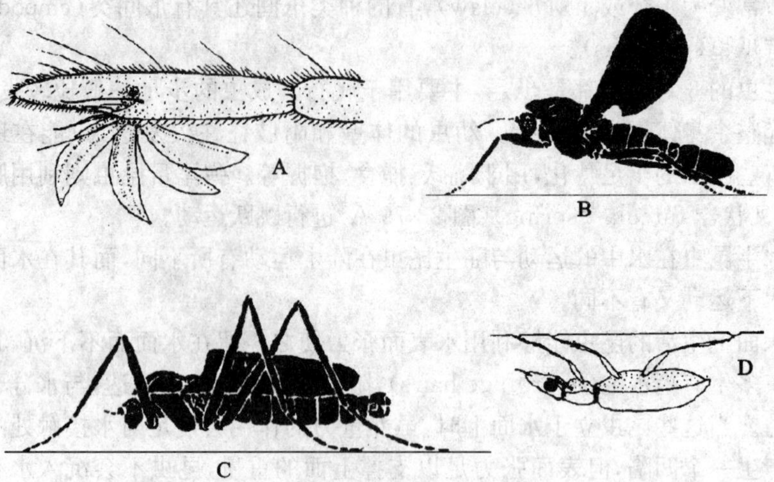

图 23-68　几种海洋昆虫

A. 桨爪海黾中足的叶状爪和爪垫；B. 津岛海滨摇蚊 *Clunio tsushimensis* 在水面上的运动方式；C. 日本立翅摇蚊 *Telmatogeton japonicus* 在水面上的运动方式；D. 四丘瘤岬 *Onchthebius quadricollis* 倒悬于水面膜上

（A 仿 Anderson 和 Polhemus；B，C 仿 Hashimoto；D 仿 Doyen）

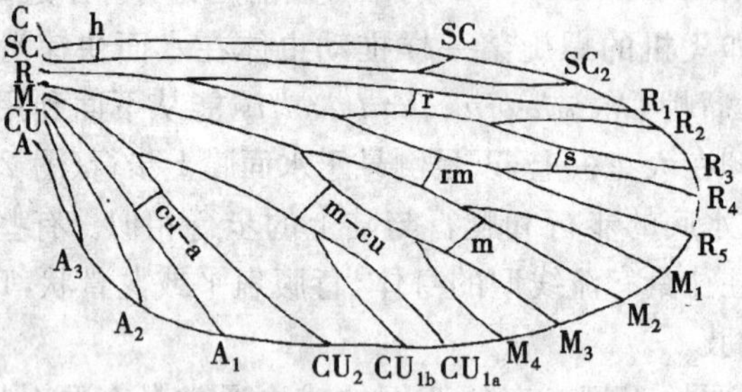

图 23-69　昆虫翅的模式图（仿 Brusca 等）

纵脉：C. 前缘脉（costa）；SC. 亚前缘脉（subcosta）；R. 径脉（rabius）；M. 中脉（media）；CU. 肘脉（cubitus）；A. 臀脉（anal vein）横脉：h. 肱横脉（humeral cross vein）；s. 分横脉（sectorial cross vein）；r. 径横脉（radial cross vein）；rm. 径中横脉（radiomedial cross vein）；m. 中横脉（medial cross vein）；m-cu. 中肘横脉（mediocubital cross vein）；cu-a. 肘臀横脉（cubitoanal cross vein）

翅依其形态和功能不同分为多种类型。薄膜状的称膜翅(membranous wing);前翅角质加厚硬化、用作保护的叫鞘翅(elytron);前翅仅基部加厚、其余部分为膜状的称半鞘翅(hemielytron);前翅如皮革状、介于膜翅与鞘翅之间的为覆翅(tegmen);膜翅上覆有鳞片的为鳞翅(lepidotic wing)。双翅目往往只前翅发达,后翅退化为平衡棒(halter),如库蠓 *Culicoides furens*,海生按蚊 *Pontomyia cottoni*,海滨摇蚊 *Clunio californiensis*(图 23-87 A~C)。

昆虫翅的主要功能是飞行,对于昆虫的迁徙、捕食、避敌、觅偶等具有很大意义,是昆虫种类多、分布广的主要原因之一。昆虫的飞行是靠翅上下不停地振动来完成的,其动力来源于胸部背腹肌和背纵肌的交替收缩(图 23-70)。有些昆虫在翅停止扇动时能进行一定程度的滑翔。小型的昆虫容易被气流携带到遥远的地方,在这种情况下翅的作用与帆相似。双翅目平衡棒基部的骨片具感觉器,能将感受到的压力冲动传到中枢神经系统,并引起翅的扭曲以校正身体定位上的偏离。鞘翅、半鞘翅、覆翅等特化的前翅主要用于保护。

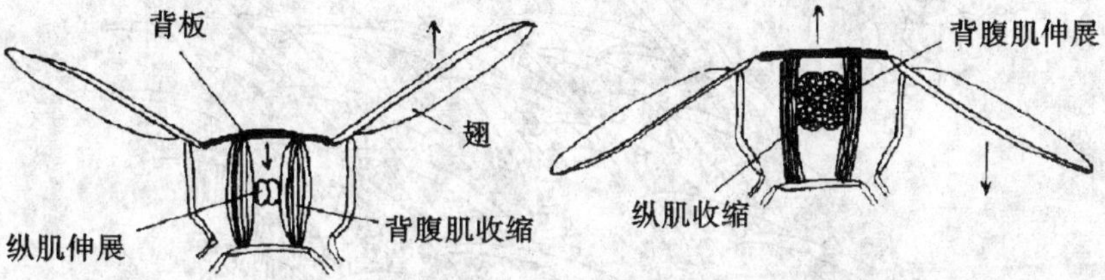

图 23-70 昆虫翅的上下运动与背板、背纵肌、背腹肌关系图解

A. 背腹肌收缩,背板向下运动,翅上摆;

B. 背腹肌伸展,背纵肌收缩,背板向上运动,翅下摆

(仿 Ross 从 Ruppert 和 Barnes)

虽然很多近岸海洋的昆虫具飞行能力,但翅的存在对多数海洋昆虫来说往往是一个不利因素。很多海洋昆虫翅退化(如海生按蚊 *Pontomyia cottoni*)或次生无翅(如各种海黾、water striders)或具翅但无飞行功能(如某些底栖的甲虫翅特化成了保护和储存空气的结构)。翅的这些结构和功能上的退化不仅有利于它们穿越气-水界面进入水中生活,而且降低了被海风吹走的危险性。

(3) 腹部:腹部由 9~11 个体节和 1 个尾节(telson)组成(图 23-66)。但尾节只在原尾目和昆虫的胚胎发育过程中比较明显。胚胎发育过程中每个腹节都曾出现 1 对附肢,至成虫大多消失,只第 11 节附肢特化而成的 1 对尾须(cercus)比较明显。缨尾目和蜉蝣目的多数种类除具尾须外,还有 1 条由第 11 体节肛上板延长而成的中尾丝(median caudal filament,terminal filament)(图 23-80)。很多学者认为昆虫的雌雄外生殖器是由腹部附肢演变而来,但除雌性的产卵器外,尚未最后证实。关于与生殖有关的腹部附器将在生殖系统一节再作叙述。很多昆虫的幼虫具有腹足,执行各种不同的功能。

2. 体壁和血腔:昆虫的体壁最外层是外骨骼,是由其下面的表皮分泌的,表皮层之内是1层很薄的基膜。昆虫的外骨骼蜡质层发达,具有很好的防水性能。海洋昆虫的体表外骨骼上往往具有一层浓密的拒水毛。海黾的体表拒水毛有大毛和微绒毛两种(图 23-71),当海黾意外沉入水中时,能防止身体被水浸湿和储存空气供呼吸之用,大毛间形成的大气泡使身体保持较轻的体重,能迅速上浮到水面,这些拒水毛的另一个作用是防止经常性的雨水、浪花等溅湿身体。

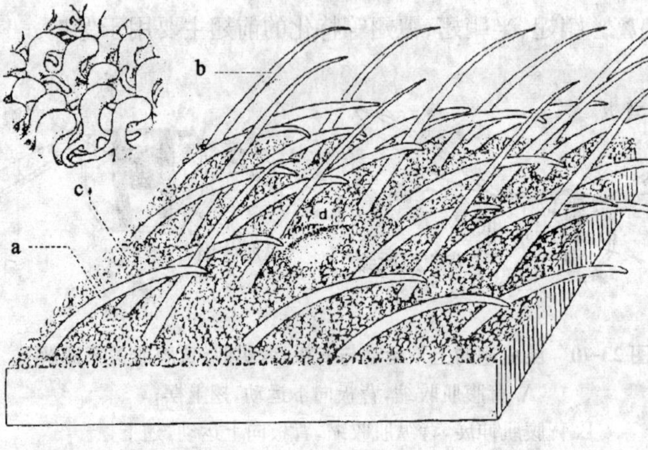

图 23-71　洋黾 *Halbates* 身体的表面结构(仿 Andersen 等)

a. 斜毛,b. 竖毛,c. 微绒毛及其部分放大,d. 角皮窝

昆虫的真体腔退化成了生殖腺内腔。在胚胎发育过程中,代表真体腔的中胚层裂隙和代表原体腔的血窦,因间隔消失而合并起来,成为一个混合体腔,即血腔。昆虫的消化管等各种内部器官都浸浴在这个血腔内的血液中。血腔由背隔膜(dorsal diaphragm)和腹隔膜(ventral diaphragm)分隔为背血窦(dorsal sinus)、围脏窦(perivisceral sinus)和腹血窦(ventral sinus)3 部分(图 23-72)。背血窦内因具有心脏和背血管也叫围心窦(pericardial sinus),腹血窦则因包围腹神经索亦称围神经窦(perineural sinus)。

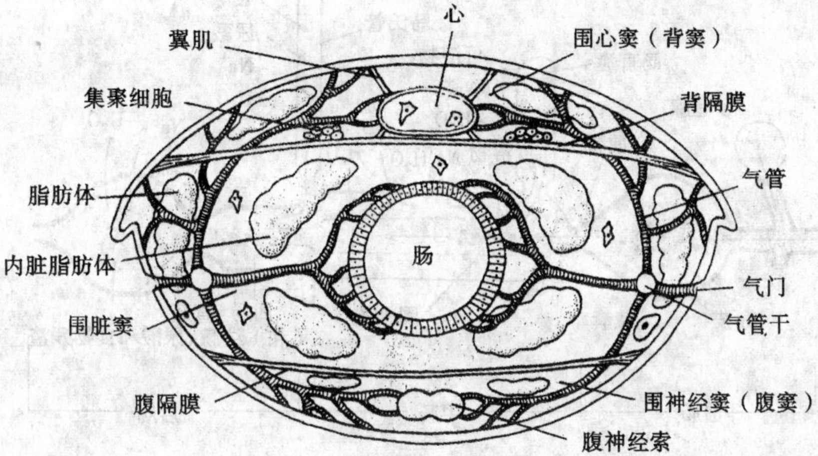

图 23-72　昆虫横切模式图(仿 Davies 从 Ruppert 和 Barnes)

多数昆虫的心脏呈管状，纵贯腹部前 9 个体节(图 23-66)。心脏的后端封闭，前端与 1 条通向头部的动脉血管相通。在每个体节具有 1 对心孔(ostium)和 1 对翼肌(alary muscle)，翼肌的另一端与体壁相连。翼肌的收缩使心脏扩张，围心窦内的血液经心孔流入心脏，随后心脏壁上的肌上皮细胞(myoepithelial cell)进行节律性收缩，将心脏内的血液驱向前方。在围脏窦和腹血窦内昆虫的血液自前向后流动，并经背隔膜上的隔孔(perforation)流回围心窦。除心脏外，头部、附肢、翅等部位常具有一些附属的波动构造，一些快速飞行的昆虫具有胸心(thoracic heart)，能把翅内的血液吸回血管。背隔膜的收缩、身体活动如气管系统换气等对于血液的循环也具有一定的作用。

昆虫的血液一般无色或绿色，含有各种血球，有的是变形细胞。昆虫的血液对于运输氧气作用不大。昆虫的血液中有机分子如氨基酸等浓度较高，对于渗透压调节的作用可能比无机盐(如 NaCl)更显重要，这与其他动物有所不同。

血腔内除具有血淋巴外，还具有大小不等的脂肪体(fat body)(图 23-72)，分布于身体各部，是一种贮存结构，兼有排泄功能。

3. 消化系统和营养：昆虫的消化系统分为前肠、中肠和后肠。前肠和后肠是体壁内陷形成的，内表面被有角质层，来源于外胚层，在虫体蜕皮时也要蜕去。中肠是由内胚层形成的。消化系统各部功能图解如图 23-73。

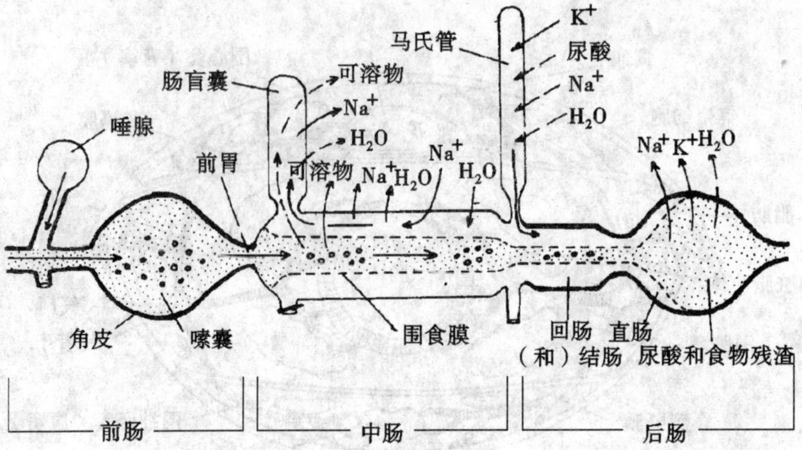

图 23-73　消化系统和马氏管功能图解（实线示盐离子的主动运输，虚线示水和其他物质的被动扩散）（仿 Berridge 从 Ruppert 和 Barnes）

前肠包括口、咽、食道、嗉囊和前胃（proventriculus）。咽在一些吸食性昆虫比较发达，常特化为吸泵（sucking pump）。嗉囊是储存食物的场所。具咀嚼式口器的昆虫前胃一般比较发达，特化为砂囊（gizzard），内有齿或硬质突起；在一些吸食的昆虫前胃仅仅是一个防止粗糙食物进入中肠的贲门瓣。多数昆虫具有 1 对唾腺，其功能一般是分泌唾液，用于湿润和溶解食物，有的种类能够分泌消化酶，有些种类（如黄蜂、蜜蜂等）的幼虫唾腺能够吐丝制作巢室，也有的唾腺则能够分泌抗凝血剂、凝集素、抗原等。

中肠也称胃（stomach，ventriculus），呈囊状或管状，是分泌消化酶进行消化和吸收的地方。绝大多数昆虫中肠的前端具有 1 圈向外突出的胃盲囊（gastric caecum），食物在这里进行最后的消化吸收。

除半翅目昆虫外，中肠内都具有 1 层围食膜（peritrophic membrane），是由蛋白质和几丁质构成的，有的是由中肠内衬周期性分层形成的（如蝗虫），有的则是由前胃瓣膜处的上皮不断分泌形成的。围食膜的作用是将不断向中肠后部流动的食物包围起来，以防止粗糙的食物擦伤中肠上皮。此外，围食膜将中肠腔分为内外两部分，围食膜内经初步消化的食物可渗透到围食膜和肠上皮之间的肠腔，并在这里进行进一步的消化。消化完全的食物在围食膜和肠壁之间的腔向前流动，营养物质的吸收作用主要在中肠前部和胃盲囊内进行。中肠的后部能够自肠内回收部分水分。后肠包括位于前部的小肠和位于后部的直肠。小肠有时又分为回肠和结肠。后肠的主要功能是排除消化物残渣和回收水分。

白蚁和蜚蠊类的直肠内共生有原生动物或细菌，能够分解纤维素。

昆虫血腔内的脂肪体的功能与环节动物的黄色细胞（chlorogogen）及脊椎动物的肝脏相似，主要是储存营养物质。那些不摄食的成虫就是依赖脂肪体内储存的脂类、糖类、蛋白质等营养物质来维持生命。

昆虫的食性和摄食方式因种类和所处的虫态不同而有很大的差异，往往与口器的类型有关。多数昆虫是植食性，以各种植物的组织或汁液为食。肉食性昆虫主要以其他小型无脊椎动物为食，也有的吸食脊椎动物血液。虽然植食性和肉食性昆虫都多少具有一点杂食性，但真正杂食性的昆虫是不多的。海黾以海水中的小型动物为食，摄食时以口器刺入猎物组织吸食其体液。海洋鞘翅类一般以海藻、其他动物、腐烂海藻中的蝇蛆等为食。棘虱吸食海豹等海兽的血液。食毛虱嚼食鸟类的皮屑、羽毛或吸食其血液。

4. 排泄和渗透压调节：除弹尾目和蚜虫类外，昆虫一般具有马氏管，是主要的排泄器官。马氏管是中后肠交界处向血腔中突出的一些管状结构，来源于外胚层，游离于血腔中，数目为 2～250 条不等（图 23-66）。马氏管的管壁内层为方形上皮，管壁外层为结缔组织和肌肉纤维，富有弹性。

马氏管的功能图解如图 23-73。在血腔内的离子（以 K^+ 为主）经主动运输进入马氏管的同时，水分被动吸入马氏管。组织中产生的尿酸首先进入血腔，与无机盐、氨等物质一起被马氏管的组织细胞吸收，然后以尿酸盐的形式分泌到马氏管内腔中。由于后肠的 pH 值较低，导致尿酸沉淀，最后随粪便排出体外。昆虫的直肠和马氏管近端还具有回收水分和盐分的作用。

此外，有些昆虫的体内具有积聚细胞（nephrocyte）或称围心细胞（pericardial cell），常位于心脏附近，具有吸收积累含氮代谢物的作用。弹尾目等一些昆虫的脂肪体也具有积累代谢废物的作用。

昆虫高度适应陆地生活，其渗透压的调节机制也主要是为陆地生活保持水分而建立。减少水分损失的主要机制有：①外骨骼蜡质层发达，体内水分难以蒸发；②以深陷体内的气管呼吸，气门有盖；③排泄固态尿酸；④后肠回收水分，因排泄、排遗而失的水分很少。

对海洋昆虫而言，主要的问题是避免海水环境中的盐分过量地进入体内和防止体内低渗体液中的水分渗入高渗的海水中。其保持体内渗透压平衡的方法与陆生昆虫有些类似，主要有以下几种：①体表蜡质层发达，高效拒水，高渗的海水难以侵入；②避免摄食含盐高的食物，如很多海洋昆虫在雨后加强摄食，海水盐度较高时摄食量减少，且少饮海水；③提高血液的渗透压，有些海洋昆虫血液中的离子浓度和有机物浓度均较高，使海水-血液间的渗差较小；④马氏管和后肠向消化道分泌盐分，后肠排出的是高渗粪便。

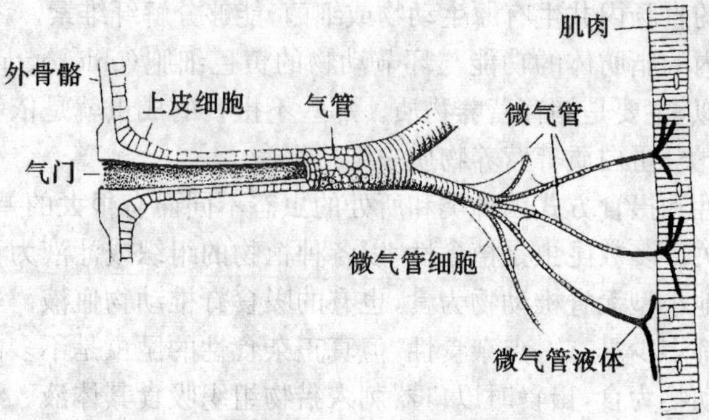

图 23-74　昆虫气管的模式构造(仿 Ross 从 Ruppert 和 Barnes)

5. 呼吸器官和呼吸:绝大多数昆虫以气管(tracheae)进行呼吸。与其他一些节肢动物的呼吸器官不同的是昆虫的气管在发育过程中与附肢无关,是由体壁内陷形成的一些管状构造(图 23-72,图 23-74)。气管陷入处为气门(spiracle)(图 23-66,图 23-72,图 23-74),最多 10 对。其中胸部气门 1～2 对,分别位于前胸和后胸;腹部气门 7～8 对,分别位于前部的 7 个或 8 个腹节的侧板上。气门内有活瓣,有的则具有过滤结构,不仅能减少水分的损失,而且可以防止异物或寄生虫的入侵。气门之内为由大及小的气管分枝。气管内常具有螺旋状的外骨骼加厚,用以保持气管的形状。最小的气管分枝是微气管(tracheole)。微气管遍布身体各部,是由微气管细胞(tracheole cell)形成的。微气管的末端具有微气管液(tracheole fluid),是与组织进行气体交换的部位(图 23-74)。因气体的交换直接在身体各部的组织内进行,无需循环系统来运输。

水生的昆虫由陆生昆虫进化而来,其具角质的身体构造和气管呼吸系统不适应于从水中获得氧气。为克服在水中呼吸的障碍,水生昆虫在长期的进化过程中产生很多的呼吸适应,大致有下列几类:

(1)经常上升到水面补充氧气:这是水生昆虫常见的一种呼吸适应,但因潮间带环境不稳定,潮间带昆虫通常不采用这种呼吸方式。

(2)气门突起或生于突出的管上:昆虫生活在水下,将其突出的气门(图 23-75 F～H)伸到水面以上进行气体交换。气门口上具有刚毛,在表面张力作用下,即使潜水时海水亦难倒灌气管中。这种呼吸结构如突出呈管状常称呼吸管(breathing tube＝siphon),通常只是最后一对气门特化为呼吸管(图 23-75 H)。

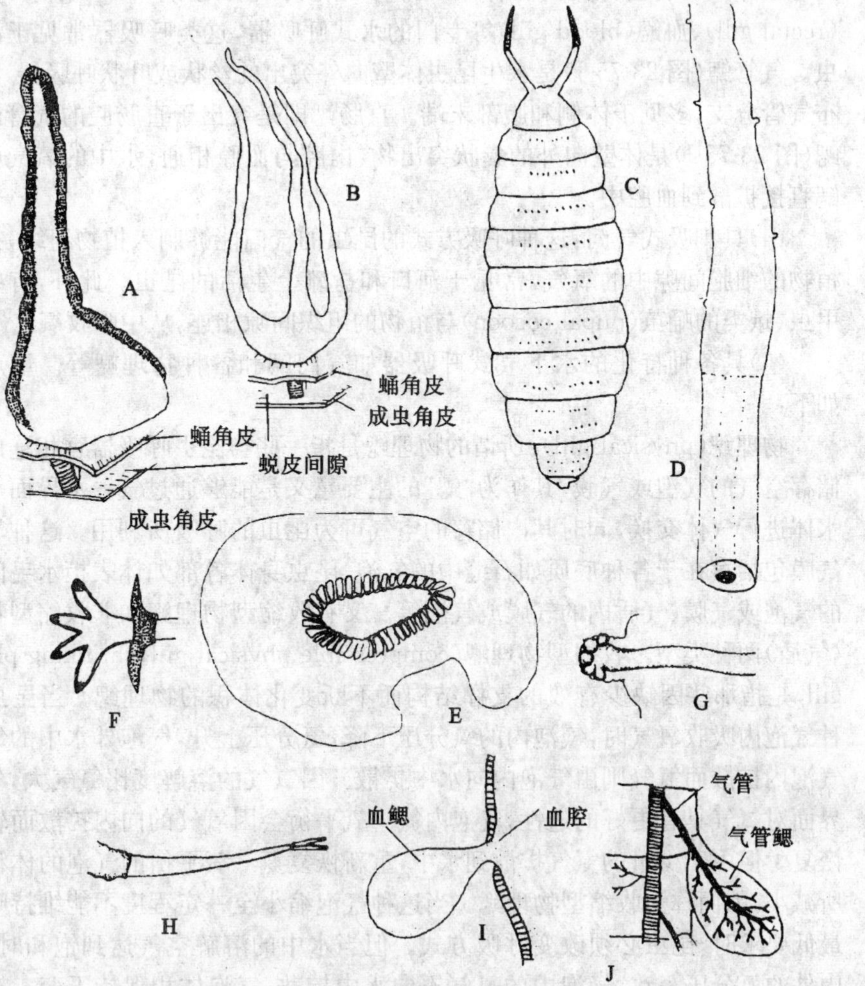

图 23-75 海洋昆虫的呼吸器官(1)

A. *Geranomyia unicolor* 的气门鳃;B. *Dicranomyia trifilamentosa* 的气门鳃;C~E. 长鼻滨蝇 *Canace nasica* 围蛹背面观(C)、气门鳃和气门基部(D)、气门基部横切(E);F. *Ephydra packardi* 幼虫的掌状前气门;G. *Ochthera mantis* 幼虫的前气门;H. *O. mantis* 幼虫的后气门(呼吸管);I. 血鳃示意图;J. 气管鳃示意图

(A~E 仿 Hinton;F~H 仿 Simpson;I~J 仿各作者)

(3)皮肤呼吸(cutaneous respiration):这类昆虫的角皮退化,体表或部分体表因缺少角质层而具有透性,可直接从水中吸收氧气,是水生内翅类昆虫常见

的呼吸方式。有些种类的身体某一部分特化为气管鳃(tracheal gill)、直肠鳃(rectal gill)、血鳃(blood gill)等专门的水式呼吸器,这类呼吸器常见于淡水昆虫。气管鳃(图 23-75 J)是水生昆虫体壁向外突出的丝状或叶状呼吸器,其中密布气管分支,多见于体侧和腹部末端。直肠鳃即是突出于直肠腔的气管鳃。血鳃(图 23-75 I)是体壁向外的囊状突出物,内腔与血腔相通,水中的氧气可经血鳃直接扩散到血腔中。

(4)具刺吸式气门:这种呼吸方式的昆虫的气门能够刺入植物组织,并利用植物的细胞间隙中的氧气,常见于河口和盐滩上生活的昆虫。此外,有些淡水甲虫、蛾类的蛹茧(pupal cocoon)与植物的组织间隙相连,从中吸收氧气。

(5)具各种特化的水下气式呼吸器如气门鳃和各种物理鳃等。重点介绍如下:

物理鳃(physical gill):所谓的物理鳃是指一些与昆虫呼吸器官相连的用于储存空气的气泡或气膜,其作为"鳃"的主要意义是能够通过气—水界面与周围水体进行气体交换,同时其内储存的空气可为昆虫的呼吸所利用。这种气泡或气膜包括存在于各种底质如石缝中的气泡、昆虫身体各部如体表拒水毛间形成的气泡或气膜、气盾内的气膜或气泡等。又有收缩型物理鳃和非收缩型物理鳃(气盾)两种类型。收缩型物理鳃(compressible physical gill, shrinking physical gill)是指那些因缺少有效的支撑结构而不断变化体积的物理鳃。当昆虫从这种气泡内吸收氧气时,气泡内的氧分压下降,氮分压上升,气泡外水中的氧气向气泡内扩散而氮气则由气泡内向水中扩散。因氧气的溶解度比氮气大,气—水界面对氧气具有更好的透性,气泡内氮—氧平衡会因氧气的向内扩散而较快地恢复。但由于少量的氮气扩散到水中,重新恢复氮—氧平衡的气泡的体积会有所减小,因而称为收缩型物理鳃。当这种气泡缩小至一定程度不能维持呼吸的最低要求时,昆虫必须改变呼吸方式。但当水中的溶解空气达到饱和时,气泡内外的氮分压一致,气泡内的氮气不向水中扩散,气泡体积保持不变。有的昆虫通过不断的活动驱动水流来提高物理鳃的气体交换效率。非收缩型物理鳃(non compressible physical gill)亦称气盾(plastron),是一种具有巨大气-水界面而体积稳定的气膜或气泡,这种气膜(或气泡)由密集的拒水毛或防水网(图 23-76)来抵抗气体分压的变化,保持体积不变,能够从水中吸收足够的氧气供呼吸之用。

气门鳃(spiracular gill):气门鳃是气门处体壁向体外突出而形成的一种呼吸构造,远端通常封闭,向内与气管相通。海洋昆虫的气门鳃的外壁常常具有气盾,实际上仍行气式呼吸,也称为气盾气门鳃(plastron-bearing spiracular gill)(图 23-75 A~E,图 23-76)。

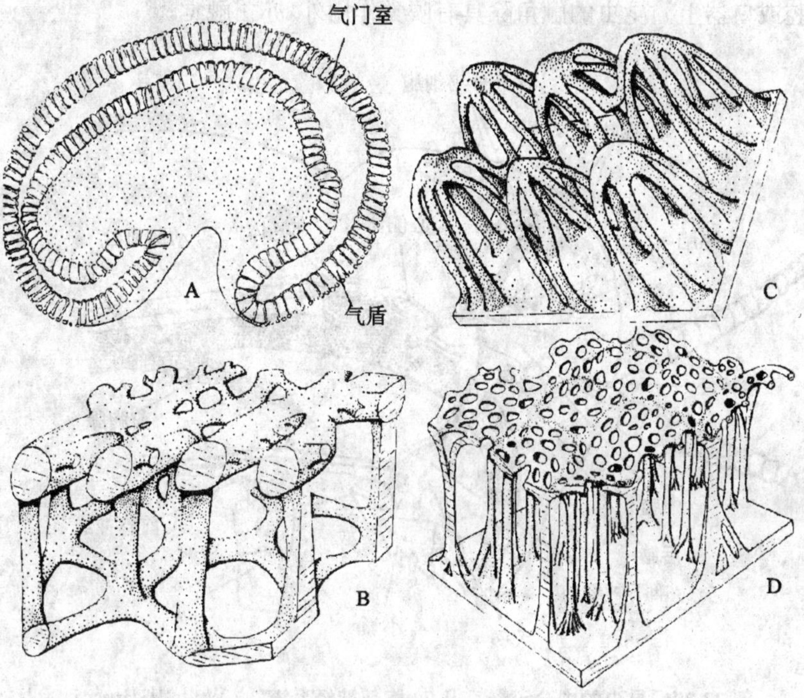

图 23-76　海洋昆虫的呼吸器官(2)(仿 Hinton)

A. *Canace nasica* 气门鳃中部之横切;B. *Canace nasica* 气门鳃上的气盾网;
C. *Geranomyia unicolor* 的气盾;D. *Dicranomyia trifilamentosa* 的气盾

6. 神经系统、感觉器官和内分泌:昆虫的中枢神经系统(图 23-77)与其他节肢动物相似,有脑神经节、围食道神经和腹神经索组成。脑位于食道背方,包括前脑(原脑)(protocerebrum)、中脑(间脑)(deutocerebrum)和后脑(tritocerebrum)。前脑具有膨大的视叶,与复眼联系。中脑具 1 对神经与触角相通。后脑发出 1 对神经与上唇联系。围食道神经与食道下神经节连接,后者是由头部的后 3 对神经节愈合而成,由此发出 3 对神经分别入大颚、小颚和下唇。腹神经索上的神经节常有愈合现象,最多具有 3 个胸神经节和 8 个腹神经节,各发出成对的神经至相应的体节及其附器。除中枢神经外,昆虫还具有交感神经系统(sympathetic nervous system),支配内脏的活动,具一些较小的神经节。

昆虫具多种感觉器官。机械感受器包括遍布身体的感觉刚毛(sensory hair,sensory seta)、弦音感受器(chordotonal organ)、鼓膜听器(tympanal organ)等。化学感受器主要包括嗅觉器和味觉器,前者常生于触角上,后者常位于口腔或口器上。昆虫的触角除具有嗅觉作用外,亦司触觉。

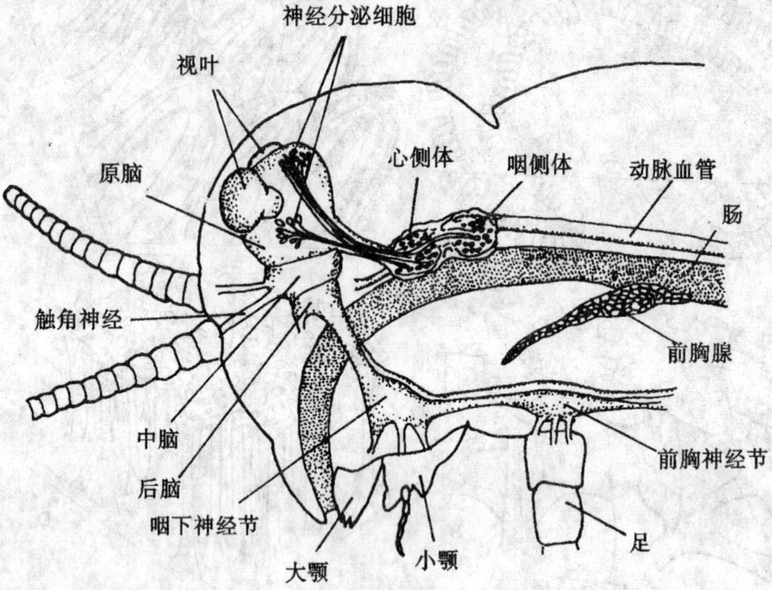

图 23-77 昆虫的内分泌器官及头、胸部神经系统(仿 Wells 从 Brusca)

昆虫的光感受器有单眼(ocellus)和复眼(compound eye)两类。多数昆虫成虫单眼付缺,如有,则常常具 1 个背眼和 2 个侧眼,能够感觉到光线强弱的变化,但不能造像。复眼是昆虫的主要视觉器官,由许多小眼(ommatidium)构成,组成一个复眼的小眼数目多达数千、数万个。每个小眼外面是角膜(corneum),构成小眼面(facet),由两个角膜细胞(即表皮细胞)分泌而成。在下面为晶体,由 4 个晶锥细胞(crystal cone cell)构成。晶体的下面为由 7 个小网膜细胞(retinula cell)组成的视觉柱,视觉柱的中央具有小网膜细胞分泌形成的视干(rhabdom),其末端与视神经相连。此外,每个小眼的周围由虹膜色素细胞(iris pigment cell)和网膜色素细胞(retinal pigment cell)包围着。

同种昆虫的个体间能够借助化学信号、触觉信号、听觉信号、视觉信号等进行联络。很多昆虫借助同种所分泌的外激素(pheromone)进行同种识别或吸引异性个体。有些昆虫能发出特有的叫声与同种联络。有的则根据雄虫发出的有节奏的荧光来吸引同种雌虫。蜜蜂能根据太阳定位并以特殊的飞行动作向其他个体传递蜜源的方向。

昆虫的内分泌器官有多种,主要集中于头部,包括前脑等神经节内的神经分泌细胞(neurosecretory cell)、咽侧体(corpus allatum,corpora allata)、心侧体(corpus cardiacum,corpora cardiaca)、前胸腺(prothoracic gland)等(图 23-77),构成了昆虫的内分泌中心。它们共同作用、协调控制昆虫的生长和蜕皮。脑神经节分泌脑激素,能激活心侧体、咽侧体等内分泌腺,促使它们分泌各自的激素,故脑激素也称活化激素。咽下神经节的神经分泌细胞分泌保幼激素。心侧体和咽侧体位于脑后咽的背方。心侧体的主要功能是储存脑激素。咽侧体分泌保幼激素,抑制变态。前胸腺分泌蜕皮激素,激发蜕皮,促进变态。在幼虫期,蜕皮激素和保幼激素共同作用,使幼虫蜕皮后仍保持幼虫状态。在末龄幼虫期,保幼激素浓度下降,蜕皮激素继续分泌使幼虫发生变态蜕皮,进入蛹期。待保幼激素停止分泌,在蜕皮激素单独作用下,蛹蜕皮变为成虫。此外,精巢也能进行内分泌,分泌雄性激素。

除分泌内激素外,昆虫也能分泌外激素,如性抑制激素、性外激素、踪迹激素等。外激素释放到环境中对同种个体的行为产生影响。

7. 生殖系统:昆虫雌雄异体。典型的雌性生殖系统(图 23-78 A)具 1 对卵巢,各由若干卵巢管(ovarioles,ovarian tube)组成。每个卵巢具 1 条输卵管,左右合并为总输卵管,后端通阴道。雌性生殖孔称为阴门,位于第 7、8 或第 9 腹节后方。此外,昆虫的雌性生殖系统通常还具有 1 对副性腺,有管通阴道背面。产卵器(ovipositor)着生于雌虫的第 8、9 体节,由 3 对产卵瓣(valvula)组成。其中腹产卵瓣(1 对)由第 8 腹节附肢变成,内产卵瓣(1 对)和背产卵瓣(1 对)都是由第 9 腹节附肢变成(图 23-78 B)。

雄性生殖系统(图 23-78 C)具 1 对精巢和 1 对输精管。输精管向后左右合并为射精管。雄性的副性腺开口于射精管的上方,具有分泌黏液的作用。雄性的外生殖器包括阳茎(aedeagus)和抱握器(clasper)。阳茎(图 23-78 C～E)是第 9 腹节体壁向外突出形成的,呈管状或锥状,其末端为雄性生殖孔,种间形态变化很大。抱握器是第 9 腹节侧面的 1 对附肢演变而来,呈叶状、钩状、弯臂状等,在交配时用以抱住雌虫腹部(图 23-78 E)。

8. 生殖和发育:交配时,雄虫以其阳茎插入雌虫的阴道输送精子。很多昆虫的精子包裹在精包内,交配后再释放到受精囊(spermatheca)内暂时储存。也有些昆虫与蛛形纲动物一样,行间接传输精子(indirect sperm transmission),雄虫把精包释放到地上,由雌虫拾取。昆虫一生仅交配 1 次或数次,但每次交配输送的精子数量很大,可保证卵子受精。

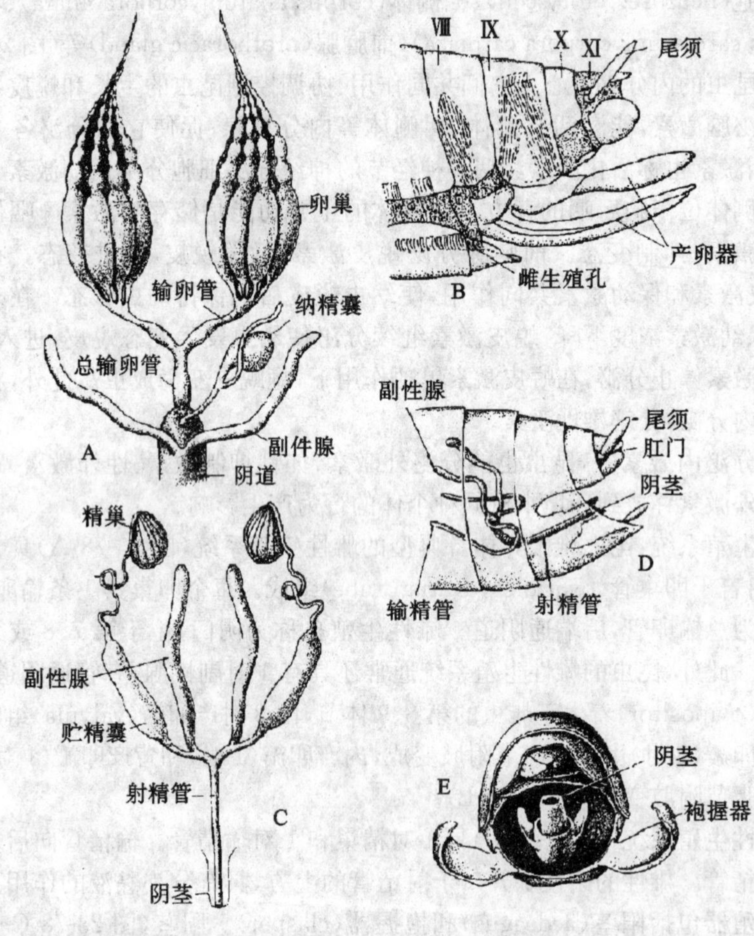

图 23-78　昆虫的生殖系统(仿 Snodgrass 从 Ruppert 和 Barnes)

A. 雌性生殖系统;B. 雌虫后端侧面观(示雌性外生殖器);C. 雄性生殖系统;D. 雄虫后部侧面观(示雄性外生殖器);E. 雄虫腹部后面观(示阳茎和抱握器)

昆虫的受精卵行表裂(superficial cleavage)。孵化后的发育过程具蜕皮(ecdysis),每蜕皮 1 次称为一龄(instar),初孵虫体为一龄,蜕第 1 次皮后变为二龄,同种昆虫一生中的总龄数是固定的。待性器官成熟、变为成虫后,昆虫的个体不再长大(这与甲壳动物不同)。昆虫的胚后发育大致可分为无变态、不完全变态、完全变态 3 类。

(1)无变态(ametebola):无翅类昆虫的初孵个体除身体较小、性器官未发育外,和成体相似,称无变态发育。

(2)不完全变态(incomplete metamorphosis):初孵个体的形态特征和(或)生活习性与成虫有所不同。有的(如直翅目)初孵个体的形态和习性都与成虫相似,惟性器官未发育、翅发育不全,每次蜕皮后翅和生殖器官都逐渐生长,此种变态亦称渐变态(gradual metamorphosis),其成虫前的个体称若虫(nymph)。另有一些昆虫的初孵个体的形态和生活习性均有所不同(如蜻蜓目),成虫陆生,变为成虫前为水生,这种变态亦称半变态(hemimetamorphosis)(图 23-84),水生的幼体也称稚虫(naiad)。

(3)完全变态(complete metamorphosis, holometabolous development):有翅亚纲内生翅类 Endopterygota(翅在体内发育,与翅在体外发育的外生翅类 Exopterygota 相对)昆虫具有这种变态方式,其胚后发育经历幼虫(larva)、蛹(pupa)和成虫 3 个完全不同的时期(图 23-85)。幼虫无翅,形态和习性与成虫完全不同,摄食活泼,但食性往往与成虫不同,如蝇蛆、蛴螬、海石蚕(图 23-85 B)等。蛹期不吃不动,内部器官发生巨大变化,有些鳞翅目幼虫在变为蛹时吐丝作茧以保护蛹。蛹经蜕皮,羽化为成虫。

有些昆虫能进行孤雌生殖,生殖方式与生活于淡水不稳定小水体的轮虫及一些小型甲壳类相似。有些昆虫受精卵在母体内已经开始发育,产出体外时已经是幼虫,是为卵胎生(ovoviviparity)。也有的昆虫雌虫产下来的已是即将孵化的蛹,称为蛹生(pupiparity)。某些寄生昆虫能够进行多胚发育(polyembryony),即早期发育的 1 个胚胎细胞团分裂为 2 块或多块,每 1 块发育为 1 个新的胚胎。

9. 休眠、滞育和浸水静态:休眠(dormancy)是环境条件变化(如气候恶劣、食物缺乏等)所引起的一种临时停止生命活动的现象,代谢活动处于相对静止状态,当环境条件转好后,能很快恢复正常的生命活动。

滞育(diapause)是昆虫在长期的进化历史中形成的一种比休眠更深的新陈代谢被抑制的生理状态,它的出现不再依赖于外界环境的影响,而是动物对有节奏的重复到来的不良环境的历史性反映,是动物对自然环境长期适应的结果,与有机体本身的内部变化有关。昆虫的滞育期因种而异,生活史中的各个时期均可发生,滞育的启动和解除受激素的直接控制。

一些陆生昆虫意外进入水环境时,往往只进行非常短暂的挣扎便进入昏迷状态(comatose),对外界刺激毫无反应,当虫体离水干燥后重新苏醒,这种现象称为浸水静态(submergence akinesis),实际上是一种特殊的休眠。由于昆虫的身体结构高度适应陆地生活,而不利于在水中生活,浸水静态是其防止溺水的一种保护性适应。多数水生昆虫具有比较好的水下呼吸能力,没有明显的浸水静态,但有些潮间带昆虫在高潮时进入静态以减少氧气的消耗。

23.5.3.3 分类

已知昆虫75～100万种，实际种数可能远超过此数，传统上分为无翅亚纲Apterygota和有翅亚纲Pterygota，现在多分为5亚纲34目（见表23-7单肢亚门分类要览）。翅、触角、中尾须、跳器和蜕皮现象的有无等是区分亚纲的主要依据。海产者见于下列分类阶元。

亚纲1. 弹尾亚纲Oligo-entomata：小型（<6 mm），统称跳虫。原始无翅。触角4关节，前3关节具肌肉。口器咀嚼式，大颚单关节。腹部不超过6节，第1腹节常具功能不详的腹管（粘管ventral tube，collophore，故也称粘管目），第3腹节具1对部分愈合的小型附器，它们都是退化的腹足；第4或第5腹节的附肢形成叉状器（弹器furcula = spring），用于跳跃。通常无气管，无气门。无马氏管。无眼，或由多数小眼构成小眼群。生殖孔位于体末端。发育过程简单，无变态。约2 000种，隶属弹尾目Collembola 1目。分布广，喜潮湿环境，以腐烂动植物、菌类、地衣等为主要食物，也危害绿色植物，在海滨生活的种类主要以海藻和腐烂动植物为食。如海洋等节跳虫*Isotoma maritima*（图23-79）。

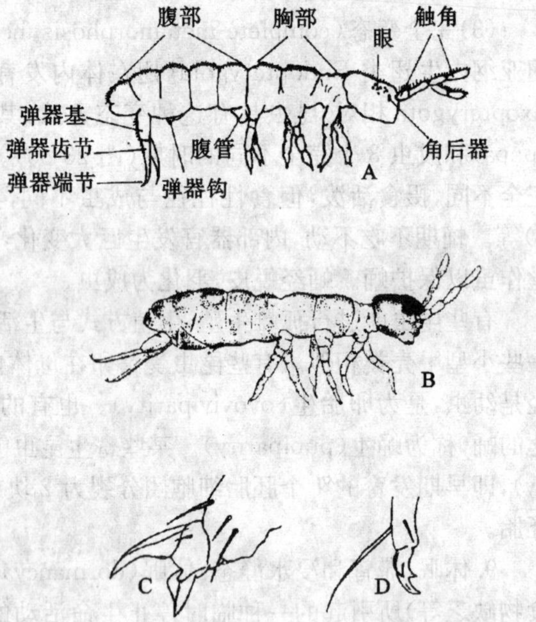

图23-79 弹尾类

A. 构造模式；B～D. 海洋等节跳虫*Isotoma maritima*的外形(B)、爪(C)和弹器之端节(D)

(仿Sterenzke从Joosse)

亚纲2. 缨尾亚纲Zygoentomata：小型，身体柔软，体表常被鳞片。原始无翅。触角丝状，多关节，但仅基关节具肌肉。口器咀嚼式，大颚2关节。腹部11节，具3～8对侧针突，第11腹节具1对长尾丝和1条中尾丝。具气管。复眼存在但常有退化，无单眼。雌性生殖孔位于第 8 节，雄性生殖孔位于第 10 节，无交配器。发育简单，无变态。已知约 700 种，分为缨尾目 Thysanura（统称衣鱼 silver fishes）和石蛃目 Microcoryphia（＝Archaeognatha，统称石蛃 rock hoppers）2 目，也有将此 2 目分别当做独立的亚纲的。只有石蛃目有海产种类。石蛃目 Microcoryphia：背面隆起。中、后足基节具可动之针突。复眼大且左右接触，有单眼。常见于山地岩石，也有的生活于森林草地或海滨礁石上，如海石蛃 *Halomachilis kojimai*（图 23-80）见于海边礁石区。

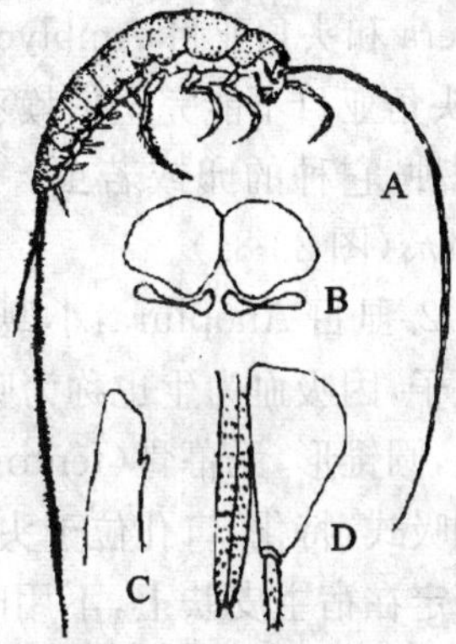

图 23-80　海石蛃 *Halomachilis kojimai*（仿内田亨等）
A. 整体；B. 单眼和复眼；C. 大颚末端；D. 产卵管

亚纲 3. 有翅亚纲 Pterygota：第 2 和 3 胸节分别具有成对的翅，有时次生退化或在某一性别次生退化，或功能上不再用于飞翔。触角仅基关节具肌肉。口器形式多样，大颚 2 关节。雌性生殖孔位于第 8 腹节，雄性生殖孔位于第 10 腹节，雌性通常具有产卵器（ovipositor）。种类极多，超过 100 万种，可分为 30 目（见表 23-7），海洋中生活的种类属于下列各目：

目 1. 食毛目 Mallophaga：小型昆虫（0.5～6 mm），俗称羽虱、鸟虱等，主要为鸟类少数为哺乳动物的专性外寄生虫，也称为嚼虱（chewing lice）。次生无翅。体圆形或长形，体色多样，常与宿主皮毛或羽毛的颜色一致。触角外露、部分外露或完全隐藏于深窝中，最多由五节组成。口器为特化的咀嚼式，大颚大而具齿，小颚和下唇趋于退化。中胸和后胸有时愈合为翅胸（pterothorax），胸气门 1 对。足短而发达，跗节 1～ 2 节，常具 1～2 爪。腹部一般具有明显的背板、腹板和侧板，腹气门至少 6 对。雌虫无产卵器，雄虫具有构造复杂的阳茎。渐变态，卵产于宿主的毛发或羽毛

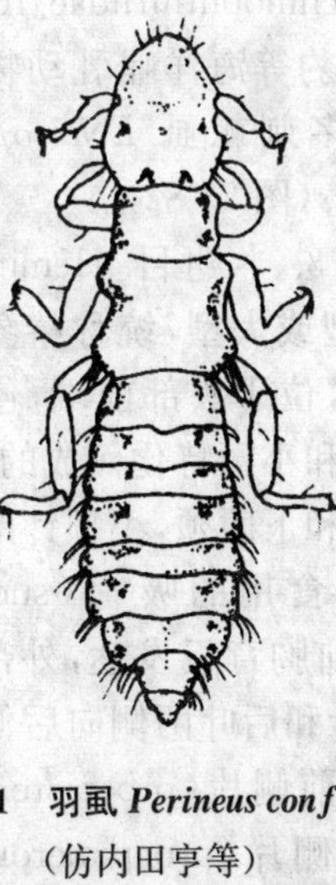

图 23-81　羽虱 *Perineus confidens*
（仿内田亨等）

上，生活史中若虫共3龄。

一般具有很强的宿主专一性，有的种类只能寄生于某特定亚种的宿主上，各种的分布以其宿主的分布为限。寄生于海鸟、海兽的种类包括丝角亚目 Ischnoera 和头角亚目 Amblycera。丝角亚目一般以宿主的皮屑、皮毛或羽毛等为食，头角亚目不能完全依赖羽毛和皮屑生活，需吸食宿主的血液，有些种类则吞食本种、它种的卵或若虫。如寄生于大型海鸟信天翁身上的羽虱 *Perineus confidens*（图 23-81）。

目 2. 虱目 Anoplura：小型昆虫（0.5～4 mm），全部为哺乳动物的外寄生虫，统称虱子，因吸血为生也称为吸虱（sucking lice）。次生无翅。体背腹扁平。头部前突，圆锥形，无幕骨（tentorium）；触角短而细，通常5节，少数3节或4节。口器刺吸式，特化，口孔位于头之最前端，口侧具1圈15～16个钩状齿，吸血时用于固定在宿主皮肤上，不用时缩入，头内有口针囊（营养囊，trophic pouch），内具2针，用于刺入宿主皮肤并在注入唾液后以咽管吸血。胸部3节愈合。足粗短，跗节通常1节，具单爪，与胫节下方的指状突对握，适于攀缘寄主毛发。腹部九节，可伸缩，其外骨骼呈膜状，背板（tergite）和腹板（sternite）退化，侧背片（paratergite）发达，第1和第2腹节一般退化。无尾须。复眼退化或付缺。雌虫无产卵器，雄虫阳茎发达。渐变态，卵长圆形，端部有盖，粘附于宿主的毛发上，生活史中只有单个宿主，若虫共3龄。

已知500种左右，其中只有棘虱科 Echinophthiriidae 10余种寄生于海豹等海洋哺乳动物的身体上，如多刺棘虱 *Echinophthirius horridus*（图 23-82）。

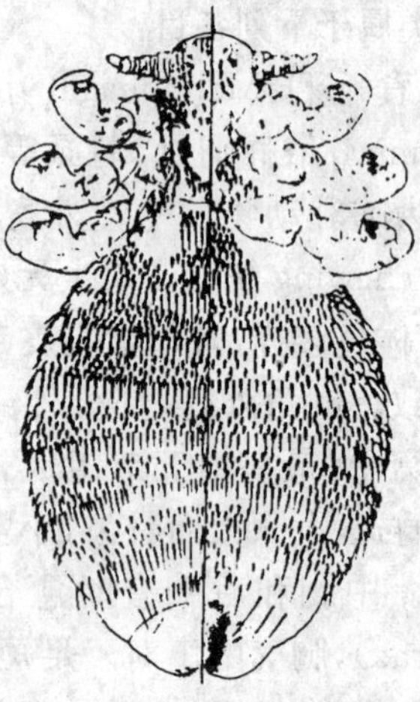

图 23-82　多刺棘虱 *Echinophthirius horridus*

（仿 Murray）

左边示背面观，右边示腹面观

目 3. 半翅目 Hemiptera：小型、中型或大型，统称椿象。口器刺吸式，位于头部前端，包括两对由大颚和小颚特化而成的颚针，无小颚须和下唇须，小颚针的内部特化为吸食用的吸管（suction canal）。前胸背板发达，外部分为3叶，前叶和后叶两侧向后伸展分别与前胸前侧片（proepisternum）和前胸后侧片（proepimeron）愈合。

中胸向后伸展，一般呈三角形的小盾片。一般前翅为半鞘翅，基部革翅，端部膜翅；后翅为膜翅，翅脉较少，少数后翅退化。静止时翅平覆于腹上，前翅膜质部互相重叠。步足跗节多为 3 节，有的 1～2 节，足的末端有爪，爪下有爪垫。腹部 9～11 节，无尾须。多数种类的胸部具有臭腺(scent gland)，后胸侧板靠近中足处有 1 个或 1 对臭腺孔。若虫的腹部背面具 1～4 个臭腺，有时至成体仍起作用。雌性生殖孔位于第 8 腹节，雄性生殖孔位于第 9 腹节。发育渐变态(图 23-84 C～E)，若虫与成虫的形态、食性相似，但无眼，附肢的跗节数目较少，有时触角的节数也较少，若虫通常具有 5 龄。

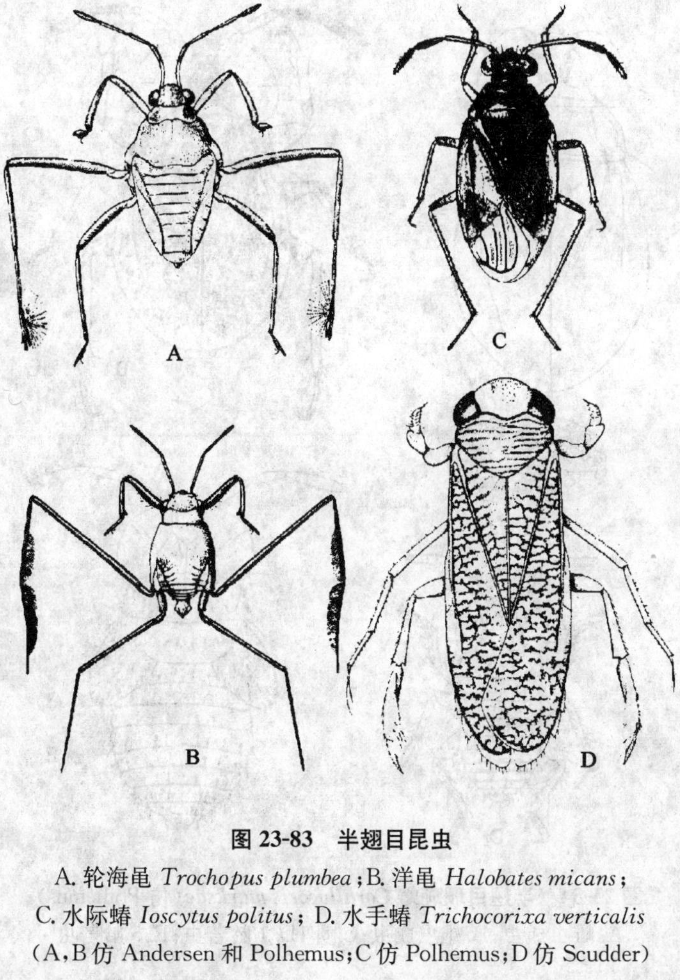

图 23-83　半翅目昆虫

A. 轮海黾 *Trochopus plumbea*；B. 洋黾 *Halobates micans*；
C. 水际蝽 *Ioscytus politus*；D. 水手蝽 *Trichocorixa verticalis*
(A,B 仿 Andersen 和 Polhemus；C 仿 Polhemus；D 仿 Scudder)

多数陆生，少数水生，有些种类生活于潮间带或海洋中。洋黾 *Halobates micans*（图 23-83 A）和轮海黾 *Trochopus plumbea*（图 23-83 B）都生活于海水的表面，水际蝽 *Ioscytus politus*（图 23-83 C）生活于潮间带盐沼中，水手蝽 *Trichocorixa verticalis*（图 23-83 D）生活于外海，珊瑚蝽 *Corallocoris marksae* 则生活于珊瑚礁上（图 23-84）。陆生种类多数吸食植物汁液，危害各种农作物、蔬菜、林木，有的以菌类为食。水生的种类大多是肉食性的，捕食其他昆虫、蝌蚪、鱼卵、鱼苗等，对水产养殖业有一定危害。本目中也有少数为其他动物的专性寄生虫。已知约有 35 000 种。

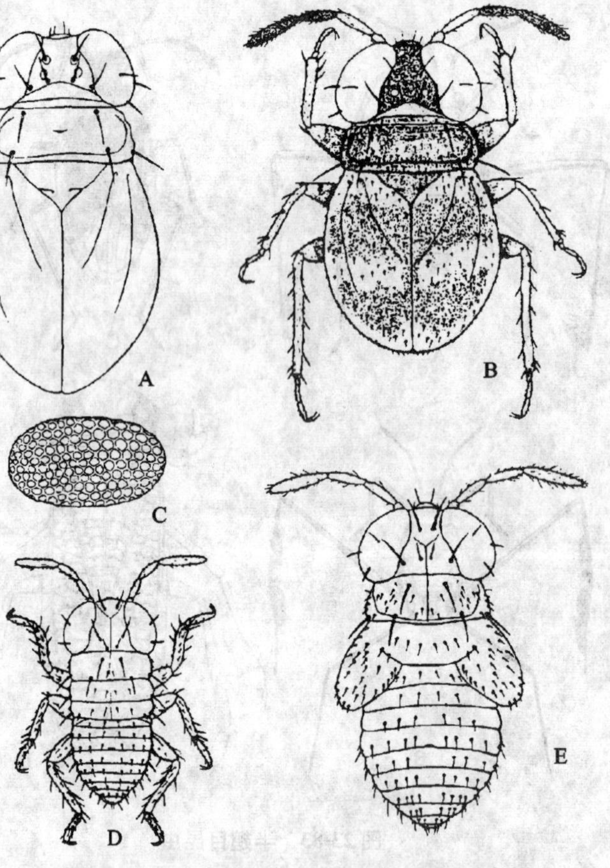

图 23-84　半翅目珊瑚蝽 *Corallocoris marksae*（仿 Polhemus）

A. 雌虫成虫；B. 雄虫成虫；C. 卵；D. 1 龄若虫；E. 5 龄若虫

目 4. 毛翅目 Trichoptera：成体一般为 2～40 mm，统称石蛾，幼虫称石蚕。幼虫的下唇能吐丝，用以织成居室或滤食网。成虫与蛾（鳞翅目 Lepidoptera）相似，具翅 2 对，膜质（有时雌性无翅），前翅（和体表）覆有细小的短毛（故称为毛翅）。足细长，跗节 5 节，有爪间突和 1 对爪垫。触角发达，常与翅等长。口器咀嚼式，易与蛾类区分，下唇须 3 节。具复眼，有的还具有 3 个单眼。全变态。

卵产于胶质团中，一般在水下或水面，有时也产于陆上。幼虫多数淡水生，其呼吸可直接利用水中的氧气，不必依赖空气，主要以藻类、腐烂植物中的真菌、细菌、细小的有机颗粒、小型无脊椎动物、绿色植物叶片等为食。成虫一般陆生，生命很短，昼伏夜出，一般不摄食；海水中生活的种类很少，如海石蛾 *Philanisus plebeius*（图 23-85）见于岩礁上的水洼中，其幼虫可生活于 75%的海水中，以藻类为食，成虫在潮间带附近活动，不摄食，不耐干燥。

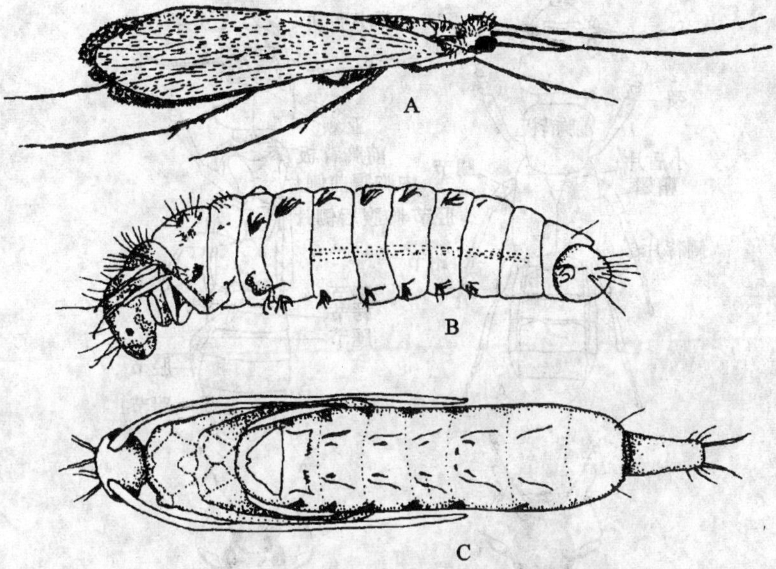

图 23-85　毛翅目的海石蛾 *Philanisus plebeius*（仿 Leader）

A. 成虫；B. 幼虫（海石蚕）；C. 蛹

目 5. 鞘翅目 Coleoptera：大小差别很大，统称甲虫或岬，最小的缨甲科 Ptiliidae 某些种类体长仅 0.25 mm，最大的一种独角仙 *Dynastes hercules* 体长达 155 mm。身体高度角质化，体躯坚硬，背腹略扁平。触角最多 11 节。口器咀嚼式，大颚水平活动；小颚由内颚叶和外颚叶组成，外颚叶 2 节，须状，内颚叶叶状，小颚须 4 节；下唇须 3 节。前胸大，能活动。中胸小，与后胸愈合，腹板和侧板角质化，除外露于鞘翅基（elytral basis）间的盾片（trochantin）外，中胸背板角质化不明显。中胸翅为鞘翅，高度角质化，纵脉发达而横脉不发达，中胸气门由鞘翅覆盖。后胸大，其腹板和前侧片(episternum)高度角质化，通常后侧片(epimeron)和侧板也角质化，腹板中央具纵缝和横缝。后翅膜质，翅脉发达，不用时折叠于鞘翅下。后胸气门由鞘翅覆盖。附肢的转节(trochanter)、腿节(femur)和胫节(tibia)均发达，跗节最多5节，足的末端具1～2爪(claw)，通常具有1个爪间突。腹部一般10节，多数情况下，腹部第2，第7或第3，第8腹板高度角质化，而背板角质化不明显，第10腹节常退化，无尾须。腹气门一般8对，有时退化减少，腹气门多由鞘翅覆盖。通常有复眼无单眼，极少数种类具有，1个中央单眼或1对侧单眼。雌虫产卵器位于第9腹节，雄虫第9腹节多退化。全变态。幼虫一般缺腹足，口器咀嚼式，1对胸气门，8对腹气门，单眼1～6对。

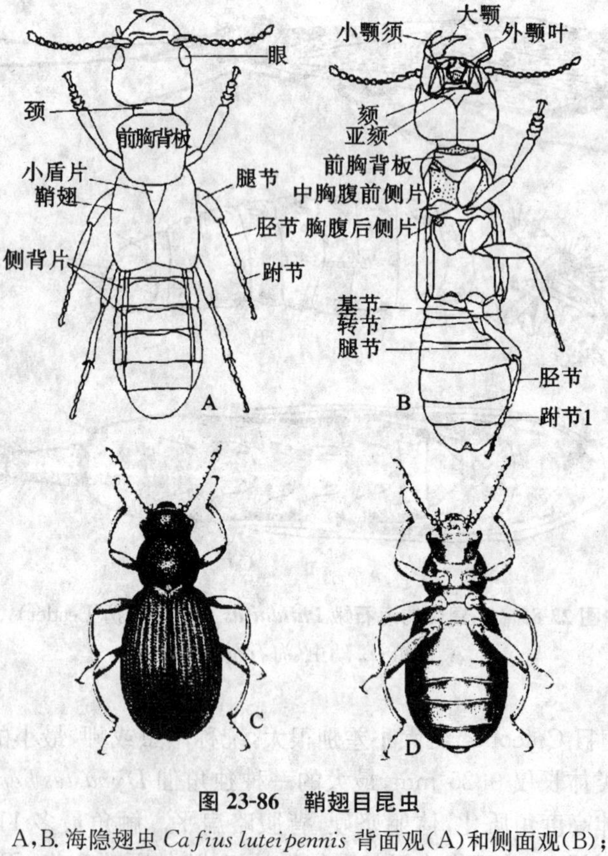

图 23-86　鞘翅目昆虫

A，B. 海隐翅虫 *Cafius luteipennis* 背面观(A)和侧面观(B)；
C，D. 海浜甲 *Aegialites fuchsi* 背面观(C)和腹面观(D)
(A，B仿 Moore 和 Legner；C，D仿 Doyen)

海洋生活的鞘翅类在身体构造上常发生一些适应水生的变化，如：体形常为流线型，适于游泳；跗节延长，跗爪变大，能比较牢固地固定身体，减少了被水冲走的危险；体表和附肢具短柔毛(pubescence)或腹甲具有微裂隙，储存空气供呼吸之用；底栖的种类翅变短、退化，不再用于飞行，有的则左右鞘翅愈合并在鞘翅下储存空气，但生活于水边的一些甲虫的翅仍用于飞行。

鞘翅目种类繁多，分布广泛，多数陆生，少数水生，有些种类生活于海洋潮间带，也有些种类生活于潮上带，但时常进入潮间带活动。鞘翅目昆虫的食性极其复杂，陆生甲虫一般生活于植物上或地面上，多数植食性，是农林业害虫，有的甲虫为捕食性，是害虫的天敌，也有一些甲虫食菌、食腐、食粪、食尸或寄生生活。海洋鞘翅类一般底栖生活，常见于石缝、滩涂洞穴、腐烂海藻下面等隐蔽场所，以避免潮水的侵扰。它们以海藻、其他动物、腐烂海藻中的蝇蛆等为食。海隐翅虫 *Cafius luteipennis*(图 23-86 A,B)常在岸边活动，飞行、爬行活泼，海浜甲 *Aegialites fuchsi*(图 23-86 C,D)则生活于潮间带石缝中。

目 6. 双翅目 Diptera：大小差别很大，常见的如蚊、蝇、虻等。头小，有颈，活动自如。复眼大，常占据头部的大部分，单眼 3 个或付缺。触角在不同的类群差别很大，3 节常见，长的有 16～18 节，最多的达 40 节。口器刺吸式或舐吸式。前胸、后胸小，中胸极为发达，胸部背面几乎全部为中胸背板所占据。中胸侧板分为 4 块大的骨片，后胸侧板不甚发达。前翅发达，膜质，后翅退化为平衡棒，脉序较简单，较高级的种类翅脉亦趋于退化。足的大小差异很大，一般具毛，跗节 5 节，有爪和爪垫各 1 对，爪间突刚毛状或付缺。胸部具气门 2 对。腹部外观上由 4～5 节或 11 节构成，第 1，第 2 腹节常退化而不易见。雌虫第 6～10 节形成产卵器，生殖孔开口于第 8 节腹面，第 9 节后特化为肛上板、肛下板和肛尾叶。全变态，幼虫一般经 4 龄。

习性比较复杂，成虫多数陆生，幼虫与成虫的食性、生活场所等常不同，约有半数种类的幼虫为水生。幼虫植食、腐食、粪食、捕食、寄生等多种食性。成虫常取食植物汁液、花蜜作为补充营养。有的种类吸食人畜血液，如生活于盐碱滩和潮间带的库蠓 *Culicoides furens*(图 23-87 A)和牛虻 *Tabanus nigrovittatus*(图 23-87 D)。海生按蚊 *Pontomyia cottoni*(图 23-87 B)、海滨摇蚊 *Clunio californiensis*(图 23-87 C)等则在潮间带以微藻、碎屑等为食，它们没有直肠鳃，与其生活于淡水的同类不同。水蝇 *Lipochaeta slossonae*(图 23-88 B)也生活于潮间带各种环境中，主要吸食微藻类。海藻扁蝇 *Coelopa frigida*(图23-88 A)生活于岸边海藻丛中，以腐烂海藻或海藻中滋生的其他生物为食。

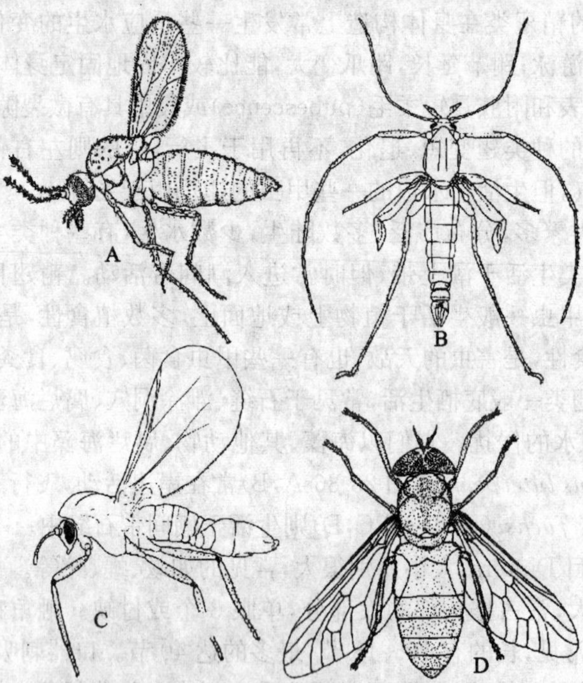

图 23-87 双翅目昆虫(1)

A. 库蠓 *Culicoides furens*；B. 海生按蚊 *Pontomyia cottoni*；
C. 海滨摇蚊 *Cluniocalifornienesis*；D. 黑带牛虻 *Tabanus nigrovittatus*
（A 仿 Evens 从 Linley；B,C 仿 Hashimoto；D 仿 Tung 从 Axtell）

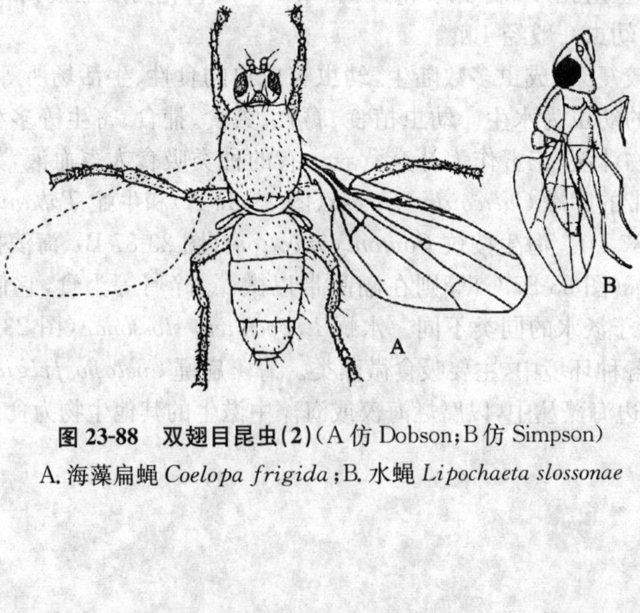

图 23-88 双翅目昆虫(2)（A 仿 Dobson；B 仿 Simpson）

A. 海藻扁蝇 *Coelopa frigida*；B. 水蝇 *Lipochaeta slossonae*

23.6 系统发生

1. 节肢动物的起源：节肢动物是否是一个自然类群，即是否由一个共同的祖先进化而来的，尚无普遍认同的结论，也缺少直接的化石证据。有人认为节肢动物起源于环节动物或与环节动物类似的祖先，二者在构造上有相似性：①都具体节；②神经系统基本相同，由分叶的脑、围咽神经环、咽下神经节和腹神经索组成；③发育过程都具体节逐渐增加的现象，且新增体节总是在尾节前形成；④循环系统都位于消化管的背方；⑤节肢动物的某些排泄器官（如绿腺）和体腔管同源；⑥叶状附肢的构造和环节动物疣足相似（但有的学者认为二者不是同源器官）。另外，古生物学的研究表明，环节动物和节肢动物都在前寒武纪(Precambrian)就已在地球上出现了。这都说明环节动物和节肢动物是两个古老而具有密切联系的动物类群。但是，在节肢动物怎样起源，即在其直接祖先的问题上各学者的意见却有很大分歧。一种意见认为节肢动物起源于一个共同的祖先，即一元（起源）论(monophyletic theory)。有些学者对一元论持反对意见，他们认为节肢动物是一个多系群(polyphyly)，是宗谱线上的一个级别而非一个分支，并提出了节肢动物起源的二元（起源）论和多元（起源）论。二元论(diphyletic theory)由 Tiegs(1947)提出，认为节肢动物是由不同的两个类似环节动物的祖先沿两条不同的进化路线发展起来（两条路线上，类群分属两个不同的门）。一条沿有爪动物→多足动物→昆虫向陆生生活发展，而三叶虫→甲壳动物→有螯动物则是海洋起源的系谱。多元（起源）论(polyphyletic theory)认为节肢动物是由多个不同的祖先演化而来，如伊万诺夫的三元论：①甲壳动物，其幼虫 3 体节；②三叶虫和有螯动物，其幼虫 4 体节；③有爪动物和单肢动物，其幼虫 7 体节。Manton 和 Anderson 的四元论：①三叶虫；②有螯动物；③甲壳动物；④单肢动物；并将 4 个分类单元提升至门。按照二元论和多元论，节肢动物的很多共同特征（衍征）在不同类群间具有独立的起源，也就是说“节肢化(arthropodization)”过程在进化史上独立发生了两次或多次，这也意味着节肢动物是在极其复杂的水平上大规模趋同进化的产物，这违背简约法则，也令人难以置信。因此，下文将主要基于一元起源假说来讨论节肢动物的演化发展。

从似环节动物的祖先进化到节肢动物究竟是怎样的过程呢？由于缺乏直接化石证据，只能根据对现生的节肢动物和年代相对较晚的化石进行特征分析来回答这一问题。

在环节动物-节肢动物的进化路线上还有两个类群与之有密切关系，这就是有爪动物和缓步动物。一般认为有爪动物和缓步动物也是起源于原始的环节动物或类似的祖先。图 23-89 是根据现代分支系统学原理建立的环节动物——节肢动物进化路线的支序图,这是一个根据共同衍征(synapormorphy)创建的支序图(只有共同衍征才能用来确定姊妹群,并判断直接的而不是遥远的进化关系)。

有爪动物、缓步动物和节肢动物具有一些共同的、不同于环节动物的新特征:身体由与环节动物类似的体节组成、真体腔退化为生殖器官和排泄器官的一部分并被发达的血腔取代、体表纤毛完全消失、角皮硬化、循环系统退化只留背血管(心脏)、出现位于身体侧腹面的附肢、生长过程中蜕皮现象以及与之有关的内分泌器官的出现等。这样一些普遍存在于具附肢动物的特征不大可能都是由于趋同进化而来的,因此有理由推论有爪动物、缓步动物和节肢动物具有一个共同的祖先,并且共同组成了一个单系群(monophyly)。这个共同祖先(图 23-89 中的 A)可能是一个与环节动物相似的同律分节的动物,真体腔已由血腔取代,身体的侧腹面具有叶状附肢(lobopod,不同于多毛类位于身体侧面的疣足,有人认为二者不同源,即叶状附肢不是由疣足直接进化而来),生长过程中具周期性蜕皮。这些不同于环节动物的新特征的出现是环节动物-节肢动物进化路线上所发生的“节肢化”过程的一个阶段。

这个共同祖先 A 在前寒武纪首先分化出了最初的有爪动物。由于有爪动物具气管系统,很多学者认为它是单肢动物的姊妹群,共同构成有气管亚门(Tracheata)。但是,有爪动物的气管只不过是由于适应陆地生活而出现的与其他陆生节肢动物相似的一个趋同特征。

有爪动物出现后,另一个古老的分支(缓步动物和节肢动物的共同祖先 B,图 23-89)接着出现了。原来紧贴在表皮之下的成层的肌肉被分离的肌肉束所取代,这种肌肉束附着于角皮内表面的结节(node,apodeme)上,同时分节排列的成对的肾消失,并出现真正能够用于步行的附肢。这些变化也是“节肢化”的一个重要步骤。

最原始的缓步动物生活于海洋,在向淡水和陆地辐射的过程中,其个体小型化(miniaturization)非常明显,因而不像其他节肢动物那样需要发达的呼吸器官和吸收水分的器官(如马氏管)。

在有爪动物和缓步动物出现以后,“节肢化”关键的最后一步才开始进行,并于前寒武纪出现真正的节肢动物—原节肢动物(proarthropod)。其最重要的进步特征为:完全硬化的外骨骼由具关节的骨片组成,附肢具关节,附肢内出现内生的肌肉束。

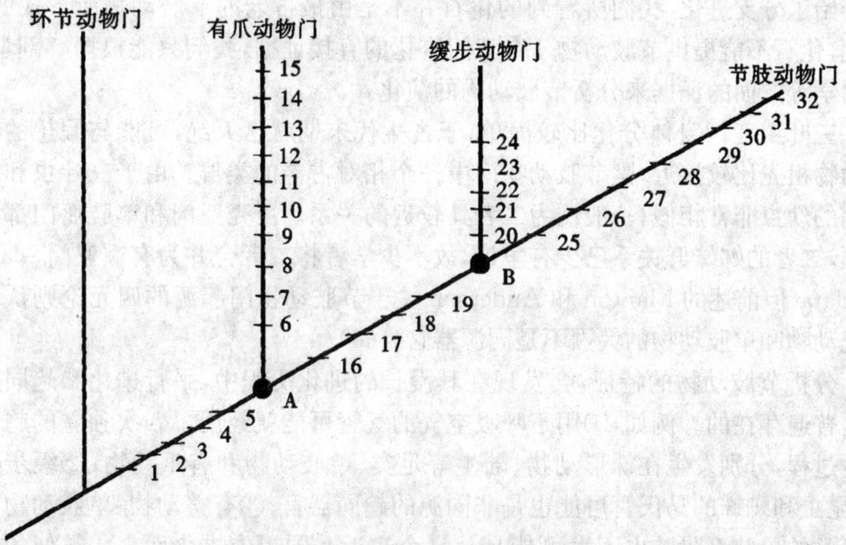

图 23-89　依共同衍征建立的环节—节肢动物分支图(仿 Brusca)

1. 失去外胚层纤毛；2. 体背方的长形生殖腺；3. 侧腹位附肢；4. 真体腔退化(出现血腔，开管循环，具心孔的管形心脏、位于身体背方的围心腔中)；5. 发育过程中具蜕皮现象；6. 体表分节退化；7. 体壁出现斜肌层；8. 皮下血道(subcutaneous hemal channels)；9. 特有的口乳突(unique oral papillae)；10. 体乳突和鳞片；11. 泥腺(sime gland)；12. 非游移性原肠形成(nonmigratory gastrulation)；13. 具爪和爪垫的叶状肢；14. 基节腺(在这里被看做是某些节肢动物"真正的"基节腺的趋同器官)；15. 气管系统(与节肢动物门的气管可能为趋同器官)；16. 节肢动物型刚毛出现；17. 分节排列的肾消失；18. 出现真正的步行运动；19. 出现独立、分节排列、附着于角皮突起上的横纹肌束；20. 缓步动物型"马氏管"(只见于淡水和陆生的缓步动物)；21. 缓步动物型爪；22. 口针；23. 小型化特征(如体节数减少、心脏和呼吸器官的消失、细胞恒数等)；24. 隐生现象(cryptobiosis)；25. 侧复眼；26. 角皮钙化；27. 完全分节的骨片；28. 内部生有肌肉的具关节的附肢；29. 附肢转向腹位；30. 消化管分区特化加强；31. 除少数种类的精子外，纤毛和鞭毛完全消失；32. 头部的蜕皮腺

2. 节肢动物各亚门的演化：节肢动物的化石最初出现于古生代初期。其中，三叶虫、甲壳动物和有螯动物的化石最早见于寒武纪，多足动物化石最早见于志留纪，无翅昆虫(apterygote insects)化石出现于泥盆纪(Devonian period)，有翅昆虫(winged insects)化石出现于石炭纪(Carboniferous period)。现有的化石证据表明，在古生代初期节肢动物门的 4 个亚门已经开始了进一步地辐射进化。换句话说，在第 1 个节肢动物的化石形成前，节肢动物的各主要类群已

经开始了分支进化，我们所看到的化石并不是由最古老的节肢动物所形成的。因此，化石不能提供节肢动物 4 个亚门进化的直接证据，我们只能根据解剖学、胚胎学等方面的证据来分析节肢动物的演化。

三叶虫亚门身体分化比较简单，于古生代末期就已灭绝，可能与假想的节肢动物祖先比较接近，是节肢动物门中一个相对古老的类群。由于三叶虫和肢口纲的幼虫非常相似，一般认为二者具较近的关系。甲壳亚门和单肢亚门都具大颚，二者的姊妹群关系已少有争议，故不少学者将二者合并为有颚亚门 Mandibulata(但前述的 Manton 和 Anderson 关于节肢动物门起源的四元论则认为甲壳动物和单肢动物的大颚不是同源器官)。

分析节肢动物的特征，会发现在其漫长的进化历程中，平行进化和趋同进化是普遍存在的。例如，①用于呼吸空气的气管可能就经历了四次独立的趋同发生过程，分别发生在蛛形动物、陆生等足类、单肢动物和有爪动物；②缓步动物、昆虫和蜘蛛的马氏管可能也是非同源的趋同器官；③有螯动物、单肢动物和等足类的单肢型附肢也不大可能是从一个最近共同祖先进化而来。类似的趋同特征一般是为适应相似的生活环境和习性而产生的适应性进化，某些特征(如单肢状态)也许是节肢动物进入陆地生活的先决条件(真正陆生的节肢动物无一例外地呈单肢状态)。至于每个亚门中都有一些种类失去复眼(具有 1 对侧复眼和 1 团中央单眼是本门基本的视觉器官，在泥盆纪多足类也具有复眼)则是平行进化的结果。

在有螯亚门中，海蛛纲的系统地位争议最多。但多数学者都认为，海蜘蛛的螯肢(chelifore)和须肢(palp)与其他有螯动物的螯肢和脚须是两对同源器官，海蜘蛛与其他有螯动物应具有一个类似于有螯动物的共同祖先，即海蜘蛛是其他有螯动物(肢口纲和蛛形纲)的姊妹群。肢口纲和蛛形纲的身体都分为头胸部和腹部，头胸部附肢分化相似，书鳃和书肺同源，说明二者是关系密切的姊妹群，它们都是海洋起源的节肢动物。在泥盆纪和志留纪，蛛形纲的“蝎”与其近亲肢口纲的广鳍类(eurypterids)都生活于浅海或河口地区，那时的“蝎”仍然用书鳃进行呼吸。蛛形纲大约从志留纪开始进入陆地生活，书鳃逐渐进化为适于在陆地呼吸空气的书肺。

多足动物和昆虫都以气管呼吸、具 1 对触角、第 4 头节起源的大颚、外胚层起源的马氏管，说明二者是关系密切的类群。从化石记录看，最早的多足动物化石见于志留纪海相地层，最早的昆虫化石则是泥盆纪的弹尾类形成的。比较合理的推论是，多足动物的祖先生活于奥陶纪或志留纪的浅海或潮间带，可能是一个无头甲、躯干体节无明显分化、具大颚、与浆足动物类似的动物。一般认为，19+2(即 19 个真体节加上 1 个原头区 acron 和 1 个尾节 telson)是原始多足动物的基本特征(唇足类和倍足类的很多体节是在以后的进化过程中增加的)。原始的多足动物在出现后,向着陆地生活发展,逐渐建立起以气管、马氏管等保持水分的机制。在志留纪以后,原始的多足动物向着两个方向分支发展,一支保留了较多的附肢、出现驱拒腺、失去复眼和内胚层起源的消化盲囊,逐渐进化为现在的多足纲动物;另一支出现胸部(3 节)和腹部(11 节)的明显分化、腹部失去腹肢、大颚失去内肢、第 2 小颚愈合为下唇,逐渐进化为昆虫纲。

图 23-90 是节肢动物门及其相关类群的进化树,该进化树主要是根据图 23-89 支序分析和有关动物的化石证据而建立的。

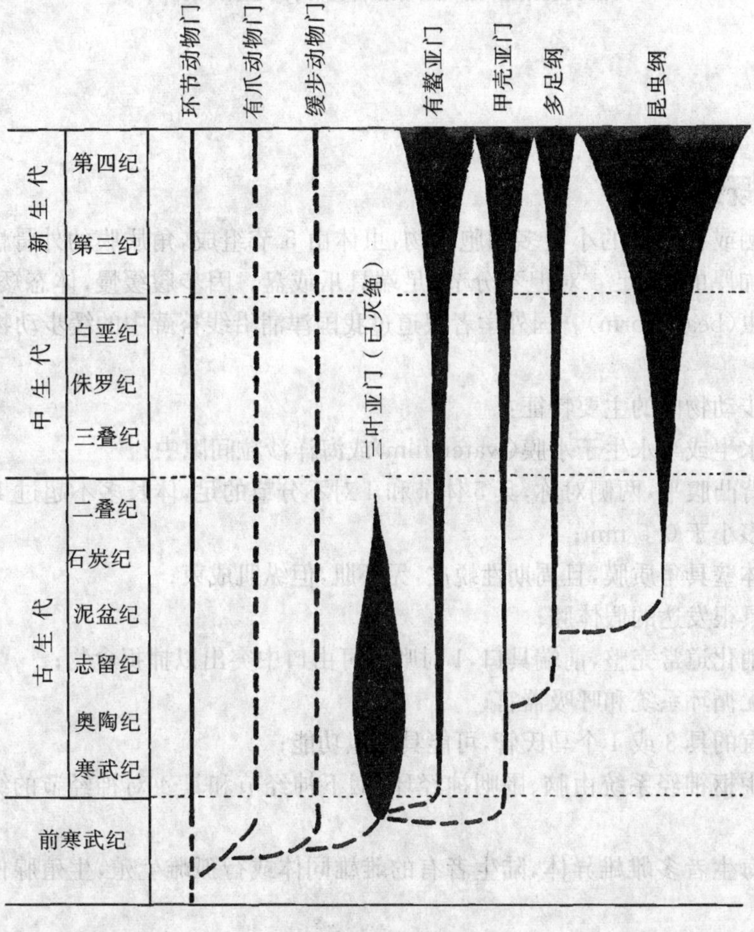

图 23-90　节肢动物及相关类群的进化树(仿 Brusca 等)

实线示对应的时代有化石记录,虚线是各类群起源的推测,

节肢动物门 5 个类群图形的宽度大致表示某一时期各类动物种数的相对值

第 24 章　缓步动物门

Tardigrada(L., *tardus*, slow; *gradu*, step)

24.1 概述

水栖或半水栖的小型多细胞动物，虫体由 5 节组成，角质膜的外骨骼有时分化为加厚的板，足 4 对但不分节、足端具爪或盘。因步履缓慢，体态矮胖，故得名熊虫(bear worm)。国外学者报道过我国津浦沿线苔藓中的缓步动物。

缓步动物门的主要特征：

1. 水生或半水生于水膜(water film)或海洋沙粒间隙中；

2. 背凸腹平，两侧对称，具 5 体节和 4 对不分节的足，体长多不超过 1 mm，海生者多小于 0.5 mm；

3. 体壁具角质膜，且周期性蜕皮，无环肌，但纵肌成束；

4. 具很发达的假体腔；

5. 消化道常完整，前端具口，1 对咽刺可由口中突出以捕捉食物；

6. 无循环系统和呼吸器官；

7. 有的具 3 或 4 个马氏管，可能具排泄功能；

8. 中枢神经系统由脑、围咽神经环、咽下神经节和具 4 对神经节的纵神经索组成；

9. 海生者多雌雄异体，陆生者有的雌雄同体或行孤雌生殖，生殖腺位于肠背部；

10. 直接发育，无幼虫期。

缓步动物约 800 种(海洋近 65 种)，属于 3 个纲(表 24-1)，主要分类性状为：

1. 头部感觉附肢：a. 具，b. 无；

2. 头部侧头须:a. 具,b. 无;

3. 足端:a,具爪(a^1 6～10 个,a^2 2 个复杂的爪),b. 不具爪具黏液盘;

4. 咽球:a. 具角质板,b. 具角质棒;

5. 马氏管:a. 具,b. 无。

表 24-1 缓步动物门分类

缓步动物门
- **异缓步纲 Heterotardigrada**
  1a2a3b4b5b
- **中缓步纲 Mesotardigrada**
  1b2a3a^{1}4a5a
- **真缓步纲 Eutardigrada**
  1b2b3a^{2}4a5a

24.2 习性和分布

缓步动物栖于苔藓、地衣和某些被子植物的表面,在水生苔藓和藻类上,在湖泊池塘的泥沙和碎屑里,在海洋沙隙、尤其是在中低潮带能发现他们,但淡水者较海生者多。

24.3 形态、结构和功能

1. 外部形态:体短、粗胖、背凸腹平圆柱状。成体长 0.3～0.5 mm,由 5 节组成:1 个头节、3 个躯干节和 1 个端节。前 4 节腹部各具 1 对不分节的足(leg),足端具 2～10 个爪(claw)(淡水者)(图 24-1 A)或黏液的盘(disc)(海生者)(图 24-1 C,D)。体表具上皮分泌的多糖和蛋白质的角质膜(非几丁质并扩展至前肠和直肠内),角质膜平滑或分化成加厚的角质板(图 24-1 A),且周期性蜕皮。

2. 内部结构和生理:口在近前端,经直或稍弯曲的口管(buccal tube)通入适于吮吸的肌肉质球状咽,口管侧具唾液腺和 1 对口针,口针从口中突出可刺破其他生物,以咽吸其液汁或体液。咽后经管状的食道通入长的中肠,中肠为食物消化和吸收之处。在原始的海生异缓步纲中,肠为盲管无肛门,其他两纲皆具后肠(直肠),后肠很短且由后端的肛门通向体外。以藻类、真菌、原生动物、轮虫、线虫或有机碎屑为食。

除异缓步纲外,在中后肠交界处常具 3 个小的腺体(1 个在肠的背面,2 个在侧面),仅由 3 个细胞组成,可能有排泄功能,故称马氏管(Malpighian tubule)。

体壁无环肌层,但具横纹肌纤维组成的背肌带和背腹肌带。此外,在足部具缩足肌,在咽部具辐肌。

发达的假体腔为液体充满,具大量的球形细胞,可能有贮藏功能。

神经系统简单,脑大,叶状位于咽球和唾液腺背部,经围咽神经与咽下神经

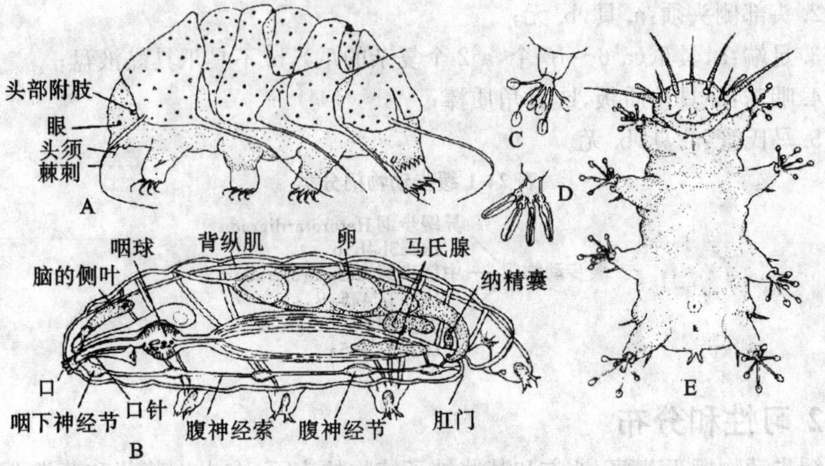

图 24-1　缓步动物

A. 刺猬虫 *Echiniscus* 外形；B. 大熊虫 *Macrobiotus* 内部结构；
C. 欧熊虫 *Orzeliscus* 的趾；D. 巴提熊虫 *Batillipes* 的趾；E. *Batillipes noerrevangi*
（A，C，D 仿 Morgan 等；B，E 仿 Barnes 从各作者）

节相连，再后为具 4 个神经节的双股的腹神经链。多数种具 1 对黑色的眼，体表常具感觉刺和刚毛，司感觉功能。

多雌雄异体，淡水生者行孤雌生殖。生殖腺 1 个，位于肠背部。在雄性，生殖孔和肛门共同开口于泄殖腔；而雌性于第 3、4 对足之间具雌性生殖孔。于蜕皮时排卵。在有些水生种类，精子排入含卵的旧皮中，而多数陆生种类在角质膜完全蜕去前精子排入雌性生殖管中并在卵巢中受精。

受精卵全裂但不是典型的辐射或螺旋型。直接发育。早期报导（Marcus，1929）称体腔由肠囊体腔形成，但未得到进一步证实（Barnes，1987）。

3. 假死现象（anabiosis）：当干燥和低温时，缓步动物失水、收缩，进入假死状态（或隐生现象 cryptobiosis），呈桶状（tum）。此时，新陈代谢率很低，体内水含量由 85%降到 3%，能耐受严酷的环境，一旦环境适宜，在几小时内便可复苏。

24.4 系统发生

具假体腔，细胞数恒定，非几丁质的角膜，周期性蜕皮以及咽球，无幼虫期和假死现象等特征与假体腔动物，尤其与轮虫、腹毛动物相似；但成体有具神经节的腹神经索，成对口针的口器和马氏管等，又似环节－节肢动物（见 23.6 节）。至于胚胎期体腔发生中的后口动物性质，使其演化关系迄今仍令人困惑。

第 25 章　五口动物门

Pentastomida(Gr., *pente*, five; *stoma*, mouth)

25.1 概述

五口动物(pentastomids)亦称舌形动物(linguatulids)或舌虫(tongue worm)。全部为脊椎动物呼吸系统的寄生虫。身体蠕虫状,因有些种前部具 5 个突起而得名(只其中 1 个突起上生有口,另外 4 个突起是退化的具钩状爪的附肢)。

五口动物的主要特征:

1. 脊椎动物(多为爬行动物)呼吸系统的寄生虫,以吸血为生;
2. 蠕虫状、两侧对称、三胚层、具血腔;
3. 具多孔但未几丁质化的角皮(外骨骼),具蜕皮现象;
4. 具两对钩状爪,有的具爪基,皆为附肢的退化物;
5. 具完全直行的消化管;
6. 无专门的呼吸、循环和排泄器官,神经系统具脑和腹神经索;
7. 雌雄异体、体内受精、间接发育,幼虫具 4～6 个附肢。

五口动物已知约 95 种,隶属 1 纲 2 目(表 25-1),主要检索性状为:

1. 雌性生殖孔位于:a. 腹部前端,b. 腹部后端;
2. 钩的位置:a. 等腰梯形排列于口后,b. 直列于口所在的平面上。

表 25-1　五口动物门分类

五口动物门	五口动物纲	吻头目 Cephalobaenida 1a2a
		孔头目 Porocephalida 1b2b

25.2 习性和分布

五口动物常寄生在脊椎动物的肺、鼻道等呼吸器官内，其中 90%为爬行动物（如鳄科 Crocodilidae、响尾蛇科 Crotalidae、蟒科 Boidae、蝙蝠蛇科 Elapidae、蝰蛇科 Viperidae、巨蜥科 Varanidae 等）的寄生虫，仅舌虫属 *Lingulata* 为犬科 Canidae 哺乳动物的寄生虫，鸥舌虫属 *Reigherdia* 为鸟类寄生虫。五口动物多分布于热带，但在其他地区如北美、欧洲、北极等地也有发现。水生和陆生者皆有，极少数种（如鸥舌虫 *Reigherdia sternae*）为海鸟的寄生虫。

25.3 形态、结构和功能

体蠕虫状，体长 2～13 cm，雌虫常大于雄虫，如鸥舌虫雌虫长 30～45 mm，雄虫长 6～8 mm。虫体大致可分为前体部（forebody）和后体部（hindbody），有的分节明显，并在体表形成很多体环（annulus）。口附近具两对钩状的几丁质爪（图 25-1），内部与肌肉相连，用于撕裂宿主组织并附着。有的种爪生在爪基（fulcrum）上，其外形与生有口的突起相似，因而得名“五口动物”。五口动物的钩状爪可能是退化的附肢。

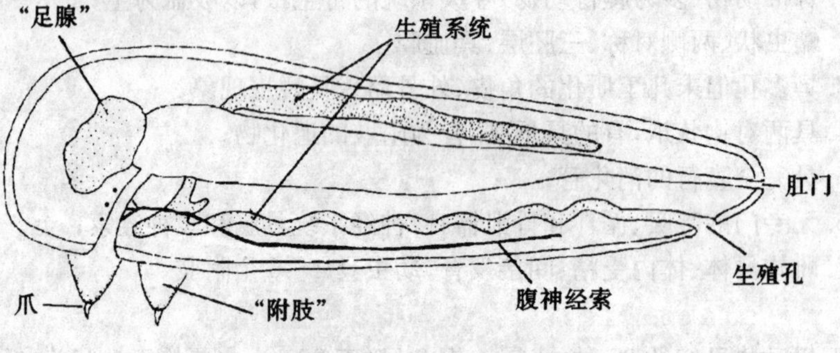

图 25-1　五口动物的模式结构（仿 Barnes 等）

体表角皮（外骨骼）多孔，但几丁质化不明显，能进行周期性蜕皮。体壁具由横纹肌组成的环肌层和纵肌层，体腔退化为血腔。

口常位于体前部中央的突起上。肠为简单的直管（图 25-1），其前部肌肉发达，特化为泵，用于吸食宿主血液。有的种消化管的前端具额腺（frontal gland），其分泌物可能用于破坏宿主组织和抗凝血。无心脏和血管，也没有专门的呼吸和排泄器官。神经系统与环节动物相似，头部神经节 5 个，常愈合为 1

个，向后与腹神经索相连。

雌雄异体，生殖系统比较发达（图 25-1）。雄性生殖系统主要包括精巢、输精管和射精管等；雌性生殖系统由卵巢、输卵管、纳精囊、子宫、阴道及生殖孔等组成。

卵小但数量很大，经交配寄行体内受精，受精卵在寄主体内即开始发育，常具 3 期幼虫。1 期幼虫在卵壳内，具 4～6 个附肢（具爪）。胚胎卵经宿主消化系统随寄主粪便进入环境，被中间寄主如鱼类、草食性或杂食性鼠、兔、小型有蹄动物等吞食后，寄生于中间宿主的组织。中间宿主被终寄主捕食后，幼虫经胃移行到终寄主的呼吸器官内寄生生活。

鸥舌虫在发育为成虫前即在寄主的腹腔内交配，交配后雄虫即死亡，雌虫移行至海鸥的气囊内生活，卵同步成熟，且一次全部产出，产卵后的雌虫亦死亡，生活史中无中间寄主，可能是在成鸟反吐喂养幼雏时感染幼鸥。

25.4 系统发生

五口动物的分类地位尚无定论，但一般认为与节肢动物具较近的关系（参阅 23.6 节）。

很多学者认为五口动物应为节肢动物门的一个成员，但对其具体的系统地位并没有一致的意见。有人认为五口动物起源于多足动物，有的则认为起源于蜱螨类，也有人认为五口动物起源于甲壳动物的鳃尾类（二者的幼虫、精子、胚胎发育、角皮构造、神经系统均比较相似，且均营寄生生活）。

Abele 等（1989）建议，把五口动物和鳃尾类置于颚足类中，这样无需扩大颚足类的形态学定义，仅只扩大了颚足类的生态学范围，即把寄生的颚足类寄主扩大至陆生的脊椎动物。

第 26 章　苔藓动物门(外肛动物门)

Bryozoa(Gr., *bryon*, moss; *zoon*, animal)

Ectoprocta(Gr., *ektos*, outside; *proktos*, anus)

26.1 概述

苔藓动物(bryozoon)简称苔虫,似匍匐生活的苔藓植物,是动物界中惟一以植物命名的动物门。苔虫靠无性出芽构成直立或被覆型的群体,又名群虫(polyzoa)。组成群体的个体(个虫),具马蹄形的触手冠,U 形消化管,角质、胶质或钙质的外骨骼(虫室)。因肛门位于触手冠外,故又名外肛动物 Ectoprocta。

苔藓动物门的特征:

1. 水生,多见于海洋、少数河口或淡水;
2. 底栖固着生活,被覆或直立的群体由不足 1 mm 的个体(个虫)组成;
3. 个体(个虫)具触手环绕的触手冠(总担),能缩入自身分泌的角质、胶质或钙质的外骨骼(外壳、虫壁、虫室)中;
4. 消化道 U 形,肛门紧靠口,但开口于触手冠外;
5. 具真体腔,多数种无前体腔和中体腔,后体腔大且为囊状;
6. 无循环和排泄系统;
7. 辐射卵裂,具幼虫期。

苔藓动物现生约计 5 000 种,属于 3 纲 5 目(表 26-1),主要检索性状为:

1. 生境:a. 海洋,b. 淡水;
2. 群体组成:a. 单态,b. 多态;
3. 口上突(口上板):a. 具,b. 无;
4. 室口口盖(厣):a. 具,b. 无;
5. 外骨骼(虫室)成分:a. 几丁质或胶质,b. 钙质;
6. 个员形状:a. 直立管状,b. 匍匐箱形。

表 26-1 苔藓动物门分类

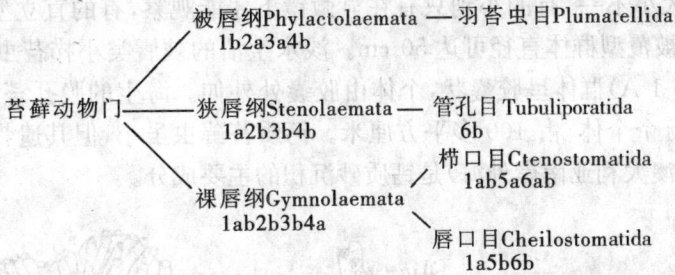

- 苔藓动物门
  - 被唇纲Phylactolaemata 1b2a3a4b — 羽苔虫目Plumatellida
  - 狭唇纲Stenolaemata 1a2b3b4b — 管孔目 Tubuliporatida 6b
  - 裸唇纲Gymnolaemata 1ab2b3b4a
    - 栉口目Ctenostomatida 1ab5a6ab
    - 唇口目Cheilostomatida 1a5b6b

26.2 习性和分布

苔藓动物群体水生。除锥苔虫科 Conescharellinidae 苔虫自由生活于泥沙海底外，多数都固着于海藻、贝壳、其他动物的外骨骼、岩石、浮筏、船底等硬物上，呈被覆结壳状、块状、胶块状或灌木丛状。其海洋成员，习见于潮间带至200 m水深的海底，亦见于全球热带海洋到极地海域，甚至南极海冰上。

作为固着生活的苔虫又系污损生物(fouling organism，海绵、腔肠、多毛、软体、甲壳、尾索)中的成员，具一定的危害性。喜与海藻为伍，马尾藻还专门分泌吸引膜孔苔虫 *Membranipora* 的化学物质，可以说哪里有海藻哪里就有苔虫。附藻生活者，不仅影响经济藻类的生长而且使其失去食用价值。附贝生长者，封闭牡蛎、贻贝的壳口，使其从养殖架上脱落减产。附于码头、船底、工厂用水管上，则使之失效、失速或失去使用价值。

苔虫是悬浮物摄食者，本身又是软体动物后鳃类、部分鱼类、线虫等的食源。

26.3 形态、结构和功能

1. 苔虫群体(colony，zoarium)：依生长方式，苔虫群体除不规则的团块外，大致可分为两大类。直立型(erect form)：常以匍匐根或基板附于他物上，直立的个员多呈管状，其生长自由度较大，故群体形状多样，如树枝或草丛状的象牙克神苔虫 *Crisia ebuneodendiculata*(图 26-1 B)、覆瓦鲍克苔虫 *Bowerbankia imbricata*(图 26-1 E)、多室草苔虫 *Bugula neritina*(图 26-1 F)，扇形或双叶形的扇形管孔苔虫 *Tubulipora flabellaris*(图 26-1 C)，圆盘状的王冠碟孔苔虫 *Lichenopora imperalis*(图 26-1 D)；被覆型(encrusting form)：以虫室背壁部分或全部附于他物上，匍匐的个员多呈箱形，仅向平面方向发展，单层或多层平铺，如膜孔苔虫 *Membranipora*(图 26-1 G)或卷曲成木耳或花朵状如牡丹蔽孔

苔虫 *Steginoporella magniblaris*（图 26-1 H）（市场上常被讹为珊瑚出售）。

群体大小不一，有的小到只有在显微镜下才能观察，有的直立型群体可高达 20 cm，被覆型群体直径可达 50 cm。淡水生活的被唇类小栉苔虫 *Pectineotella*（图 26-1 A）群体呈胶囊状，个体由胶囊处外伸。海生的膜孔苔虫，群体可多达 200 万个个体，占 100 多平方厘米。钙质苔藓虫虽小，但其遗骨在有的陆架海区（如澳大利亚南岸外海）是钙质砂沉积的主要成分。

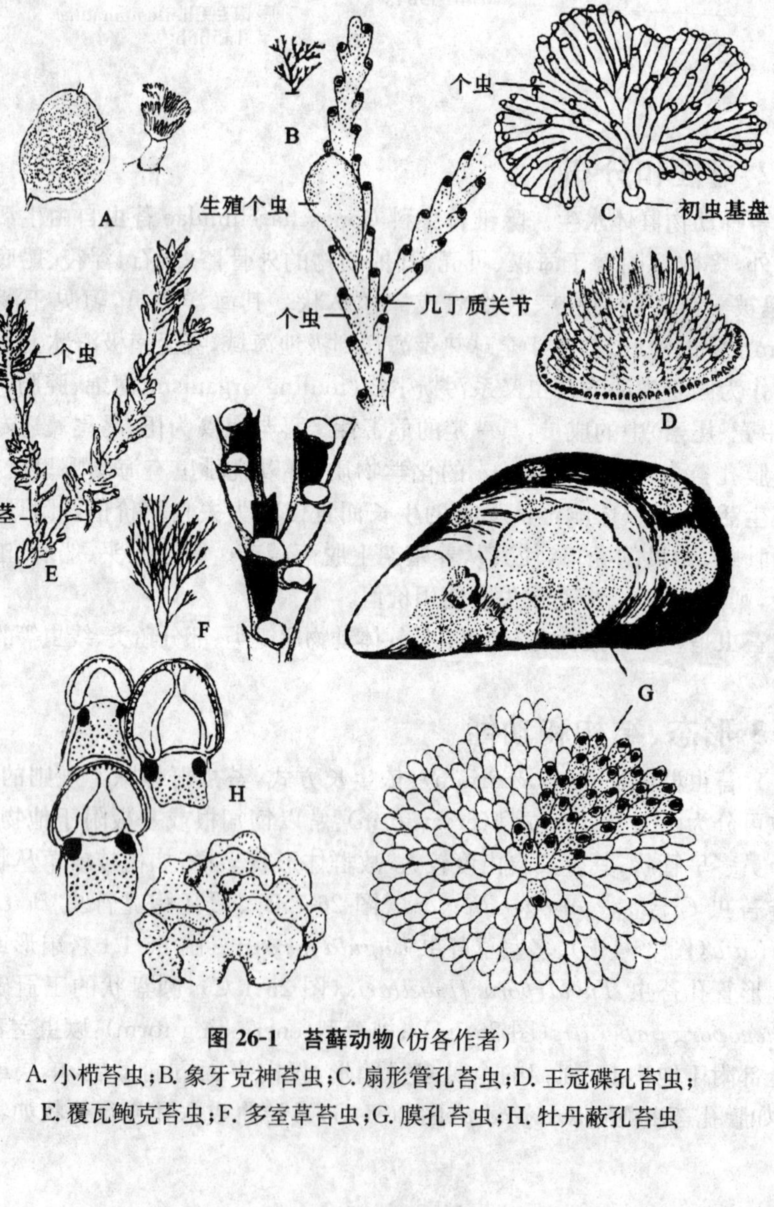

图 26-1　苔藓动物（仿各作者）

A. 小栉苔虫；B. 象牙克神苔虫；C. 扇形管孔苔虫；D. 王冠碟孔苔虫；E. 覆瓦鲍克苔虫；F. 多室草苔虫；G. 膜孔苔虫；H. 牡丹蔽孔苔虫

2. 个虫(zooid)或个体(个员)(person):是苔藓动物的结构单元。早先,曾把苔虫误由两种生物逐渐组合而成,即外骨骼居室的囊状体(cystid)和软体的多足体(polypide)。实际上,这是苔虫本身的两个具特定功能的结构。囊状体系虫体的外壳和体壁部分又名虫室(zoecium),而多足体则包括可缩入虫室的触手冠和内脏。触手冠由囊状体外伸的开孔称为口孔(orifice),口孔为一扁平的覆盖物闭合,此为厣(operculum)。

群体苔虫个虫间相互联系以共享营养(图 26-2 A)。在被唇类,个虫间的后体腔相通。在狭唇类,相邻个虫体壁具孔,体腔液沟通。在直立型的栉口类,匍匐茎隔膜具孔,使特殊的组织索(胃绪 funiculum)延续通过(图 26-2 B)。在盒形的唇口类,胃绪亦由虫室间的孔通出相联(图 26-3 D)。

(1)自个虫和异个虫:有些类群,特别在唇口类,群体常具多态(形)现象(polymorphism),即具两个或两个以上形态和功能不同的个虫,如营养、保卫、清洁、生殖、锚定等。

自个虫(autozooid)为营养个虫,具摄食和消化的结构和功能。

失去摄食和消化结构,其营养靠邻近个虫供给者,为异个虫(heterozooid)。常见的异个虫包括:胶个虫(kinozooid)是固着于基质的变形个虫,如鲍克苔虫的匍匐茎(stolon)(图 26-2 B);鸟头体(avicularia),形似鸟头,厣特化为一个具关节可动的下颚,以抓捕或清除沉落于体表的碎屑(图 26-4 A);振鞭体(鞭状体)(vibraculum),厣特化成鞭状,以清除碎屑或其他物质(图 26-4 B);卵室或卵胞(ovicell),卵圆形,内具孵化的胚胎(图 26-2 C)。

(2)体壁和体腔:苔虫的体壁由外骨骼、上皮、肌肉和壁体腔膜组成。外骨骼常称为虫室,胶质、几丁质或钙质,其上具物种所特有的棘刺、凹窝、结节等结构。在被唇类,上皮和壁体腔膜之间具环肌和纵肌组成的肌肉鞘。在其他类群则代之以肌肉束。

仅被唇类具口上突(epistome)和原体腔(protocoel)。中体腔和后体腔间的隔膜具孔,以使体腔液流动,起着液压骨骼的作用。触手腔为中体腔的延伸,后体腔主要围绕在内脏处。

(3)触手冠:触手冠位于虫体前部游离端。被唇类的触手冠马蹄形或新月形,具 16～ 108 个触手。裸唇类者环形,具 8～34 个触手。触手中空,纤毛分布于内中线及两侧。触手向外延伸成漏斗状,其纤毛可激动携带食物的水流由触手顶端流入,经触手基部流出(不同于内肛动物)(图 26-2 B)。

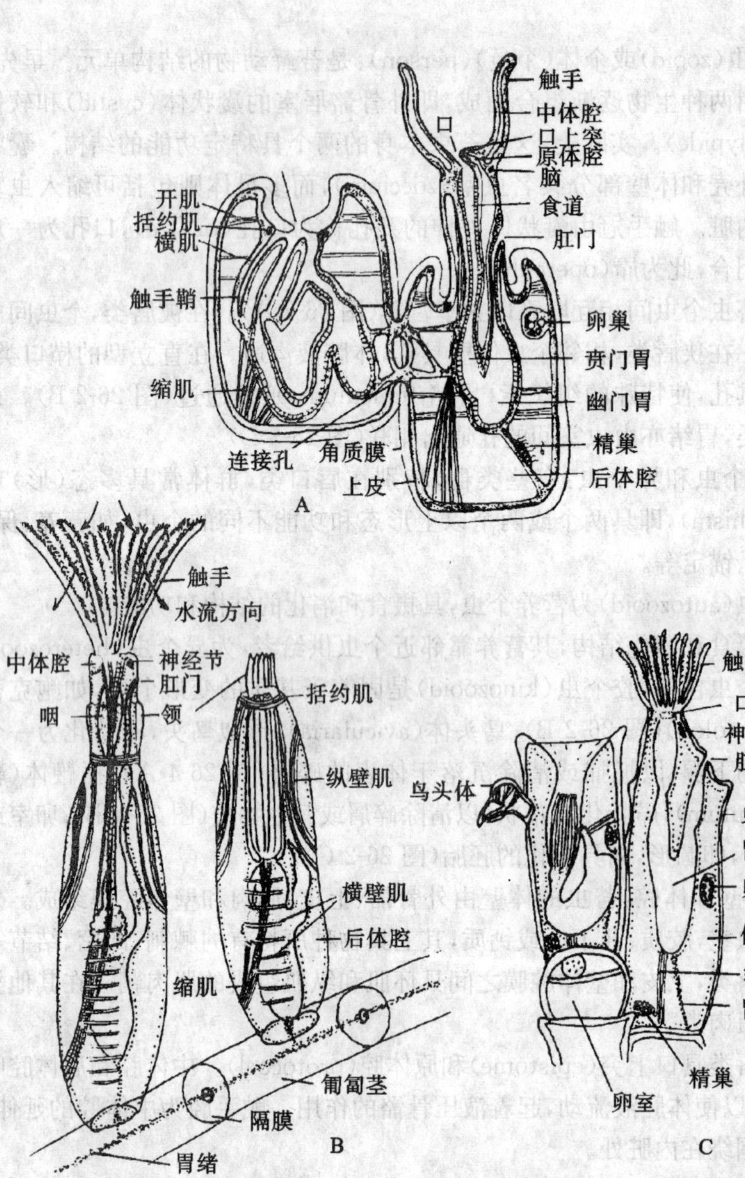

图 26-2　直立型苔藓虫的结构(仿各作者)

A. 两个个虫模式图；B. 栉口目鲍克苔台 C. 唇口目鸟头草苔虫

触手冠可经室口伸缩(和其他触手冠动物门不同)，其机制在各纲苔虫有别：体壁具肌肉鞘的被唇类，肌肉鞘收缩施压于体腔液，使触手冠外伸，当触手冠基部至体壁处的缩肌收缩时，触手冠缩回；具成束肌肉的苔虫，靠成束的环

(横)壁肌和纵壁肌来完成(图 26-2 B);被覆生长的个虫,是以背部体壁固着,腹部体壁游离又称前膜(frontal membrane),在膜孔苔虫前膜膜质(图 26-3 A),在微孔苔虫 *Micropora* 和分胞苔虫 *Cellaria* 等前膜下部钙化称隐板(壁)(cryptoplata)(图 26-3 B)。在裂孔苔虫 *Schizoporella* 前腹完全钙化称裸板(gymnoplata),在裸板下出现充满液体具补偿作用的补偿囊(compensation sac)或称调整囊(ascus)(图 26-3 C),因此,此类苔虫触手冠的伸出是由与前膜相连的壁肌(parietal muscle)控制,使前膜或钙化板上下移动,引起体腔液或补偿囊液压的上升来完成,随后亦由触手冠缩肌使之缩回。

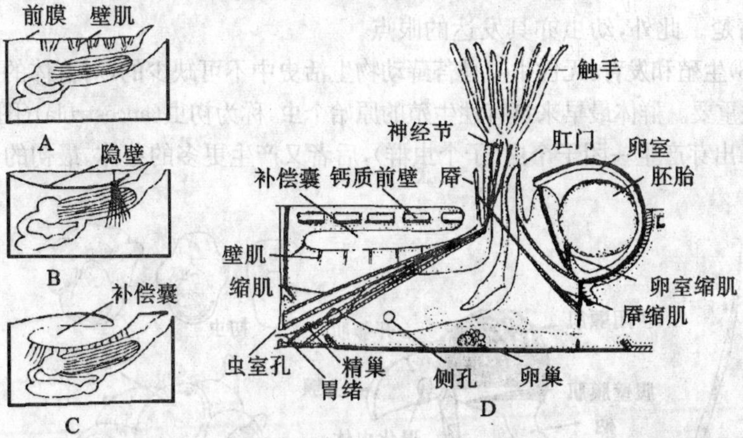

图 26-3 被覆型苔藓虫的结构(二)(仿各作者)

A. 前膜膜质的个虫;B. 具隐壁的个虫;C. 具补偿囊的个虫;D. 唇口目有囊类内部结构

(4)消化系统和营养:触手(冠)是苔藓动物的摄食器官。触手(冠)外伸时触手侧面纤毛带可产生由上至下的水流(图 26-2 B)。水中适宜的食物颗粒被触手内中线的纤毛带俘获运送至口。触手从水流中滤食食物颗粒的机制迄今仍未被充分了解。在许多物种中,整条触手将颗粒向口鞭打也是附带的摄食方法。

苔藓动物消化道 U 形,口位于触手冠内,肛门位于触手冠外。其摄食消化过程大致为:被滤食的食物颗粒在口部聚积后,被肌肉质的咽扩张吞咽,经食道在砂囊中被挤碎,于胃中被搅拌和吸收(行细胞外和细胞内消化),未被消化的物质在后肠中形成粪粒后经肛门排出体外。

(5)循环:苔藓动物的气体交换通过体表和触手冠的扩散完成,体内气体、营养物质和代谢产物靠体腔液来输送,体腔液中的游离细胞(无呼吸色素)吞噬和贮藏代谢产物。胃绪亦具输送营养的功能。

(6)排泄:苔藓动物无肾,氨经体表扩散排出,尿酸和其他产物可能贮存于身体组织中。这种贮存方式可能与多足体退化相关。有的形成褐色体(brown body)永久保留于体腔内或经新个虫的消化道被排出体外。

(7)神经和感官:与其他固着生物相似,苔虫的神经系统和感官均趋于退化。主要表现在体前部退缩。苔虫的神经节(神经团)位于中体腔靠近咽的背部,由此形成神经环,并分出神经纤维至内脏、触手。在有的种,个虫间尚具神经纤维,其功能欠详。仅知在触手冠和鸟头体上具触觉细胞。有些苔虫的幼虫在沉落时具负的向地性,实验认为这种向地性是对引力的直接反映,但其机制尚不清楚。此外,幼虫亦具发达的眼点。

(8)生殖和发育:无性生殖是苔藓动物生活史中不可缺少的,对群体的生长和重建至关重要。群体最早来自有性生殖的原始个虫,称为初虫(ancestrula)(图 26-4 C),初虫靠出芽产生一团子个虫(子个虫群),后者又产生更多的芽体。最初的子个虫群

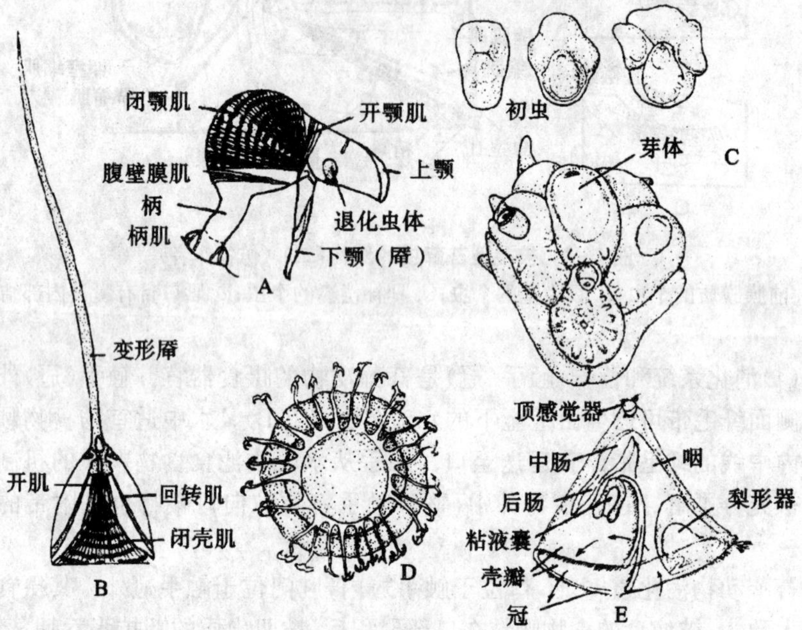

图 26-4　苔藓虫的异个虫和生殖(仿各作者)

A. 鸟头体;B. 振鞭体;C. 唇口目齿口苔虫 *Metrarabdotos* 初虫出芽形成群体;

D. 鸡冠苔虫 *Cristatella* 的有钩芽球;E. 膜孔苔虫的后湾幼虫

可能为链状、盘状或片状。芽体的格局决定了群体的生长型，并因种而异。淡水的被唇类成员，在环境不良时（干旱等）形成芽球（statoblast）（图 26-4 D）。芽球沉落于水底或借特殊的气室漂浮于水面，有的芽球表面具钩、刺等结构以附于其他水生动植物上。当环境适宜时，芽球内的细胞团逸出形成新个虫。

有性生殖：苔虫多为雌雄同体。每个自个虫皆具产生精、卵的能力。雌雄异体的物种，可能由同一性别的个虫组成，或整个群体两性个虫同时存在。生殖细胞来自后体腔壁体腔膜或胃绪。无特殊的生殖管，精卵成熟后落入体腔。精子可能由触手上的孔逸出或进入，多体内受精。在裸唇类，受精卵经位于触手基部的孔被排入海水中，或释放入孵化囊中，或在体腔内孵化（如草苔虫的卵室）。苔虫的卵为多黄卵，受精卵经辐射、全等裂形成有腔囊胚。随后的发育各类群变化较大，但多经自由游泳的幼虫。间接发育或混合发育。唇口目幼虫扁平三角形，具两枚外壳、有功能的肠、梨形器和黏液囊，称为双壳幼虫或后湾幼虫（cyphonautes larva）（图 26-4 E）。梨形器为幼虫沉落时用以选择适宜附着基底的化学触器，当幼虫沉落后黏液囊外翻，分泌黏液以附着。变态后的幼虫是为初虫。

26.4 分类

苔藓动物群体的多态现象和生态分异，常给单纯依外形鉴定属种的分类留下不少棘手问题。

纲 1. 被唇纲 Phylactolaemata

淡水生。个体圆柱状，具马蹄形触手冠（除弗雷苔虫 *Fredericella*）、口上突（口上板）、体壁肌，无钙质外骨骼，体腔延续至个体之间。群体为几丁质或胶质团块，单态。习见于永久性的淡水水域、树根或水下植物上。如羽苔虫 *Plumatella*、小栉苔虫 *Pectinatella*（图 26-1 A）。

纲 2. 狭唇纲 Stenolaemata

海生。个体管状，具钙质外骨骼且与邻近者相愈合，室口圆形由端膜关闭。触手冠外伸不靠体壁的变形。多化石种，现生者如管孔目 Tubuliporatida 的克神苔虫 *Crisia*（图 26-1 B）、管孔苔虫 *Tubulipora*（图 26-1 C）、碟孔苔虫 *Lichenopora*（图 26-1 D）等。

纲 3. 裸唇纲 Gymnolaemata

多海生。群体形态和大小变化很大。个体圆柱状或扁平形。触手冠环状，无口上突和体壁肌。触手冠靠体壁的变形而外伸。

目 1. 栉口目 Ctenostomatida：匍匐状或致密的群体。外骨骼非钙质，为膜状、几丁质或胶状。室口常为圆形，由梳状薄膜关闭。约 14 科，如鲍克苔虫 *Bowerbankia*（图 26-1 E），淡水者如沼胞苔虫 *Paludicella*。

目 2. 唇口目 Cheilostomatida：群体由盒状个体组成。个体间彼此相邻但以钙质壁相隔开。室口形态多变，除草苔虫 *Bugula* 外多具厣，常具鸟头体或振鞭体，卵于卵室中孵化。约 70 科。前壁膜状者如琥珀苔虫 *Electra*、草苔虫 *Bugula*（图 26-1 F）、膜孔苔虫 *Membranipora*（图 26-1 G）等，筛壁苔虫 *Cribrilina* 前膜为许多排成拱形的刺覆盖且部分愈合，拟小孔苔虫 *Microporella*、裂孔苔虫 *Schizoporella*、蔽孔苔虫 *Steginoporella*（图 26-1 H）等，前膜钙化，触手冠靠内陷的补偿囊（调整囊）的收缩而外伸。

26.5 系统发生

现生苔藓动物 3 个纲中，淡水生活的被唇纲被认为是原始的。马蹄形的触手冠，圆柱形个虫，前端具口孔，具口上突，群体无多态现象等均被视为原始性状。遗憾的是缺少被唇类化石，因此，古生物学没有提供与海洋各纲关系的更多的信息。

最早的海洋苔藓动物化石，可能见于晚寒武纪，从奥陶纪始见丰富的化石报导。虽然裸唇纲栉口目亦见于古生代，但狭唇纲的目却是古生代动物区系的统领者。裸唇纲的唇口目虽始于晚侏罗纪，但却是当代繁盛的海洋类群（参阅第 27 章、第 28 章和第 30 章）。

第 27 章　内肛动物门

Entoprocta(Gr., *entos*, inside; *procta*, anus)

27.1 概述

内肛动物(entoproct)的外形和习性很像水螅或直立的苔藓动物。单体或群体，一般小于 1 cm，由萼和柄部组成，并以基盘或匍匐茎附着。因口和肛门都位于萼部触手冠内，故得名。又称为有萼动物 Calyssozoa，日用汉字和英文名曲形动物 Kamptozoa。

内肛动物门的主要特征：

1. 水生多固着生活，除湖萼虫 *Urnatella* 外皆海生；
2. 单体或群体，两侧对称似高脚杯，由萼和柄部组成；
3. 体壁由角质膜、上皮、不连续的纵肌层组成；
4. 肠 U 形，口和肛门皆位于萼部的触手冠内；
5. 具假体腔，位于体壁和肠之间；
6. 无特殊的循环和呼吸系统，具 1 或多对(淡水种)原肾；
7. 神经节位于口和肛门之间；
8. 多螺旋卵裂，间接发生者常具较典型的担轮幼虫期。

内肛动物门约 150 种，现分为 4 科(表 27-1)。其主要检索性状为：

1. 单体或群体：a. 单体(出芽于萼侧面)，b. 群体(b^1 出芽于基盘，b^2 出芽于匍匐茎)；
2. 柄膨大：a. 具，b. 无；
3. 萼与柄部的隔膜：a. 具，b. 无。

表 27-1 内肛动物门的分类

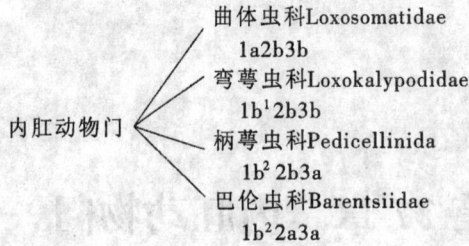

内肛动物门
- 曲体虫科Loxosomatidae
  1a2b3b
- 弯萼虫科Loxokalypodidae
  1$b^1$2b3b
- 柄萼虫科Pedicellinida
  1$b^2$2b3a
- 巴伦虫科Barentsiidae
  1$b^2$2a3a

27.2 习性和分布

除巴伦虫科的湖萼虫 *Urnatella* 为淡水种外，皆海生。习见于潮间带，吸附于岩石、木桩、海藻、贝壳或其他无脊椎动物体表或虫管内水流通畅处（特别是海绵动物、多毛类和苔藓虫）。曲体虫科的有些种专栖于螠和多毛类蠕虫上，其关系尚不清楚。在深海，可分布至 500 m 深处。

27.3 形态、结构和功能

1. 单体内肛动物由萼和柄部组成，以柄部的基盘附于他物上。除触手和前庭，外被薄的角质膜。

(1)萼（calyx）：软球形或钟状。顶端边缘体壁扩张成 1 圈由 8～36 个触手组成的触手冠（lophophore）。触手内面具短纤毛，侧缘具长纤毛，触手数目和与触手冠间的倾斜度因种而异。内肛动物的触手能内卷但不能缩入萼的内部。萼被触手包绕的区域称前庭（vestibulum，atrium），内具内脏和神经节。消化道呈 U 字形，由口、食道、胃、直肠和肛门组成，口和肛门位于触手冠内。原肾 2 个，位于食道周围，由焰细胞球和几个可能具储藏功能的细胞组成，以共同的排泄孔开口于前庭。具成对的生殖腺、生殖管，生殖产物经开口于前庭内的生殖孔排出。1 个两叶的神经节位于食道、胃和肠之间，由此分出神经至触手、柄和萼。在海柄花虫 *Pedicellina* 由神经节发出 5 对神经，其中 3 对到触手、第 4 对到体壁、第 5 对到柄部。曲体虫 *Loxosoma* 触手上具侧感觉器，巴伦虫 *Barentsia* 的柄膨大处具外围神经。

(2)柄部（peduncle，stalk）：支持着萼，长短因种而异。刚性或具弹性。巴伦虫科具 1 至多个肌肉的膨大部。内与萼部的假体腔相通或被星形细胞样的隔膜褶分开。足腺有或无。具平滑肌纤维束。

内肛动物固着生活。萼部能上下活动并靠平滑肌纤维摇动或卷缩其触手。柄的基部或为盘状的基盘（basic disc）或为向水平方向蔓延的匍匐茎（stolon）。

2. 内肛动物为纤毛滤食者，滤食器官为触手。触手侧面的长纤毛激动由触手下方进入的水流（图 27-1 C），水中含有的原生动物、硅藻、有机碎屑等被长纤毛捕获后，由触手内面的短纤毛运送到触手基部，经前庭基部的纤毛选择后送到口中。胃具分泌消化酶的腺体。行细胞外消化。

3. 生殖和发育：包括无性出芽和有性生殖。

单体者由萼侧面长出芽体（图 27-1 A）。群体者由基盘基部（曲体虫科）或由匍匐茎（柄萼虫科、巴伦虫科）（图 27-1 B）出芽。

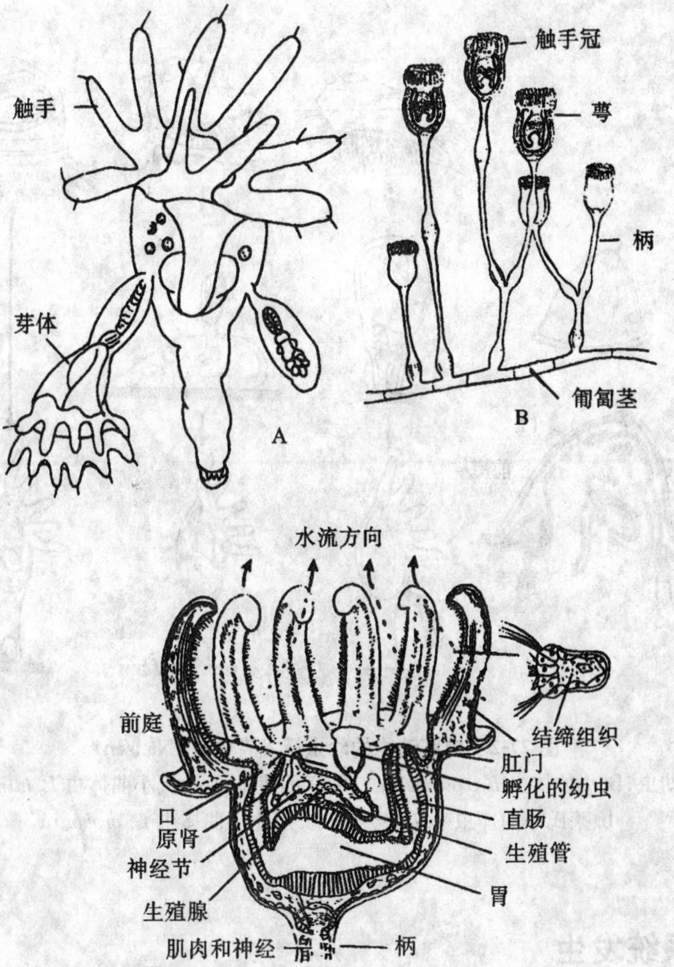

图 27-1　内肛动物（B 仿 George 等；C 仿 Ruppert 等）

A. 福氏小曲体虫 *Loxosomella fauveli*；B. 巴伦虫 *Barentsia*；C. 纵切模式图

雌雄异体或雌雄同体但雄性先熟。体内受精。受精卵排出后，在生殖孔和肛门间凹陷处的育儿囊中发育。多数种早期卵裂是螺旋式的，6～7 细胞期出现囊胚腔，90 细胞期为原肠胚。典型的纤毛幼虫似担轮幼虫，由孵化囊中释放出后附着、爬行或游动。较原始的种如哈氏小曲体虫 *Loxosomella harmeri* 幼虫靠足和眼处的前器官附着后，经变态发育为成体(图 27-2 Ba)；莱氏小曲体虫 *L. leptoclini* 幼虫沉落释放芽体后便死去(图 27-2 Bb)；胎生小曲体虫 *L. vivipara* 的幼虫无任何消化管痕迹，单个的内部芽体充满在整个幼虫中(图 27-2 Bc)。

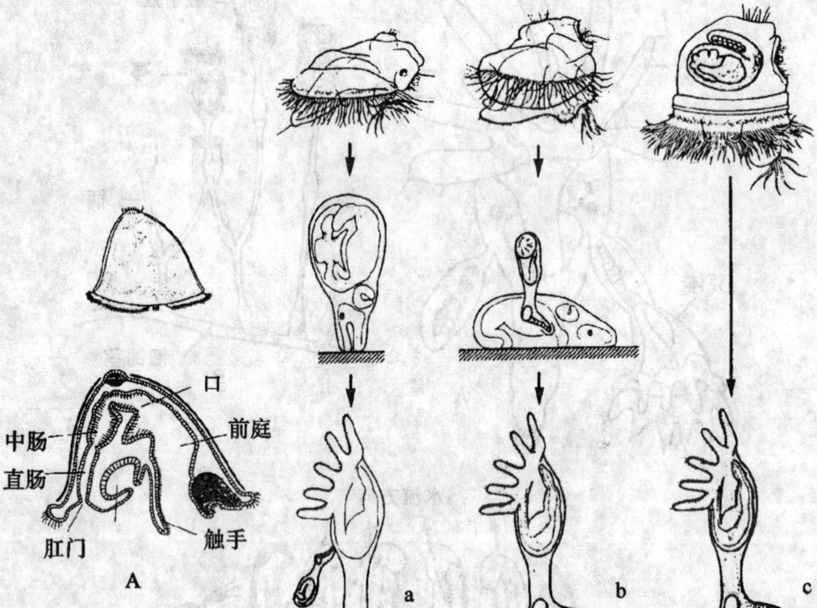

图 27-2　内肛动物的幼虫及发育(B 仿 Nielsen)

A. 幼虫；B. 小曲体虫 *Loxosomella* 的发育示芽体：a. 哈氏小曲体虫 *L. harmeri*，b. 莱氏小曲体虫 *L. leptoclini*，c. 胎生小曲体虫 *L. vivipara*

27.4 系统发生

依内肛动物的幼虫，有人认为内肛动物与其他具担轮幼虫的类群密切相关，可能是真体腔外肛动物的祖先类群或有共同的祖先。但也有不同的看法，因外肛动物具真体腔，肛门在触手冠外面，摄食水流流动方向不同，何况内肛动物有原肾，因此其相似只是适于固着滤食的趋同演化的结果。

还有人主张，内肛动物是假体腔的，但内肛动物具U形消化管，无肌肉质的咽，所谓的假体腔内充满结缔组织或间质，典型者发育具螺旋卵裂，有似担轮幼虫的幼虫期等，又与其他假体腔动物的关系是模糊的。

内肛动物与帚虫有密切关系者认为，他们有相似的幼虫结构（图 27-2 A；图 29-3 A，B），具触手冠等。

总之，对内肛动物在动物界系统演化的争论很多，故其地位迄今仍无定论。

第 28 章 微轮动物门

Cycliophora(Gr., *cyclion*, a small whell; *phoros*, carrying)

28.1 概述

微轮动物是动物界最新的一门。仅知 1 物种潘朵拉共生虫 *Synbion pandora*，固着生活于挪威海螯虾 *Nephrops norvegicus* 的口器上。生活史中无性生殖期与有性生殖期交替出现。无性生殖具潘朵拉幼虫(pandora larva)，有性期具矮雄和有索幼虫(chordoid larva)。摄食个体的前端具 1 口漏斗，口漏斗前具多纤毛细胞构成的口环。口环形如一小车轮，故名微轮动物(cycliophoran)。

微轮动物的主要特征：

1. 生活史中具附着的摄食期个体和非摄食期的雌、雄个体，具潘朵拉幼虫和有索幼虫；

2. 身体两侧对称，不分节，摄食期个体由口漏斗、躯干部和具附着盘的柄部 3 部分组成；

3. 三胚层，无体腔，体壁具角皮；

4. 摄食期个体具完全 U 形消化管，摄食器官口漏斗前端为口环，口环和肠上皮的大部分由多纤毛细胞构成，雌体和雄体无消化系统；

5. 无专门的呼吸和循环系统；

6. 排泄系统只见于有索幼虫，为 1 对具多纤毛焰细胞的原肾。

28.2 形态、结构与功能

1. 外部形态：摄食期个体(feeding stage)(图 28-1，图 28-2)：固着生活，体长 0.3 mm，体宽 0.1 mm 左右，由口漏斗(buccal funnel)、躯干部(trunk)和具附着盘(attachment disc)的柄部(stalk)3 部分组成。口漏斗钟形，弯向肛门上方且朝向被固着动物的刚毛，其前端为圆形的口，口周围具 1 圈多纤毛细胞的口环

(mouth ring),口漏斗的后部缢缩;躯干部呈卵圆形,肛门即位于躯干前端口漏斗的后方;柄部较细长,后端具有1个附着盘。体表面具角皮,具五角形或六角形饰纹(sculpture)。柄部和附着盘只具角质,缺少其他组织。

雄性:矮小(矮雄 dwarf male),固着生活于孕育雌体的摄食期个体上。躯干部卵圆形,柄部较短,附着盘较大,无口漏斗亦无肛门。雄体内常具1~3个室(compartment),每个室都是一个次级雄体(secondary male)的孵育囊(brooding chamb),次级雄体由内出芽产生,且高度退化。

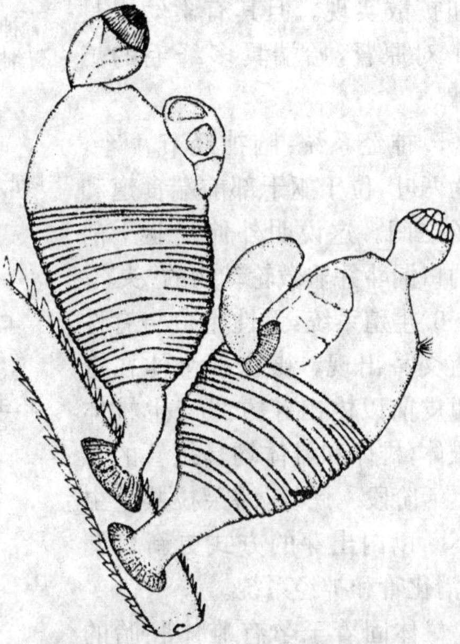

图 28-1 潘朵拉共生虫 *Synbion pandora*
示两个摄食期个体,其体表各附着一个矮雄(仿 Morris)

2. 体壁:角皮由单层上皮细胞分泌,分为上角皮(epicuticle)和原角皮(procuticle)。上角皮很薄,由3层构成。原角皮较厚,纤维质较多。在肛门所在的一侧,两束长的肌纤维连接于口漏斗基部和躯干部对侧,可能与口漏斗的弯向有关。肌肉部分是横纹肌,部分为斜纹肌。雄性表皮下具有1层发育良好的横纹肌。

3. 消化系统:消化系统只见于摄食期个体,为有口和肛门的U形消化管(图28-2)。口位于口漏斗的前端,由口环围绕,口环由多纤毛细胞和肌上皮细胞(myoepithelial cell)交替排列。肌上皮在口环上形成两圈括约肌,即周缘括约肌(peripheral sphincter)和中央括约肌(central sphincter),用以关闭口。口环纤毛的摆动在口漏斗的前方形成顺流,借以收集食物。口漏斗内壁亦衬有多纤毛细胞,其后端变细,与S形的食道相通。食道之后为一U形的肠。降肠膨大,也称胃,胃壁由具纤毛的大型细胞构成,因胃内充满一团颗粒性分泌细胞,胃腔缩小。升肠具较短的直肠。肛门横裂于口漏斗附近的小突起上。

在尚无内生芽体的摄食期个体,U形消化管的后端伸至柄部。当形成内生芽体时,芽体将消化管挤向前方。然后,旧的消化管逐渐分解直至全部消失,口漏斗也脱落,新的口漏斗和消化管由芽体产生。这种出芽过程在1个个体上通常要重复多次。

4. 呼吸、循环和排泄：微轮动物摄食期个体无专门的呼吸系统和循环系统，呼吸和循环可能由渗透和扩散实现。但其有索幼虫具有1对原肾，始端具多纤毛的焰茎球。

5. 神经系统：脑神经节1个，分为两叶，位于躯干部前端食道和直肠之间。这说明外伸于躯干前方的口漏斗并非微轮动物的“头”。

6. 生殖系统：无性生殖与有性生殖交替出现。摄食期个体在寄主蜕皮前以内出芽方式产生雄体和雌体，雄体和雌体均具短暂的自由生活阶段。此外，潘朵拉共生虫还不断以内出芽的方式更新口漏斗、消化管和神经系统。

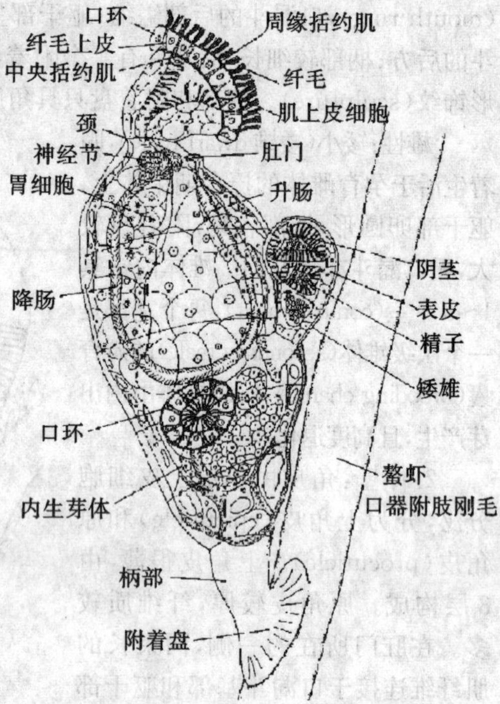

图 28-2　潘朵拉共生虫的结构

（仿 Funch 和 Kristensen）

雄体固着于孕有雌体胚胎的摄食期个体上，通常含有1～3个室。每室都具1套独立的生殖系统，内具处于不同发育阶段的精细胞和精子，并具有1条管状的角质阴茎。自由雌体的出现较晚，内具1个大的卵。

7. 生殖和生活史：有两种基本的生殖方式，生活史如图28-3所示。

(1)无性生殖：无性生殖是摄食期个体通过内出芽(inner budding)进行的。内生芽体在母体内发育为潘朵拉幼虫，曳出后固着于同一寄主发育为新的摄食期个体。当海螯虾即将蜕皮时，摄食期个体的内出芽则分别形成雌体和雄体(矮雄)。

(2)有性生殖：雄体曳出后固着于孕有雌体的摄食期个体上。每个雌体只形成1个卵，在体内受精后，雌体曳出。待雌体定居于同一寄主后，合子在雌体内发育成为具中胚层索的有索幼虫。有索幼虫曳出后固着于新的寄主并发育为摄食期个体。

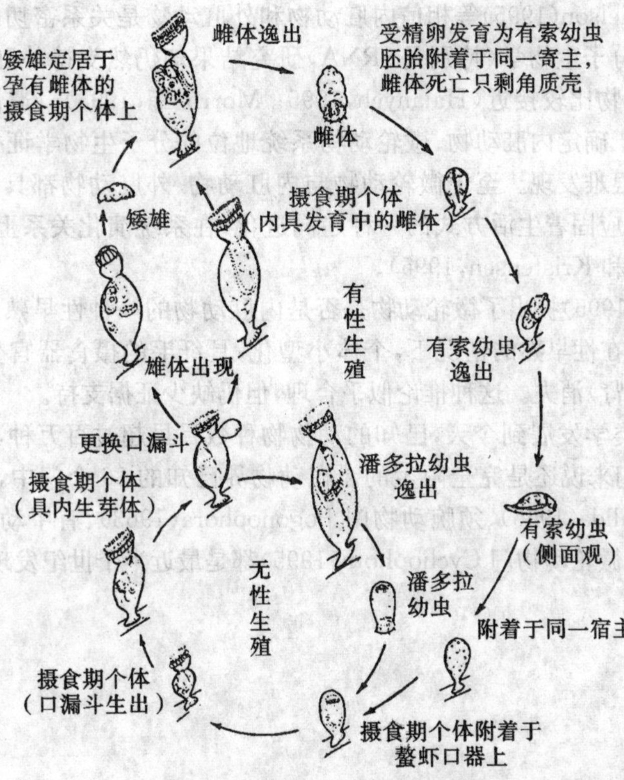

图 28-3　潘朵拉共生虫的生活史

（仿 Funch 和 Kristensen 改绘）

28.3 系统发生

潘朵拉共生虫摄食期个体口漏斗具顺流收集系统，口环具有多纤毛细胞，这说明微轮动物属于原口动物。具有矮雄、角皮等特征又与一些袋形动物相似，但后者都没有如口漏斗的类似构造，也没有内出芽现象。Funch 和 Kristensen 认为，微轮动物与内肛动物、外肛动物的亲缘关系较近，这是因为：①内、外肛动物也行出芽生殖；②一些内、外肛动物也有比较发达的摄食器官，与潘朵拉幼虫内的摄食期芽体口漏斗相似；③有些内肛动物具与微轮动物相似的原肾；④微轮动物有索幼虫、潘朵拉幼虫（可能还有矮雄）在定居时脑神经节消失，在出芽产生新个体时形成新的神经系统，这在原口动物中也只有内、外肛动物的幼虫脑在变态时消失。

虽然，Nielson(1995)等相信内肛动物和外肛动物是关系密切的类群，但对外肛动物的分子生物学(特别是 rRNA)研究结果却仍然支持外肛动物与腕足动物、帚虫动物比较接近(Halanych，1995；Morris 等，1995)。遗憾的是，目前仍缺乏有利于确定内肛动物、微轮动物系统地位的分子生物学证据，而新的解剖学证据已很难发现。至于微轮动物与内肛动物、外肛动物都具有 U 形消化管，不过是适应固着生活方式的一种趋同进化，在系统演化关系上并没有多大意义(Funch 和 Kristensen，1995)。

Morris(1995)提出了微轮动物是否是内肛动物的一种性早熟(progenetic)近亲的假说，在性早熟的情况下，个体小型化，具纤毛的摄食器官变得显著，某些器官(如原肾)消失。这种推论似乎合理，但仍缺少证据支持。

动物分类学发展到今天，已知的动物物种数目虽超过百万种，相信仍有很多动物对人们来说还是完全陌生的。在动物界已知的 36 个门中，颚咽动物门 Gnathostomulida(1956)、须腕动物门 Pogonophora(1963)、有甲动物门 Loricifora(1983)和微轮动物门 Cycliophora(1995)都是最近半个世纪发现的。

第 29 章　帚形动物门

Phoronida(Gr., *pherein*, to bear; L. , *nidus*, nest)

29.1 概述

帚虫(phoronid)海生管栖蠕虫状。体长几毫米至 300 mm 不等。常由马蹄形或螺旋形的触手冠、圆柱形的躯干及其稍膨大的末球组成,有的种有领部。因似倒置的苕帚,故名。在动物界,是先识其幼虫(Müller,1845)后识其成体(Wright,1856)的动物门。辐轮幼虫是帚虫的幼虫期。

帚形动物门的主要特征:

1. 全部海生、底栖、管居,单体且多成丛生活;
2. 蠕虫状长圆柱形,前端为马蹄状或螺旋形触手冠,后端为稍膨大的末球;
3,虫体由退缩的前体部(prosome, epistome, preoral lobe)、支撑触手冠的中体部(mesosome)和大而长的后体部(metasome)组成,皆具体腔;
4. U 形消化道,口和肛门靠近,肛门开口于触手冠外;
5. 闭管式循环系统,具红血细胞;
6. 1 对后肾,位于后体腔中,肾管兼生殖管的功能;
7. 皮下神经系(basiepidermal nervous system);
8. 多雌雄异体,辐射卵裂,间接发育者常经辐轮幼虫期(actinotroch larva)。

现生帚虫约 20 种,依触手冠下方领褶之有(a)、无(b)分为两属(表 29-1):

表 29-1　帚形动物门的分类

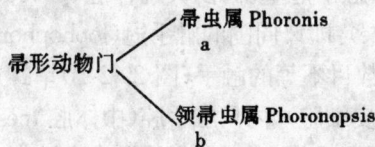

帚形动物门
- 帚虫属 Phoronis　a
- 领帚虫属 Phoronopsis　b

29.2 习性和分布

帚虫具自身分泌的几丁质栖管，栖管单个或缠绕成团附于岩石、贝壳或埋于软沉积物中。有的种如卵帚虫 *Phoronis ovalis* 可穴于动物贝壳或钙质岩石中。在我国潮间带下部和潮下带有泥沙沉积的岩岸，饭岛帚虫 *P. ijimai* 栖管彼此缠绕成块(图 29-1)。

帚形动物为食悬浮物者，也直接摄食溶解的有机物。

全部海生。分布于潮间带至 400 m 深处。

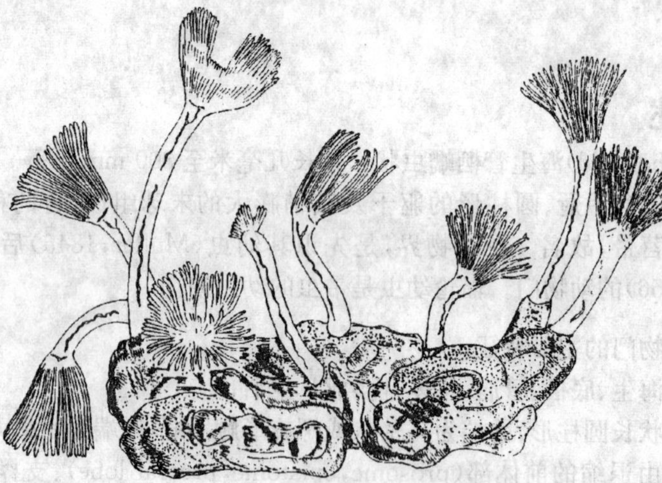

图 29-1　饭岛帚虫 *Phoronis ijimai*

29.3 形态、结构和功能

1. 外部形态：蠕虫状的帚虫，似倒置的苕帚。柱状的虫体除体前的触手冠和体后膨大的末球外，分区虽不明显，但仍可分为以下 3 部：

(1)前体部(prosome)：又称口上突(epistome)或口前叶(preoral lobe)，为体前叶片状的突起，位于触手冠基部，内具前体腔(procoel)。

(2)中体部(mesosome)：即口周围的触手冠(lophophore)。触手冠位于虫体前端，由两环 10～1 500 条数目不等的触手(图 29-2 B)呈螺旋状或半圆形排列。触手上皮具纤毛(单纤毛上皮细胞)，内具触手腔(中体腔 mesocoel 的一部分)和触手血管。触手冠具滤食和呼吸功能，有时兼做胚胎发育的孵化室(图 29-2 C)。

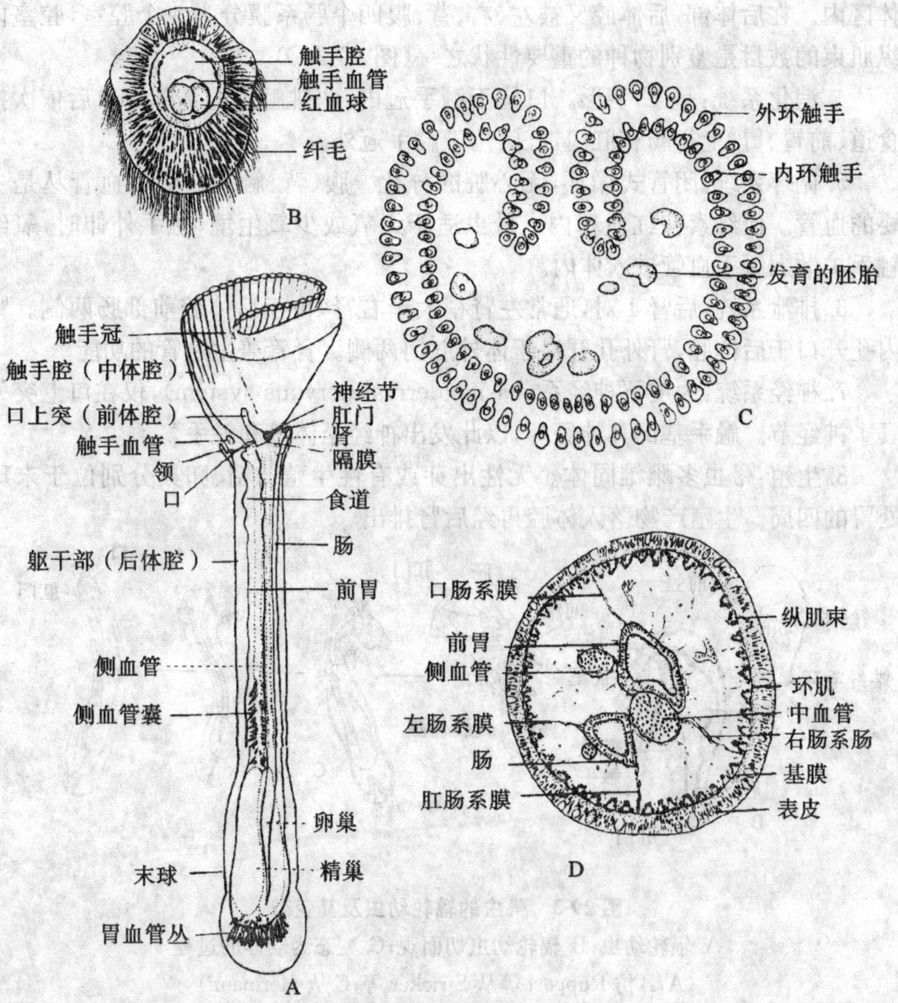

图 29-2　饭岛帚虫（A 仿 Emig）

A. 虫体示意图；B. 单个触手的横切面；C. 过触手冠的横切面；D. 过前胃的横切面

(3)后体部(metasome)：又称躯干部，圆柱形。后端膨大为末球(ampulla)。有人认为末球起着重锤的作用，可把动物锚在虫管和沉积物中。后体部具后体腔(metacoel)。

2. 体壁：由角膜、表皮细胞、基膜、环肌、纵肌和壁体腔膜组成。表皮细胞为高柱状的腺细胞。

3. 体腔：即真体腔，被隔膜分为前、中、后 3 个腔室，分别位于前、中、后 3 个体区内。在后体部，后体腔又被左、右、背、腹四个肠系膜分为 4 个腔室，腔室内纵肌束的数目是鉴别物种的重要性状之一（图 29-2 D）。

4. 消化系统：呈 U 字形。口位于触手冠内，两排触手的基部。口后依次接食道、前胃、胃、上行肠和肛门，肛门位于触手冠外。

5. 循环系统：闭管式循环，无心脏的分化。腹、背、触手血管和血管丛是主要的血管。血红素在红血球内。帚虫适于无氧或少氧生境，触手外伸时，氧经触手扩散入触手血管进入体内。

6. 排泄系统：后肾 1 对，通常左肾稍大于右肾，位于后体腔前部肠两侧。肾内孔开口于后体腔，肾外孔开口于体外肛门两侧。肾管兼生殖管的功能。

7. 神经系统：为皮下神经系（basiepidermal nervous system），仅在口上突处具 1 神经节。触手基部具神经环，以此发出神经至体壁和触手。

8. 生殖：帚虫多雌雄同体。无性出芽或有性生殖。精、卵巢分别位于末球处胃的四周。生殖产物落入体腔再经后肾排出。

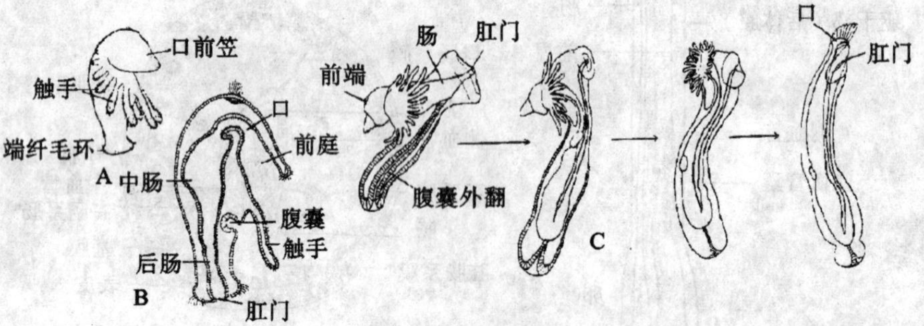

图 29-3 帚虫的辐轮幼虫及其变态

A. 辐轮幼虫；B. 辐轮幼虫切面观；C. 变态为幼体的过程

（A，B 仿 Ruppert 等从 Stricker 等；C 从 Hermann）

9. 发育和变态（图 29-3）：受精卵于水中或在触手冠内凹面孵化。经辐射卵裂、有腔囊胚、内陷原肠胚。中胚层来自间质，一旦上皮化，则形成幼虫的前体腔和后体腔，胚孔演变为成体口。肛门出现于胚孔后的另一区域。中体腔的起源尚难定论。此时胚胎似多毛类的担轮幼虫，半球形的前端口前叶（笠）（pre-oral Rood）具加厚的顶板和顶纤毛束，口后具口后纤毛轮，体部延伸具端（肛前）纤毛轮。进入浮游期并摄食。其后，口后纤毛轮转化为指状的触手，此纤毛幼虫为辐轮幼虫（actinotrocha）。除卵帚虫外，皆经辐轮幼虫期。辐轮幼虫口前叶变圆或变尖，同时腹面出现内陷的腹囊（体后囊）（metasomal sac），此时，幼虫由浮游向底栖过渡（变态）。在沉落过程中，内陷的腹囊外翻，很快发育为圆柱状突起，该突起恰好与幼虫体轴相垂直成90°角(内具 U 形的肠)，这就是未来成体的躯干部。最后，幼虫前端部分自溶且与后端靠拢为成体的前部，幼虫触手为其一侧的成体触手替代发展为触手冠，肛门位触手冠外，幼虫分泌几丁质虫管以栖居。

29.4 系统发生

参阅第 30 章。

第30章　腕足动物门

Brachiopoda(Gr., *brachion*, arm; *pous*, foot)

30.1 概述

腕足动物(brachiopod)为单体具触手冠的双壳动物。是古生代5亿年前奥陶纪至4亿年前泥盆纪,地球上最丰富、最多样化的生命形态之一。其化石记录达3万种。因固着类群之腹壳形似古希腊灯,又名灯贝(lamp shell)。亦常被误为双壳类。

晋·罗含《湘中记》及本草学记石燕。《太平御览》引《湘中记》:"零陵有石燕,形似燕,得雷雨则群飞。"明·李时珍《本草纲目》:"李勣曰,石燕出零陵"又"恭(苏敬)曰,永州祈阳县西北一十五里土岗上,掘深丈余取之,形似蚶而小,坚重如石也。俗云,因雷雨则自穴中出,随雨飞坠者,妄也。"所记为有铰腕足动物的化石,古生物学译名为鹗头贝(stingocephalus),因腹壳喙弯曲似鹗喙。

腕足动物门的主要特征:

1. 全部海生,穴居或固着;
2. 两侧对称,具外套膜及腹大背小的两片壳,或具肉柄;
3. 肠囊体腔,前体区退化,中体区具触手冠,后体区小;
4. 滤食性,肠U形,具或无肛门;
5. 1~2个心室,开管式循环系统;
6. 1~2对后肾;
7. 神经系统由神经节及围咽神经环组成;
8. 多雌雄异体,生殖产物经肾管排出;
9. 辐射、非定型卵裂。

腕足动物现生近 350 种，属于 2 纲 5 目（表 30-1）。其分类检索性状主要为：

1. 两壳铰合方式：a. 靠铰合齿，b. 靠肌肉系统；

2. 肛门：a. 具，b. 无；

3. 生活方式：a. 穴居于软底质，b. 以壳附于硬基底。

表 30-1　腕足动物门的分类

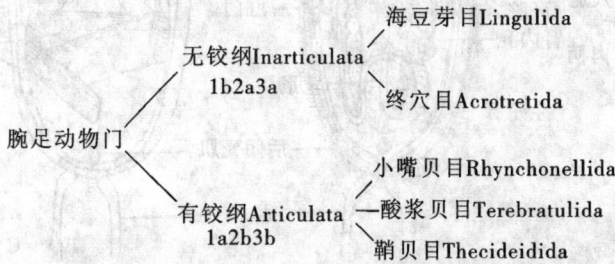

- 腕足动物门
  - 无铰纲Inarticulata 1b2a3a
    - 海豆芽目Lingulida
    - 终穴目Acrotretida
  - 有铰纲Articulata 1a2b3b
    - 小嘴贝目Rhynchonellida
    - 酸浆贝目Terebratulida
    - 鞘贝目Thecideidida

30.2 习性和分布

腕足动物全部海生、底栖。分布于潮间带至深海，多见于 0～200 m 水深的浅海底。无柄者以腹壳粘结于他物或以棘刺锚于泥沙中，具柄者则以柄附于硬物或穴居于软沉积物中。

铲形海豆芽 *Lingula unguis*（图 30-1），俗称舌形贝，是广分布的暖水种，习见于潮间带泥沙滩。可借助柄和壳钻穴于泥沙中。海豆芽又有活化石之称，理由是：①古老，至少经历了几千年或数亿年的地质时代，迄今仍存活并保留着祖先的原始特征；②在现生类群中，存活的种数仅 1 至几种；③分布范围有限。在海洋动物中，以 5 亿年前奥陶纪的海豆芽历史最为久远（图 30-2）。

穿孔贝（酸浆贯壳贝）*Terebratelia coreanica*（图 30-3），系广分布的冷水种。习见于我国北方近海岩岸和有岩石露头的海底，有时也固着于软体动物壳上，个体之间又能相互固着群居（图 30-3 A）。

30.3 形态、结构和功能

1. 外形：腕足动物形似豆芽或双壳软体动物。主要结构除柄外皆包藏于两片壳内。壳内前部为外套腔，壳内后部为内脏。

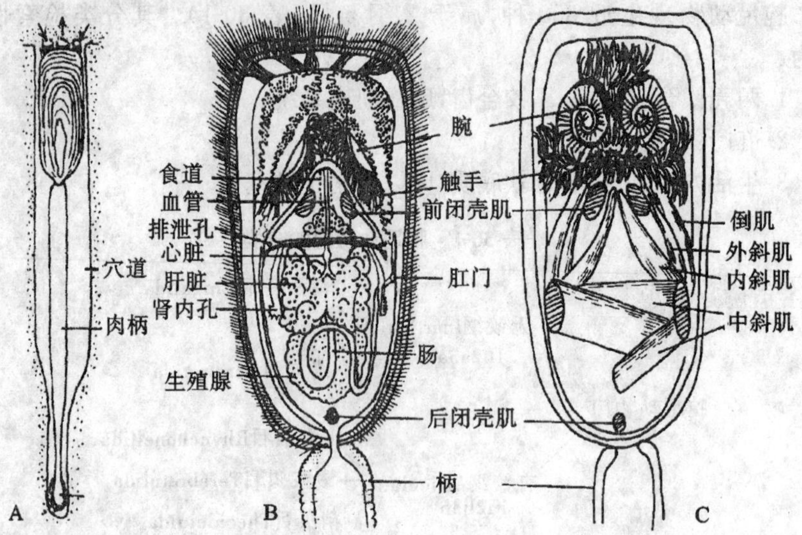

图 30-1　海豆芽(仿各作者)

A. 退潮时缩入穴内;B. 内部结构(背面观);C. 示肌肉系统

2. 壳(valve, shell):两片,分别称腹壳和背壳,腹壳大于背壳。壳表面具生长线、放射线、棘刺、刚毛等。壳内面具肌痕。背腹壳靠肌肉相连(无铰类)或靠壳后部的铰合装置铰合(有铰类)。具铰合装置者,铰合齿(hinge teeth)和铰合槽(hinge socket)分别位于腹壳和背壳内面。为使水流通畅流入,平时两壳稍开。

壳由角质层和多层的钙质层组成,由外套膜不同部位分泌(图 30-3 D)。外套沟(mantle groove)处的外套膜分泌角质层,外套膜上皮分泌棱柱层。

部分腕足动物壳面具穿孔,此为疹壳(punctate shell),是垂直于外套表面的外套乳突(mantle papilla)分泌细胞死后留下的小孔,其功能欠详,有人认为可能供食物储存或气体交换。无穿孔者称为无疹壳。

无铰类壳多长卵圆形,腹壳大、基部较尖,背壳小、基部较钝,主要成分为几丁质磷酸钙,分层或混合分布。有铰类壳圆,主要成分为碳酸钙。古生物学研究指出,寒武纪腕足类化石种均为磷酸钙壳,奥陶纪以后者才出现磷酸钙质壳。这说明,具几丁质磷酸盐的壳是原始的类群。

3. 柄(肉茎)(pedicle):除无铰类的骷髅贝 *Crania* 和有铰类的拉卡茨贝 *Lacazella* 外,腕足动物皆具长短不一的柄部。柄为腹壳后部体壁延伸的圆柱状结构。

海豆芽的柄外具半透明的环轮角质层,中为较厚的肉层,内为体腔延伸的且充满液体的柄腔。柄末端为半透明的球形泡囊,泡囊随肉柱的伸缩而变细变长潜入泥沙,又靠体液的充胀变粗而锚于底内。此外,泡囊能分泌黏液以润滑穴道减少动物上下运动的阻力,还能与沉积物粘结起固定作用。

具短柄的有铰类,缺少肌肉和柄腔。柄末端具乳突或指状结构,可吸附于他物上。

4. 体腔:腕足动物为真体腔动物,且为三部体腔。触手冠腔为中体腔,内脏位于后体腔中。在有铰类,前体腔是无腔隙的,但在无铰类则与中体腔混合。

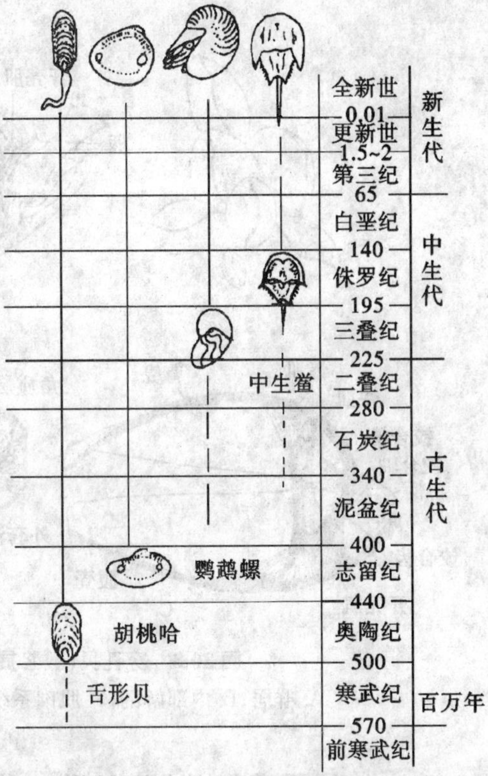

图 30-2 海洋"活化石"(仿 Gordon 等)

体腔液中含有变形虫形、球形或颗粒状等多种体腔细胞,有的具蚓红蛋白。

5. 触手冠(lophophore):触手冠为中空的触手围绕着的冠状物。为增加面积,触手冠前伸成两个简单或 U 形的腕。在无铰类,触手冠靠体腔液压的支撑。在有铰类,具软骨成分。

6. 肌肉:除外套、体壁、肠壁和部分柄部具肌肉成分外,还具若干肌肉束。

在有铰类,肌束包括开壳肌(展肌 diductor muscle)、背调整肌(dorsal adjustor m.)和背闭壳肌(d. adductor m.)。背闭壳肌又分为横纹肌的快肌(quick a. m.)和锁肌(catch m.),分别使壳快速闭合或维持较长时间。

在无铰类,除无铰合装置外亦无背调整肌。壳的开闭靠体腔液压和复杂的肌肉系统,如外斜肌、中斜肌、内斜肌和前后闭壳肌等(图 30-1 C)。

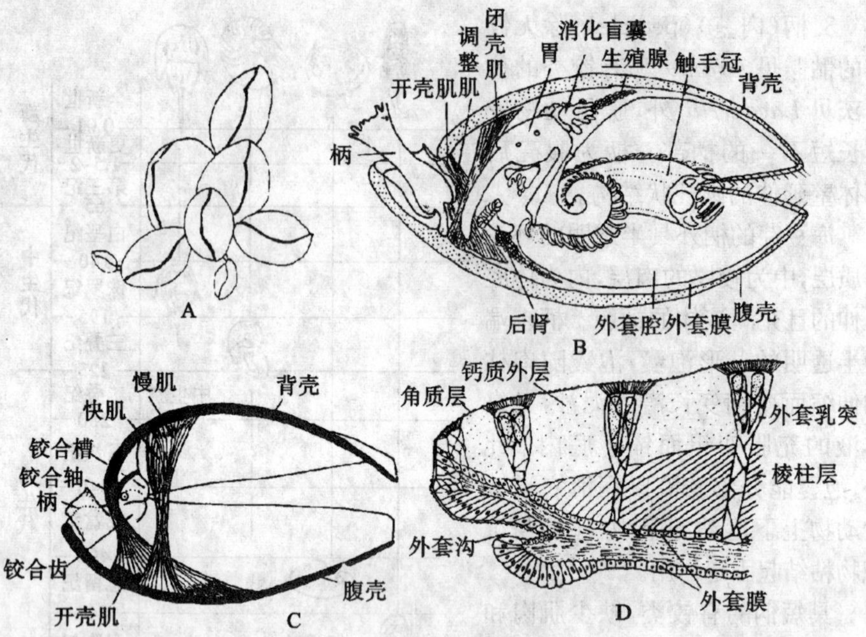

图 30-3 穿孔贝(酸浆贯壳贝)(仿各作者)

A. 群居；B. 内部解剖；C. 肌肉系统；D. 壳和外套缘的组织学

7. 消化系统和营养：消化道 U 形，口位于两腕基部之间，食道短，胃膨大位于背部，直肠后无肛门(有铰类)或具肛门(无铰类)，肛门开口于体右侧。消化腺位于胃周围，开口于胃中。至少海豆芽大多是在消化腺内行细胞内(intracellular)消化。

营养物多为有机碎屑或浮游藻类。和苔藓动物一样，食物粒随触手纤毛激动的水流沿一定路线进入外套腔，为触手两相邻侧纤毛构成的滤网俘获后，沿触手基部的腕沟(brachial groove)被运送到口中。

和帚形动物相同，腕足动物纤毛也是单纤毛细胞的。

8. 循环、呼吸和排泄：腕足动物的循环系统为开管式，具收缩力的心脏位于胃部背上方，由心脏向前、后各发出 1 条由脏壁膜形成的管道(有作者认为这不是真正的血管)。管道分支进入身体各部，但对其路径了解不多。血液无色，来自体腔液，含蚓红蛋白的细胞担任携氧功能。

无特殊的呼吸器官。体表特别是触手和外套膜不仅提供了较大的表面积，而且皆位于水流之通道上，是为交换气体之场所。

具后肾 1～2 对。肾内口开口于后体腔，体内的代谢产物被体腔液中的吞噬细胞摄取后，经肾内口和肾管（兼任生殖管的功能），再由位于口两侧后方的肾外孔排入外套腔出体外。

9. 神经系统和感官：神经系统在腕足动物退化，围食道神经环背腹位膨大成背、腹神经节。由此分出神经至身体各部，特别至肌肉、外套和触手冠。

与其生活方式相适应，感觉器官多退化。外套膜处有丰富的感觉神经细胞，可能系触觉感受器。在海豆芽幼体，于前闭壳肌两侧具1对平衡囊（图30-4 B），这与其穴居定向有关。

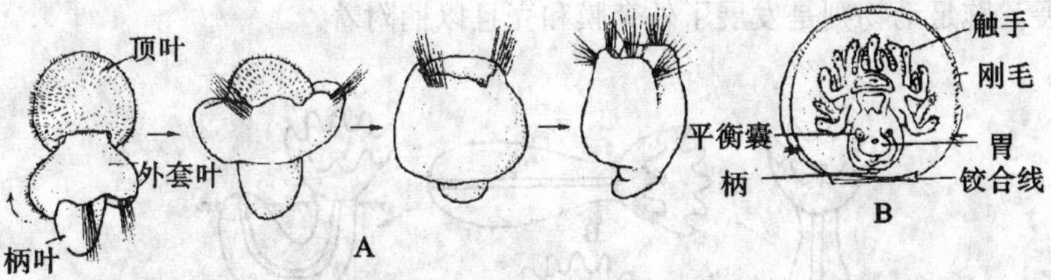

图 30-4　腕足动物的幼虫和幼体

A. 有铰类的幼虫及变态；B. 海豆芽的幼体

（A 仿 Ruppert 等；B 仿 Ruppert 等从 Yatsu）

10. 生殖和发育：腕足动物皆行有性生殖。多雌雄异体。生殖细胞来自后体腔的内脏膜。生殖细胞成熟后落于体腔经肾孔排出体外。除少数在外套腔中受精并在肾管或外套或触手冠特殊的孵育囊中孵化外，多体外受精。

受精卵经辐射型等全裂、有腔囊胚、内陷原肠胚（具孵化囊的拉卡茨贝为分层原肠胚）。胚孔闭合，口次生，具肛门者当肠生长靠近体壁时开孔为肛门，肠体腔法形成中胚层和体腔。上述特征说明腕足动物具后口动物的特点。

胚胎逐渐发育成自由游泳的幼虫。无铰类幼虫系浮游营养，具1对外套叶、封闭幼虫体躯的壳瓣、伸入外套腔的纤毛触手冠（是幼虫游泳器官），柄由外套衍生且盘旋在外套腔背部（图30-4 B），以后壳加重加厚，幼虫沉落于水底，以柄吸附于底质。有铰类幼虫（图 30-4 A）具顶叶（apical lobe）、外套叶（mantle l.）和柄叶（pedicle l.），故称叶状幼虫（lobate larva）。在穿孔贝，幼虫经24～30小时的浮游期、外套叶上翻并分泌外壳等变态过程。

30.4 系统发生

形态上，触手冠动物 Lophophorata（触手动物 Tentaculata）的腕足、帚形和苔藓动物门，皆具触手冠、中空触手（具来自中体部的体腔）、外骨骼、三部躯体、

U 形消化道且肛门位于触手冠外、皮下神经系、辐射不定型卵裂、顺流摄食方式等，有别于动物界中须腕、星虫、多毛、腔肠、内肛和海参等具触手的动物（触手实心且逆流摄食）。由于内肛动物虽具触手冠，但肛门位触手冠内，螺旋卵裂、幼虫形态及变态不同于苔藓动物，许多学者认为触手冠动物是单系（进化）分支（monophyletic clade），具独特的共裔性状（synapomorphy），除帚虫的口由胚孔衍生外，辐射卵裂、肠体腔、三部体腔等，无疑都具后口动物性质。

触手冠动物间的关系有过多种假说（图 30-5）。但多认为帚形动物建管潜居，其结构可能是最原始的。苔藓动物是向着缩小体积靠出芽形成群体的方向发展。腕足动物则是发展了外套膜和壳且以柄附着。

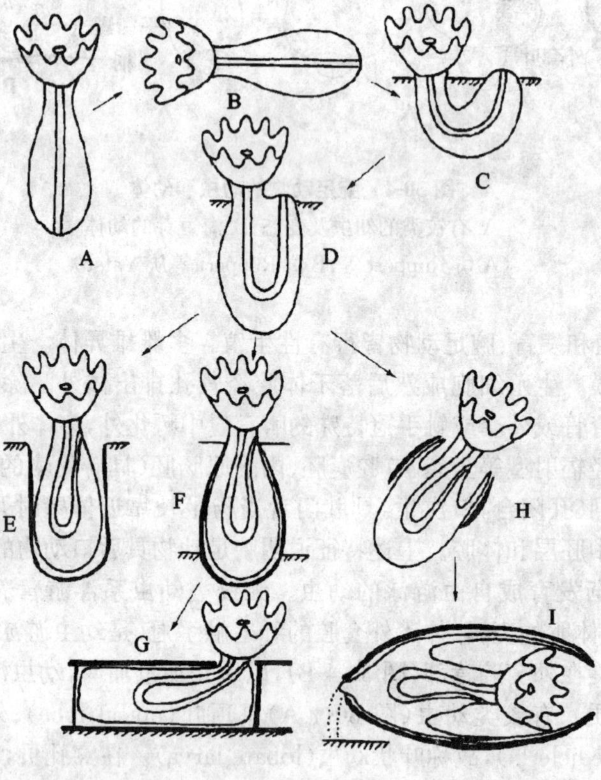

图 30-5　触手冠动物各门关系的假想图（仿内田亨）

A. 单体触手冠动物；B，C. 横卧潜居；D. 消化管 U 形的原始触手冠动物；E. 潜居帚虫类；F. 体表具钙质成分；G. 苔藓动物群体；H. 体表具外壳；I. 腕足动物

但是，来自分子生物学的资料，结合支序分类，使近 10 年来动物界高级阶

元的系统演化树有了很大的变化(Ohama 等,1984;Field 等,1988;Lake, 1990;Monis,1993;Halanych 等,1995;Mackey 等,1996)。腕足和帚形动物组成的单系类元和某些螺旋卵裂动物类元是姊妹群的关系,这显然同纯形态资料分析的结果不一致。

第 31 章　毛颚动物门

Chaetognatha(Gr., *chaite*, hair; *gnathos*, jaw)

31.1 概述

毛颚动物(chaetognath),体较透明似箭,俗称箭虫(arrow worm)、玻璃虫(glass worm),因体前端具颚毛(刚毛),故名。体侧具侧鳍,尾具尾鳍,直形消化道,具肛后尾。除底栖的锄虫属 *Spadella* 等外,多为海洋浮游捕食者。在浮游生物拖网生物量中常占优势。

毛颚动物门的主要特征:

1. 全部海生,浮游或底栖;
2. 两侧对称,流线型似箭,分为头、躯干和尾 3 部分,体侧具侧鳍,尾端具尾鳍;
3. 头部具眼、小齿和颚毛,具能伸缩成包绕头部的笠(头巾);
4. 体腔被横隔分为头腔、躯干腔、尾腔;
5. 背腹各具两束纵肌,无环肌;
6. 消化道直管式,具肌肉咽,肛门位于躯干—尾连接部的腹面,具肛后尾;
7. 无循环、呼吸和排泄系统;
8. 脑(背)神经节经围咽神经环与肠下(腹)神经节相连;
9. 雌雄同体,直接发育,无幼虫期。

毛颚动物门全球现生约 120 种,分为 1 纲 2 目(表 31-1),其主要分类检索性状为:

1. 腹横走肌:a. 具,b. 无;
2. 生活方式:a. 底栖,b. 浮游;
3. 侧鳍:a. 1 对,b. 2 对。

表 31-1 毛颚动物门的分类

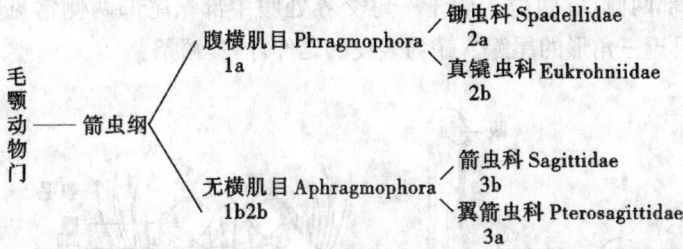

- 毛颚动物门 —— 箭虫纲
  - 腹横肌目 Phragmophora 1a
    - 锄虫科 Spadellidae 2a
    - 真镰虫科 Eukrohniidae 2b
  - 无横肌目 Aphragmophora 1b2b
    - 箭虫科 Sagittidae 3b
    - 翼箭虫科 Pterosagittidae 3a

31.2 习性和分布

除锄虫等少数属为内湾浅海底栖生活外，皆为典型的海洋浮游动物。因海洋各水域温、盐、海流、含氧量、地理阻隔等因素的制约，各物种的分布不同。强壮箭虫 *Sagitta crassa*（图 31-1 A）只分布于中国和日本近海和内湾，是黄海水团和日本内海低盐水的指标种。六鳍箭虫 *S. hexaptera* 和龙翼箭虫 *Pterosagitta draco* 是东海黑潮流的指标种。中华箭虫 *S. sinica* 是东海西部混合水和日本南部沿岸水的指标种。

毛颚动物的垂直分布，箭虫 *Sagitta* 几乎见于各水层，翼箭虫 *Pterosagitta* 和镰虫 *Krohnitta* 分布于表水层，渊锄虫 *Bathyspadella* 底栖生活，异镰虫 *Heterokrohnia* 则是深水层的。其垂直移动规律，常是夜晚上升、白天下降的昼夜节律。

毛颚动物可大量吞噬其他浮游动物和幼虫，又是许多鱼类等的摄食对象。是海洋食物链中次级生产力的代表。

31.3 形态、结构和功能

1. 外形：体长 0.5～12 cm，似箭。除某些中水层或深水层物种具橘黄色胡萝卜素的色素或腹横肌目 Phragmophora 的物种因腹纵肌束的乳白色外，体皆透明。

虫体由头（head）、躯干（trunk）和尾（tail）3 部组成。头部略膨大，前端腹中部具口，口周围具 1～2 列小齿，头两侧着生 4～14 根含几丁质、黄褐色镰刀状且向内弯曲的颚毛（刚毛）（spine，hook）。头背中部具眼 1 对，纤毛环（ciliary loop）由眼间或眼后缘向后伸展。头躯干交界处（颈），具可伸缩的头巾或笠，颚毛外展时头巾收缩，动物急速游动时头巾则包被整个头部，起保护或减少运动阻力之作用。躯干部为前、后横膈膜间的狭长部，即颈后与肛门平面之间。躯干和尾部具侧鳍 1 对（翼箭虫科 Pterosagittidae）或 2 对（箭虫科 Sagittidae），体壁具复层鳞状上皮的泡状组织（为无脊椎动物所特有）。在锄虫属 *Spadella* 和翼箭虫属 *Pterosagitta*，泡状组织发达，其他则多限于躯干前部(颈)且随水温和盐度而变化。雌性生殖孔位于躯干后部两侧，肛门位于躯干—尾交界处腹中部。尾部两侧常见膨大的贮精囊，后端具近三角形的尾鳍。鳍为表皮的延伸，内具鳍条。

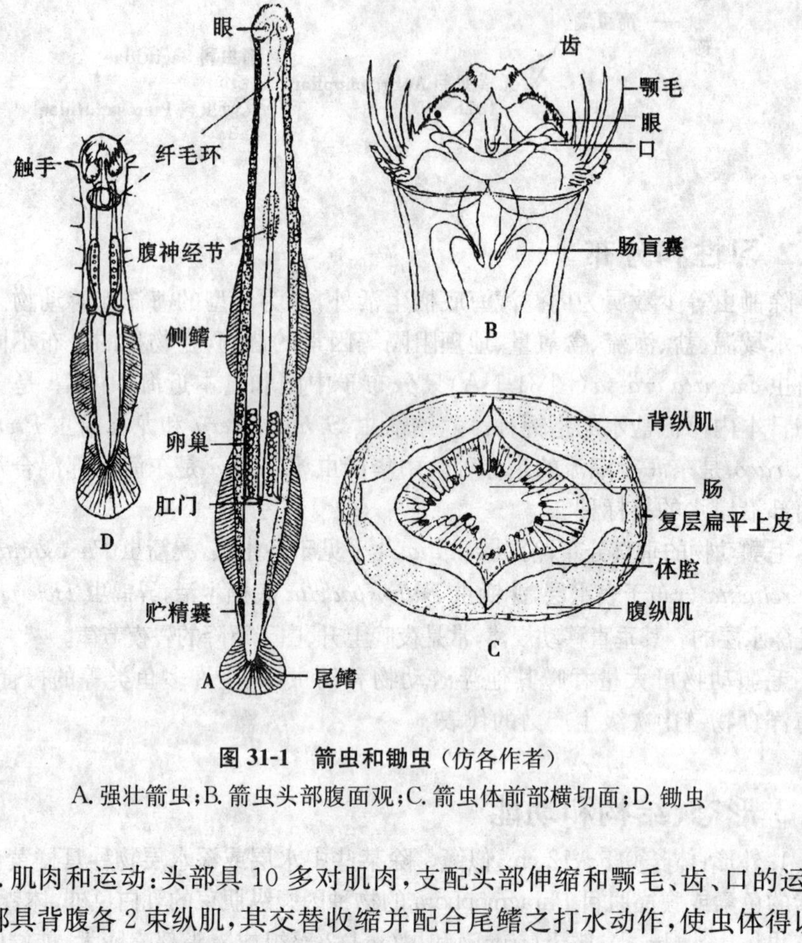

图 31-1　箭虫和铡虫(仿各作者)

A. 强壮箭虫；B. 箭虫头部腹面观；C. 箭虫体前部横切面；D. 铡虫

2. 肌肉和运动：头部具 10 多对肌肉，支配头部伸缩和颚毛、齿、口的运动。躯干部具背腹各 2 束纵肌，其交替收缩并配合尾鳍之打水动作，使虫体得以背腹波动前进。有时骤然连续颤动、急速向前，平时则前进一下、静止一会，静止时以侧鳍维持身体平衡和漂浮。底栖的铡虫以体后部的乳突粘于底物上，在腹纵肌背侧还具横肌层，能做短距离移动。

3. 体腔：为横膈膜(transverse septum)分为头、躯干和尾 3 部体腔，并由纵隔将躯干腔分为左右二纵室，尾腔分为 2～4 个纵室。对猛箭虫 *Ferosagitta hispida* 的超微结构研究，肠上皮的外表面具简单的肌上皮，从而证实脏体腔膜(visceral peritoneum)的存在(Shinn 等，1994)。除头腔为肌肉和神经组织充填缩小外，躯干腔和尾腔较宽大。

4. 消化系统和摄食：消化管为一简单的直管，包括口（位于头部腹面凹陷处）、咽（球状肌肉质）、肠（穿过头—躯干隔膜，其前部常具侧盲囊或肠盲囊 intestinal diverticulum）、肛门（开口于躯干后部腹中线上）。毛颚动物肉食性，直型肠管使之能囫囵吞下较其体还长的猎物。摄食时常骤然跃起，以头部齿器迅猛刺入猎物，同时注入自细菌获得的河豚毒素（tetrodoxin），该毒素是一种烈性纳离子通道阻滞素，可使猎物制动。据统计，日摄食量可达体重的 37%（纳嘎箭虫 *Sagitta nagae*）。浮游的桡足类、磷虾、小鱼、硅藻和同类等都是其捕捉对象。

5. 神经系统和感官：神经系统包括头背部的脑神经节和躯干腹中线的腹神经节，以围咽神经环相连。此外，腹神经节可发出 6 对神经至身体各部。眼为其视觉器官，纤毛环为感震器，可敏感地感知猎物活动所产生的振动。

6. 生殖和发育：箭虫雌雄同体。卵巢 1 对位于躯干部。精巢 1 对位于尾部。精原细胞由精巢中释放入尾腔并在此成熟。成熟的精子经纤毛漏斗进入输精管，然后穿入体壁两侧的贮精囊，精子在此形成精球（sperm ball）或精簇（sperm cluster）（从不形成精荚 spermatophore，因从未见到定义中精荚之外膜）。

输卵管位于卵巢外侧，卵多在输卵管内或附于亲体体表受精。精卵常交替成熟，故多为异体受精。但亦有非交替成熟者，以致自体受精。

直接发育，无任何幼虫期或变态。少黄卵，辐射等全裂。囊胚腔很小为有腔囊胚。内陷原肠作用，使内外胚层细胞紧贴，将囊胚腔挤掉而具一大的原肠腔。胚孔位于胚之后端，不久即闭塞消失，口和肛门次生形成。中胚层褶由内端内胚层形成，同时分出两个生殖细胞（即未来之精、卵巢）。体腔囊由中胚层褶处形成，以后分化为前体腔和躯干腔，而尾腔则在躯干形成后逐渐变成。因此，体腔的形成，颇似肠体腔（enterocoelous），即使这些腔隙与成体空隙之关系尚不很清楚(图 31-2)。

31.4 系统发生

传统上，毛颚动物被视为后口动物的后裔（Hyman，1959；Willmer，1990），该学说强调的是三部体腔（tripartite）的排列及其胚胎发生上的特征。由于与其他动物相比较，缺少共近裔性状（synapomorphy），使许多学者对毛颚动物的起源倍感兴趣。如 Nielsen（1985）称毛颚动物与（无）体腔的棘头动物关系密切，Günther（1970）和 Casanova（1987）则认为毛颚动物来自软体动物且属原口动物。较早的假说称毛颚动物是假体腔动物且与线虫相关（Schneider，1886；Ghirardelli，1968），后者源于他们的体腔都缺少环肌。然而，多数形态学和胚胎学的信息常有歧见且相矛盾，如根据各种细胞和组织层排列，毛颚动物既是假体腔的又是真体腔的。显然，毛颚动物对了解体腔在进化中的可变性或受抑制是至关重要的。

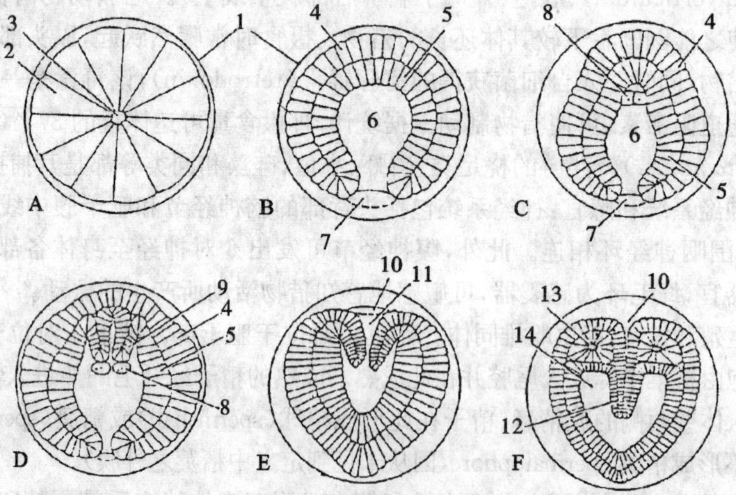

图 31-2　毛颚动物的胚胎发育(仿 Hyman)

A. 早期囊胚；B. 原肠胚；C. 后期原肠胚；D. 从原肠产生中胚层褶；E. 胚孔闭合、次生口处具口道；F. 体腔囊形成：1. 卵膜，2. 分裂球，3. 囊胚腔，4. 外胚层，5. 内胚层，6. 原肠腔，7. 原肠孔，8. 原始生殖细胞，9. 中胚层褶，10. 口，11. 口道，12. 肠，13. 前体腔，14. 躯干腔

Hyman(1951)最早定义的体腔是"全为中胚层起源的组织所包围，并衬有围脏膜"。但新近(Shinn 等，1994)对毛颚动物超微结构的研究，发现其体腔衬膜与其他体腔动物如小型多毛动物、肠鳃动物、触手冠动物的触手区者很相似。Welsch 等(1982)曾报导，秀箭虫 *Sagitta elegans* 的体腔衬有薄的上皮，故为真体腔。因此，有人认为，真假体腔的问题，在动物演化上如同胚孔的命运一样是个枝节问题。无体腔、假体腔和真体腔的状态，在自然界是生态上的而非种族上的。

据 Halanych(1996)18S rDNA 分子序列分析，认为毛颚动物与线虫关系最为密切。线虫在海洋中是底栖动物，毛颚-线虫的底栖祖先最初是增加体壁褶、交合伞、鳍、毛的面积而不是以加大体积的方式提高浮力。因此，推测其演化路径是经底栖毛颚动物向浮游者演化。

第 32 章　棘皮动物门

Echinodermata(Gr., *echino*, hedgehog; *derma*, skin)

32.1 概述

棘皮动物是动物界中既古老又特殊的一门动物。其幼虫两侧对称而成体多五辐射对称，体壁中有中胚层形成的内骨骼且常于皮下向外突出成棘刺，有独特的水管系统和围血系统，是后口动物的主要成员。习见的有：海百合（sea lily, feather star）、海星（sea star, starfish）、蛇尾（serpent star, brittle star）、海胆（sea urchin, heart-urchin）、海参（sea cucumber）等（图 32-1）。

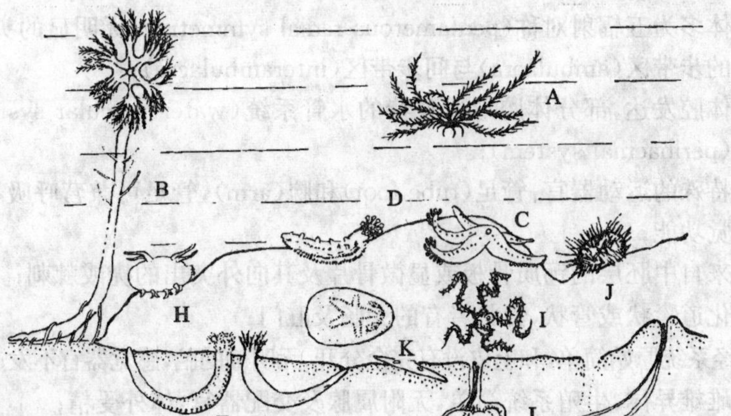

图 32-1　棘皮动物（仿各作者）

A, B. 海百合纲：A. 海羊齿，B. 深海海百合；C. 海星纲：海盘车；
D～H. 海参纲：D. 刺参，E. 瓜参，F. 锚参，G. 芋参，H. 深海海参；
I. 海蛇尾纲：刺蛇尾；J～L. 海胆纲：J. 球海胆，K. 饼干海胆，L. 心形海胆

三国吴·沈莹《临海水土异物志》记海参:“土肉,正黑,如小儿臂大,长五寸,中有腹,无口目,有三十足,炙食。”明·胡世安《异鱼图赞补》卷下:“爰有海参,产于辽海,以配海蚍,牝牡形在,功敌人微,名因不改”,又曰:“五杂俎,辽东海滨有之,一名海南子,其状如男子势状,淡菜之对也。其性温补,足敌人参,故名。人参一名人微。”清·周亮工《闽小记》下卷载:“闽中海参,色独白,类撑以竹签,大如掌,与胶州辽海所出异,味亦澹劣。海上人,复以牛革伪为之,以愚人者,不足尚也。”言及“色独白”,可能是今之白尼参 *Bohadschia*,“以牛革伪为之”是说古时也有假冒者。

海蛇尾,沈莹记:“阳遂(燧)足,此物形状背黑青,腹下正白,有五足,长短大小皆等,不知头尾所在。生时(体)软,死即干脆。”“阳燧”乃古代取火之凹面铜镜,因海蛇尾的体盘似此,而其腕古人谓足,故得名。

海胆之名,最早见于宋·梁克家《三山志·土俗》卷三十九:“石榼,形圆,紫色有刺,见人则刺动摇。”明·屠本畯《闽中海错疏》卷下有海胆、海绩筐之名。此外,清时称海星为海盘缠(清·郝懿行《记海错》)。

此后,有关海洋动物之书,言必有棘皮动物。

棘皮动物门的特征:

1. 海生,多底栖,分布广,无群体及寄生种类;

2. 成体多为五辐射对称(pentamerous-radial symmetry),无明显的头部,具交替排列的步带区(ambulacra)与间步带区(interambulacra);

3. 真体腔发达,部分体腔形成独特的水管系统(water vascular system)与围血系统(perihaemal system);

4. 具特殊的运动器官:管足(tube foot)和腕(arm),管足可兼营呼吸、排泄、摄食和感觉功能;

5. 具来自中胚层的钙质骨板或显微骨片及其向外突出的疣或棘刺;

6. 消化道囊状或管状,囊状者有的无肠及肛门;

7. 神经系统原始简单,和上皮没有完全分开,无明确的脑,感觉器官不发达;

8. 多雌雄异体,生殖系统简单,无附属腺及交配器官,体外受精;

9. 具后口动物发育特征:辐射卵裂,由胚孔形成成体的肛门,除直接发育的一些种类为裂体腔外皆由肠体腔法形成中胚层及体腔;

10. 幼虫两侧对称。

棘皮动物现存约 7 000 种,现分为 2 亚门 6 纲(表 32-1)。其分类检索性状为:

1. 固着柄或卷枝：a. 有，b. 无；
2. 腕：a. 有，b. 无；
3. 步带沟：a. 有(a^1. 开放、a^2. 封闭)，b. 无；
4. 消化道：a. 管状，b. 囊状或无；
5. 骨板：a. 发达，b. 退化为显微骨片。

表 32-1 棘皮动物门的分类

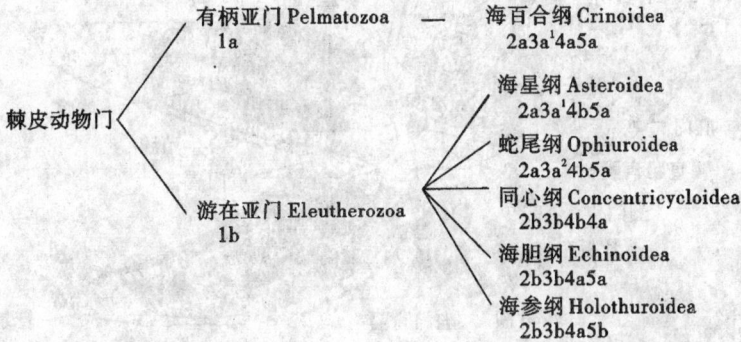

- 棘皮动物门
  - 有柄亚门 Pelmatozoa 1a — 海百合纲 Crinoidea $2a3a^14a5a$
  - 游在亚门 Eleutherozoa 1b
    - 海星纲 Asteroidea $2a3a^14b5a$
    - 蛇尾纲 Ophiuroidea $2a3a^24b5a$
    - 同心纲 Concentricycloidea 2b3b4b4a
    - 海胆纲 Echinoidea 2b3b4a5a
    - 海参纲 Holothuroidea 2b3b4a5b

32.2 多棘海盘车 *Asterias amurensis* Lütken

分布于北太平洋亚洲沿岸。我国黄渤海习见。底栖生活于潮间带至水深 40 m 的浅海，以双壳蛤多的沙或砾石、碎贝壳区最多。据报道，其难与罗氏海盘车 *A. rollestoni* 区分。

1. 外部形态：体扁，口面平，反口面稍隆起，呈五角形，中央为体盘(body disc)或称中央盘(central disc)。由体盘辐射伸出的部分为腕(arm)，其基部宽，末端渐细，一般为 5 个(罕见者为 6～8 个，系再生所致)，与筛板(体盘反口面上的圆扣状钙质板，板上具辐射状凹纹)相对的腕称 A 腕，按顺时针方向依次为 B,C,D,E 腕(图 32-2)。最大个体的腕长可达 120 mm。生活时，身体朝上的反口面(aboral surface)呈蓝紫色，朝下的口面(oral surface)呈黄褐色。口面体盘中央为口，周围有围口膜，由口沿腕辐射伸出 5 条步带沟(ambulacral groove)，沟中有 4 列具吸盘的管足。据管足的有无，可将身体表面区分为 10 个相间排列的带，有管足的部分为辐部(radii)或步带区(ambulacra)，无管足的部分为间辐部(interradii)或间步带区(interambulacra)。近腕末端有一红色眼点，由数个单眼组成，眼点上方突出一无吸盘的端触手。反口面中央具肛门，腕基部的间步带区各有 1 对生殖孔。

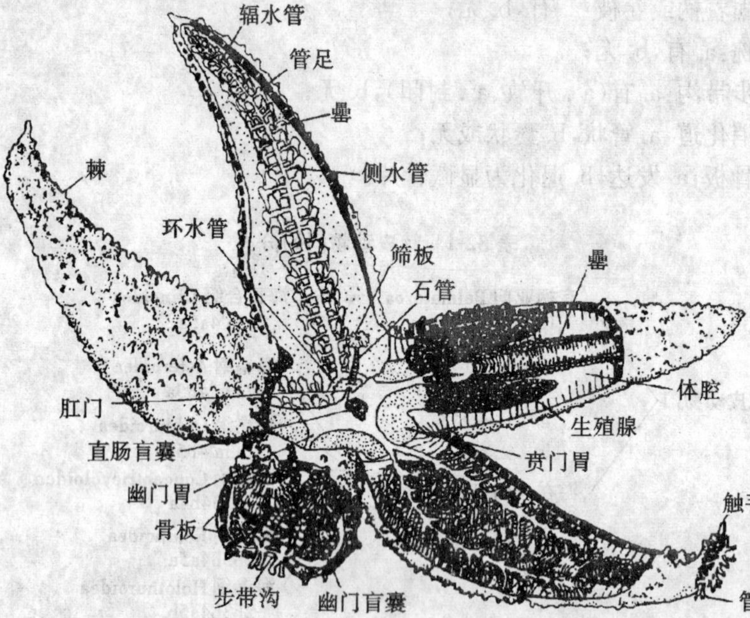

图 32-2　海星反口面的解剖(仿 Whittaker 修改)

棘、叉棘及皮鳃:①棘(spine),见于步带沟以外的体表面(图 32-2)。在反口面,背棘短小,末端稍宽扁,顶端有细锯齿,分布不很密,并于腕部排列成不规则的行。在口面,步带沟两侧边缘有细长可动的侧步带棘,可盖住步带沟保护管足,侧步带棘外侧有几排粗壮的钝棘刺。腕边缘有较多的棘刺(上缘棘),一般排成 4～6 行。除侧步带棘外,其他各棘皆不能活动。②叉棘(pedicellaria),为一种次生的变形小棘,位于棘基部、棘间及侧步带棘上,据其形态可分为两种(图 32-3 B,C):钳形或直型叉棘(forcep or straight type),散生于棘间并附于侧步带棘上,其颚片内侧直,关闭时能紧合在一起,基片位于颚片基部,由 1 对展肌及 1 对收肌控制颚片的开启和关闭。剪形或交叉叉棘(scissor or crossed type),多位于背棘基部,其两颚片基部拱曲,且互相交叉,基片位于交叉的颚片之间,除展肌与收肌外,柄中还有一弹性韧带分成两支附于颚片基部。由于颚片交叉所引起的杠杆作用,交叉叉棘的活动较直型叉棘强大。叉棘的外表皮中皆有丰富的感觉细胞和腺细胞,对接触及化学刺激能进行独立反应,能清除体表的异物,保护皮鳃,还有协助捕食的作用。③皮鳃(dermal branchia or papula),为棘刺之间的许多小指状囊,壁薄,由骨板间的小孔伸出,其内腔与体腔相连通,有呼吸和排泄功能(图 32-3 D)。

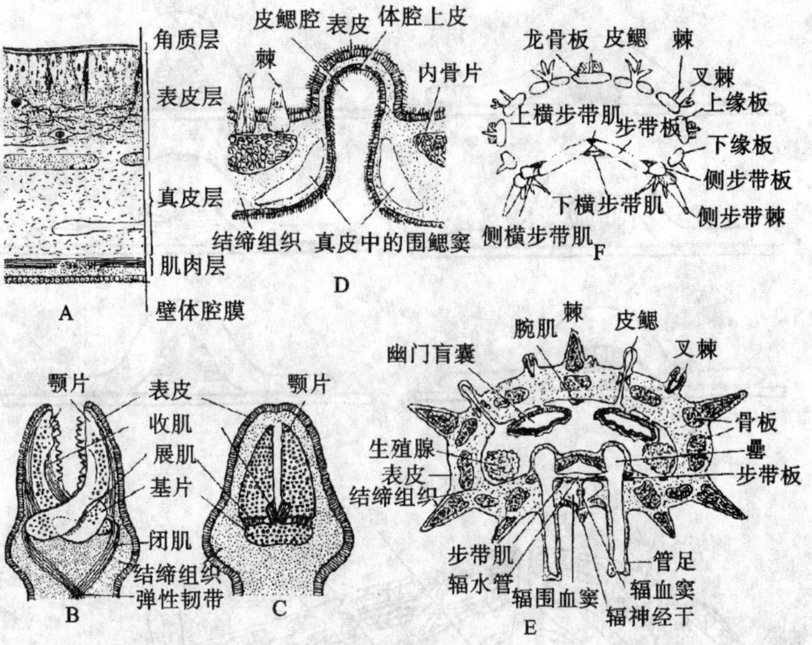

图 32-3　海星的结构(仿各作者)

A. 体壁横切面;B. 剪形叉棘;C. 直形叉棘;D. 皮鳃纵切;
E. 腕横切;F. 腕骨板

2. 体壁(body wall):由角质层、表皮、真皮、肌肉层和壁体腔膜 5 部分组成(图 32-3 A)。①角质层(cuticle),是位于体壁最外层的薄膜。②表皮(epidermis),主要由一层柱状纤毛上皮细胞组成,覆盖包括棘、叉棘、皮鳃及管足在内的整个体表,柱状纤毛细胞之间具感觉细胞、色素细胞和黏液细胞。黏液细胞分泌的黏液使体表形成一层保护性外膜,可将落到身体上的碎屑粘住并借助于纤毛及叉棘清除掉。表皮细胞的基部有神经纤维网,偶尔也能见到神经细胞。③真皮(dermis),主要是中胚层的结缔组织,其中具结缔组织细胞分泌的钙质骨板。④肌肉层(musculature),位于真皮内面,外层为环肌,内层为纵肌。⑤壁体腔膜(peritoneum),由立方纤毛上皮细胞组成,为体壁的最内层,亦为体腔的被膜。

3. 骨骼系统(skeleton):因位于体壁真皮内,又称为内骨骼(endoskeleton),主要由碳酸钙及碳酸镁组成。各骨板间互相不嵌合并结成致密的网状,骨板间的小孔即为皮鳃伸出缩入之孔。

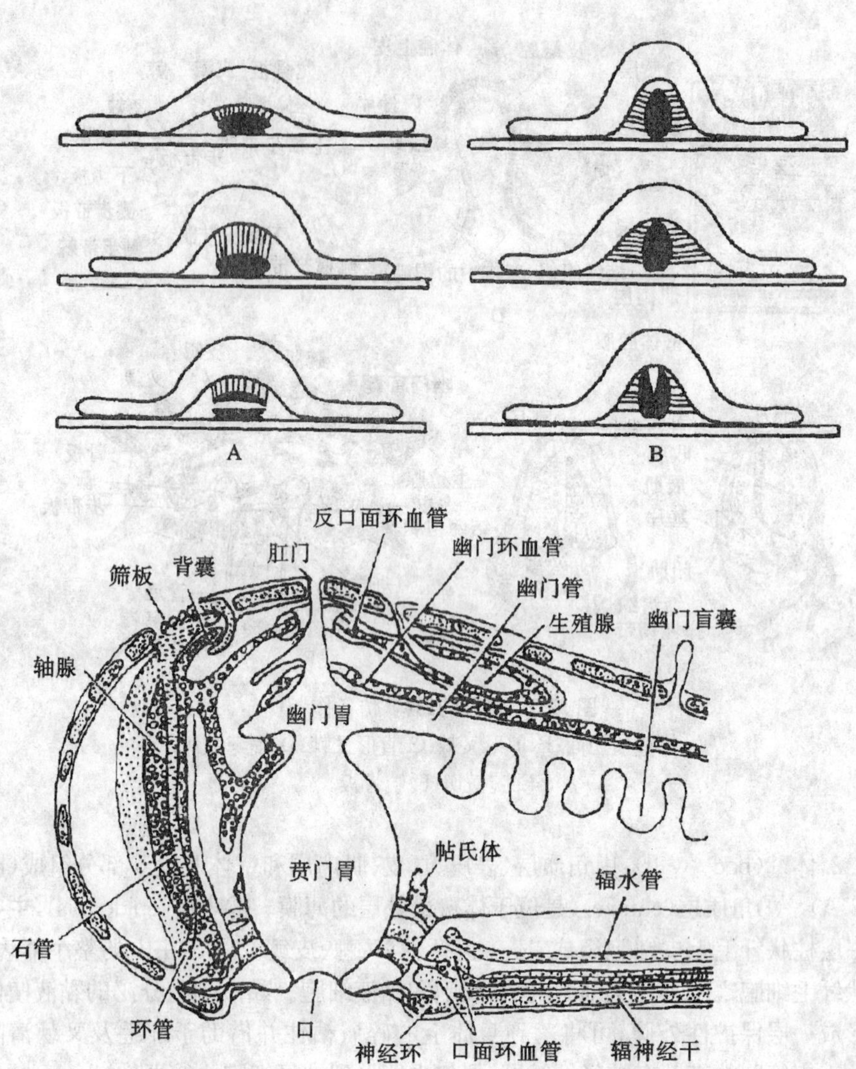

图 32-4 海星摄食方式及消化系统(仿各作者)

A,B 海星摄食:A. 食固着的蛤,B. 食非固着的蛤;C. 消化系统图解

腕部骨板(图 32-3 E,F):排列较规则,腕背面中间的一列骨板称为龙骨板(carinal ossicle),龙骨板两侧的数列骨板称为背侧板,腕腹面中央步带沟背壁的两列骨板为步带板(ambulacral ossicle)(其横切面呈倒"V"形、左右两步带板间具背肌及腹肌以控制步带沟的开闭),步带板外侧为一列侧步带板(adambulacral ossicle)(生有可动的侧步带棘以保护步带沟)。腕边缘为两列排列整齐的骨板,背面一列与背侧板相连称为上缘板(supramarginal plate),腹面一列与侧步带板相连的称为下缘板(inframarginal plate)。另外,口周围间辐位各有1对骨板称为口板(oral ossicle),腕末端的一块较大的骨板称为端板。

除步带板外,各骨板均向外突出棘刺,棘刺外面的表皮常被磨损。

4. 体腔(coelom):为发达的次生体腔,除包围消化系统及生殖系统等的围脏体腔外,还构成特殊的水管系统及围血系统(见后)。围脏体腔宽大,且与内脏器官一起深入到各腕中(图 32-2,图 32-4 C),其体腔液既通过皮鳃及管足与外界交换气体,又能从肠道接受营养。因此,暴露于体腔中的各器官组织可直接吸取体液中的营养、氧气,并排出代谢产物,故围脏体腔液实际上执行循环功能。

5. 消化系统(digestive system):消化道短且直。主要部分膨大为囊状,由体盘口面一直伸向反口面,且分出大型消化腺伸入到各腕中(图 32-2,图 32-4 C)。

口(mouth),位于口面围口膜中央,周围具括约肌及辐射肌,能张大吞食大型食物。由口经短的食道(oesophagus)通入膨大的胃。

胃(stomach)为消化营养物质的主要部位,占体盘的大部分空间,通过一收缩部分为贲门胃、幽门胃两部分,其中,贲门胃(cardiac stomach)呈5叶囊状,很宽阔,壁薄,多皱褶,内皮中具大量腺体细胞,且胃壁上附有5对由结缔组织和分散肌纤维组成的缩肌束(retractor muscles),缩肌束的另一端附于步带骨板上。

幽门胃(pyloric stomach),位于贲门胃背方,较小,呈五角形,由5个角各发出一条幽门管,各幽门管辐射入腕并分为两支,每支又再分出许多中空的侧枝,侧枝末端膨大为盲囊,形成绿色的幽门盲囊(pyloric caeca)或幽门腺(pyloric gland),充满腕腔。幽门腺的内皮中具黏液细胞、分泌细胞及贮藏细胞,故既能向胃中分泌消化液,又能吸收和贮藏脂肪、肝糖原、多糖-蛋白复合物等多种营养物质,其消化液的成分相当于脊椎动物的胰液,可消化淀粉、脂肪及蛋白质。直肠(rectum)很短呈圆锥形,向体腔伸出 2～3 个褐色的直肠盲囊(rectal caeca)。直肠盲囊有很强的吸收力,能收集在幽门盲囊中未完全消化的食物颗粒,另外还兼具排泄功能。肛门(anus)位于体盘反口面近中央,很小,平时不易分辨,且常不起作用,故大型的食物残渣仍由口吐出。整个消化系统的内皮具纤毛,以维持消化液及消化食物的不断循环。

海星以肉食为主。一般以小型鱼类、甲壳类、软体动物、多毛类、腔肠动物和其他一些棘皮动物为食,特别喜食双壳类,如贻贝、牡蛎、杂色蛤等。摄食时,整个贲门胃可翻出体外,直接裹住食物,行口外消化。外翻过程包括:张开口,放松胃和缩肌束,收缩体壁肌肉,使体腔内产生较高的静压,以压出放松的胃。

缩回过程包括：放松体壁肌肉以减小静压，收缩胃壁肌肉和缩肌束使胃回到体内，关闭口。捕食双壳类时，身体呈弓形裹住食物，以腕上管足的吸盘附到双壳上用力将双壳拉开，然后翻出贲门胃，穿过双壳间的间隙进入外套腔，消化其软体部(图 32-4 A,B)。因其胃可插入壳间 0.1 mm 宽的细缝，故也可穿过双壳间的缝隙。

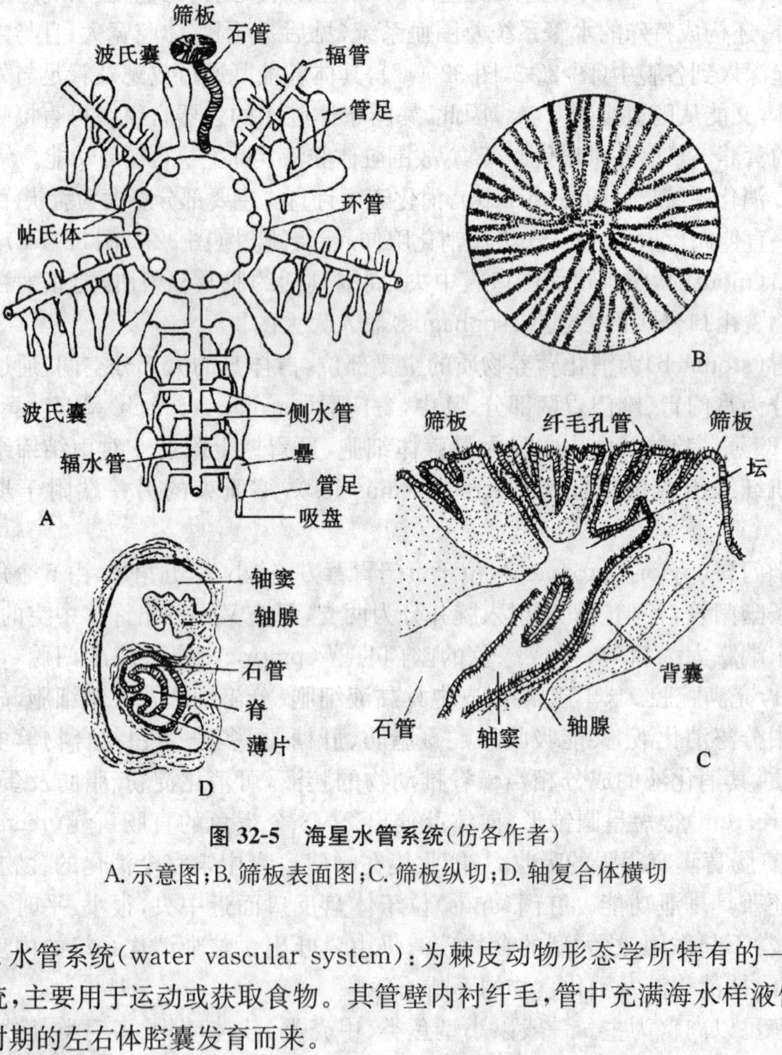

图 32-5 海星水管系统(仿各作者)

A. 示意图；B. 筛板表面图；C. 筛板纵切；D. 轴复合体横切

6. 水管系统(water vascular system)：为棘皮动物形态学所特有的一种液压系统，主要用于运动或获取食物。其管壁内衬纤毛，管中充满海水样液体，由胚胎时期的左右体腔囊发育而来。

由以下部分组成：①筛板(madreporite)，为一圆形钙质盘，位于体盘反口面的 CD 间辐部，其表面具辐射状凹纹(图 32-5 A,B)，凹纹底具许多小孔，为水管系统水流的出入口(图 32-5 C)，用于平衡水管系统与外界水压。②石管(stone canal)，呈S形，上达筛板，垂直穿过体盘，与食道周围的环水管相连，石管壁较硬，有石灰质环支持，管内腔壁具1脊，由脊向管腔中伸出1对螺旋形薄片，将管腔分成两个通道(图32-5 D)，故管中液体可同时向口面、反口面循环。③环水管(ring canal)，位于口部骨骼环内面，环绕食道，其内侧的间辐位有1对囊状小体，称为帖窦曼氏体(Tiedmann's body)，因在与石管相连的间辐位只有1个，故在海盘车中共有9个，其功能尚未明确。④辐水管(radial canal)，共5条，由环水管外侧的辐位发出，沿各腕步带沟背壁直达腕末端，辐管的最末端形成腕的端触手。⑤侧水管(lateral canal)，为辐水管向两侧发出的许多平行小管，同一侧者一长一短交替排列，管末端具瓣膜，由步带板间伸入体腔。⑥管足(tube foot)，位于侧水管末端，呈桶状，壁中有发达的纵肌，末端具吸盘，由步带板间的步带孔伸出。因一侧的侧水管长短交替排列，管足在步带沟中似排成4行。管足基部于腕腔中膨大为能收缩的小囊，规则排列于步带板上方，称为罍(ampulla)，壁薄，有平滑肌。管足是水管系统中最有意义的功能单位，主要用于运动，兼有呼吸、捕食、排泄、感觉等功能。

7. 运动(movement)：海星在水平面上的运动实际上是依靠管足的步行过程。当它朝某一方向运动时，该方向的腕端抬起，其侧水管的瓣膜关闭，使罍与管足形成闭合系统，罍环肌收缩，将其中液体压入管足，管足即朝运动方向纵向伸长，管足提肌收缩，使吸盘附于基质上。随后，以管足吸盘作为支点，当管足纵肌收缩时，管足变短，水流回罍，从而使海星产生向前运动的力量。管足提肌舒张，收回吸盘，重新开始行走下一步。整个过程中，由管足基部的定向肌或姿势肌控制调整其运动伸展方向，以使所有腕上的管足相互协调，进行定向运动。

8. 围血系统及血系统(图32-6)：

(1)围血系统(perihaemal system)：为管状体腔系统，由胚胎时期的左后及右后体腔囊形成，其内腔具隔膜。由以下部分组成：①口面环窦(oral ring sinus)。②辐血窦(radial haemal sinus)，5条，位于口面水管系统下方且与之平行排列。③反口面环窦(aboral ring sinus)，位于反口面体壁内面，绕于直肠周围，呈五角形。④生殖窦(genital sinus)，5对，反口面环窦于每一间辐部发出两个生殖窦环绕生殖腺。⑤轴窦(axial sinus)，为穿过体盘的薄壁囊管，两端连接口面及反口面的环窦。⑥背囊(dorsal sac)是反口面端突出的1个可收缩的小囊。

(2)血系统(haemal system)：来自胚胎时期的囊胚腔。海星的血系统很退化，由结缔组织中的细小管道或血窦组成。除分布到肠道的血管，皆位于围血系统的隔膜中，故基本模式与围血系统一致。有口面血管环、辐血管、反口面血管环、伸入到生殖腺中的生殖血管和口面—反口面血管环相连的轴腺(axial gland)。轴腺褐色海绵状，其反口面端发出1对胃血管丛(gastric haemal tufts)

及1个小的端器于背囊中。关于轴腺的功能一直存有争议，一般认为它具很低的搏动频率，是血系统的中心，也有人认为其反口面端能产生生殖细胞，可通过反口面环窦传到生殖腺中。轴腺与石管皆位于轴窦中，三者合为一体，称轴复合体(axial complex)。由轴腺发出的1对胃血管丛外无围血窦，为幽门胃背面结缔组织中的五角形胃血管环(gastric haemal ring)的一部分，胃血管环又向各腕的幽门盲囊发出分支的血管。而在贲门胃、直肠及直肠盲囊上，目前尚未见到有血组织分布。由其解剖特征看，血系统有运送养料的作用，能将吸收的养料运输到生殖腺、管足等其他部位。也有人认为他只是贮藏器，吸收养料后又释放到围脏腔、围血腔中。

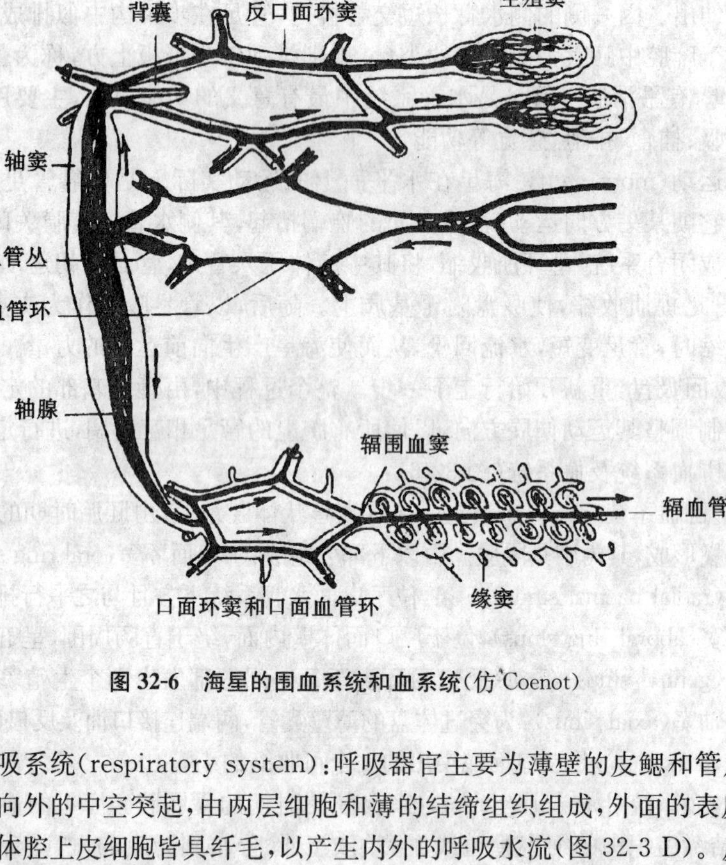

图 32-6 海星的围血系统和血系统(仿 Coenot)

9. 呼吸系统(respiratory system)：呼吸器官主要为薄壁的皮鳃和管足。皮鳃是体腔向外的中空突起，由两层细胞和薄的结缔组织组成，外面的表皮细胞及内面的体腔上皮细胞皆具纤毛，以产生内外的呼吸水流(图 32-3 D)。皮鳃可通过基部真皮内面肌肉收缩而缩入体内。管足壁的内外表面亦具纤毛，因水管系统的结构与功能不适于运输气体，由管足交换的气体可能直接通过薄壁的壨进入体腔液运输。

10. 排泄系统(excretory system):无专门的排泄器官,一般认为其代谢物由呼吸表面排到体外。排泄物主要是氨化合物、尿素和肌酸,而无尿酸盐。另外,有人认为直肠盲囊亦有排泄功能,可收集体腔中的复合可溶性物质,通过肛门排出体外。

11. 神经系统(nervous system):较原始分散,无明显的神经节,更无集中的脑,与上皮未完全分开,与之相连的上皮细胞也有传导刺激的作用。分为 3 个神经中枢,中枢间以神经网相联系:

(1)外神经系统(ectoneural system)或口面神经系统(oral nervous system),位于口面上皮的基部,由口周围的围口神经环(nerve ring)及各腕中的辐神经干组成。辐神经干(radial nerve cord)覆盖于步带沟底,其横切面呈"V"形(图 32-3 E),终止于腕末端眼点的基部(图 32-7 A)。由辐神经干发出神经到管足、疉,并与体壁中的皮下神经丛相连。本系统的神经纤维直接与表皮中的感觉细胞相联系,主司感觉功能,用于接受刺激、协调反应,为海星最主要的神经系统。若切断其神经环,则各腕各行其是,无法相互协调进行定向运动。另外,消化上皮基部具有内脏神经丛支配肠壁肌和内脏感受器,并与步带区的皮下神经丛相连,为感觉神经系统的一部分。

(2)内神经系统(entoneural system),又称为反口面神经系统(aboral nervous system)、顶神经系统(apical nervous system)及体腔神经系统(coelomic nervous system),在海星中不发达。位于体腔上皮的基部,主要为运动神经,其神经分布到体壁、生殖腺等处,并通过步带骨和间步带骨之间穿过的侧神经与步带沟外缘的边缘神经索(marginal nerve cord)相连,边缘神经索是由皮下神经丛加厚集中形成的。

(3)深在神经系统(deep nervous system),又称为下神经系统(hyponeural system),位于外神经系统的上方、围血系统的管壁上,也由神经环及辐神经构成,其辐神经又称 Lange's 神经,主司运动功能。依据内神经系统与深在神经系统的分布位置,有人认为这两个神经中枢由中胚层形成,对此尚有争议。

12. 感觉器官(sense organ):不发达。腕末端腹面具 1 个红色眼点(图 32-7 A),能感知光线的强弱变化。眼点呈杯状,主要由晶体、色素细胞及网膜细胞构成,其中央腔中充满透明的胶状物质(图 32-7 B)。另外,体外表皮中具特别的表皮感觉细胞(尤其在管足、吸盘、腕的端触手上特别多),对光、触碰和化学刺激进行反应。再者,虽然海星的平衡功能尚不清楚,然而它却具有很强的恢复平衡的本领。

13. 生殖系统(reproductive system):雌雄异体。生殖腺分枝成丛状,附于腕基部两侧(图 32-2),每腕 1 对,共 5 对。生殖管开口于腕间的反口面。无交

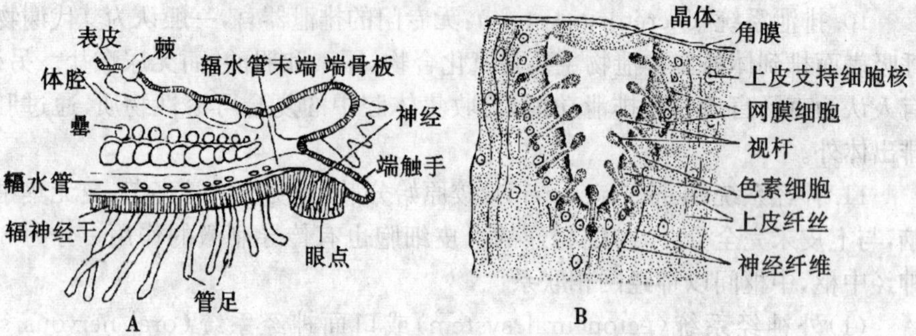

图 32-7　海星的感觉器官(仿各作者)

A. 腕端纵切;B. 眼点视杯纵切

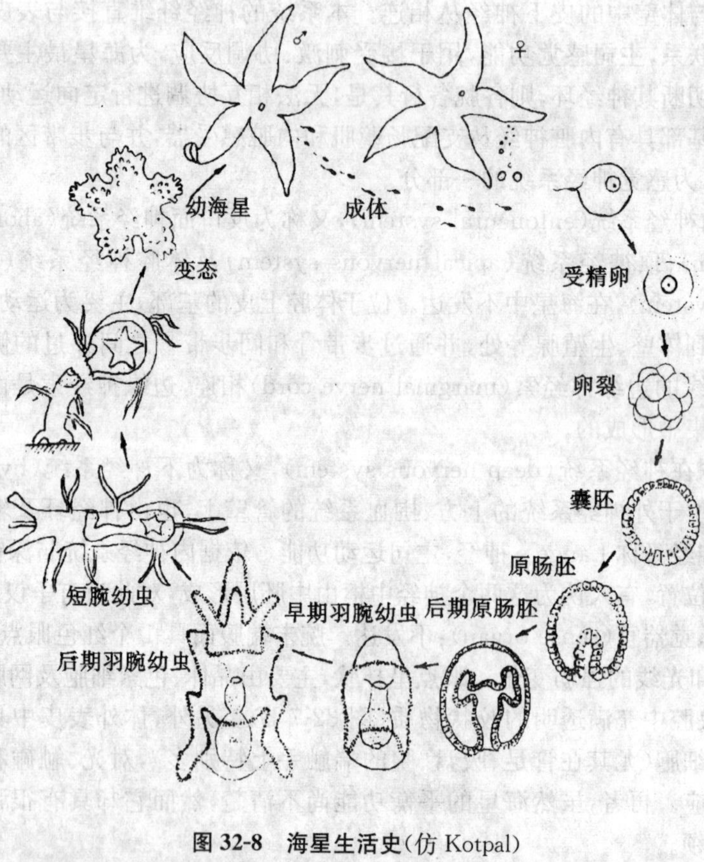

图 32-8　海星生活史(仿 Kotpal)

配器官,也无其他附属腺体。生殖腺的体积随季节变化很大,一般在非生殖季节细小,精、卵巢的外观相同故不易分辨雌雄。而在生殖季节,生殖腺膨大,充满体腔,并一直深达腕末端,精巢为淡黄或乳白色,卵巢为橘红色。

14.生殖和发育(图 32-8,图 32-9):体外受精,精卵的成熟与排放皆受神经分泌物的控制。

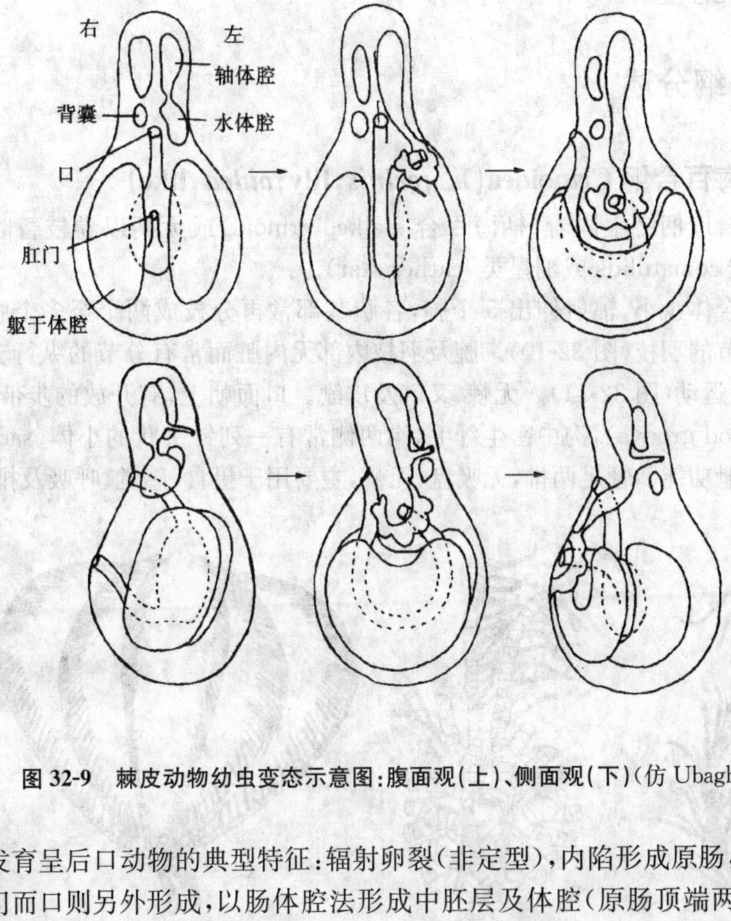

图 32-9　棘皮动物幼虫变态示意图:腹面观(上)、侧面观(下)(仿 Ubaghs)

发育呈后口动物的典型特征:辐射卵裂(非定型),内陷形成原肠,原口演变成肛门而口则另外形成,以肠体腔法形成中胚层及体腔(原肠顶端两侧的体腔囊延长,并各自隘缩成前、中、后 3 个体腔囊)。自由生活的幼虫期为羽腕幼虫(bipinnaria larva),两侧对称,幼虫腕 12 个,具口前和口后 2 个纤毛带。在海盘车 *Asteria* 羽腕幼虫以后,前端腹面又生出 3 个无纤毛的短腕,短腕的末端具粘附细胞,且短腕基部中间生一吸盘,以此幼虫暂营附着生活,特称为短腕幼虫(brachiolaria larva)(图 32-20 C)。此后,幼虫变态(图 32-9),幼虫腕及纤毛带退化消失,幼虫口及肛门封闭,右前、中体腔囊退化,左右后体腔囊发育成围脏体腔,部分左右后体腔囊分化成围血系统,左前体腔囊形成轴窦,左中体腔囊形成简单的水管系统，从而奠定了成体五辐射对称的基础。随后，幼虫的左侧演变成口面，右侧演变成反口面，并由身体向外突出辐射排列的腕，最后形成了成体五辐射对称的结构。

海星的再生能力很强，失去腕及中央盘损伤后都能再生，并能通过裂体的方式进行无性生殖。

32.3 各纲分述

32.3.1 海百合纲 Crinoidea(L.,*crinis*,lily;*oidea*,like)

海百合以柄终生固着（柄海百合 stalked crinoid）或无柄以卷枝暂时固着（海羊齿类 comatulids 或羽星类 feather star）。

海百合体盘小，辐射伸出 5 个腕，各腕基部常再分枝成两个至多个腕。腕两侧生分节的羽枝（图 32-10）。腕及羽枝内部无内脏而常有分节的纵行支持骨骼，可灵活运动（图 32-11）。无棘、叉棘及皮鳃。口面朝上，有开放的步带沟，又称食沟（food groove），沟中密生纤毛，沟两侧常有一列针头状的小体（sacculi），可能有排泄功能。管足两排，无吸盘、无壘，主要用于摄食、感觉、呼吸及排泄。

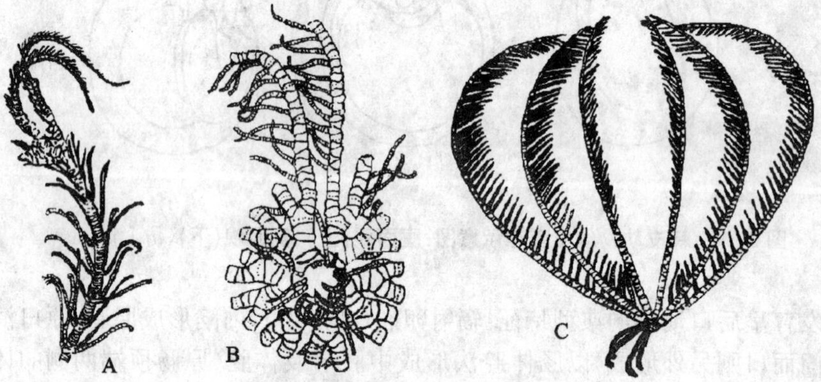

图 32-10　海百合（仿张凤瀛等）

A. 正新海百合；B. 小卷海齿花；C. 海羊齿

海百合主要以浮游生物为食。管足捕到食物后由纤毛送入口中。消化道管状，肛门位于口面（图 32-11 C,D）。无筛板，水管系统的环管上有多个石管，皆开口于围脏体腔，围脏体腔通过口面许多纤毛小孔与外界相通。雌雄异体，生殖腺位于生殖羽枝上。非孵育者经桶状幼虫(doliolaria larva),幼虫不透明,环绕有 4～5 个纤毛环,无口,前端具纤毛丛,变态时以前端附着并生出柄(图 32-20 A)。无柄的种类,柄在以后的发育中脱落,而代之以一簇卷枝。再生力强,腕、部分体盘甚至内脏失去后都能再生。

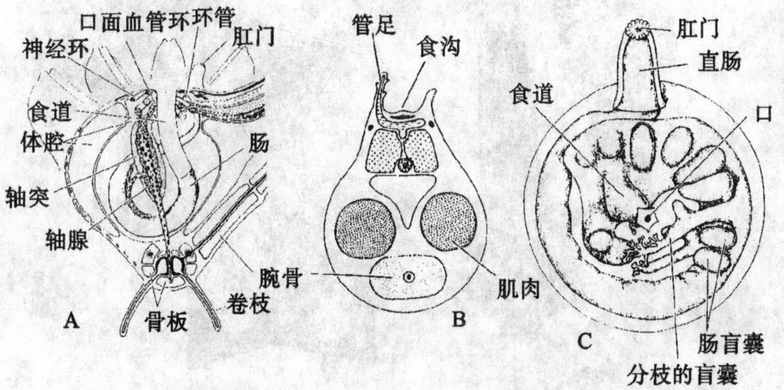

图 32-11　海百合的结构(仿 Brusca 等)

A. 体盘和一腕的垂直切面;B. 腕的横切面;C. 体盘口面观

本纲大多为化石种,现生仅 650 余种,皆属关节亚纲 Articulata,含以下 4 目:

目 1. 等节海百合目 Isocrinida:终生有柄,营固着生活,柄长,间隔生有分节卷枝。如正新海百合 *Metacrinus rotundus*(图 32-10 A)、多节新海百合 *M. multisegmentatus* 等。

目 2. 米勒海百合目 Millericrinida:柄细长,无卷枝。营固着生活。5 个腕不再分枝。如深海海百合 *Bathycrinus*、根海百合 *Rhizocrinus* 等。

目 3. 弓(凸)海百合目 Cyrtocrinida:有短柄,柄中无分节的骨骼,无卷枝,10 个腕。如 *Holopus* 等。

目 4. 海羊齿目 Comatulida:柄只见于幼虫阶段,成体无柄,以腕游泳或以卷枝行暂时固着,5～200 个腕。如锯羽丽海羊齿 *Antedon serrate*(图 32-10 C)、小卷海齿花 *Comanthus parvicirra*(图 32-10 B)、栉毛头星 *Comatula pectinata* 等。

32.3.2 海星纲 Asteridea(Gr., *aster*, star; *oidea*, like)

海星体呈星形,自由生活。腕一般 5 个,有的可多达 40 个,腕与体盘无明显分界，腕腔（属围脏体腔）宽大充满内脏，腕本身无运动功能。口面有发达的步带沟，2或4行管足，管足末端多具吸盘。罍坛状，一般1个，也有的分为两叶。

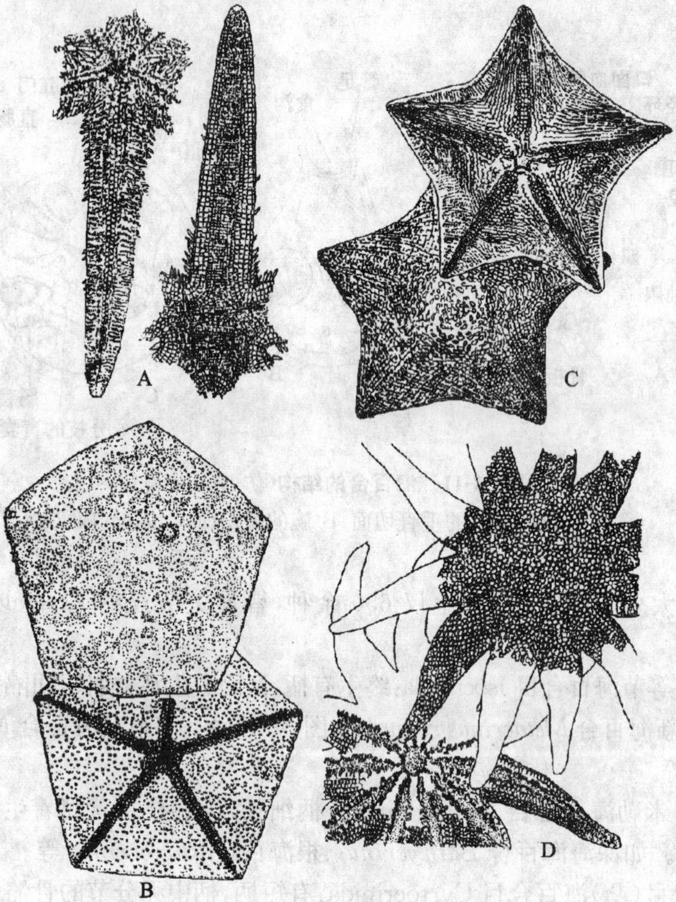

图 32-12　海星（仿张凤瀛等）

A. 砂海星；B. 面包海星；C. 海燕；D. 陶氏太阳海星

具两叶罍者，管足一般无吸盘，适于软底质生境。体表的棘刺较短而钝，一般不能活动。叉棘有肉质柄（无钙质骨胳支持）或直接附到骨板上。筛板位于反口面的间辐部。

体壁中的骨板呈网状、覆瓦状排列，骨板间仍能活动，故身体可上下弯曲。消化道囊状，一些原始种类无肠及肛门。较高等的种类摄食时可将胃翻出体外，直接附到摄取的食物上，行口外消化。此摄食习性为海星所特有，从而开辟了食物源，这主要包括两类：一是大而无法吞下或本身具有完好保护物(如双壳类)的食物；二是一些基质表面的细菌膜或呈薄壳状的有机物。

海星具很强的再生能力，一些热带浅水种能通过腕自切的方式进行无性生殖。有性生殖者多间接发育，具自由生活的羽腕幼虫及营暂时附着的短腕幼虫。另外，有的种类能在自然条件下行孤雌生殖。

海星纲现生约 1 500 种，分为 5 目：

目 1. 平海星目 Platyasterida：叉棘简单、无柄，腕边缘有一排较大的骨板，管足两排、无吸盘，无肠，无肛门。如砂海星 *Luidia quinaria*(图 32-12 A)。

目 2. 柱体海星目 Paxillosida：叉棘无柄，腕边缘两排骨板，管足 2 行、多无吸盘，有些种类无肛门。如怒棘槭海星 *Astropecten velitaris*、单棘槭海星 *Monacanthus* 等。

目 3. 瓣海星目 Valvatida：若出现叉棘，则呈瓣状，腕边缘两排骨板，管足 2 行、有吸盘，有肛门。如瘤海星 *Oreaster*、齿海星 *Odontaster*、马海星 *Hippasteria* 和面包海星 *Culcita novaeguineae*(图 31-12 B)等。

目 4. 有棘目 Spinulosa：一般无叉棘，无明显成排的腕边缘板，管足 2 行、有吸盘，有肛门。如海燕 *Asterina pectinifera*(图 32-12 C)、陶氏太阳海星 *Solaster dawsoni*(图 32-12 D)等。

目 5. 钳棘目 Forcipulata：叉棘有柄，呈直型或交叉型，边缘板不明显，管足 4 行、有吸盘，有肛门。如海盘车 *Asterias* 等。

32.3.3 蛇尾纲 Ophiuroidea(Gr., *ophiur*, snake; *oidea*, like)

蛇尾外形与海星相似，但其体盘小，腕细长、分节，与体盘分界明显。腕的形状与运动方式很像蛇之尾，本纲以此得名。一些种类的腕呈多次分枝(图 32-13)。腕内部无任何内脏，中央有分节的纵行支持骨骼(即由两块步带骨板陷入腕内愈合成的脊骨)，中央骨骼的外面包有四列规则排列的骨板，即背腕板、腹腕板及两侧的侧腕板。无开放的步带沟，步带沟由皮肤或腹腕板覆盖形成了腕中的神经外管。管足小，无吸盘及疉，主要功能为摄食、感觉、呼吸与排泄(图 32-14 A)。无皮鳃和叉棘，筛板位于口面。

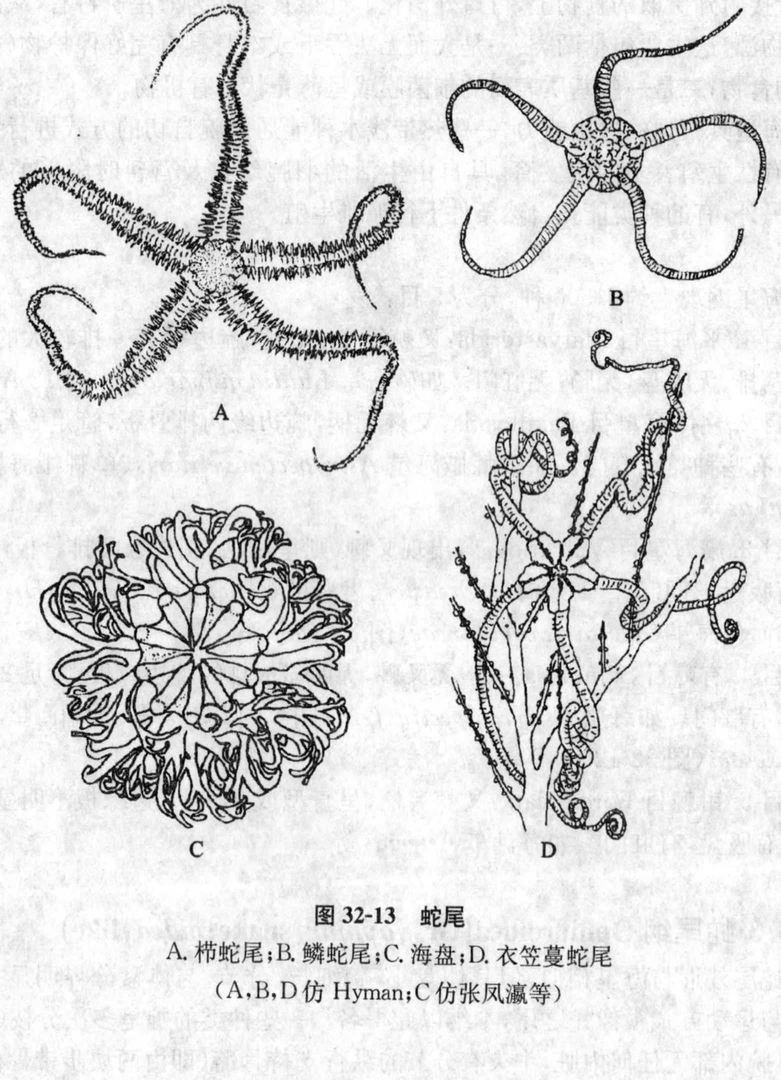

图 32-13　蛇尾

A. 栉蛇尾；B. 鳞蛇尾；C. 海盘；D. 衣笠蔓蛇尾

（A,B,D 仿 Hyman；C 仿张凤瀛等）

消化系统呈囊状，只限于体盘内。无肠，无肛门，未消化的食物仍由口吐出。体盘口面体壁在腕基部两侧常向体内陷入形成囊，称生殖囊（genital bursae）（图 32-14 B）。生殖腺小囊状，附于生殖囊的壁上，生殖产物排入生殖囊，然后通过其裂缝状开口排出体外（图 32-14 C）。另外，生殖囊也兼有呼吸排泄的作用，并在一些种类用作孵育囊，受精卵在囊中直接发育成幼小蛇尾。间接发育者，具蛇尾的长腕幼虫（ophiopluteus）（图 32-20 D）。蛇尾有很强的自切和再生能力，当受到刺激（受伤、被抓住），其腕能自动断掉。

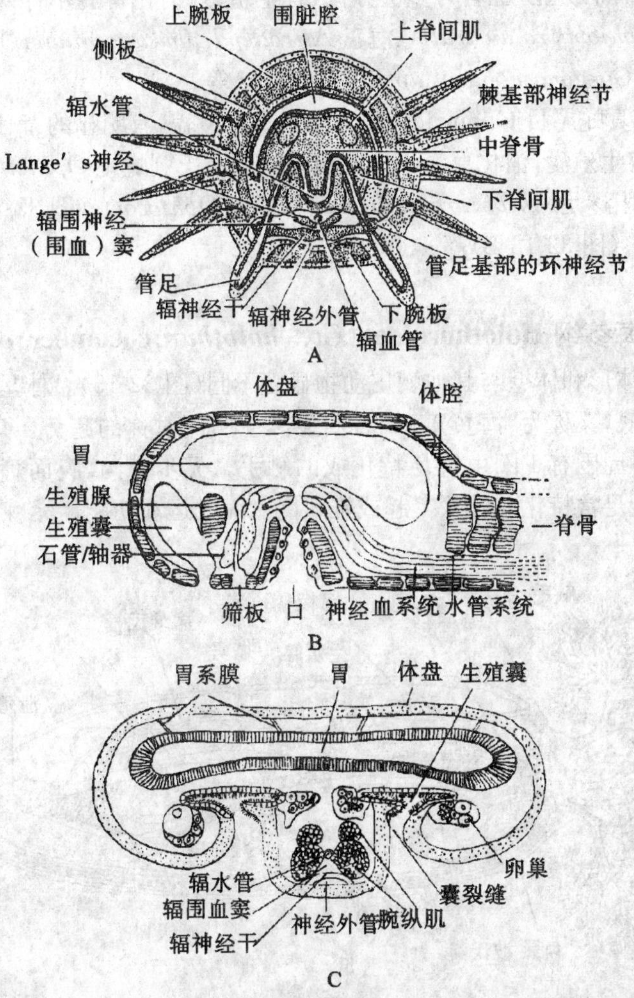

图 32-14　蛇尾的结构

A. 腕横切；B. 体盘纵切；C. 通过体盘边缘的纵切面，示体盘、腕与生殖囊的关系

（A，C 仿 Kotpal；B 仿 Barnes 从 Nichols）

本纲动物是棘皮动物门种类最多的一纲，约 2 000 种，分为 3 目：

目 1. 开沟蛇尾目 Oegophiurida：步带沟只有皮肤覆盖，无背、腹腕板，无生殖囊，消化盲囊伸入腕中。如棚蛇尾 *Ophiocanops fugiens*。

目 2. 蛛蛇尾目 Phrynophiurida：步带沟由骨板覆盖，无背腕板，腹腕板和侧腕板皆小而不明显，腕有时多次分枝，有生殖囊，消化盲囊不伸入腕中。如澳洲粘蛇尾 *Ophiomyxa australis*、海盘 *Astrodendrum sagaminum*（图 32-13 C）、长枝筐蛇尾 *Gorgonocephalus dolichodactylus* 等。

目 3. 真蛇尾目 Ophiurida：步带沟有骨板覆盖，有明显的背、腹和侧腕板，腕不分枝，有生殖囊，消化盲囊不伸入腕中。如马氏刺蛇尾 *Ophiothrix marenzelleri*、滩栖阳遂足 *Amphiura vadicola*、栉蛇尾 *Ophiocoma*（图 32-13 A）和鳞蛇尾 *Ophiolepis*（图 32-13 B）等。

32. 3. 4 海参纲 Holothuroidea(Gr. ,*holothur*, cucumber; *oidea*, like)

海参体形和体壁与其他棘皮动物显著不同（图 32-15）。体呈蠕虫状，无腕，侧卧于海底，又称为“海黄瓜”。有明显次生两侧对称的趋势。口、肛门位于前后两端，口周围有 1 圈由管足特化成的触手。无步带沟，腹面管足发达用以爬行，背面管足常特化成乳状突起或锥状肉刺而无运动功能。无棘及叉棘。

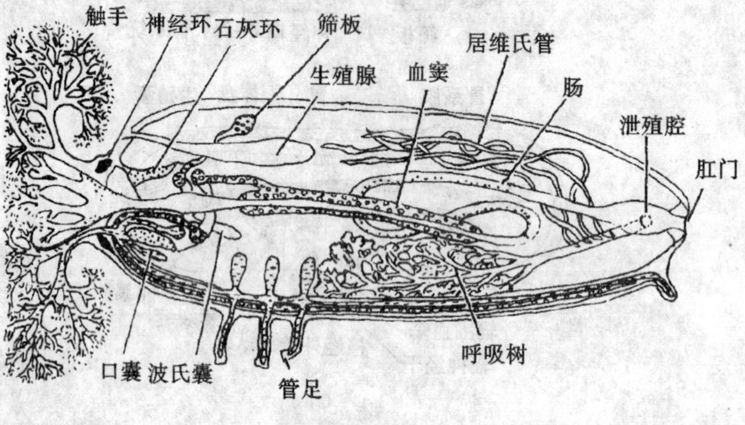

图 32-15 海参纵切（仿 Brusca 从 Nichols）

体壁中无大型骨板，而分散有微小骨片，需借助于显微镜才能见到。体壁内层为发达的肌肉层（其连续的环肌层内面于步带区附有 5 束纵肌带）。消化道长管状，呈 S 形纵向盘绕在体腔内。多数种类的食道周围有一石灰质环，为海参惟一的骨骼支持系统。肠后端膨大为泄殖腔，腔壁向体腔伸出两支树枝状的呼吸树，海水由肛门进入呼吸树，用以呼吸、排泄及调节体内水压。有些种类（盾触手目的海参属 *Holothuria* 与附肛海参属 *Actinopyga*）呼吸树基部具富弹性的细盲管，称为居维氏器（Cuvierian organ），含有毒性黏液，当海参受刺激时，可从肛门射出，缠结毒杀来犯敌害。石管细短，开口于体腔，为内筛板。生殖腺

1～2 个，由若干细管组成（图 32-15）。间接发育者多经耳状幼虫（auricularia）、桶状幼虫（doliolaria）（图 32-20 B）、五触手幼虫（pentactula）等幼虫阶段。海参的再生力很强，一些种类分成数段后，每段仍能再生成完整个体，且当条件不适或受刺激时，有些种类常把内脏排出，待条件适宜时再生出新内脏。

海参以触手摄食，主要摄取泥沙中的有机质、细菌及微小动植物。有些种类有夏眠习性，即在夏季产卵排精后，身体收缩并有些变硬，躲于石块下不食不动，消化道极度萎缩呈细线状，至秋季才开始活动和恢复摄食。

本纲现生约 1 150 种，分为 6 目：

目 1. 枝手目 Dendrochirotida：触手呈树枝状（高度分枝）且可缩回体内，有管足，筛板游离于体腔内，有呼吸树，两个生殖腺。底上或底内生活。如刺瓜参 *Cucumaria echinata*、正环沙鸡子 *Phyllophorus ordinatus*（图 32-16 A）等。

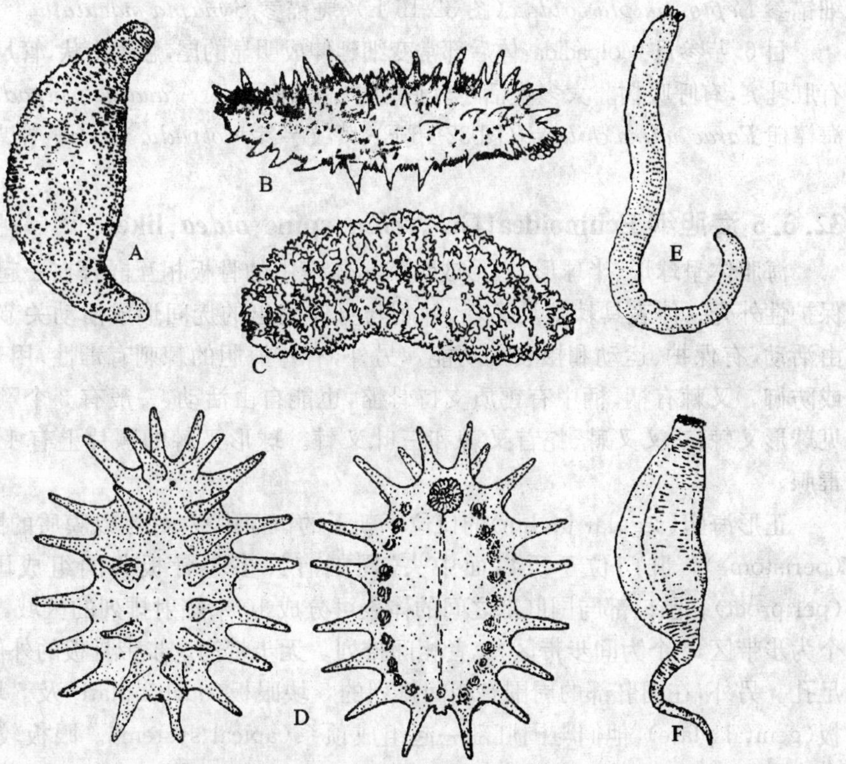

图 32-16 海参

A. 正环沙鸡子；B. 刺参；C. 梅花参；D. *Deima*；E. 钮细锚参；F. 海棒槌（海老鼠）

（A～C，E，F 仿张凤瀛等；D 仿 Hyman 从 Theel）

目 2. 盾手目 Aspidochirotida：触手盾形，背部管足形成乳突，腹部管足用于运动，体壁较厚，有呼吸树。底上生活于浅海。如刺参 *Stichopus japonicus*（图 32-16 B）、荡皮海参 *Holothuria vagabunda*、梅花参 *Thelenota ananas*（图 32-16 C）等。

目 3. 指手目 Dactylochirotida：触手指状且可缩回体内，有管足，筛板游离于体腔内，有呼吸树。底内生活于深海。如瓶海参 *Rhopalodina lageniformis* 等。

目 4. 平足目 Elasipodida：盾形触手。背管足常呈长突起，无呼吸树，形态与其他海参显著不同。浮游或底栖于深海生活。如 *Deima*（图 32-16 D）、深潜参 *Benthodytes*、远洋参 *Pelagothuria* 等。

目 5. 无足目 Apodida：体呈长蠕虫状，体壁薄而透明、其中具特殊的锚状骨板，触手指状或羽状，无管足（及辐管），无呼吸树。底内生活于软底质中。如钮细锚参 *Leptosynapta ooplax*（图 32-16 E）、斑锚参 *Synapta maculata*。

目 6. 芋参目 Molpadida：体后部常变细延伸成明显的尾，触手指状，管足退化，有肛乳突，有呼吸树。大多生活于软底质中。如海地瓜 *Acaudina molpadioides*、海棒槌 *Paracaudina chilensis*（图 32-16 F）、紫纹芋参 *Molpadia roretzii* 等。

32.3.5 海胆纲 Echinoidea（Gr.，*echin*，spine；*oidea*，like）

海胆体呈球形、半球形、心形或盘状。体壁中的骨板相互嵌合在一起，形成保护性外壳。体表具棘刺及叉棘，棘刺与身体突出的疣间形成活动关节，能自由活动，有保护、运动和摄食的功能。另外，有些海胆的棘刺有毒性，用于进攻或防御。叉棘有柄，柄中有钙质支持骨骼，也能自由活动，一般有 3 个颚片，常见球形叉棘、三叉叉棘、蛇首叉棘和三叶叉棘。球形叉棘的颚片上有 1～2 个毒腺。

正形海胆（regular urchin）的口位于朝下的口面中央，外围以膜质的围口部（peristome）。肛门位于反口面中央，周围有许多小骨板共同组成围肛部（periproct）。围口部与围肛部之间的体表可分成 10 个辐射排列的区域，其中 5 个为步带区，5 个为间步带区，二者相间排列。无步带沟。步带骨板的外侧有管足孔。另外，在围肛部的周围有相间排列的 5 块眼板（ocular plate）及 5 块生殖板（genital plate），他们与围肛部一起组成顶系（apical system）。眼板较小，位于步带区，各有一眼孔，辐水管末端由此伸出形成端触手。生殖板位于间步带区（各有一生殖孔），其中一块较大且具许多微孔者为筛板。

歪形海胆（irregular urchin）身体较扁平，有次生性两侧对称的趋势，有前后端，肛门位于后端，反口面的步带区呈五花瓣状。

大多数海胆有称为亚里士多德提灯(Aristotle's lantern)的摄食及咀嚼器官,为40块钙质小骨组成的五辐射锥形结构,位于食道周围,可直接伸出口外,刮取食物。消化道管状,在体内水平盘绕两圈。沿胃内面有一较细的旁管称为虹管(siphon),一般认为有排除食物中多余的水分、防止消化酶稀释的作用(图32-17)。正形海胆生殖腺5个,歪形海胆2~4个。发育中经两侧对称的海胆长腕幼虫(echinopluteus)(图32-20 E)。

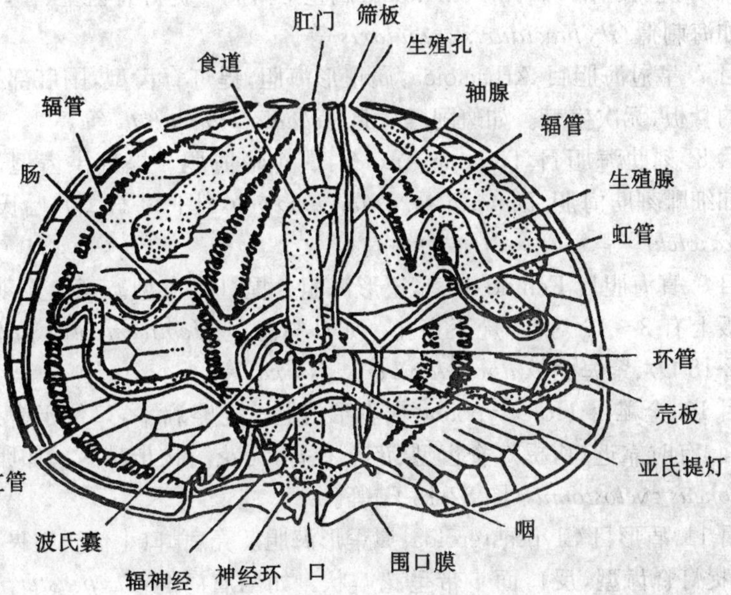

图32-17　海胆内部构造(仿Brusca从Nichols)

本纲现生约950种。主要含以下14目:

目1.头帕目Cidaroida:属正形海胆。每一步带板有1个管足,间步带区宽,每一间步带板有一粗壮的棘刺、棘刺周围环生一簇小刺,提灯的齿不具脊,无鳃裂。如冠棘真头帕*Eucidaris metularia*(图32-18 A)、环锯棘头帕*Prionocidaris baculosa*等。

目2.柔海胆目Echinothuroida:属正形海胆。壳柔韧,有毒棘刺,长棍棒状口棘,直接发育。生活于深海。如裸软海胆*Araeosma owstoni*、饭岛囊海胆*Asthenosoma ijimai*等。

目3.冠海胆目*Diadematoida*:属正形海胆。有细长的空心棘,围口膜边缘有深鳃裂,提灯为管齿型、齿内有管腔。如刺冠海胆*Diadema setosum*(图32-18

B)、环刺棘海胆 *Echinothrix calamaris* 等。

目 4. 平足海胆目 Pedinoida：属正形海胆。有实心（结实）棘，大疣穿孔，提灯管齿型、齿不具脊，鳃裂浅。生活于深海。如新平海胆 *Caenopedina* 等。

目 5. 沙棱海胆目 Salenioida：属正形海胆。有实心棘，疣无穿孔，每一间步带板有一细长刺，提灯脊齿型、齿上有脊，有一个大的肛上板，肛门偏离中心。如环棘沙棱海胆 *Salenia cincta* 等。

目 6. 疣海胆目 Phymosomatoida：属正形海胆。提灯脊齿型，一些步带板融合。如海刺猬 *Glyptocidaris crenularis* 等。

目 7. 皇冠海胆目 Arbacioida：属正形海胆，提灯脊齿型，围肛部有 4～5 块明显的骨板，无次生棘。如斑阿巴海胆 *Arbacia punctulata* 等。

目 8. 刻肋海胆目 Temnopleuroida：属正形海胆。提灯拱齿型，壳上有刻纹。如细雕刻肋海胆 *Temnopleurus toreumaticus*（图 32-17 C）、哈氏刻肋海胆 *T. hardwickii* 等。

目 9. 真海胆目 Echinoida：属正形海胆。提灯拱齿型。壳上无刻纹。每一步带板上有 3～16 对孔，疣不穿孔。如马粪海胆 *Hemicentrotus pulcherrimus*（图 32-18 D）、紫海胆 *Anthocidaris crassispina* 等。

目 10. 全雕目 Holectypoida：属歪形海胆。壳略扁平，口位于中央，肛门位于后面，有时靠近口，提灯脊齿型、齿上有脊，无花瓣状步带区。如卵圆斜海胆 *Echinoneus cyclostomus*（图 32-18 E）等。

目 11. 盾形目 Clypeasteroida：属歪形海胆。壳扁，口小位于中央，肛门位于后面，提灯脊齿型，反口面步带呈花瓣状。如网盾海胆 *Clypeaster reticulatus*（图 32-18 F）、雷氏饼海胆 *Peronella lesueuri* 等。

目 12. 盔海胆目 Cassiduloida：属歪形海胆。壳扁平圆或卵圆形，口位于中央，肛门位于后面，无提灯，反口面的瓣状步带不发达。如 *Cassidulus caribaearum* 等。

目 13. 心形目 Spatangoida：属歪形海胆。壳卵圆或长卵圆形，呈两侧对称，口位于前，肛门位于后，无提灯，反口面的前部步带不呈花瓣状、而其他的步带呈花瓣状，管足和棘刺呈区域性特化。如心形海胆 *Echinocardium cordatum*（图 32-18 G）、长拉文海胆 *Lovenia elongata* 等。

目 14. Holasteroida：属歪形海胆。卵圆、长形钟状或瓶状，壳薄脆，无提灯，瓣状步带不发达或缺，前 3 个反口面步带与后两个步带分离。生活于深海。如山形海胆 *Urenchinus sternopatagus*。

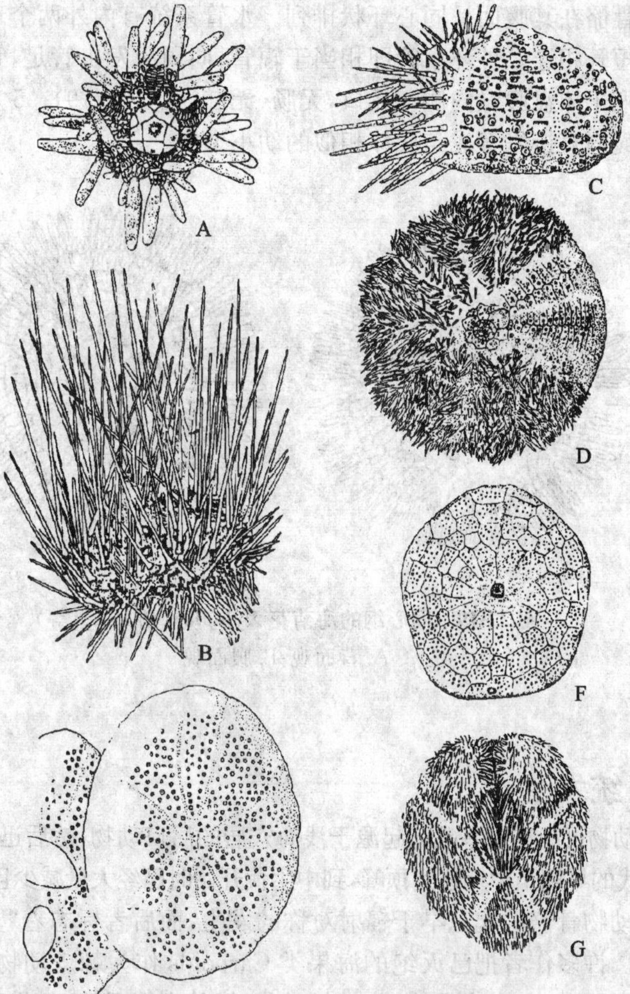

图 32-18　海胆(仿张凤瀛等)

A. 冠棘真头帕;B. 刺冠海胆;C 细雕刻肋海胆;D. 马粪海胆;E. 卵圆斜海胆;F. 网盾海胆;G. 心形海胆

32.3.6 同心纲 Concentricycloidea

1986 年 Baker 等,据深海水浸木材上采到的海菊花 *Xyloplax* 和木栖海星 *Caymanostella* 建立。体呈水母状,无腕。基本呈五辐射对称。体盘背面覆盖有穿孔鳞状板,板上生细刺,腹面有一薄缘膜,盘周缘生有 1 圈小棘刺。水管系统及支持骨骼在其腹面呈同心环状排列。水管系统有内外两个环水管，二者于间辐位由短管相连。外环水管即相当于辐管，向周缘发出管足，管足基部具罍，呈单环排列于体盘腹缘内侧。无口，无肠，无肛门(图 32-19)。5 对生殖腺，受精卵在生殖囊内直接发育成与成体相似的幼小个体。

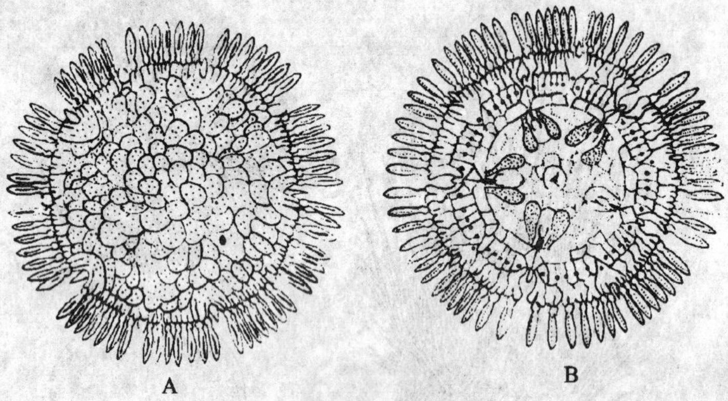

图 32-19　同心纲的海菊花 *Xyloplax*(仿 Baker 等)

A. 背面观；B. 腹面观

32.4 系统发生

棘皮动物可能在前寒武纪起源于浅海穴居的后口动物，然后迅速发展，其多样性在古生代的早期至中期达到顶峰，到中生代开始时已经大量减少且高度类群化。

棘皮动物骨骼的起源早于辐射对称的发生，而后者标志着“真正的”棘皮动物的出现。许多作者把已灭绝的海果类 Carpoids 作为棘皮动物独立的平形动物亚门 Homalozoa，有小骨片，非辐射对称，但其水管系统(如果有的话)的难以确认。因他们缺少一些棘皮动物分类的基本特征，故作为前棘皮动物。有些学者认为，海果类可能是现代棘皮动物与脊索动物的共同祖先，这些早期生活于浅海底的动物也可能是悬浮食性的，生有一个与口相通的短腕(brachiole)。

最初真正的棘皮动物可能是旋板类 Helicoplacoids，出现于寒武纪早期，此后不久灭绝。他们呈纺锤形，具螺旋排列的骨板和 3 个步带区，口位于一侧。一些学者推测，其口的侧置指示了由两侧对称到辐射对称的变态运动。Paul 和 Smith(1984)认为，已灭绝的 *Camptostroma* 属是已知最早的五辐射棘皮动物，由他们分离出有柄类和游在类两大系列，其 5 个步带沟形成 2·1·2 模式，可能是由三辐射对称的旋板类动物衍生出来的(图 32-21 B)。

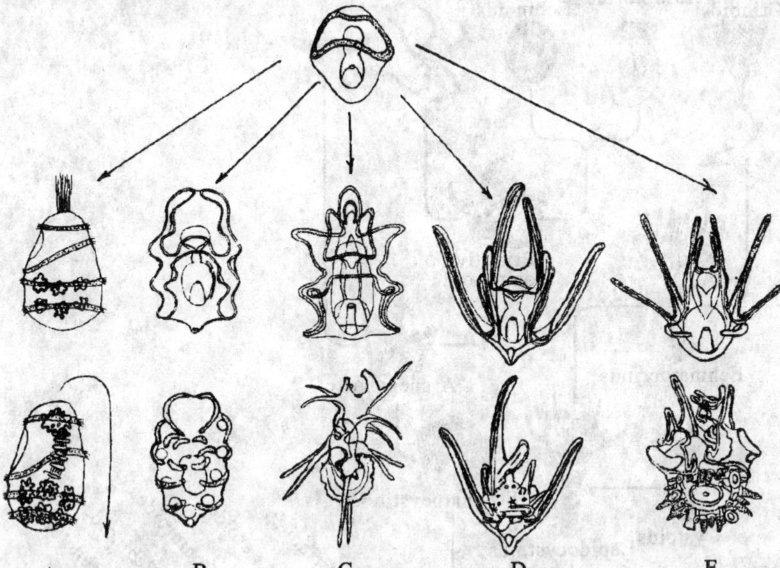

图 32-20　棘皮动物的幼虫(仿各作者)

A. 海百合的桶状幼虫;B. 海参的耳状—桶状幼虫;C. 海星的羽腕-短腕幼虫;
D. 海蛇尾长腕幼虫;E. 海胆长腕幼虫

游在类中,大多学者认为海胆和海参的亲缘关系最近,但蛇尾与海星(图 32-21 A)还是蛇尾-海胆-海参(图 32-21 B)亲缘关系较近还有较多争论。同心纲的位置也难以推断,他们可能是个体小、失去消化道且生活于细菌丰富环境的早期海星。

在棘皮动物中,坚实的小骨片构成中胚层骨骼之后,出现了水管系统和五辐射对称,推测这些特征可能使其由底内生活转为底上生活。水管系统可能适于摄食悬浮物或碎屑,先是靠简单的纤毛束如海果类短腕那样,而后发展起旋板类和有柄类的步带沟。辐射对称为棘皮动物中广为人知的结构,并使他们增加了新的生活类型。吸盘式足用于运动,这意味着提供了一个开发新习性和食物资源的机会。最后,在许多游在类中,步带沟封闭并伴随着摄食功能的丧失,获取食物已成为其他结构的功能。

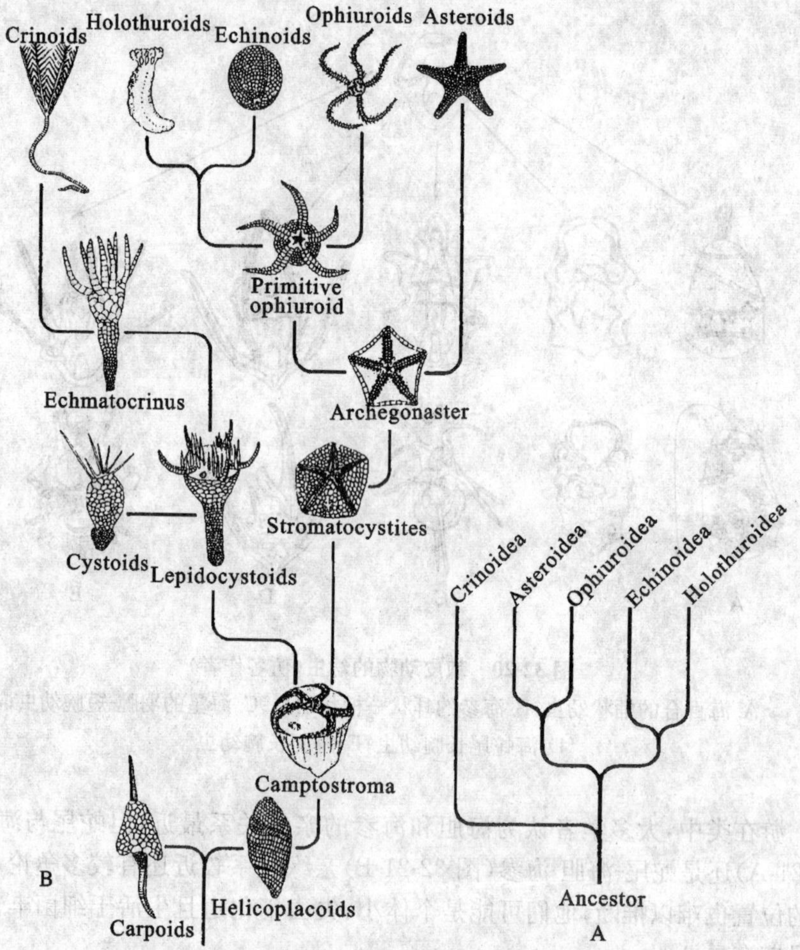

图 32-21　棘皮动物的系统发育(从 Brusca 仿 Paul 等)

A. 传统的；B 近代的

第 33 章　半索动物门

Hemichordata(Gr., *hemi*, half; *chorda*, cord)

33.1 概述

半索动物是由吻、领、躯干 3 部分组成的蠕虫状动物。具口索和体腔，并常具鳃裂。

半索动物又称隐索动物(adelochorda)，通常包括肠鳃纲和羽鳃纲。肠鳃纲动物蠕虫状，又称舌形虫(tongue worm)或柱头虫、橡果虫(acron worm)。

目前我国仅报导肠鳃类(图 33-1)，对羽鳃类的研究尚属空白。

半索动物门的主要特征：

1. 海生底栖穴居或管居；
2. 单体或群体，两侧对称，或具触手，虫体由吻、领、躯干 3 部分组成；
3. 消化系统完整，消化道直或 U 形；
4. 体腔宽大包括前、中、后 3 个，除吻体腔单个外，领、躯干体腔皆成对；
5. 口盲囊位于吻部；
6. 鳃裂 1 至多对与咽相通或无；
7. 开管式循环系统；
8. 吻部具血管球并与血管相连，可能具排泄作用；
9. 神经系统位于上皮基部，背、腹神经索与领部神经网相连，在有的种领部背神经索是中空的；
10. 雌雄异体，辐射卵裂，有的肠鳃类经柱头幼虫期。

半索动物约 100 种，现隶于 3 纲 4 目(表 33-1)。除游球纲 Planctosphaeroidea 仅见幼虫而未发现成虫外，其他二纲的检索性状主要为：

1. 触手冠：a. 具(a^1. 2 个，a^2. 多个)，b. 无；

2. 消化道：a. 直，b. U 形；

3. 鳃裂：a. U 形数对，b. 非 U 形 1 对(b^1)或无(b^2)；

4. 生活方式：a. 穴居，b. 管居；

5. 单体(a)或群体(b)；

6. 生殖腺：a. 单个，b. 1 对。

表 33-1　半索动物门的分类

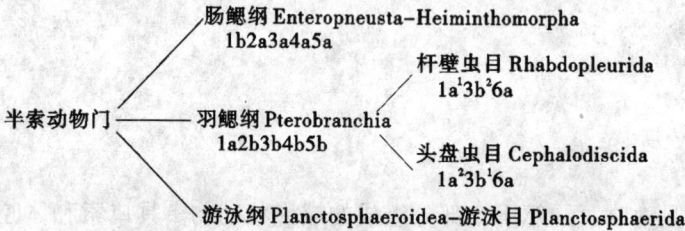

- 半索动物门
  - 肠鳃纲 Enteropneusta–Heiminthomorpha
    1b2a3a4a5a
  - 羽鳃纲 Pterobranchia
    1a2b3b4b5b
    - 杆壁虫目 Rhabdopleurida
      $1a^1 3b^2 6a$
    - 头盘虫目 Cephalodiscida
      $1a^2 3b^1 6a$
  - 游泳纲 Planctosphaeroidea–游泳目 Planctosphaerida

33.2 形态、结构和功能

以柱头虫 *Balanoglossus* 为例，在潮间带泥沙滩用水冲法可采到完整标本(图 33-1 A)。

1. 外形(external form)：圆柱形蠕虫，两侧对称，全长 10～50 cm，由 3 个体区组成。

(1)吻(proboscis)(前体区 protosome)，短圆锥形位于体前端，富肌肉。吻孔(proboscis pore)位于吻背中线的基部，海水可出入吻腔、调节其液压以利于在泥沙中钻穴，吻后部以较细的吻柄(proboscis stalk)与领相连。

(2)领(collar)(中体区 mesosome)，圆柱形围领状，后部腹面具口并以一环形收缩与躯干分开，领表面常具高低不平的环沟。

(3)躯干部(trunk)(后体区 metasome)，为虫体主要部分，其背腹中线具脊，因环肌的收缩常呈环轮状。依结构和功能又可分为：①前区(鳃区 branchial region)或鳃生殖区(branchiogenital r.)，鳃孔(gill pore)位于背中脊的两侧，薄而扁平的生殖翼(genital wing)常向背中部弯曲并将鳃孔隐蔽。②中区(肝区 hapatic region)体色随个体变化呈砖红色、黑褐色或黄绿色，其背侧具许多肝盲囊(hapatic caeca)。③后区(肝后区 posthapatic r.，腹区 abdominal r. 或尾区 caudal r.)柔软细长，肛门开口于后端背面。

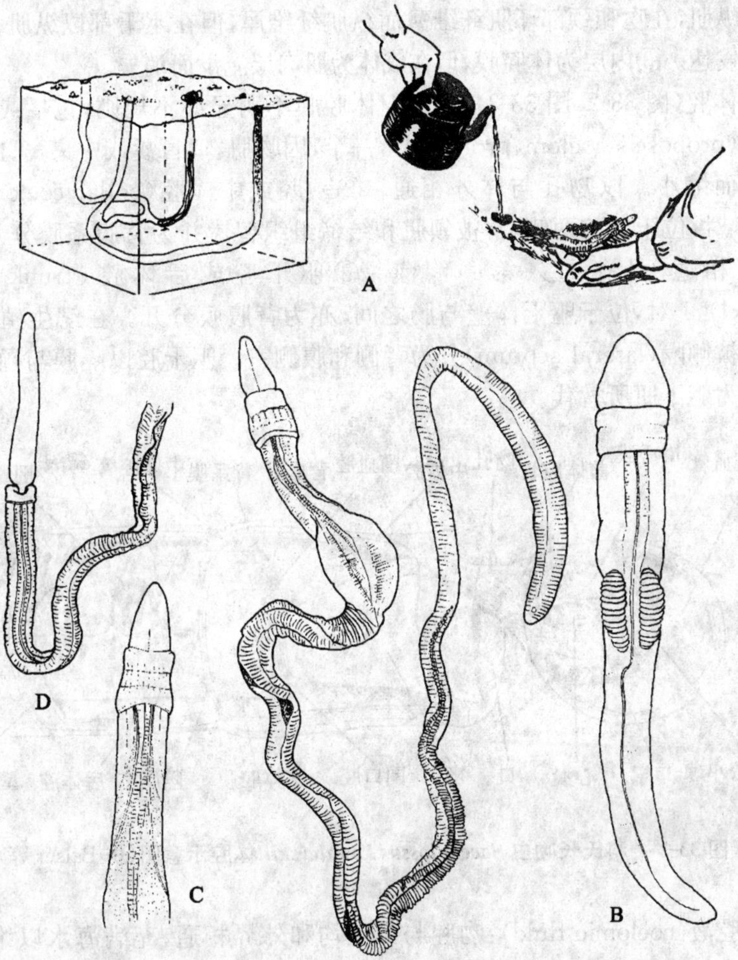

图 33-1　我国的几种肠鳃类(仿张玺等)

A. 三崎柱头虫 *Balanoglossus misakiensis* 外形、穴道及水冲采集法;

B. 短殖舌形虫 *Glossobalanus martenseni*;C. 多鳃孔舌形虫 *G. polybranchioporus*;

D. 黄岛长吻虫 *Saccoglossus hwangtauensis*

2. 体壁(body wall)(图 33-4 A):由 3 层组成。①单层纤毛上皮细胞层:纤毛细胞柱状,核位于基部。其间具高脚杯状腺细胞(goblet gland cell)、含颗粒的颗粒腺细胞(granular gland cell)和胞质呈泡状的网状腺细胞(reticulate gland cell),除分泌黏液外还分泌碘,使虫体体表保持粘滑状态。此外,上皮细胞层基部具神经层，含有双极和四极神经细胞，神经层下具厚的一基膜。②中层为肌肉层：外为环肌内为纵肌，在吻和颈部环肌纤维薄而纵肌纤维厚，但在躯干部以纵肌为主且在腹面较发达。③内层为体腔膜，但在成体为肌肉层淹没而消失。

3. 体腔（图 33-2，图 33-3）：宽大但体腔膜不明显亦不规则，包括：①吻腔或前体腔（proboscis coelom，protocoel），一个，因吻肌、口盲囊或中央窦、血管球突入其中而缩小。以吻孔与体外相通。②领腔或中体腔（collar coelom，mesocoel），1 对，位于口腔两侧，常被领肌和结缔组织替代并为背腹系膜分开。领腔与吻腔相通，具孔通入第一鳃囊。③躯干腔或后体腔（trunk coelom，metacoel），1 对，位于躯干体壁与肠之间，亦为背腹膜分开。在鳃生殖区，每侧体腔又被侧隔（lateral septum）分为背侧和腹侧室。躯干腔以隔膜与领腔分开，而且常为躯干肌所替代。

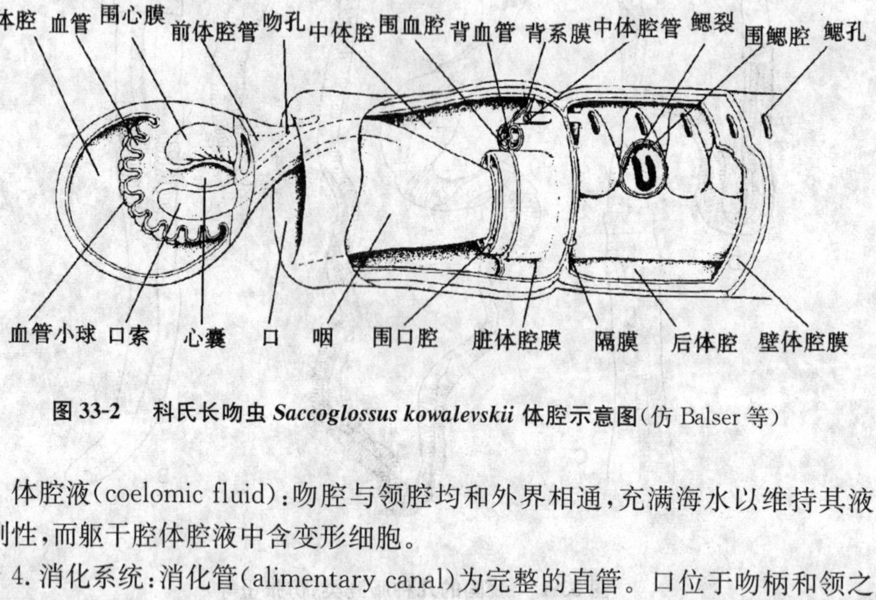

图 33-2　科氏长吻虫 *Saccoglossus kowalevskii* 体腔示意图（仿 Balser 等）

体腔液（coelomic fluid）：吻腔与领腔均和外界相通，充满海水以维持其液压刚性，而躯干腔体腔液中含变形细胞。

4. 消化系统：消化管（alimentary canal）为完整的直管。口位于吻柄和领之间的腹面。肛门开口于躯干部的后端背面。口和肛门间的消化管又可分为口管、咽、食道和肠 4 个部分。①口管（buccal tube），位于领区，其背壁形成一短硬而中空的盲囊、突入吻腔。②咽（pharynx），位于躯干部的鳃区，其背侧具成对的 U 形鳃裂（gill slit）和鳃孔（gill pore）。③食道（oesophagus），其背部管壁加厚并呈皱褶状称鳃后管（postbranchial canal）。④肠（intestine），始于躯干部的肝盲囊。

柱头虫为纤毛摄食者，水和沉积物中的微小生物和有机颗粒靠吻壁纤毛驱动随水流入口。咽、食道和肝盲囊的腺细胞分泌酶以行消化，未被消化的物质经肛门随被吞入的泥沙排出体外。

5. 呼吸系统：与呼吸有关的结构是鳃裂和通过鳃孔与体外相通的鳃囊，上述的摄食流亦执行呼吸功能，故又称为 respiratory-food current.

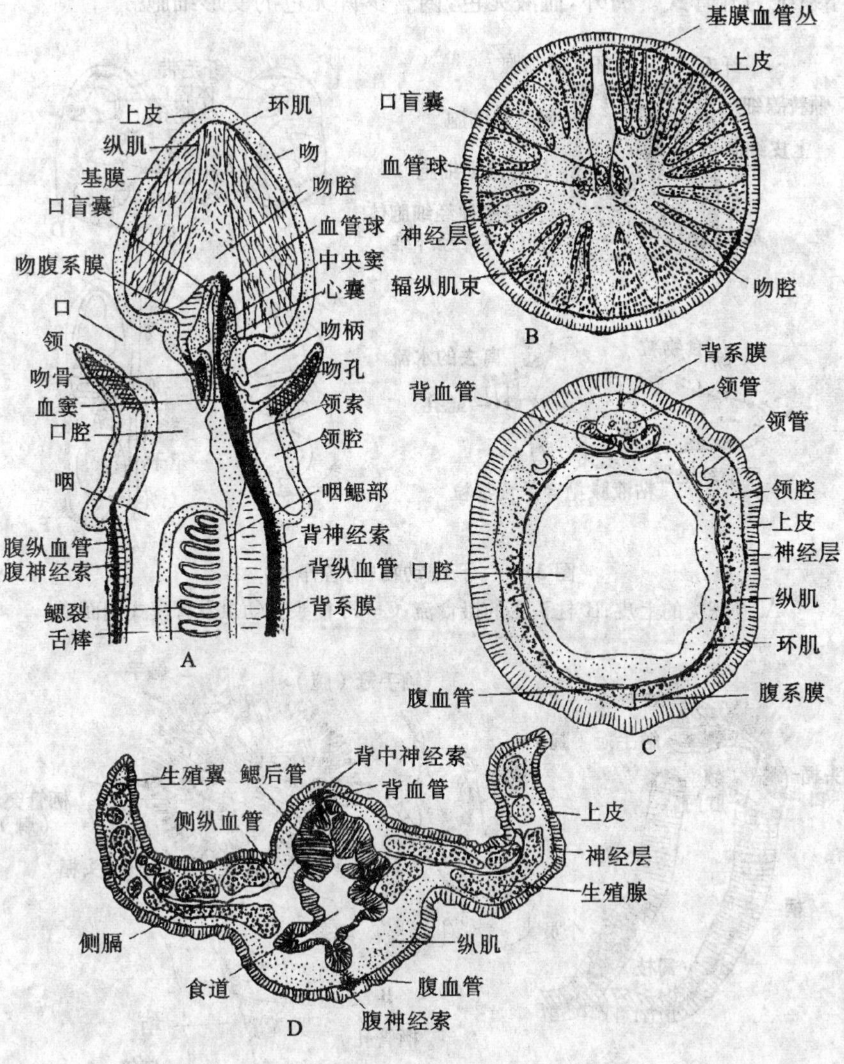

图 33-3　柱头虫 ***Balanoglossus***（仿 Kotpal）

A. 侧切面；B. 吻部横切面；C. 领部横切面；D. 过食道横切面

6. 循环系统（图 33-3 A）：主要包括，①背（纵）血管，血液沿此管由体后往前流，注入血管窦。②腹（纵）血管，又称收集血管，血液沿此管由体前往后流。③中央窦（位于吻部口盲囊上方，小而长，无收缩力）和心囊（heart vesicle，cardiac sac）（位于中央窦背上方，具肌肉有节律收缩力，有助于血液循环）。因具血窦故循环系统为开管式。另外，血液无色，内含少许无色的变形细胞。

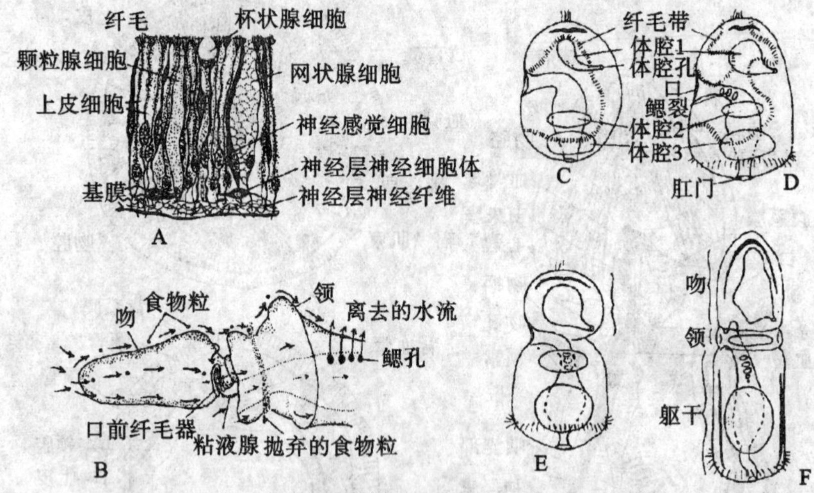

图 33-4　肠鳃动物（仿各作者）

A. 肠鳃类的上皮；B. 柱头虫的摄食流；C～F. 柱头虫幼虫发育模式侧面观

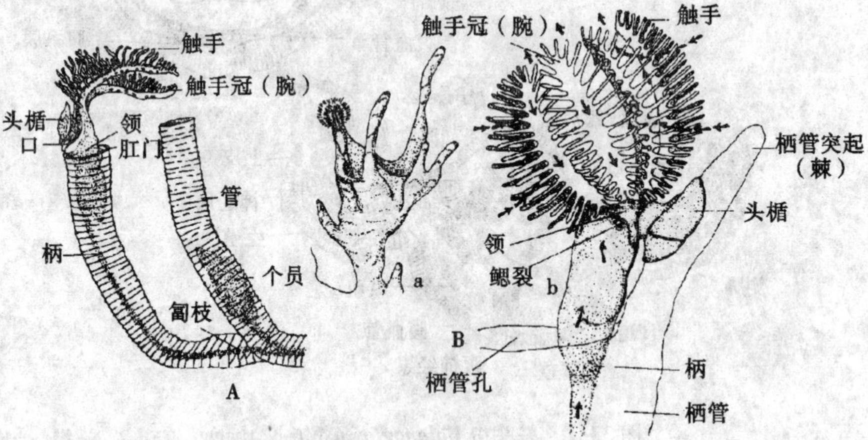

图 33-5　杆壁虫和头盘虫

A. 杆壁虫 *Rhaldopleuru*；B. 头盘虫 *Cephalodiscus*：a. 部分群体，b. 成熟的个员

（A 仿 Hyman；B 仿 Lester）

7. 排泄系统：排泄器官是位于吻腔中的血管球(glomerulus)(吻腺 proboscis gland)，其排泄物可能进入吻腔，由吻孔排出体外。

8. 神经系统和感官：神经细胞和神经纤维丛加厚，分别形成背、腹神经索(nerve cord)。腹神经索在领-躯干隔膜外以环状神经环与背神经索相连。在领部，背神经索脱离上皮穿过领腔形成中空的领索(collar cord)，有人认为这是神经中枢，但与脑不同，既无神经细胞的集中也没有神经发出。柱头虫除位于吻基部腹面的口前纤毛器(preoral ciliary organ)外，感觉细胞分散于上皮细胞中。

9. 生殖系统：雌雄异体，生殖腺位于消化管两侧生殖翼中，呈几个纵排的囊状体(图 33-3 D)，以生殖孔与体外相通。性成熟的雌性灰褐色，雄性蛋黄色。

10. 发育：生殖季节(5～7 月)精卵被排于海水中受精，经辐射等全裂、球形腔囊胚、内陷原肠胚后，原肠腔的顶部收缩形成原体腔(protocoel)，原体腔成三角形并以水孔(hydropore)与体外相通，这将是成体的吻腔和吻孔。领腔和躯干腔则由原肠进一步分化形成。当胚胎具纤毛并破卵膜而自由生活时为柱头幼虫(tornaria larva)。柱头幼虫长 1～ 3 mm，体透明两侧对称，体表具环口纤毛带(circumoral band)和端纤毛带(telotroch)，前端加厚并具顶纤毛束(apical tuft)。柱头幼虫浮游摄食后，纤毛带消失，虫体缩为 3 个体部且躯干部伸长，变态并沉落于海底营底栖生活(图 33-4 C～F)。

33.3 系统发生

半索动物与环节动物在蠕虫状的体形、穴居的习性、循环系统和幼虫方面具某些相似性，但这种形似是表面的，是在相似生境和相似习性上趋同演化的结果。

半索动物与棘皮动物在成体上虽有很大的不同，但在胚胎发育方面却有基本相似之处：①肠鳃纲的柱头幼虫与海星纲的羽腕幼虫都具相似的纤毛带(棘皮动物无端纤毛带)；②消化管形状相似，胚孔演变成肛门；③体腔来源于肠体腔，而且基本上都形成 3 个体腔囊；④肠鳃类的心囊与棘皮动物幼虫的背囊可能同源，在成体，前者与血管球，后者与轴腺的形成有关，且具排泄和血管的功能；⑤神经系统都不发达，且与上皮相连；⑥肌肉蛋白质的磷酸肌酸中既含有脊索动物的肌酸又具无脊椎动物的精氨酸。

脊索、管状背神经索、咽鳃裂、肛后尾是脊索动物结构的 4 大标志，在半索动物除无肛后尾外，有人认为，口盲囊相当于脊索，领部中空的背神经索相当于管状背神经，与低等脊索动物都具鳃裂则是最大的相似处。但身体和体腔的分裂(分区)在脊索动物中不曾出现，另外广泛见于脊索动物中的分节性在半索动物中表现不清楚，在形态和功能上口盲囊不像脊索具支持功能，半索动物除具背神经索外还有腹神经索和环状神经环等，又极相似于其他无脊椎动物。

显然，棘皮动物、半索动物和脊索动物都来自一个共同的祖先，称为对称幼虫(dipleura larva)。但棘皮动物是在演化主线上分化出来的盲枝，而半索动物和脊索动物则在演化主线上继续发展。

Nielsen(1985,1987)认为，具触手和触手冠的羽鳃类(图 33-5)更接近于帚虫门、腕足动物门和棘皮动物门，应置于触手动物 Brachiata 中。而肠鳃类则与尾索动物门、头索动物门、脊椎动物门(此处独立成门)更接近，为具神经管和 U 形鳃裂的拱形动物 Cyrtotreta(参阅动物系统发生)。目前，在有的教材中，常把半索动物的两个纲各自独立为羽鳃动物门和肠鳃动物门。

参考文献

袁柯校注. 山海经. 上海:上海古籍出版社,1980
王世舜译注. 尚书. 成都:四川人民出版社,1982
百子全书(第1~8册). 杭州:浙江人民出版社,1984
十三经注疏. 北京:中华书局,1983
汉·戴德. 大戴礼记. 丛书集成初编第1027~1028册. 北京:商务印书馆
汉·许慎. 清·段玉裁注. 说文解字. 上海:上海古籍出版社,1988
汉·杨孚. 异物志. 丛书集成初编第3021册. 北京:商务印书馆
晋·郭璞. 尔雅注. 丛书集成初编. 北京:商务印书馆
晋·张华. 博物志. 丛书集成初编第1342册. 北京:商务印书馆
吴·沈莹. 临海水土异物志. 张崇根辑校. 北京:农业出版社,1988
梁·任昉. 述异记. 武汉:湖北崇文书局
梁·肖统. 昭明文选. 北京:中华书局,1977
魏·贾思勰. 齐民要术. 北京:中华书局,1956
魏·张揖,广雅. 丛书集成初编第1160册. 北京:商务印书馆
唐·欧阳询,艺文类聚. 北京:中华书局,1959
唐·苏敬. 新修本草. 上海:上海科学技术出版社,1959
唐·徐坚. 初学记. 北京:中华书局,1962
唐·段成式,酉阳杂俎. 北京:中华书局,1981
唐·刘恂. 岭表录异. 丛书集成初编第3123册. 北京:商务印书馆
唐·段公路. 北户录. 丛书集成初编第3021册. 北京:商务印书馆
宋·李昉. 太平御览. 北京:中华书局,1960
宋·李昉. 太平广记. 北京:中华书局,1961
宋·李石. 续博物志. 丛书集成初编第1343册. 北京:商务印书馆
宋·沈括. 梦溪笔谈. 丛书集成初编第1843册. 北京:商务印书馆
宋·傅肱. 蟹谱. 丛书集成初编第1359册. 北京:商务印书馆
宋·毛胜. 水族加恩簿
宋·罗愿. 尔雅翼. 合肥:黄山书社,1991
明·王世懋. 闽部疏. 丛书集成初编第3161册. 北京:商务印书馆
明·屠本畯. 闽中海错疏. 丛书集成初编第1359册. 北京:商务印书馆
明·李时珍. 本草纲目. 人民卫生出版社,1959

明·陈懋仁．泉南杂志．丛书集成初编第3161册．北京：商务印书馆
明·徐光启．农政全书．中华书局，1956
明·杨慎．异鱼图赞．丛书集成初编第1360册．北京：商务印书馆
明·胡世安．异鱼图赞补．丛书集成初编第1360册．北京：商务印书馆
明·胡世安．异鱼图赞闰集．丛书集成初编第1360册．北京：商务印书馆
明·王圻．三才图会
明·彭大翼．山堂肆考
清·周亮工．闽小记．丛书集成初编第3162册．北京：商务印书馆
清·张英，等．渊鉴类函
清·陈元龙．格致镜原
清·蒋廷锡，等．古今图书集成．北京：中华书局1934
清·李调元．南越笔记．丛书集成初编第3125～3127册．北京：商务印书馆
清·李调元．然犀志．丛书集成初编第1359册．北京：商务印书馆
清·赵学敏．本草纲目拾遗．北京：商务印书馆，1955
清·郝懿行．尔雅义疏．北京：北京中国书店
清·李元．蠕范．丛书集成初编第1358册．北京：商务印书馆
清·黄宫绣．本草求真．上海：上海科学技术出版社，1959
丁耕芜，陈介康．海蜇的生活史．水产学报，1987，5：93～102
山东海洋学院主编．无脊椎动物学．北京：农业出版社，1961
马绣同．中国动物志 软体动物门 腹足纲 中腹足目 宝贝总科．北京：科学出版社，1997
马绣同．我国的海产贝类及其采集．北京：海洋出版社，1982
《中国海洋年鉴》编纂委员会编．中国海洋年鉴2004．北京：海洋出版社，2005
中国甲壳动物学会编辑．甲壳动物学论文集(第四辑)．北京：科学出版社，2003
农业部渔业局主编．中国渔业年鉴2004．北京：中国农业出版社，2004
中国地学大事典．济南：山东科学技术出版社，1992
王如才，王昭萍，张建中．海水贝类养殖学．青岛：青岛海洋大学出版社，1993
王家辑．中国淡水轮虫志．北京：科学出版社，1961
王祯瑞．中国动物志 无脊椎动物第三十一卷 软体动物门 双壳纲 珍珠贝亚目．北京：科学出版社，2002
王祯瑞．中国动物志 软体动物门 双壳纲 贻贝目．北京：科学出版社，1997
史新柏．原生动物分类的修正．动物学杂志，1991，3：38～51
任淑仙．无脊椎动物学(上)．北京：北京大学出版社，1990
任淑仙．无脊椎动物学(下)．北京：北京大学出版社，1991
关口晃一．鲎的种属和地球上分布情况．鲎与鲎试验论文汇编．韩龙门译1983，2：171～177
刘建康，等．中国淡水鱼类养殖学(第三版)．北京：科学出版社，1992
刘瑞玉，王绍武．中国动物志．无脊椎动物第二十一卷甲壳动物亚门糠虾目．北京：科学出版社，2000

刘瑞玉,钟振如. 南海对虾类. 北京:科学出版社,1986
刘瑞玉. 中国北部经济虾类. 北京:科学出版社,1955
刘锡兴,尹学明,马江虎. 中国海洋污损苔虫生物学. 北京:科学出版社,2001
孙瑞平,杨德渐. 中国动物志. 无脊椎动物第三十三卷环节动物门多毛纲(二)沙蚕目. 北京:科学出版社,2004
庄启谦. 中国动物志. 无脊椎动物第二十四卷软体动物门双壳纲帘蛤科. 北京:科学出版社,2001
江静波,等. 无脊椎动物学. 第四版. 北京 :高等教育出版社,1986,1997
齐钟彦,林光宇,等. 中国动物图谱. 软体动物(第三册). 北京:科学出版社,1986
齐钟彦主编. 新拉汉无脊椎动物名称. 北京:科学出版社,1999
齐钟彦,等. 中国动物图谱 软体动物(第二册). 北京:科学出版社,1983
齐钟彦,等. 黄渤海的软体动物. 北京:农业出版社,1988
吴宝铃,孙瑞平,杨德渐. 中国近海沙蚕科研究. 北京:海洋出版社,1981
吴宝铃,吴启全,等. 中国动物志. 环节动物门多毛纲 I 叶须虫目. 北京:科学出版社,1997
宋正海,郭永芳,陈瑞平. 中国古代海洋学史. 北京:海洋出版社,1986
宋微波,赵元君,等. 海水养殖中的危害性原生动物. 北京:科学出版社,2003
宋微波. 共栖于对虾体表的致病性纤毛虫 I, II. 青岛海洋大学学报,1991,21:45～55,119～128
宋微波,等. 原生动物学专论. 青岛:青岛海洋大学出版社,1999
宋微波,等. 暗尾丝虫的形态与形态发生研究. 动物学报,1982,37:223～243
张凤瀛,廖玉麟,等. 中国动物图谱 棘皮动物. 北京:科学出版社,1964
张彦衡. 1958. 乌贼的解剖. 山东大学学报,1:119～161
张玺,齐钟彦,李洁民. 中国北部海产软体动物. 北京:科学出版社,1955
张玺,齐钟彦. 贝类学纲要. 北京:科学出版社,1961
张玺,齐钟彦,等. 中国经济动物志. 软体动物第一册. 北京:科学出版社,1961
张玺,齐钟彦,等. 南海双壳类软体动物. 北京:科学出版社,1960
张玺,楼子康. 牡蛎. 北京:科学出版社,1959
张素萍,马绣同. 中国动物志. 无脊椎动物第三十四卷软体动物门腹足纲中腹足目鹑螺总科. 北京:科学出版社,2004
张震东,杨金森. 中国海洋渔业简史. 北京:海洋出版社,1983
李国华,等. 脉红螺(Rapana venosa)神经系统解剖的初步研究. 动物学报,1990,36:345～351
李敏敏. 渤海湾鲻、梭鲻的寄生动物 I. 汉沽地区. 动物学报, 1984,30:153～157
李锦和. 中国海域污着生物中的海绵 I. 海洋科学集刊,1986,26:73～116
李锦和. 六放海绵一新种:中间单根海绵. 海洋与湖沼,1987,18:130～137
李锦和. 东海大陆架六放海绵的研究. 海洋科学集刊,1984,23:105～118
李嘉泳. 强棘红螺的生殖和胚胎发育. 山东海洋学院学报(创刊号),1959,1F:92～130

杨敬之,钱文龙. 苔藓动物研究动态. 微体古生物学报,1990,7:275～294
杨德渐,王永良,等. 中国北部海洋无脊椎动物. 北京:高等教育出版社,1996
杨德渐,孙瑞平. 中国近海多毛动物. 北京:农业出版社,1988
杨德渐,陈万青,中华博物通考 水族卷. 广州:广东教育出版社(待刊)
汪溥钦. 福建毛细科(鞭尾目)线虫记述. 动物分类学报,1982,7:117～126
沈韫芬,章宗涉,等. 微型生物监测新技术. 北京:中国建筑工业出版社,1990
沈嘉瑞,刘瑞玉. 我国的虾蟹. 北京:科学出版社,1976
沈嘉瑞,戴爱云. 中国动物图谱. 甲壳动物第二册蟹类. 北京:科学出版社,1966
苟萃华,汪子春,许维枢. 中国古代生物学史. 北京:科学出版社,1989
邹仁林,宋善文,马江虎. 海南岛浅水造礁石珊瑚. 北京:科学出版社,1975
邹仁林. 中国动物志. 无脊椎动物第二十三卷腔肠动物门珊瑚虫纲造礁石珊瑚. 北京:科学出版社,2001
陈义. 无脊椎动物比较形态学. 杭州:杭州大学出版社,1993
陈灵芝主编. 中国的生物多样性. 现状及保护对策. 北京:科学出版社,1993
陈宽智. 中国对虾的解剖(上). 生物学通报,1992,10:21～23
陈宽智. 中国对虾的解剖(下). 生物学通报,1992,11:8～11
陈清潮,石长泰. 中国动物志. 无脊椎动物第二十八卷甲壳动物亚门端足目虫戎亚目. 北京:科学出版社,2002
陈惠莲,孙海宝. 中国动物志. 无脊椎动物第三十卷甲壳动物亚门短尾次目海洋低等蟹类. 北京:科学出版社,2002
孟庆显,俞开康. 海马丽尾虫(新种)的记述及其对宿主危害的防治. 动物学报,1985,31:65～69
庞延斌,等. 拉汉原生动物名称. 上海:华东师范大学出版社,1987
林光宇. 中国动物志. 软体动物门腹足纲后鳃亚纲头盾目. 北京:科学出版社,1997
郑守仪,傅钊先. 中国动物志. 无脊椎动物第二十六卷原生动物门有孔虫纲胶结有孔虫. 北京:科学出版社,2001
郑重,李少菁,许振祖. 海洋浮游生物学. 北京:海洋出版社,1984
郑重,曹文清. 中国海洋浮游枝角类. 厦门:厦门大学出版社,1987
郑重,等. 中国海洋浮游桡足类(上、中卷). 上海:上海科学技术出版社,1965,1982
郑重,等. 海洋浮游桡足类生物学. 厦门:厦门大学出版社,1993
侯圣陶,等. 脉红螺(*Rapana venosa*)生殖系统的组织解剖学研究. 动物学报,1990,36:398～405
侯先光,陈均远,路浩之. 云南澄江早寒武世节肢动物. 古生物学报,1989,28:42～56
侯林,等. 脉红螺(*Rapana venosa*)消化系统的形态学研究. 动物学报,1991,37:7～13
南开大学,等. 昆虫学,上册. 北京:高等教育出版社,1980
费尔布里奇,R. W.,等主编. 古生物学百科全书(下册). 秦洪宾,等译. 北京:地质出版社,1989

赵铁桥. 系统生物学的概念及方法. 北京:科学出版社,1995
徐凤山. 中国双壳类软体动物. 北京:科学出版社,1997
徐凤山. 中国动物志. 无脊椎动物第二十卷软体动物门双壳纲原鳃亚纲异韧带亚纲. 北京:科学出版社,1999
顾福康. 原生动物学概论. 北京:高等教育出版社,1991
高尚武,洪惠馨,张世美. 中国动物志. 无脊椎动物第二十七卷刺胞动物亚门水螅虫纲管水母亚纲钵水母纲. 北京:科学出版社,2002
堵南山,赖伟,等. 无脊椎动物学. 上海:华东师范大学出版社,1989
堵南山. 甲壳动物学(上、下册). 北京:科学出版社,1987、1993
梁广耀. 中国鲎人工育苗的初步研究. 海洋科学,1987,(1):40～47
梁广耀. 圆尾鲎(东南亚鲎)Carcinoscorpius rotundicauda 在我国北部湾的发现. 海洋湖沼通报,1986,(3):60～62
萧贻昌. 中国动物志. 无脊椎动物第三十八卷毛颚动物门箭虫纲. 北京:科学出版社,2004
黄宗国,蔡如星. 海洋污损生物及其防除(上). 北京:海洋出版社,1984
黄宗国主编. 中国海洋生物种类与分布. 北京:海洋出版社,1994
董正之. 中国动物志. 无脊椎动物第二十九卷软体动物门腹足纲原始腹足目马蹄螺总科. 北京:科学出版社,2002
董正之. 中国动物志. 软体动物门头足纲. 北京:科学出版社,1988
董聿茂. 东海深海甲壳动物. 杭州:浙江科学技术出版社,1988
董聿茂,等. 中国动物图谱. 甲壳动物第一册(第二版). 北京:科学出版社,1982
廖玉麟. 中国动物志. 棘皮动物门海参纲. 北京:科学出版社,1997
廖玉麟. 中国动物志. 棘皮动物门蛇尾纲. 北京:科学出版社,2004
蔡如星. 中国沿岸的藤壶. 生物学通报,1992,11:8～11
蔡邦华. 昆虫分类学(上册). 北京:财政经济出版社,1956
蔡邦华. 昆虫分类学(下册). 北京:科学出版社, 1985
蔡邦华. 昆虫分类学(中册). 北京:科学出版社. 1973
蔡英亚. 贝类学概论. 上海:上海科学技术出版社,1979
裴祖南. 中国动物志. 腔肠动物门珊瑚虫纲海葵目角海葵目. 北京:科学出版社,1998
谭智源. 中国动物志. 无脊椎动物第三十二卷原生动物门多孔虫纲罩笼虫目稀口虫纲稀口虫目. 北京:科学出版社,2003
谭智源. 中国动物志 原生动物门 肉足虫纲 等幅骨虫目 泡沫虫目. 北京:科学出版社,1998
谭智源,等. 南海北部的等辐骨虫. 海洋科学集刊,1985,25:103～122
潘炯华,张剑英,黎振昌,等. 鱼类寄生虫学. 北京:科学出版社,1990
戴爱云,杨思谅,等. 中国海洋蟹类. 北京:海洋出版社,1986
魏崇德,陈永寿,等. 浙江动物志(甲壳类). 杭州:浙江科学技术出版社,1991
内田亨,浅沼靖,等. 蜘蛛纲. 改订增补日本动物图鉴. 东京:北隆馆,1957. 954～1003
木村重. 鳞雅. 华中铁道版,1934

岸田久吉．剑尾纲 Xiphosura. 改订增补日本动物图鉴．东京：北隆馆，1957. 1004
岸田久吉．皆脚纲（海蜘蛛类）Pantopoda. 改订增补日本动物图鉴．东京：北隆馆，1957. 1005～1010
高桥正征．海洋と生物と人类(3). 海洋と生物，1993，15：146～153
椎野季雄．水产无脊椎动物学．东京：培风馆，1969
Atkins, M. D. 昆虫展望．路进生译．北京：科学出版社，1984
Fernald, H. T. & H. H. Shepard. 应用昆虫学．刘廷蔚，张书忱译．台北：世界书局，1960
Adler, T. New phylum found residing on lobsters. Science News, 1995, 148: 404
Alexander, R. M. The invertebrates. Cambridge: Cambridge Univ. Press, 1979
Amin, O. M.. Acanthocephala. In S. P. Parker (ed), Synopsis and clsssification of living organisms, Vol. 1. New York: McGraw-Hill, 1982, 933-940
Andersen, N. M. & J. T. Polhemus. Water-striders (Hemiptera: Gerridae, Veliidae, etc.). In L. Cheng (ed.), Marine insects. Amsterdam: North-Holland Publishing Company, 1976, 187-224
Ax, P.. Zur morphologie und systematik der Gnathostomulida. Untersuchungen an Gnathostomula paradoxa Ax. Z. Zool. syst. Evolutionsforsch., 1965, 3: 259-296
Axtell, R. C., 1976. Coastal horse flies and deer flies (Diptera: Tabanidae). In L. Cheng (ed.), Marine insects. Amsterdam: North-Holland Publishing Company, 1976. 415-445
Bagnall, R. S. On Thalassopauropus remyi gen. et sp. n. an halophilous pauropod, and on the genus Decapauropus Remy. Scottish Nat. Edinburgh, 1935a, 1935: 79-82
Bagnall, R. S. Our shore-dwelling pauropods. Scottish Nat. Edinburgh, 1935b, 1935: 143-145
Baker, A. N., F. W. E. Rowe & H. E. S. Clark. A new class of Echinodrmata from New Zealand. Nature, Lond., 1986, 321: 862-864
Bamber, R. N. Some pycnogonids from the South China. Asian Marine Biology, 1992, 9: 193-203
Banaja, A. A., J. L. James & J. Riley. An experimental investigation of a direct life-cycle in Reighardia sternae (Diesing, 1864), a pentostomid parasite of the herring gull (Larus argentatus). Parasitology, 1975, 71: 493-503
Barnes, R. D. Invertebrate zoology (5th ed.). Philadelphia: Saunders College Pub., 1987
Barnes, R. S. K. A synoptic classification of living organisms. Blackwell Scientific Publications, 1984
Barnes, R. S. K., P. Calow & P. J. W. Olive. The invertibrates: A new synthesis. Blackwell Scientific Pub., 1988
Barnes, R.. S. K. & R. N. Hughes. An Introduction to marine ecology (2nd ed). Blackwell Scientific Pub., 1988
Barrington, E. J. W.. Invertebrate structure and function. London: Nelson, 1979

Bartsch, I. Arenicolous Halacaridae (Acari) from Hong Kong. Asian Marine Biology, 1991, 8: 57-75

Beklemishev, V. N. Principles of comparative anatomy of invertebrates. Vol. 1-2. Chicago: Univ. Chicago Press, 1969

Bergquist, P. R. Sponges. London: Hutchinson and Co., 1978

Bergström, J. Metazoa evolution—a new model. Zool. Scr., 1986, 15: 189-208

Bitsck, C, & S. Bitsck. Phylogenetic relationships of basal hexopods among the mandibulate arthropods: a cladistic analysis based on comarative morphological characters. Zool. Scr., 2004, 33: 511-550

Boaden, P. J. S. Meiofauna and the origins of the metazoa. Zool. J. Linn. Soc., 1989, 96: 217-227

Bolyaev, G. M. Is it valid to isolate the genus Xyloplax as an independent class of echinoderms? Zool. Mag., 1990, 69: 83-96

Boolootian, R. A. College zoology. Macmillan Pub. Co., Inc., 1981

Bouse, G. & F. Fauchald. Cladistics and polychaetes. Zool. Scr., 1997, 26: 139-204

Bowman, T. E. & L. G. Abele. The biology of Crustacea. Vol. 1, Systematics, the fossil record, and biologeography., New York: Academic Press, 1982

Boxshall, G. A. & R. Hays. New tantulocarid, Stygotantulus stocki, parasitc on harpacticoid copepods, with an analysis of the phylogenetic relationships within the Maxillopoda. J. Crust. Biol., 1989, 9: 126: 140

Brusca, R. C. & G. J. Brusca. Invertebrates (2nd ed.). Sinauer Assciates: Inc. Publishers, 2003

Brusca, R. C. Common intertidal invertebrates of the Gulf California. Tucson: University of Arizona Press, 1973

Cannon, L. R. G. Turbellaria of the world: A guide to families and genera. Brisbane: Queensland Museum, 1986

Chamberlin, R. V. A new geophiloid centipede from the littoral of Southeast Alaska. Proc. Biol. Soc. Wash., 1952, 65: 83-84

Chamberlin, R. V. A new marine centipede from the California littoral. Proc. Biol. Soc. Wash., 1960, 73: 99-102

Chamberlin, R. V. The myriopod fauna of the Bermuda Islands with notes on variation in Scutigera. Ann. Entomol. Soc. Am., 1920, 13: 271-285

Child, C. A. Pycnogonida. In: R. P. Higgins & H. Thiel (eds.), Introduction to the study of meiofauna. Washington, D. C.: Smithsonian Institution Press, 1988. 423-424

Clark, R. B. Radiation of the metazoa. In M. R. House (ed.), Systematics Association Special No. 12, "The origin of major invertebrate groups". London and New York: Academic Press, 1979. 55-101

Clark, R. B. Dynamics in metazoan evolution. Oxford: Clarendon Press, 1964

Conde, B. Presence de palpigrades dans le milieu interstitial littoral. C. R. Acad. Sci. Paris, 1965, 261: 1898-1990

Conway, M. S., J. D. George, R. Gibson & H. M. Platt (eds.). The origins and relationships of lower invertebrate groups. Oxford: Clarendon Press, 1985

Corliss, J. O. The ciliated Protozoa: characterization and guide to the literature. (2nd ed.). Oxford: Pergamon Press, 1979

Costro, P. & M. E. Huber. Marine biology. Iowa: Wm. C. Brown Publisher, 1992

Dall, W., B. J. Hill, P. C. Hothlisberg & E. J. Sharples. The biology of the Penaelidae. Advances in marine biology, vol. 27. Academic Press, 1990

Dobson, T. Seaweed flies (Diptera: Coelopidae). In L. Cheng (ed.), Marine insects. Amsterdam: North-Holland Publishing Company, 1976. 447-464

Dougherty, B. C. et al. (eds.). The lower metazoa, comparative biology and phylogeny. California: Univ. California Press, 1963

Doyer, J. T. Marine beetles (Coleoptera excluding Staphylinidae). In L. Cheng (ed.), Marine insects. Amsterdam: North-Holland Publishing Company, 1976. 497-519

Durden, C. J. et al. Gnathostomulida: Is there a fossil record? Science, 1969, 164: 855-856

Edmondson, W. T. (ed.). Freshwater biology (2nd ed.). International Books & Periodicals Supply Service, 1992

Emig, C. The Biology of Phoronida. Advances in Marine Biology, vol. 19. Academic Press, 1982

Foissner, W. Infraciliatur, siberliniensystem und biometrie einiger neue und wenig bekannter terrestrischer, limnischer und mariner Ciliater. Stapfia, 1984, 12: 1-165

Foster W. A. & J. E. Treherne. Insects of marine saltmarshes: problems and adaptations. In L. Cheng (ed.), Marine insects. Amsterdam: North-Holland Publishing Company, 1976. 5-42

Funch, P. & R. M. Kristensen. Cycliophora is a new phylum with affinities to Entoprocta and Ectoprocta. Nature, 1995, 378: 711-714

Fusco, A. C. & R. M. Overstreet. Two camallanid nematodes from Red Sea fishes including Procamallanus elatensis sp. nov. from siganids. J. Nat. Hist., 1979, 13: 35-40

Gibbs, P. E. & E. B. Cutler. A classification of the phylum Sipuncula. Bull. Britsh Mus. Nat. His. (Zool.), 1987, 52: 43-58

Grell, K. G. Protozoology. Berlin: Springer Verlag, 1973

Halanych, K. M. Testing hypotheses of chaetognath origins: long branches revealed by 18S rDNA. Sys. Biol., 1996, 45: 223-246

Halstead, B. W. Poisonous and venomous marine animals of the world (2nd ed.). Princeton: Darwin Press, 1988

Hartman, W. D. Porifera. In McGraw-Hill encyclopedia of science and technologty. McGraw-Hill Book Comp, 1960

Hashimoto, H. Non-biting midges of marine habitats (Diptera: Chironomidae). In L. Cheng (ed.), Marine insects. Amsterdam: North-Holland Publishing Company, 1976. 377-414

Hedgpeth, J. W. Pycnogonida. In: S. P. Parker (Ed.), Synopsis and classification of living organisms, Vol. 2. New York: McGraw-Hill, 1982. 169-173

Heusmann, K. Protozoologie. Stuttgart: George Thieme Verlage, 1985

Hickman, C. P. et. al. Integrated principles of zoology, Vol. 13. Molluscs. The C. V. Mosby Company, 1979

Higgins, R. P. & R. M. Kristensen. New Loricifera from Southeastern United States coastal waters. Smith. Cont. Zool., 1986, 438: 70

Higgins, R. P. and R. M. Kristensen. Loricifera. In R. P. Higgins and H. Thiel (eds.), Introduction to the study of meiofauna. Washington, D. C.: Smithsonian Institution Press, 1988. 319-321

Higgins, R. P. Kinorhyncha. In R. P. Higgins and H. Thiel (eds.), Introduction to the study of meiofauna. Washington, D. C.: Smithsonian Institution Press, 1988. 328-331

Higgins, R. P. Kinorhyncha. In: S. P. Parker (Ed.), Synopsis and classification of living organisms, Vol. 1. New York: McGraw-Hill, 1982. 873-877

Higgins, R. P. Taxonomy and postembryonic development of the Cryptorhagae, a new suborder of the mesopsammic kinorhynch genus Coteria. Trans. Amer. Microsc. Soc., 1968, 85: 21-39

Hinton, H. E. Respiratory adaptations of marine insects. In L. Cheng (ed.), Marine insects. Amsterdam: North-Holland Publishing Company, 1976. 43-78

Holme, N. A. & A. D. McIntyre (eds.). Methods for the study of marine benthos. Blackwell Scientific Pub, 1984

Hummon, W. Biogeography of sand beach gastrotricha from the northeastern United States. Biol. Bull., 1971, 141: 390

Hummon, W. D. Gastrotricha. In: S. P. Parker (Ed.), Synopsis and classification of living organisms, Vol. 1. New York: McGraw-Hill, 1982. 857-863

Hyman, L. H. The invertebrates, Vol. 1-5. New York: McGraw-Hill., 1940-1967

Jenner, R. A. The scientific status of metazoan cladistics: why current research practice must change. Zool. Scr., 2004, 23: 293-310

Joosse, E. N. G. Littoral apterygotes (Collembola and Thysanura). In L. Cheng (ed.), Marine insects. Amsterdam: North-Holland Publishing Company, 1976. 151-186

Kaestner, A. et al. Invertebrate zoology. Vol. II. New York: Interscience Publishers, 1968

Kahei Ikeda et. al. Illustrated animal anatomy. Morikita Shuppan Co. Ltd., 1971

Kahl, A. Urtiere oder Protozoa I. Wimpertiere eder Ciliata (Infusoria). Jena: Fischer Ver-

lag, 1930-1935
Kinzelbach, R. Skorpione als Strandbewohner. Nat. Mus. frankfor, 1970, 100: 351-355
Knauss, E. B. Fine structure of the male reproductive system in two species of Haplognathia Sterrer (Gnathostomulida, Filospermoidea). Zoomorphologie, 1979b, 94: 33-48
Knauss, E. B. Indication of an anal pore in Gnathostomulida. Zool. Scr., 1979a, 8: 181-186
Kotpal, R. L. Porifera. Rastogi Publicatons, 1983
Kotpal, R. L., S. K. Agarwal & R. P. Khetarpal. Modern textbook of invertebrates zoology. India: Rastogi Publication, 1983
Kozloff, E. Some aspects of development in Echinoderes (Kinorhyncha). Trans. Am. Microsc. Soc., 1972, 91: 119-130
Kristensen, R. M. & A. N? revang. On the fine structure of Rastrognathia macrostoma gen. et sp. n. placed in Rastrognathiidae fam. n. (Gnathostomulida). Zool. Scr., 1977, 6: 27-41
Kristensen, R. M. & A. N? revang. On the fine structure of Valvognathia poganostoma gen. et sp. n. (Gnthostomulida, Onychognathiidae) with special reference to the jaw apparatus. Zool. Scr., 1978, 7: 179-186
Kristensen, R. M. Loricifera, a new phylum with Aschelminthes characters from the meiobenthos. Z. Zool. Syst. Evolutionsforsch., 1983, 21: 163-180
Kruse, D. N. Parasites of the commercial shrimps Penaeus aztecus Ives, P. duorarum Burkenroad and P. setiferus (Linnaeus). Tulane Stu. Zool., 1960, 7: 123-144
Kudo, R. R. Protozoology (5th ed.). Charles C. Illinois: Thomas Press, Spring-field, 1966
Laverack, M. S. & J. Dando. Lecture notes on invertebrate zoology (3rd ed.). Blackwell Scientific Publications, 1987
Leader, J. P. Marine caddis flies (Trichoptera: Philanisidae). In L. Cheng (ed.), Marine insects. Amsterdam: North-Holland Publishing Company, 1976. 291-302
Linley, J. R. Biting midges of mangrove swamps and saltmarshes (Diptera: Ceratopogonidae). In L. Cheng (ed.), Marine insects. Amsterdam: North-Holland Publishing Company, 1976. 335-376
Maggenti, A. R. Nemata. In: S. P. Parker (Ed.), Synopsis and classification of living organisms, Vol. 1. New York: McGraw-Hill, 1982. 879-929
Mainitz, M. The fine structure of Gnathostomulida reproductive organs I. New characters in male copulatory organ of Scleroperalia. Zoomorphologie, 1979, 92: 241-272
Margulis, L. & K. V. Schwartz. The five kingdoms, an illustrated guide to the phyla of life on earth (2nd ed.). New York: W. H. Freeman, 1988
Martin, G. & G. E. Davis. An updated classification of the recent Crustacea. Nat. Hist. Mus. Losangeles County, 2001, 39
Mayer, A. G. The medusae of the world. Amsterdam: A. Asher & Co. B. V., 1977

Meglitsch, P. A. & F. R. Schram. Invertebrate zoology (3rd ed.). New York: Oxford University Press, 1991
Michelbacher, A. E. Notes on Symphyla with descriptions of three new species of Symphyella from California. Pan-Pac. Entomol., 1939, 15: 21-28
Michelbacher, A. E. The ecology of Symphyla. Pan- Pac. Entomol., 1949, 25: 1-12
Mills, C. E. & Miller, R. L. Ingestion of a medusa (Aegina citrea) by the nematocyst-containing ctenophore Haeckelia rubra: phylogenetic implications. Mar. Biol., 1984, 78: 215-221
Moore I. & E. F. Legner Intertidal rove beetles (Coleoptera: Staphylinidae). In L. Cheng (ed.), Marine insects. Amsterdam: North-Holland Publishing Company, 1976. 521-551
Morris et al. (eds.). The origins and relationships of lower invertebrates. Systematics Association Special Volume No. 28. Oxford: Oxford Univ. Press. 1985
Morris, S. C. A new phylum from the lobster's lips. Nature, 1995, 378: 661-662
Murray, M. D. Insect parasites of marine birds and mammals. In L. Cheng (ed.), Marine insects. Amsterdam: North-Holland Publishing Company, 1976. 79-95
Muscatine, L. & H. Lenhoff (eds.). Coelenterate biology, reviews and new perspectives. Academic Press, Inc., 1976
Nicholas, W. L. The biology of free-living nematodes (2nd ed.). Oxford: Clarendon Press, 1984
Nielsen, C. & N? revang, A. The trochaea theory—an example of life cycle phylogeny. In S. C. Morris et al. (eds.), The origins and relationships of lower invertebrate groups. Oxford: Oxford Univ. Press, 1985. 28-41
Nielsen, C. Animal evolution: Interrelationships of the living phyla. New York: Oxford University Press, 1995
Nielsen, C.. Structure and function of metazoan ciliary bands and their phylogenetic significance. Acta Zool., Stockholm, 1987, 68: 205-262
Nielsen, C.. Studies on Danish Entoprocta. Ophelia, 1964, 1: 1-76
Nielsen,C.. Entoprocta. Synop. Br. Fauna, New Ser., 1989, 41: 1-131
Nogrady, T. Rotifera. In: S. P. Parker (Ed.), Synopsis and classification of living organisms, Vol. 1. New York: McGraw-Hill, 1982. 865-872
Norenburg, J. Structure of the nemertine integument with consideration of its ecological and phylogenetic significance. Am. Zool., 1985, 25: 37-51
O'Meara, G. F. Saltmarsh mosquitoes (Diptera: Culicidae). In L. Cheng (ed.), Marine insects. Amsterdam: North-Holland Publishing Company, 1976. 303-333
Parker, S. P. (ed.). Synopsis and classification of living organisms, Vol. 1, 2. New York: McGraw Hill, 1982
Parshad, V. R. & D. W. T. Crompton. Aspects of acanthocephalan reproduction. In W.

H. R. Lumsden et al. (eds.), Advances in Parasitology, Vol. 19 London: Academic Press, 1981. 73-138

Pearse, V., J. Pearse, M. Buchsbaum & R. Buchsbaum. Living invertebrates. Blackwell, 1987

Penchenik, J. A. Biology of the invertebrates. Boston: Prindle, Weber & Schmidt, 1985

Pennington, J. T. & F. S. Chia. Gastropod torsion: a test of garstang's hypothesis. Biol. Bull., 1985, 169: 391-396

Platt, H. M. & R. M. Warwick. Synopsis of the British fauna (New Series), No. 28: Free living marine nematodes, Part I. British Enoplids. Cambridge: Cambridge University Press, 1983

Poinar, G. O. The Natural history of nematodes. New Jersey: Prentice-Hall, Inc., 1983

Polhemus, J. T. Shore bugs (Hemiptera: Saldidae, etc.). In L. Cheng (ed.), Marine insects. Amsterdam: North-Holland Publishing Company, 1976. 225-262

Remane, A., V. Storch & U. Welsch. Systematische zoologie. New York: Gustav Fischer Verlag, Stuttgart, 1980

Riedl, R. J. & R. Rieger. New characters observed on isolated jaws and basal plated of the family Gnathostomulidae (Gnathostomulida). Zool. Morphol., 1972, 72: 131-172

Riedl, R. J. Gnathostomulida from America. Science, 1969, 163: 445-452

Rieger, R. M. A new group of interstitial worms, Lobatocerebridae nov. fam. (Annelida) and its significance for metazoan phylogeny. Zoomorphologie, 1980, 95: 41-84

Rieger, R. M. Monociliated epidermal cells in Gastrotricha: significance for concepts of early metazoan evolution. Z. Zool. Syst. Evolutionsforsch, 1976, 14: 198-226

Rieger, R. N. The phylogenetic status of the acoelomate organization within the bilateria: a histological perspective. In S. C. Morris et al. (eds.), The origins and relationships of lower invertebrate groups. Oxford: Oxford University Press, 1985. 101-122

Riemann, F. Nematoda. In R. P. Higgins and H. Thiel (eds.), Introduction to the Study of Meiofauna. Washington, D. C.: Smithsonian Institution Press, 1988. 293-301

Rohde, K. Disease caused by metazoans: Helminths. In O. Kinne (ed.), Diseases of marine animals, Vol. IV, Part 1, Introduction, Pisces. Hamburg: Biological Anstalt Helgoland, 1984. 193-320

Roth, V. D. & W. L. Brown. Other intertidal air-breathing arthropods. In L. Cheng (ed.), Marine insects. Amsterdam: North-Holland Publishing Company, 1976. 119-150

Rouse, G. W. & F. Pleijel. Polychaetes. Oxford: Oxford Univ. Press, 2001

Ruppert, E. E. & R. D. Barnes. Invertebrate Zoology (6th ed.). Philadelphia: Saunders College Publishing, 1994

Ruppert, E. E. Comparative ultrastructure of the gastrotrich pharynx and the evolution of myoepithelial foreguts in aschelminthes. Zoomorphologie, 1982, 99: 181-220

Ruppert, E. E. Gastrotricha. In R. P. Higgins and H. Thiel (eds.), Introduction to the Study of Meiofauna. Washington, D. C.: Smithsonian Institution Press, 1988. 302-311

Ruppert, E. E. The reproductive system of gastrotrichs. II. Insemination in Macrodasys: A unique mode of sperm transfer in metazoa. Zoomorphologie, 1978, 89: 207-228

Ruppert, E. E. The reproductive system of gastrotrichs. III. Genital organs of Thaumastodermatinae subfam. n. and Diplodasyniae subfam. n. with discussion of reproduction in Macrodasyida. Zool. Scr., 1978, 7: 93-114

Ruppert, E. E. Zoogeography and speciation in marine Gastrotricha. Mikrofauna Meeresboden, 1977, 61: 221-251

Russele-Hunter, W. D. A Life of invertebrates. New York: Macmillan Publishing Co., Inc.

Schmidt, G. D. & E. J. Hugghins. Acanthocephala of South American fishes. Part I, Eoacanthocephala. J. Parasitol., 1973, 59: 829-835

Schmidt, G. D. & L. S. Roberts. Foundations of parasitology (3rd ed.). St. Louis: Times Mirror/Mosby College Publishers, 1985

Schuize, A. Phylogeny of Vestimentifera (Siboglinidae, Annelida) inferred from morphology. Zool. Scr., 2003, 32: 321-342

Scudder, G. G. E. Water-boatmen of saline waters (Hemiptera: Corixidae). In L. Cheng (ed.), Marine insects. Amsterdam: North-Holland Publishing Company, 1976. 263-289

Simpson, K. W. Shore flies and brine flies (Diptera: Ephydridae). In L. Cheng (ed.), Marine insects. Amsterdam: North-Holland Publishing Company, 1976. 465-495

Smith, J. P. S. & S. Tyler. The acoel turbellarians: kingpins of metazoan evolution or a specialized offshoot? In S. C. Morris et al. (eds.), The Origins and relationships of lower invertebrate groups. Oxford: Oxford Univ. Press. 1985. 123-142

S? rensen, M. V. Phylogeny and jaw evolution in Gnathostomulida, with a cladistic analysis of the genera. Zool. Scr., 2002, 31: 461-480

Steiner, G. & H. Dreyer. Molecular phylogeny of Scaphopoda (Mollusca) inferred from 18S rDNA sequences: suppert for a Scaphopoda-Cephalopoda. Zool. Scr., 2003, 32: 343-356

Stephenson, T. A. & A. Stephenson. Life between tidemarks on rocky shores. San Francisco: W. H. Freeman, 1972

Sterrea, W. E. Gnathostomulida. In: S. P. Parker (Ed.), Synopsis and classification of living organisms, Vol. 1. New York: McGraw-Hill, 1982. 847-851

Sterrer, W. & R. A. Farris. Gnathostomulida. In R. P. Higgins and H. Thiel (eds.), Introduction to the Study of Meiofauna. Washington, D. C.: Smithsonian Institution Press, 1988. 283-286

Sterrer, W.. Systematics and evolution within the Gnathostomulida. Syst. Zool., 1972, 21: 151-173

Swanson, C. J. Nematomorpha. In: S. P. Parker (Ed.), Synopsis and classification of living organisms, Vol. 1. New York: McGraw-Hill, 1982. 931-932

Teuchert, G. The ultrastructure of the marine gastrotrich Turbanella cornuta Remane (Macrodasyoidea). Zoomorphologie, 1977, 88: 189-246

The Biological Society of Hiroshima University (Eds. : K. Ikeda & A. Inaba). Illustrated animal anatomy. Tokyo: Morikita Shuppan Co. Ltd. , 1971

Thiel, H. & R. Higins (eds.). Introduction to the study of meiofauna. Washington: Smithsonian Press, 1988

Trueman, E. R. & M. R. Clark (eds.). The Mollusca, Vol. 10, Evolution. Orlando: Academic Press, 1985

Turner, P. N. Rotifera. In R. P. Higgins and H. Thiel (eds.), Introduction to the Study of Meiofauna. Washington, D. C. : Smithsonian Institution Press, 1988. 312-318

Willmer, P. G. & P. W. H. Holland. Modern approaches to metazoan relationships. J. Zool. (Lond.), 224: 689-694

Willmer, P. . Invertebrate relationships, patterns in animal evolution. Cambridge: Cambridge University Press, 1990

Wilson, R. A. & L. A. Webster, 1974. Protonephridia. Biol. Rev. , 1991, 49: 127-160

Yager, J. Remipedia, a new class of crustacea from a marine cave in the Bahamas. J. Crust. Biol. , 1981, 1: 328-333

Yamaguti, S. Studies on the helminth fauna of Japan. Part 29. Acanthocephala, II. Jap. J. Zool. , 1939, 13: 317-35. 1

Yamaguti, S. Studies on the helminth fauna of Japan. Part 8. Acanthocephala, I. Jap. J. Zool. , 1935, 4: 247-278

Yamaguti, S. Systema helminthum, Vol. III. , the nematodes of vertebrates. Part I and Part II. New York: Interscience Pub, 1961

Yamaguti, S. Systema helminthum, Vol. V, Acanthocephala. New York: Interscience Pub, 1963

Zrzavý,J. Gastrotricha and metazoa phylogeny. Zool. Scr. , 2003, 32: 61-81